W. M. Spurgeon

SEMANTIC FREQUENCY LIST

THE UNIVERSITY OF CHICAGO PRESS · CHICAGO
THE BAKER & TAYLOR COMPANY, NEW YORK; THE CAMBRIDGE UNIVERSITY
PRESS, LONDON; THE MARUZEN-KABUSHIKI-KAISHA, TOKYO, OSAKA,
KYOTO, FUKUOKA, SENDAI; THE COMMERCIAL PRESS, LIMITED, SHANGHAI

SEMANTIC FREQUENCY LIST

FOR ENGLISH, FRENCH, GERMAN, AND SPANISH

✱

*A CORRELATION OF THE FIRST SIX THOUSAND WORDS
IN FOUR SINGLE-LANGUAGE FREQUENCY LISTS*

Compiled by

HELEN S. EATON

*Research Assistant, Division of Psychology, Institute of Educational
Research, Teachers College, Columbia University (1936–37)*

ISSUED BY THE COMMITTEE ON MODERN LANGUAGES
OF THE
AMERICAN COUNCIL ON EDUCATION

THE UNIVERSITY OF CHICAGO PRESS
CHICAGO · ILLINOIS

COPYRIGHT 1940 BY THE UNIVERSITY OF CHICAGO. ALL RIGHTS
RESERVED. PUBLISHED JULY 1940. COMPOSED AND PRINTED BY
THE UNIVERSITY OF CHICAGO PRESS, CHICAGO, ILLINOIS, U.S.A.

PUBLICATIONS OF THE COMMITTEE ON MODERN LANGUAGES

AMERICAN COUNCIL ON EDUCATION

✶ ✶

AN ANALYTICAL BIBLIOGRAPHY OF MODERN LANGUAGE TEACHING, 1927–1932. Compiled by ALGERNON COLEMAN, with the assistance of AGNES JACQUES. University of Chicago Press, 1933.

EXPERIMENTS AND STUDIES IN MODERN LANGUAGE TEACHING. Compiled by ALGERNON COLEMAN. University of Chicago Press, 1934.

SPANISH SYNTAX LIST. By HAYWARD KENISTON. New York: Henry Holt and Company, 1937.

AN ANALYTICAL BIBLIOGRAPHY OF MODERN LANGUAGE TEACHING. Volume II, 1932–1937. Compiled by ALGERNON COLEMAN and CLARA BRESLOVE KING. University of Chicago Press, 1938.

ENGLISH WORD LISTS, A STUDY OF THEIR ADAPTABILITY FOR INSTRUCTION. By C. C. FRIES. Washington: American Council on Education, 1940.

THE TEACHING OF ENGLISH IN THE SOUTHWEST. By ALGERNON COLEMAN and CLARA BRESLOVE KING. Washington: American Council on Education, 1940.

"Experience and study confirm the observation that no word of one language (not considering terms which stand for purely physical objects) coincides in meaning fully with a word of another language..... Each language expresses the concept somewhat differently, adding this or that connotation..... A synonymy of the major languages has never been attempted, although pertinent fragments are to be found in many authors. However, an imaginative treatment of it would surely lead to a most appealing work."—Translation from WILHELM VON HUMBOLDT, *Gesammelte Schriften* (Berlin, 1909), VII, 129.

PREFACE

Miss Eaton has done a notable service by preparing this semantic frequency list. The frequency lists hitherto published will be more useful as a result of her careful and scholarly compendium of parts of them. Teachers of the languages represented will find her list of prime importance in deciding how to treat the words in texts which their pupils are reading, and in their own choice of words in speaking. Teachers of other European languages (for example, Italian and Russian) may well consult the list until it is extended by adequate counts for the languages concerned. If used reasonably, the list can do nothing but good to teaching, testing, and textbook making.

I commend it also to the attention of psychologists, anthropologists, and students of what has been called the psycho-biology of language. The vocabulary, active and passive, of any group is as truly an index of its nature and culture as are its tools, monuments, customs, and myths. This list gives a useful base-line for comparisons of many sorts.

E. L. THORNDIKE

TEACHERS COLLEGE
COLUMBIA UNIVERSITY

FOREWORD

The present work is an effort in a field of inquiry that has engaged the attention of students of language through many generations. Only those who have examined the history of linguistic theory can appreciate the full significance of an experiment which employs a technique recently developed to establish in relative frequency of use the common conceptions of mankind as they find expression in four languages of the present day. In a former, metaphysical age, when men believed in the existence of innate ideas, philosophers like Leibnitz thought that it would be possible to assemble the basic concepts of the human mind and put them into mathematical formulas. Such an effort to bind mentality in a logical strait jacket was discarded long ago, for the operations of the mind are too complex to be brought into categories in this way. The empirical method seeks to approach the problem of inner experience from the opposite end—through language itself. Here is the activity that gives the key to man's inner reflection of the world of phenomena.

In recent years American investigators have discovered a new method of approach to the problem, that of frequency of use. This is based on the assumption that the words and locutions which appear most often are those which are most necessary for the concerns of life, and efforts have been made to establish a scale of frequency. These resulted in the English Word List by Thorndike and the word and idiom counts in the foreign languages compiled for the American and Canadian committees on modern languages after 1925, as well as the syntax count in Spanish by Hayward Keniston, published in 1937, and similar investigations of syntax usage in French and German which are now in progress. Obviously, the basis of these undertakings must be limited to a sampling of the written languages; but the validity of the selection of sources for the studies mentioned has been widely accepted, and the results are being used for the teaching of English and foreign languages to a degree that no one could have anticipated a decade ago.

A word has two factors of equal importance: form and meaning. These are inseparable in the mind of the user; but while the word-form is a relatively stable phenomenon in the written languages of civilized peoples, word-meaning includes a number of possibilities, varying with the individual word. Some words, like "sun," have one universally understood meaning, which can be extended only in metaphorical usage; others stand at the opposite end of the scale, such as the common verbs "get" and "make," each of which includes a great bundle of possibilities. On the other hand, even words with a wide range of semantic values, often determinable only by the context in which they are used, have a certain semantic focus about which the meanings cluster. Evidence of such a basic idea appears plainly when we find words of complex meaning with a similar semantic focus in several languages. The correlation of the word frequencies in a group of languages may then show an interlingual relationship among the concepts measurable by a scale of frequency of use.

This is precisely what the compiler of the present work, Miss Eaton, has done for English, French, German, and Spanish. The result is an arrangement which shows the relative importance of approximately six thousand basic concepts as they appear in the four languages. The work of investigation and alignment has gone on, with interruptions, during a decade. Five years ago a preliminary list, based on the first thousand words in each of the source lists, was published by the Committee on Modern Languages in the volume *Experiments and Studies in Modern Language Teaching* (Chicago: University of Chicago Press, 1934), pages 244–79, and aroused considerable interest. The same Committee now undertakes the publication of the completed study. It is convinced that it offers herewith an important contribution of material for research and teaching, as well as for application to the practical use of language.

The Semantic Frequency List opens, indeed, a wide field of possibilities. To the psychologist and the student of civilization it furnishes material for a comparison of the basic ideologies of the peoples of four linguistic areas, as reflected in vocabulary, and thus brings light to a problem that has had little investigation. The linguist will find in it a basis for examining the most urgent linguistic needs of the several peoples in order to express their culture. The educationist and the teacher of English and the modern foreign languages has in this comparative semantic list a guide for selecting vocabularies graded to meet the various age levels and intelligence levels. This is of particular importance for those working with pupils in two languages, where it often happens that a concept which is quite usual in one of them may find expression in the other only by means of a word of lower frequency and therefore less likely to be familiar to the learner. For practical purposes the List gives important hints for vocabulary usage in its relation to ease of general understanding, as measured by the coincidence of concepts among peoples employing four languages. Like the frequency lists for word, idiom, and syntax that have appeared, the material contained in the Semantic Frequency List is, of course, raw material, to be adapted for research, pedagogical, and other uses in accordance with the needs of investigators, textbook makers, examiners, or those seeking objective criteria for a style that is to be widely understood. All those who use the work—whether students, teachers, or writers—have in it a reliable measure of simplicity and intelligibility and a means of avoiding expressions which have shown themselves to be of limited range.

Thanks are due the International Auxiliary Language Association for financial support given to the research and to the publication of this List.

Robert Herndon Fife, *Chairman*
Committee on Modern Languages of the
American Council on Education

515 West One Hundred and Sixteenth Street
New York City

TABLE OF CONTENTS

	PAGE
INTRODUCTION	xiii
NOTE FOR THE USER	xxi
PART I. THE FIRST THOUSAND CONCEPTS (1–1018)	1
Sections 1.—1.4	
PART II. THE SECOND THOUSAND CONCEPTS (1019–2036)	42
Sections 1.5—2.4	
PART III. THE THIRD THOUSAND CONCEPTS (2037–3047)	80
Sections 2.5—3.4	
PART IV. THE FOURTH THOUSAND CONCEPTS (3048–4013)	114
Sections 3.5—4.5	
PART V. THE FIFTH THOUSAND CONCEPTS (4014–4974)	143
Sections 4.6—5.7	
PART VI. THE SIXTH THOUSAND CONCEPTS (4975–5986)	169
Sections 5.8—7.2	
PART VII. THE FIRST HALF OF THE SEVENTH THOUSAND CONCEPTS (5987–6473)	195
Sections 7.3—13.	

INDEXES

ENGLISH WORDS	217
FRENCH WORDS	260
GERMAN WORDS	313
SPANISH WORDS	371

APPENDIXES

APPENDIX I

LIST OF ENGLISH PROPER NOUNS DELETED FROM THE SOURCE LIST	430
LIST OF ENGLISH WORDS MOVED FROM ONE THOUSAND TO ANOTHER	431
LIST OF GERMAN PROPER NOUNS DELETED FROM THE SOURCE LIST	434
LIST OF GERMAN WORDS MOVED FROM ONE THOUSAND TO ANOTHER	434

APPENDIX II

CONCEPTUAL ANALYSIS OF THE SUBSTANTIVES IN THE LIST	436
CONCEPTUAL ANALYSIS OF THE VERBS IN THE LIST	438
CONCEPTUAL ANALYSIS OF THE ADJECTIVES IN THE LIST	440

INTRODUCTION

The Semantic Frequency List presented herewith attempts to correlate the first six thousand entries in English, French, German, and Spanish frequency lists. The List will serve as a practical tool in ascertaining a basic vocabulary for any language—at least any European language—for, if users of four different languages concur in the need of a means of expressing these concepts most frequently, it is justifiable to suppose that people using still other languages would also feel the same need. The List should be of especial value to textbook makers, vocabulary-test makers, and compilers of small bilingual dictionaries by guiding them in their selection of the meanings of words on a basis of actual frequency. It should be of assistance in determining, especially for the user of a single-language frequency list, the most frequent meaning or meanings of a given word-form. It should be helpful as a basis for objective measurement tests, as well as for regular examinations in language, and as a guide to the selection of practice material in language classes, in order to insure that this material does not contain words used in rare meanings.[1]

Source lists.—The source lists in the four languages used are: for English, the Thorndike *Teacher's Word Book of 20,000 Words*, which contains 20,000 words taken from a count of 9,565,000 in 279 sources and categories of sources (not given separately); for French, the *French Word Book*, compiled by Vander Beke, which contains 6,067 words taken from a count of over 1,000,000 in 88 sources divided into 9 categories; for German, the *Häufigkeitswörterbuch der deutschen Sprache*, compiled by Kaeding, which contains 79,716 words taken from a count of 10,910,777 in 299 sources divided into 11 categories; for Spanish, the *Graded Spanish Word Book*, compiled by Buchanan, which contains 6,702 words taken from a count of 1,200,000 in 40 sources divided into 7 categories.[2]

Semantics.—The source lists were compiled before the present-day emphasis on semantics in linguistic science became so prominent. With a few exceptions, in the French list, they do not, therefore, give definitions or translations of any words. For this reason one cannot be sure as to which meanings of a word-form are included in the aggregate sum which provides the basis for allocating the word-form in a frequency list. It seems reasonable to suppose that, in most cases, correlating the words in the four languages serves as a reliable criterion for determining the prevalent meaning (semantic value) of any given word-form. At first glance the objection may be made that a false position is accorded to a word by giving to each individual meaning listed

---

[1] In this Introduction, *word-form* is used to mean simply a combination of letters written together. *Semantic value* refers to one of the specific meanings contained in a word-form of a given language.

[2] For more detailed information regarding sources see: *Teacher's Word Book of 20,000 Words*, by Edward L. Thorndike (New York City: Bureau of Publications, Teachers College, Columbia University, 1932); *French Word Book*, by George E. Vander Beke (New York City: Macmillan Co., 1929); *Häufigkeitswörterbuch der deutschen Sprache*, by F. W. Kaeding (Berlin: handled by E. S. Mittler & Sohn, 1898); *Graded Spanish Word Book*, by Milton A. Buchanan (Toronto: University of Toronto Press, 1927). Permission was kindly given by the publishers to use these lists in the present study.

the position which the word-form has attained in the source list through the adding together of the various meanings. For example, *present* in English has to be considered as meaning "gift" and also as indicating "time"; as meaning "give" and also "introduce"; as an equivalent of "here" in "(be) here"; and signifying "current" in, e.g., "the present trend." All these meanings are used to correlate it with the various word-forms in the other language lists which convey these meanings. It is, of course, the aggregate of these meanings that allocates the word-form *present* to its position among the first five hundred in the English frequency list, and naturally, one has no right to presume that any one of these meanings would be of sufficiently frequent occurrence to give it such a high rank. It is to be noted, however, that (*a*) the other language lists, using, for the most part, different word-forms for these different meanings, have these six semantic values listed separately, each in its proper thousand; and (*b*) that the position of a word in the present List is determined by all four of the thousand-numbers of the word with the same semantic value in the separate source lists. It would therefore seem that these factors are a sufficient check to determine the proper *relative* position in the List of a word-form used in more than one of its meanings.

Indexes.—The indexes in all four languages permit the List to be used conveniently by any person having a knowledge of any one of the four. Since English is the key language used, the other language indexes give the English word with which a foreign-language word is correlated and the number(s) of the section(s) where the word will be found.

METHODOLOGY

Frequency.—The superior figure "1" after a word indicates that it occurs among the first thousand words in the source list; "2," among the second thousand; etc. The letters "a" and "b" after the figures indicate, respectively, the first and the second five hundred of that thousand.

Weighting of the source lists.—As the number of words counted, as well as the range of material, for the English and the German lists is much greater than for the other two source lists, the English and the German words used in this study have been given more weight than the other two, in the proportion of four to one. For example: a word that occurs among the first thousand in all four languages is allocated as follows: English is reckoned 4, plus French 1, plus German 4, plus Spanish 1; this equals 10, which, divided by 10, places the word in Section 1. Similarly, a word that occurs among the first thousand in English, French, and Spanish, and among the second thousand in German, is allocated as follows: English 4, plus French 1, plus German 8, plus Spanish 1, equals 14; divided by 10, this sum places the word in Section 1.4.

Omission of complete phrases in each language.—In order to save space, a complete phrase in each language has not been set down, but only the key word which would be used in the sense indicated in the English; anyone using the List will be able to supply the whole phrase in any of the other languages with which he is familiar. It happens sometimes that the parts of speech are not the same in all four languages; for example: *hungry* and *faim*, etc., are considered as equivalents.

Proper nouns omitted.—As proper names of peoples, countries, etc., are not included in the French and Spanish lists, they have been omitted entirely; and the blanks thus created in the English and German lists have been filled from the next-following thousand words.[3] This accounts for the fact that some words numbered "2a" in the Thorndike list are numbered "1b" in the present study, etc. Adjectives derived from names of countries and used as the designation of the language or of an inhabitant of the country, and a few other words that are capitalized in English, have been included, since they are in all four source lists and are not considered proper adjectives or proper nouns in French and in Spanish. In the English list, 4 words have been moved up from the second thousand into the first; 23 (19+4) from the third to the second; 59 (36+23) from the fourth to the third; 93 (34+59) from the fifth to the fourth; 157 (64+93) from the sixth to the fifth; and 233 (76+157) from the seventh to the sixth. This process of moving words from one thousand to the next above would naturally entail shifting into the "a" (first 500) group of each thousand words from the "b" (second 500) group a number corresponding to that deleted from "a." But, as the choice of such words would, of necessity, be arbitrary, and as it would have no effect on the position of the word in the present work (which does not arrange the words in groups of five hundred), this has not been done. As the frequencies of individual English words are not given in the source list, the selection of the words in English to be moved up has been made in the following manner: the entries in each section of the present List are arranged in alphabetical order according to the key word, which is an English word; the requisite number of words to be moved have been taken in this order. In the German list no words have been moved up from the second thousand into the first; 5 have been moved from the third into the second; 10 (5+5) from the fourth to the third; 22 (12+10) from the fifth to the fourth; 33 (11+22) from the sixth to the fifth; 51 (18+33) from the seventh to the sixth. The frequency of the individual German words is given in the source list; so, in making these necessary transfers of German words, they were taken in order.[4]

Division of the List.—The Frequency List is divided into seven parts, each containing approximately 1,000 words (except the seventh, with about 500) and into 115 sections, running from 1. to 13. As the combination of thousands did not produce any of the following figures: 10.7, 11.1, 11.6, 11.8, 11.9, 12.3, these sections are omitted. A word not present in any of the three foreign-language lists (French, German, Spanish) is counted as belonging to the eighth thousand. As the English list goes up to 20,000, the actual position of a word can almost always be ascertained in English. If it is not among the 20,000, it is reckoned as in the twenty-first thousand. These words, not given in the several language lists, are not followed by a number. In the headings of each section where the various combinations of thousands in the four languages are given, the 8 and the 21 are marked by an asterisk to show that they are estimated figures. It is obvious that any word with a blank number space necessarily affects

---

[3] The proper names omitted from the English and German lists, as well as the words that have been transferred, are given in Appendix I.

[4] In the case of names of the languages and the people of a nation, the following method has been used: corresponding to the English entry *English* are given *français, deutsch, español*, in the other three languages, respectively. *English* is considered the native language and the name of the person using it; the native language of a speaker of French is, of course, *français;* etc. The same method has been used for units of money: *pound, dollar, franc, Mark,* and *peseta*, being used as corresponding; and *penny, cent, centime, Pfennig,* and *centavo*.

Locutions.—Some locutions (composed of more than one word) are given in the source lists. These are entered in our List with the thousand-number of the source list after the last word. On some other occasions it was necessary to use a familiar locution in one or more of the languages in order to indicate a definite meaning for a word-form. In such cases the proper position-number is put after each word of the locution. The expressions in parentheses accompanying English words simply provide an explanation of the senses in which those words are used. It is, of course, impossible to go into the use of prepositions in their various meanings. They are therefore listed singly only under the general meaning. The frequency number has been omitted after prepositions and after some other words used in locutions, when they have already been listed separately and obviously belong to the first thousand. In such cases these words do not appear in the indexes.[5]

Latin and Anglo-Saxon words in English.—In English the Latin-derived words, which are cognates of the French and Spanish words exclusively used in those languages to express a certain concept, are often not in as frequent use for these concepts as are equivalents of Anglo-Saxon origin. These latter are sometimes made up of more than one word. But it has seemed more in keeping with the aim of the present work to use the Anglo-Saxon equivalent, such as "make use of" for "utilize," or as "catch sight of" for "perceive." It is possible, however, to simplify so many words of this type that the question arose as to where to draw the line. As a *modus operandi*, if such a Latin derivative occurs among the same thousand in English as the corresponding word in French and Spanish, that derivative has been used to express the concept.

Treatment of synonyms.—In cases where synonyms or quasi-synonyms for a listed word are found in different thousands in one language, they are listed together, each with its thousand-number, the most frequent being taken as the guide for allocating the word in our study; but where such quasi-synonyms have their equivalents in all four or in three of the languages, each is listed separately in its proper place. Synonyms listed together which are in a different thousand in the source list from the key word in the entry are put in parentheses.

Separable prefixes in German.—It is impossible from the Kaeding list to tell the actual frequency of verbs with separable prefixes, as the prefixes are given separately with no indication of what they belong to. In a few cases, such as *anfangen*, where the compound forms are so numerous as to place these verbs in the first five hundred of the second thousand, it has seemed justifiable to estimate that these verbs in their total count would be among the first thousand words. Hence, they have been so considered; and such entries are noted by an asterisk. As it is impossible in the Kaeding list to distinguish between such compounds as *übersétzen* and *übersétzen*, the other languages have had to serve as a check.

---

[5] A few interjections occur in the French and the Spanish lists. The equivalents of these in English and in German are often common words whose use as interjections is not separately computed. It seems obvious that the credit given them by our system of weighting is too high, but there was no other method of evaluating them for position.

Compounds in German.—A great many of the compound words in the German source list would be translated into the other languages by a simple word plus a qualifying word or by a locution. The simple word which forms the nuclear element of the compounds is generally also present in the German list. It seemed wisest to list such compounds along with the simple word in the same entry. As each compound has its thousand-number following it, one can easily reckon, according to the explanation already given of the system of allocation used, where each would fall in the present List. This will probably be of use only to persons wanting to draw from this study a graded vocabulary in German. The same procedure noted here as applying to compounds in German was used also in the case of some French words with the prefix *re-*.

Spelling.—The spelling in the Kaeding list has been changed to conform to modern usage.

Treatment of divergencies in the source lists.—The German list enters separately each form of every verb, noun, and adjective. The English list gives separately the various forms of the verb "to be" and some different forms of certain other verbs and nouns. The French and the Spanish lists, with one or two exceptions, give only one form of each part of speech. Therefore, all the forms of the verb have been entered in the present List under the infinitive—in English, listed separately with their thousand-number; in German, all added together. In the few exceptional cases in the French and the Spanish lists, just mentioned, the equivalent forms in German have been computed separately, and a distinct entry has been made, with the English form, if separately given, as it appears in the source list.

In the case of adverbs, (*a*) none are given in Spanish, but presumably they are included in the adjective; (*b*) in German the adverb and the adjective are generally the same word; (*c*) in English a few adverbs are listed separately, although by no means all; (*d*) in French the adverbs seem to be listed separately. Consequently, such adverbs as are given in a source list are entered uniformly under the adjective. There are a few exceptions to this rule in cases where the adverb has taken on a special meaning.

In German, when a certain form is common to two words, such as the common forms of *brauchen* and *gebrauchen*, the method of treatment has been to add together all the frequencies of all the forms that could belong to only one of these words, and to allot proportionately the frequencies of the common form or forms. In the case of one or two words, such as *ihr*, "her," and *ihr*, "their," identical in all forms, the total frequencies have been arbitrarily divided evenly.

In French, in certain cases, such as *son*, "bran," where it seems obvious that the word with this semantic value would not come within the first six thousand, it has been reckoned as not coming within the ascertainable limits of the List, although *son* in its other meanings naturally appears in the List.

In Spanish, as the source list includes all numerals in an "etc." after "one," the Spanish word designating a numeral has been given a frequency corresponding to the average of the equivalent words in the other three languages. The same applies to personal and to possessive pronouns.

There are certain apparent inconsistencies in the arrangement of the items in some entries. This is due to the fact that each item is copied exactly from the source lists, which use different methods of entering the material.

Selection of words of the same frequency in French and in Spanish.—The French list contains 6,067 words, the last 146 entries having the same frequency and range. As 79 of these are enough to make up the total of 6,000, it has seemed justifiable to take any 79 of this lot that best fit in with the other languages. The Spanish list gives 6,702 words. A number of these—133—that have the same range and frequency cluster about the 6,000 point. So here also, of these 133, the most suitable 110 have been taken to fill up the 6,000.

ASSISTANCE

Checking by native experts.—The compiler has made every effort to be as objective as possible in this investigation. An element of subjectivity is necessarily involved in assigning some word-forms to given concepts. As an added precaution, therefore, each language column has been checked by a native expert linguist who, besides his own language, knows well two of the other languages included in the work. These experts for French, German, and Spanish are, respectively, Messrs. Pierre Gault (New York City), Alexander Gode-von Aesch (University of Chicago), Eugene Delgado-Arias (Townsend Harris High School, New York City).

Checking with the English semantic count.—The List has in part been checked with a semantic list in English in process of being compiled at the Institute of Educational Research. Owing to the unfinished state of the latter and to other factors, an accurate comparison of all entries in the present List was not possible. However, among the 416 comparable entries, taken from the second five hundred of the first thousand entries of the present List, about an 85 per cent accord was found in the relative frequency rating. It is gratifying to discover from this result that the aim of the Semantic Frequency List seems to have been realized in so far as is possible at the present stage of activities on this line in the science of semantics.

Mechanics of the study.—In working out the mechanics of index-making, etc., the part-time services of Dr. Irving Lorge, of the Institute of Educational Research, were provided by Teachers College, Columbia University.

Financial support of the work.—The International Auxiliary Language Association supplied the funds for the entire undertaking as a part of its linguistic research program. A grant from the Association to Teachers College, Columbia University, made possible the completion of the List in the Division of Psychology, Institute of Educational Research; and another grant provided funds for publication.

CORRELATED STUDIES

Columns in artificial languages.—Corresponding to the four language columns of the List are two more, which are not published. These are in the international languages Esperanto and Ido. Part of still another corresponding column, in the international language Occidental, has also been worked out. This material might be available for anyone interested by arrangement with the International Auxiliary Language Association, 420 Lexington Avenue, New York City. For translating the concepts of the Semantic Frequency List into another language, when the translator does not thoroughly understand three of the languages used in the List, the comparative unambiguity of one of these artificial languages would be invaluable.

Affix Frequency Study.—The compiler is now engaged in working out an Affix Frequency Study from the conceptual approach, based on the words contained in the Semantic Frequency List. This study is divided into three main parts, containing, respectively, substantival, adjectival, and verbal affixes arranged in conceptual categories. As all the words of these three parts of speech have been counted, a by-product is a simple conceptual analysis of the three groups arranged in a frequency table by thousands. This analysis appears in the present volume as Appendix II. The collaboration of Dr. Alexander Gode-von Aesch, mentioned above, has been invaluable in this work.

ACKNOWLEDGMENTS

Sincere gratitude is here expressed to Dr. Robert Herndon Fife, chairman of the Committee on Modern Languages of the American Council on Education, who gave many hours to going over the manuscript of the List and made many helpful suggestions for clarification of the arrangement. The late Dr. Algernon Coleman, of the same Committee, also made several suggestions for the wording of the Introduction— suggestions which were received with deep appreciation. Sincere thanks go also to Dr. Edward L. Thorndike, of Teachers College, Columbia University, who gave much helpful advice on the original setting-up of the project, which, without his encouraging words, would probably never have got under way. Thanks are also tendered to Mrs. Mary C. Bray, executive secretary of the International Auxiliary Language Association, for her help in reading proof. The compiler is especially happy to have the opportunity of expressing the deepest gratitude to Dr. Gode-von Aesch for his painstaking and untiring labor in reading proof for the entire book. The compiler is most grateful, too, for the continued support of the project by the International Auxiliary Language Association.

HELEN S. EATON

Frequency Series = $\dfrac{n_E \cdot 4 + n_G \cdot 4 + n_F \cdot 1 + n_S \cdot 1}{10}$

n = Thousand Number in Language Indicated by subscript.

NOTE FOR THE USER

Organization of the List.—The 6,474 concepts contained in the following pages are arranged on a scale of descending frequency, as determined by their frequency position in the four individual languages examined: English, French, German, and Spanish. As one language had to be selected for the "key words" or "finding words" for the concepts, English was chosen; and the other languages follow in the order given above. This does not mean, however, that the List was made entirely from the English approach. The English source list was examined first, and equivalents for the English words in the other three language lists were sought. A relatively large number fell naturally and easily into place. Then the French source list was used as the language of approach for the words not already allotted. After that the German and the Spanish source lists were taken in turn in the same manner.

The correlated concepts are divided into seven units or groups of diminishing frequency—the first six units containing approximately 1,000 entries each and the seventh group approximately 500. Thus, Part I includes the first thousand, Part II, the second thousand, and so on to Part VII, which embraces only the first half of the seventh thousand. The parts are further subdivided into groups of diminishing frequency within each thousand. These sections vary in number in accordance with the formula, set forth in the Introduction, for determining the frequency series. Thus, in Part I, Sections 1., 1.1, 1.2, 1.3, and 1.4 contain 1,018 concepts appearing in the first thousand in two or more of the four languages, and in the first to the fifth thousand in the others. These subdivisions are numbered decimally. For example: Part I, Section 1.3, concepts 785–806, includes those words which occur in the first thousand in English and in German; in the first thousand either in French or in Spanish, and in the fourth thousand in the fourth language; *or* in the second thousand in French or in Spanish, and in the third thousand in the fourth language.

The Semantic List is therefore finally arranged in 115 subdivisions, called "sections," each of which consists of an alphabetical list of English key words followed by the words which represent a similar thought-content in the other three languages.

How to use the List.—For relative frequency of concepts, the arrangement by thousands in the seven parts, with their subdivisions in sections, shows the diminishing relationship in 115 stages as it appears in the alphabetical groups found in the sections. For locating a given concept in its serial position, reference should be made to the indexes. Here the word will be found in separate English, French, German, and Spanish groups, provided it occurs among the 6,474 items listed, and its position will be given in the section where it occurs. This will also disclose its frequency relationship to words having a similar semantic character in the other three languages. Thus, for any word coming into the semantic frequency range of the List, it is possible to determine its conceptual analogues in the other languages, and the frequency relation of these to each other and to the entire List.

PART I

THE FIRST THOUSAND CONCEPTS

SECTION 1. CONCEPTS 1 THROUGH 662

E F G S
1-1-1-1

Read: English, first thousand; French, first thousand;
German, first thousand; Spanish, first thousand

English	French	German	Spanish
a[1a], an[1a]	un[1a]	ein[1a]	un, uno[1a]
(be) able[1b], can[1a], could[1a], cannot[1b], (can't[2b]), (couldst[3a]), (canst[3a]), (couldn't[3b])	pouvoir[1a]	können[1a], vermögen[1a]	poder[1a]
about[1a], (concerning[4a])	de[1a], (touchant[4a])	von[1a], über[1a], betreffend[1b], ([in] Betreff[4a]), (betreffs[5a]), (was[1a] .... anbetrifft[5a])	de[1a]
about[1a] (approximately)	environ[1b], (à peu près[5b])	etwa[1a], (ungefähr[2a]), (zirka[4a])	como[1a], cerca[1a]
(be) about[1a] (to), (just going to)	(être sur le) point (n.)[1a] de	(im) Begriff[1b] sein, (bevorstehen[6b])	estar[1a] a[1a] punto[1a] de[1a], estar[1a] para[1a]
above[1a] (*prep.*), over[1a], (o'er[3a])	au-dessus de[1b], supérieur[1b] à[1a], (par-dessus[3b])	über[1a], darüber[1a], (hierüber[3b]), (hinüber[4a]), (worüber[4b])	arriba[1a] de[1a], sobre[1a], encima[1b]
above[1a] (*adv.*), (overhead[4b]), (aloft[6])	supérieur[1b], (dessus[2b]), (par-dessus[3b]), (là-haut[3b]), (au-dessus[5a])	oben[1a], (oberhalb[5a])	arriba[1a]
above[1a] all[1a], especially (especial[2a]), (chiefly[6*]), (specially[6])	surtout[1a], avant[1a] tout[1a], (notamment[3a]), (spécialement[4a]), (principalement[4b])	besonders[1a], hauptsächlich[1b], insbesondere[1b], namentlich[1a], (ausdrücklich[2a]), (speziell[2b]), (zumal[2b]), (vorzugsweise[3b]), (vornehmlich[4b])	sobre[1a] todo[1a], especialmente (especial[1b]), (ante[5a] todo[1a])
accept[1b]	accepter[1a], (agréer[5b])	annehmen[1a], (akzeptieren[4b])	aceptar[1b]
account[1b] (*n.*), bill[1b]	compte[1a], (note[2b]), (facture[7a])	Rechnung[1b], (Konto[4b]), (Nota[4b]), (Rechenschaft[5a]), (Zeche[5b])	cuenta[1a], (factura[6b])
account[1b] for[1a], (explain[2a])	expliquer[1a]	erklären[1a], (deuten[3a]), (begreiflich[4a] machen[1a]), (erläutern[5b]), (auslegen[6a])	explicar[1b]
(be) across[1a], over there[1a]	en[1a] face[1a], de[1a] l'[1a]autre[1a] côté[1a], (vis à vis[3b])	gegenüber[1a], (hinüber[4a]), (herüber[5a]), (drüben[5a])	al[1a] otro[1a] lado[1a], frente[1a] a[1a]
act[1b] (take action)	agir[1b]	handeln[1a], wirken[1a]	proceder[1b], (obrar[2b]), (actuar[4b])
act[1b], (behave[4a])	se[1a] conduire[1a], (se[1a] comporter[3a])	handeln[1a], sich[1a] tragen[1a], sich[1a] führen[1a], (sich[1a] betragen[2a]), (sich[1a] anstellen[2b]), (sich[1a] aufführen[2b]), (sich[1a] benehmen[5a])	conducir[1b] se[1a], (portar[4a] se[1a])

English	French	German	Spanish
act[1b] (*n.*), (action[2b]), (deed[2a]), (doings[3b])	acte[1b], action[1b]	Handlung[1b], Tat[1a], (Akt[3b]), (Tun[5a])	acto[1a], hecho[1b], acción[1a]
(be) afraid[1b], fear[1a], (dread[2b]), ([be] fearful[3a]), ([be] affright[ed][5a])	craindre[1a], avoir[1a] peur[1b], (redouter[2a])	fürchten[1b], (Angst[2b] haben[1a]), (Furcht[2a] haben[1a]), (befürchten[3b])	temer[1a], tener[1a] miedo[1b]
after[1a], (hereafter[4b])	après[1a], (après que[5a])	nach[1a], nachdem[1a], (danach[2b]), (wonach[3b])	después[1a], tras[1b], ([en] pos[4b])
again[1a]	encore[1a] (une fois), de[1a] nouveau[1a]	wieder[1a], (wiederum[2a]), (nochmal[s][2b]), (abermals[3a])	de[1a] nuevo[1a], otra (otro[1a]) vez[1a], volver[1a] a[1a] ....
against[1a]	contre[1a]	gegen[1a], dagegen[1a], entgegen[1b], (wider[2a]), (wogegen[5b])	contra[1a]
age[1b] (years old)	âge[1b]	Alter[1b]	edad[1a]
ago[1b]	il[1a] y[1a] a (avoir[1a])	vor[1a]	ha, hace (hacer[1a])
air[1a] (to breathe)	air[1a]	Luft[1a], (Äther[6a])	aire[1a], (aura[5a])
all[1a] (*adv.*), quite[1b], (fully[3a]), (altogether[3b]), (wholly[4b]), (completely[6*])	tout (*adv.*)[1a], tout à fait[1b], (complètement[2a]), (entièrement[2b]), (totalement[5b]), (pleinement[5b])	all[1a], ganz[1a], durchaus[1a], gar[1a], (vollends[4a])	todo[1a], completamente (completo[1a]), enteramente (entero[1a]), (totalmente [total[2a]]), (plenamente [pleno[2b]])
(not[1a] at[1a]) all[1a], in[1a] no[1a] way[1a]	(pas[1a] du[1a]) tout[1a], (nullement[2b]), (aucunement[5a])	überhaupt[1a] nicht[1a], (keineswegs[2a]), (garnicht[3b])	nada[1a] de[1a] eso[1a], de[1a] ningún[1a] modo[1a], (de ninguna) manera[1a], (de ninguna) forma[1a]
all[1a] right[1a]	bien[1a]	gut[1a], schön[1a]	bien[1a], bueno[1a]
allow[1b], let[1a], (permit[2a]), (let's[6]), (vouchsafe[6])	permettre[1a], laisser[1a]	erlauben[1b], gestatten[1b], lassen[1a], (zulassen[2b]), (anheim[4b] stellen), (belassen[5b])	permitir[1a], dejar[1a]
almost[1a], (nearly[3b]*)	presque[1a], (quasi[4b])	fast[1a], (ungefähr[2a]), (beinah[e][2b]), (nahezu[4b])	casi[1a]
alone[1a]	seul[1a]	allein[1a]	solo[1a]
already[1b]	déjà[1a]	schon[1a], bereits[1a]	ya[1a]
also[1a], too[1a]	aussi[1a], également[1b]	auch[1a], ebenfalls[1b], (gleichfalls[2b])	también[1a], igualmente (igual[1a]), además[1a]
although[1b], though[1a], (tho'[5a])	bien que[1b], (quoique[2b])	obgleich[1b], wenn[1a] auch[1a], (obwohl[2a]), (obschon[4b]), (wenngleich[5a]), (wiewohl[5b])	aunque[1a], aun[1a] cuando[1a]
always[1a], ever[1a], (forever[3b]), (e'er[4a]), (ay[5a]), (evermore[5b])	toujours[1a]	immer[1a], stets[1a], (jederzeit[4a]), (allemal[4b]), (von[1a] jeher[4b]), (allezeit[5b])	siempre[1a]
among[1a], (midst[3a]), (mid[4a]), (amid[5a]), (amongst[6])	parmi[1a], entre[1a]	unter[1a], zwischen[1a], (mitten[2a]), (dazwischen[4a]), (inmitten[5a])	entre[1a]
amount[1b], (quantity[2a]), (sum[2a])	somme[1b], (quantité[2b]), (montant [*n.*][6a])	Anzahl[1b], Menge[1b], Summe[1b], Betrag[1b], (Quantität[4a]), (Summa[6b]), (Quantum[6a])	cantidad[1b], (suma[2a]), (importe[5a]), (magnitud[6b])
and[1a]	et[1a]	und[1a]	e[1a], y[1a]
another[1a]	un[1a] autre[1a]	andere[1a]	otro[1a]
another's (another[1a])	(d')un[1a] autre[1a], ([d']autrui[6a])	eines (ein[1a]) anderen (andere[1a])	ajeno[1b]
answer[1a] (*vb.*), reply[1b], (respond[5a])	répondre[1a], (repartir[2b]), (répliquer[3a]), (riposter[6b])	antworten[1b], erwidern[1b], (beantworten[3a]), (entgegnen[4b])	responder[1a], contestar[1a], (replicar[2a])

THE FIRST THOUSAND CONCEPTS

English	French	German	Spanish
any[1a], some[1a]	quelque[1a], en[1a]	einige[1a], welche[1a], etwas[1a]	alguno[1a]
any[1a] (whatever)	n'[1a] importe (importer[1b])....	irgend[1a], (beliebig[3b]), (jeglich[4b]), (jedweder[6b])	cualquier(-a)[1a]
anything[1b], something[1a], (aught[6])	quelque[1a] chose[1a]	etwas[1a]	algo[1a], alguna (alguno[1a]) cosa[1a]
appear[1b] (come into view), (loom[5a])	paraître[1a], apparaître[1a], (reparaître[3b]), (comparaître[7a])	erscheinen[1a], vorkommen[1b], (auftreten[2b]), ([zum] Vorschein[6a] [kommen]), (sich[1a] einfinden[6b])	aparecer[1a], asomar[1b], (comparecer[5b]), (despuntar[5b])
appear[1b], look[1a], seem[1a]	sembler[1a], paraître[1a]	scheinen[1a], (aussehen[3a])	parecer[1a]
arm[1a] (part of body)	bras[1a]	Arm[1a]	brazo[1a]
arm[1a], (weapon[3a])	arme[1b]	Waffe[1b], (Gewehr[2b])	arma[1b]
art[1b]	art[1b]	Kunst[1a]	arte[1a]
as[1a], since[1a]	puisque[1a], (d'autant que[5a])	da[1a], denn[1a]	pues[1a], puesto (poner[1a]) que[1]
as[1a], like[1a] (prep.)	comme[1a]	wie[1a], gleich[1a], (gleichwie[6b])	como[1a]
as[1a] (e.g., I was walking)	comme[1a]	als[1a], indem[1a]	al[1a], (a) medida[1b] (a)
as[1a] for[1a], as[1a] to[1a], ([with] regard[2a] [to]), (concerning[4a])	quant à[1b], ([à l']égard[2a] [de]), (à propos de[3a])	(in) Bezug[1b] (auf), (mit) Rücksicht[1b] (auf), (in) Beziehung[1b] (auf), (bezüglich[2a]), (anlangend [anlangen[2b]]), (hinsichtlich[3a]), ([in] Hinblick[5a] [auf]), ([was ....] anbelangt[6a])	en[1a] cuanto[1a] a[1a], (en) atención[1b] (a), respecto (respe[c]to[1a]), (acerca[2a])
as[1a] soon[1a] as[1a]	dès que[1b], (aussitôt que[5a])	sobald[1b]	tan[1a] pronto[1a] como[1a]
ask[1a] (a question), (inquire[3a]), (enquire[5b])	demander[1a]	fragen[1a], (sich[1a] erkundigen[4b])	preguntar[1a], (averiguar[2b]), (inquirir[4b])
ask[1a] (a favor), (beg[2a]), (bid[2a]), (pray[2a]), (request[2b]), (bade[3a]), (solicit[5a])	prier[1b], (solliciter[4a]), (requérir[5a]), (interpeller[6a])	bitten[1a], (ersuchen[3a]), (erbitten[3b])	pedir[1a], rogar[1a], (solicitar[2a])
at[1a]	à[1a]	an[1a], zu[1a], daran[1a], (woran[4a]), (hieran[6b])	a[1a], en[1a]
away[1a], off[1a]	loin[1a], (parti [partir[1a]])	fort[1a], ab[1a], (weg[2a]), (hinweg[3a])	lejos[1a], fuera[1a]
(in) back[1a] (of), behind[1a]	derrière[1a]	hinter[1a], (dahinter[5a])	tras[1b], detrás[1b]
back[1a] (be back)	de[1a] retour[1b]	zurück[1a]	de[1a] vuelta[1b], (de[1a] regreso[3b])
bad[1a]	mauvais[1a], mal[1a], (fichu [adj.][6b])	schlecht[1b], (schlimm[2a]), (arg[4a])	mal(o)[1a], (vicioso[5b])
be[1a], am[1a], are[1a], been[1a], being[1a], is[1a], was[1a], were[1a], (I'm[2b]), ('tis[3a]), ('twas[3b]), (it's[4b]), (you're[4b]), ('twere[4b]), (wast[4b]), (wert[4b]), (wasn't[5a]), (isn't[6]), (he's[6])	être[1a], se[1a] trouver[1a], (figurer[6b])	sein[1a]	estar[1a], ser[1a]
bear[1a], stand[1a], (borne[3b]), (endure[3a]), (undergo[5b])	souffrir[1a], supporter[1a], subir[1b], (tolérer[4b])	leiden[1b], (dulden[3b]), (vertragen[4b]), (aushalten[4a]), (durchmachen[6a]), (leidlich[6a])	sufrir[1a], sostener[1b], (aguantar[3b]), (soportar[3a]), (tolerar[4a]), (resistir[2a])
beat[1b] (in a game), win[1b]	battre[1a], gagner[1a]	schlagen[1a], gewinnen[1a]	ganar[1a]

English	French	German	Spanish
beautiful[1a], (handsome[2b]), (beauteous[6])	beau[1a]	schön[1a]	bello[1a], hermoso[1a], (guapo[2b]), (vistoso[4b])
because[1a], for[1a] (*conj.*)	parce que[1a], car[1a], (aussi bien[6a])	weil[1a], denn[1a], da[1a]	porque[1a], pues[1a]
because[1a] of [1a], on[1a] account[1b] of	à[1a] cause[1a] de[1a]	wegen[1a], (infolge[2a])	a[1a] causa[1a] de[1a]
become[1a], get[1a], got[1a], grow[1a], grew[1b], (became[2a])	devenir[1a], (redevenir[2b])	werden[1a], (geraten[2a])	hacer[1a] se, llegar[1a] (a ser)
before[1a] (time) (*prep.* and *adv.*), (ere[2a]), (heretofore[6])	avant[1a], avant de[1b], (auparavant[2b])	vor[1a], ehe[1a], vorher[1b], (bevor[2b]), (vorhin[3b])	antes[1a], anteriormente (anterior[1b])
before[1a], (in) front[1a] (of)	devant[1a]	vor[1a], (voraus[2a])	delante[1a] (de), frente[1a] (a), (ante[5a])
begin[1a], start[1a], began[1b], (begun[2b]), (commence[3b]), (launch[5a]), (beginning[5b]*)	commencer[1a], se mettre à[1b], (débuter[4b])	beginnen[1a], in[1a] Angriff[1b] nehmen[1a], anfangen[1a]*, (eingreifen[3a]), (einsetzen[3b]), (ansetzen[5a])	empezar[1a], comenzar[1a], (estrenar[3b]), (principiar[3b]), (iniciar[3b]), (entablar[4a])
begin[1a] again[1a], (resume[4a])	recommencer[1b]		
being[1a] (*n.*)	être[1b]	Wesen[1a]	ser[1b]
believe[1a]	croire[1a]	glauben[1a]	creer[1a]
belong[1b], (pertain[6])	appartenir[1b]	gehören[1b], (angehören[2b]), (zustehen[3b])	pertenecer[1b]
beside[1b]	auprès de[1b], à[1a] côté[1a] de[1a]	neben[1a], bei[1a], nächst (nah[1a])	al[1a] lado[1a] de[1a], junto[1a] (a)
best[1a]	(le) meilleur[1a], (le) mieux[1a]	beste[1a], (Beste[2b]) (bestens[6a])	(el) mejor[1a]
better[1a]	meilleur[1a], mieux[1a]	besser[1a]	mejor[1a]
between[1a]	entre[1a]	zwischen[1a], unter[1a]	entre[1a]
big[1a], large[1a], (massy[6])	grand[1a], gros[1a]	groß[1a]	gran(de)[1a], (corpulento[6b] [person])
black[1a], (sable[6])	noir[1a]	schwarz[1b]	negro[1a]
blood[1b], (gore[5b])	sang[1b]	Blut[1b]	sangre[1a]
body[1a]	corps[1a]	Körper[1b], (Leib[2a])	cuerpo[1a]
book[1a]	livre[1b]	Buch[1a]	libro[1a]
(be) born[1b]	naître[1a], (renaître[4a]), (né [*adj.*][6b])	geboren (gebären[1b]) (werden)	nacer[1a], (renacer[4a])
both[1a]	l'[1a]un[1a] et[1a] l'[1a]autre[1a], (tous[5b] [les] deux[1a])	beide (B)[1a]	ambos[1a], (entrambos[3b])
bottom[1b]	fond[1a], bas[1b]	Boden[1a], Grund[1a]	fondo[1a]
(be) brave[1b], (gallant[4a]), (valiant[4b]), (heroic[4b]), (fearless[5b]), (courageous[6]), (stout[3a] hearted[6])	avoir[1a] du[1a] courage[1b], (être) brave[1b], (vaillant[4a]), (courageux[4a]), (intrépide[6b]) (bravement[5a]), (courageusement[5b]), (hardiment[6a])	Mut[1b] haben[1a], (brav[2b] sein), (kühn[2b]), (tapfer[3a]), (wacker[4a]), (mutig[4b])	(ser) valiente[1b], (bravo[2b]), (guapo[2b]), (valeroso[4a]), (intrépido[5a]), (animoso[6a])
bring[1a], brought[1a]	apporter[1a], amener[1b], (emmener[2b])	bringen[1a], (einbringen[3b]), (mitbringen[4a]), (hineinbringen[6b])	traer[1a]
brother[1a], (brethren[4a])	frère[1b]	Bruder[1a], (Geschwister[5a])	hermano[1a]
business[1b]	affaire[1a]	Geschäft[1a], Handel[1b], (Terminhandel[3a]), (Handelsgeschäft[4b]), (Termingeschäft[5a]), (Handelssache[6b])	asunto[1b], negocio[1b]

THE FIRST THOUSAND CONCEPTS

English	French	German	Spanish
busy[1b]	occupé (occuper[1a]), (s'occuper[2a]), (affairé[4b])	beschäftigt (beschäftigen[1b]), schaffen[1a], wirken[1a], (obliegen[4b])	ocupado (ocupar[1a])
(busily[6])			
but[1a]	mais[1a]	aber[1a], sondern[1a]	mas[1a], pero[1a], sino[1a]
by[1a] (agent-instrument), (whereby[4b])	de[1a], par[1a]	von[1a], durch[1a], (per[2b])	por[1a]
by[1a], (according[2a] [to]), ([as] per[2b]), ([in] accordance[6] [with])	selon[1b], suivant[1b], (d'après[2a])	nach[1a], (gemäß[2b]), (demgemäß[3b]), (hiernach[3b]), (zufolge[4a])	según[1a], (conforme[2a]), ([de] acuerdo[2a]), ([con] arreglo[3a])
call[1a] (vb.)	appeler[1a]	rufen[1a]	llamar[1a]
care[1a], (solicitude[10])	soin[1b], (sollicitude[6a])	Sorge[1b], (Pflege[3b]), (Besorgnis[3b]), (Sorgfalt[3b]), (Fürsorge[4b]), (Aufsicht[5a]), (Schonung[5b])	cuidado[1a], (solicitud[3a]), (esmero[4a]), (cautela[6a]), (recato[6a]), (miramiento[6b])
(take[1a]) care[1a] (of[1a]), care[1a] for[1a], mind[1a], attend[1b], (nurse[2a])	prendre[1a], avoir[1a] soin[1b] de[1a], (soigner[2a])	pflegen[1b], (sorgen[2a]), (achten[2a]), (besorgen[2a]), (schonen[3b]), (vorsehen[3b]), (nachsehen[4b])	atender[1b], cuidar[1b]
carry[1a], (convey[4b])	porter[1a]	tragen[1a], bringen[1a]	cargar[1a], llevar[1a]
carry[1a] out[1a], carry[1a] through[1a], (accomplish[2b]), (perform[2b]), (execute[4a]), (fulfil[l][4a]), (achieve[4b])	remplir[1a], (accomplir[2a]), (exécuter[2a]), (accompli[3b])	erfüllen[1b], ausführen[1b], (zur) Ausführung[1b] (bringen), (erzielen[2a]), (durchführen[2b]), (vollziehen[2b]), ([in] Erfüllung[2b] [bringen]), (vollbringen[4b]), (verrichten[5a]), (ausrichten[5b])	cumplir[1a], (ejecutar[2a]), (desempeñar[2b])
case[1a]	cas[1a]	Fall[1a]	caso[1a]
(in any) case[1a], (anyway[4b]), (anyhow[6])	(en tout) cas[1a]	jedenfalls[1b], (immerhin[2b]), (ohnehin[4a])	(de todos) modos (modo[1a]), (en todo) caso[1a], (en cualquier) caso[1a]
cause[1a] (n.)	cause[1a]	Grund[1a], Ursache[1b], (Anlaß[2b]), (Veranlassung[2b]), (Motiv[2b])	causa[1a], motivo[1b]
cause[1a], make[1a], (render[2b])	causer[1b], faire[1a]	lassen[1a], machen[1a], (bewirken[2a]), (veranlassen[2a]), (herbeiführen[2a]), (verursachen[3a]), (zufügen[3b]), (gereichen[5a])	hacer[1a], causar[1b], (ocasionar[2b]), (motivar[5a])
center[1b], middle[1b] (place)	milieu[1a], (centre[2a])	Mitte[1b], Mittelpunkt[1b], (Zentrum[3a])	medio[1a], centro[1b]
chance[1b], (occasion[2a]), (opportunity[2b])	occasion[1a], chances (chance[1b])	Gelegenheit[1a]	ocasión[1a], (oportunidad[3b])
character[1b]	caractère[1a]	Charakter[1b]	carácter[1b]
chief[1a] (adj.), head[1a], (main[2a]), (principal[2b]), (major[4a]), (prime[4a]), (foremost[4b])	chef[1b], principal[1b], (capital [adj.][4a]), (majeur[4a]), (prime[5a])	hauptsächlich[1b], (Haupt-[2a]), (Hauptsache[2a]), (Hauptgrund[4b]), (Hauptaufgabe[5b])	mayor[1a], principal[1a], (máximo[5a])
child[1a], children[1a], (infant[3b]), (offspring[5b])	enfant[1a]	Kind[1a], Kleine[1a]	niño[1a], (párvulo[6a])

English	French	German	Spanish
choose[1b], pick[1b] (out[1a]), (chose[2a]), (select[2b])	choisir[1b]	wählen[1b], (erwählen[4b]), (aussuchen[5b]), (auswählen[6a])	escoger[1b]
church[1a]	église[1b]	Kirche[1b]	iglesia[1b]
city[1a], town[1a]	ville[1a], (cité[2a])	Stadt[1a], (Städtchen[5a])	ciudad[1a], (villa[2b])
class[1b] (n.)	classe[1b]	Klasse[1b]	clase[1b]
clean[1b] (adj.)	net[1b], (propre[2b])	rein[1a], (sauber[4b])	limpio[1b]
clear[1a], plain[1a], (distinct[3a]), (vivid[5b])	clair[1a], net[1b], (distinct[3a]) (nettement[2b]), (clairement[4b])	klar[1a], deutlich[1b], (erkennbar[5a]), (anschaulich[6a]) ([mit] Entschiedenheit[6a])	claro[1a], (cristalino[4a]), (límpido[6b])
close[1a], shut[1b]	fermer[1a], (clos[3a]), (refermer[3a])	schließen[1a], (zufallen[5a])	cerrar[1a], (cerrado[5b])
cold[1a] (adj.)	froid[1b] (froidement[3b])	kalt[1b]	frío[1a], (yerto[6b])
color[1a] (n.)	couleur[1b]	Farbe[1b]	color[1a], (colorido[6a])
come[1a], came[1a], coming[1b]	venir[1a]	kommen[1a]	venir[1a]
come[1a] from[1a], (proceed[2a]), (arise[3a]), (arose[3a]), (derive[4a])	venir[1a] de[1a], ([avoir son] origine[2a] [dans]), (provenir[4a]), (émaner[5a])	entstehen[1a], kommen[1a], (entspringen[3a]), (stammen[3a]), (ableiten[5a]), (herrühren[5a]), (erstehen[6b])	venir[1a] de[1a], nacer[1a], proceder[1b], (originar[3a]), (derivado+derivar[4b]), (provenir[4b]), (emanar[5a]), (procedente[6b])
company[1a] (business), firm[1b], (society[2b]), (association[4b])	société[1b], (compagnie[2a]), (association[3a])	Gesellschaft[1a], (Firma[2a]), (Kompagnie[2a]), (Handelsgesellschaft[4a]), (Korporation[6b])	compañía[1b], sociedad[1b], (firma[2b]), (asociación[5a])
company[1a] (social), (society[2b]), (association[4b])	monde[1a], société[1b]	Gesellschaft[1a], Verein[1b], (Genossenschaft[2b]), (Berufsgenossenschaft[6b])	compañía[1b], sociedad[1b], (asociación[5a])
complete[1b], entire[1b], whole[1a]	tout[1a], complet[1b], entier[1b], (intact[4a])	ganz[1a], gesamt[1b], sämtlich[1b], völlig[1b], vollkommen[1b], vollständig[1b], (gänzlich[2a])	completo[1a], entero[1a], (harto[2a]), (íntegro[4b])
complete[1b], (conclude[3a])	achever[1b], (conclure[2a]), (consommer[3a]), (compléter[3a]), (accompli[3b])	vollenden[1b], (ergänzen[4a]), (ausarbeiten[5a])	concluir[1b], (completar[3b]), (consumar[4a]), (rematar[4a])
condition[1b]	condition[1b]	Zustand[1a], Umstand[1a], Bedingung[1b]	condición[1a]
contain[1b]	contenir[1b]	enthalten[1a]	contener[1b], encerrar[1b]
continue[1b]	continuer[1a]	dauern[1b], (fortsetzen[2a]), (fortfahren[4a]), (fortdauern[4b]), (fortführen[5b])	continuar[1b], (proseguir[2a])
count[1b] (vb.)	compter[1a]	rechnen[1b], (zählen[2a])	contar[1a]
count[1b] on[1a], (depend[2b] on), (rely[6] on)	compter[1a] sur[1a], (avoir) confiance[1b] (en), (s'attendre[4b]), (se fier[6b] à)	rechnen[1b] auf[1a], (sich) verlassen[1a] auf, (vertrauen[2b] auf)	contar[1a] con[1a], (depender[2b] de), (confiar[2a])
country[1a] (geographical)	pays[1a]	Land[1a]	país[1a], tierra[1a]
country[1a] (not town)	campagne[1a]	Land[1a]	campo[1a], (campaña[2a]), (campiña[4a])
(of) course[1a]	bien[1a] sûr[1a], (bien[1a] entendu[2a]), naturellement[1b]	natürlich[1a], nämlich[1a], gewiß[1a], (selbstverständlich[2b]), (bekanntlich[2b])	por[1a] supuesto (+suponer)[1a], naturalmente (natural[1a]), claro[1a], seguro[1a]

English	French	German	Spanish
court[1b] (royal)	cour[1a]	Hof[1b]	corte[1b]
court[1b], (woo[4a])	faire[1a] la[1a] cour[1a], (courtiser[6b])	Hof[1b] machen[1a], (werben[5a])	hacer[1a] la[1a] corte[1b], enamorar[1b], (cortejar[7a])
cover[1a] (vb.)	couvrir[1b], (recouvrir[2a]), (draper[6b])	decken[1b], (bedecken[2a]), (belegen[3b]), (überziehen[4a])	cubrir[1a], (tapar[2b])
cross[1a], go[1a] across[1a], (traverse[5b])	traverser[1a], (franchir[2a])	über[1a] .... gehen[1a], (übergehen[2a]), (hinüber[4a] gehen[1a]), (kreuzen[5b])	cruzar[1b], atravesar[1b], (traspasar[3a])
crowd[1b], (throng[3b]), (multitude[3b])	foule[1b], (multitude[4a])	Menge[1b], Masse[1b]	gente[1a], (multitud[2b]), (muchedumbre[2b]), (tropel[4b])
cry[1b], cried[1b], shout[1b], (scream[3a]), (shriek[3b]), (cries[4a]), (yell[4a]), (hoot[6])	crier[1b]	rufen[1a], (schreien[2b]), (zurufen[5b])	gritar[1b], (clamar[3a]), (chillar[5b])
dare[1b], (daring[6])	oser[1a]	wagen[1b]	atreverse[1a], (osar[2b])
dark[1a] (adj.)	sombre[1b], (obscur[2a])	dunkel[1b], (finster[3a]), (düster[4a])	obscuro[1a], (tenebroso[3b])
daughter[1b]	fille[1a]	Tochter[1a]	hija (hijo[1a])
day[1a], (daytime[5b])	jour[1a], journée[1b]	Tag[1a]	día[1a]
(the) day[1a] (after), (morrow[4b])	lendemain[1b]	(der nächste) Tag[1a]	el[1a] día[1a] siguiente[1a]
dear[1a] (in affection)	cher[1a]	lieb[1a], teuer[1b]	querido[1b], (caro[2b])
death[1a]	mort[1a], (décès[6b])	Tod[1a]	muerte[1a]
decide[1b], (deem[3b]), (resolve[3a])	décider[1b], (se décider[4a]), (s'aviser de[5a])	entscheiden[1a], beschließen[1b], bestimmen[1b], (entschließen[2a])	decidir[1b], decidir (se)
deep[1a], (profound[5a])	profond[1a] (profondément[2b])	tief[1a]	profundo[1a], (hondo[2a])
delight[1b], joy[1b], (gladness[6])	joie[1b], (allégresse[6a])	Freude[1a], (Entzücken[4b]), (Jubel[5b])	alegría[1b], (delicia[3a]), (gozo[3a]), (deleite[3b]), (regocijo[3b])
demand[1b], (exact[2a])	réclamer[1b], (éxiger[2a]), (requérir[5a])	fordern[1b], verlangen[1b], (in) Anspruch[1b] (nehmen)	exigir[1b], (requerir[2b]), (demandar[3b])
desire[1b] (n.), wish[1a]	désir[1b], envie[1b], (souhait[6a])	Wunsch[1a], (Begierde[5a])	deseo[1a]
desire[1b] (vb.), want[1a], wish[1a]	désirer[1b], vouloir[1a], (souhaiter[2a])	wünschen[1a], (begehren[3b]), (erwünschen[3b])	desear[1a], querer[1a], ([tener] gana[2a]), (antojarse[3b]), (apetecer[4a])
die[1a], (expire[4b]), (decease[5b])	mourir[1a], (décéder[5a])	sterben[1a]	morir[1a], (fallecer[3b]), (fenecer[6a])
different[1b], (various[2a]), (unlike[4b])	autre[1a], différent[1b], divers[1b]	anders[1a], verschieden[1a], (mancherlei[3a]), (verschiedenartig[4b]), (zweierlei[6b])	vario[1a], diferente[1b], distinto[1b], diverso[1b]
direct[1b], (boss[6])	diriger[1a]	richten[1a], weisen[1b], (lenken[3a])	dirigir[1a]
direct[1b], straight[1b]	droit (adj.)[1a], (direct[3a])	gerade[1a], direkt[1b], unmittelbar[1b]	derecho[1a], (directo[2a]), (recto[2b])
direction[1b] (toward)	sens[1a], (direction[2a])	Richtung[1a]	dirección[1b], (rumbo[2b])
do[1a], did[1a], does[1a], done[1a], don't[1b], (didn't[3a]), (doth[3a]), (doesn't[3b]), (dost[4a])	faire[1a]	machen[1a], tun[1a], leisten[1b]	hacer[1a], cumplir[1a]
do[1a] (auxiliary)	(within the verb)	(within the verb)	(within the verb)

English	French	German	Spanish
doctor[1b], (physician[3a]), (Dr.[5b])	médecin[1b], (docteur[2b]), (chirurgien[6a])	Doktor[1a], (Arzt[2a])	doctor[1b], (médico[2a])
door[1a]	porte[1a]	Tür[1b], (Haustür[3b])	puerta[1a]
doubt[1b] (n.)	doute[1a]	Zweifel[1b], (Bedenken[2a]), (Unsicherheit[5b]), (Ungewißheit[6b])	duda[1a]
(without[1a]) doubt[1b], (doubtless[4a])	sans[1a] (aucun) doute[1a]	ohne[1a] Zweifel[1b], (zweifellos[3b]), (unzweifelhaft[3b])	sin[1a] duda[1a], (indudable[3a])
down[1a] (adv.)	en[1a] bas[1a]	nieder[1b], unten[1b], (herab[2b]), (hinab[3a]), (herunter[4a]), (hinunter[4b])	abajo[1b]
drive[1a] (intr. vb.), (drove[2b]), ride[1a] (Amer.), (rode[2b])	aller[1a] en[1a] voiture[1b], se[1a] promener[1b] en voiture	fahren[1a], (auffahren[6b])	ir[1a]
drive[1a] (car, etc.), (drove[2b])	conduire[1a]	fahren[1a] (mit)	conducir[1b], (manejar[3b])
drive[1a] (horse), (drove[2b])	conduire[1a]	treiben[1b]	conducir[1b]
drive[1a] (tr. vb.) (force)	pousser[1a]	treiben[1b]	echar[1a]
drop[1a] (tr. vb.)	laisser[1a] tomber[1a]	fallen[1a] lassen[1a]	dejar[1a] caer[1a]
during[1a]	pendant[1a], (durant[2a])	während[1a]	durante[1a]
duty[1b] (obligation)	devoir[1b]	Pflicht[1b], (Verpflichtung[2a]), (Schuldigkeit[6a])	deber[1b]
each[1a] (adj.)	chaque[1a]	jeder[1a]	cada[1a]
each[1a] (pron.), (apiece[5a])	chacun[1a]	jeder[1a]	cada[1a] uno[1a]
each[1a] other[1a], one[1a] another[1a]	se[1a], l'[1a]un[1a] l'[1a]autre[1a]	sich[1a], einander[1a]	se[1a], el[1a] uno[1a] al[1a] otro[1a]
earth[1a], soil[1b]	terre[1a], sol[1b]	Erde[1a], Boden[1a]	tierra[1a], suelo[1a]
easy[1b], (easier[4b])	facile[1b], (aisé[3b]) (aisément[4a])	leicht[1a]	fácil[1a]
either[1b] (conj.)	ou[1a]	entweder[1b]	o[1a], u[1a]
either[1b] (one)	l'[1a]un[1a] ou[1a] l'[1a]autre[1a]	der[1a] eine[1a] oder[1a] der[1a] andere[1a]	el[1a] uno[1a] o[1a] el[1a] otro[1a]
end[1a] (tr. vb.), finish[1b], (ending[4b])	finir[1a], terminer[1b], (fini [adj.][3b])	fertig[1b] machen[1a], schließen[1a], (enden[3a]), (fertigen[4a]), (endigen[5a])	acabar[1a], terminar[1a]
end[1a], (ending[4b]), (conclusion[4b])	fin (n.)[1a], bout[1a], terme[1b], (conclusion[3b]), (consommation[4b])	Ende[1a], Schluß[1b]	fin[1a], término[1a], cabo[1b], (conclusión[3a]), (remate[5b]), (terminación[5b])
enemy[1b], (foe[2b])	ennemi[1a]	Feind[1a]	enemigo[1a]
English[1b] (native language and person), American[1b], (British[2b]), (Englishman[4a]), (Englander[4a]), (Briton[6])	français[1a], (Français [n.][5a])	deutsch[1a], Deutsche[1b]	español[1a]
(subdivisions) Indian[1b], (Irish[4b]), (Scotch[4b]), (Scot[5a])	(basque[5b]), (gaulois[5b]), (breton[6a])	(sächsisch[3b]), (westfälisch[5a]), (böhmisch[5b]), (hessisch[6a]), (württembergisch[6a]), (schlesisch[6b])	castellano[1b], (andaluz[3a]), (gallego[3a]), (madrileño[4a]), (vizcaino[4a]), (catalán[4b]), (chileno[5a]), (aragonés[5b]), (asturiano[6b]), (manchego[6b]), (navarro[6b]), (valenciano[6b])
enough[1a]	assez[1a]	genug[1a], ([zur] Genüge[5a]), (genugsam[6b])	bastante[1a]

THE FIRST THOUSAND CONCEPTS Sec. 1 9

English	French	German	Spanish
(be) enough[1a], (suffice[3b])	suffire[1a]	genügen[1b], langen[1b], (ausreichen[2b]), (hinreichen[3a])	bastar (+basta)[1a]
enter[1b]	entrer[1a], rentrer[1a], pénétrer[1b]	eintreten[1a], eingehen[1b], (einkommen[2a]), (betreten[3a]), (herein[3a] kommen[1a]), (einziehen[3b]), (einlaufen[6a])	entrar[1a], penetrar[1b], (internar[5b] se)
equal[1b] (adj.)	égal[1b]	gleich[1a], ebenso[1a], (gleichmäßig[2b])	igual[1a]
(equally)	également[1b]	ebenfalls[1b]	por[1a] igual
even[1a] (adv.)	même[1a], (voire[4b])	selbst[1a], sogar[1a], (mal[2b])	aun, aún[1a]
evening[1b]	soir[1a], (soirée[2a])	Abend[1a]	tarde[1a], (velada[5b])
ever[1a], (e'er[4a]) (e.g., have you – seen ....)	jamais[1a]	je[1a], (jemals[3a])	jamás[1a], nunca[1a]
every[1a]	chaque[1a], tout[1a]	all[1a], jeder[1a]	cada[1a]
expect[1b]	attendre[1a], (s'attendre[3a] à)	erwarten[1a], (harren[4a]), (entgegensehen[5b])	aguardar[1b], esperar[1a]
express[1b] (vb.)	exprimer[1b]	darstellen[1b], äußern[1b], (ausdrücken[2b])	expresar[1b], (denotar[6b])
extend[1b], (stretch[2a]), (rack[3a]), (span[5a]), (expand[6])	étendre[1b], tendre (vb.)[1a]	reichen[1b], langen[1b], (ausdehnen[2a]), (erstrecken[3a]), (erweitern[3a]), (spannen[3b]), (strecken[3b]), (dehnen[5b]), (ausstrecken[6a])	extender[1b], (ensanchar[3b]), (estirar[3b])
eye[1a] (n.)	œil (yeux)[1a]	Auge[1a]	ojo[1a]
face[1a] (part of head)	figure[1a], visage[1a], face[1a]	Gesicht[1b], (Angesicht[3b])	cara[1a], rostro[1b], (semblante[2b]), (faz[3a])
fact[1b]	fait[1a]	Tatsache[1b]	hecho[1b], realidad[1b]
(in) fact[1b]	(en) effet[1a], (de) fait[1a], (en) fait[1a]	(in der) Tat[1a]	(en) efecto[1a]
fall[1a], fell[1b], (tumble[3a]), (fallen[3b])	tomber[1a], (dégringoler[6a])	fallen[1a], (sinken[2a]), (stürzen[2b])	caer[1a], (desplomar[4b])
family[1a]	famille[1a]	Familie[1b]	familia[1a]
far[1a], (distant[2a]), (farther[2a]), (remote[4b]), (farthest[5a]), (afar[5b]), (far-off[6])	loin[1a], (lointain[2a]), (éloigné[4a]), (distant[5a])	weit[1a], fern[1a], (weiterhin[6a]), (weithin[6b])	lejos[1a], (a[1a] legua[2a]), (lejano[2a]), (remoto[2a]), (distante[2b]), (en[1a] lontananza[5b]), (distar[6b] [to be –])
fast[1a], quick[1a], rapid[1b], (swift[2a]), (fleet[2b]), (hasty[4b]), (speedy[4b]), (brisk[5a]), (hastily[5a])	vite[1a], vif[1b], rapide[1b], (rapidement[2a]), (vivement[2b]), (précipitamment[5b])	schnell[1a], rasch[1b], (eilig[3b]), (geschwind[3b]), (schleunig[4b])	pronto[1a], vivo[1a], rápido[1b], (apresurado [apresurar[2b]]), (presto[2b]), (precipitado[3a]), (veloz[3a], (vertiginoso[6a])
father[1a], (sire[3b])	père[1a]	Vater[1a]	padre[1a]
feel[1a], felt[1b], feeling[1b]	sentir[1a], éprouver[1b]	fühlen[1a], empfinden[1b], (spüren[5b])	sentir[1a]
feeling[1b], (sentiment[5b]), (emotion[5b])	sentiment[1b], émotion[1b], (attendrissement[5a])	Gefühl[1a], Gemüt[1b], (Gesinnung[2a]), (Rührung[5b])	sentimiento[1a], sentir[1a], (emoción[2a])
(a) few[1a]	peu[1a], plusieurs[1a], quelques (quelque[1a])	wenige (wenig[1a]), einige[1a], (ein[1a] paar[2a]), (etliche[4a])	pocos (poco[1a])
field[1a]	champ[1b]	Feld[1b], (Acker[5a])	campo[1a]
figure[1b] (n.), form[1a], shape[1b]	forme[1a], taille[1b]	Figur[1b], Form[1a], Gestalt[1b]	figura[1a], forma[1a], (talle[3a]) (of person)

English	French	German	Spanish
find[1a], found[1a]	trouver[1a], retrouver[1a]	finden[1a], (auffinden[4b]), (vorfinden[5a]), (ausmitteln[6b])	hallar[1a], encontrar[1a]
fine[1a] (*adj.*) (not coarse)	fin (*adj.*)[1b]	fein[1b]	fino[1b]
fire[1a] (*n.*)	feu[1a], (incendie[4b])	Feuer[1b], (Brand[3b])	fuego[1a], (lumbre[2b]), (incendio[3a]), (hoguera[4a])
first[1a], (foremost[4b]), (primary[5b])	premier[1a]	erste (E)[1a]	primero[1a], (delantero[4a]), (primario[6b])
(at) first[1a]	d'abord[1a], (en) premier[1a] lieu[1a]	zuerst[1a], (am) Anfang[1b], (anfangs[2b]), (anfänglich[4b]), (erstens[5a]), (zuvörderst[5b]), (vorerst[6b])	primero[1a], (al) principio[1a], (en primer) lugar[1a]
fit[1b] (*vb.*), suit[1b], (be) fit (for), (suitable[4b])	convenir[1a]	sich[1a] eignen[1b], (passen[2a]), (sich[1a] anpassen[5a]), (taugen[6a])	convenir[1b], caber[1b], (conformar[4a]), (cuadrar[4b]), (encajar[6b])
five[1a]	cinq[1a]	fünf[1b]	cinco[1*]
fix[1b] (make fast)	fixer[1b], (fixe [*adj.*])[3a]	fest[1a] machen[1a], (befestigen[2a]), (fixieren[6a])	asegurar[1b], fijar[1b], afirmar[1b], (afianzar[6b])
follow[1a], following[1b], (ensue[5a])	suivre[1a], (s'ensuivre[7a])	folgen[1a], (nachgehen[6a])	seguir[1a]
foot[1a], feet[1a]	pied[1a]	Fuß[1a]	pie[1a]
for[1a] (*prep.*), ([in] behalf[4b]), (therefor[6])	pour[1a]	für[1a], dafür[1a], (hierfür[4a]), (wofür[4b])	para[1a], por[1a], ([en] pro[6a])
for[1a], (in) favor[1b] (of)	pour[1a], (en) faveur[1b] (de)	für[1a], dafür[1a]	por[1a], (a) favor[1a] (de)
force[1b], (oblige[2b]), (compel[3a]), (enforce[5b]), (constrain[6])	obliger[1a], forcer[1b], (contraindre[3b])	zwingen[1b], (nötigen[2a]), (erzwingen[5b])	obligar[1a], (forzar[3b])
force[1b], strength[1b], (vigor[3b])	force[1a], (vigueur[5a]), (solidité[6a])	Macht[1a], Kraft[1a], Gewalt[1b], (Stärke[2b])	fuerza[1a], (vigor[3a]), (fortaleza[3b]), (entereza[5b])
forest[1b], wood[1a], (grove[2b]), (woodland[4b]),	bois[1a], (forêt[2a])	Wald[1b], (Waldung[6a]), (Gehölz[6b])	monte[1b], (bosque[2a]), (selva[3b]), (floresta[4b])
forget[1b], (forgot[2b]), (forgotten[2b])	oublier[1a]	vergessen[1b]	olvidar[1a], (dar[1a] al[1a] olvido[2b])
form[1a] (*vb.*)	former[1a]	bilden[1a], (gestalten[2a]), (ausbilden[3a]), (formen[5a]), (formieren[6a])	formar[1a]
former[1b]	celui(-ci, -là)[1a], ceux(-ci, -là)[1a], celle(-ci, -là)[1a], celles(-ci, -là)[1b]	jener[1a]	aquél[1a]
forth[1b]	en[1a] avant[1a]	hervor[1b]	adelante[1b]
four[1a]	quatre[1a]	vier[1b]	cuatro[1*]
free[1a] (*adj.*), (freeman[5b]), (exempt[6]), (unbound[6])	libre[1a], (librement[3b])	frei (F)[1a], (ohne[1a] Zwang[3b])	libre[1a], (exento[4b]), (sin[1a] reserva[5a])
(foreign person and language of List) French[1b], (German[2a]), (Spanish[2a]), (Spaniard[4b]), (Frenchman[6])	anglais[1b], (allemand[2a]), (américain[2b]) (espagnol[3a])	französisch[1a], englisch[1b], (Franzose[2a]), (spanisch[3a]), (amerikanisch[3b]), (Engländer[4b])	francés[1a], inglés[1b], (americano[2a]), (alemán[2b]), (hispanoamericano[5a]), (yanqui[5a]), (gabacho[5b])
friend[1a]	ami[1a]	Freund[1a], (Freundin[2a]), (Hausfreund[5b])	amigo[1a]
from[1a], (fro[4b])	de[1a]	aus[1a], von[1a], (woraus[4b])	de[1a]
full[1a]	plein[1a]	voll[1a]	lleno[1a], (pleno[2b])
gain[1b], win[1b], (won[2a]), (earn[2a])	gagner[1a]	gewinnen[1a], erwerben[1b], verdienen[1b], (erringen[3a]), (abgewinnen[6b])	ganar[1a]

THE FIRST THOUSAND CONCEPTS

English	French	German	Spanish
general[1a] (*adj.*)	général[1b]	allgemein[1a], (abstrakt[6a])	general[1a]
(in) general[1a], usually (usual[1b]), (generally[6*])	(en) général[1b], (d')habitude[1b], (d')ordinaire[1b], (généralement[4a]), (ordinairement[4b]), (habituellement[5a])	(im) allgemeinen (allgemein[1a]) gewöhnlich[1a]	(en, por lo) general[1a]
gentleman[1b]	monsieur[1a]	Herr[1a]	caballero[1a]
get[1a], got[1a], receive[1a]	recevoir[1a], (accueillir[2a])	annehmen[1a], erhalten[1a], bekommen[1b], empfangen[1b]	recibir[1a], admitir[1b], cobrar[1b], (acoger[2b])
get[1a], got[1a], (obtain[2a]), (acquire[3b]), (procure[4a])	obtenir[1b], (acquérir[2a]), (procurer[3a]), (accaparer[6a])	erhalten[1a], bekommen[1b], empfangen[1b], (erlangen[2a]), (beschaffen[3b]), (kriegen[5b])	adquirir[1b], conseguir[1b], lograr[1b], (obtener[2a])
girl[1a], (maid[2a]), (maiden[2b]), (damsel[5a]), (lass[5b])	jeune[1a] fille[1a], (vierge[3a]), (fillette[5b])	junges (jung[1a]) Mädchen[1b], (Jungfrau[3b]), (Jungfer[5b])	muchacha (muchacho[1a]), chica (chico[1b]), (virgen[2a]), (doncella[2b])
give[1a], gave[1a], given[1a]	donner[1a]	geben[1a], (schenken[2a]), (hingeben[3a])	dar[1a]
glad[1a], happy[1a], (content[2a])	heureux[1a], content[1b]	glücklich[1a], gern[1a], sich[1a] freuen[1b], (froh[2a]), (zufrieden[2a]), (beglücken[5a])	feliz[1a], alegre[1b], contento[1b], (dichoso[2a])
glass[1b] (drinking)	verre[1b]	Glas[1b]	vaso[1b]
go[1a], went[1a], going[1b], gone[1b], (goes[2b])	aller[1a]	fahren[1a], gehen[1a], (schreiten[2a]), (hingehen[5a])	ir[1a]
go[1a] away[1a], leave[1a], (depart[2a])	partir[1a], (s'en aller[2a]), (s'absenter[6b])	sich[1a] entfernen[1b], (fortfahren[4a]), (aufbrechen[5b]), (fortgehen[5b])	ir[1a]se, partir[1a], marchar[1b] (se), (ausentarse[5a])
go[1a] up[1a], mount[1b], (ascend[3a]), (upward[s][3a])	monter[1a], remonter[1a]	steigen[1b], (hinauf[2b]), (empor[3a]), (aufwärts[4b])	subir[1a], (ascender[3b])
go[1a] with[1a], (accompany[2b])	accompagner[1a]	mit[1a] .... gehen[1a], begleiten[1b]	acompañar[1a]
God (g)[1a]	dieu[1a]	Gott[1a]	dios[1a]
God[1a] grant[1a] .... (may[1a] ....!)	plaise (plaire[1a]) (à Dieu)	Gott[1a] gebe (geben[1a])	Dios[1a] quiera (querer[1a]) Dios[1a] permita (permitir[1a]), (ojalá[4a])
gold[1a]	or[1b]	Gold[1b]	oro[1a]
good[1a] (*adj.*)	bon[1a], brave[1b], (sage[2a])	gut[1a], (artig[5a])	buen(o)[1a]
grant[1b], (afford[3b]), (bestow[3b]), (accord[4a]), (confer[4a]), (endue[6])	accorder[1b], (conférer[5b]), (concéder[6a]), (départir[6a]), (adjuger[6b]), (allouer[6b]), (octroyer[6b])	gestatten[1b], gewähren[1b], (bewilligen[2b]), (verleihen[2b]), (belassen[5b]), (vergönnen[5b])	conceder[1b], (dispensar[3a]), (otorgar[3b]), (conferir[6a]), (deparar[6a])
great[1a] (physical), (huge[2a]), (enormous[3a]), (immense[3b]), (tremendous[5a])	grand[1a], énorme[1b], immense[1b], (gigantesque[4a]), (colossal[5b])	groß[1a], (ungeheuer[2a]), (enorm[5a]), (kolossal[5a]), (riesig[5b])	enorme[1b], inmenso[1b], (colosal[3b]), (gigantesco[3b]), (descomunal[6a])
great[1a] (a – man)	grand[1a]	groß[1a]	gran(de)[1a]
ground[1a] (*n.*)	terre[1a], sol[1b]	Erde[1a], Grund[1a], Boden[1a]	suelo[1a], (terreno[2a])
guard[1b] (*vb.*)	garder[1a]	schützen[1b], (hüten[3b]), (bewachen[5b])	guardar[1a]
hair[1a]	cheveu[1b], (chevelure[4a]), (poil[4b])	Haar[1b]	pelo[1b], (cabello[2a]), (cabellera[4a]), (cana[4a]) (white)
half[1a] (*adj.*)	demi[1a]	halb[1b]	medio[1a]
half[1a] (*n.*)	moitié[1b]	Hälfte[1b]	mitad[1b]

English	French	German	Spanish
hand[1a] (n.)	main[1a]	Hand[1a]	mano[1a]
happen[1b], (occur[2b]), (befall[4a])	arriver[1a], se[1a] passer[1a], (survenir[4a]), (échoir[6b])	geschehen[1a], (eintreffen[2a]), (sich[1a] begeben[2a]), (passieren[3a]), (zugehen[3b]), (widerfahren[4b]), (sich[1a] ereignen[5a]), (verlaufen[5a])	suceder[1a], ocurrir[1b], (acontecer[3a]), (acaecer[5a]), (sobrevenir[5a])
hard[1a] (not soft)	dur[1b]	hart[1b]	duro[1a]
hard[1a], (difficult[2a])	difficile[1b] (difficilement[5a])	schwer[1a], (schwierig[2a])	difícil[1b], (arduo[5a])
have[1a], had[1a], has[1a], (hast[3b]), (I've[3b]), (hadst[4a]), (hath[4a]), (hasn't[6])	avoir[1a]	haben[1a]	haber[1a], tener[1a]
have[1a] (to do with), (concern[2b])	regarder[1a], (concerner[2b])	betreffen[1b], (angehen[3b])	importar[1a], (interesar[2a])
he[1a], him[1a]	il[1a], le[1a], lui[1a]	er[1a], etc.	él[1a], etc.
head[1a] (part of body)	tête[1a]	Kopf[1a], (Haupt[2a])	cabeza[1a]
hear[1a], heard[1b]	entendre[1a]	hören[1a]	oír[1a]
heart[1a]	cœur[1a]	Herz[1a]	corazón[1a], (entraña[2b])
heaven[1b], sky[1b], (firmament[5b])	ciel[1a]	Himmel[1a]	cielo[1a], (firmamento[4b])
Heavens! (heaven[1b]), ([the] devil[2b]!)	mon[1a] Dieu[1a]!, (le[1a] diable[2a]!), (bah![3b])	ach[1b] Gott[1a]!, (der[1a] Teufel[2a]!)	¡dios[1a]!, (caramba[5a]), (diantre[5b])
heavy[1a] (heavily[4b])	lourd[1b], (pesant [adj.][4a]) (lourdement[5b])	schwer[1a]	pesado (pesar[1a])
help[1a], (aid[2a]), (assist[2b]), (accommodate[5b])	aider[1b], (assister[4b]), (secourir[5b])	helfen[1b], (nützen[3a]), (mitwirken[4b]), (beistehen[5b])	ayudar[1b], (auxiliar[3a]), (socorrer[3a])
her[1a] (adj.)	son[1a]	ihr[1a]	su[1*]
here[1a], (hither[3a])	ici[1a], voici[1a], (çà[3a])	hier[1a], her[1a], (hierher[2b]), (hieher[6b])	acá[1a], aquí[1a]
hide[1b] (tr. vb.), (hid[2b]), (hidden[4b]), (conceal[3b])	cacher[1b], (voiler[5a])	verbergen[1b], (bergen[4a]), (verstecken[5a]), (verschweigen[5a]), (verhehlen[5b]), (verdecken[6a])	esconder[1b], (ocultar[2a]), (oculto[2a]), (encubrir[3b]), (recatar[4b]), (embozado[5b] [adj.])
hide[1b] (intr. vb.), (lurk[4a])			
high[1a], (lofty[3b])	haut[1a]	hoch[1a], (allerhöchst[6b])	alto[1a]
higher (high[1a])	supérieur[1b]	höher (hoch[1a])	superior[1b]
his[1a] (adj.)	son[1a]	sein[1a]	su[1*]
hold[1a], held[1b]	tenir[1a], (se tenir[6a])	halten[1a], fassen[1a], (festhalten[2a])	tener[1a], (sujetar[2b])
(at) home[1a], (at the) home (of), (homeward[5a])	chez[1a], à[1a] la[1a] maison[1a]	bei[1a], zu[1a] Hause (Haus[1a]), (daheim[5a]), (heim[5a]), nach[1a] Hause	en[1a] casa[1a]
honor[1b] (n.)	honneur[1a]	Ehre[1b]	honor[1a], (honra[2a]), (decoro[3a])
hope[1a] (vb.)	espérer[1a]	hoffen[1a], (hoffentlich[3a])	esperar[1a]
hope[1a] (n.)	espoir[1b], (espérance[2a])	Hoffnung[1b]	esperanza[1a]
horse[1a], (pony[3a]), (mare[4b]), (steed[4b])	cheval[1b], (jument[5a])	Pferd[1b], (Roß[4a])	caballo[1a]
hour[1a]	heure[1a]	Stunde[1a]	hora[1a]

THE FIRST THOUSAND CONCEPTS

English	French	German	Spanish
house[1a]	maison[1a], hôtel[1b]	Haus[1a]	casa[1a], (hotel[3b])
how[1a]	comment[1a]	wie[1a]	como[1a], cómo[1a]
however[1b], still[1a], yet[1a], (nevertheless[4a]), (notwithstanding[5b]), (howe'er[6])	cependant[1a], pourtant[1a], (toutefois[2a]), (néanmoins[2b]), (tout de même[4b])	doch[1a], jedoch[1a], dennoch[1b], jedenfalls[1b], (indes[2a]), (trotzdem[2b]), (gleichwohl[3b]), (ungeachtet[4b])	sin embargo[1a], (no[1a] obstante[2b]), (empero[5b])
husband[1b], (mate[2b]), (spouse[5a]), (consort[6])	mari[1b], (époux[4a])	Mann[1a], (Gatte[3a]), (Gemahl[4a]), (Ehegatte[6b]), (Ehemann[6b])	esposo[1a], marido[1a]
I[1a], me[1a]	je[1a], moi[1a], me[1a]	ich[1a]	yo[1a]
if[1a]	si[1a]	wenn[1a], (falls[2a])	si[1a]
important[1b]	important[1b]	wichtig[1a], erheblich[1b], (ansehnlich[4b]), (gewichtig[6a]), (einflußreich[6b])	importante[1b]
in[1a], (wherein[4a]), (herein[6]), (therein[6])	dans[1a], en[1a]	in[1a], darin[1a], (hierbei[2a]), (worin[2a]), (hierin[3b])	en[1a]
indeed[1b]	en[1a] effet[1a], (certes[2a]), (tiens![3a]), (parbleu[3b]), (va![5b]), (allez![5a])	ja[1a], zwar[1a], wirklich[1a], allerdings[1a], (mal[2b]), (wahrlich[3a]), (fürwahr[6b])	verdaderamente (verdadero[1a]), en[1a] efecto[1a]
instead[1b] (of)	au[1a] lieu[1a] (de)	statt[1a], (anstatt[3a])	(en) lugar[1a] (de)
interest[1b] (n.), (concern[2b])	intérêt[1a]	Interesse[1a], (Anklang[6b])	interés[1b]
interest[1b], (percent[7])	intérêt[1a], pour[1a] cent[1a], (usure[5b])	Interessen (Interesse[1a]), Prozent[1b], (Zins[2b]), (Dividende[4b])	intereses (interés[1b])
into[1a]	dans[1a]	in[1a], hinein[1b], (herein[3a]), (darein[6b])	en[1a], dentro[1a]
it[1a]	il[1a]	es[1a]	lo[1a], etc.
its[1a]	son[1a]	sein[1a]	su[1*]
join[1b], (connect[2a]), (fasten[2b]), (attach[3b])	attacher[1b], (joindre[2a]), (accrocher[2b]), (rattacher[4b])	verbinden[1a], (fügen[2a]), (anschließen[2b]), (zusammenhängen[3b] [be joined]), (gesellen[5b])	añadir[1a], juntar[1b], (incorporar[3a]), (enlazar[4a])
journey[1b], trip[1b], (voyage[3a])	voyage[1b]	Reise[1b], (Fahrt[3a])	viaje[1a], (jornada[2b]), (pasaje[3a]), (navegación[5a]), (travesía[5b])
judge[1b] (vb.)	juger[1b]	richten[1a], befinden[1a], (beurteilen[2b]), (urteilen[4a])	juzgar[1b]
just[1a] (past time)	venir[1a] de[1a], (à l')instant[1a], (justement[2a])	eben[1a], gerade[1a], (soeben[3b])	acabar[1a] de[1a], (hace) poco[1a]
keep[1a], save[1a], kept[1b]	garder[1a], retenir[1a], conserver[1b]	erhalten[1a], behalten[1b]	guardar[1a], conservar[1a]
kind[1a], sort[1b]	sorte[1a], espèce[1b], genre[1b]	Art[1a], (allerlei[3a]), (derart[3b]), (Gattung[3b]), (Sorte[3b]), (allerhand[6a])	clase[1b], especie[1b], género[1b], (tenor[6a])
kind[1a], (thoughtful[4b])	(avoir) bon[1a] cœur[1a], bon[1a], (bienfaisant[4b]), (complaisant[6b])	freundlich[1b], (gnädig[2a]), (gütig[2b]), (liebenswürdig[2b]), (wohlwollend[3b]), (gutmütig[6a])	bueno[1a], (bondadoso[3b]), (benéfico[4a]), (benévolo[4b])
king[1a]	roi[1b]	König[1a]	rey[1a]
know[1a], known[1a], knew[1b], ([be] acquainted [acquaint[3b]] [with])	connaître[1a]	kennen[1a]	conocer[1a]

English	French	German	Spanish
know[1a], etc. (have knowledge of), ([be] conscious[4b] [of]), ([be] aware[5b] [of])	savoir[1a]	wissen[1a], (bewußt[2b]), (gewahr[5b])	saber[1a]
(let) know[1a], (inform[2b]), (acquaint[3b]), (impart[4b]), (notify[5b])	faire[1a] part[1a], prévenir[1b], (aviser[2a]), (avertir[2a]), (informer[2b]), (renseigner[3a]), (mander[5a])	wissen[1a] lassen[1a], mitteilen[1b], (verkünden[4a]), (verkündigen[4b]), (benachrichtigen[5b]), (Einblick[5b] verschaffen[2a])	advertir[1a], (avisar[2a]), (enterar[2a]), (informar[2b]), (prevenir[2b]), (notificar[6a])
(not) know[1a], ([be] ignorant[3b] [of])	ignorer[1b]	(nicht) wissen[1a]	desconocer[1b], ignorar[1b]
lady[1b], (ladies[2b]), (dame[3b])	dame[1a], (châtelain[-e][4b])	Dame[1b]	señora (señor[1a]), dama[1b]
land[1a] (n.) (not sea) (on) land[1a], (ashore[4a])	terre[1a]	Land[1a]	tierra[1a]
last[1a] (adj.)	dernier[1a]	letzte[1a]	último[1a], (postrero[3a])
(at) last[1a], (finally[2a])	enfin[1a], (finalement[4b])	endlich[1a], (zum) Beschluß[1b], schließlich[1b], zuletzt[1b]	al[1a] fin[1a], por[1a] fin[1a], por[1a] último[1a], al[1a] cabo[1b], (a[1a] la[1a] postre[3b]), (por[1a] remate[5b])
late[1a], (tardy[4b])	tard[1a], (tardif[4a])	spät[1a], (spätestens[6a])	tarde[1a], (tardo[5b])
laugh[1a] (vb.), (chuckle[6])	rire[1a]	lachen[1b]	reír[1b]
law[1a], (statute[5b])	loi[1b], (code[3b])	Gesetz[1a], (Einkommensteuergesetz[4b]), (Landrecht[5a]), (Reichsgesetz[5a]), (Naturgesetz[6a])	ley[1a], (código[5b]), (estatuto[6b])
lay[1a], laid[1b]	coucher[1b]	legen[1a], (lagern[3b])	echar[1a], poner[1a]
lead[1a], led[1b], (conduct[2b])	conduire[1a], mener[1a], amener[1b]	führen[1a], leiten[1b], (anführen[2a]), (dirigieren[6a]), (herleiten[6b])	llevar[1a], conducir[1b]
learn[1a]	apprendre[1a]	lernen[1a], erfahren[1a]	aprender[1b]
least[1b]	(le) moins[1a], moindre[1b]	geringste (gering[1a]), wenigste (wenig[1a]), mindeste (minder[1b])	(lo) menos[1a]
(at) least[1b]	(au) moins[1a]	wenigstens[1a], (mindestens[2a])	a[1a] lo[1a] menos[1a], al[1a] menos[1a], siquiera[1b]
leave[1a], left[1a], (quit[2b])	laisser[1a], quitter[1a]	lassen[1a], überlassen[1b]	dejar[1a]
leave[1a], left[1a], (desert[2a]), (forsake[3b]), (abandon[4a])	abandonner[1b], (délaisser[4a]), (déserter[4b])	verlassen[1a], (aufgeben[2b]), (preisgeben[5b])	abandonar[1b], (desamparar[4b])
left[1a] (adj. and adv.)	gauche[1b], (à gauche[2b])	linke[1b], links[1b], (Linke[4a])	izquierdo[1b], (siniestro[3b])
less[1a], (lesser[6])	moins[1a]	weniger (wenig[1a]), minder[1b]	menos[1a], (menor[6a])
letter[1a] (epistle)	lettre[1b]	Brief[1a], (Zuschrift[6a])	carta[1a], (epístola[6b])
lie[1b] (vb.), lay[1a], (lying[2a]), (lain[6])	être[1a] couché (coucher[1b])	liegen[1a]	echar[1a] se[1a]
life[1a]	vie[1a]	Leben[1a], (Dasein[2a]), (Menschenleben[3a])	vida[1a], ser[1b]
(full of) life[1a], (lively[3a])	vif[1b], (vivant [adj.][2a]), (animé [animer[2b]])	lebhaft[1b], (lebendig[2a]), (rege[3b])	vivo[1a], (brioso[6a] [horse])
lift[1b], raise[1a], (rear[2b]), (heave[3b]), (elevate[4b]), (uplift[6])	élever[1a], lever[1a], relever[1a], dresser[1b], soulever[1b], (hausser[2b]), (hisser[5a])	erheben[1a], heben[1b], (erhöhen[2a]), (steigern[2a]), (aufziehen[6b])	levantar[1a], alzar[1b], elevar[1b], (erigir[3a]), (empinar[6b])
light[1a] (n.)	lumière[1b]	Licht[1b], (Licht[2b] [luminary])	luz[1a], (resplandor[3a])

THE FIRST THOUSAND CONCEPTS

English	French	German	Spanish
light[1a] (*adj.*) (weight)	léger[1b] (légèrement[2b])	leicht[1a]	ligero[1b], (leve[2a]), (liviano[5a])
like[1a], care[1a] for[1a], ([be] fond[2b] [of])	aimer[1a], ([avoir de la] sympathie[2b] [pour])	gern[1a] haben[1a], mögen[1a], (sympathisch[5b])	gustar[1a], querer[1a], (tener [simpatía[2b]] por)
like[1a] (*adj.*), (alike[2b])	pareil[1a], semblable[1b]	gleich[1a], ähnlich[1a], (überein[4b])	semejante[1a]
(look[1a]) like[1a], (resemble[4a])	ressembler[1b]	ähnlich[1a] sein[1a], (gleichen[3b])	parecer[1a] se[1a], (semejar[3b])
line[1a]	ligne[1b]	Linie[1b], (Zeile[2b])	línea[1b], (renglón[5b]) (written)
little[1a], small[1a], (slight[2a]), (tiny[2b]), (wee[3a])	petit[1a], (mignon[4a]), (menu[6a]), (minuscule[6a])	gering[1a], klein[1a]	pequeño[1a], chico[1b], (menudo[2a]), (diminuto[6b])
little[1a] (*n.*), bit[1b]	peu[1a]	wenig[1a], (ein[1a] bißchen[5a])	poco[1a], poquito[1a]
little[1a] (*adv.*), (somewhat[2b])	un[1a] peu[1a], quelque[1a] peu[1a]	etwas[1a]	algo[1a]
little[1a] by[1a] little, (by[1a] degrees [degree[2a]]), (gradual[3a])	peu[1a] à[1a] peu, (successivement[3b])	allmählich[1b]	poco[1a] a[1a] poco, (gradual[6b])
live[1a], (be[1a] alive[2a])	vivre[1a]	leben[1a]	vivir[1a]
long[1a] (*adj.*)	long[1a]	lang[1a]	largo[1a], (luengo[5a])
long[1a] (*adv.*) (time)	longtemps[1a]	lang[1a], längst (lang[1a]), (langjährig[6b])	mucho[1a] tiempo[1a]
look[1a] (*n.*), (peep[2b]), (glance[2b]), (glimpse[5a])	regard[1a], coup[1a] d'[1a]œil[1a]	Blick[1a]	mirada[1b], (mirar[5b]), (ojeada[6b]), (vislumbre[6b])
look[1a] at[1a], (scan[6])	regarder[1a]	ansehen[1b], (blicken[2a]), (schauen[2a]), (umsehen[6a])	mirar[1a]
look[1a] for[1a], hunt[1b] for[1a], seek[1b], (search[2a]), (sought[2b])	chercher[1a], (rechercher[2b])	suchen[1a], (aufsuchen[3a]), (nachsehen[4b])	buscar[1a], (registrar[3b])
looks (*n.*) (look[1a]), (appearance[2b]), (aspect[5b])	air[1a], (apparence[2a]), (aspect[2a]), (mine[2b])	Erscheinung[1b], (Schein[2b]), (Anschein[5a]), (Aussehen[5b])	aire[1a], (apariencia[2b]), (parecer[3a]), (viso[6a])
lose[1b], lost[1a]	perdre[1a]	verlieren[1a], (einbüßen[5b]), (zusetzen[6a])	perder[1a]
(out) loud[1b], (aloud[3a])	à[1a] haute (haut [*adj.*][1a]) voix[1a], (haut [*adv.*][2a])	laut[1b]	alto[1a]
love[1a] (*vb.*)	aimer[1a]	lieben[1a], lieb[1a] haben[1a]	amar[1a], querer[1a]
love[1a] (*n.*)	amour[1a]	Liebe[1a], (Lieben[5a])	amor[1a], cariño[1b]
make[1a], made[1a]	faire[1a]	machen[1a], tun[1a]	hacer[1a], (confeccionar[5b])
man[1a], men[1a]	homme[1a]	Mann[1a], Mensch[1a]	hombre[1a]
many[1a]	beaucoup[1a]	manch[1a], viele (viel[1a])	muchos (mucho[1a])
mark[1a] (*vb.*)	marquer[1b]	bezeichnen[1a], zeichnen[1b], (kennzeichnen[5b])	señalar[1b], (marcar[2a])
master[1b] (*n.*)	maître[1a]	Meister[1b]	amo[1a], dueño[1a]
matter[1a], thing[1a], question[1b], (affair[2b]), (concern[2b])	affaire[1a], chose[1a], question[1a]	Sache[1a], Angelegenheit[1b]	cosa[1a], asunto[1b], cuestión[1b], (achaque[5a])
matter[1a] (what's the matter), (ail[6])	avoir[1a] (qu'est-ce qu'il y a)	vorliegen[1b], (los[2a] sein[1a])	qué[1a] pasa (pasar[1a])
matter (negative)	(ne rien) faire[1a], importer[1b]	gleich[1a] sein[1a], (ausmachen[3b])	importar[1a]
may[1a], might[1a], (mayst[6])	pouvoir[1a]	dürfen[1a], mögen[1a]	poder[1a]
mean[1a] (*vb.*), (meant[2b]), (signify[5b])	vouloir[1a] dire[1a], (signifier[2a])	bedeuten[1a], heißen[1a], meinen[1a], (besagen[5a])	querer[1a] decir[1a], (significar[2a])

English	French	German	Spanish
means (mean[1a]) (n.), (medium[4b])	moyen[1a]	Mittel[1b]	medio[1a]
measure[1a], (measurement[5b])	mesure[1a]	Maß[1b], (Maßnahme[5a])	medida[1a], (compás[3a]), (tasa[6a])
meet[1a], met[1b]	rencontrer[1a]	treffen[1a], begegnen[1b], (antreffen[4b]), (zusammentreffen[5a])	encontrar[1a]
miss[1a] (vb.)	manquer[1b], (rater[5a]), (manqué[5b])	fehlen[1b], (verfehlen[4a]), (vermissen[4b])	echar[1a] (de) menos[1a], faltar[1a]
moment[1b]	moment[1a]	Augenblick[1a], (Moment[2a])	momento[1a]
money[1a]	argent[1a]	Geld[1a]	dinero[1a], plata[1b]
month[1a]	mois[1a]	Monat[1b]	mes[1a]
more[1a]	plus[1a], davantage[1a]	mehr[1a]	más[1a]
morning[1a], (forenoon[4a]), (morn[4a])	matin[1a], (matinée[3b])	Morgen[1a], (Vormittag[5a])	mañana[1a]
most[1a]	(le) plus[1a], plupart[1b]	meist[1a], (Meiste[6a])	lo[1a] más[1a]
mother[1a], (ma[6])	mère[1b]	Mutter[1a]	madre[1a]
mouth[1b]	bouche[1b], (gueule[6a])	Mund[1a], (Maul[5b])	boca[1a]
Mr.[1b], sir (S)[1b], (mister (M)[6])	monsieur[1a]	Herr[1a], (monsieur[4b]), (Mister[6b])	don, D.[1a], señor[1a], señorito[1a]
Mrs.[1b], (madam[3b])	madame[1b]	Frau[1a], (Madame[4a])	doña, Da.[1a], señora (señor[1a])
much[1a], a[1a] lot[1b], a[1a] great[1a] deal[1b]	beaucoup[1a], (grand'chose[6a])	viel[1a]	mucho[1a]
must[1a], have[1a] (to)	devoir[1a], falloir[1a]	müssen[1a], sollen[1a]	deber[1a]
my[1a]	mon[1a]	mein[1a]	mi[1a]
name[1a] (n.)	nom[1a]	Name[1a], (Bezeichnung[2b]), (Benennung[6b])	nombre[1a], (apellido[3a])
name[1a] (give – to), (entitle[4a])	nommer[1b], (intituler[4b])	nennen[1a]	nombrar[1b], (titular[2b]), (denominar[4a])
name[1a], (appoint[2a])	nommer[1b], (désigner[2a]), (définir[3b]), (nommé [adj.][5a])	bestimmen[1b], (ernennen[2b]), (benennen[5a])	nombrar[1b], (designar[2b])
(what is your) name[1a]	s'[1a]appeler[1a]	heißen[1a]	llamar[1a]
narrow[1b]	étroit[1b] (étroitement[4b])	eng[1b], (schmal[3a])	estrecho[1b], (angosto[4a])
natural[1b]	naturel[1a] naturellement[1b]	natürlich[1a], (naturgemäß[2b])	natural[1a]
nature[1b]	nature[1a]	Natur[1a]	naturaleza[1a]
nature[1b], character[1b], soul[1b]	caractère[1a], nature[1a], âme[1a], (qualité[2a])	Wesen[1a], (Beschaffenheit[3a])	carácter[1b], (genio[2a]), (índole[3a]), (temperamento[4a])
near[1a] (adj. and adv.), close[1a], (nigh[4a]), (adjacent[6])	voisin(-e)[1a], près[1b], (auprès[2b]), (proche[3a])	dabei[1a], nah[1a], neben[1a], (in der) Nähe[1b], (herbei[3b]), (nebenbei[3b]), (baldig[4b]), (bevorstehend[5a])	cerca[1a], junto[1a], vecino[1b], (cercano[2a]), (próximo[2a]), (contiguo[6a])
near[1a] (prep.), (nigh[4a])	près de[1a], auprès de[1b]	neben[1a], bei[1a], (wobei[2a])	cerca[1a] de[1a]
necessary[1b], (needful[5b])	nécessaire[1a]	notwendig[1a], nötig[1a], erforderlich[1b]	necesario[1a], preciso[1a]
need[1a] (n.), want[1a]	besoin[1a]	Mangel[1b], Not[1b], (Bedarf[3a])	necesidad[1a], (menester[2a])
need[1a] (vb.), require[1b]	avoir[1a] besoin[1a] de[1a]	brauchen[1a], (bedürfen[2a]), (erfordern[2b])	hacer[1a] falta[1a], necesitar[1a], (haber[1a] menester[2a])
neither[1b] .... nor[1b]	ni[1a] .... ni[1a]	weder[1b] .... noch[1a]	ni[1a] .... ni[1a]
neither[1b] (adv.), nor[1b]	non[1a] plus[1a]	auch[1a] nicht[1a]	tampoco[1b]

THE FIRST THOUSAND CONCEPTS — Sec. 1

English	French	German	Spanish
neither[1b] (one)	ni[1a] l'[1a] un[1a] ni[1a] l'[1a] autre[1a]	weder[1b] der[1a] eine[1a] noch[1a] der[1a] andere[1a]	ni[1a] el[1a] uno[1a] ni[1a] el[1a] otro[1a]
never[1a], (ne'er[5b])	jamais[1a]	nie[1a], niemals[1b], (nimmermehr[4b])	jamás[1a], nunca[1a]
new[1a]	nouveau[1a], (neuf[2a])	neu[1a]	nuevo[1a]
next[1a], following[1b], (subsequent[5b])	prochain[1b], suivant[1b]	folgend[1a], nächst (nah[1a]), zunächst[1a]	siguiente[1a], inmediato[1b], (próximo[2a]), (sucesivo[2b]), (venidero[4b])
night[1a]	nuit[1a]	Nacht[1a]	noche[1a]
no[1a], (nay[4a])	non[1a]	nein[1a]	no[1a]
no[1a] (*adj.*)	aucun[1a], nul[1b]	kein[1a]	ninguno[1a]
no[1a] longer (long[1a]), no[1a] more[1a]	(ne) .... plus[1a]	nicht[1a] mehr[1a], (nimmer[3b])	ya[1a] no[1a]
no[1a] one[1a], (nobody[2b])	personne[1a]	niemand[1a]	nadie[1a]
none[1b]	(ne) .... point[1a], (ne) .... aucun[1a], nul[1b]	kein[1a]	ningún[1a], nada[1a] (de)
not[1a]	ne .... pas[1a], pas[1a]	nicht[1a]	no[1a]
nothing[1a], (nought[5a]), (naught[6])	rien[1a], (néant[5a])	nichts[1a]	nada[1a]
now[1a], at[1a] present[1a]	maintenant[1a], (à présent[2b]), (actuellement[2b])	jetzt[1a], nun[1a], nunmehr[1b], (diesmal[2b]), (vorläufig[2b]), (heutzutage[4b]), (jetzo[6a])	ahora[1a], (en[1a] la[1a] actualidad[5b])
now[1a] (*conj.*)	or[1b]	nun[1a]	ahora[1a] bien[1a]
number[1a] (*n.*) (quantity)	nombre[1a]	Zahl[1a]	número[1a]
of[1a], (thereof[3b]), (whereof[6])	de[1a], en (*pron.*)[1a]	von[1a], davon[1a], (wovon[3a]), (hiervon[4a])	de[1a], del[1a]
offer[1b] (*vb.*)	offrir[1a]	bieten[1a], (darbieten[3a]), (anbieten[3b]), (darbringen[6b])	ofrecer[1a], (brindar[3a])
often[1a], (frequently [frequent[2a]]), (oft[3b])	souvent[1a], (fréquemment[5a])	oft + öfter(s)[1a], häufig[1b]	muchas (mucho[1a]) veces (vez[1a]), (a[1a] menudo[2a]), (frecuentemente [frecuente[2a]]), (con[1a] frecuencia[2b])
old[1a], (elder[3b]), (eldest[4a]), (aged[6]), (senior[6])	vieux (*adj. and n.*)[1a], ancien[1a], vieille (*adj. and n.*)[1b], (vieil[2a]), (âgé[3a]), (aîné[3a])	alt[1a], (uralt[5a])	antiguo[1a], viejo[1a]
on[1a], upon[1a], (thereon[4b]), (whereon[6])	sur[1a]	auf[1a], darauf[1a], (worauf[2a]), (hinauf[2b]), (herauf[5a])	sobre[1a], al[1a]
once[1a] (one time + once upon a time)	une[1a] fois[1a], jadis[1b]	einmal[1a], einst[1b]	una[1a] vez[1a]
(at) once[1a], right[1a] off[1a] (Amer.), (immediately [immediate[2a]]), (instantly [instant[2b]]), (forthwith[5b]), (straightway[5b])	à[1a] l'[1a]instant[1b], aussitôt[1b], tout de suite[1b], (immédiatement[2a])	sogleich[1b], (augenblicklich[2b]), (als[o]bald[3a]), (unverzüglich[6b])	ahora[1a] mismo[1a], al[1a] instante[1a], luego[1a], ya[1a] mismo[1a], en[1a] seguida[1b], inmediato[1b]
one[1a] (*indef. pron.*), they[1a], you[1a]	on[1a]	man[1a]	se[1a], uno[1a]
one[1a] (numeral)	un[1a]	ein[1a]	uno[1a]
only[1a] (*adv.*)	seulement[1a], (uniquement[3b]), (ne .... que[5b])	bloß[1a], erst[1a], nur[1a], lediglich[1b], (lauter[3a])	sólo[1a]
only[1a] (*adj.*), single[1b], (mere[2a]), (sole[2b]), (lone[3a])	seul[1a], simple[1a], unique[1b]	einzeln[1a], einzig[1a], (einmalig[6a])	solo[1a], único[1a], (mero[5a])

English	French	German	Spanish
open[1a], (uncover[5a]), (unlock[6])	ouvrir[1a], ouvert[1b], (entr'ouvrir[3a]), (rouvrir[5a])	offen[1b], öffnen[1b], (zugänglich[4a]), (aufschlagen[5b]), (auftun[5b]), (erschließen[5b])	abrir[1a], (entreabrir[4b])
or[1a]	ou[1a]	oder[1a], (beziehungsweise[2b])	u[1a], o[1a]
(in) order[1a] (to), so[1a] as[1a], so[1a] that[1a], that[1a]	pour[1a], pour que[1b], (afin de[2a]), (afin que[3a])	damit[1a], sowie[1a], um[1a] .... zu[1a], (sodaß[4a])	para[1a]
order[1a], command[1b], (commandment[6])	ordre[1a], (commandement[4a]), (commande[4b])	Befehl[1b], (Auftrag[2a]), (Gebot[2b]), (Erlaß[3a]), (Anweisung[4a]), (Ordre[4b]), (Bestellung[5a]), (Weisung[5a])	orden[1a], (encargo[2b]), (mandato[4a]), (mandamiento[6b])
other[1a]	autre[1a], (autrui[6a])	andere[1a], (sonstig[2a]), (anderweitig[5a])	demás[1a], otro[1a]
ought[1b]	devoir[1a]	sollen[1a]	deber[1a]
our[1a]	notre, nos[1a]	unser[1a]	nuestro[1*]
out[1a], outside[1b]	dehors[1a]	aus[1a], außer[1a], daraus[1b], heraus[1b], hinaus[1b], (hieraus[4a])	fuera[1a], (afuera[4a])
own[1a] (adj.)	propre[1a]	eigen[1a]	propio[1a]
own[1a] (vb.), (possess[2a])	posséder[1b]	besitzen[1b]	poseer[1a]
pain[1b] (n.), (ache[3b]), (pang[4a])	peine[1a], douleur[1b], (souffrance[2b])	Schmerz[1b]	dolor[1a], (dolencia[5b])
paper[1a]	papier[1b]	Papier[1b]	papel[1a]
paper[1a], (newspaper[2b])	journal[1b]	Zeitung[1b], (Wochenblatt[6b])	diario[1a], (periódico[2a]), (gaceta[6b])
part[1a] (n.)	part[1a], partie[1a], parti[1b]	Teil[1a]	parte[1a]
(in) part[1a], (partly[2b]), (partial[5b])	en[1a] partie[1a]	teils[1b], (teilweise[2b])	en[1a] parte[1a], (parcialmente [parcial[5b]])
part[1a] (of country), (region[2a]), (area[3a])	environs (environ[1b]), (ronde[2b]), (alentours [les][5a])	Gegend[1b]	región[1b], (comarca[3a]), (contorno[3a])
party[1b], (festival[4b]), (celebration[5b]), (jubilee[6])	fête[1b]	Gesellschaft[1a], Fest[1b]	fiesta[1b]
pay[1a], (paid[2a])	payer[1a]	bezahlen[1a], zahlen[1b], (entrichten[4a])	pagar[1a], (abonar[3a])
peace[1b]	paix[1b]	Friede[1b]	paz[1a]
people[1a] (race)	peuple[1b]	Volk[1a]	pueblo[1a]
people[1a] (persons), (folk[2a])	gens[1a], monde[1a]	Leute[1a]	gente[1a]
people[1a] (common[1b])	peuple[1b]	Volk[1a]	pueblo[1a], (vulgo[3a]), (plebe[6a]), (proletario[6b]) (one of −)
perfect[1b] (adj.)	parfait[1b], (accompli[3b]) parfaitement[1b]	vollkommen[1b]	perfecto[1b], (cabal[3b])
perhaps[1b], (maybe[4a]), (perchance[5b]), (haply[6]), (possibly[6*])	peut-être[1a]	vielleicht[1a], (eventuell[2b]), (allenfalls[5a]), (womöglich[5b]), (tunlichst[6a])	quizá(s)[1a], tal vez[1a]
person[1a], self[1b]	personne[1a], (individu[2a])	Mensch[1a], Person[1a]	persona[1a]
piece[1a], (chip[4b]), (fragment[5b])	morceau[1b], pièce[1a], (bribe[6b])	Stück[1a]	pedazo[1b], (pieza[2a]), (trozo[2b]), (fragmento[4a]), (mendrugo[6b])

English	French	German	Spanish
place[1a], (position[2b]), (location[4b]), (site[4b]), (stead[5a])	lieu[1a], endroit[1b], place[1a], (position[2a]), (site[4b]), (localité[5b])	Ort[1a], Platz[1a], Raum[1b], Stand[1a], Stelle[1a], Stellung[1a], (Ortschaft[4a]), (Stätte[4a]), (Statt[6b])	lugar[1a], puesto[1a], sitio[1a], (posición[2a]), (paraje[3a]), (colocación[3b]), (local[3b]), (recinto[5b]), (localidad[6a])
place[1a], put[1a], set[1a]	mettre[1a], poser[1a], déposer[1b], placer[1b], (fourrer[4b])	legen[1a], setzen[1a], stellen[1a], herstellen[1b], (stecken[2a]), (hinstellen[4a]), (unterstellen[5a]), (niedersetzen[6a])	colocar[1a], meter[1a], poner[1a], (situar[2a]), (depositar[3b]), (anteponer[5b]), (posar[6a])
(take) place[1a]	(avoir) lieu[1a]	stattfinden[1b]	suceder[1a], ocurrir[1b]
play[1a] (vb.)	jouer[1a]	spielen[1b]	tocar[1a], jugar[1b], (tañer[6a])
please[1a]	plaire[1a], faire[1a] plaisir[1a] à[1a], (complaire[6b])	bitte (bitten[1a]), (gefallen[2a]), (belieben[3a]), (ergötzen[6a])	placer[1a], (agradar[2a]), (complacer[2a])
point[1a], (dot[2b])	point[1a]	Punkt[1a]	punto[1a]
point[1a] of[1a] view[1b]	point[1a] de[1a] vue[1a]	Gesichtspunkt[1b], (Standpunkt[2a])	punto[1a] de[1a] vista[1a]
poor[1a] (not rich)	pauvre[1a]	arm[1a]	pobre[1a]
possible[1b]	possible[1a]	möglich[1a], (etwaig[3b]), (denkbar[4a]), (ausführbar[6a])	posible[1a], (dable[6b])
pound[1b] (money), (dollar[2a]), (guinea[6])	franc (n.)[1b], (sterling[6b])	Mark[1a], (Taler[2b]), (Gulden[3b]), (Franken[4b]), (Rubel[4b]), (Dollar[5b]), (Sterling[6b])	peso[1a], peseta[1b], (franco[2a]), (ducado[4b]), (dobton[6b]), (maravedí[6b])
power[1a], might[1a]	puissance[1b], (pouvoir [n.][2a])	Kraft[1a], Macht[1a], Gewalt[1b]	fuerza[1a], poder[1b], (potencia[2b]), (dominio[3a]), (poderío[5a])
pretty[1a], (goodly[3b]), (comely[6])	joli[1a] (joliment[4b])	schön[1a], (hübsch[2a])	bonito[1a], (lindo[2a])
pretty[1a], quite[1a], rather[1b] (moderately)	assez[1a]	ganz[1a], ziemlich[1b]	bastante[1a], (asaz[4b])
price[1b], cost[1b], (fee[4a])	prix[1a], (frais [n.][2a])	Kosten[1b], Preis[1b], (Unkosten[6a])	precio[1b]
promise[1b] (vb.)	promettre[1b]	versprechen[1b], (zusagen[4b])	prometer[1b]
prove[1b]	prouver[1b]	beweisen[1b], erweisen[1b], (bewähren[2b]), (dartun[4b]), (bekunden[5a])	probar[1b]
public[1b] (adj.)	public[1b]	öffentlich[1a]	público[1a]
pull[1b], draw[1a], (drag[2b]), (drew[2b]), (drawn[4b]), (tug[4b]), (haul[5a]), (tow[6])	tirer[1a], attirer[1b]	ziehen[1a], (zuziehen[5b]), (hineinziehen[6b])	sacar[1a], arrastrar[1b], tirar[1b]
pure[1b]	pur[1b]	bloß[1a], rein[1a]	puro[1a]
purpose[1a], (aim[2b]), (goal[4b])	but[1b], (objectif[4b])	Ziel[1a], Zweck[1a], (Vorsatz[4a])	fin[1a], propósito[1a], (designio[4b]), (objetivo[4b])
(to be a) question[1b] (of), (have to) do[1a] (with)	s'agir de[1b]	sich[1a] handeln[1a] um[1a], betreffen[1b]	tratar[1a] se
quiet[1b], still[1a], (calm[2b]), (serene[5a]), (tranquil[6]), (undisturbed[6])	calme[1a], tranquille[1b], (serein [adj.][6a]) (tranquillement[3b])	ruhig[1b], still[1b]	tranquilo[1b], (sereno[2a]), (quieto[4a]), (plácido[4b]), (quedo[5a])
quiet[1b], (calm[2b]), (hush[3a]), (stillness[5a]), (tranquillity[6])	calme[1a], (tranquillité[4a]), (sérénité[6a])	Ruhe[1b], (Stille[2b])	calma[1b], silencio[1b], (quietud[3a]), (serenidad[3a]), (tranquilidad[3a]), (sosiego[5a])
rather[1b]	plutôt[1b]	ehe[1a], vielmehr[1b]	antes[1a]

English	French	German	Spanish
reach[1a], (attain[3b])	arriver à[1a], atteindre[1b], parvenir[1b]	erreichen[1a], gelangen[1a], (ankommen[2a])	alcanzar[1a]
read[1a]	lire[1a], (relire[5a])	lesen[1a], (vorlesen[5a])	leer[1a]
real[1b] (veritable)	vrai[1a], véritable[1b], (réel[2a]) (véritablement[5b])	eigentlich[1a], wirklich[1a], (echt[2a]), (tatsächlich[2a])	real[1a], verdadero[1a]
reason[1a] (n.) (for something)	raison[1a]	Grund[1a], Ursache[1b]	razón[1a]
red[1a], (scarlet[3b]), (crimson[4b]), (ruby[5b]), (ruddy[6])	rouge[1a], (roux[4a]), (rougeâtre[6a])	rot[1b]	rojo[1b], (colorado[3b]), (encarnado[4a]), (grana[5a])
remain[1a], stay[1a], (abide[4a])	rester[1a]	bleiben[1a], (zurückbleiben[3a])	quedar[1a], permanecer[1b]
remain[1a] (be left over) (mathematical)	rester[1a]	bleiben[1a]	quedar[1a], (restar[5a])
remember[1a], (recollect[6])	se rappeler[1b], se souvenir[1b]	erinnern[1b], (gedenken[2b]), (besinnen[3b])	recordar[1a]
report[1b] (n.)	rapport[1b]	Bericht[1b]	relación[1a], (informe[2b])
rest[1a] (vb.), (repose[3b])	reposer[1b]	ruhen[1b]	descansar[1b], (reposar[2a]), (holgar[4b])
rich[1a], (wealthy[3b])	riche[1a]	reich[1a], (wohlhabend[5a])	rico[1a], (opulento[3b])
right[1a], (correct[2a])	droit (adj.)[1a], juste[1a], (correct[5a]) (correctement[6a])	recht[1a], richtig[1a], (korrekt[6a])	justo[1b], (correcto[3b])
right[1a] (hand)	droit (adj.)[1a]	recht[1a]	derecha (-o + -a[1a]), (diestra[3a])
(be) right[1a]	(avoir) raison[1a]	Recht[1a] (haben)	(tener) razón[1a]
road[1a], way[1a], (route[3a]), (highway[4a])	chemin[1a], route[1a], voie[1b], (chaussée[5b])	Weg[1a], Bahn[1b], (Chaußee[4b])	camino[1a], (vía[2b]), (carretera[3b]), (ruta[5a])
room[1a], (chamber[2a])	chambre[1a], (pièce[2a])	Zimmer[1b], (Kammer[2b]), (Stube[3b]), (Gemach[4b]), (Nebenzimmer[6b])	cuarto[1a], (sala[2a]), (cámara[2b])
room[1a], space[1b]	place[1a], (espace[2a])	Platz[1a], Raum[1b]	espacio[1a], lugar[1a]
rule[1b], (govern[3a])	dominer[1b], (gouverner[4b]), (régir[6a])	herrschen[1b], (beherrschen[2b]), (walten[3b])	dominar[1b], (gobernar[2a]), (regir[3a]), (imperar[4b])
run[1a], ran[1b]	courir[1a], (accourir[2a])	laufen[1b], (rennen[5a])	correr[1a]
safe[1b], (secure[2a])	sûr[1b], (sauf [adj.][3b])	sicher[1a]	seguro[1a], ([en] salvo[2b])
same[1a], very[1a], (selfsame[5a])	même (adj.)[1a]	derselbe[1a], etc., (nämliche[3b]), (derselbige[4a]), (selbige[6a])	mismo[1a], propio[1a]
(all the) same[1a], (not) care[1a], (indifferent[6])	égal[1b], (indifférent[2b])	gleich[1a], (gleichgültig[2b]), (einerlei[5a]), (gleichviel[5b])	igual[1a], (indiferente[2a])
save[1a], (rescue[3b])	sauver[1b]	retten[1b]	salvar[1b]
say[1a], said[1a], (quoth[5b])	dire[1a], (dit [adj.][6a])	sagen[1a], (angeblich[3b] .... sein[1a] [said to be ....])	decir[1a]
say[1a] again[1a], (repeat[2a])	répéter[1a], (redire[3b])	wiederholen[1b]	repetir[1b], (reiterar[6b])
school[1a], (schoolhouse[3b])	école[1b], (secondaire[5a]), (lycée[5a])	Schule[1b], (Gymnasium[4a]), (Volksschule[4a]), (Lehranstalt[6a])	escuela[1b], ([escuela] secundaria [secundario[5b]])
sea[1a]	mer[1b]	Meer[1b], (See [f.][3a])	mar[1a]
seat[1b] (vb.)	(faire) asseoir[1b]	setzen[1a]	sentar[1a]
seat[1b] (n.)	place[1a], siège[1b]	Platz[1a], (Sitz[2b])	plaza[1a], (asiento[2a])
second[1a] (adj.)	second[1a], (deuxième[2b])	zweite[1a]	segundo[1a]
see[1a], saw[1a], seen[1a], (lo[4b])	voir[1a], revoir[1b]	sehen[1a], (wiedersehen[4b])	ver[1a]

THE FIRST THOUSAND CONCEPTS

English	French	German	Spanish
self[1b] (*refl.*), himself[1a], herself[1b], myself[1b], themselves[1b], (itself[2a]), (yourself[2a]), (ourselves[3a]), (ourself[3b]), (thyself[3b]), (yourselves[4b]*)	se[1a], etc., (soi[2b])	sich[1a], etc.	sí[1a], etc.
send[1a], sent[1a], (despatch[6])	envoyer[1a], (expédier[3b]), (transmettre[4a])	senden[1b], schicken[1b], (zukommen[4a] lassen[1a]), (versenden[5a]), (entsenden[5b])	enviar[1a], mandar[1a], (remitir[3a]), (despachar[3b]), (transmitir[3b]), (expedir[5a])
separate[1b], (sever[5b])	séparer[1a]	trennen[1b], (scheiden[2a]), (ausscheiden[4b]), (sondern[4b]), (absondern[5a])	apartar[1a], separar[1b]
separate[1b], (apart[2a]), (aloof[6]), (asunder[6])	séparé (séparer[1a]) (séparément[6a])	getrennt (trennen[1b]), (auseinander[3a]), (voneinander[6a])	apartado (apartar[1a]), separado (separar[1b])
serve[1a], attend[1b]	servir[1a]	dienen[1a], (bedienen[2b]), (anrichten[5a]), (auftragen[5b])	servir[1a]
service[1b]	service[1a]	Dienst[1b], (Dienstpflicht[4b]), (Bedienung[5b])	servicio[1b]
settle[1b], (establish[2a])	disposer[1b], établir[1b]	bestimmen[1a], (festsetzen[2b])	establecer[1b], (asentar[3b]), (arraigar[6a])
several[1a]	plusieurs[1a]	mehrere[1a], (ein[1a] paar[2a])	varios (vario[1a])
shall[1a], will[1a], (I'll[2b]), (won't[2b]), (shalt[3a]), (we'll[3b]), (wilt[4a]), (you'll[4a]), ('twill[4b]), (they'll[6])	(ending on verb)	werden[1a]	(ending on verb)
she[1a], her[1a]	elle[1a], la[1a], lui[1a]	sie[1a]	ella[1]*
short[1a], (brief[2b])	court[1b], (bref[3a])	kurz[1a]	breve[1b], corto[1b]
(in) short[1a]	(en un) mot[1a], (bref [*adv.*][4a])	kurz[1a]	brevemente (breve[1b]), ([en] definitivo[2b]), ([en] concreto[5a])
should[1a], would[1a], (I'd[4b]), (wouldn't[4b]), (you'd[5b])	(ending on verb)	werden[1a]	(ending on verb)
show[1a] (*tr. vb.*), (manifest[4a]), (demonstrate[5b])	faire[1a] voir[1a], montrer[1a], (manifester[3a])	weisen[1b], zeigen[1a], (hinweisen[2a]), (nachweisen[2b])	mostrar[1a], demostrar[1b], manifestar[1b]
side[1a], (flank[5b])	côté[1a], (flanc[3a])	Seite[1a], (Flanke[3b])	lado[1a], (costado[5b]), (flanco[6b])
sight[1a], view[1b], (vision[3b])	vue (*n.*)[1a], spectacle[1b], (vision[3a])	Ansicht[1a], Anschauung[1b], Aussicht[1b], (Anblick[2a]), (Sicht[5b])	vista[1a], aspecto[1b], (visión[2a]), (espectáculo[2b]), (perspectiva[4a]), (panorama[4b])
simple[1b], plain[1a]	simple[1a]	einfach[1a], (schlicht[4b])	sencillo[1b], simple[1b]
simply (simple[1b]), (merely [mere[2a]])	simplement[1b], (purement[3b]), (bonnement[6a])	einfach[1a]	puramente (puro[1a])
since[1a] (time)	dès[1a], depuis[1b], (depuis que[3a])	seit[1a], (seitdem[2a]), (seither[6a])	desde[1a]
sister[1a]	sœur[1a]	Schwester[1b], (Geschwister[5a])	hermana (hermano[1a])
sit[1a], sat[1b] (be sitting)	être assis (asseoir[1b])	sitzen[1a]	sentar[1a]
sit[1a], sit[1a] down[1a], sat[1b]	s'asseoir[1b], (se rasseoir[3b])	Platz[1a] nehmen[1a], sich[1a] setzen[1a]	sentar[1a] se
so[1a], thus[1b], (accordingly[3b])	ainsi[1a]	so[1a], also[1a]	así[1a], tal[1a]

22 Sec. 1 — SEMANTIC FREQUENCY LIST

English	French	German	Spanish
so[1a] (then)	ainsi[1a], donc[1a]	nun[1a], so[1a]	luego[1a], (conque[6b])
so[1a] much[1a], as[1a] much[1a]	autant[1a], si[1a], tant[1a], (tellement[2a]), (d'autant[3a])	desto[1b], soweit[1b], sowohl[1b]	tanto[1a]
soldier[1a]	soldat[1b], (militaire [n.][4b])	Soldat[1b]	soldado[1b], (militar [n.][2a])
sometime[1a]	un[1a] jour[1a]	eines (ein[1a]) Tages (Tag[1a]), einst[1b], einmal[1a], (dereinst[6b])	algún[1a] día[1a]
son[1a]	fils[1a]	Sohn[1a]	hijo[1a]
soon[1a], (anon[5b])	bientôt[1a], sous[1a] peu[1a], (prochainement[6b])	bald[1a], sobald[1b], (demnächst[3a]), (in[1a] Kürze[5a]), (nächstens[6a])	a[1a] poco[1a], pronto[1a], (próximamente [próximo[2a]])
(no) sooner (soon[1a]) .... (than)	aussitôt[1b] .... aussitôt, (sitôt[3a] .... sitôt)	sobald[1b]	no[1a] bien[1a]
soul[1b]	âme[1a]	Seele[1a]	alma[1a], (ánima[4a])
speak[1a], spoke[1b], (utter[2a]), (spake[3b]), (spoken[4a])	parler[1a]	sprechen[1a]	hablar[1a]
spirit[1b]	esprit[1a]	Geist[1a]	ánimo[1b], espíritu[1a]
square[1b] (in town)	place[1a]	Platz[1a]	plaza[1b]
stand[1a], stood[1b] (intr. vb.)	être[1a], rester[1a] debout[1b]	stehen[1a], (dastehen[4b])	estar[1a] (de) pie[1a], poner[1a] (se) (de) pie, parar[1b] se
state[1a] (n.), condition[1b]	état[1a], situation[1b]	Zustand[1a], (Stadium[5a])	estado[1a], paso[1a], situación[1b], (trance[4b])
state[1a] (nation), (commonwealth[5b])	état[1a]	Staat[1a]	estado[1a]
state[1a], (declare[2a]), (maintain[2b]), (contend[4a]), (assert[4b]), (affirm[5a]), (testify[5b])	déclarer[1b], (affirmer[2a]), (professer[3b])	angeben[1b], behaupten[1b]	declarar[1b]
step[1a] (n.), (footstep[4b]), (stride[4b])	pas[1a]	Schritt[1b]	paso[1a]
still[1a], yet[1a] (time)	encore[1a], toujours[1a]	noch[1a]	aun, aún[1a], todavía[1a]
stop[1a] (tr. vb.), (cease[2b]), (halt[4a])	arrêter[1a], cesser[1a]	halten[1a], (stocken[5b])	detener[1a], cesar[1b], parar[1b], (atajar[4a])
story[1a], (tale[2a]), (chronicle[5a])	histoire[1a], (chronique[3b]), (conte[3b])	Geschichte[1a], (Erzählung[2a])	historia[1a], (cuento[2a]), (relato[4a]), (crónica[5a])
strange[1b], (odd[2b]), (peculiar[3a]), (queer[3b]), (singular[5b])	curieux[1b], étrange[1b], singulier[1b], (bizarre[2b]), (drôle [n.][4a]), (fantasque[6b]) (singulièrement[6a])	fremd[1a], (seltsam[2b]), (sonderbar[2b]), (wunderlich[3a]), (unheimlich[5b])	extraño[1b], raro[1b], (curioso[2a]), (singular[2a]), (peregrino[2b]), (pintoresco[3a]), (peculiar[3b])
street[1a], (St.[3a])	rue[1b]	Straße[1b]	calle[1a]
strong[1a], (mighty[2a]), (powerful[3b]), (potent[6])	fort[1a], puissant[1b], (robuste[4a]) (fortement[2b])	stark[1a], mächtig[1b], (gewaltig[2a]), (kräftig[2a])	fuerte[1a], poderoso[1b], (recio[2b]), (robusto[2b]), (esforzado[5a]), (potente[5b])
subject[1a], (topic[5b])	sujet[1b]	Gegenstand[1a], (Fach[3b]), (Materie[4a])	sujeto[1b], (tema[2b])
such[1a]	tel[1a]	solch[1a], derartig[1b], dergleichen[1b]	tal[1a]
sudden[1b]	soudain[1b], (subit[3b])	plötzlich[1b]	de[1a] pronto[1a], (repentino[3a]), (súbito[3a])

THE FIRST THOUSAND CONCEPTS Sec. 1 23

English	French	German	Spanish
suddenly (sudden[1b])	brusquement[1b], (tout à coup[2a]), (subitement[4a])	auf[1a] einmal[1a], plötzlich[1b]	de[1a] pronto[1a], (de[1a] repente[3a]), (repentinamente [repentino[3a]]) (súbitamente [súbito[3a]]), (de[1a] sobresalto[5b])
suffer[1b]	souffrir[1a]	leiden[1b], (erleiden[2b]), (ertragen[2b])	sufrir[1a], (padecer[2a])
sun[1a]	soleil[1a]	Sonne[1a]	sol[1a]
suppose[1b], (assume[3b])	supposer[1b]	meinen[1a], (vermuten[3a]), (vorstellen[3a]), (wähnen[5b])	suponer[1a]
sure[1a], certain[1a] (certainly[5a]*)	certain[1a], sûr[1b], (assuré[4a]) certainement[1b], (assurément[3b]), (parfaitement[3b]), (sûrement[3b])	gewiß[1a], sicher[1a] freilich[1a], zwar[1a], (sicherlich[3a])	cierto[1a], seguro[1a]
table[1a]	table[1a]	Tisch[1b], (Tafel[2b])	mesa[1a]
take[1a], took[1b]	prendre[1a], reprendre[1a]	nehmen[1a], (mitnehmen[5a])	coger[1a], tomar[1a]
take[1a] away[1a], (remove[2a])	emporter[1a], éloigner[1b], enlever[1b], (écarter[2a]), (ôter[2a]), (emmener[2b]), (remporter[5a])	entfernen[1b], versetzen[1b], (beseitigen[2a]), (entziehen[2a]), (abnehmen[3a]), (räumen[3b]), (herausnehmen[6a]), (wegnehmen[6a]), (fortreißen[6b])	llevar[1a], quitar[1a], (arrebatar[2b])
take[1a] away[1a], separate[1b] (one thing from another)	éloigner[1b]	entfernen[1b]	alejar[1b]
talk[1a] (vb.), (converse[5a])	parler[1a], causer[1b], (s'entretenir[3b]), (converser[6a])	reden[1a], sprechen[1a], (sich[1a] unterhalten[2b])	hablar[1a], (charlar[4b]), (conversar[4b])
talk[1a] (n.), (conversation[3a]), (converse[5a])	conversation[1b], (entretien[2b]), (tête-à-tête[5b])	Rede[1a], (Gespräch[2a]), (Unterhaltung[3a]), (Besprechung[3b])	conversación[1b], (coloquio[4b]), (charla[6a])
tall[1b]	grand[1a]	groß[1a]	alto[1a]
teach[1b], (taught[2a]), (instruct[3a])	apprendre[1a] à[1a], (enseigner[2b]), (instruire[2b])	lehren[1a], (unterrichten[3a]), (beibringen[4b])	enseñar[1b], (instruir[3b])
teacher[1b], (tutor[5b]), (schoolmaster[6])	maître[1a], (maîtresse[2a]), (professeur[3a]), (instituteur[5a])	Lehrer[1b], (Lehrerin[5a])	maestro[1b], (profesor[3a]), (pedagogo[6a]), (dómine[6b])
tear[1b] (n.) (from eyes)	larme[1b], (pleurs[6a])	Träne[1b]	lágrima[1b], (llanto[2a])
tell[1a], told[1b], (relate[3a]), (recount[6])	dire[1a], raconter[1b], (conter[3a]), (retracer[6a])	erzählen[1b]	contar[1a], decir[1a], referir[1b], (relatar[4a]), (narrar[6b])
than[1a]	que (conj.)[1a]	als[1a]	que[1a]
thank[1a] (vb.)	remercier[1b]	danken[1b]	agradecer[1b]
that[1a], those[1a], (yon[4a]) (adj.)	ce[1a]	der[1a], jener[1a]	aquel[1a], ese[1a]
that[1a], those[1a] (pron.), one[1a]	cela[1a], celui(-ci, -là)[1a], ça[1b], celle(-ci, -là)[1a], ceux(-ci, -là)[1a], celles(-ci, -là)[1b]	derjenige[1a], etc., jener[1a], etc.	ése[1a], etc., eso[1a]
that[1a] (conj.), (lest[3a])	que[1a]	daß[1a]	que[1a]
the[1a]	le[1a]	der[1a]	el[1a]

English	French	German	Spanish
the[1a] (more, less) .... the[1a] (more, less)	plus[1a], moins[1a] .... plus[1a], moins[1a]	je[1a] .... desto[1b]	mientras[1a], más[1a] .... más[1a], etc.
their[1a]	leur[1a]	ihr[1a]	su[1*]
then[1a] (time)	alors[1a], ensuite[1a], puis[1a], lors[1b]	damals[1a], dann[1a], (sodann[2a]), (alsdann[2b])	entonces[1a]
there[1a] (place), (thence[3a]), (yonder[3a]), (thither[4b])	là[1a], y[1a], là-bas[1b]	da[1a], dahin[1a], dort[1a], hin[1a], (daselbst[2b]), (dorthin[3a]), (dortig[3b]), (drüben[5a])	allí[1a], allá[1a], (ahí[2a])
there[1a] is[1a], *there*[1a] are[1a]	voilà[1b]	da[1a] (ist, etc.)	hay (haber[1a]), he
there[1a] *is*[1a], there[1a] *are*[1a], (there's[5a])	il[1a] y[1a] a (avoir[1a])	es[1a] gibt (geben[1a])	hay (haber[1a])
therefore[1b], then[1a], (hence[2a]), (accordingly[3b])	donc[1a], (aussi[2a])	also[1a], daher[1a], darum[1a], deshalb[1a], (somit[2a]), (demnach[2b]), (deswegen[2b]), (mithin[4a]), (sonach[4b]), (infolgedessen[6b])	así[1a], luego[1a], por[1a] lo[1a] tanto[1a]
they[1a], them[1a], ('em[6])	ils[1a], elles[1a], eux[1a]	sie[1a]	ellos[1*]
thing[1a], object[1b]	chose[1a], objet[1a]	Ding[1a], Gegenstand[1a], (Objekt[4a])	cosa[1a], objeto[1a], (entidad[6b])
think[1a], thought[1a], (methinks[5b]), (methought[6])	penser[1a], songer[1a]	denken[1a], meinen[1a], (dünken[4a])	pensar[1a]
third[1a]	troisième[1b], (tiers[3b])	dritte[1a], (Drittel[3b])	tercero[1*], (tercio[6a])
this[1a], these[1a] (*adj.*)	ce[1a]	dies[1a]	este[1a]
this[1a], these[1a] (*pron.*), one[1a]	celui(-ci, -là)[1a], ceux(-ci, -là)[1a], celle(-ci, -là)[1a], celles(-ci, -là)[1b], ceci[1b]	dies[1a]	éste[1a]
thou[1b], thee[1b]	tu[1a]	du[1a]	tú[1*]
thought[1a] (*n.*)	pensée[1b]	Gedanke[1a], (Denken[4b])	pensamiento[1a]
three[1a]	trois[1a]	drei[1a]	tres[1*]
through[1a] (motion), (thro [thro'][5a])	par[1a], à travers[1b]	durch[1a], (hindurch[2a]), (wodurch[2a]), (hierdurch[3a])	por[1a], ([a] través[2a] [de])
through[1a] (agent), (thereby[4a]), (thro [thro'][5a])	par[1a], de[1a]	durch[1a], von[1a], dadurch[1a], (infolge[2a]), (hierdurch[3a]), (mittels[3a]), ([durch] Vermittelung[5b] [von])	por[1a], (mediante[4a]), (por[1a] conducto[5b] de[1a])
throw[1b], (cast[2a]), (threw[2a]), (toss[2b]), (pitch[3a]), (hurl[4a]), (fling[4b]), (flung[4b]), (chuck[6]), (thrown[6*])	jeter[1a], lancer[1b]	werfen[1a], (schleudern[5a])	arrojar[1a], echar[1a], lanzar[1b], tirar[1b], (despeñar[4b]) (from a cliff), (botar[6b])
till[1a], until[1a]	jusque[1a], jusqu'à[1a], (jusqu'à ce que[3b])	bis[1a], bis[1a] (*prep.*)	hasta[1a]
till[1a] now[1a], (hitherto[5a])	jusqu'à[1a] présent[1a]	bisher[1a], bisherig[1b]	hasta[1a] ahora[1a]
time[1a] (*n.*) (general)	temps[1a]	Zeit[1a], (Dienstzeit[3b]), (Arbeitszeit[6b])	tiempo[1a]
time[1a] (how many)	fois[1a]	Mal[1b]	vez[1a]
(what) time[1a] (is it), (o'clock[2a])	heure[1a]	Uhr[1b]	hora[1a]
(at the same) time[1a]	à[1a] la[1a] fois[1a], en[1a] même[1a] temps[1a]	zugleich[1a]	a[1a] la[1a] vez[1a]

THE FIRST THOUSAND CONCEPTS

English	French	German	Spanish
(at) times (time[1a]), now[1a] and[1a] then[1a]	(de) temps[1a] (en) temps[1a], (de) temps[1a] (à) autre[1a]	hin[1a] und[1a] wieder[1a], (dann[1a] und[1a] wann[2b]), (zeitweilig[6a]), (zeitweise[6b])	algunas (alguno[1a]) veces (vez[1a]), de[1a] vez[1a] en[1a] cuando[1a]
to[1a], (unto[2b])	à[1a]	dazu[1a], nach[1a], zu[1a], (hinzu[2a]), (hierzu[2b]), (heran[3a])	a[1a]
today(-)[1a]	aujourd'hui[1a]	heute[1a], heutig[1b], (heutzutage[4b])	hoy[1a]
together[1a]	ensemble[1a]	zusammen[1a], gleichzeitig[1b], (miteinander[3b]), (beisammen[4b]), (aneinander[5a])	junto[1a]
tongue[1b], (language[2a])	langue[1b]	Sprache[1a]	lengua[1a], (idioma[2a])
too[1a] (excess)	trop[1a]	zu[1a], (allzu[3a])	demasiado[1b], ([en] demasía[5a])
touch[1b] (vb.)	toucher[1a]	greifen[1b], (berühren[2a]), (rühren[2a]), (streifen[3b]), (anfassen[6b])	tocar[1a]
toward(s)[1b]	vers[1a], (envers[3a])	nach[1a]	hacia[1a]
(bring) toward(s)[1b] (put near)	approcher[1b]	nähern[1b]	acercar[1a], (aproximar[2b]), (arrimar[3b])
(go, come, move) toward(s)[1b], near[1a], (approach[2a])	approcher[1b], (s'approcher[2a])	sich[1a] nähern[1b], (heranziehen[2b]), (nahen[2b]), (antreten[3b]), (annähern[4b]), (herantreten[5a]), (herkommen[5b]), (herankommen[6a])	acercar[1a] se, (aproximar[2b] se), (allegar[5b] se)
tree[1a]	arbre[1b]	Baum[1b]	árbol[1b]
trouble[1b] (n.), (distress[3a])	peine[1a], difficulté[1b], (embarras[2b]), (détresse[3b])	Mühe[1b], (Beschwerde[3a])	pena[1a], (molestia[3b])
true[1a], (genuine[4b])	vrai[1a], (authentique[4b])	wahr[1a], treu[1b], (wahrhaft[3a]), (wahrhaftig[3b])	verdadero[1a], fiel[1b], (auténtico[5a]), (genuino[6a])
trust[1b], (confidence[3b])	confiance[1b]	Vertrauen[1b], (Zuversicht[4a]), (Zutrauen[5b])	confianza[1b]
truth[1b], (sooth[6])	vérité[1a]	Wahrheit[1a], (Richtigkeit[4b]), (Wahre[6a])	verdad[1a]
try[1a], (attempt[2a]), (tried[2a]), (endeavor[4a]), (essay[6])	essayer[1a], tenter[1b], (tâcher[2a])	versuchen[1b], (erproben[5b])	procurar[1a], tratar[1a], probar[1b], (intentar[2a]), (tentar[3a]), (dar[1a] un[1a] tiento[3b]), (ensayar[4a]), (atentar[7a])
turn[1a] (vb.), (revolve[5a])	tourner[1a], (circuler[4a])	wenden[1a], kehren[1b]	volver[1a], (revolver[2a]), (girar[3a])
(in) turn[1a]	(à -) tour[1a]	(an der) Reihe[1b]	(a -) vez[1a], ([por] turno[6b])
two[1a], (brace[4b]), (twain[6])	deux[1a]	zwei[1a]	dos[1*]
under[1a] (prep.), (beneath[2a]), (underneath[3b])	sous[1a], (au-dessous de[3a])	unter[1a], (darunter[2b])	debajo[1a] de
understand[1b], (perceive[3a]), (understood[3a]), (comprehend[4b]), (apprehend[6])	comprendre[1a], (percevoir[3a])	verstehen[1a], begreifen[1b], (vernehmen[2a]), (einsehen[3a]), (auffassen[3b])	comprender[1a], entender[1a]
unite[1b]	réunir[1b], (unir[2b])	vereinigen[1b], (vereinen[3b])	unir[1a], reunir[1b], (vincular[6b])

English	French	German	Spanish
use[1a] (vb.), (employ[2a])	se[1a] servir[1a] (de), employer[1b], (utiliser[2b])	benutzen(+ü)[1b], verwenden[1b], (anwenden[2a]), (gebrauchen[3a]), (verwerten[5a]), (nutzen[5b]), (verarbeiten[6a])	emplear[1a], soler[1a], usar[1a], (utilizar[3a])
usual[1b], (ordinary[3a]), (customary[6])	ordinaire[1b], (habituel[2b]), (usuel[6a])	gewöhnlich[1a], (üblich[3a]), (gebräuchlich[5b]), (alltäglich[6b])	general[1a], (habitual[3b]), (usual[6a])
value[1b], worth[1b], (merit[3a])	valeur[1b], (mérite[3a])	Wert[1a], (Geltung[3a])	valor[1a], (mérito[2a]), (merecimiento[4b])
very[1a], (extremely[3b]*), (exceeding[5a])	très[1a], bien[1a], (extrêmement[2b]), (fort[4a]), (sensiblement[5b])	sehr[1a], (überaus[3b])	muy[1a]
voice[1a]	voix[1a]	Stimme[1a]	voz[1a]
wait[1a], (bide[6])	attendre[1a]	warten[1b]	esperar[1a], aguardar[1b]
wait[1a] for[1a], (await[2b])	attendre[1a]	erwarten[1a], (abwarten[3b])	esperar[1a], aguardar[1b]
walk[1a] (vb.), (stalk[4a])	aller[1a] à[1a] pied[1a], marcher[1a], promener[1b], (faire[1a] une[1a] promenade[2a]), (cheminer[5a])	zu[1a] Fuß[1a] gehen[1a], (spazieren[4b])	andar[1a], (pasear[2a]), (caminar[2b])
want[1a] (vb.), ([be] willing[2b])	vouloir[1a]	wollen[1a]	querer[1a]
war[1a], (warfare[6])	guerre[1b]	Krieg[1a]	guerra[1a]
watch[1a] (vb.), (observe[2a])	observer[1b], (veiller[2a]), (surveiller[2b]), (guetter[3b])	betrachten[1b], beobachten[1b], (zusehen[5b])	observar[1b], (velar[2a]), ([estar a la] mira[4a]), (vigilar[4a])
water[1a] (n.), plu.	eau[1b], plu.	Wasser[1a], (Wasserstraße[4b]), (Gewässer[6b])	agua[1a], plu.
way[1a], manner[1b]	façon[1a], manière[1a], moyen[1a], mode (f.)[1b], (guise[4b])	Art[1a], Weise[1a], (dergestalt[5a]), (Manier[5a])	forma[1a], manera[1a], modo[1a], (guisa[5b])
we[1a], us[1a], (let's[6])	nous[1a]	wir[1a], etc.	nosotros[1]*, etc.
wear[1b] (clothes), (worn[2b]), (wore[3a])	porter[1a]	tragen[1a]	llevar[1a], traer[1a]
well[1a] (adv.)	bien[1a]	gut[1a], wohl[1a]	bien[1a]
(be) well[1a] (health)	aller[1a] bien[1a], (se) porter[1a] bien[1a]	gut[1a] gehen[1a], wohl[1a] sein[1a]	estar[1a] bueno[1a]
what (rel. and inter.)[1a]	que[1a], quoi[1a]	was[1a]	que, qué[1a]
when[1a]	lorsque[1a], quand[1a], (alors que[3a])	als[1a], wie[1a], (wann[2b])	cuando, cuándo[1a]
where[1a], (whence[2b]), (wherever[3a]), (whither[3b])	où[1a]	wo[1a], (wohin[2a]), (woher[3b])	adonde[1a], donde, dónde[1a]
whether[1b]	si[1a], (soit .... soit[3b])	ob[1a]	si[1a]
which (rel. and inter.)[1a]	lequel[1a], que[1a], quel[1a], qui[1a]	der[1a], welch[1a]	cual, cuál[1a], que, qué[1a]
while[1a] (conj.)	tandis que[1a], pendant que[1b]	während[1a], indem[1a], indessen[1b], (solang[e][4a])	mientras[1a]
white[1a] (adj.)	blanc[1a]	weiß[1a]	blanco[1a]
who[1a], whom[1b] (rel. and inter.)	qui[1a]	der[1a], etc., wer[1a], etc.	que[1a], etc., quien[1a], etc.
whose[1b] (rel. and inter.)	dont[1a]	dessen (der[1a]), wessen (wer[1a])	cuyo (quien, quién[1a])
why[1a], (wherefore[4a])	pourquoi[1a]	warum[1a], (wozu[2b])	porqué[1a]
wife[1b], (mate[2b]), (wives[3b]), (spouse[5a]), (consort[6])	femme[1a], (épouse[4b])	Frau[1a], (Gattin[3a]), (Gemahlin[4a]), (Hausfrau[4b])	esposa (esposo[1a]), mujer[1a]

English	French	German	Spanish
will[1a] (e.g., free will)	volonté[1b]	Wille[1a]	voluntad[1a], (arbitrio[5a]), (albedrío[5b])
with[1a]	avec[1a]	damit[1a], mit[1a], (nebst[2a]), (hiermit[2b]), (womit[2b]), (samt[3b])	con[1a], conmigo[1a], consigo[1a], contigo[1a]
without[1a]	sans[1a], (sans que[2b])	ohne[1a]	sin[1a]
woman[1a], (women[2a])	femme[1a]	Frau[1a], Weib[1b], (Frauenzimmer[4a])	mujer[1a], (señá[5b] [vulgar])
wonder[1b] (e.g., I wonder whether ....)	se[1a] demander[1a], vouloir[1a] savoir[1a]	wissen[1a] mögen[1a]	desear[1a] saber[1a], preguntar[1a] (se)
word[1a]	mot[1a], parole[1a]	Wort[1a]	palabra[1a], (vocablo[4b])
work[1a] (vb.), labor[1b], (toil[2b]), (wrought[3a])	travailler[1a]	arbeiten[1b]	trabajar[1b], (labrar[3a]), (afanar[5a] se), (laborar[7a])
work[1a] (n.), labor[1b], (toil[2b])	travail[1a], (main d'œuvre[6b])	Arbeit[1a], (Anstellung[4a])	obra[1a], trabajo[1a], (labor[2a]), (faena[4a])
work[1a] (a work)	œuvre[1b], ouvrage[1b]	Werk[1a]	obra[1a], (labor[2a])
world[1a] (n.)	monde[1a]	Welt[1a], (All[6b])	mundo[1a]
(be) worth[1b], (worthy[2a]), (deserve[2b]), (merit[3a])	valoir[1a], (être) digne[1b]	gelten[1a], wert[1b] (sein)	digno[1a], merecer[1a], valer[1a]
write[1a], (written[2a]), (wrote[2b])	écrire[1a]	schreiben[1a], (niederschreiben[5b])	escribir[1a]
wrong[1b] (mistaken)	faux[1b]	falsch[1b], (unrichtig[3b]), (unrecht[5a]), (irrig[6b])	falso[1a], mal[1a]
year[1a]	an[1a], année[1a]	Jahr[1a], (Jahrgang[4b]), (jährig[4b]), (Lebensjahr[4b]), (zweijährig[6a]), (einjährig[6a]), (jahrelang[6b])	año[1a]
yes[1b], (yea[3b])	oui[1a], (si[3a])	ja[1a]	sí[1a]
yesterday[1b]	hier[1b]	gestern[1b], (gestrig[4a])	ayer[1a]
you[1a], (ye[2b])	vous[1a]	du[1a], ihr[1a], Sie[1a]	usted[1a]
young[1a], (junior[5a])	jeune[1a]	jung[1a]	joven[1a], mozo[1a]
your[1a]	votre, vos[1a]	euer[1a], Ihr[1a]	vuestro[1*]

SECTION 1.1. CONCEPTS 663 THROUGH 745

E F G S
1–1–1–2
1–2–1–1

Read: English, first thousand; French, first thousand; German, first thousand; Spanish, second thousand; *or* English, first thousand; French, second thousand; German, first thousand; Spanish, first thousand

English	French	German	Spanish
animal[1b]	animal[2b]	Tier[1b]	animal[1b]
around[1a] (*prep.*), about[1a]	autour de[1a]	um[1a], (rings[4a]), (ringsum[6b]) (*adv.*)	en[1a] torno[2a] de[1a], alrededor[2a] de[1a], (al[1a] derredor[5a] de[1a])
as[1a] long[1a] as[1a]	tant que[2b]	soweit[1b], (insofern[2b]), (sofern[3a]), (insoweit[5a])	tan, tanto[1a] como[1a]
beast[1b]	bête (*n.*)[1b]	Tier[1b]	bestia[2a], (fiera[3a]), (bicho[4a]), (res[6a])

English	French	German	Spanish
beat[1b], pound[1b], (thrash[5a]), (thump[5a]), (beaten[6])	battre[1a], frapper[1a], (rebattre[6a])	schlagen[1a]	batir[2a], (golpear[5a])
before[1a] (*conj.*)	avant que[2b]	ehe[1a], (bevor[2b])	antes[1a] que[1a]
break[1b], broken[1b], (broke[2b])	casser[2a]	brechen[1b]	romper[1a]
by[1a] and[1a] by[1a], later (late[1a]) on[1a], pretty[1a] soon[1a], (bye[5b] [and] bye), (presently[7*])	tantôt[2a], (tout à l'heure[4a])	später (spät[1a]), (nachher[2a])	pronto[1a]
circle[1b], set[1a] (of people)	milieu[1a], (cercle[2a]), (entourage[5b])	Kreis[1a], (Bekanntschaft[3b]), (Zirkel[5b])	círculo[2b], (cerco[3b]), (tertulia[3b])
country[1a] (fatherland)	patrie[2a]	Vaterland[1b], (Heimat[2a])	patria[1b]
course[1a], (drift[4a]), (tenor[6])	cours[1a], (parcours[6a])	Lauf[1b], (Verlauf[2b]), (Kurs[3b])	curso[2a], marcha[2b], (corrida[4b])
court[1b], yard[1b]	cour[1a], (basse-cour[5b])	Hof[1b]	corral[2b], patio[2b]
dear[1a], (costly[3a]), (expensive[4a])	cher[1a], (coûteux[5a])	teuer[1b], (kostspielig[5b])	caro[2b], (costoso[5b])
direct[1b] (*adv.*), straight[1b]	directement[2b], (droit [*adv.*][6b])	gerade[1a], direkt[1b], [ohne] Umweg[5b]), (geradeaus[6b])	derecho[1a], (directo[2a]), (recto[2b])
distance[1b]	lointain[2a], distance[2b], (éloignement[6b])	Entfernung[1b], (Strecke[2b]), (Ferne[3a]), (Abstand[3b]), (Weite[5a])	distancia[1b], (trecho[4a])
divide[1b]	partager[2a], diviser[2b]	teilen[1b], (verteilen[2b]), (zerlegen[6b])	dividir[1b], (compartir[4b])
drive[1a] out[1a], (chase[2a])	chasser[2b]	treiben[1b]	echar[1a]
early[1a]	de[1a] bonne (bon[1a]) heure[1a], tôt[1b], (matinal[5b])	früh[1a], (frühzeitig[4b]), (zeitig[5a])	temprano[2a]
else[1b], (otherwise[3a])	autrement[2a], sinon[2a]	sonst[1a]	además[1a], sino[1a]
end[1a] (in), come[1a] (to)	aboutir[2a]	(zu —)werden[1a]	parar[1b] (en)
enjoy[1b] (*tr. vb.*), (revel[5a] in[1a])	jouir[2a]	genießen[1b], (erfreuen[2a]), (vergnügen[4a])	gozar[1a], (disfrutar[2b])
except[1b], but[1a]	sauf (*prep.*)[2b], (excepté [*prep.*][5b])	außer[1a]	menos[1a], (excepto[3b])
famous[1b], (prominent[4a]), (illustrious[5b]), (eminent[6])	fameux[2a], célèbre[2b], connu (*adj.*)[2b], illustre[2b], (éminent[4a])	bekannt[1a], (berühmt[2a]), (namhaft[5b])	famoso[1b], ilustre[1b], (célebre[2a]), (insigne[2b]), (eminente[3a])
fight[1b] (*n.*), (struggle[2a]), (contest[3b]), (strife[3b]), (combat[4a]), (conflict[4b]), (clash[5b]), (contention[6]), (discord[6]), (fray[6])	lutte[1b], (combat[2b]), (conflit[4a])	Kampf[1a], (Gefecht[2a]), (Bekämpfung[6a])	lucha[2a], conflicto[2b], (combate[3a]), (lid[4b]), (pelea[4b]), (riña[5b]), (discordia[6b])
figure[1b], number[1a]	chiffre[2a]	Nummer[1a], (Ziffer[4a])	número[1a], (cifra[3b]), (guarismo[6b])
fine[1a] (Amer.), (magnificent[3a])	magnifique[1b]	herrlich[1b], (wunderbar[2b])	magnífico[2a]
firm[1b] (*adj.*) (fixed), (stable[2b]), (steady[3a])	ferme (*adj.*)[2b], (fixe [*adj.*][3a])	fest[1a], sicher[1a], (feststehend[5b])	seguro[1a], fijo[1b], firme[1b]
firm[1b] (*adj.*) (character), (constant[2a]), (steady[3a]), (steadfast[5b])	constant[2b], ferme (*adj.*)[2b]	fest[1a], (beständig[2b]), (standhaft[6b])	firme[1b]
fix[1b], (determine[2b])	determiner[2b]	bestimmen[1b]	determinar[1b], (definir[3a])
following[1b] (*adj.*), (consequent[5a])	suivant[1b]	folgend[1a]	consiguiente[2b]

English	French	German	Spanish
forced (*adj.*) (force[1b])	forcé (*adj.*)[2b]	gezwungen (zwingen[1b])	obligado (obligar[1b]), (forzado [forzar[3b]])
fresh[1a]	frais (*adj.*)[2a]	frisch[1b]	fresco[1b]
general[1a] (*n.*)	général[2a]	General[1b], (Feldherr[3a])	general[1a]
good[1a] morning[1a], good[1a] day[1a], good[1a] evening[1a], (hello[5b])	bonjour[2a], (bonsoir[4b])	guten (gut[1a]) Tag[1a], (guten) Abend[1a], (guten) Morgen[1b]	buenos (buen[o][1a]) días (día[1a]), (buenas) tardes, (tarde [*n.*][1a]) (hola[3b])
government[1b]	gouvernement[2a], régime[2a]	Regierung[1a], (Staatsregierung[2a]), (Reichsregierung[6b])	gobierno[1b], (régimen[4a])
grow[1a] (increase in size)	croître[2b], grandir[2b], (grossir[4a])	wachsen[1b], (heranwachsen[6a])	crecer[1b]
hang[1b] (*tr. vb.*), (hung[2a]), (suspend[5a]), (dangle[6])	suspendre[2a], pendre[2b]	hängen[1b]	colgar[1b], (suspender[2a]), (ahorcar[4a]), (pender[4b])
height[1b], (altitude[6])	hauteur[2a], grandeur[2b]	Höhe[1a], Größe[1b]	altura[1b], (eminencia[5a])
help[1a] (*n.*), (aid[2a])	aide[1b], secours[1b], (renfort[6a])	Hilfe[1b], (Beistand[4a]), (Förderung[4b])	auxilio[2a], ayuda[2b], (socorro[3a])
his[1a] (*poss. pron.*)	sien[2a]	sein[1a], (seinige[3a])	suyo[1a]
increase[1b], (enlarge[4a]), (dilate[6]), (expand[6])	augmenter[2a], accroître[2b], (élargir[3a]), (agrandir[3b]), (amplifier[5b])	wachsen[1b], (vermehren[2a]), (weiten[3b]), (zunehmen[3b]), (vergrößern[4b]), (mehren[6a])	aumentar[1b], (ensanchar[3b]), (acrecentar[5a]), (ampliar[6a])
known[1a] (e.g., fact)	connu[2b]	bekannt[1a], (bekanntlich[2b]), (kund[5a]), (wohlbekannt[6b])	conocido (conocer[1a]), (notorio[4a]), (consabido[5b])
last[1a] (*vb.*)	durer[2a]	dauern[1b], währen[1b], (Bestand[3b] [haben])	durar[1b], (subsistir[5a])
live[1a], (lodge[2a]), (dwell[2b]), (dwelt[4a]), (reside[4a])	demeurer[1b], habiter[1b], (loger[3b]), (résider[4a])	wohnen[1b], (hausen[5b])	habitar[2a], (residir[3a]), (alojar[4a]), (morar[5b])
lord (L)[1b]	seigneur[2a], (châtelain[-e][4b])	Herr[1a]	señor[1a]
matter[1a] (*n.*)	matière[2a]	Stoff[1b]	materia[1b]
member[1b]	membre[1b]	Mitglied[1a], (Glied[2a])	miembro[2b]
mind[1a] (*n.*)	esprit[1a]	Sinn[1a]	mente[2b]
mine[1a] (*pron.*)	le[1a] mien[2a]	mein[1a], (meinige[3b])	mío[1a], el[1a] mío[1a]
miss (M)[1a] (title)	mademoiselle[2b]	Fräulein[1b], (Miß[5b])	señorita (señorito[1a])
move[1a] (*vb.*), (shift[3b]), (whisk[6])	remuer[2a], bouger[2b], (déplacer[3b]), (mouvoir[4a])	bewegen[1b], (rücken[2a])	mover[1a]
nation[1b]	nation[2a]	Nation[1b]	nación[1b]
(from) now[1a] (on), (henceforth[3a])	désormais[2a]	von[1a] nun[1a] an[1a]	(en) adelante[1b], desde[1a] ahora[1a], ([en lo] sucesivo[2b])
party[1b], (faction[6]), (sect[6])	parti[1b], (faction[6a]), (groupement[6a])	Partei[1b], (Anhang[5b])	partido[2a], (bando[3b]), (facción[4a]), (secta[6b])
picture[1a] (*n.*)	tableau[2a], image[2b]	Bild[1a]	cuadro[1b], (lámina[3b])
plan[1b] (*n.*), (scheme[4a]), (device[4b]), (schedule[6])	plan[1b], (dessein[3b])	Entwurf[1b], Plan[1b]	plan[2b]
pleasant[1b], (gracious[3a]), (agreeable[3b]), (delightful[3b]), (genial[4b]), (amiable[6])	aimable[2a], agréable[2a], gentil[2b], (plaisant[4b]) (gentiment[4a]), (agréablement[6b])	angenehm[1b], (gefällig[2a]), (erfreulich[3b]), (gemütlich[5b])	agradable[1b], (amable[2a]), (grato[2b]), (afable[3a]), (risueño[3a]), (simpático[3a]), (ameno[3b]), (gustoso[4a])

English	French	German	Spanish
present[1a] (*adj.*), (current[2b])	actuel[2b], présent (*adj.*)[2b]	gegenwärtig[1b], jetzig[1b]	presente[1a], (actual[2a])
press[1b] (*vb.*), (squeeze[5a])	serrer[1b]	drücken[1b], (dringen[2a]), (drängen[2a]), (pressen[4b]), (zusammendrängen[6a])	apretar[2a], (exprimir[6a])
prince[1b]	prince[2a]	Fürst[1a], Prinz[1b], (Kronprinz[3b])	príncipe[1b], (infante[3b])
question[1b] (something asked)	question[1a]	Frage[1a]	pregunta[2a]
rather[1b] (+*vb.*), (prefer[2a])	préférer[1b]	lieber (lieb[1a]) (+*vb.*), (vorziehen[4a])	preferir[2a]
rest[1a] (*n.*), (remainder[3b]), (remnant[4b])	reste[1a]	übrig[1a], (Rest[2b]), (übrige[3b]), (Überrest[6a])	resto[2a], (sobra[3a]), (restante[5a])
(in[1a]) return[1b]	en[1a] revanche[2b]	dafür[1a], dagegen[1a], ([als] Entschädigung[3a]), ([als] Ersatz[3a])	a[1a] cambio[1b], (en[1a] recompensa[4a])
rule[1b] (*n.*), direction[1b], (ordinance[4b]), (regulation[6])	direction[2a], règle[2a], règlement[2b]	Maßregel[1b], Regel[1b], Vorschrift[1b], (Anordnung[2a]), (Behörde[2a]), (Regelung[3a]), (Landgemeindeordnung[3b]), (Anleitung[5a]), (Arbeitsordnung[5a]), (Regulierung[5a]), (Reglement[6a]), (Gewerbeordnung[6b]), (Kreisordnung[6b])	regla[1b], (máxima[5b]), (ordenanza[5b])
seize[1b], (grasp[4a]), (grip[4b]), (clutch[5a])	saisir[1a], (ressaisir[5a])	fassen[1a], ergreifen[1b], fangen[1b], greifen[1b], (erfassen[3a]), (bemächtigen[3b]), (erbeuten[6b])	prender[2a], (apoderarse[3a]), (asir[3b]), (agarrar[4a]), (empuñar[4a]), (aferrar[5a])
set[1a] table[1a]	mettre[1a] couvert[2a]	Tisch[1b] decken[1b]	poner[1a] mesa[1a]
shake[1b] (hands)	donner[1a], serrer[1b]	geben[1a], (schütteln[3a])	estrechar[2b]
(catch[1b]) sight[1a] (of[1a]), (perceive[3a])	apercevoir[1a]	bemerken[1b], (absehen[2a]), (erblicken[2a]), (wahrnehmen[3a]), (ersehen[3b])	percibir[2b], (columbrar[5a]), (vislumbrar[5a])
sign[1b], mark[1a], (tick[3b]), (token[4b]), (badge[6])	signe[1a], (marque[2b]), (indice[5a]), (insigne[6b])	Zeichen[1b], (Merkmal[5a])	seña[2a], señal[2a], (signo[3a]), (marca[4b])
step[1a] (*vb.*), (tread[2b]), (trod[4a])	marcher[1a], (fouler[4b])	treten[1a], (heraustreten[6b])	pisar[2a]
strike[1b], (hit[2b]), (struck[2b]), (smite[4b]), (smote[4b]), (spank[5a]), (punch [P][5b]), (slap[5b]), (smack[6]), (smitten[6])	battre[1a], frapper[1a], (cogner[6b])	schlagen[1a], (stoßen[2a])	batir[2a], pegar[2a], chocar[2b], (golpear[5a]), (apalear[6a])
supply[1b], (furnish[2a]), (provide[2a])	fournir[1b], (pourvoir[3a]), (munir[3b])	liefern[1b], (verschaffen[2a]), (versehen[2a]), (zuführen[3b]), (versorgen[5b])	proporcionar[2a], proveer[2b], (suplir[3b]), (suministrar[5b])
thanks (thank[1a])	merci[2a], (remerciement[6a])	Dank[1b]	gracias (gracia[1a])
train[1a] (railroad)	train[1b]	Zug[1a]	tren[2b]
turn[1a] to[1a], (address[2a]), (apply[2a] to)	adresser[2a], s'adresser à[2b]	sich[1a] wenden[1a] an[1a], (zuwenden[3a]), (sich[1a] anmelden[5a])	dirigir[1a] se[1a], (recurrir[4b])

English	French	German	Spanish
use[1a] (*n.*), (employment[5b])	usage[2a], (emploi[3b]), (utilisation[4b])	Anwendung[1b], Gebrauch[1b], (Verwendung[2a]), (Benutzung[3b]), (Heranziehung[5a]), (Verwertung[5b])	uso[1b], (empleo[2b])
weak[1b], (feeble[3b]), (frail[3b]), (sickly[6])	faible[1b], (frêle[5a]), (grêle [*adj.*][6a]) (faiblement[5a])	schwach[1b]	débil[2a], flaco[2b], (flojo[3b]), (frágil[3b]), (deleznable[7a])
week[1a]	semaine[1a]	Woche[1b]	semana[2a]
wing[1b]	aile[2a]	Flügel[1b]	ala[1b]
within[1b], (indoors[6])	dedans[2b], (là-dedans[6a])	innerhalb[1b], (inne[n][2b]), (binnen[3b])	dentro[1a], (adentro[2b])
(piece of) work[1a], (task[2b]), (job[3a])	travail[1a], devoir[1b], (tâche[2b]), (besogne[2b])	Arbeit[1a], Aufgabe[1b]	labor[2a], (tarea[3a]), (faena[4a])
young[1a] lady[1b]	demoiselle[2b]	junge (jung[1a]) Dame[1b]	señorita (señorito[1a])

SECTION 1.2. CONCEPTS 746 THROUGH 783

E F G S
1–2–1–2
1–1–1–3
1–3–1–1

Read: English, first thousand; French, second thousand; German, first thousand; Spanish, second thousand; *or* English, first thousand; French, first thousand; German, first thousand; Spanish, third thousand; *or* English, first thousand; French, third thousand; German, first thousand; Spanish, first thousand

English	French	German	Spanish
answer[1a] (*n.*), reply[1b], (response[5b])	réponse[2a], (réplique[5a])	Antwort[1b], (Beantwortung[4b]), (Erwiderung[6b])	respuesta[2a], (contestación[3a])
army[1b]	armée[2a]	Armee[1a], Heer[1a], (Streitkraft[4b])	ejército[2a]
article[1b] (most meanings)	article[2a]	Artikel[1b]	artículo[2a]
bad[1a], (evil[2a]), (wicked[2b]), (vicious[5b]), (sinful[6])	mauvais[1a], (méchant[2a]), (vilain[3b]), (malveillant[7a])	schlecht[1b], (übel[2a])	infame[3a], villano[3b], (perverso[4b]), (malvado[5a]), (inicuo[6a]), (maligno[6a])
battle[1b]	bataille[2a], combat[2b]	Kampf[1a], Schlacht[1b]	batalla[2a], (combate[3a])
build[1a], building[1b], built[1b], (erect[2b]), (construct[3b])	construire[2a], bâtir[2b], (édifier[5b]), (reconstruire[6a])	aufstellen[1b], bauen[1b], (errichten[2a]), (erbauen[3a]), (konstruieren[3b]), (aufrichten[4b]), (aufbauen[5a])	construir[2a], (edificar[4a]), (erigir[6b])
(so) called (call[1a])	prétendu (*adj.* and *n.*)[3b], (soi-disant[6a])	sogenannt[1b]	supuesto (suponer[1a]), (presunto [presumir[2b]])
circle[1b], ring[1b]	cercle[2a], (anneau[4a]), (rond [*n.*][4a])	Kreis[1a], (Ring[2a]), (Zirkel[5b])	círculo[2b], (anillo[4b])
count[1b] (title), (earl[4b])	comte[2b]	Graf[1a]	conde[2a]
everything[1b]	tout (*indef. pron.*)[3a]	all[1a], (alledem[5b])	todo[1a]
fair[1a] (blond)	blond[2a]	hell[1a], (blond[6a])	rubio[2a]
fall[1a] (*n.*), (tumble[3a])	chute[2a], (tombée [*n.*][6a])	Fall[1a], (Sturz[6a])	caída[2a]
floor[1a]	parquet[3b], (plancher[4b])	Boden[1a]	suelo[1a]

English	French	German	Spanish
hurry[1b] (*intr. vb.*), rush[1b], (speed[2a]), (hasten[2b]), (sped[5a])	se[1a] presser[2a], s'empresser[2b], (se hâter[3a]), (se depêcher[4a])	sich[1a] eilen[1b]	apresurar[2b], apurar[2b] se[1a], (precipitar[3a]), (apremiar[5a])
lesson[1b]	leçon[2a]	Stunde[1a], Aufgabe[1b]	lección[2b]
loss[1b], (forfeit[5a])	perte[2a]	Verlust[1b]	pérdida[2b]
loud[1b] (*adj.*)	haut (*adj.*)[1a]	laut[1b]	ruidoso[3b]
(in like) manner[1b], (likewise[4b])	de[1a] même[1a], également[1b], (pareillement[5b])	ebenso[1a], (gleichfalls[2b])	asimismo[3a]
may (M)[1a] (month)	mai[2b]	Mai[1b]	mayo[2a]
(last) night[1a]	hier[1b] soir[1a]	gestern[1b] abend[1b]	anoche[3a]
O[1b], oh[1b], (ah[2b]), (ha[3a]), (ho[4b])	ah[3a], oh![3b]	ach[1b], (ei[4a]), (ha[4a]), (ah[4b]), (oh[6b])	o[1a], (ah[7b])
officer[1b]	officier[2a]	Offizier[1b]	oficial[2a]
page[1b] (of book)	page (*f.*)[2a]	Seite[1a]	página[2a]
point[1a] (*n.*)	pointe[2a]	Spitze[1b]	pico[2a], punta[2a]
race[1b] (speed) (*n.*)	course[2b]	Lauf[1b]	carrera[2a], (corrida[4b])
ready[1a]	prêt[1b]	bereit[1b], fertig[1b]	listo[3b]
rest[1a] (*n.*), (repose[3b])	repos[2a]	Ruhe[1b]	descanso[2a], reposo[2a]
row[1b] (*n.*), (rank[2a]), (file[3a])	rang[1b], (file[3a]), (rangée [*n.*][5a])	Reihe[1b]	fila[3b], (hilera[5a])
several[1a] times (time[1a]), again[1a] (and again)	(à plusieurs) reprises (reprise[3a])	immer[1a] wieder[1a], vielfach[1b], (mehrfach[3a]), (mannigfach[4b]), (mehrmals[5a])	(varias) veces (vez[1a])
slow[1b], (slack[6])	lent[2a] (doucement[1b]), (lentement[1b]), ([avec] lenteur[3b]), (posément[6a])	langsam[1b]	lento[2a], (despacio[3b]), (tardo[5b])
sound[1a], fit[1b], (healthy[4a]), (hale[6])	sain[2b], (gaillard [*adj.*][3b])	gesund[1b]	sano[2a], robusto[2b], (lozano[5a])
sound[1a] (*n.*)	son[2b]	Ton[1b], (Klang[4a]), (Laut[4b]), (Schall[6b])	sonido[2a], (son[3a])
talk[1a], (speech[2a]), (lecture[4b]), (discourse[5a])	discours[2a], (conférence[3a]), (parler [*n.*][5a]), (causerie[5b]), (harangue[6a])	Rede[1a], (Vortrag[2b]), (Vorlesung[5b])	discurso[2a], (conferencia[3a]), (plática[5a])
thick[1b]	épais[2b]	dicht[1b], (dick[3b])	espeso[2a], grueso[2b]
trade[1b] (*n.*), (commerce[2b])	commerce[2a]	Handel[1b], Verkehr[1b], (Gewerbe[2b]), (Handelsverkehr[3b]), (Gewerbebetrieb[4b]), (Handeln[4b]), (Geschäftsbetrieb[6b])	comercio[2b]
village[1b], (hamlet[4b])	village[1b], (bourg[5b])	Dorf[1b], (Ortschaft[4a])	aldea[3a], (poblado[5a])
(as) well[1a] (as)	aussi bien que[3b]	sowohl[1b] .... als[1a] auch[1a]	tanto[1a] como[1a]
wonderful[1b], (marvelous[3b]), (wondrous[4a])	merveilleux[2a], (inouï[3b]), (prodigieux[3b]), (miraculeux[5a]), (prodigieusement[4b]), (merveilleusement[7a])	herrlich[1b], (wunderbar[2b]), (wundervoll[6a]), (wundersam[6b])	maravilloso[2b], (prodigioso[3a]), (estupendo[4b]), (portentoso[5b])

SECTION 1.3. CONCEPTS 784 THROUGH 805

E F G S
1–1–1–4
1–4–1–1
1–3–1–2
1–2–1–3

Read: English, first thousand; French, first thousand; German, first thousand; Spanish, fourth thousand; *or* English, first thousand; French, fourth thousand; German, first thousand; Spanish, first thousand; *or* English, first thousand; French, third thousand; German, first thousand; etc.

English	French	German	Spanish
bear[1a] (children)	mettre[1a] au[1a] monde[1a]	gebären[1b]	parir[4b]
beat[1b], (pulsate[6])	battre[1a], (palpiter[6a])	schlagen[1a]	palpitar[4a], (latir[5a]) palpitante[4b]
cares (care[1a])	souci[2a], ennui[2b], (préoccupation[4a])	Sorge[1b], (Besorgnis[3b])	preocupación[3a], (desvelo[5b])
catch[1b], (caught[2a])	attraper[4a]	fangen[1b]	coger[1a]
clock[1b]	horloge[3a], (pendule[4b])	Uhr[1a]	reloj[2b]
cloth[1b], (material[2a]), (stuff[2b]), (fabric[6])	étoffe[3b], (tissu[4b])	Stoff[1b], (Tuch[2b]), (Zeug[3a]), (Gewebe[4b])	material[2a], paño[2b], tela[2b]
demand[1b] (*n.*)	demande[2b]	Forderung[1b], (Verlangen[2b]), (Anforderung[3a])	demanda[3b]
grow[1a] (e.g., leaves)	pousser[3a]	wachsen[1b]	brotar[2b]
guide[1b] (*vb.*)	guider[3a]	führen[1a]	guiar[2a]
(take an) interest[1b] (in)	s'intéresser[3b]	Teil[1a] nehmen[1a]	interesar[2a] (se)
just[1a] (future time)	tout à l'heure[4a]	eben[1a], gleich[1a]	pronto[1a]
long[1a] ago[1b]	autrefois[1b], jadis[1b], (naguère[5b])	früher (früh[1a]), lange (lang[1a]) her[1a], vor[1a] langem (lang[1a]), (ehemals[5a])	antiguamente (antiguo[1a]), (antaño[4b])
myself[1b]	moi-même[4a]	selbst[1a], (ich) selber[1b]	yo[1a] mismo[1a]
old[1a] age[1a]	vieillesse[3b]	Alter[1b]	vejez[2b]
open[1a] (*adj.*), (frank[2b])	franc (*adj.*)[3a], (candide[5b]) franchement[3b], (hautement[5b])	offen[1b], (aufrichtig[2b])	franco[2a], (cándido[4a]), (ingenuo[5a]) (con[1a] franqueza[4a])
rising (rise[1b]) (*adj.*), growing (grow[1a])	naissant (naître[1a]), (croissant [croître[2b]])	werdend (werden[1a]), wachsend (wachsen[1b])	creciente[4b], (naciente[6b])
ship[1a], (vessel[2a])	navire[3b], vaisseau[3b], (galère[6a]), (nef[6a])	Schiff[1b]	barco[2b], (buque[3a]), (nave[3b]), (navío[5a]), (bajel[6a])
size[1b], (bulk[4a])	grandeur[2b]	Größe[1b]	tamaño[3a]
(stand) still[1a], (motionless[7])	immobile[2a]	fest[1a], still[1b]	inmóvil[3a]
top[1a], (crest[4b]), (peak[4b]), (summit[4b])	comble[3b], sommet[3b], (cime[4b]), (pic[5a]), (haut [*n.*][5b])	Spitze[1b]	cumbre[2a], (cima[3a]), (cresta[6b])
watch[1a] (to tell time)	montre[3b]	Uhr[1a]	reloj[2b]
yard[1b] (measure), (ft.[4a]), (meter[4a]), (yd.[5a])	mètre[2a]	Meter[1b]	metro[3a], vara[3a]

SECTION 1.4. CONCEPTS 806 THROUGH 1018

```
E F G S        E F G S
1-3-1-3        1-1-2-1
1-2-1-4        1-5-1-1
1-4-1-2        2-1-1-1
```

Read: English, first thousand; French, third thousand; German, first thousand; Spanish, third thousand; *or* English, first thousand; French, second thousand; German, first thousand; Spanish, fourth thousand; *or* English, first thousand; French, fourth thousand; etc.

English	French	German	Spanish
able[1b] (*adj.*), fit[1b], (capable[3b]), (apt[5a])	capable[1b]	tüchtig[2a], (fähig[3a]), (befähigt[5b])	capaz[1b], (adecuado[5b])
(in) addition[2b], (moreover[3b]), (besides[4b]), (withal[5a]), (furthermore[6])	d'ailleurs[1a], (en[1a] outre[2b])	außerdem[1b], übrigens[1b], (hierzu[2b]), (überdies[3b]), (als[1a] Ergänzung[4b]), (zudem[4a])	además[1a], por[1a] otra, (otro[1a]) parte[1a]
admit[2b], (confess[3a]), (acknowledge[4a])	reconnaître[1a], admettre[1b], avouer[1b], (confesser[5b])	anerkennen[1b], (bekennen[2b]), (gestehen[2b]), (zugeben[2b]), (einräumen[3b]), (zugestehen[3b])	admitir[1b], confesar[1b], reconocer[1b]
advice[2b], (counsel[3a])	conseil[1a], (avis[2a])	Rat[1b], (Beratung[2a]), (Ratschlag[6b])	consejo[1b]
arrive[1b]	arriver[1a]	ankommen[2a]	llegar[1a], (arribar[7a])
as[1a] (good) as[1a]	aussi .... que[5a], aussi[5a]	so[1a] .... wie[1a]	tan[1a] .... como[1a]
as[1a] it[1a] were[1a]	pour[1a] ainsi[1a] dire[1a]	gleichsam[2a], gewissermaßen[2b]	por[1a] decir[1a] lo[1a] así[1a]
assure[2b]	assurer[1a]	sichern[1b], versichern[1b], (bestätigen[2a])	asegurar[1b], (acreditar[4b])
back[1a] (*n.*), (rear[2b])	dos[1b], (derrière [*n.*][3b]), (reins[4b])	Rücken[2b]	espalda[1b], (lomo[4a])
bed[1a], (couch[3a]), (cot[4a])	lit[1b], (couche[3b])	Bett[2a]	cama[1b], (lecho[2a])
blow[1a] (*n.*), (thrust[3a])	coup[1a], (soufflet[5b])	Schlag[2b], (Streich[5a]), (Hieb[5b])	golpe[1b], (pedrada[6b]), (porrazo[6b])
blue[1a], (azure[6]), (indigo[6])	bleu[1a], (azur[6b])	blau[2b]	azul[1b]
born[1b] of[1a], (sprung[4a] from[1a])	issu (*adj.*)[5a], (né[6b])	entstanden (entstehen[1a])	nacido (nacer[1a])
bow[1b] (*vb.*), (greet[2a]), (salute[4a])	saluer[1b]	begrüßen[2b], grüßen[2b]	saludar[1b]
boy[1a], (lad[2a]), (youth[2a])	garçon[1b], (gamin[3a]), (adolescent[4b]), (gosse[6b])	Jüngling[2a], Knabe[2a], Junge[2b], (Bube[5b])	muchacho[1a], mozo[1b], (mancebo[4b]), (zagal[6a]), (adolescente[6b])
bread[1a]	pain[1b]	Brot[2b]	pan[1a]
bright[1b], (brilliant[4a])	clair[1a], (brillant[2a])	glänzend[2a], heiter[2a], hell[2a], (licht[5a]), (blank[6b])	claro[1a], (brillante[2a]), (luminoso[2b]), (luciente[6a])
broad[1a], wide[1a]	large[1a]	breit[2a]	ancho[1b]
burst[2a], (pop[5b]), (explode[8])	éclater[1b], (crever[3a])	brechen[1b], (zerbrechen[4b])	romper[1a], (estallar[2b]), (reventar[3a]), (explotar[3b])
business[1b] man[1a]	homme[1a] d'[1a]affaires (affaire[1a]), (commerçant[4a])	Kaufmann[2a], (Geschäftsmann[6a])	(hombre de) negocios (negocio[1b]), (comerciante[3a]), (negociante[6a])
buy[1a], (bought[2a]), (purchase[2a])	acheter[1b]	kaufen[2a], (erkaufen[5b]), (anschaffen[6b])	comprar[1b]

English	French	German	Spanish
call[1a] (*n.*), cry[1b], (halloo[6])	cri[1b]	Ruf[2a], (Zuruf[4a]), (Schrei[5b])	grito[1b]
call[1a] out[1a], (exclaim[2b])	s'écrier[1b], (se récrier[5b])	schreien[2b], (ausrufen[6a])	exclamar[1b]
century[2b]	siècle[1a]	Jahrhundert[1a]	siglo[1a]
chance[1b], (random[5a])	hasard[1b]	Zufall[2b]	suerte[1a], acaso[1b], (casualidad[3a])
(take) chances (chance[1b]), (risk[3b])	risquer[2a], (hasarder[7a])	Gefahr[1a] laufen[1b], (gefährden[4a])	aventurar[4a], arriesgar[4b]
change[1a] (*tr. vb.*), (alter[3b])	changer[1a], (modifier[2b]), (altérer[4a]), (évoluer[6b])	ändern[2a], verändern[2a], wechseln[2a], (wandeln[3a]), (abändern[5a])	cambiar[1b], (alterar[2a]), (mudar[2a]), (modificar[3a]), (trocar[3a])
clothes[1b], (attire[4b]), (apparel[5b]), (clothing[6*]), (wardrobe[6])	vêtement[1b]	Kleid(er)[2a], (Kleidung[4a]), (Gewand[4b])	ropa[1b], traje[1b], vestido[1b], (hábito[2b])
coast[1b], shore[1b]	côte[1b]	Küste[2b]	costa[1b], (litoral[5b])
collect[2b] (− money due)	toucher[1a]	erheben[1a]	cobrar[1b]
come[1a] forward[1b], (advance[2a])	avancer[1a]	hervortreten[2b]	adelantar[1b], (avanzar[2a])
come[1a] now[1a]! look[1a] here[1a]!	voyons![5b]	bitte! (bitten[1a])	¡vamos! (ir[1a])
common[1b]	commun[1b]	gemeinsam[2a], gemein[2b], gemeinschaftlich[2b]	común[1b]
common[1b] (person), (ordinary[3b])	commun[1b], ordinaire[1b]	gemein[2b]	común[1b]
consist[2b]	consister[2b]	bestehen[1a]	consistir[1b]
control[2b] (*vb.*), (have under −)	commander[1a] à[1a], (maîtriser[6b])	(in der) Hand[1a] (haben), (beherrschen[2b])	dominar[1b], (regular[2b])
cost[1b] (*vb.*)	coûter[1a]	kosten[2a]	costar[1b]
courage[2b], (bravery[5a]), (valor[5a])	courage[1b], valeur[1b], (bravoure[5a])	Mut[1b], (Tapferkeit[4b])	valor[1a], (coraje[4a]), (valentía[4b]), (fiereza[6a]), (bravura[6b])
court[1b] (law), (bar[2a])	tribunal[3b], (cour[1a] d'assises [assise[4b]])	Gericht[1b], (Gerichtshof[2b]), (Landgericht[5a]), (Amtsgericht[6a])	foro[3a], tribunal[3a]
cry[1b], cried[1b], (weep[2a]), (wept[3b]), (cries[4a])	pleurer[1a]	weinen[2a]	llorar[1a]
day[1a] before[1a], (eve[3a])	veille[1b]	(am) Tag[1a] vorher[1b], (Vorabend)	víspera[5b]
dead[1a], (decease[5b])	mort (*adj.*)[1b], (défunt[4b])	tot[2a], (Tote[3a]), (verstorben[4a]), (Verstorbene[6b])	muerto (morir[1a]), (difunto[2a])
defend[2b]	défendre[1b]	schützen[1b], (verteidigen[2b])	defender[1b]
degree[2a], grade[2b]	degré[1b]	Grad[1b], (Stufe[2b])	grado[1b]
deliver[2a]	remettre[1a], livrer[1b]	liefern[1b], (abgeben[2a]), (übergeben[2b]), (einreichen[4b]), (überliefern[6a]), (überbringen[6b])	entregar[1a], (consignar[4a])
difference[1b], (distinction[5b])	différence[1b], (distinction[5b]), (divergence[6b])	Unterschied[2a], (Verschiedenheit[3b]), (Differenz[4a]), (Ungleichheit[6a]), (Unterscheidung[6a])	diferencia[1b], (distinción[2b]), (desigualdad[4b])
disappear[2b], (vanish[3a])	disparaître[1b]	verschwinden[1b], (erlöschen[4a]), (schwinden[4b])	desaparecer[1b], (esfumar[6b] [se])
discover[1b], (detect[6])	découvrir[1a]	entdecken[2a]	descubrir[1a]

English	French	German	Spanish
draw[1a], (design[3a])	dessiner[3a]	zeichnen[1b]	dibujar[3a]
dream[1b] (n.)	rêve[1b], (cauchemar[4a]), (songe[4b])	Traum[2a]	sueño[1a], (ensueño[3a])
dress[1a], (garment[2b]), (gown[2b]), (robe[3a]), (frock[5a]), (costume[5b]), (toilet[5b])	robe[1b], (costume[2a]), (toilette[2a])	Kleid[2a], (Tracht[5b])	traje[1b], vestido[1b]
drink[1a], (drank[4b]), (drunk[4b])	boire[1b]	trinken[2a]	beber[1a], tomar[1a]
dry[1b] (adj.)	sec[1b] (sèchement[4b])	trocken[2b], (dürr[6b])	seco[1b], (enjuto[5b])
eat[1a], (ate[2b])	manger[1a]	essen[2b], (fressen[6a])	comer[1a]
effect[2a] (n.)	effet[1a]	Wirkung[1b], (Effekt[5a])	efecto[1a]
eight[1b]	huit[1a]	acht[2a]	ocho[1*]
event[2a], (circumstance[3a])	occasion[1a], circonstance[1b]	Umstand[1a]	circumstancia[1a]
everywhere[2b]	partout[1a]	überall[1b], (allenthalben[5a])	(en todas) partes (parte[1a])
exact[2a], (precise[6])	précis[1b], (exact[2b]) (exactement[2a]), (précisément[2a])	genau[1a]	preciso[1a], (exacto[2a]), (escrupuloso[3b]), (riguroso[3b])
example[2a], (specimen[6])	exemple[1a]	Beispiel[1a], (Muster[2b]), (Exempel[6b])	ejemplo[1a], (ejemplar[3a])
(for) example[2a], ([for] instance[3a])	(par) exemple[1a]	(zum) Beispiel[1a], (beispielsweise[4a])	(por) ejemplo[1a], (verbigracia[2b])
fair[1a] (adj.), just[1a]	droit[1a], juste[1a]	gerecht[2a], ehrlich[2b], (rechtlich[3a])	justo[1b], (justiciero[6a])
faith[2a]	foi[1b]	Glaube[1b]	fe[1a], (fervor[6a])
false[2b]	faux[1b]	falsch[1b]	falso[1b]
fault[2a]	faute[1b]	Schuld[1b]	falta[1b]
favor[1b] (n.), (boon[5b])	service[1a], faveur[1b]	Gnade[2a], Gunst[2a], (Gefälligkeit[6a]), (Anklang[6b])	favor[1a], merced[1b], servicio[1b]
fear[1a] (n.), (dread[2b]), (fright[2b]), (terror[2b])	crainte[1b], peur[1b], (terreur[2a]), (effroi[3a]), (épouvante[5a]), (appréhension[6b])	Furcht[2a], Angst[2b], Schrecken[2b], (Entsetzen[4b]), (Befürchtung[5a]), (Scheu[5b])	miedo[1b], temor[1b], (terror[2a]), (espanto[2b]), (susto[2b]), (recelo[3a]), (pavor[4b])
feed[1b], (fed[2b])	donner[1a] à[1a] manger[1a], (alimenter[5b])	zu[1a] essen[2b] geben[1a]	dar[1a] de[1a] comer[1a]
fill[1a]	remplir[1a], (emplir[3b])	füllen[2a], (ausfüllen[3b]), (anfüllen[6b])	llenar[1a], (henchir[3a]), (cuajar[5a])
fine[1a] (person), nice[1a]	brave[1b], (gentil[2b])	brav[2b], (nett[5a])	buen[1a]
finger[1b]	doigt[1a]	Finger[2b]	dedo[1b]
flower[1a] (n.)	fleur[1b]	Blume[2a]	flor[1a]
fortune[2a], (luck[3a])	chance[1b], fortune[1b], (veine[6b])	Glück[1a]	suerte[1a], fortuna[1b], (ventura[2a])
forward[1b] (adv.), (ahead[3b])	en[1a] avant[1a]	vorwärts[2b]	adelante[1b]
(in) front[1a] (adv.), (ahead[3b])	devant[1a], en[1a] avant[1a]	vorn[2b], (davor[4a]), (voran[4b])	delante[1a]
garden[1a]	jardin[1a]	Garten[2a]	jardín[1b], (huerta[2a] [truck])
gate[1b] (city –)	porte[1a]	Tor[2b]	puerta[1a]

THE FIRST THOUSAND CONCEPTS

English	French	German	Spanish
gentle[1b], (mild[2b]) (gently[3b])	doux[1a], (suave[6a])	mild[2b], (gelind[6a])	suave[1b], (manso[3b])
get[1a], (fetch[2b])	aller[1a] chercher[1a], (quérir[6a])	holen[2a]	conseguir[1b]
give[1a] up[1a], (renounce[5a])	renoncer[1b]	aufgeben[2b], (abtun[6a])	rendir[1b], (renunciar[2b])
go[1a] back[1a], return[1b]	retourner[1a], rentrer[1a]	zurückkehren[2a], (wiederkehren[4b])	retirar[1a] se[1a], volver[1a], (tornar[2a]), (retornar[6a])
go[1a] forward[1b], (advance[2a]), (go[1a] onward[3b])	avancer[1a]	vorwärts[2b] gehen[1a], (vordringen[4a]), (vorrücken[5a]), (vorschreiten[6a]), (weitergehen[6a])	ir[1a] adelante[1a], adelantar[1b], (avanzar[2a])
go[1a] out[1a]	sortir[1a]	ausgehen[2a], (hinausgehen[4a])	salir[1a]
golden[1b]	d'[1a]or[1a], en[1a] or[1a]	golden[2a]	de[1a] oro[1a], (dorado [dorar[3a]]), (áureo[5b])
grace[1b] (n.)	grâce[1a]	Reiz[2b], (Anstand[4b]), (Anmut[5a])	gracia[1a], (gentileza[4b]), (donaire[5a]), (garbo[5a]), (gallardía[5b])
grave[2a], earnest[2b], serious[2b]	grave[1a], sérieux[1a]	ernst[1b], (ernsthaft[3b]), (gewichtig[6a])	grave[1a], serio[1b], (de[1a] gravedad[2b]), (adusto[5b])
	(gravement[2b]), (sérieusement[2b]), (grièvement[6b])		
guess[1b] right[1a]	bien[1a] deviner[1b]	richtig[1a] raten[2b], (erraten[4b])	acertar[1b]
(on the other) hand[1a], side[1a]	(de l'autre) côté[1a], (d'autre) part[1a]	ander(er)seits[2b]	(por otra) parte[1a]
happiness[2b]	bonheur[1b], (félicité[5b])	Glück[1a]	dicha[1b], felicidad[1b]
hardly[2a]	guère[1b], (à peine[5b])	kaum[1a], (schwerlich[3b])	apenas[1a]
(of, from) here[1a], (local[3a])	d'[1a]ici[1a]	hiesig[2b]	de[1a] aquí[1a]
himself[1a] (intensive)	lui-même[5b]	(er) selber[1a], selbst[1a]	él[1]* mismo[1a]
history[2a]	histoire[1a]	Geschichte[1a]	historia[1a]
holy[2a]	saint[1b]	heilig[1b]	santo[1a], (sacro[4b])
human[2a] (adj.)	humain[1b]	menschlich[1b]	humano[1a]
hundred[1a]	cent[1a], (centaine[2a])	hundert[2a], (Hundert[4b])	cien[1]*, ciento[1]*, (centenar[5b])
idea[2a], (notion[3b])	idée[1a], (conception[3b]), (notion[4a])	Begriff[1b], Idee[1b], (Ahnung[3b]), (Einfall[4a])	idea[1a], (concepto[2a]), (noción[4a]), (concepción[5b])
imagine[2a], fancy[2a], (conceive[3b])	s'imaginer[1b], (concevoir[2a]), (se figurer[2b]), (imaginer[3a])	sich[1a] denken[1a], (vorstellen[3a]), (einbilden[5a])	figurar[1b], imaginar[1b], (concebir[2a])
impossible[2b]	impossible[1b]	unmöglich[1b]	imposible[1a], (imposibilitar[6a] [to make –])
inside[2a] (n.), (interior[4a])	intérieur[1a], (dedans[2b])	Innere[1b]	interior[1b]
inside[2a] (adj.), (interior[4a]), (inner[4b]), (inward[4b]), (internal[5b])	intérieur[1a]	innere[1a], innerhalb[1b], (innerlich[3b]), (inwendig[5b])	interior[1b], (adentro[2b]), (interno[3b])
		(inne[2b] [adv.])	
intend[2a]	compter[1a], ([avoir l']intention[2a])	sich[1a] vornehmen[1b], (beabsichtigen[2a]), (bezwecken[5a]), (vorsetzen[6a])	tener[1a] intención[1b]

English	French	German	Spanish
iron[1b] (adj.)	(de, en) fer[1b]	eisern[2b]	de[1a] hierro[1b], (férreo[4b])
keep[1a] from[1a], stop[1a], (prevent[2a]), (hinder[4a]), (foil[5b]), (thwart[6])	empêcher[1a], (contrarier[4b])	verhindern[2a], aufhalten[2b], hindern[2b], (abhalten[3a]), (anhalten[3a]), (wehren[4a]), (vorbeugen[5b])	impedir[1b]
kill[1a], (slain[3b]), (slaughter[4b]), (slay[4b]), (slew[5a])	tuer[1b], (assommer[6a]), (égorger[6a]), (massacrer[6a])	töten[2b], (erschlagen[5a]), (erlegen[6a])	matar[1a]
kiss[1b] (vb.)	embrasser[1b], (baiser [vb.])[3a]	küssen[2b]	besar[1b]
landing (land[1a]) (stairs)	palier[4a]	Absatz[1b]	descanso[2a]
latter[2b]	celui(-ci, -là)[1a], celle(-ci, -là)[1a], ceux(-ci, -là)[1a], celles(-ci, -là)[1b], (ce) dernier[1a]	dies[1a], (letztere[3b])	éste[1a], último[1a]
letter[1a] (character)	lettre[1b]	Buchstabe[2b]	letra[1a]
liberty[2a], freedom[2a]	liberté[1b]	Freiheit[1b]	libertad[1a]
light[1a] (adj.) (in color, etc.)	clair[1b]	hell[2a]	claro[1a]
light[1a] (up[1a]), (lit[6])	éclairer[1b], (illuminer[4b])	leuchten[2a], (erleuchten[4a]), (beleuchten[4b])	encender[1b], (iluminar[2a]), (alumbrar[2b])
lip[1b]	lèvre[1b]	Lippe[2b]	labio[1b]
load[1b] (n.), (burden[3a])	fardeau[4a]	Last[1b], (Belastung[4a])	carga[2b]
long[1a] for[1a], (crave[4a]), (yearn[5a])	tarder[2a] (impersonal)	verlangen[1a], ([sich] sehnen[2b])	anhelar[4b], (ansiar[5a])
look[1a] out[1a], take[1a] care[1a], (beware[4b])	faire[1a] attention[1a], prendre[1a] garde[1b]	achten[2a], (Acht[4b] geben[1a])	tener[1a] cuidado[1a]
look[1a] out[1a]!, take[1a] care[1a]!, (beware[4b]!)	attention[1a]!, (gare![6b])	Achtung[2b]!, (Vorsicht[3a]!)	¡cuidado[1a]!
low[1a], lower[1b]	bas[1a], (inférieur[2a])	niedrig[2a]	bajo[1a], (inferior[2b])
make[1a] out[1a], (discern[4a]), (descry[6])	distinguer[1b], (discerner[4a])	erblicken[2a]	distinguir[1a], (divisar[4a]), (columbrar[5a])
march[1b] (vb.)	marcher[1a]	marschieren[2b]	marchar[1b]
master[1b] (vb.)	dominer[1b], (maîtriser[6b])	beherrschen[2b]	dominar[1b]
million[2a]	million[1b]	Million[1b]	millón[1*]
motion[2b], (movement[3a])	mouvement[1a]	Bewegung[1a], (Treiben[4b]), (Regung[5b])	movimiento[1a], (vaivén[4b])
news[2a], (tidings[5a])	nouvelle(-s) (n.)[1b]	Nachricht[1b], (Neue[2a])	noticias (noticia[1b]), (nueva[5a])
noble[2a] (birth and character)	noble[1b]	edel[1b]	noble[1a], (hidalgo[3a])
notice[1b] (vb.), (observe[2a])	remarquer[1b]	merken[2a], (gewahren[4b])	advertir[1a], notar[1b]
(give) notice[1b] (of), (advertise[5a]), (announce[5b]), (notify[5b])	annoncer[1b]	melden[2a], (anzeigen[3b]), (ankündigen[4b])	anunciar[1b], (notificar[6a]) (denunciar[6b])
observe[2a], behold[2a], gaze[2b] (at), (beheld[3b]), (contemplate[6])	observer[1b], (contempler[3a])	betrachten[1b], beobachten[1b]	contemplar[1b], notar[1b], observar[1b]
office[1b] (position)	situation[1b], (poste[2a]), (office[2b])	Amt[2b]	puesto[1a], cargo[1b], oficio[1b]
opinion[2a]	opinion[1b], (avis[2a])	Meinung[1a], (erachten[2b]), (Erachten[3a])	opinión[1b], (opinar[3b]) (have the opinion), (parecer[3a])

THE FIRST THOUSAND CONCEPTS — Sec. 1.4

English	French	German	Spanish
opposite[2b] (*adv., adj.,* and *prep.*)	en[1a] face[1a], (opposé [*adj.*][3a]), (vis-à-vis[3b])	gegenüber[1a], (angesichts[4b]), (gegenüberstehend[5a])	opuesto (oponer[1b]), (enfrente[3b])
(put in) order[1a], (regulate[5a])	ranger[1b], (classer[3a])	ordnen[2a], regeln[2b], (anordnen[3a]), (regulieren[5b])	arreglar[1b], ordenar[1b], (regular[2b]), (clasificar[6a])
outside[1b], (outdoor[s][6])	dehors[1a], hors[1b], (extérieur[2a])	außen[2b], (draußen[3b])	fuera[1a], (exterior[2b]), (afuera[4a])
(take) pains (pain[1b])	se[1a] donner[1a] la[1a] peine[1a], s'[1a]appliquer[1b]	sich[1a] Mühe[1b] geben[1a]	cuidar[1b] (se), (afanar[5a] [se]), (esmerarse[5b])
part[1a] (rôle)	part[1a], rôle[1b]	Rolle[2a]	papel[1a]
(on the) part[1a] (of)	de[1a] la[1a] part[1a] de[1a]	seitens[2a]	de[1a] parte[1a] de[1a]
(take) part[1a], (partake[5b])	prendre[1a] part[1a], (participer[5a])	beteiligen[2b], (teilnehmen[3b]), (mitmachen[6b])	tomar[1a] parte[1a], (participar[3b])
particular[2a] (*adj.*)	particulier[1b] (particulièrement[2a])	besondere[1a]	particular[1a]
pass[1a] (*vb.*), go[1a] past[1b]	passer[1a], dépasser[1b], (repasser[4a])	vorübergehen[2b]	pasar[1a]
past[1b], over[1a]	passé (passer[1a])	vorüber[2b], (vorbei[3a])	pasado[1b]
pleasure[1b]	plaisir[1a], (gré[2b]), (agrément[4a])	Genuß[2a], Lust[2a], Vergnügen[2a], (Gefallen[4b]), (Belieben[5b]), (Wohlgefallen[6a])	placer[1a], (agrado[3b]), (complacencia[5a])
point[1a] out[1a], (indicate[2b])	indiquer[1b], (désigner[2a]), (signaler[3a])	hinweisen[2a], nachweisen[2b], anweisen[2b], (andeuten[3a]), (anzeigen[3b])	indicar[1b], señalar[1b], (apuntar[2b])
position[2b], (situation[4a])	situation[1b], (position[2a])	Lage[1a], (Anstellung[4a]), (Situation[4a]), (Position[5b]), (Sachlage[5b])	situación[1b]
prepare[1b] (*tr. vb.*), get[1a] ready[1a]	préparer[1a]	bereiten[2a], vorbereiten[2b], (bahnen[6b]) (way)	preparar[1b], (prevenir[2b]), (aparejar[5a]), (apercibir[6a])
(for the) present[1a]	(pour le) moment[1a]	vorläufig[2b], (einstweilen[5a])	(por) ahora[1a]
present[1a] (*vb.*) (give)	offrir[1a], présenter[1a]	schenken[2a]	presentar[1a], (regalar[2a]), (obsequiar[4b])
profit[2b] (*vb.*), benefit[2b]	profiter[1b], (bénéficier[6b])	Vorteil[1b] ziehen[1a]	aprovechar[1b], (beneficiar[7a] [se])
pronounce[2b]	prononcer[1b]	aussprechen[1b]	pronunciar[1b]
proof[2b]	preuve[1b], (indice[5a])	Beweis[1b], (Nachweis[4b])	prueba[1b]
proper[1b], (suitable[4b])	(comme il) faut (falloir[1a]), (convenable[3b]) (proprement[3b])	gehörig[2b], (angemessen[3a]), (zutreffend [zutreffen[3b]]), (anständig[4b]), (ziemen[4b]), (zuständig[5b])	propio[1a], (conveniente[2b])
propose[2b], (suggest[3a])	proposer[1b], (suggérer[3b])	in[1a] Vorschlag[1b] bringen[1a], (vorlegen[2a]), (vorschlagen[2b]), (beantragen[3a])	proponer[1b], (sugerir[4a])
prove[1a], make[1a] (e.g., a point), (establish[2a])	constater[1b], établir[1b]	feststellen[2a], festsetzen[2b], (konstatieren[4a])	establecer[1b], probar[1b], (comprobar[5b])
public[1b] (*n.*)	public[1b]	Publikum[2a], (Öffentlichkeit[3b])	público[1a]
rare[2b], scarce[2a]	rare[1b]	selten[1b], (vereinzelt[5b])	raro[1b]
read[1a], sound[1a] (the paragraph –s well)	sonner[1b]	lauten[2a]	sonar[1b]

English	French	German	Spanish
really[2b], (truly[5b]*), (actually[6]*), (verily[6])	en[1a] vérité[1a], vraiment[1b], (réellement[2b])	wirklich[1a], (geradezu[2b]), (wahrhaftig[3b])	en[1a] verdad[1a], realmente (real[1a]), verdaderamente (verdadero[1a]), ([de] veras[2a]), (efectivamente [efectivo[3a]])
reason[1a], (judgment [ge][2b])	raison[1a], (jugement[2b])	Vernunft[2b]	razón[1a], juicio[1b]
recognize[2b]	reconnaître[1a]	erkennen[1a]	reconocer[1b]
represent[2a]	représenter[1b]	darstellen[1b], (vertreten[2a]), (repräsentieren[5b])	representar[1b]
return[1b] (n.)	retour[1b], (rentrée [n.][4b])	Rückzug[2b], (Rückkehr[3b])	vuelta[1b], (regreso[3b])
ring[1b], sound[1a], (knell[4a]), (rang[4a]), (peal[4b]), (rung[6])	sonner[1b]	klingen[2a], (tönen[5a]), (erschallen[6a]), (läuten[6b])	tocar[1a], sonar[1b], (tañer[6a]) (a bell)
sad[1b], (gloomy[4b]), (melancholy[5b]), (mournful[5b]), (sorrowful[5b]), (woeful[6])	triste[1b], (mélancolique[3b]), (chagrin [adj.][5b]), (lamentable[5b]), (plaintif[6b]) (tristement[3a])	traurig[2a], (wehmütig[6b])	triste[1a], (sombrío[3a]), (melancólico[3b]), (lloroso[5a])
science[2b]	science[1b]	Wissenschaft[1b], (Naturwissenschaft[5a])	ciencia[1a]
sell[1b], sold[1b]	vendre[1b]	verkaufen[2a]	vender[1b]
sense[2a]	sens[1a]	Sinn[1a]	sentido[1a]
sentence[2b], (phrase[4a])	phrase[1b]	Satz[1b], (Phrase[6b])	frase[1b]
seven[1b]	sept[1a]	sieben[2b]	siete[1]*
shade[1b] (n.)	ombre[1b]	Schatten[2b]	sombra[1a]
silver[1a] (n.)	argent[1a]	Silber[2a]	plata[1b]
sing[1a], (sang[2b]), (sung[3b])	chanter[1b]	singen[2a]	cantar[1a]
six[1a]	six[1a]	sechs[2a]	seis[1]*
sleep[1a] (vb.), ([be] asleep[2a]), (slept[3a]), (nap[4b])	dormir[1b]	schlafen[2a]	dormir[1a], (dormitar[6a])
smile[1b] (vb.)	sourire (vb.)[1b], (souriant[2b])	lächeln[2a]	sonreír[1b]
soft[1a] (not loud)	bas[1a], doux[1a]	leise[2a]	dulce[1a], suave[1b]
somebody[2b], (someone[3b])	quelqu'un[1a]	jemand[1b]	alguien[1a]
sometimes (sometime[1b])	parfois[1b], (quelquefois[2a])	manchmal[2a], zuweilen[2b], (bisweilen[4a]), (mitunter[4a])	(a) veces (vez[1a]), (algunas veces)
(in) spite[2a] (of), (despite[4b])	malgré[1a], ([en] dépit[3b] [de])	trotz[1b]	(a) pesar[1a] (de), (a[1a] despecho[3b] de[1a])
spread[1b], (expand[6])	étendre[1b]	verbreiten[2a], (ausbreiten[3b]), (breiten[3b])	tender[1b], (extender[3a]), (regar[4a]), (cundir[6a])
stone[1a], (pebble[5a])	pierre[1b], (caillou[5a])	Stein[2a]	piedra[1a]
stop[1a] (intr. vb.), (cease[2b]), (halt[4a])	s'arrêter[1a], cesser[1a], (stationner[6b])	aufhören[2b], (absetzen[5a])	detener[1a] se[1a], parar[1b] se[1a], (desistir[4a])
stream[1b] (n.)	courant[1b]	Strom[2a]	corriente[1b]
study[1b] (vb.)	étudier[1a]	studieren[2b]	estudiar[1b]
surprise[1b] (vb.)	surprendre[1b], (surpris[4a])	überraschen[2a]	sorprender[1b], (extrañar[2a])
sweet[1a] (adj.)	doux[1a], (sucré[4b])	süß[2a]	dulce[1a]
taste[1b] (n.), (flavor[4b]), (savor[6])	goût[1b], (saveur[5b])	Geschmack[2a]	gusto[1a], (sabor[3a])
ten[1a]	dix[1a], (dizaine[4a])	zehn[2a]	diez[1]*

THE FIRST THOUSAND CONCEPTS Sec. 1.4 41

English	French	German	Spanish
themselves[1b] (intensive)	eux-mêmes[5b]	(sie) selber[1a], selbst[1a]	ellos[1]* mismos (mismo[1a])
then[1a] (e.g., the then reigning . . . .)	(d')alors[1a]	damalig[2b]	entonces[1a]
thousand[1a]	mille[1a], (millier[2a]), (mil[4b])	tausend[2a], (Tausend[3b])	mil[1]*, (millar[6b])
tip[2a] (n.) (end)	bout[1a], (pointe[2a])	Spitze[1b]	cabo[1b], (punta[2a])
tomorrow (-)[1b]	demain[1b]	morgen[2a]	mañana[1a]
tone[2b] (n.)	ton (n.)[1b]	Ton[1b]	tono[1b]
tonight (-)[2b]	ce[1a] soir[1a]	heute[1a] abend[1b]	esta (este[1a]) noche[1a]
treat[2a] (vb.), handle[2a]	traiter[1b]	behandeln[1b]	tratar[1a]
trust[1b] (vb.)	avoir[1a] confiance[1b], confier[1b], (fier[6b]), (se fier[6b])	vertrauen[2b], (trauen[4a]), (zutrauen[6b])	tener[1a] confianza[1b], (confiar[2a]), (fiar[2a])
turn[1a] round[1a] (intr. vb.)	se[1a] retourner[1a]	umkehren[2b]	volver[1a] se[1a]
unless[2a]	à[1a] moins[1a] que[1a]	außer[1a] wenn[1a], wenn[1a] nicht[1a]	a[1a] menos[1a] que[1a]
upper[2a]	supérieur[1b]	höher (hoch[1a]), obere[1b]	superior[1b]
(be) used (use[1a]) (to), (wont[3b])	avoir[1a] l'[1a]habitude[1b], (habitué[3a]), (accoutumé [accoutumer[3b]] à)	gewöhnt (gewöhnen[2a])	acostumbrar[1b], tener[1a] costumbre[1b]
value[1b] (vb.)	estimer[1b], (apprécier[2b])	schätzen[2a]	estimar[1b], (preciar[3b])
visit[1a], (visitation[6])	visite[1b]	Besuch[2a]	visita[1b]
visit[1a] (vb.)	(rendre, faire) visite[1b] (à), (visiter[2a])	besuchen[2a]	visitar[1b]
wall[1a] (in a room)	mur[1b], (paroi[4b])	Wand[2a]	pared[1b], (muro[3a])
weather[1b]	temps[1a]	Wetter[2b], (Witterung[4b])	tiempo[1a], (bonanza[6a] [fine, good])
whenever[2b], (whene'er[4b])	lorsque[1a], (n'importe) quand[1a]	wenn[1a] immer[1a]	cuando[1a] quiera (querer[1a]) que[1a]
wind[1a] (n.)	vent[1b]	Wind[2b]	viento[1b]
window[1a], (casement[6])	fenêtre[1a]	Fenster[2a]	ventana[1b]
wine[2a]	vin[1b], (champagne[4b])	Wein[1b]	vino[1a], (champagne[6b])
winter[1a]	hiver[1b]	Winter[2b]	invierno[1b]
writing(s) (write[1a])	écrit (n.)[4a]	Schrift[1b], Werk[1a]	escrito[2b]
written (write[1a]) (in black and white)	(par) écrit (écrire[1a])	schriftlich[2b]	(por) escrito (escribir[1a])
(be) wrong[1b]	avoir[1a] tort[1b], (se tromper[4b])	unrecht[2b] haben[1a], sich[1a] irren[2b]	no[1a] tener[1a] razón[1a], engañar[1b] se[1a]
youth[2a] (time of life)	jeunesse[1b]	Jugend[1b]	juventud[1b], (mocedad[4a]) (youthfulness), (adolescencia[6b])

PART II

THE SECOND THOUSAND CONCEPTS

SECTION 1.5. CONCEPTS 1019 THROUGH 1137

E F G S   E F G S
1–1–2–2   1–5–1–2
1–2–2–1   1–3–1–4
2–1–1–2   1–4–1–3
2–2–1–1   1–1–1–6
1–2–1–5   1–6–1–1

Read: (First column) English, first thousand; French, first thousand; German, second thousand; Spanish, second thousand; *or* English, first thousand; French, second thousand; German, second thousand; Spanish, first thousand; *and so on for other alternatives in the first and succeeding columns*

English	French	German	Spanish
account[1b], report[1a]	récit[2a], (conte[3b])	Erzählung[2a]	relación[1a], (narración[4a])
advantage[2a], benefit[2b]	avantage[1b], (bénéfice[3a])	Vorteil[1b], Vorzug[1b]	beneficio[2b], provecho[2b], ventaja[2b]
author[2b] (originator)	auteur[2a]	Verfasser[1b], (Aussteller[4a]), (Urheber[4a])	autor[1b]
bank[1a] (river)	bord[1a], (rive[3a]), (rivage[4a]), (berge[5a])	Ufer[2a]	orilla[2a], ribera[2b]
beauty[1b]	beauté[2a]	Schönheit[2a]	belleza[1b], hermosura[1b], (primor[5a])
beyond[2b] (*prep.*)	(au) delà[2a] (de), outre[2b]	außer[1a], über[1a]	más[1a] allá[1a] (de), (allende[5a])
call[1a] upon[1a], (invoke[9])	invoquer[4b]	rufen[1a] (nach[1a], zu[1a], etc.)	invocar[3b]
car[1b], (carriage[2a])	voiture[1b]	Wagen[2b]	coche[2a]
change[1a] (*n.*)	changement[2a], (change[4a]), (variation[4a]), (modification[4b])	Änderung[2a], Veränderung[2a], (Abänderung[3b]), (Wandel[5a]), (Versetzung[6b]), (Wandlung[6b])	cambio[1b], (modificación[4b]), (mudanza[4b]), (variación[5a]), (alteración[5b])
chief[1b] (*n.*), head[1a]	chef[1b]	Haupt-[2a], Vorgesetzte[2b], (Chef[3b]), (Doge[4b]), (Häuptling[6a]), (Hauptperson[6a]), (Prinzipal[6a])	jefe[2a], (caudillo[4a])
command[1b] (*vb.*), order[1a], (bade[3a]), (ordain[4b]), (enjoin[6])	commander[2a], ordonner[2a]	befehlen[2a], Befehl[1b] erlassen[2b], gebieten[2b], vorschreiben[2b], (kommandieren[3a]), (beantragen[3a])	mandar[1a], ordenar[1b], (decretar[5a])
company[1a] (military)	compagnie[2a]	Kompanie[2a]	compañía[1b]
create[2b]	créer[1b]	schaffen[1a]	crear[2a]
danger[2a], (risk[3b]), (peril[4b])	danger[2a], (péril[3a])	Gefahr[1a]	peligro[1b], (riesgo[2a])
deserve[2b], earn[2a], (merit[3a]), (entitled [entitle[4a]])	mériter[2a]	verdienen[1b]	merecer[1a]

THE SECOND THOUSAND CONCEPTS Sec. 1.5 43

English	French	German	Spanish
destroy[1b], (ruin[2a]), (wreck[3a])	détruire[2a], ruiner[2b], (anéantir[4b]), (dévaster[6a])	zerstören[2a], vernichten[2b], (zerschlagen[6b])	deshacer[1b], destruir[1b], (arruinar[3a]), (aniquilar[4b]), (destrozar[4b]), (desbaratar[5a]), (desmoronar[6a])
doubt[1b] (vb.)	douter[2b]	zweifeln[2b], (bezweifeln[5a])	dudar[1b]
draw[1a] back[1a]	reculer[2a]	zurückziehen[2b]	echar[1a] (se) atrás[1b], (retroceder[3b])
drive[1a] back[1a]	refouler[5b]	zurück[1a] treiben[1b]	rechazar[2b]
ear[1a]	oreille[2a]	Ohr[2a]	oído[1b], (oreja[2b])
edge[1b], (border[2a]), (brim[4a]), (brink[5b]), (rim[5b]), (verge[6])	bord[1a], (lisière[5b])	Rand[2b]	canto[2a], orilla[2a], borde[2b]
eternal[2b], (everlasting[4a])	éternel[2a] (éternellement[4a])	ewig[1b]	eterno[1a]
examine[2b], (scan[6])	examiner[1b], (inspecter[4b])	betrachten[1b], (prüfen[2b]), (untersuchen[3a]), (besehen[6b])	examinar[2a], (escudriñar[6a]), (inspeccionar[6b]), (repasar[6b])
extreme[2b], (utmost[4a]), (excessive[5b])	extrême[2a], (outré [adj.][3b]), (excessif[4a])	äußerst (äußere[1b]), (übermäßig[5a])	extremo[1b], (harto[2a]), (excesivo[3a]), ([en] demasía[5a]), (colmo[6b])
fall[1a] back[1a] again[1a], (subside[8])	retomber[2a]	zurück[1a] fallen[1a], (sinken[2a])	recaer[5b]
fate[2b], (doom[3b]), (destiny[5a])	destinée[2a], sort[2a], (destin[3b]), (lot[6b])	Bestimmung[1a], Schicksal[1b], (Los[3b])	sino[1a], suerte[1a], destino[1b], (hado[5a]), (fatalidad[5b])
feature[2b] (face)	trait[1b]	Zug[1a]	rasgo[2b], (facciónes [facción[4a]])
feeling[1b] (sensitiveness)	sensibilité[3b]	Gefühl[1a]	sensibilidad[4a]
fix[1b] (up) (Amer.), (arrange[2b])	arranger[2a], (ajuster[4b])	einrichten[2a], ordnen[2a], (reihen[5b])	arreglar[1b], (acomodar[2b]), (ajustar[2b]), (concertar[3b])
flow[1b] (vb.), stream[1b]	couler[2a], (ruisseler[4b])	fließen[2b], (strömen[3a])	correr[1a]
found[1a] (vb. inf.)	fonder[2a]	begründen[2a], gründen[2a], (stiften[4b]), (fundieren[5a])	fundar[1b]
front[1a] (n.), (fore[5a]) (e.g., of a building)	devant[2b], (façade[4a]), (devanture[6a])	Front[2b]	frente[1a], (faz[3a]), (fachada[5a]), (portada[5b])
fruit[1b]	fruit[2a]	Frucht[2a]	fruto[1b], (fruta[2b])
future[2a] (n.)	avenir[1b], (futur[2b])	Zukunft[1b]	futuro[2a], porvenir[2a]
game[1b] (play)	jeu[1b]	Spiel[2a]	juego[2a]
gather[1b], (collect[2b]), (assemble[3b]), (levy[6]), (muster[6])	recueillir[2a], (rassembler[3a]), (assembler[4a]), (amasser[7a])	sammeln[2a], versammeln[2a], (ansammeln[6b]), (zusammenziehen[6b])	recoger[1b], (amasar[5a])
gather[1b], (pluck[2b]), (glean[6])	recueillir[2a], cueillir[2b]	sammeln[2a]	recoger[1a], reunir[1b], (allegar[5b])
goodness[2b]	bonté[2b]	Güte[1b]	bondad[1b]
goods (good[1a]), (merchandise[4a]), (wares [ware[4a]])	marchandise[3b]	Ware[1b]	mercancía[4a]
green[1a] (adj.)	vert[2a]	grün[2a]	verde[1b]
guess[1b]	deviner[1b]	raten[2b]	adivinar[2b]
half[1a] hour[1a] (n.)	demi-heure[6b]	halbe (halb[1b]) Stunde[1a]	media (medio[1a]) hora[1a]
(to) half[1a] open[1a]	entr'ouvrir[3a]	halb[1b] öffnen[1b]	entreabrir[4b]
hall[1b]	salle[1b]	Saal[2b], (Halle[5b])	sala[2a], (salón[3a])
hat[1b], (bonnet[4a])	chapeau[1b]	Hut[2a]	sombrero[2a]

English	French	German	Spanish
health¹ᵇ	santé²ᵃ	Gesundheit²ᵃ	salud¹ᵇ
heat¹ᵇ (*n.*), (warmth⁴ᵇ)	chaleur²ᵃ, (tiédeur⁵ᵇ)	Wärme²ᵇ, (Hitze³ᵃ)	calor¹ᵇ
hot¹ᵃ	chaud¹ᵇ, (brûlant⁴ᵇ)	heiß²ᵇ	caliente²ᵇ, (cálido⁴ᵃ)
ill¹ᵇ, sick¹ᵇ	mal¹ᵃ, souffrant (souffrir¹ᵃ), malade¹ᵇ	krank²ᵇ	enfermo²ᵃ, (doliente⁵ᵇ)
island¹ᵇ, (isle³ᵃ)	île²ᵇ	Insel²ᵃ	isla¹ᵇ
itself²ᵃ (intensive)	même¹ᵃ, (soi²ᵇ)	selbst¹ᵃ, selber¹ᵇ	sí¹ᵃ, el¹ᵃ mismo¹ᵃ
judgment (ge)²ᵇ (decision)	jugement²ᵇ	Urteil¹ᵇ, (Gutachten³ᵃ), (Beurteilung³ᵇ), (Ermessen⁵ᵃ)	juicio¹ᵇ
knowledge²ᵃ, (acquaintance³ᵃ)	connaissance²ᵃ	Kenntnis¹ᵇ, (Erkenntnis²ᵃ), (Wissen²ᵇ), (Können³ᵃ), (Kunde³ᵃ)	conocimiento¹ᵇ
lack²ᵃ (*vb.*)	manquer¹ᵇ	fehlen¹ᵃ, (entbehren²ᵇ), (gebrechen⁴ᵃ), (mangeln⁴ᵇ)	carecer²ᵇ
(take¹ᵃ) leave¹ᵃ	(faire ses) adieux (adieu²ᵇ), ([prendre] congé³ᵇ)	Abschied²ᵇ (nehmen)	despedir¹ᵇ se¹ᵃ
liking (like¹ᵃ) (*n.*)	penchant⁵ᵇ, (inclination⁶ᵃ)	Neigung¹ᵇ	afición²ᵇ, (agrado³ᵃ)
lock²ᵃ (*vb.*)	fermer¹ᵃ à¹ᵃ clef²ᵇ	schließen¹ᵃ, (verschließen²ᵇ)	cerrar¹ᵃ
loose²ᵃ (*vb.*), (loosen⁶)	dégager²ᵃ, détacher²ᵃ, lâcher²ᵃ, (relâcher⁴ᵇ), (dénouer⁵ᵃ), (délier⁵ᵇ), (détendre⁵ᵇ)	lösen¹ᵇ	soltar¹ᵇ, (desprender²ᵇ), (desatar³ᵃ), (despegar⁵ᵃ), (aflojar⁶ᵇ)
maintain²ᵇ (keep up)	maintenir²ᵃ	erhalten¹ᵃ	mantener¹ᵇ
march¹ᵇ (*n.*)	marche¹ᵇ	Marsch²ᵇ	marcha²ᵇ
mean¹ᵃ, low¹ᵃ	méchant²ᵃ, (mesquin⁵ᵇ)	gemein²ᵇ	bajo¹ᵃ, (ruin⁴ᵃ), (mezquino⁴ᵇ)
middle¹ᵇ (time)	milieu¹ᵃ	Mitte¹ᵇ	mediados⁶ᵇ
minister²ᵇ	ministre²ᵃ	Minister¹ᵇ, (Finanzminister²ᵃ), (Kriegsminister⁵ᵃ), (Handelsminister⁶ᵃ), (Kultusminister⁶ᵃ), (Ministerpräsident⁶ᵃ)	ministro¹ᵇ, (consejero⁵ᵃ)
minute¹ᵇ (*n.*)	minute¹ᵇ	Minute²ᵃ	minuto²ᵃ
(in a) moment¹ᵇ	(en un) clin d'œil⁶ᵇ	(in einem) Augenblick¹ᵃ	(en un abrir y cerrar de) ojos (ojo¹ᵃ)
mountain¹ᵃ	montagne²ᵃ, (mont³ᵇ)	Berg²ᵃ, (Gebirge³ᵃ)	montaña¹ᵇ, monte¹ᵇ, (sierra³ᵃ), (cordillera⁴ᵇ) (range)
move¹ᵃ (household)	déménager⁵ᵃ	beziehen¹ᵇ	mudar²ᵃ se¹ᵃ
move¹ᵃ, touch¹ᵇ (emotionally)	toucher¹ᵃ, (émouvoir²ᵇ), (attendrir³ᵃ), (apitoyer⁶ᵃ)	rühren²ᵃ, (erschüttern³ᵃ), (erbarmen⁶ᵃ)	conmover²ᵃ, (enternecer⁴ᵇ), (emocionar⁵ᵇ)
music¹ᵇ	musique²ᵃ	Musik²ᵃ	música¹ᵇ
neck¹ᵇ	cou²ᵃ, (nuque⁵ᵇ)	Hals²ᵇ	cuello¹ᵇ, (pescuezo⁴ᵇ)
now¹ᵃ .... now, now¹ᵃ .... then¹ᵃ	tantôt²ᵃ .... tantôt	bald¹ᵃ .... bald	ora⁵ᵇ
numerous²ᵇ	nombreux¹ᵇ	zahlreich¹ᵇ	numeroso²ᵃ

English	French	German	Spanish
order[1a] (vb.) (e.g., something to be delivered)	commander[2a]	bestellen[2b]	pedir[1a], ordenar[1b]
paint[1b] (vb.)	peindre[2a]	schildern[2a], malen[2b], (streichen[3b])	pintar[1b]
pen[1b] (for writing)	plume[2a]	Feder[2b]	pluma[1b]
pick[1a] up[1a] (e.g., from floor)	ramasser[2b]	aufheben[2b]	levantar[1a], recoger[1a], alzar[1b]
plant[1a] (n.)	plante[2b]	Pflanze[2b], (Gewächs[6b])	planta[1b], (mata[4b])
poet[2a], (bard[5a])	poète[2b]	Dichter[1a], (Poet[5b])	poeta[1a], (vate[5b])
position[2b] (in a difficult –), (plight[5b])	position[1a]	Lage[1a]	situación[1b], lance[2a]
present[1a] (n.) (time)	présent[2b]	Gegenwart[2a], (Neuzeit[6b])	presente[1a]
prize[2b] (n.)	prix[1a], (prime[5a]), (lot[6b])	Preis[1b], (Prämie[3a])	premio[2a], (galardón[5a])
property[2b], (estate[3a])	bien[2a], domaine[2a], propriété[2a]	Besitz[1b], Gut[1b], (Eigentum[2b])	bienes (bien[1b]), (hacienda[2a]), (propiedad[2a]), (heredad[5a])
province[2b]	région[2a], province[2b], (contrée[4b]), (diocèse[5a])	Provinz[1b], (Landschaft[3b]), (Landesteil[5a])	provincia[1b]
pure[1b] (blooded, language, etc.)	pur[1b]	rein[1a]	castizo[6a]
pursue[2b]	poursuivre[1b]	verfolgen[1b]	perseguir[2a]
(keep[1a]) quiet[1b]	(se) taire[2a]	schweigen[2a], (stillschweigen[4a])	callar[1a]
regard[2a] (n.) (consideration)	égard[2a]	Rücksicht[1b], (Hinsicht[3a]), (Beachtung[5a])	respeto (respe[c]to[1a]), (consideración[2b])
report[1b] (vb.)	rapporter[1b]	berichten[2a]	informar[2b]
result[2a] (n.), issue[2a], (consequence[3b])	résultat[1b], (conséquence[2a]), (issue[4a]), (dénouement[4b])	Folge[1a], (Resultat[2a]), (Ergebnis[2b])	consecuencia[2a], resultado[2a], (resulta[5b])
result[2a] (vb.), (ensue[5a])	résulter[2b], (s'ensuivre[7a])	erfolgen[1a], sich[1a] ergeben[1b], (hervorgehen[2a])	resultar[1b]
ride[1a] (horse), (rode[2b])	monter[1a] à[1a] cheval[1b]	reiten[2a]	montar[2a] a[1a] caballo[1a], (cabalgar[6a])
river[1a]	rivière[2b], (fleuve[3b])	Fluß[2a]	río[1a]
rose[1b] (n.)	rose[2a]	Rose[2b]	rosa[1b]
royal[2a], (regal[5b]), (kingly[5b])	royal[2b]	königlich[1b], (fürstlich[3b])	real[1a], (regio[4b])
run[1a] away[1a], (fled[3a]), (flee[3b])	fuir[2a], s'enfuir[2b], (se sauver[4a])	fliehen[2b], (flüchten[4b])	escapar[1a], huir[1a], (fugar[7a])
seldom[2b], rarely (rare[2b])	rarement[2b]	selten[1b]	rara (raro[1b]) vez[1a], raramente (raro[1b])
servant[2a], maid[2a]	domestique (n.)[2a], servante[2b], (bonne [n.][3b])	Mädchen[1b], (Magd[5b])	criada (criado[1a]), (sirviente[6a])
shoulder[1b] (n.)	épaule[1b]	Schulter[2b], (Achsel[6a])	hombro[2a]
silent[2a], (noiseless[6])	silencieux[2a] (silencieusement[5a])	still[1b], (schweigend [schweigen[2a]])	callado (+callar)[1a], (mudo[2b]), (silencioso[3a]), (taciturno[6a])
sleep[1a] (n.), (nap[4b])	sommeil[2a]	Schlaf[2b]	sueño[1a], (siesta[4a])
so[1a] then[1a], now[1a] then[1a]	ainsi[1a]	so[1a], nun[1a]	conque[6b]
soft[1a] (in texture)	mou[2b], (moelleux[6a]), (velouté[6b]) (mollement[6a])	sanft[2a], weich[2b], zart[2b]	suave[1b], (blando[2a]), (muelle[3b])

English	French	German	Spanish
spring[1a] (*vb.*), (jump[2a]), (leap[2a]), (hop[3a]), (sprang[3a]), (skip[3b]), (sprung[4a])	sauter[1b], (bondir[3a])	springen[2a]	saltar[2a]
star[1b]	étoile[2a], (astre[5b])	Stern[2a], (Gestirn[6b])	estrella[1b], (astro[3a]), (lucero[4b])
study[1b] (*n.*) (act)	étude[2a]	Studium[2a]	estudio[1b]
succeed[2a]	réussir[1b]	Erfolg[1b] haben[1a], gelingen[1b], (sich[1a] durchsetzen[4b]), (aufkommen[5a]), (glücken[5b])	tener[1a] buen[1a] éxito[2b]
success[2a]	succès[1b]	Erfolg[1b]	(buen) éxito[2b], (lucimiento[6b])
taste[1b] (*tr. vb.*)	goûter[2b]	kosten[2a], (schmecken[4b])	gustar[1a], (catar[5a]) (sample), (saborear[6b])
trouble[1b] (*vb.*), (disturb[3a]), (bother[4a]), (ruffle[5a]), (upset[5a]), (unsettle[d][6])	troubler[1b], (déranger[2a]), (ennuyer[3a]), (ahurir[5a])	stören[2a], (trüben[3a])	molestar[2a], (perturbar[4a]), (desconcertar[5a]), (incomodar[5a])
try[1a] hard[1a], (make[1a] an[1a] effort[2b]), (strive[3b]), (endeavor[4a]), (strove[5b])	faire[1a] des[1a] efforts (effort[1a]), (s'efforcer[2a])	sich[1a] bemühen[2b], (streben[3a]), (sich[1a] anstrengen[4b]), (anstreben[5a]), (bestreben[5a]), (erstreben[5b])	empeñar[2a] se[1a], (esforzarse[3b])
united (unite[1b])	uni[6b]	vereinigt (vereinigen[1a]), (einig[4a])	unido (unir[1a])
wealth[2a], (riches[4a])	richesse[2b], (biens[3a])	Besitz[1b], (Vermögen[2a]), (Reichtum[2b])	riqueza[1b], (caudal[2a]), (opulencia[6a])
weight[1b]	poids[2a]	Gewicht[2a]	peso[1b]
whatever[2a], (whatsoever[3b]), (whate'er[5a])	quelconque[2b], (quoi que[3b])	was[1a] .... auch[1a], was[1a] immer[1a]	cualquier(a)[1a]
whole[1a] (*n.*), (total[2a])	ensemble[1a], (total[2b]), (totalité[5b]), (tout [*n.*][6a])	Ganze[2a], (Gesamtheit[4b])	conjunto[2a], total[2a], (integridad[6a]), (totalidad[6b])
wise[1b], (politic[4a]), (sage[4b])	sage[2a]	klug[2b], (weise[4a])	sabio[1b]
wood[1a], (lumber[2b]), (timber[4a])	bois[1a]	Holz[2a]	madera[2b], (leña[3b]), (madero[6a])
wood[1a] (*adj.*), (wooden[2b])	(de, en) bois[1a]	(aus) Holz[2a], (hölzern[6b])	(de) madera[2b], (de) palo[2b]
worse[2a], worst[2b]	pire[2b], pis[2b]	schlechter, schlechteste (schlecht[1b]), (schlimmer, schlimmste [schlimm[2a]])	peor[1a]

THE SECOND THOUSAND CONCEPTS Sec. 1.6 47

SECTION 1.6. CONCEPTS 1138 THROUGH 1209

```
E F G S        E F G S
1-1-2-3        2-3-1-1
1-3-2-1        1-3-1-5
1-2-2-2        1-5-1-3
2-2-1-2
```

Read: (*First column*) English, first thousand; French, first thousand; German, second thousand; Spanish, third thousand; *or* English, first thousand; French, third thousand; German, second thousand; Spanish, first thousand; *and so on for other alternatives in the first and succeeding columns*

English	French	German	Spanish
age[1b], grow[1a] old[1a]	vieillir[3b]	alt[1a] werden[1a]	envejecer[5a]
around[1a] (*adv.*)	autour[2b]	herum[2b], (umher[3a])	alrededor[2a]
(go to) bed[1a]	se coucher[2b]	zu[1a] Bett[2a] gehen[1a], (sich[1a] niederlegen[3a])	acostar[2b] se[1a]
beneath[2a] (*adv.*), below[2a], (underneath[3b])	dessous[3a], (au-dessous[4b]), (en dessous[6a])	unten[1b]	debajo[1b]
branch[1b] (tree), (limb[2b]), (bough[3b]), (twig[3b])	branche[2a], (rameau[6b])	Zweig[2a], (Ast[5b])	rama[2a]
bride[2b], (bridal[6])	mariée (marier[2a])	junge (jung[1a]) Frau[1a], (Braut[3a])	novia (novio[2a])
bringing (bring[1a]) up[1a], (education[2b])	éducation[2a]	Erziehung[2b]	educación[2a], (cría[4b])
building[1b] (*n.*), (edifice[5b])	bâtiment[2b], (édifice[3b])	Bau[2b], Gebäude[2b], (Bauwerk[4b]), (Bauten[5a])	edificio[2a], fábrica[2b]
burn[1a] (*vb.*), (scorch[5b])	brûler[2a]	brennen[2a], (verbrennen[4a])	arder[2a], consumir[2a], quemar[2a], (abrasar[4a])
call[1a] forth[1b], (summon[3a])	évoquer[3a]	hervorrufen[2b]	llamar[1a], (evocar[3b])
captain[1b]	capitaine[2a]	Hauptmann[2a], (Kapitän[4b])	capitán[2a]
(by) chance[1b], happen[1b] (to)	(par) hasard[1b]	zufällig[2a]	(por) casualidad[3a]
choice[2a], (selection[6])	choix[2a]	Wahl[1b], (Auswahl[4b])	elección[2b], (selección[6b])
club[2b] (association)	cercle[2a], (club[4a])	Verein[1b], (Klub[6b])	círculo[2b], (casino[6a])
compare[2a]	comparer[2b]	vergleichen[1b]	comparar[2a]
crossing (cross[1a]), (passage[3a])	passage[1b], (traversée[5a]), (trajet[5b])	Übergang[2b]	pasaje[3a], (tránsito[4b])
daily[2b]	quotidien[3a], (journalier[5a])	täglich[1b], (alltäglich[6b])	diario[1b], (cotidiano[6a])
disease[2b], (sickness[3a]), (illness[5b])	maladie[2b]	Krankheit[1b], (Erkrankung[6a])	enfermedad[2a], mal (*n.*)[2a], (dolencia[5b]), (afección[7b])
double[1b]	double[2a]	doppelt[2a]	doble[2a]
easily[2b], (readily[4b])	facilement[3a], (aisément[4a])	leicht[1a]	fácilmente (fácil[1a])
education[2b]	éducation[2a]	Bildung[1b], (Ausbildung[2b])	educación[2a]
exercise[1b] (*vb.*), practice (se)[1b], (drill[2b])	exercer[2a], (pratiquer[3a])	üben[2a], ausüben[2a]	ejercer[2a], (practicar[3a]), (profesar[3b]), (ejercitar[4a])
experience[2a] (*n.*)	expérience[2a]	Erfahrung[1b], (Erlebnis[5b])	experiencia[2a]
feel[1a] (with fingers)	tâter[5b]	fühlen[1a], (rühren[2a])	tentar[3a], (palpar[5b])
feeling[1b] (sensation)	sensation[2b]	Empfindung[2a], (Empfinden[6b])	sensación[2a]
fight[1b], (fought[2a]), (struggle[2a]), (wrestle[5b]), (scramble[6])	combattre[2a], lutter[2b], (se battre[3a])	kämpfen[2a], (streiten[3b]), (fechten[4b]), (ringen[4b])	combatir[2a], luchar[2a], (pelear[3b]), (lidiar[4b]), (batallar[6a])

English	French	German	Spanish
fly[1a] (*vb.*), (flew[2b]), (flies[3a])	s'envoler[3b], (voler[4a]), (voltiger[5b])	fliegen[2b]	volar[1b]
fourth[1b]	quatrième[3a]	vierte[2b]	cuarto[1a]
height[1b] (e.g., of career)	hauteur[2a]	Höhe[1a]	colmo[6b]
here[1a]!	tenez![3b]	sehen Sie!, siehst du! (sehen[1a])	ea[5a]
influence[2b] (*n.*)	influence[2b], (prestige[4a])	Einfluß[1b], (Einwirkung[3a])	influencia[2a], (influjo[4b])
judge[1b] (*n.*)	juge[2a]	Richter[2a], (Amtsrichter[6a])	juez[2a]
language[2a], speech[2a]	langage[2b], (parler [*n.*][5a])	Sprache[1a]	lenguaje[2b]
learned (learn[1a]) (*adj.*)	savant[3b], (lettré[5b]), (érudit[6b])	gelehrt[2b]	sabio[1b], (erudito[4a]), (docto[4b]), (letrado[5b])
limit[2a] (*vb.*), (confine[4a])	borner[2a], (limiter[4a]), (confiner[6b]), (restreindre[6b])	beschränken[1b], (einschränken[4a]), (begrenzen[4b])	limitar[2a], (confinar[7b])
mass[2a], pile[2a], heap[2b], (mound[4b]), (stack[6])	masse[2a], (tas[3a]), (amas[5a])	Masse[1b], (Haufe[3a])	masa[2a], (montón[3a]), (pila[4a]), (mole[6a])
meat[1b]	viande[3a]	Fleisch[2b]	carne[1a]
moon[1b]	lune[2b]	Mond[2b]	luna[2a]
north[1a]	nord[2a]	Norden[2b]	norte[2a], (aquilón[7b])
plain[1a] (*n.*)	plaine[2a]	Fläche[2b], (Ebene[4a])	llano[2b], (llanura[3a]), (pampa[6a]), (vega[6b])
possession[2b]	possession[2a]	Besitz[1b], (Besitzung[5b])	posesión[2a]
pound[1b] (*n.*), (lb.[4b])	livre (*f.*)[2a], (kilo[gramme][3b])	Pfund[2b], (Kilogramm[4a]), (Kilo[5b])	libra[2b], (gramo[4a]), (arroba[6b]), (kilogramo[6b])
prepare[1b] (*intr. vb.*), get[1a] ready[1a]	s'apprêter[3a]	(sich) bereiten[2a], (sich) vorbereiten[2b], ([sich] zurecht[5a] machen[1a])	preparar[1b] se[1a], (aderezar[4a] se[1a])
proud[1b]	fier[1b], (orgueilleux[6b]), (s'enorgueillir[7a]) (fièrement[5b])	stolz[2a], (trotzig[6a])	orgulloso[3a], (ufano[4a])
queen[1b]	reine[3a]	Königin[2a]	reina[1b]
quiet[1b], (silence[2a]), (calm[2b]), (lull[4a]), (soothe[5b]), (appease[6])	calmer[2a], (apaiser[3a])	beruhigen[2b]	calmar[2b], (sosegar[3b]), (tranquilizar[3b]), (aplacar[5a]), (serenarse[5a]) (*refl.*)
reading (read[1a]) (*n.*)	lecture[2b]	Lesung[2b], (Lektüre[5b]), (Lesen[6b])	lectura[2b]
relation[2b] (relationship)	rapport[1b], (relation[3a])	Verhältnis[1a]	relación[1a], (afinidad[5a])
religion[2b]	religion[2b]	Religion[1b], (Religionsunterricht[5a])	religión[2a]
round[1a] (*adj.*)	rond[2b]	rund[2b]	redondo[2b], (circular[3a]), (rotundo[6b])
run[1a] into[1a], (bump[6])	heurter[2a], (choquer[4b]), (buter[5b]), (se[1a] cogner[6b])	stoßen[2a]	chocar[2b], (topar[4b])
sacred[2b]	sacré[2a]	heilig[1b]	sagrado[2a], (sacro[4b])
severe[2b], (stern[3a]), (harsh[4a]), (strict[4a]), (grim[5a])	sévère[2b], (rigoureux[3b]), (austère[4a]) (durement[4a]), (sévèrement[4b]), (strictement[5a]), (rigoureusement[5b])	streng[1b]	severo[2a], (austero[4b]), (estricto[5b]), (exigente[6b])
shine[1b], (glow[2b]), (shone[3a]), (sparkle[3a]), (gleam[3b]), (glisten[5a])	briller[2b], (luire[3b])	glühen[2b], (glänzen[3a]), (strahlen[3b]), (blitzen[5b])	brillar[2a], lucir[2b], (resplandecer[4b]), (relucir[5b])

English	French	German	Spanish
shut[1b] out[1a], (bar[2a])	exclure[4b], (barrer[5b])	ausschließen[1b]	excluir[4a]
song[1b]	chant[2b], (chanson[3a])	Lied[2a], (Gesang[3a])	canto[2a], canción[2b], (cántico[5b])
(make a) speech[2a], deliver[2a] (an) address[2a]	(faire un) discours[2a]	(eine) Rede[1a] (halten)	pronunciar[1b] (un) discurso[2a]
spend[1b] (money), (spent[2a])	dépenser[2b]	anlegen[2a], (ausgeben[3b]), (auszahlen[6a])	gastar[2a]
storm[1b], (gale[4a]), (tempest[4a])	orage[2b], (tempête[3b])	Sturm[2a], (Gewitter[5b])	tempestad[2b], (tormenta[3a]), (temporal[3b]), (huracán[4a]), (borrasca[5a]), (vendaval[5a])
summer[1a]	été[2a]	Sommer[2a]	verano[2a], (estío[4b])
system[2a]	système[2a]	System[1b]	sistema[2a]
tax[2a] (n.), (tribute[4a])	impôt[3a], (contribution[4b]), (taxe[6a])	Steuer[1b], (Gebäudesteuer[2a]), (Gewerbesteuer[2a]), (Einkommensteuer[2b]), (Besteuerung[2b]), (Grundsteuer[3b]), (Abgabe[3b]), (Gebühr[4b]), (Steuerzahler[5b]), (Doppelbesteuerung[6a]), (Staatssteuer[6a]), (Betriebsteuer[6b]), (Gemeindeabgabe[6b]), (Kommunalsteuer[6b])	contribución[4b], tributo[4b]
thy[2a]	ton[3b]	dein[1a]	tu[1]*
tie[1b] (vb.), (bind[2a]), (bound[2a]), (gird[5a]), (girt[6])	lier[2a], (nouer[4a])	binden[2a], knüpfen[2b], (verknüpfen[4b])	atar[2a], (ligar[3b]), (amarrar[5a]), (anudar[5b])
tie[1b] (n.), (bond[3a])	lien[2b], (attache[6b])	Band[2b]	lazo[2a], (corbata[4a]), (vínculo[4b])
troop[2b]	troupe[2b]	Truppe[1a], (Truppenteil[4a])	tropa[2b]
union[2a], (confederacy[6])	union[2b], (alliance[5b])	Verbindung[1a], (Bund[2a]), (Vereinigung[2b]), (Bundesstaat[4b]), (Bündnis[4b]), (Union[6a])	unión[2a], (vínculo[4b]), (conjunción[5a]), (alianza[5b])
upon[1a] which[1a], (thereupon[4a]), (whereat[5a]), (whereupon[7])	là-dessus[3a]	worauf[2a]	sobre[1a] lo[1a] cual[1a]
(make) used (use[1a]) (to), (accustom[3a])	habituer[3a], accoutumer[3b]	gewöhnen[2a]	acostumbrar[1b], (habituar[5b])
walk[1a], (gait[5b])	démarche[3a]	Gang[2a]	andar[1a], paso[1a], (marcha[2b])
wild[1b], (fierce[2a]), (savage[2b]), (barbarous[5b])	sauvage[2b], (barbare[3b]), (féroce[3b]), (fauve[5a])	wild[2a], (gewaltsam[3b])	fiero[2a], (feroz[3b])
willingly (willing[2b])	volontiers[2b]	gern[1a]	(de buena) gana[2a]

SECTION 1.7. CONCEPTS 1210 THROUGH 1272

E F G S	E F G S	E F G S
1–1 –2–4	1–2–2–3	1–6–1–3
1–4 –2–1	1–3–2–2	2–2–1–3
1–1 –1–8*	1–2–1–7	2–3–1–2
1–8*–1–1	1–4–1–5	

Read: (*First column*) English, first thousand; French, first thousand; German, second thousand; Spanish, fourth thousand; *or* English, first thousand; French, fourth thousand; German, second thousand; Spanish, first thousand; *and so on for other alternatives in the first and succeeding columns*

English	French	German	Spanish
attack[2b] (*n.*) (general), (assault[4b])	attaque[2b], (assaut[3a])	Angriff[1b]	ataque[3b], (asalto[5a]), (invasión[5b])
August[2a], (Aug.[6])	août[3b]	August[1b]	agosto[2b]
base[2a], (basis[4b])	base[3a]	Grundlage[1b], (Basis[4b]), (Hauptgrund[4b]), (Ausgangspunkt[5b]), (Fundament[6b]), (Grundgedanke[6b])	base[2a], (fundamento[3a])
board[1b], (plank[5a])	planche[3a]	Tafel[2b], (Brett[6a])	tabla[2a]
border[2a], (boundary[3b]), (frontier[6])	limite[2b], (frontière[3a])	Grenze[1b]	frontera[3b], (ámbito[4a])
bridge[1b]	pont[2b]	Brücke[2b]	puente[3a]
careful[1b]	(prendre ses) précautions (précaution[2b]) (soigneusement[3b])	sorgfältig[2b], (mühsam[4a]), (diplomatisch[5a]), (sorgsam[6b])	cuidadoso[3a], (solícito[5a])
cent[1b], (penny[2b]), (dime[4b]), (nickel[4b])	sou[2a], (centime[3b])	Pfennig[2b], (Kopeke[5b]), (Groschen[6a])	céntimo[3a]
claim[2a] (*n.*)	prétention[2b]	Anspruch[1b]	pretensión[3b], (reclamación[6b])
company[1a], (guest[2a])	hôte[3b], convive[3b], (invité [*n.*][4b])	Gast[2a]	huésped[2b]
crown[1b] (*n.*)	couronne[3a]	Krone[2b]	corona[2a], (diadema[5a])
debt[2a]	dette[3a]	Schuld[1b]	deuda[2b]
draw[1a] up[1a] (water), (scoop[6])	puiser[4a]	entnehmen[2b], (schöpfen[3b])	sacar[1a]
empire[2b]	empire[3a]	Reich[1a]	imperio[2a]
enjoy[1b] (oneself), (have a good time)	s'amuser[3a], (se[1a] divertir[5b])	sich[1a] (gut[1a]) unterhalten[2b]	divertir[2a] se[1a]
even[1a] (*adj.*) (number)	pair	gerade[1a]	par[1b]
except[1b] (*vb.*)	excepter[6a]	ausschließen[1b], (ausnehmen[3b])	exceptuar[3b]
exercise[1b] (*n.*), practice(se)[1b]	pratique[2a], exercice[2b]	Praxis[2b], Übung[2b], (Ausübung[3b])	ejercicio[3a], práctica[3a]
free[1a] (*vb.*), (deliver[2a]), (release[3b])	libérer[4a], affranchir[4b], délivrer[4b]	befreien[2a], (erlösen[5a]), (entledigen[5b])	librar[1b], (libertar[5a]), (emancipar[6b])
frequent[2a] (*adj.*)	fréquent[3b]	häufig[1b]	frecuente[2a]
give[1a] (oneself) up[1a] (to)	s'abandonner[4b]	sich[1a] aufgeben[2b]	abandonar[1b] se[1a], entregar[1a] se[1a]
glass[1b] (material)	verre[1b]	Glas[1b]	vidrio
gun[2a], (cannon[3b]), (rifle[5b])	fusil[2b], (canon[3a])	Geschütz[1b], (Gewehr[2b]), (Kanone[3b]), (Muskete[6a])	cañón[3b], (fusil[4b]), (escopeta[7a])

English	French	German	Spanish
herself[1a]	elle-même	sie[1a] selber[1a], selbst[1a]	ella[1*] misma[1a]
honor[1b] (vb.)	honorer[4a]	ehren[2a], verehren[2b]	honrar[1b]
keep[1a] back[1a], (retain[3b]), (withhold[6])	retenir[1a]	verhalten[2b], (zurückhalten[3a]), (beibehalten[4b])	retener[4b]
keep[1a] from[1a], (refrain[5a]), (forbear[5b]), (abstain[7])	s'abstenir[4a]	sich[1a] enthalten[1a]	abstenerse[5a]
kingdom[2a], (realm[3a])	royaume[3b]	Reich[1a], (Königreich[4a]), (Himmelreich[6a])	reino[2a]
kiss[1b] (n.)	baiser[3a]	Kuß[2b]	beso[2a]
length[1a]	longueur[4a]	Länge[2a]	largo[1a], (longitud[4b])
lie[1b] (here lies)	gésir[6a]	ruhen[1b]	yacer[3b]
load[1b] (n.), (cargo[4b])	charge[2a]	Last[1b], (Ladung[4a])	cargamento[7a]
market[1b]	marché[2a], (foire[5a])	Markt[2a]	mercado[3b], (feria[5a]), (lonja[6b])
mile[1a], (league[2b])	kilomètre[3a], lieue[3a], (mille[5a])	Meile[2a], (Kilometer[3b])	legua[2a], (kilómetro[3b]), (milla[7a])
nose[1b]	nez[2a]	Nase[2b]	nariz[3a]
notice[1b] (n.) (notice of something)	avis[2a]	Meldung[2b], (Notiz[3b]), (Bekanntmachung[4a])	aviso[3a], advertencia[3b], (anuncio[4a])
present[1a], gift[1b], (bounty[4b])	don[3a], cadeau[3b]	Gabe[2b], (Geschenk[3a])	regalo[2b], (don[3b]), (ofrenda[4b]), (dádiva[6b])
pressing (press[1b]), (urgent[6])	pressant (presser[2a]), (pressé[6b]), (urgent[6b])	dringend[2a]	imperioso[3b], urgente[3b], (imperativo[5a])
probable[2b], (likely[3a]), (apt[5a])	probable[3a], (vraisemblable[4a]), (probablement[2b])	wahrscheinlich[1b], (voraussichtlich[4a]), (vermutlich[5a])	probable[3a]
process[2b] (procedure)	procédé[2b]	Verfahren[1b], (Handlungsweise[5a])	procedimiento[3a]
pupil[2a]	élève[2b], (écolier[5b])	Schüler[1b], (Zögling[4b])	pupilo[3b], (alumno[4b]), (discípulo[5a]), (escolar[5a])
ringing (ring[1b]) (adj.) (sonorous)	sonore[3b]	klingend (klingen[2a])	sonoro[2b]
rock[1a] (n.)	rocher[3a], (roche[6a]), (roc[6b])	Fels[2b], (Gestein[6a])	peña[2b], roca[2b], (peñasco[4b])
safety[2b], (security[5b])	sécurité[3b], (sûreté[4a])	Sicherheit[1b]	seguridad[2a]
sharp[2a], (shrewd[5a])	malin[3b]	scharf[1b]	agudo[2b], (sagaz[6a])
shelter[2a] (n.), (lee [L][4b])	abri[2a]	Schutz[1b]	amparo[3a], (abrigo[4a])
(wrong[1b]) side[1a], (reverse[4b])	derrière (n.)[3b], (revers [n.][4b]), (inverse[5b]), (envers [n.])	umgekehrt (umkehren[2b])	revés[2b], (inverso[7a])
spring[1a] (water)	source[4b]	Quelle[2a]	fuente[1b], (manantial[4b])
start[1a] (n.) (of surprise, etc.)	sursaut[4a]	Satz[1b]	sobresalto[5b]
stay[1a] (n.), visit[1a], (sojourn[5b])	séjour[3a]	Aufenthalt[2b]	estancia[2b], (permanencia[5b])
step[1a] (of stair)	marche[1b]	Stufe[2a]	grada[4a], (escalón[6b])
(to be) subject[1b] (adj.) (to), ([to be] liable[6])	(être) sujet (adj.)[4b]	neigen[2a]	(estar) sujeto[1b]
take[1a] up[1a] (a subject), (embark[6] on)	aborder[2b], (entamer[4a])	aufnehmen[1b], (aufwerfen[5b])	abordar[7a]
tight[2b], (snug[4b])	serré[3b]	eng[1b]	apretado (apretar[2a]), muy[1a] ajustado (ajustar[2b])
trace[2a] (out) (vb.)	tracer[3a]	zeichnen[1b]	trazar[2b]

English	French	German	Spanish
understanding (*n.*) (understand[1b]) (comprehension)	entente[4b]	Auffassung[2a], Verstand[2a], Verständnis[2b]	entendido (entender[1a]), (entendimiento[2b]), (comprensión[4b])
valley[1b], (vale[3b]), (dale[5a]), (glen[5a]), (dell[6])	vallée[3a]	Tal[2b]	valle[2a]
wall[1a] (of city, garden, etc.)	muraille[2a], (enceinte [*n.*][5b])	Mauer[2b]	muro[3a], (tapia[4b]), (muralla[5b])
warm[1a] (*adj.*)	chaud[1b], (tiède[3b])	warm[2a]	tibio[4a]
wave[1b], (float[2b] [in air])	flotter[2b]	wehen[2a], schweben[2b]	flotar[3a]
(be in) way[1a]	gêner[2a]	stören[2a]	estorbar[3a]
wild[1b] (uncultivated)	sauvage[2b], (inculte[6b])	wild[2a]	salvaje[3a], (agreste[5b])
wonder[1b], (marvel[4a]), (miracle[4a])	merveille[3a], miracle[3a]	Wunder[2a]	maravilla[2a], milagro[2b], (prodigio[3a]), (portento[4a])

SECTION 1.8. CONCEPTS 1273 THROUGH 1393

```
E F G S      E F G S      E F G S
1-1-2-5      1-4-1-6      2-2-1-4
1-1-3-1      1-4-2-2      2-3-1-3
1-2-2-4      1-5-2-1      2-4-1-2
1-3-2-3      2-1-2-1      3-1-1-1
```

Read: (*First column*) English, first thousand; French, first thousand; German, second thousand; Spanish, fifth thousand; *or* English, first thousand; French, first thousand; German, third thousand; Spanish, first thousand; *and so on for other alternatives in the first and succeeding columns*

English	French	German	Spanish
absolute[2b]	absolu[2a] (*adj.*), (catégorique[4b]) absolument[1a]	unbedingt[2a], absolut[2b]	absoluto[1b]
account[1b], (reckoning [reckon[3b]])	compte[1a], (calcul[3a])	Berechnung[3a]	cuenta[1a], (cálculo[3b])
add[1a]	ajouter[1a]	hinzufügen[3a], (beifügen[5b]), (beigeben[6a])	añadir[1a], (agregar[2a]), (sumar[4a])
admit[2b] (let in)	recevoir[1a], accepter[1a], admettre[1b]	zulassen[2b], (einlassen[4a])	recibir[1a]
afterwards[2a]	après[1a], ensuite[1a]	nachher[2a], danach[2b], hierauf[2b], (darnach[3b]), (hernach[5a])	después[1a]
age[1b], (epoch[9])	époque[1b], âge[1b], (ère[4a])	Zeitalter[3b], (Epoche[4a])	época[1b], (era[6b])
anybody[3b], anyone[3b]	n'[1a]importe (importer[1b]) qui[1a], (venu [*n.*] [premier venu][6a])	irgend[1a] einer (ein[1a]), (irgend) jemand[1b]	quienquiera[1a], cualquiera[1a]
as[1a] much[1a]	autant[1a]	soviel[3a]	tan[1a], tanto[1a]
attempt[2a] (*n.*), trial[2b]	essai[3b], tentative[3b]	Versuch[1b], (Anlauf[5b])	ensayo[3b], (tentativa[6b])
attention[2b], (heed[3b])	attention[1a]	Aufmerksamkeit[2a], Achtung[2b], (Acht[4b])	atención[1b]
average[3a] (*adj.*)	moyen[1a]	mittlere[1b]	medio[1a], (promedio[7b])
avoid[2b], (shun[3b])	éviter[1b]	sich[1a] entziehen[2a], vermeiden[2a], (scheuen[3a]), (verhüten[4b]), (ausweichen[5a]), (meiden[5b])	evitar[1b]
bank[1a] (for money)	banque[4a]	Bank[2a], Reichsbank[2a], (Kasse[3b])	banco[2b]

THE SECOND THOUSAND CONCEPTS

English	French	German	Spanish
beauty[1b] (a –, belle)	belle (beau[1a])	Schöne[3b]	belleza[1b], (beldad[5b])
beyond[2b] (*adv.*)	plus[1a] loin[1a], (au[1a] delà[2a])	außerhalb[2b], (jenseits[3b])	más[1a] allá[1a], (allende[5a])
(be to) blame[2a], (be at) fault[2a], (guilty[3a])	coupable[2a]	(daran) Schuld[1b] (sein), (schuldig[2a]), (verschulden[6a])	culpable[4a], delincuente[4b]
bow[1b], (greeting[4b])	salut[2b]	Gruß[2a]	saludo[4a]
care[1a] about[1a], (be) concerned (concern[2b]) (about)	se soucier[5a]	sorgen[2a]	ocupar[1a] se[1a], (preocupar[2b] se[1a])
chair[1b], (armchair[9])	chaise[1b], fauteuil[1b]	Stuhl[3a], (Sessel[5b])	silla[1b], (butaca[5b]), (sillón[5b])
come[1a] back[1a], return[1b]	revenir[1a]	zurückkommen[3a], (wiederkommen[6b])	volver[1a], (regresar[2b]), (retornar[6a])
conscience[2b]	conscience[1b]	Gewissen[2b]	conciencia[1b]
consider[2a], (reflect[4a]), (ponder[6])	considérer[1b], réfléchir[1b], (envisager[2b])	bedenken[2a], (beachten[3b]), (berücksichtigen[3b]), (erwägen[3b]), (überlegen[3b]), (nachdenken[4a])	considerar[1a], (discurrir[2a]), (reflexionar[3b]), (ponderar[4a])
contrary[2b] (*n.*)	contraire[1b]	Gegenteil[2a]	contrario[1a]
(on the) contrary[2b]	(au) contraire[1b]	(im) Gegenteil[2a], ander(er)seits[2a], (hingegen[3a])	(al, por, el) contrario[1a]
cut[1a] (*vb.*), (shear[4a]), (clip[4b]), (hew[4b]), (slice[4b])	couper[1a], (tailler[3a]), (trancher[3b])	schneiden[3a], abschneiden[3b], (durchschneiden[5a])	cortar[1b]
dash[2a] (*vb.*), (dart[3a])	se[1a] précipiter[1b], (s'élancer[2b]), (se[1a] ruer[6b])	sich[1a] stürzen[2b]	lanzar[1b] se[1a]
direction[1b], (administration[5a]), (management[5b])	administration[2a], direction[2a], régime[2a]	Leitung[2a], Verwaltung[2a], (Direktion[5a])	administración[4a], régimen[4a], (manejo[5a]), (dominador[6b])
dish[2a] (of food)	plat[3a], (mets[5b])	Gericht[1b], (Platte[3a])	manjar[3b]
dispose[2b]	disposer[1b]	ordnen[2a]	disponer[1a]
do[1a] (over) again[1a]	refaire[4a]	wieder[1a] tun[1a]	rehacer[6b]
dream[1b] (*vb.*)	songer[1a], rêver[1b]	träumen[3a]	soñar[1b]
(make) easy[1b], (easier[4b])	faciliter[4a]	erleichtern[2b]	facilitar[2b], (allanar[5a])
effort[2b]	effort[1a]	Anstrengung[2b], (Bestrebung[3a]), (Streben[3a]), (Bestreben[3b]), (Bemühung[3b]), (Wirken[5a])	esfuerzo[1b]
entrance[2b], (entry[4a]), (gateway[6])	entrée[1b]	Eingang[2b], (Zugang[6b])	entrada[1b], (portal[3b]), (ingreso[5b])
error[2b], mistake[2a]	erreur[1b], faute[1b]	Irrtum[2b], (Versehen[5b])	error[1b], (equivocación[3b]), (yerro[4a]), (tropiezo[4b]), (desacierto[6a])
escape[1b] (*vb.*)	échapper[1b], (évader[5b]), (esquiver[6b])	entgehen[3a], umgehen[3a], (entfliehen[4b]), (entweichen[4b]), (entkommen[6b])	escapar[1b], (esquivar[7a])
excellent[2a]	excellent[1b]	ausgezeichnet (auszeichnen[2a]), vorzüglich[2a], trefflich[2b]	excelente[1b]
exist[3b]	exister[1a]	bestehen[1a], da[1a] sein[1a], vorhanden[1a] sein[1a], (befindlich[2b] sein[1a]), (existieren[3a])	existir[1a], (existente[5b])

54 Sec. 1.8 — SEMANTIC FREQUENCY LIST

English	French	German	Spanish
experience[2a] (vb.) (live through)	éprouver[1b], ([faire l']expérience[2a] [de])	erleben[2b]	sentir[1a], (experimentar[2a])
face[1a] (grimace)	grimace[4a]	Gesicht[1b]	mohín[6b], mueca[6b]
farmer[1b]	fermier[4a], (cultivateur[6a])	Bauer[2a], (Landwirt[4a]), (Landmann[5b])	labrador[2a], (agricultor[6a])
fault[2a], (defect[5a])	défaut[1b]	Fehler[2a]	falta[1a], (defecto[2a]), (tacha[5b])
fill[1a] (up[1a])	combler[2b]	füllen[2a]	colmar[4a], ([p.p.] relleno[5b])
fit[1b] up[1a], out[1a], (equip[5a]), (rig[6])	meubler[5a], (aménager[6a]), (équiper[7a])	einrichten[2a], (ausstatten[4a]), (ausrüsten[5a])	arreglar[1b]
forehead[2b], brow[2b]	front[1b]	Stirn[2b]	frente[1a]
further[2a] (vb.), (foster[5b]), (promote[6])	avancer[1a]	fördern[2a], (befördern[3a])	adelantar[1b], (fomentar[4a]), (impulsar[5a]), (promover[6a])
go[1a] round[1a], circle[1b] (round)	(faire le) tour (m.)[1a] (de), (contourner[6b])	umgehen[3a]	rodear[1b], (dar la) vuelta[1b]
grief[2b], sorrow[2a], (woe[3a]), (gloom[4a])	peine[1a], douleur[1b], (chagrin [n.][2a]), (deuil[3a])	Leid[2a], (Kummer[4a]), (Gram[5b]), (Leiden[5b])	dolor[1a], pesar[1a], pena[1a], (duelo[2b]), (pesadumbre[3a]), (congoja[4a]), (desconsuelo[5a]), (quebranto[5b])
group[2b], (brotherhood[6])	groupe[1b]	Gruppe[2b], (Schar[3a]), (Körperschaft[5b])	grupo[1b], (corro+corrillo[3a])
hand[1a] (vb.), pass[1a]	passer[1a]	überreichen[3b]	pasar[1a], (alargar[2b])
hurt[1b] (tr. vb.), (harm[2a]), (injure[3a]), (damage[3b])	faire[1a] mal[1a] à[1a], blesser[1b], (froisser[4a]), (nuire[4b])	schaden[3a], schädigen[3b], (beschädigen[5b])	herir[1b], (lastimar[4a]), (perjudicar[4b]), (agraviar[5b])
hurt[1b] (intr. vb.), (be[1a] sore[2b]), (ache[3b])	faire[1a] mal[1a]	weh[3b] tun[1b], (kränken[4a])	hacer[1a] daño[1b], (doler[2b])
import[3b] (vb.)	importer[1b]	einführen[1b]	importar[1a]
importance[2b]	importance[1b]	Gewicht[2a], Wichtigkeit[2b]	importancia[1b], (transcendencia[5b])
iron[1b] (n.)	fer[1b]	Eisen[3a]	hierro[1b], (plancha[5b]) (for ironing)
justice[2a], (equity[6])	justice[1b], (équité[5b])	Gerechtigkeit[2b]	justicia[1b]
laugh[1a] (n.)	rire[1a]	Lache[3b]	risa[1b]
leaning (lean[2a]), (tendency[5b])	tendance[4a], (inclination[6b])	Neigung[1b], (Tendenz[3b])	inclinación[2b], (tendencia[4a])
listen[1b], (hark[3b]), (hearken[5a])	écouter[1a]	anhören[3a], (horchen[4b]), (lauschen[5b]), (zuhören[6a])	escuchar[1a]
load[1b] (vb.), (burden[3a]), (lade[n][4a])	charger[1a]	laden[3a], beschweren[3b], (belasten[4b]), (beladen[6a]), (lasten[6b])	cargar[1b]
low[1a], (base[2a]), (vile[4a])	abject[5b]	niedrig[2a]	bajo[1a], (vil[2b]), (abyecto)
make[1a] up[1a], (constitute[5a])	constituer[1b]	ausmachen[3b]	constituir[1b]
man[1a] (of the) house[1a] (head of family)	maître[1a] (de) maison[1a], chef[1b] (de) famille[1a]	Hausherr[3b]	amo[1a] (de) casa[1a]
memory[2a], (remembrance[4b])	souvenir[1a], mémoire[1b]	Erinnerung[2a], (Gedächtnis[3a]), (Andenken[3b])	memoria[1a], recuerdo[1b]
modern[2b]	moderne[1b]	modern[2a]	moderno[1b]
(make) necessary[1b], (necessitate[8])	nécessiter[5a]	bedingen[2b]	necesitar[1a]
neighbor[1b]	voisin(-e)[1a]	Nachbar[3a]	vecino[1b]
(at) once[1a], ([at one] stroke[2b])	d'[1a]un[1a] (seul) coup[1a], (tout d'un coup[4b])	mit[1a] einem (ein[1a]) Schlag[2b]	de[1a] un[1a] tirón[5b]

THE SECOND THOUSAND CONCEPTS Sec. 1.8 55

English	French	German	Spanish
owe[2a]	devoir[1a]	schuldig[2a] sein[1a], verdanken[2b], (schulden[5a])	deber[1a]
pace[2b], (gait[5b])	pas[1a], (allure[2b])	Gang[2a]	paso[1a], (marcha[2b])
parents (parent[2a])	parents (parent[1b])	Eltern[2a]	padres (padre[1a])
(for the most) part[1a], (chiefly[6*])	(pour la) plupart[1b]	meistens[3a], (größtenteils[4a]), (zumeist[5a])	principalmente (principal[1a])
(take) possession[2b] (of)	s'emparer[3a], ([s']approprier[4b])	besetzen[1b], (sich[1a] bemächtigen[3b]), (aneignen[5a])	apoderarse[3a], (apropiar[5a] se[1a])
(make) possible[1b], (enable[4b])	rendre[1a] possible[1a]	ermöglichen[3a]	hacer[1a] posible[1a]
presence[2a], (attendance[5a])	présence[1a]	Gegenwart[2a], (Anwesenheit[4b])	presencia[1b], (asistencia[6b])
present[1a] (a person), (introduce[3a])	présenter[1a]	vorstellen[3a], (präsentieren[5a])	presentar[1a]
pretend[3b] (to something)	prétendre[1b], (revendiquer[6b])	Anspruch[1b] machen[1a]	pretender[1b]
produce[2a] (vb.)	produire[1a]	hervorbringen[2b], (produzieren[5b])	producir[1a]
recall[3b], (remind[4a])	rappeler[1a]	erinnern[1b]	recordar[1a]
right[1a], (title[2a])	droit[1a], titre[1b]	Berechtigung[3b], (Behuf[6b])	derecho[1a], título[1b]
Roman[2a]	romain[3b]	römisch[1b], (Römer[2b])	romano[3a]
sake[2b]	pour[1a] (l'amour de)	(um) willen[2b], (behufs[3b])	por[1a]
saving (save[1a]), (thrifty[6]) (economical)	économique[3a]	wirtschaftlich[2a], (rationell[4b]), (sparsam[6b])	económico[3b]
scale[2a] (n.)	échelle[3b]	Maßstab[1b]	escala[3a]
scene[2b]	scène[1b]	Szene[2b], (Schauplatz[5a])	escena[1a]
secret[2a] (n.)	secret (n.)[1b]	Geheimnis[2a]	secreto[1a]
settle[1b] (a dispute)	décider[1b], (régler[2a])	erledigen[3b], (ausgleichen[4a]), (beilegen[4a])	componer[1b], (transigir[4b])
shade[1b], (shadow[2a])	ombrage[5a], pénombre[5b]	Schatten[2b]	sombra[1a], (penumbra[5a])
shoot[2a], shot[2a]	tirer[1a]	schießen[2b], (beschießen[6a]), (feuern[6b])	tirar[1b], (disparar[3a])
sit[1a] up[1a], (stay[1a] awake[2a]) (e.g., all night)	veiller[2a]	wachen[2a]	desvelar[4a] se[1a]
(be) sorry[2a], (regret[3b]), (rue[6])	regretter[1b]	bedauern[2b], (leid[4a] tun[1a])	sentir[1a]
special[2a], particular[2a]	particulier[1b], (spécial[2a])	speziell[2b], (spezifisch[5b]), (sonderlich[6b])	especial[1b]
spring[1a] (of machine)	ressort[3a]	Feder[2b]	muelle[3b], (resorte[5a])
start[1a] (on a journey)	partir[1a]	abgehen[3a], (abreisen[5a])	partir[1a]
state[1a] (adj.)	(d')état[1a]	staatlich[3a]	(de) estado[1a]
stock[1b] (finance)	part[1a]	Wertpapier[3a], Aktie[3b], (Effekten[5a])	acción[1a]
straight[1b], (erect[2b]), (upright[3a])	droit[1a]	aufrecht[3a]	derecho[1a], (recto[2b]), (erguido [erguir[3a]])
stranger[2b]	étranger[1a], inconnu[1b]	Fremde[2b]	extraño[1b], (forastero[5a])
suit[1b] (law)	procès[3b], (procès-verbal[6b])	Prozeß[2a]	pleito[3a], (proceso[4b])
support[2a] (vb.), (sustain[4a]), (uphold[5b])	appuyer[1b], soutenir[1a]	unterstützen[2a], stützen[2b], (bestärken[6a])	sostener[1b], (sustentar[3a]), (basar[6b])

English	French	German	Spanish
surround[2b], (gird[5a]), (girt[6])	entourer[1b], (environner[5a])	umgeben[2a], (umringen[6b])	rodear[1b], (ceñir[2a]), (circundar[4b]), (cercar[4b])
take[1a] off[1a] (coat, etc.)	enlever[1b], (ôter[2a])	ablegen[3a], abnehmen[3a], (ausziehen[5a])	quitar[1a] se[1a]
tear[1b], (torn[3a]), (rip[3b]), (rend[4b]), (tore[4b])	déchirer[2a]	reißen[2a], (zerreißen[3a])	rasgar[4a], desgarrar[4b], despedazar[4b]
term[2a], period[2b]	terme[1b], (période[3a]), (durée[4a])	Dauer[2a], (Ablauf[3b])	término[1a], (período[3a]), (plazo[3a]), (duración[5a])
terrible[2a], awful[2b], dreadful[2b], (fearful[3a]), (horrible[3b]), (horrid[5a]), (dire[6]), (frightful[6])	terrible[1b], (affreux[2a]), (formidable[2b]), (horrible[2a]), (effroyable[3b]), (épouvantable[4a]), (funeste[4a], (hideux[6a]), (terriblement[4b]), (horriblement[5a]), (affreusement[7a])	furchtbar[2b], schrecklich[2b], (entsetzlich[3a]), (fürchterlich[3a]), (abscheulich[5a]), (gräßlich[5a])	terrible[1b], (formidable[2a]), (horrible[2a]), (tremendo[2b]), (horrendo[3b]), (temible[4b]), (horroroso[5b]), (pavoroso[5b])
threaten[2b]	menacer[1b]	drohen[2a]	amenazar[1b], (amagar[6a])
title[2a]	titre[1b]	Titel[2b]	título[1b]
tongue[1b] (part of mouth)	langue[1b]	Zunge[3b]	lengua[1a]
travel[1b] (vb.)	voyager[3a]	reisen[2a]	viajar[3a]
tremble[2b], (shiver[3b]), (quiver[4b]), (quake[5b]), (shudder[6])	trembler[1b], (frémir[3a]), (frissonner[3a]), (grelotter[5b])	zittern[2b], (beben[5b]), (schaudern[6a])	temblar[1b], (trémulo[3a] [adj.]), (estremecer[3b] se[1a]), (tembloroso[4a] [adj.])
two[1a] times (time[1a]), (twice[2a])	deux[1a] fois[1a]	zweimal[3b]	dos[1*] veces (vez[1a])
unhappy[2b], (discontent[ed][4a])	malheureux[1b], (mécontent[4a])	unglücklich[2a], (Unglückliche[4a]), (unzufrieden[5b]), (unselig[6b])	infeliz[1b], (desdichado[2b]), (desventurado[5b]), (aciago[6a]), (descontento[6a])
unknown[2b]	inconnu[1b]	unbekannt[2a]	desconocido[1b], (ignoto[6a])
(of no) use[1a], (useless[3b]), ([of no] avail[5b])	(ne) servir[1a] (à rien), (ne) – (de rien), inutile[1b]	(nichts) nützen[3a], (unnütz[4a] [sein]), (unbrauchbar[6a] [sein]), (nutzlos[6b] [sein])	inútil[1b]
(of same) value[1b], (equivalent[7])	équivalent[4a]	von[1a] gleichem (gleich[1a]) Wert[1a]	equivalente[6a]
vote[2b] (vb.), (poll[4b])	voter[2b]	wählen[1b], (stimmen[2a])	votar[4b]
while[1a] (n.), (awhile[3b])	instant[1a], moment[1a], temps[1a]	Weile[3b]	instante[1a], momento[1a], rato[1b]
wonder[1b] (vb.), (marvel[4a])	(s')étonner[1a]	(sich) wundern[3a]	admirar[1b] se[1a], (pasmar[6a])
work[1a] (of) art[1b]	objet[1a] d'[1a]art[1b], œuvre[1a] d'[1a]art[1b]	Kunstwerk[3b]	objeto[1a], obra[1a], (de arte)
worthy[2a]	digne[1b]	würdig[2a]	digno[1a], (acreedor[4a]), (meritorio[6b])
writing (n.) (write[1a])	écriture[3a]	Schreiben[2b], (Handschrift[3a])	escritura[3b]

SECTION 1.9. CONCEPTS 1394 THROUGH 1497

E F G S	E F G S	E F G S	E F G S
1-1-3-2	1-4-1-7	1-6-2-1	2-5-1-2
1-2-3-1	1-4-2-3	2-1-2-2	2-6-1-1
1-2-2-5	1-5-1-6	2-2-2-1	3-1-1-2
1-3-2-4	1-6-1-5	2-4-1-3	3-2-1-1

Read as before

English	French	German	Spanish
afternoon[1b]	après-midi[2a]	Nachmittag[3a], (nachmittags[6a])	tarde[1a]
alive[2a] (having life)	vivant[2a]	lebendig[2a]	vivo[1a], (viviente[4b])
anger[2a], (wrath[3b]), (indignation[4b]), (spleen[6])	colère[1b], (indignation[4b])	Zorn[2b], (Wut[3b]), (Unwille[5a]), (Empörung[6a]), (Erbitterung[6b]), (Ärger[7a])	cólera[2a], enojo[2a], ira[2a], indignación[2b], (enfado[4b]), (saña[5a])
author[2b], (writer[3b])	auteur[2a], (écrivain[3b]), (rédacteur[5a])	Schriftsteller[2b], (Autor[3b])	autor[1b], (escritor[2a]), (literato[3b]), (novelista[5b]), (dramaturgo[6b])
bargain[3b]	marché[2a]	Handel[1b]	trato[1b]
bend[2a], bent[2b]	se[1a] pencher[2a]	neigen[2a]	inclinar[1b] se[1a], (doblar[2a] se[1a])
(government) bill[1b]	projet[1b] (de) loi[1b]	Regierungsvorlage[3a]	proyecto[2b] (del) gobierno[1b]
bound[2a] (for)	(à) destination[5b] (de)	nach[1a]	destinado (destinar[2a])
bring[1a] up[1a] (child), (educate[6])	élever[1a]	erziehen[3a]	criar[2a], educar[2b], (dar[1a] crianza[4b])
capital[2b] (finance)	capital (n.)[6b]	Kapital[1b]	capital[1b]
charm[2a] (n.)	charme[2a], (attrait[4a])	Reiz[2b]	encanto[1b]
cheer[2a] (n.), (brightness[5a])	gaieté[2b]	Heiterkeit[2b]	alegría[1b]
cheerful[2b], gay[2a], merry[2a], (jolly[4b]), (cheery[6]), (jocund[6])	gai[2b] (gaîment [gaiement])[3a]	froh[2a], heiter[2a], lustig[2b], (munter[3b])	alegre[1b], (festivo[6a])
chest[2b], breast[2a], bosom[2b]	poitrine[2a], (sein[3a])	Brust[2a], (Busen[3b])	pecho[1a], (seno[2a]), (regazo[6a])
Christian[2b] (n.)	chrétien[2b]	Christ[2b]	cristiano[1b]
Christian[2b] (adj.)	chrétien[2b]	christlich[2a]	cristiano[1b]
clothe[1b], dress[1a], (array[4a]), (clad[4a]), (attire[4b])	habiller[2a], revêtir[2b], vêtir[2b]	sich[1a] anziehen[3a], kleiden[3a], (bekleiden[4b]), (antun[5a])	vestir[1a], (revestir[4a])
cloud[1b]	nuage[2b], (nuée[5b])	Wolke[3a]	nube[1b], (celaje[6a])
coal[1b]	charbon[4a]	Kohle[2b], (Steinkohle[6b])	carbón[3b]
coin[2b]	pièce[1a]	Münze[2b], (Silbermünze[6b])	moneda[2b]
cold[1a] (n.)	froid[2b], (froideur[5a])	Kälte[3b]	frío[1a]
commanding (command[1b]), (imperious[8])	impérieux[4a]	gebietend (gebieten[2b])	imperioso[3b]
cool[1b] (adj.)	frais[2a]	kühl[3b]	fresco[1b]
corner[1b]	coin[1b], (angle[3a])	Ecke[3b]	rincón[2a], (esquina[3a])
custom[2a], (wont[3b])	usage[2a], coutume[2b], mœurs[2b]	Sitte[2b], (Lebensweise[5a]), (Lebensart[6b])	costumbre[1b], (usanza[5a])

English	French	German	Spanish
deceive[2b], (beguile[5a])	tromper[2b], (décevoir[4a])	betrügen[2b], täuschen[2b]	engañar[1b], (engañoso[5a]) (deceiving)
devil[2b], (Satan[4b]), (fiend[5a])	diable[2a]	Teufel[2a]	demonio[1b], (diablo[2a]), (satánico[6a])
difficulty[3b]	difficulté[1b]	Schwierigkeit[1b], (Verwick[e]lung[6b])	dificultad[2a], inconveniente[2b]
dog[1b], (hound[4b]), (puppy[5b])	chien[2a]	Hund[3a]	perro[1b], (can[6b]), (galgo[6b])
dust[1b] (n.)	poussière[2b]	Staub[3a]	polvo[1b]
elate[2b]	exalter[4a]	erheben[1a], (anregen[3a])	entusiasmar[3b]
engage[2b], (enlist[6])	engager[1b], (recruter[6a])	verpflichten[2a]	empeñar[2a] (se), (contratar[5b])
(be) engaged (engage[2b]) (in), occupied (occupy[2a]) (with), (ply[5a])	s'occuper[2a]	betreiben[2b], (sich[1a] einlassen[4a] auf[1a]), (sich[1a] befassen[5b] mit[1a])	ocupar[1a] se[1a]
fat[1b], (stout[3a]), (plump[5a])	gros[1a], fort[1a], (gras[3a])	dick[3a], (fett[5a])	gordo[2b], grueso[2b]
feather[2a]	plume[2a]	Feder[2b]	pluma[1b], (plumaje[6a])
food[1a], (fare[2a]), (fodder[6])	manger[1a], (nourriture[4b]), (aliment[5a]), (denrée[5a])	Nahrung[3a], Speise[3a], (Lebensmittel[5a]), (Nahrungsmittel[5a]), (Kost[6b])	comida[2a], alimento[2b], (manjar[3b]), (vianda[5b]), (comestible[5b])
frighten[2b], (scare[3a]), (affright[5a]), (terrify[6])	effrayer[1b], (épouvanter[3a]), (effarer[3b]), (effaroucher[5a]), (terrifier[5b])	erschrecken[2b], (entsetzen[5a]), (schrecken[5b])	asustar[2b], espantar[2b], (aterrar[4b]), (horrorizar[5b]), (atemorizar[6a]), (azorar[6a]), (arredrar[7a])
furious[3b], violent[3b]	furieux[2a], violent[2a], (violemment[3b])	heftig[1b], (ungestüm[6b])	violento[1b], (furioso[3a]), (sañudo[6a])
gain[1b] (n.)	gain[4b]	Gewinn[2a], (Erwerb[4a])	ganancia[3b]
give[1a] back[1a], return[1b], (repay[4b])	rendre[1a], (rembourser[5a])	wiedergeben[3b], (zurückgeben[5b])	devolver[2b]
give[1a] in[1a] charge[1b], (intrust[8])	confier[1b]	anvertrauen[3b], (betrauen[6a])	confiar[2a]
guide[1b] (n.)	guide[4b]	Führer[2a]	guía[3a]
honest[2a]	honnête[2a], (honnêtement[6a])	ehrlich[2b], (redlich[3b])	honrado (honrar[1b]), (honesto[3b])
intent[3b], (intention[4a])	intention[2a]	Absicht[1b]	intención[1b], (intento[2b]), (designio[4b])
interest[1b] (tr. vb.)	intéresser[1b]	interessieren[3a]	interesar[2a]
join[1b] (with), (allied[6]), (ally[7])	(s')allier[4a]	verbinden[1a]	aliarse[7b]
leg[1b]	jambe[1a]	Bein[3a]	pierna[2b], (pata[4a])
level[2a] (n.)	niveau[4a]	Höhe[1a]	nivel[3b]
longing (long[1a]), (yearning [yearn[5a]])	grande (grand[1a]) envie[1b], (aspiration[5a])	Sehnsucht[3a]	anhelo[2b]
look[1a] (mien)	mine[2b]	Miene[3a]	cara[1a], (gesto[2a])
look[1a] (vb.) (well, etc.)	(avoir[1a] –) mine[2b]	(–) aussehen[3a]	(–) cara[1a]
map[2a], (chart[5b])	carte[2a]	Karte[2b]	carta[1a], (plano[4a]), (mapa[5b])
march (M)[1b] (month)	mars[3b]	März[2a]	marzo[4b]
mourn[2b], (wail[4a]), (lament[4b]), (bewail[6])	pleurer[1a], (se lamenter[6b])	beklagen[2b], (jammern[5b])	lamentar[2b]
(as) much[1a] (as)	autant que[2b]	soviel[3a] wie[1a]	tanto[1a] como[1a]

THE SECOND THOUSAND CONCEPTS Sec. 1.9

English	French	German	Spanish
note[1b] (n.) (written)	billet[2b]	Note[3a], (Aufzeichnung[6a]), (Billett[6a])	nota[1b], (esquela[6b])
note[1b] (vb.)	noter[2b]	notieren[3b]	notar[1b]
object[1b], mind[1a]	opposer[2a], (objecter[5a]), (contester[6a])	widersprechen[3a], (einwenden[4b])	oponer[1b], (poner[1a] reparo[4a]), (hacer[1a] objeción[6b])
pair[1b], (couple[2b])	couple[2b], (paire[3a])	Paar[3a]	par[1b], (pareja[3a])
passing (pass[1a]) (adj.), (transient[6])	passager (adj.)[4b], (fuyant[6b])	vorübergehend (vorübergehen[2b]), (durchgehend [durchgehen[5b]])	pasajero[3a], (efímero[5a]), (fugaz[6a])
past[1b] (n.)	passé[2a]	Vergangenheit[3a]	pasado[1b]
personal[3b]	personnel[1b] (personnellement[5b])	persönlich[1b], (subjektiv[6a])	personal[2a]
political[3b]	politique[2a]	politisch[1b]	político[1b]
president[2a]	président[2a]	Präsident[2a], Vorsitzende[2b]	presidente[1b]
press[1b] (n.)	presse[3a]	Presse[2b]	imprenta[4a], prensa[4b]
principle[3b]	principe[2a]	Grundsatz[1a], (Prinzip[2a])	principio[1a]
property[2b] (landed)	terres (terre)[1a], (propriété[2a]), (domaine[2b])	Grundbesitz[2b], (Habe[3b])	propiedad[2a]
put[1a] out[1a], (extinguish[6])	éteindre[1a]	ausmachen[3b], (löschen[5a])	apagar[2a], (extinguir[3a])
real[1b], (material[2a]) (adj.)	matériel[2b]	materiell[3a]	real[1a], (material[2a])
recover[2b] (get back again), (regain[4b])	retrouver[1a], (regagner[3a])	wieder[1a] erlangen[2a]	desempeñar[2b], recobrar[2b]
respect[2a] (n.)	respect[2a]	Achtung[2b], (Respekt[6a])	respe(c)to[1a]
rest[1a] on[1a] (to be based on)	fonder[2a] sur[1a]	beruhen[2a]	estribar[5a], (basar[6b])
return[1b], send[1a] back[1a]	retourner[1a], (renvoyer[2b])	wiedergeben[3b], (zurückgeben[5b])	devolver[2b]
(at the) same[1a] time[1a], (simultaneous[8])	simultané[5b] (simultanément[6a])	gleichzeitig[1b]	simultáneo[6a]
satisfy[2a], content[2a]	contenter[2a], satisfaire[2b], (satisfait[3a])	befriedigen[2a], sich[1a] bescheiden[2b], (sich[1a] begnügen[3a])	satisfacer[1b], (contentar[2b])
section[2b], (department[3a])	section[4a]	Abteilung[1b], (Sektion[5b])	sección[3a], (departamento[4a])
servant[2a] (man), (footman[6])	domestique (n.)[2a], serviteur[2b], (valet[4a])	Diener[2b], (Knecht[3a]), (Bediente[5a])	criado[1a], (servidor[2b]), (paje[3b]), (sirviente[6a]), (camarero[6b]),
(plu.)	(plu.)	(plu.)	(servidumbre[4b])
shake[1b] (tr. vb.), (shook[2b]), (wag[4b])	agiter[1b], (secouer[2a]), (ébranler[3b]), (ballotter[7a])	schütteln[3a]	sacudir[2b], (estremecer[3b])
shut[1b] in[1a], up[1a], (enclose[3b]), (inclose[4b])	enfermer[2a], (enclos[5a])	einschließen[3a], (umschließen[5b])	encerrar[1b], (encierro[6a])
silence[2a] (vb.), (hush[3a])	faire[1a] taire[2a], (chut[5a])	schweigen[2a] machen[1a]	hacer[1a] callar[1a], (enmudecer[5a])
smile[1b] (n.)	sourire (n.)[1b]	Lächeln[3a]	sonrisa[2b]
solve[3b]	résoudre[2a]	lösen[1b], (auflösen[3a])	resolver[1b]
stand[1a] out[1a], ([be] conspicuous[6])	(se) détacher[2a], (ressortir[6a])	hervorragen[2a]	resaltar[5a]

English	French	German	Spanish
stir[2a], (excite[3a]), (rouse[4a]), (inflame[5a]), (arouse[5b])	agiter[1b], (exciter[2b]), (passionner[4b]), (enflammer[6b])	erregen[2a], (anregen[3a]), (empören[4a]), (aufregen[4b])	agitar[2a], excitar[2b], (alborotar[3a]), (exaltar[3a]), (inflamar[4a]), (sublevar[5a]), (estimular[6a]), (enardecer[6b]), (incitar[6b])
struggle[2a] (n.), (contest[3b]), (conflict[4b])	lutte[1b], (conflit[4a]), (mêlée[5a])	Streit[2b], (Konflikt[5a])	lucha[2a], conflicto[2b], (contienda[4b])
Sunday[2a], (Sabbath[4a])	dimanche[1b]	Sonntag[2b]	domingo[2b]
sweep[2b], (swept[3b])	balayer[4b]	kehren[1b]	barrer[3b]
take[1a] back[1a] (person)	ramener[1b], (reconduire[4a])	zurückführen[3a]	devolver[2b]
test[2b], (examination[3b])	épreuve[2a], examen[2a], (concours[3a])	Prüfung[2a], Probe[2b], (Examen[4a])	prueba[1b], (examen[4a])
theatre(er)[2b]	théâtre[2a]	Theater[2a]	teatro[1b]
tired (tire [vb.][1b]), (weary[2b])	fatigué[2b], las[2b]	müde[3b]	cansado (cansar[1b]), (fatigado [fatigar[2b]])
twelve[1b]	douze[1b]	zwölf[3a]	doce[2*]
twenty[1b], (score[2b])	vingt[1a], (vingtaine[4a])	zwanzig[3a]	veinte[2*]
uncle[1b]	oncle[2b]	Onkel[3b], (Oheim[4a])	tío[1a]
under[1a] (adj.), (nether[6])	de[1a] dessous[6b]	untere[2a]	bajo[1a], debajo[1a]
unfortunately[3b]	malheureusement[2b]	leider[1b]	por[1a] desgracia[1b], desgraciadamente (desgraciado[1b])
(in) vain[2a]	(en) vain[2a], (inutilement[4a]), (vainement[5b])	vergebens[2b], (vergeblich[3a])	(en) vano[1b], inútilmente (inútil[1b])
virtue[2b]	vertu[2a]	Tugend[2a]	virtud[1a]
wake[2a] (tr. vb.), awake[2a], (woke[4a]), (awaken[4b]), (waken[4b]), (awoke[5a])	éveiller[2a], réveiller[2a]	erwecken[2b], (wecken[3a])	despertar[1a], (despierto[3b])
wake[2a] (intr. vb.), awake[2a], (woke[4a]), (awaken[4b]), (waken[4b]), (awoke[5a])	s'[1a]éveiller[2a], (se réveiller[3b])	wachen[2a], erwachen[2b]	despertar[1a] se[1a]
well[1a] (n.)	puits[4b]	Quelle[2a], (Brunnen[4b])	pozo[3b]
west[1b], (westward[4a])	ouest[3a]	Westen[2b]	occidente[4b], (oeste[6a])
(become) white[1a], (make) white[1a], (bleach[6]), (whiten[7])	blanchir[6a]	weiß[1a] (werden), weiß (machen), (weißen[2b])	blanquear[5b]
yield[2a] (vb.), (surrender[4a])	céder[2a], (se rendre[7a])	übergeben[2b], weichen[2b], (nachgeben[4b])	rendir[1b], (ceder[2a]), (capitular[6a])

SECTION 2. CONCEPTS 1498 THROUGH 1607

E F G S	E F G S	E F G S	E F G S	E F G S
1-1-3-3	1-4 -2-4	2-1-2-3	2-4-1-4	3-2-1-2
1-2-2-6	1-5 -2-3	2-1-1-7	2-5-1-3	3-3-1-1
1-2-3-2	1-6 -2-2	2-2-2-2	2-6-1-2	2-3-2-1
1-3-3-1	1-8*-1-4	2-3-1-5	3-1-1-3	

Read as before

English	French	German	Spanish
advise[2b], (counsel[3a])	conseiller[2a]	raten[2b], (belehren[3b]), (beraten[5a])	aconsejar[2a]
agony[3b], (anguish[5b])	angoisse[2a], (agonie[4b])	Schmerz[1b]	angustia[2a], (angustiar[4b]) (to inflict), (agonía[5a])
alas[3a]	hélas[2a]	ach[1b], (weh[3b])	ay[2a]

THE SECOND THOUSAND CONCEPTS

English	French	German	Spanish
angel[2a]	ange[3a]	Engel[2b]	ángel[1b]
artist[3b]	artiste[2a]	Künstler[1b]	artista[2a]
aunt[2a]	tante[3b]	Tante[2b], (Tantchen[4a])	tía (tío[1a])
behind[1a] (*adv.*)	en arrière[3a], arrière (*adv.*)[3b]	hinten[3b]	atrás[1b], (en pos[4b])
bitter[2a]	amer[2a]	bitter[2b]	amargo[2a], (acerbo[6a]), (acre[7a])
bless[1b], (blessing[2b]), (blest[4b])	bénir[3b]	segnen[3a]	bendecir[1b], (santiguar[6a])
blind[1b] (*adj.*)	aveugle[3a]	blind[3a]	ciego[1b], (tuerto[5b]) (one eye)
car[1b] (railroad), (carriage[2a]), (coach[2b])	wagon[4a]	Wagen[2b]	carruaje[4b]
castle[2a]	château[2a], (bastille[6b])	Schloß[2a], (Burg[5a])	castillo[2b], (alcázar[5b])
celebrate[2b]	célébrer[3a]	feiern[2b]	celebrar[1b]
ceremony[3b]	cérémonie[3a], (formalité[5a])	Umstand[1a]	forma[1a], (gala[2b]), (etiqueta[4a]), (ceremonia[4b])
(take) chance[1b], ([run] risk[3b]), (venture[3b])	s'aventurer	wagen[1b]	aventurar[4a]
clear[1a], (lucid[9])	lucide	klar[1a]	lúcido[4b]
coat[1b]	manteau[2a]	Mantel[3b]	capa[2a], (saco[4a]), (capote[4b])
complain[2b], find[1a] fault[2a]	se plaindre[2a]	klagen[2b], sich[1a] beklagen[2b]	quejarse[2a]
conceive[3b]	concevoir[2a]	empfangen[1b]	concebir[2a]
content[2a] (*n.*)	contenu[4a]	Inhalt[1b]	contenido[4a]
convince[3b], persuade[3b] (passive)	convaincre[2a], persuader[2b], (être de la) conviction[2b]	überzeugen[1b], (der festen) Überzeugung[1b] (sein)	convencer[2a], (persuadir[3b])
(lose[1b]) courage[2b], (quail[6])	perdre[1a] courage[1b]	Mut[1b] verlieren[1a]	arredrar[7a](se), (intimidarse)
cross[1a] (*n.*)	croix[2b]	Kreuz[3a]	cruz[2b]
dangerous[2b], (perilous[5a])	dangereux[2a], (périlleux[6a])	gefährlich[2a]	peligroso[2a]
date[1b] (*n.*) (day)	date[2b]	Zeitpunkt[3a], (Datum[4b])	fecha[2b]
delay[2a] (*intr. vb.*), (linger[4a]), (tarry[5a])	tarder[2a]	(sich) aufhalten[2b], (verweilen[4a])	dilatar[2b], (retrasar[6a]), (retardar[7a])
delight[1b] (*vb.*)	enchanter[2a], réjouir[2a], ravir[2b]	entzücken[3b]	encantar[2b], (deleitar[4a])
describe[2a]	décrire[2b]	beschreiben[2b], (charakterisieren[5a])	describir[2a]
develop[3a]	développer[2a], (amplifier[5b])	entwickeln[1b], (entfalten[3b])	desarrollar[2b], (desenvolver[3a])
divine[2b]	divin[3a]	göttlich[2a]	divino[1b]
draw[1a] up[1a], (formulate[9])	dresser[1b], (formuler[4b])	entwerfen[3b], (formulieren[6b])	formular[3b]
east[1a], (Orient [o][5a]), (eastward[6])	est[5a], orient[5a]	Osten[2b]	oriente[3a], (este[7a])
egg[1a], (roe[6])	œuf[3a]	Ei[3a]	huevo[1b]
empty[2a] (*adj.*)	vide (*adj.*)[2a]	leer[2a]	vacío[2a]
event[2a], (incident[5b])	incident[2a], événement[2b]	Ereignis[2a], Vorgang[2b], (Begebenheit[4a]), (Vorfall[4a])	suceso[2a], (acontecimiento[3b]), (incidente[4a]), (ocurrencia[4a])
evil[2a], (wickedness[5a])	mal[1a], (méchanceté[5b])	Übel[2b], (Bosheit[5b])	maldad[3b], (perversidad[6a])

English	French	German	Spanish
exchange[2b] (n.)	échange[3a]	Wechsel[1b]	trueque[5a]
fancy[2a] (n.) (idle)	fantaisie[2b], (rêverie[3a]), (chimère[3b])	Phantasie[2a]	fantasía[2a], (quimera[4b])
fish[1b] (n.)	poisson[2b]	Fisch[3a]	pez[2b], (pescado[3b])
flame[2a]	flamme[2b]	Flamme[2a]	llama[2a]
flesh[2a]	chair[3a]	Fleisch[2b]	carne[1a]
forbid[2b], (forbidden[4b]), (prohibit[5a])	défendre[1b], (interdire[2a]), (défense[2b])	verbieten[2b], (untersagen[5a])	prohibir[3a]
former[1b] (e.g., times)	ancien[1a], (d')autrefois[1b]	ehemalig[3b]	previo[3a]
fortunate[3b], (lucky[4a])	heureux[1a], (chanceux)	glücklich[1a]	afortunado[3b], (venturoso[4a])
future[2a] (adj.)	futur[2b]	künftig[2a], (zukünftig[4b])	futuro[2a], (venidero[4b])
greatness[3b]	grandeur[2b]	Größe[1b]	grandeza[2a], (inmensidad[3a])
guard[1b] (n.), (keeper[4a]), (guardian[5b]), (watchman[6])	garde[1b], (gardien[ne][4a])	Wache[3a], (Wächter[6b])	guardia[3a], guarda[3b], (guardián[6b]), (vigilante[6b])
guard[1b] (n.) (military)	garde[1b]	Wache[3a], (Vorposten[4b]), (Patrouille[5a]), (Feldwache[6b])	guardia[3a], (centinela[4b])
harbor[2b], port[2a], (seaport[6])	port[2a]	Hafen[2a]	puerto[2a]
industry[2b]	industrie[2b]	Industrie[2b]	industria[2a]
information[3a]	renseignement[2b], (information[5a])	Mitteilung[1b], (Auskunft[3b]), (Bescheid[5a]), (Aufschluß[5b])	informe[2b], (información[5a])
insist[3b]	insister[2a]	bestehen[1a], (beharren[6a])	insistir[2b]
knee[1b]	genou[2a]	Knie[3a]	rodilla[2a], (hinojo[6b])
lie[1b] (n.), (falsehood[4b])	mensonge[3a]	Lüge[3b]	mentira[1b], (falsedad[4b]), (embuste[6a])
light[1a] (n.) (not artificial)	clarté[2b]	Klarheit[3b]	claridad[2a]
limb[2b] (member)	membre[1b]	Glied[2a]	miembro[3a]
locate[3a], situate[3b]	situer[2b]	legen[1a], gelegen (liegen[1a])	situar (+situado)[2a]
lover[2b], (swain[5a]), (beau[6])	amant[3b]	Geliebte[2b], (Liebhaber[4b]), (Liebende[5b])	amante[1b], (amador[5a]), (cortejo[6a])
machine[2a], engine[2b], (machinery[3b]), (motor[4a])	machine[2b], (mécanique[3a]), (moteur[4a]), (mécanisme[6b])	Maschine[2b]	máquina[2a]
match[2a] (sport)	match[6a]	Kampf[1a]	encuentro[2a], (desafío[3a])
material[2a] (n.)	matière[2a], (matériaux[6a])	Material[2a]	material[2a]
material[2a] (adj.)	matériel[2b]	körperlich[2b]	material[2a]
measure[1a] (vb.)	mesurer[2b]	messen[3b], (bemessen[5a])	medir[2a]
mercy[2b], pity[2a]	merci[2a], pitié[2a], (miséricorde[6b])	Gnade[2a]	misericordia[2b], (clemencia[5b])
minister[2b], (priest[3a]), (parson[4b]), (pastor[5a]), (preacher[5a]), (prelate[7]), (clergyman[7])	prêtre[2a], (curé[3b]), (clergé[5b]), (vicaire[5b]), (pasteur[6a]), (prélat[6a])	Pfarrer[2b], (Geistliche[3a]), (Priester[3b]), (Prediger[4b]), (Pastor[5a])	cura[2a], sacerdote[2a], (pastor[3a]), (clérigo[4a]), (canónigo[4b]), (eclesiástico[5b]), (capellán[6a]), (presbítero[6a]), (clerical[6b] [adj.])
model[2b], pattern[2b]	patron[2b], (modèle[3a])	Vorlage[2a], Muster[2b], (Modell[4a]), (Vorbild[4a])	modelo[2b], (patrón[3a])
national[2b]	national[2a]	national[2a], (vaterländisch[5a])	nacional[2a]
neglect[2b], (overlook[4b])	négliger[2b]	übersehen[2b], (versäumen[4a]), (vernachlässigen[5b])	descuidar[2b]

English	French	German	Spanish
northern[2b]	(du) nord[2a], (au) nord	nördlich[2a], (nordisch[6a])	norte[2a], (septentrional[6b])
owner[2b]	propriétaire[3a], (possesseur[6a])	Besitzer[2b], (Grundbesitzer[3a]), (Inhaber[3a]), (Eigentümer[4a]), (Gutsbesitzer[4a]), (Hausbesitzer[4a])	amo[1a], dueño[1a], (propietario[3b]), (poseedor[5b])
(be a) party[1b] (to), (confederate[6])	complice[4b]	beteiligt (beteiligen[2b])	cómplice[4b]
play[1a] (theatre), (performance[4b])	pièce[1a] (de théâtre), (représentation[4a])	Schauspiel[3a]	representación[3a]
post[1b] (n.), (mail[2a])	courrier[5a]	Post[2a]	correo[3b]
previous[3b]	antérieur[3b]	vorig[1b]	anterior[1b], (previo[3a])
prison[2b], (jail[5b])	prison[2b]	Gefängnis[2b], (Zuchthaus[5a])	carcél[2a], prisión[2b], (galera[5a]), (presidio[5a])
proceed[2a]	procéder[2b]	vorgehen[2a], (verfahren[3a]), (vorschreiten[6a])	proseguir[2a]
profit[2b] (n.)	profit[2b], (bénéfice[3a]), (utilité[5b])	Nutz[2a], Ertrag[2b]	beneficio[2b], (utilidad[3a])
railroad[2a], (railway[3b])	chemin[1a] de[1a] fer[1a]	Eisenbahn[2a]	ferrocarril[3a]
rain[1a] (n.), (rainfall[6])	pluie[2a]	Regen[3b]	lluvia[2b]
regular[2a]	régulier[2a] (régulièrement[3b])	regelmäßig[2a]	regular[2b]
reign[2b] (vb.)	règner[2b]	regieren[2b]	reinar[2a]
respect[2a] (vb.)	respecter[2b]	achten[2a]	respetar[2a]
ring[1b], (hoop[5b])	anneau[4a], (bague[6a])	Ring[2a]	anillo[4b], (sortija[6a])
roof[1b], (housetop[6])	toit[2a]	Dach[3b]	techo[2b], (tejado[4a]), (azotea[6a])
rule[1b], (sway[3a]), (dominion[4b]), (sovereignty[6])	domination[5a], (souveraineté[6a])	Herrschaft[2a]	dominio[3a], (dominador[6b]), (soberanía[6b])
sacrifice[2b] (n.)	sacrifice[2a]	Opfer[2a]	sacrificio[2a]
sand[1b]	sable[2a]	Sand[3b]	arena[2b]
savage[2b], (brutal[5b]), (barbarous[5b])	brutal[2b], sauvage[2b] (brutalement[6a])	roh[2b]	bárbaro[2b], (salvaje[3a]), (brutal[3b])
sentence[2b] (n.) (court)	condamnation[5b], (sentence[6b])	Urteil[1b]	sentencia[3b]
share[2a] (n.), portion[2b]	part[1a], (cote[3b]), (mise[3b]), (partage[4a]), (participation[4a]), (contribution[4b]), (portion[5b])	Anteil[2b], Teilnahme[2b], (Beteiligung[4b])	porción[3a], (contingente[5b]), (participación[6b])
skin[1b] (n.)	peau[2b]	Haut[3a]	piel[2a], (pellejo[4b])
snow[1b] (n.)	neige[2b]	Schnee[3b]	nieve[2b]
spent[2a] (adj.), (exhausted [exhaust[3b]])	épuisé (épuiser[2b])	erschöpft (erschöpfen[2b])	gastado (gastar[2a]), agotado (agotar[2b])
step[1a], (footstep[4b]), (footprint)	trace[2a]	Spur[2b]	pisada[6a]
stick[1b], (rod[2a]), (bat[3b]), (cane[3b]), (stake[3b])	bâton[2b], (canne[3a]), (baguette[5b])	Stab[3a], Stock[3b]	caña[2b], palo[2b], (vara[3a]), (bastón[4a]), (garrote[7a])
subject[1b] (vb.)	assujettir[6a], subordonner[6b]	unterwerfen[2a]	someter[2a], (subordinar[6b])
sum[2a] up[1a]	résumer[4a]	wiederholen[1b], (zusammenfassen[3a])	resumir[4a]

English	French	German	Spanish
supreme[3b]	suprême[2b]	höchst (hoch[1a])	sumo[2a], supremo[2a]
sword[2a]	épée[3b], (sabre[4b])	Schwert[2b], (Degen[4a]), (Säbel[6b])	espada[1b]
thin[1b], (gaunt[6])	mince[2a], maigre[2b]	dünn[3a]	flaco[2b], (magro[7b])
thorough[2b]	(à) fond[1a]	gründlich[2b], (intensiv[6a])	cabal[3b], minucioso[3b]
throat[2b]	gorge[2b]	Hals[2b]	garganta[2b]
treasure[2a] (n.)	trésor[2b]	Schatz[2a]	tesoro[2a]
trial[2b] (law)	procès[3b]	Prozeß[2a]	juicio[1b], (proceso[4b])
unusual[3b], (extraordinary[4b])	extraordinaire[2a], (inouï[3b]), (génial[6a])	außerordentlich[1b], (ungemein[3b]), (unerhört[5a]), (außergewöhnlich[6b])	extraordinario[2a], (inaudito[6a])
useful[2a]	utile[2a] (utilement[6a])	nützlich[2b], (brauchbar[4b]), (förderlich[5b])	útil[2a]
victory[2b]	victoire[2a]	Sieg[2a]	victoria[2b]
way[1a] out[1a] (exit)	sortie[2a], (issue[4a])	Ausgang[3a], (Ausweg[5b])	salida[2a]
working (work[1a]), (effective[7])	efficace[5a]	wirksam[2b]	eficaz[3a]
yellow[1b], (buff[6])	jaune[2b], (jaunir[5a])	gelb[3b]	amarillo[2b], (amarillento[6a])

SECTION 2.1. CONCEPTS 1608 THROUGH 1679

```
E F G S     E F G S     E F G S     E F G S     E F G S
1-1-3-4     1-4-2-5     1-8*-2-1    2-3-1-6     2-8*-1-1
1-2-3-3     1-4-3-1     2-1 -2-4    2-4-2-1     3-1 -1-4
1-3-2-6     1-5-1-8*    2-2 -2-3    2-4-1-5     3-2 -1-3
1-3-3-2     1-5-2-4     2-3 -2-2    2-6-1-3     3-3 -1-2
```

English	French	German	Spanish
actual[2b]	réel[2a], (effectif[4b]) (effectivement[4b])	tatsächlich[2a], (faktisch[6b])	efectivo[3a]
adopt[3b] (general)	adopter[2a]	annehmen[1a]	adoptar[3a]
April[2a]	avril[3a]	April[2a]	abril[2b]
attack[2b], (besiege[5a]), (assail[5b]), (beset[6])	attaquer[2a], (assiéger[4a]), (assaillir[5b])	angreifen[2a]	acometer[3a], atacar[3b], (asaltar[5b]), (embestir[5b]), (arremeter[6b])
ball[1a], (baseball[6])	boule[2b], (balle[3a]), (globe[6b]), (pelote[6b])	Kugel[3b], (Ball[5a])	bola[3a], (pelota[5a])
band[1b], (gang[5b])	bande[2a], (équipe[5a])	Schar[3a], (Bande[4a])	banda[3a], (cuadrilla[5b])
bar[2a], (obstacle[5b]), (barrier[5b])	embarras[2b], (barrière[3a]), (obstacle[3a])	Hindernis[2b]	obstáculo[3a], (barrera[5a]), (embarazo[6a])
bill[1b] (of) fare[2a]	menu (n.)[3a]	Karte[2b]	lista[2b] (de) platos (plato[2a]), (menú)
blessed (bless[1a]), (blest[4b])	bienheureux	selig[2b]	bendito[1b], (beato[5b]), (bienaventurado[6b])
(dead[1a]) body[1a], (corpse[5b])	cadavre[3a]	Leiche[3b], (Leichnam[5a])	cadáver[2b]
bold[2a], (brazen[6]), (presumptuous[6])	hardi[2b], (audacieux[3b])	unverschämt[2b]	audaz[3b], (arrogante[4b])
border[2a] (vb.) (on)	toucher[1a]	stoßen[2a] (an)	rayar[4a]
bottle[2a]	bouteille[2b], (flacon[4a])	Flasche[2b], (Ballon[5a])	botella[3a], frasco[3b]
brook[1b] (n.), (rill[4b])	ruisseau[3b]	Bach[3b]	arroya[2b]

English	French	German	Spanish
call[1a] together[1a], (summon[3a])	convoquer[4b]	berufen[2a], (zusammenberufen[6a])	convocar[5b]
car[1b], (trolley[5b] [Amer.]), (tram[15])	tramway[5a]	Wagen[2b]	tranvía[4b]
card[2a]	carte[2a]	Karte[2b]	tarjeta[3b]
chain[1b] (*n.*), (fetter[5b])	chaîne[3a]	Kette[3a], (Fessel[5a])	cadena[2a]
cheap[2b]	bon[1a] marché[2a]	billig[2a], (wohlfeil[6a])	barato[3a]
class[1b] (*vb.*) (classify)	classer[3a]	ordnen[2a]	clasificar[6a]
(live[1a]) coals (coal[1b])	braise[5a]	glühende (glühen[2b]) Kohle[2b], (Glut[4b])	brasa[4b], (ascua[7a])
comfortable[2b]	(à l')aise[2a], (confortable[4b]) (confortablement[7a])	bequem[2b], (behaglich[4b])	cómodo[3b]
council[2b]	concile[6b]	Rat[1b], (Kolleg[2b]), (Bundesrat[3b]), (Aufsichtsrat[5b]), (Staatsrat[6a])	junta[3b]
development[3b]	développement[2b], (évolution[4a])	Entwick(e)lung[1b], (Verbreitung[3b]), (Aufschwung[5a]), (Ausbreitung[6a]), (Entfaltung[6a]), (Ausbau[6a])	desarrollo[3b]
district[2b], (zone[3a]), (ward[3b]), (borough[6])	quartier[2a], (commune[3a]), (arrondissement[4a]), (canton[4b]), (zone[4b]), (district[5a]), (préfecture[5b])	Bezirk[2b], Gutsbezirk[2b], (Distrikt[6b]), (Regierungsbezirk[6b])	distrito[3b], zona[3b]
do[1a] without[1a], (dispense[5a] with)	se[1a] passer[1a] de[1a]	verzichten[3a]	prescindir[4a]
dry[1b] (*vb.*), (dried[4a]), (parch[6])	sécher[3b], (dessécher[4b])	trocknen[3a]	secar[2b]
election[3a]	élection[3b]	Wahl[1b], (Neuwahl[5b])	elección[2b]
emperor[3a], (czar[6])	empereur[3a]	Kaiser[1a], (Cäsar[5b]), (Zar[6a])	emperador[2b]
favor[1b] (*vb.*)	favoriser[3b]	begünstigen[3b]	favorecer[2a], (privilegiar[6a])
flat[2a], (apartment[4b] [Amer.])	appartement[2b]	Wohnung[2a]	aposento[3a], piso[3a]
go[1a] back[1a], (retreat[3b])	reculer[2a]	zurückgehen[3a], (zurücktreten[4b])	retroceder[3b]
grain[1b]	grain[3a]	Getreide[3a], Korn[3b]	grano[2b], (cereal[6b])
hero[2b]	héros[3a]	Held[2a]	héroe[2b]
include[2a]	renfermer[2b]	umfassen[2a]	incluir[3a]
knight[2a]	chevalier[4b]	Ritter[2b], (Edle[6b])	caballero[1a], (paladín[6b])
lace[2b] (*n.*)	dentelle[4a]	Spitze[1b]	encaje[5b]
lake[1b]	lac[3b]	See (*m.*)[3a]	lago[2b]
loose[2a] (*adj.*)	lâche[3a]	los[2a]	suelto[2a], (flojo[3b])
metal[2b]	métal[3b]	Metall[2b]	metal[2b]
noon[1b], (noonday[5b])	midi[2a]	Mittag[3a]	mediodía[3a]
persuade[3b], (induce[4b])	persuader[2b]	überzeugen[1b], (überreden[7a])	persuadir[3b], (inducir[4a])
praise[2a], (commend[3b])	louer[3a], (préconiser[4b])	loben[2a], (preisen[3a])	alabar[2b], (ensalzar[4a]), (elogiar[6b])
product[2b]	produit[3a]	Produkt[2b], (Erzeugnis[3a]), (Fabrikat[6a])	producto[2b]
profit[2b] (*n.*) (earned)	profit[2b], (gain[4b])	Verdienst[2a]	ganancia[3b]

English	French	German	Spanish
proportion[3a]	proportion[3a]	Verhältnis[1a]	proporción[2a]
protect[2a]	protéger[2a]	bewahren[2a], (beschützen[6a])	proteger[3a]
protection[3b]	couvert[2a], protection[2b]	Schutz[1b]	protección[3a]
punish[2b], (scourge[4b])	punir[3a], (châtier[6b]), (sévir[6b])	bestrafen[2b], (strafen[4a])	castigar[2a]
recommend[3b]	recommander[2b]	empfehlen[1b]	encomendar[3a], recomendar[3b], (encarecer[4a])
reign[2b] (*n.*)	règne[3a]	Regierung[1a]	reinado[6a]
relate[3a] (put in relationship)	mettre[1a] en[1a] rapport[1b], (se) rapporter[1b]	beziehen[1b]	relacionar[4a]
request[2b] (*n.*)	demande[2b], (requête[6a])	Bitte[2a]	ruego[3a], (petición[4a]), (súplica[6a])
salt[1b] (*n.*)	sel[4a]	Salz[3b]	sal[1b]
save[1a] (up[1a]), (hoard[6])	faire[1a] des[1a] économies (économie[2b]), (épargner[3b])	ersparen[3b], (sparen[4b])	ahorrar[3b], (economizar[6a])
scales (scale[2a]) (for weighing)	balance[4b]	Wage[2b]	peso[1b], (balanza[4b])
secret[2a] (*adj.* and *adv.*)	secret (*adj.*)[4b], (en[1a] cachette[5b]) (secrètement[6b])	geheim[2a], (heimlich[3a])	secreto[1a], (arcano[5b])
September[2a]	septembre[2b]	September[2a]	septiembre[3b]
(make) simple[1b], (simplify[9])	simplifier[5b]	einfach[1a] (machen), (vereinfachen)	simplificar
spring[1a], (springtime[6])	printemps[2b]	Frühjahr[3b], (Frühling[4a])	primavera[3a]
statement[3b], (contention[6])	déclaration[3a], (affirmation[5a]), (exposé [*n.*][6a])	Bestimmung[1a], Darstellung[1b], (Angabe[2a]), (Aufstellung[2b]), (Behauptung[2b]), (Ausspruch[3b]), (Aussage[5b]), (Darlegung[5b])	declaración[2b], (afirmación[3a]), (manifestación[3a])
stick[1b] (*intr. vb.*), (stuck[3b]), (glue[5b])	coller[3a]	haften[3a], (zusammenhalten[5a])	pegar[2a], (adherir[4a])
stir[2a] (a mixture)	agiter[1b], (remuer[2a])	rühren[2a]	remover[4a]
sugar[1b]	sucre[4b]	Zucker[3a]	azúcar[1b]
support[2a] (*n.*), (prop[6]), (strut[6])	appui[3b], (soutien[4b])	Unterstützung[2a], (Erhaltung[3a]), (Stütze[4b]), (Unterlage[5b]), (Anhalt[6b]), (Unterhalt[6a])	apoyo[2b], (sustento[4b])
temple[2b], (tabernacle[6])	temple[3b]	Tempel[2b]	templo[2a]
territory[3a], county[3a]	département[3a], territoire[3a]	Gebiet[1a]	territorio[2b], (jurisdicción[5b])
touch[1b] (act of touching)	toucher[1a], (tact[4b])	Berührung[3b]	toque[4a]
trace[2a] (*n.*) (vestige)	trace[2a]	Spur[2b]	indicio[3b], (traza[4a]), (vestigio[6a])
track[2a] (*n.*), (trail[3b])	trace[2a], (piste[4b]), (ornière[5b])	Spur[2b]	huella[3a], (rastro[6a])
yours[3b]	vôtre[3b], (tien [*poss. pron.*][4a])	Ihre (Ihr[1a]), (Ihrige[4b])	vuestro[2*], (tujo[3*])
yourself[2a]	vous-même	selbst[1a], Sie[1a] selber[1a]	usted[1a] mismo[1a]

THE SECOND THOUSAND CONCEPTS

SECTION 2.2. CONCEPTS 1680 THROUGH 1798

E F G S	E F G S	E F G S	E F G S	E F G S	E F G S
1-1-4-1	1-4-3-2	2-1-2-5	2-4-2-2	3-1-2-1	3-4-1-2
1-2-3-4	1-5-2-5	2-1-3-1	2-5-1-5	3-1-1-5	3-5-1-1
1-3-3-3	1-5-3-1	2-2-2-4	2-5-2-1	3-2-1-4	4-1-1-1
1-4-2-6	1-6-1-8*	2-3-2-3	2-6-1-4	3-3-1-3	

English	French	German	Spanish
above[1a] (mentioned)	(déjà) nommé (adj.)[5a], ([mentionner[6a]] plus[1a] haut[1a])	obig[3b]	dicho (decir[1a]), (susodicho [susodecir[5b]])
abroad[3b]	(à l')étranger[1a]	(im) Ausland[2b]	(en el) extranjero[1b]
admire[2b]	admirer[1b]	bewundern[3a]	admirar[1b]
advance[2a], (advancement[6])	avance[1b]	Fortschritt[2b], (Vormarsch[5b])	adelanto[5a]
(in) advance[2a], (beforehand[5b])	(d')avance[1b], (par) avance[1b]	voraus[2a]	(de) antemano[5a]
agree[2a], (chime[4a])	accorder[1b], convenir[1a], s'[1a] accorder[1b]	einverstanden[3a] sein[1a], übereinstimmen[3b], zustimmen[3b], (einig[4a] sein), (vereinbaren[5a]), (verabreden[5b]), (beitreten[6b])	acordar[1b], convenir[1b], (concurrir[3a]), (asentir[3b]), (avenir[4b])
allowed (allow[1b])	permis[5b]	zulässig[3b]	permitido (permitir[1a])
along[1a] (e.g., the river)	le[1a] long[1a] de[1a]	entlang[4b], längs[4b]	(a lo) largo[1a] (de)
application[3b]	application[4a]	Anwendung[1b]	aplicación[2b]
automobile[2b], (auto[5a])	auto(mobile)[3a]	Wagen[2b]	automóvil[3b], (auto[5a])
blossom[2a] (n.)	fleur[1b]	Blüte[3a]	flor[1a], (capullo[6b])
boast[2b] (vb.)	vanter[3b]	rühmen[2b]	ostentar[3a], (hacer[1a] alarde[4a])
break[1b] out[1a] (crying, etc.)	éclater[1b]	ausbrechen[4a]	romper[1a], (prorrumpir[3b])
bring[1a] before[1a] (e.g., judge)	amener[1b]	vorführen[4b]	traer[1a]
candle[2b], (taper[4b])	bougie[4b], (cierge[5a]), (chandelle[5b])	Licht[2b], (Kerze[6b])	vela[2a]
carrying (carry[1a]) out[1a], (execution[5b])	exécution[3a], (réalisation[4a])	Durchführung[3a]	ejecución[3b]
charge[1b] (vb.), (commission[3b])	charger[1a]	obliegen[4b] (passive), (beauftragen[5a])	encargar[1b]
citizen[2b]	citoyen[3b]	Bürger[2a], (Mitbürger[5a])	ciudadano[3a]
clean[1b] (vb.), (cleanse[4b]), (scour[5a]), (scrub[5a]), (purge[5b])	nettoyer[4a], (purifier[6a])	reinigen[3a]	limpiar[2b], (fregar[6a])
coat[1b], (overcoat[4b])	surtout[2b], (pardessus[3a])	Mantel[3b]	abrigo[4a], (gabán[5b])
commission[3b] (n.)	commission[3a]	Kommission[1a]	comisión[3a]
(to be) compared (compare[2a]), (comparable[11])	comparable[5a]	(zu) vergleichen[1b]	comparable[5b]
crowd[1b] (vb.)	encombrer[4b]	drängen[2a]	agolpar[6a]
darling[3b], beloved[3b], (sweetheart[6])	amour[1a], (trésor[2b]), (chéri[5b]), (bien-aimé [n.][6a])	Schatz[2a], (Liebste[6a])	amado (amar[1a]), amor[1a], querido[1b]
devote[3a]	(se) dévouer[5b], (dévoué[7a])	ergeben[1b]	dedicar[1b] (se), (devoto[3a])

English	French	German	Spanish
distinguish[3b]	distinguer[1b], (caractériser[4a])	unterscheiden[2a], auszeichnen[2a], (abweichen[3a])	distinguir[1a], (diferenciar[4b])
(*p.p.*)	(*p.p.*)	vornehm[2b]	(*p.p.*)
division[3a] (general and military)	division[3b]	Division[1b], (Kavalleriedivision[3b])	división[3b]
draft[3a] (of liquid), (draught[4a])	trait (*n.*)[1b]	Zug[1a]	trago[5a]
due[2a] (*adj.*)	dû (devoir[1a])	gebührend (gebühren[3b]), (fällig[5b])	debido (deber[1a])
effect[2a] (*vb.*)	effectuer[3b]	bewirken[2a]	efectuar[3a]
entrance[2b] (act), (entry[4a])	entrée[1b]	Eintritt[3a], (Einzug[6a])	entrada[1b]
everybody[2b], (everyone[4a])	tout[1a] le[1a] monde[1a], (tous[5b])	jedermann[3a]	todos (todo[1a]), todo[1a] el[1a] mundo[1a]
expose[3b]	exposer[1b]	aussetzen[2a], (herausstellen[4a])	exponer[1b], (expuesto[3b])
expression[4b], (utterance[5a])	expression[1b]	Ausdruck[1b], (Äußerung[2b])	expresión[1b]
fall[1a] (e.g., hair)	tomber[1a]	ausfallen[4a]	caer[1a]
favorable[3b]	favorable[2a], (avantageux[3b]), (propice[4a])	günstig[1b]	favorable[4a], propicio[4a], (provechoso[6a]), (ventajoso[6a])
finally[2a], ([in] conclusion[4b])	définitivement[4b], finalement[4b]	abschließend (abschließen[2a])	finalmente[2a]
foreign[2a]	étranger[1a], (exotique[6b])	ausländisch[3b], auswärtig[3b]	extranjero[1b], (forastero[5a]), (exótico[5b])
formerly[4b]*	autrefois[1b], jadis[1b], (naguère[5b])	früher (früh[1a]), (zuvor[2b]), (ehemals[5a])	antiguamente (antiguo[1a]), en[1a] tiempos (tiempo[1a]) pasados (pasado[1b]), anteriormente (anterior[1b])
free[1a] (*tr. vb.*), (rid[3a])	débarasser[4b]	befreien[2a]	desembarazar[6a]
front[1a] (*adj.*)	de[1a] devant (*n.*)[2b]	vordere[3a]	delantero[4a]
fully[3a]	abondamment[4b], (pleinement[5b])	völlig[1b]	plenamente (pleno[2b])
go[1a] down[1a], (descend[2b])	descendre[1a], (redescendre[3b])	hinunter[4b] gehen[1a], untergehen[4b]	bajar[1a], (descender[2a])
grave[2a] (*n.*), (tomb[3b])	tombe[3b], (tombeau[4a])	Grab[2a]	sepulcro[3a], sepultura[3a], tumba[3a]
gray (G)[1b], (*adj.*) (grey [G][3b])	gris[2a]	grau[3a]	cano (+cana)[4a] (hair), (gris[5b])
guilt[4a]	faute[1b], (crime[2a])	Schuld[1b]	culpa[1b]
habit[2b]	habitude[1b]	Gewohnheit[3a], (Lebensweise[5a])	costumbre[1b], (hábito[2b])
(on the one) hand[1a]	(d'un) côté[1a], (d'une) part[1a]	einerseits[4a]	(por una) parte[1a]
heat[1a] (*vb.*), warm[1a]	chauffer[3a], (réchauffer[4a]), (échauffer[4b])	erhitzen[3b], (erwärmen[4a])	calentar[3b], (acalorar[6a])
hole[1b]	trou[2b], (creux[3a])	Loch[3b]	agujero[4a], hoyo[4a]
(on) horseback[4a]	(à) cheval[1b]	(zu) Pferde (Pferd[1b])	(a) caballo[1a]
how[1a] much[1a]	combien[1b]	wieviel[4b]	cuanto, cuánto[1a]
import[3b] (*n.*), (meaning[5b]*)	portée[2b], (signification[4b])	Bedeutung[1b]	significación[4a], (acepción[7b] [words])
impression[4a]	impression[1b]	Eindruck[1b]	impresión[1b]

English	French	German	Spanish
impression[4a] (make an –), (impress[5a])	frapper[1a]	Eindruck[1b] machen[1a], (auffallen[2b]), (beeindrucken)	hacer[1a] impresión[1b]
January[2a], (Jan.[5b])	janvier[2b]	Januar[2a]	enero[4a]
joyful[2b], (joyous[5a])	joyeux[2a] (joyeusement[3b])	freudig[2b], fröhlich[2b]	gozoso[4b], (placentero[6a])
July[2a]	juillet[3a]	Juli[2a]	julio[3a]
lean[2a] (*vb.*)	appuyer[1b], (pencher[2a]), (s'incliner[3b]), (s'accouder[4b]), (adosser[5a])	lehnen[3a]	apoyar[1b] se, inclinar[1b] se
leave[1a] behind[1a]	laisser[1a]	zurücklassen[4a]	dejar[1a] atrás[1b]
lifting (lift[1a]) (*n.*), (elevation[5b])	élévation[5b]	Erhöhung[2b]	elevación[5a]
lord[1b] (title), (lordship[6])	monseigneur[5a], sire[5a]	Lord[3b]	señor[1a], (señoría[6b])
make[1a] out[1a], (decipher[10])	déchiffrer[6b]	lesen[1a], (deuten[3a])	descifrar
manage[2b]	ménager[2b], (administrer[3b])	regieren[2b], (vorstehen[4b]), (verwalten[5a])	administrar[4b]
mention[2a] (*vb.*)	mentionner[6a]	erwähnen[1b]	mencionar[4a]
merchant[2a], (trader[5a])	marchand[2b], (négociant[5a])	Kaufmann[2a], (Handelsmann[5b])	mercader[4a], (vendedor[6a])
middle[1b] ages (age[1b])	moyen[1a] âge[1b]	Mittelalter[4a]	edad[1a] media (medio[1a])
misfortune[4b], hardship[4b], (affliction[5b])	malheur[1b], (fatalité[6a])	Unglück[1b], (Unheil[5a])	desgracia[1b], (desdicha[3a]), (aflicción[3b]), (desventura[3b]), (infortunio[3b])
(make a) mistake[2a], (err[3b])	se tromper[4b]	sich[1a] irren[2b], versehen[2a]	equivocar[2b], (errar[4b])
mix[2a], (mingle[3b]), (blend[4b]), (compound[5b])	mêler[1b], (se mêler[3a]), (mélanger[5a])	mischen[3a], (vermischen[5b])	mezclar[1b], ([*p.p.*] mixto[5a])
mode[3b], (mood[4a])	mode (*m.*)[5a]	Form[1a]	modo[1a]
moving (move[1a]) (physical)	mouvant[6a]	(in) Bewegung[1a]	moviente
(at) night[1a]	(la) nuit[1a], (le) soir[1a]	nachts[4a]	de[1a] noche[1a]
now[1a] and[1a] then[1a]	(de) temps[1a] (en) temps, (de) temps[1a] (à autre)	mitunter[4a]	de[1a] cuando[1a] en[1a] cuando[1a]
obey[2a]	obéir[1b]	gehorchen[3b], (befolgen[4a])	obedecer[1b]
open[1a] (*intr. vb.*)	s'[1a]ouvrir[1a]	aufgehen[4a]	abrir[1a] (se)
ordinary[3a] (trite)	banal[4a]	gewöhnlich[1a]	vulgar[2b]
organ[2b] (anatomical)	organe[3b]	Organ[2a]	órgano[3a]
pardon[2b] (*vb.*), excuse[2b], (forgive[3a]), (remit[5b]), (absolve[6])	remettre[1a], (excuser[2a]), (pardonner[2a])	entschuldigen[3a], verzeihen[3a], vergeben[3b]	perdonar[1b], (disculpar[2b]), (excusar[2b]), (absolver[6b])
past[1b] (tense)	passé (*n.*)[2a]	Vergangenheit[3a]	pretérito[4b]
period[2b] (of time)	période[3a]	Frist[2b], Periode[2b], (Zeitraum[3b])	período[3a]
plenty[2a], (abundance[3b]), (fulness [full][5a])	abondance[4a], (ampleur[5b])	Fülle[2b], (Überfluß[6a])	caudal[2b], (abundancia[3a]), (copia[4b]), (plenitud[6a])
practical[3a]	pratique[3a] (pratiquement[5b])	praktisch[1b], (zweckmäßig[2b])	práctico[3a]
pray[2a]	prier[1b]	beten[3a]	rogar[1b], (suplicar[2a]), (rezar[2b]), (orar[5b])

English	French	German	Spanish
put[1a] down[1a], (suppress[5b])	supprimer[2b], (réprimer[4a]), (rabattre[5a])	unterdrücken[3b], (ersticken[4b]), (dämpfen[6b])	reprimir[4a]
resign[3b] (oneself)	(se) résigner[3a], (s'abandonner[4b])	(sich) ergeben[1b]	resignarse[3a]
roll[1a], rock[1a]	balancer[2b], (se balancer[5b])	schwanken[3a], (rollen[4b])	mecer[4a], (balancear[6a])
scene[2b] (part of a play)	scène[1b]	Auftritt[3a]	escena[1a]
shake[1b] (head)	hocher[4a]	schütteln[3a]	sacudir[2b], (menear[3b])
sheet[2a] (of paper)	feuille[1b]	Bogen[3a]	hoja[1b], (pliego[4a]), (cuartilla[5a])
side[1a] (by side)	côte[1b] (à côte)	nebeneinander[4a]	juntos (junto[1a])
(on her) side[1a]	(de son) côté[1a], (de sa) part[1a]	ihrerseits[4a]	(de su) parte[1a]
(on his) side[1a]	(de son) côté[1a], (de sa) part[1a]	seinerseits[4b]	(de su) parte[1a]
(on their) side[1a]	(de leur) côté[1a]	ihrerseits[4a]	(de su) parte[1a]
silence[2a] (n.)	silence[1a]	Schweigen[3b]	silencio[1b]
simple[1b], (ingenuous[14])	simple[1a], (naïf[2b]) (naïvement[6a])	unbefangen[4b]	sencillo[1b]
sin[2b] (n.)	péché[5a]	Sünde[2a]	culpa[1b], pecado[1b]
slave[2a]	esclave[4b]	hörig (H)[2b], (Sklave[3a])	esclavo[2a], (siervo[5a])
south[1a], (southward[5b])	sud[3a], (midi[4a])	Süden[3a]	mediodía[3a], (sur[5b])
spend[1b] (time)	passer[1a]	verleben[4b], (verbringen[6b])	pasar[1a]
spot[1b] (n.), (stain[3a]), (blot[4a]), (speckle[5b]), (speck[6])	tache[3b]	Fleck[3b]	mancha[3a], (tacha[5b]), (mancilla[6b])
standard[2b] (n.) (norm)	mesure[1a], (régulateur[6b])	Maßgabe[3a], (Norm[6a])	medida[1b]
state[1a] (vb.) (pronounce)	préciser[2b], (énoncer[5b])	darlegen[3b], (vorbringen[4b])	precisar[4a], (plantear[6b])
stick[1b] (tr. vb.), (stuck[3b]), (glue[5b])	appliquer[1b], (coller[3a])	heften[4b], (kleben[6b])	aplicar[1b], (pegar[2a]), (adherir[4a])
superior[2b]	supérieur[1b]	überlegen (adj.)[3b]	superior[1b]
(make) sure[1a], (ascertain[7])	s'assurer[1a]	ermitteln[4a]	asegurar[1b] se
term[2a] (end of period)	terme[1b]	Termin[3b], (Kündigung[5b])	término[1a]
(every) time[1a]	chaque[1a] fois[1a]	jedesmal[4a]	cada[1a] vez[1a]
touch[1b] (n.), (contact[7])	contact[3a]	Berührung[3b]	contacto[3b], (tacto[5a])
unfortunate[3b]	malheureux[1b]	unglücklich[2a]	desgraciado[1b], infeliz[1b], (desdichado[2b])
unknown [2b] (to)	à l'insu de[5b]	ohne[1a] .... Wissen[2b]	sin[1a] saber[1a] lo[1a], sin[1a] noticia[1b] de[1a]
victim[3b]	victime[1b]	Opfer[2a]	víctima[1b]
wage[2b] (n.)	gage[4b]	Lohn[2a]	sueldo[2b], (paga[5b]), (jornal[6b])
warn[2b], (admonish[6])	prévenir[1b], (avertir[2a])	warnen[3b], (mahnen[4b]), (ermahnen[6a])	advertir[1a], (prevenir[2b])
(on the) way[1a]	chemin[1a] faisant (faire[1a]), en[1a] route[1a]	unterwegs[4b]	en[1a] camino[1a]
whoever[3b]	quiconque[5b]	wer[1a] immer[1a]	quienquiera[1a]
word[1a] for[1a] word, (literal[7])	mot[1a] à[1a] mot, (au) pied[1a] (de la) lettre[1b], (à la) lettre[5b]	wörtlich[4b]	palabra[1a] por[1a] palabra, (al) pie[1a] (de la) letra[1a]
worker[3b]	travailleur[3a]	Arbeiter[1a]	obrero[3a], trabajador[3a]
wound[2a] (vb. inf.)	blesser[1b]	verletzen[3a], verwunden[3b]	herir[1b]

THE SECOND THOUSAND CONCEPTS Sec. 2.3

SECTION 2.3. CONCEPTS 1799 THROUGH 1922

E F G S	E F G S	E F G S	E F G S	E F G S	E F G S	E F G S
1–1–3–6	1–3–3–4	1–6–2–5	2–2–3–1	2–5–1–6	3–1–2–2	3–5–1–2
1–1–4–2	1–4–3–3	1–6–3–1	2–2–2–5	2–5–2–2	3–2–2–1	4–2–1–1
1–2–3–5	1–4–2–7	2–1–2–6	2–3–2–4	2–6–1–5	3–3–1–4	
1–2–4–1	1–5–3–2	2–1–3–2	2–4–2–3	2–6–2–1	3–4–1–3	

English	French	German	Spanish
accident[3a], (mishap[6])	accident[1b], malheur[1b], (imprévu[4a])	Zufall[2b], (Unfall[3b]), (Unglücksfall[6b])	accidente[2b], (azar[5a])
act[1b], (deed[2a]), (instrument[3a])	acte[1b]	Akte[4b], Urkunde[4b]	instrumento[2a], (escritura[3b])
address[2a] (on letter)	adresse[2a]	Adresse[3b]	dirección[1b]
anxious[2b]	inquiet[1b], (préoccupé[3a]), (anxieux[3b]), (soucieux[5a]), (troublé[5b])	ängstlich[3a], (bang[4a])	inquieto[2a], (ansioso[4b]), (angustioso[6a])
(to make one's first) appearance[2b]	débuter[4b]	(zum ersten Mal) auftreten[2b]	estrenar[3b], (debutar[6b])
attack[2b] (n.), (assault[4b]) (individual)	attentat[6b]	Angriff[1b]	atentado[5b]
authority[2b]	autorité[2a]	Befugnis[3a], Autorität[3b], (Obrigkeit[6a])	autoridad[1b]
ball[1a], (bullet[5b])	balle[3a]	Kugel[3b]	bala[4b]
beam[2a], (rafter[6])	poutre[5a]	Baum[1b]	madero[6a]
(come, go) before[1a], (precede[6])	précéder[1b]	vorhergehen[4b], (vorangehen[6a])	preceder[2b]
belief[3b]	croyance[4a], (créance[5b])	Glaube[1b]	creencia[3b]
besides[4b] (prep.)	outre[2b]	außer[1a]	además[1a] de
(to go) between[1a], (mediate[19])	(être l')intermédiaire[3a], intervenir[3a]	vermitteln[3b] (zwischen)	mediar[3a], (intervenir[4a])
bird[1a], (birdie[6])	oiseau[2a]	Vogel[4a]	ave[1b], (pájaro[2a])
bits (bit[1a], (fragment[5b])	débris[3b]	Übrige[3b], (Trümmer[4b])	fragmento[4a]
blessing[2b] (n.)	bénédiction[5b]	Segen[2b]	bendición[2b]
box[1a] (n.)	boîte[2b], caisse[2b], (carton[4a])	Kasten[4a], Kästchen[4a], (Schachtel[6b])	caja[1b]
break[1b] (in pieces)	briser[2a], rompre[2b]	zerbrechen[4b]	romper[1a], (quebrar[2b])
break[1b] out[1a] (e.g., war)	éclater[1b]	ausbrechen[4a]	estallar[2b]
burning (n.) (burn[1a])	incendie[4b]	Brand[3b]	incendio[3a]
canal[3a], channel[3b]	canal[4a]	Kanal[1b]	canal[3b]
capital[2b] (city)	capitale[2b]	Hauptstadt[3a]	capital[1b]
catch[1b] up[1a], (overtake[4a]), (overtook[6])	rejoindre[2a]	nachkommen[4a]	alcanzar[1a]
charming[2a]	charmant[1b], (ravissant[5a])	reizend[3b], (allerliebst[6b])	encantador[2a]
city[1a] (adj.)	municipal[3b]	städtisch[3b]	municipal[4a]
claim[2a] (vb.)	prétendre[1b], réclamer[1b], (revendiquer[6b])	beanspruchen[3b], (erheischen[5b])	reclamar[2b]
coffee[2a]	café[2a]	Kaffee[3a]	café[1b]
combine[3a]	combiner[3b]	verbinden[1a], (zusammensetzen[3a])	combinar[4a]
comfort[2a] (n.), (consolation[6]), (solace[6])	consolation[5a]	Trost[2b]	consuelo[2a]

English	French	German	Spanish
comfort[2a] (vb.), (console[8])	rassurer[1b], (consoler[2a]), (réconforter[5b])	trösten[3a]	consolar[2b]
command[1b] (n.) (military) (over forces)	commandement[4a]	Kommando[3a], Heeresleitung[3b], (Oberkommando[5b])	mando[3b]
commit[3b], (be) guilty[3a] (of)	commettre[2a]	begehen[2b]	cometer[1b]
companion[2a], (comrade[4a]), (playmate[4b])	camarade[2a], compagnon[2a], compagne[2b]	Genosse[3b], (Begleiter[4a]), (Gesell[4a]), (Gesellschafter[4a]), (Gefährte[5b])	compañero[1a], (camarada[4a])
conduct[2b] (n.)	conduite[2b], (tenue [n.][3a])	Verhalten[3a], (Aufführung[4a]), (Betragen[4a]), (Benehmen[5a]), (Handlungsweise[5a])	proceder[1b], (conducta[2a])
contract[3a] (n.), (convention[4a]), (agreement[4b]), (compact[5a]), (covenant[6])	convention[3a], (contrat[4b]), (pacte[6a])	Vertrag[1b], (Gesellschaftsvertrag[6b])	contrato[4b], pacto[4b], (alianza[5b])
cordial[3b], (hearty[4a]), (heartily[6])	cordial[4b]	herzlich[1b]	cordial[3b]
corner[1b], (nook[5b])	recoin[5a]	Ecke[3b]	rincón[2a]
cruel[2a]	cruel[2b] (cruellement[6a])	grausam[3b]	cruel[1b], (inhumano[5a])
December[2a]	décembre[3a]	Dezember[2a]	diciembre[4a]
delicate[3a]	délicat[2a], (fragile[4b])	zart[2b]	delicado[1b], (tenue[5a])
draft[3a] (of a bill), (draught[4a])	projet[1b] (de) loi[1b]	Gesetzentwurf[2a]	proyecto[2b] (de) ley[1a]
drive[1a] away[1a] (tr. vb.)	chasser[2a]	vertreiben[3a]	ahuyentar[5a]
duke[3b]	duc[4b]	Herzog[1b], (Großfürst[6a]), (Großherzog[6b])	duque[3a]
dwelling[3b], residence[3b], (abode[4a]), (habitation[6]), (lodging[6])	demeure[2a], (logis[3b]), (domicile[4b]), (gîte[4b]), (logement[4b]), (habitation[5a]), (résidence[5b])	Wohnung[2a], (Wohnhaus[6a]), (Wohnsitz[6a])	habitación[1b], (morada[3b]), (vivienda[3b]), (residencia[4a]), (domicilio[4b])
element[3b], (ingredient[6])	élément[2a], (facteur[3b])	Element[2a], Bestandteil[2b], (Faktor[3b])	elemento[1b], (factor[5a])
equal[1a] (vb.)	égaler[5b]	gleichen[3b]	igualar[2b], (equivaler[4a])
evidence[3b]	évidence[3a]	Beweis[1b]	evidencia[4b]
exceed[3a], (surpass[4b]), (outrun[6])	dépasser[1b]	überschreiten[2b], (übersteigen[4a]), (übertreffen[4a])	sobrar[2b], (exceder[4b])
fall[1a] (n.) (Amer.), (autumn[2b])	automne[3b]	Herbst[3b]	otoño[4a]
fame[2b], (renown[3b])	renom[6a], renommée[6b]	Ruhm[2b]	fama[1b], (celebridad[5b]), (nombradía[5b])
fellow[1b], (chap[7])	bonhomme[2b]	Kerl[4b], Bursche[4a]	sujeto[1b]
fifty[2a]	cinquante[1b], (cinquantaine[4b])	fünfzig[3b]	cincuenta[2*]
follow[1a], (succeed[2a])	succéder[2b]	nachfolgen[4a]	seguir[1a], suceder[1a]
following[1b] (n.), (escort[6])	suite[1a], (équipage[4b])	Gefolge[4a], (Begleitung[5a])	partido[2b], (acompañamiento[4b])
friendship[3a]	amitié[2a]	Freundschaft[2a]	amistad[1b]
glance[2b] (vb.), peep[2b]	entrevoir[2b]	flüchtig[2b] sehen[1a]	vislumbrar[5b], (atisbar[7a])

THE SECOND THOUSAND CONCEPTS Sec. 2.3

English	French	German	Spanish
glory[2a]	gloire[2a]	Herrlichkeit[3b]	gloria[1a]
grand[2a], (majestic[4b])	grandiose[4b], (majestueux[6b])	großartig[2b], (stattlich[4a])	majestuoso[3b], (grandioso[4a])
hunt[1b] (vb.)	chasser[2a]	jagen[3a]	cazar[5a]
(be) hurt[1b], (offended [offend[3a]])	(se) ressentir[3a], (se fâcher[4b])	beleidigt (beleidigen[3a])	resentirse[4b]
increase[1b] (n.)	augmentation[5a]	Vermehrung[3a], Steigerung[3b], (Zunahme[5b]), (Vergrößerung[6b])	aumento[2b]
interrupt[3b]	interrompre[2a]	unterbrechen[2b], (einstellen[3a]), (abbrechen[4a])	interrumpir[1b]
invite[2a]	inviter[1b]	auffordern[3b], (einladen[4a])	convidar[2a], invitar[2b]
(old) iron[1b], (scrap[4b])	ferraille[6b]	altes (alt[1a]) Eisen[3a]	hierro[1b] viejo[1a]
June[2a]	juin[3a]	Juni[2a]	junio[4a]
lead[1a] (n.) (metal)	plomb[3b]	Blei[3b]	plomo[4a]
leader[2a], (conductor[5a])	conducteur[3b]	Führer[2a], (Leiter[3b])	conductor[4a]
lovely[2a]	charmant[1b], (délicieux[2b])	lieblich[3a], (hold[4a])	encantador[2a], precioso[2a]
lower[1b] (vb.)	baisser[2a], abaisser[2b]	herunter[4a] lassen[1a], senken[4b], (erniedrigen[6a]), (herabsetzen[6a])	bajar[1a]
marry[2a], married[2b], (wed[3b])	épouser[2a], marier[2a], (se marier[3a])	heiraten[3a], verheiraten[3b], (vermählen[6a])	casar[1a], casar[1a] se[1a], (desposar[4a])
(go to) meet[1a]	(aller à) rencontre[1a]	entgegenkommen[4b]	salir[1a] al[1a] encuentro[2a]
moral[3a]	moral[2a]	moralisch[2b], sittlich[2a]	moral[1b]
moving (move[1a]) (adj.) (emotionally)	touchant[4b]	rührend (rühren[2a])	conmovedor[7a]
naughty[4b]	méchant[2a], (vilain[3b])	bös[1b]	malo (adj.)[1a], (travieso[4b])
necessity[3a]	nécessité[2a]	Notwendigkeit[2b], (Notfall[6a])	necesidad[1a], (precisión[3a])
(of) necessity[3a], (necessarily[13])	forcément[5a]	notwendig[1a] (notwendigerweise)	forzosamente (forzoso[2b])
November[2a]	novembre[3a]	November[2a]	noviembre[4b]
opening (open[1a]), (vent[6])	ouverture[3a], (orifice[6a])	Öffnung[3a]	abertura[4a], (orificio[7b])
oppose[3a], resist[3b]	opposer[2a], résister[2a], (contrarier[4b])	entgegensetzen[2b], (widerstehen[3b]), (bekämpfen[3b]), (entgegentreten[3b]), (widerstreben[5b]), (entgegenstehen[6a]), (entgegenstellen[6a]), (widersetzen[6a])	oponer[1b], (resistir[2a]), (contrariar[4b])
original[3a], (primary[5b]), (primitive[7])	premier[1a], (primitif[3a]), (originaire[6b])	ursprünglich[2a]	original[2b], primitivo[2b]
palace[2a]	palais[2a]	Palast[3a]	palacio[1b], (mansión[4a])
park[2a]	parc[2b]	Anlage[2a], (Park[4b])	parque[5b]
particular[2a], (detail[4a])	détail[1b], particulier[1b]	Einzelheit[3b], (Detail[4b])	detalle[2b], (dato[3a]), (pormenor[6b])
passion[3a]	passion[2a]	Leidenschaft[2a]	pasión[1b]
plan[1a] (vb.)	projeter[3b]	entwerfen[3b], vorsehen[3b], (planen[5a])	proyectar[4a], (idear[5a])
pocket[2a]	poche[1b]	Tasche[3b]	bolsillo[2b], (faltriquera[5b])

English	French	German	Spanish
pot[2a]	pot[3a], vase[3a]	Gefäß[2b], (Topf[6b])	puchero[4a], (olla[5a]), (vasija[6b])
pour[2a]	verser[1b]	gießen[3b]	derramar[2a], verter[2b]
prayer[2a]	prière[2b], (oraison[6b])	Gebet[3a]	oración[1b], (plegaria[6a])
(be) present[1a], attend[1b]	assister à[2a]	anwesend[4b] sein[1a], beiwohnen[4b], (zugegen[6b] sein)	acudir[1b], asistir[1b], (presenciar[3b])
(crown[1b]) prince[1b]	héritier[3b] (du) trône[4b], (dauphin)	Kronprinz[3b]	infante[3b]
push[2a], (thrust[3a]), (shove[5a]) (vb.)	pousser[1a]	schieben[3a], vorschieben[3b], (vorrücken[5a])	empujar[2b]
rate[2a] (vb.), (estimate[3b])	évaluer[4a]	berechnen[2a], (anrechnen[6b])	calcular[3b], (calificar[4a])
ray[2b], beam[2a]	rayon[2a]	Strahl[3b]	rayo[1b]
refuse[2a] (vb.)	refuser[1a]	ablehnen[2b], (versagen[3a]), (verweigern[3b]), (weigern[4b]), (absprechen[6b])	rehusar[6b]
relation[2b], (relative[3a]), (kindred[4b]), (kin[6]), (kinsman[6])	parent[1b], (allié [n.][4a])	verwandt[3a], Verwandte[3b], (Angehörige[4b]), (Verwandtschaft[5a])	pariente[2b], (deudo[5a])
religious[3a]	religieux[2a], (fervent[6b])	religiös[2a], (gläubig[6a])	religioso[1b]
remark[3b] (vb.), (comment[6])	(faire une) remarque[3a] (sur), (commenter)	beobachten[1b], ([Bemerkung[2a]], [Anmerkung[5a]] machen[1a])	comentar[4b]
representative[3a], (agent[4b])	représentant[4a]	Abgeordnete[1a], (Stellvertreter[5b])	agente[3b], (representante[4a])
(give) rise[1a] to, (give) cause[1a] for (motivate)	motiver[6a]	begründen[2a], veranlassen[2a], hervorrufen[2b]	motivar[5a]
rob[2b], steal[2a], (stole[3a]), (stolen[4a])	dérober[2a], voler[2b], (cambrioler[6b])	rauben[3a], (berauben[4a]), (stehlen[4a])	robar[1b], (hurtar[4b])
roll[1a] (tr. vb.)	rouler[1b]	rollen[4b], (wälzen[5b])	rodar[2a]
room[1a] (living-, drawing-), (parlor[3a])	salon[1b]	Salon[4b]	sala[2a], (salón[3a])
scholar[3b]	savant[2b], (lettré [n.][3a]), (lettré [adj.][5b]), (érudit[6b])	Forscher[2b], (Gelehrte[4a])	hombre[1a] (de) letras (letra[1a]), (erudito[4a]), (letrado[5b])
second[1a] (n.)	seconde[2a]	Sekunde[4a]	segundo[1a]
(in the) second[1a] place[1a] (secondly)	(en) deuxième[2b] lieu[1a]	zweitens[4a]	(en) segundo[1*] lugar[1a]
sentence[2b] (vb.), (condemn[3b])	condamner[2a]	verurteilen[3b]	condenar[1b], (sentenciar[6a])
(divine[2b]) service[1b]	office[2b], (culte[3a])	Gottesdienst[3a]	oficio[1b], (culto[2a])
(be) sleepy[3b]	(avoir) sommeil[2a]	Schlaf[2b] (haben), (schläfern)	tener[1a] sueño[1a], (amodorrado)
social[3b]	social[2b]	sozial[2b], (gesellschaftlich[4a]), (gesellig[5a])	social[1b]
southern[2b]	(du, au) sud[3a], (méridional[5a])	südlich[2b]	meridional[4b], ([del] sur[5b]), (austral[7a])
subject[1b] (n.) (national)	sujet (n.)[1b]	Untertan[3b]	súbdito[6a]
substitute[3b], (replace[5b])	remplacer[1b], (substituer[3b]), (suppléer[5b])	ersetzen[2b]	substituir[2b], (reemplazar[3b])
tender[2a] (adj.)	tendre[2a] (tendrement[4b])	zärtlich[3a]	tierno[1b], (muelle[3b])

English	French	German	Spanish
thine[3a]	tien (*poss. pron.*)[4a]	dein[1a], etc.	tuyo[3*]
thirty[2a]	trente[1b], (trentaine[6b])	dreißig[3b]	treinta[2*]
throne[2b]	trône[4b]	Thron[2b]	trono[3a]
tooth[2b], teeth[2b]	dent[2a]	Zahn[3b]	diente[1b], (muela[6b])
tower[2a]	tour[2b]	Turm[3b]	torre[1b]
trunk[2a] (of tree)	tronc[4a]	Stamm[2b]	tronco[3a]
vain[2a] (*adj.*)	vain[2a], (vaniteux[6a])	eitel[3b]	vano[1b], (vanidoso[6b])
well[1a]!, come[1a] now[1a]!	eh bien![2a], (allons![3b])	na[4b]	como[1a]
wisdom[2a]	sagesse[3a]	Weisheit[2b], (Scharfsinn[6b])	sabiduría[4b]
wrap[2b] (*vb.*)	envelopper[2a]	einschlagen[3a], (verhüllen[5b]), (wickeln[7a])	envolver[1b]

SECTION 2.4. CONCEPTS 1923 THROUGH 2036

E F G S	E F G S	E F G S	E F G S	E F G S	E F G S
1–2–3–6	1–5–2–7	2–3–2–5	2–5–2–3	3–2–2–2	4–2–1–2
1–2–4–2	1–5–3–3	2–3–3–1	2–6–1–6	3–3–2–1	4–3–1–1
1–3–4–1	2–1–3–3	2–4–1–8*	2–6–2–2	3–4–1–4	
1–4–3–4	2–2–3–2	2–4–2–4	3–1–2–3	3–6–1–2	

English	French	German	Spanish
accent[4b] (*n.*) (stress)	accent[2b]	Ton[1b]	acento[2a]
angry[2a], (furious[3b]), (indignant[6]), (wroth[6])	en[1a] colère[1b], (fâché[3a]), (exaspéré [exaspérer[4b]]), (irrité[6b])	wütend (wüten[3b]), (zürnen[4b]), (zornig[5b]), (ärgerlich[6b])	enojado (enojar[3b]), (iracundo[4a]), (colérico[4b])
(get) angry[2a]	se[1a] mettre[1a] en[1a] colère[1b], (s'emporter[4b]), (se fâcher[4b])	wütend (wüten[3b]) werden[1a], (sich[1a] ärgern[4a])	enojarse[3b], (airarse[4a])
arm[1a] (*vb.*)	armer[2a]	bewaffnen[4a], rüsten[4b]	armar[2a]
arrangement[4b], (disposition[5a]), (disposal[6])	disposition[2a], (organisation[3b]), (arrangement[4a])	Einrichtung[1b], Ordnung[1b], (Anordnung[2a]), (Bearbeitung[4a]), (Disposition[4a]), (Einteilung[5b])	disposición[2a], (arreglo[3a]), (organización[4a])
bare[2a], (naked[3a])	nu[2a]	bar[3b], (nackt[5a])	desnudo[2b]
beaming (beam[2a]), (radiant[5a])	radieux[4b]	glänzend[2a]	radiante[4a]
bench[2b]	banc[2a]	Bank[3b]	banco[2b]
bend[2a], bent[2b], (curve[3b])	plier[2b], (courber[4a]), (fléchir[6a]), (ployer[6a])	beugen[3b], (biegen[5a]), (krümmen[5b])	doblar[2a], (encorvar[5a])
bow[1b], ([arch[2b]]) + [e.g., − and arrow])	arc[5b]	Bogen[3a]	arco[3a]
charm[2a] (*vb.*), (enchant[5a])	enchanter[2a], charmer[2b], (captiver[7a])	fesseln[3a], entzücken[3b], (bezaubern[6b])	encantar[2b], (fascinar[5b]), (prendar[5b]), (embelesar[6a])
civil[3a] (pertaining to citizen)	civil[2b]	bürgerlich[2a]	civil[2a], (ciudadano[3a])
complaint[3b]	plainte[2b], (réclamation[7a])	Klage[2a], (Klagen[3b])	queja[2a], (reclamación[6b])
consent[2a] (*vb.*), (comply[5b])	consentir[2a], (agréer[5b]), (acquiescer[6a])	zustimmen[3b]	consentir[2a]
consideration[3b] (thought), (reflection[4b])	réflexion[2a], (considération[3a])	Betrachtung[2a], Erwägung[2b], (Überlegung[4b]), (Nachdenken[5a])	consideración[2b], reflexión[2b]

English	French	German	Spanish
constant[2a]	constant[2b]	unverändert[3b], (ständig[5b]), (unausgesetzt[5b])	constante[2a], (invariable[5b])
correspond[4b] (to)	correspondre[3b]	entsprechen[1a], (analog[6a] sein)	corresponder[1b]
cousin[2a]	cousin[2a], (cousin germain[5b])	Vetter[3b], (Cousine[4b])	primo[2a]
crime[3a], (trespass[6])	crime[2a], (délit[5b]), (attentat[6b])	Verbrechen[2b]	crimen[2b], delito[2b], (atentado[5b])
damage[3b] (n.), (injury[4a])	dommage[3a], (dégât[4a]), (détriment[6a])	Schaden[2a], (Verletzung[4a]), (Regreß[6a]), (Schädigung[6a])	daño[1b], (mal [n.][2a]), (perjuicio[4a]), (avería[6b])
dance[1b] (vb.)	danser[2a]	tanzen[4a]	bailar[2a], (danzar[6b])
deny[2b]	nier[3a]	bestreiten[3a], leugnen[3a], (verneinen[5b])	negar[1a]
depend[2b]	dépendre[2b]	abhängig[3a] (sein), (abhängen[4a])	depender[2b], (atenerse[5b])
destine[4b]	destiner[2b]	bestimmen[1b]	destinar[2a]
dreaded (dread[2b])	redoutable[3a]	(zu) befürchten[3b]	temido (temer[1a]), (temible[4b])
drop[1a] (n.)	goutte[2b]	Tropfen[4a]	gota[2a]
eager[2b], (zealous[5b])	ardent[2b], (avide[4a]), (acharné [acharner[5b]]) (ardemment[5b])	eifrig[3a], ernstlich[3a], (begierig[6a])	ardiente[2a], (celoso[3a]), (ávido[5b]), (fervoroso[5b])
entertain[3a]	amuser[2a], (divertir[5b]), (régaler[5b])	unterhalten[2b]	divertir[2a], regalar[2a], entretener[2b]
even[1a], (smooth[2a]), (sleek[6])	ras[4b], (lisse[5b]), (uni[6b])	glatt[3a]	liso[4a], terso[4b]
exhaust[3b]	épuiser[2b], (exténuer[5b])	erschöpfen[2b]	agotar[2b], (agostar[7a])
experiment[4b] (vb.)	(faire des) expériences (expérience[2a])	versuchen[1b]	experimentar[2a]
false[2b], (faithless[6])	infidèle[6a]	falsch[1b]	infiel[6b]
February[2b]	février[4b]	Februar[2b]	febrero[4b]
(battle)field[1a]	champ[1a] (de) bataille[2a]	Schlachtfeld[4a]	campo[1a] (de) batalla[2a]
fool[2a], (dunce[6])	imbécile[2b], (sot[4a])	Narr[3a], Tor[3b], (Pinsel[6b])	necio[2a], tonto[2a], (bobo[4b]), (imbécil[4b])
frame[2a] (n.)	cadre[3a]	Rahmen[3b]	cuadro[1b], (marco[5a])
frightening (frighten[2b]) (adj.)	effrayant[6a]	furchtbar[2b]	espantoso[2b]
grandmother[2b], (grandma[4a])	grand'mère[3a], (aïeule [aïeul[4b]])	Großmutter[3a]	abuela (abuelo[1b])
grounds (ground[1a])	terrain[2a]	Terrain[4a], Gelände[4b]	terreno[2a]
hate[2a] (n.), (hatred[4a])	haine[2b]	Haß[3a]	odio[2a], (aborrecimiento[6a])
heel[2a] (on shoe)	talon[4a]	Absatz[1b]	tacón
humor[3a], (mood[4a])	humeur[2a]	Stimmung[2a], (Laune[3a])	humor[2b], (talante[6b])
hunt[1b] (n.)	chasse[2b]	Jagd[4b]	caza[2b]
hurry[1b] (n.), rush[1b], (haste[2a]), (speed[2a])	hâte[2b], (rapidité[4b]), (précipitation[6b]), (empressement[7a])	Eile[4b]	prisa[2a], (precipitación[5a]), (presteza[6b]), (urgencia[6b])
ice[1b]	glace[2a]	Eis[4a]	hielo[2b], helado (+helar)[2a] (to eat)
improve[2b] (intr. vb.)	(faire des) progrès[2a]	verbessern[3a]	mejorar[2a], (progresar[4a])
instruction[3a]	instruction[2a], enseignement[2b]	Unterricht[2a], (Belehrung[4b]), (Instruktion[4b])	enseñanza[2a], instrucción[2b]

THE SECOND THOUSAND CONCEPTS — Sec. 2.4

English	French	German	Spanish
invent[3b]	inventer[2b]	erfinden[2b]	inventar[2b]
Italian[3a]	italien[2b]	italienisch[2a], (Italiener[5a])	italiano[2b]
keen[3b], (vivid[5b])	poignant[6b]	scharf[1b]	agudo[2b]
lap[2b] (knees)	genoux (genou[2a])	Schoß[3b]	falda[2a], (regazo[6a])
limit[2a] (*n.*)	limite[2b], (borne[3b])	Beschränkung[3a], Schranke[3b]	límite[2a], (ámbito[4a]), (confín[6a]), (lindero[6a]), (limitación[6b])
(old) man[1a], (hoary[6])	vieillard[3a]	Greis[4a]	viejo[1a], (anciano[2a])
mankind[3a], (humanity[5b])	humanité[2a]	Menschheit[2a], (Menschengeschlecht[5a])	humanidad[2a]
marriage[3a]	mariage[2a]	Ehe[2a]	matrimonio[2a], (casamiento[4a])
midnight[2a]	minuit[3a]	Mitternacht[3a]	media[1a] noche[1a]
military[3a]	militaire[2a]	militärisch[2b]	militar[2a]
modest[3a]	modeste[2b]	bescheiden[2b]	modesto[2b]
mystery[3a]	mystère[2a]	Geheimnis[2a]	misterio[2a]
nine[1b]	neuf[2a]	neun[4a]	nueve[2*]
number[1a] (digit)	numéro[3a]	Ziffer[4a]	número[1a]
observation[3b]	observation[2b]	Beobachtung[2a], (Wahrnehmung[4b])	observación[2a]
occupation[3b]	métier[2a], occupation[2b], (vocation[6a])	Beruf[2b], (Beschäftigung[3a]), (Handwerk[3a])	ocupación[2a], empleo[2b], (quehacer[5a]), (vocación[6a])
October[2a]	octobre[3a]	Oktober[2a]	octubre[5a]
operation[2b] (general)	opération[2b]	Operation[3a], (Handhabung[5a]), (Manöver[5b])	operación[2b]
overcome[3b] (e.g., difficulties)	surmonter[3b]	überwinden[2b], (überwältigen[4b]), (bewältigen[6b])	salvar[1b], vencer[1b]
peasant[3b]	paysan[1b], (campagnard[5b])	Bauer[2a]	campesino[3b], (labriego[4a]), (aldeano[5b])
pity[2a] (*n.*), (compassion[5b])	pitié[2a]	Menschenliebe[3b], (Erbarmen[6b])	piedad[2a], compasión[2b], misericordia[2b]
plant[1a] (*vb.*)	planter[2b]	pflanzen[4a]	sembrar[2a], (plantar[3a])
poetry[3b]	poésie[2b]	Dichtung[2b], Poesie[2b], (Dichtkunst[5a]), (Lyrik[6b])	poesía[2b]
policy[3b]	politique[2b]	Politik[2a]	política[2a]
precious[2b]	précieux[2a]	köstlich[3b]	precioso[2a], (preciado[3b])
pride[2a]	orgueil[2a], (amour-propre[3b]), (fierté[4b])	Stolz[3b], (Hochmut[6b])	orgullo[2a], (soberbia[3a]), (altivez[3b])
print[2a] (*vb.*)	imprimer[2b]	drucken[3a]	imprimir+impreso[2a]
printed (print[2a]) matter[1a]	imprimé (imprimer[2b])	Drucksache[3b]	impresos (impreso +imprimir[2a])
prisoner[2a], (captive[4a]), (convict[6])	prisonnier[2b]	Gefangene[3a]	preso[2b], (cautivo[3a]), (prisionero[3b])
progress[3a] (*n.*)	progrès[2a]	Fortschritt[2b]	progreso[2b], (adelanto[5a])
prospect[3a]	perspective[4a]	Aussicht[1b], (Prospekt[6b])	perspectiva[4a]
provoke[3b]	provoquer[2a]	reizen[2a]	provocar[2b]
remark[3b] (*n.*), observation[3b], (comment[6])	observation[2b], propos[2b], (remarque[3a])	Bemerkung[2a], (Anmerkung[5a])	observación[2a], (comentario[4a])

English	French	German	Spanish
remarkable[3b], (notable[5a])	remarquable[2b], (notable[4a])	merkwürdig[2a], (bemerkenswert[6a])	notable[2a]
reveal[3a], (disclose[5a])	révéler[2a], (dévoiler[7a])	eröffnen[2a], (offenbaren[4a]), (enthüllen[6a])	revelar[2b], (divulgar[5b])
ruin[2a] (n.), (decay[3a]), (decline[3b])	ruine[2b]	Verderben[3b], (Ruin[4b])	ruina[2a], (estrago[5a]), (perdición[6a])
sale[2b]	vente[2b], (débit[6a])	Verkauf[3a], (Umsatz[6b])	venta[2a]
satisfaction[3b]	satisfaction[2a], (contentement[6b])	Befriedigung[2b], (Zufriedenheit[4a])	satisfacción[2b]
scatter[2a], (disperse[4b]), (litter[5b]), (strew[6])	répandre[2a], (disperser[4b]), (joncher[5b]), (éparpiller[6a]), (épars[4b])	zerstreuen[3a]	derramar[2a], esparcir[2a], (desparramar[4b]), (dispersar[7a]), (aventar[7a] [to the winds])
season[1b] (n.) (of year)	saison[2a]	Jahreszeit[4b]	estación[2b], (temporada[3b])
sign[1b] (vb.)	signer[2b]	unterschreiben[4b], unterzeichnen[4b]	firmar[2b], (subscribir[6a])
sin[2b] (vb.), (violate[4b]), (transgress[6])	pécher (v.)[6b]	sich[1a] vergehen[2a], (sündigen[6b])	pecar[2b]
smoke[1b] (n.)	fumée[2b]	Rauch[4b]	humo[2a]
station[1b] (railroad), (depot[5b] [Amer.])	gare[2a]	Bahnhof[4a]	estación[2b]
submit[3a] (oneself)	(se) soumettre[2a]	(sich) fügen[2a]	someter[2a] se
(to have) supper[2a], ([to] sup[6])	souper (v.)[5b]	(zu Abend) essen[2b]	cenar[3a]
surprise[1b], (amazement[5b]), (astonishment[5b])	surprise[2a], (étonnement[3a]), (éblouissement[6b])	Erstaunen[4a], Überraschung[4b], Verwunderung[4b]	sorpresa[2a], asombro[2b], (extrañeza[4b])
talent[3b]	talent[2b], (aptitude[4b])	Talent[2b], (Begabung[5a])	prenda[2a], talento[2a], (dote[4a]), (aptitud[5a])
(have a) taste[1b] (for), ([be] fond[2b] [of])	(être) amateur[3a] (de)	Vorliebe[4b] (haben[1a])	gustar[1a] de, (aficionado [aficionarse[3a]])
tend[3a], incline[3a], ([have] tendency[5b])	(avoir) tendance[4a], (penchant[5b])	Neigung[1b], (Tendenz[3b])	(tener) tendencia[4a]
thread[2a]	fil[2b]	Faden[3b]	hilo[2a], (hebra[5b])
tire[1b] (vb.), (weary[2b]), (fatigue[6])	fatiguer[3a], (lasser[4b]) (fatigant[5b])	ermüden[4b]	cansar[1b], (fatigar[2b])
trade[1b] (vb.)	(faire le) commerce[2a]	verkehren[3a]	negociar[6b]
transfer[3b] (vb.)	transporter[2b]	übertragen[2a], (überweisen[3a]), (übersenden[5a])	trasladar[2a], (transponer[4b])
traveler(ll)[2a], (passenger[3a])	voyageur[1b], (passager [n.][5a])	Reisende[3a]	pasajero[3a], viajero[3a]
trim[2a], deck[2b], (ornament[3a]), (adorn[4a]), (decorate[6])	orner[2b], parer[2b], (garnir[4b]), (décorer[5b]), (embellir[5b])	schmücken[3a], (zieren[5a]), (verzieren[6b])	adornar[2b], (aderezar[4a]), (ornar[5b]), (decorar[6a]), (agraciar[6b]), (asear[6b]), (engalanar[6b])
ugly[2b], (homely[5a] [Amer.])	laid[3b]	häßlich[3b]	feo[1b]
undertaking (n.) (undertake[3b]), (enterprise[5a])	entreprise[2b]	Unternehmen[2b], Unternehmung[2b]	empresa[2a]
walk[1a] (n.) (take a −)	promenade[2a]	Spaziergang[4b]	paseo[2a]
waste[1b], (desert[2a]), (wilderness[3a])	désert[2a]	Wüste[4b], (öde[5a]), (wüst[5b])	desierto[2a], (yermo[6b])

English	French	German	Spanish
water[1a] (*vb.*)	arroser[4a], (abreuver[6b])	gießen[3b]	regar[4a]
(grow[1a]) weak[1b]	(s')affaiblir[4a]	verfallen[3b]	desfallecer[4a]
western[2a]	(de l')ouest[3a], (occidental[4b])	westlich[2b]	occidental[5a]
(church[1a]) window[1a]	vitrail[5a]	Fenster[2a]	vidriera[7a]
what[1a](?!) (eh)	hein[3a]	na[4b]	¡qué[1a]!, ¡como[1a]!
witness[2b] (*n.*)	témoin[2b]	Zeuge[3a]	testigo[2a]
zeal[3b], (ardor[8])	ardeur[2b], (zèle[3b])	Eifer[2b]	celo[2b], (ardor[3a]), (ahinco[5b]), (fervor[6a])

PART III
THE THIRD THOUSAND CONCEPTS

SECTION 2.5. CONCEPTS 2037 THROUGH 2121

E F G S	E F G S	E F G S	E F G S	E F G S	E F G S
1-1-4-4	1-4-3-5	1-6-3-3	2-4-3-1	3-3-2-2	3-6-1-3
1-2-4-3	1-4-4-1	2-1-3-4	2-5-2-4	3-4-1-5	4-2-1-3
1-3-3-6	1-5-3-4	2-2-3-3	2-6-2-3	3-4-2-1	4-3-1-2
1-3-4-2	1-6-2-7	2-3-3-2	3-2-2-3	3-5-1-4	

English	French	German	Spanish
active[3a], (nimble[5b]), (sprightly[6]), (agile[11])	alerte[5a] (agile)	lebhaft[1b]	ágil[4b]
approve[2b]	approuver[2b]	billigen[3a], (genehmigen[4b])	aprobar[3a]
assign[3b]	assigner[4b]	erteilen[2a], (auferlegen[3b]), (zuteilen[5a]), (zuweisen[5b])	fijar[1b], señalar[1b]
band[1b] (strip of cloth)	bande[2a]	Band[4a]	banda[3a], (faja[4b]), (tira[6b])
bell[1b]	cloche[3a], (sonnette[4b])	Glocke[4a]	campana[2a], (timbre[5a])
betray[3b]	trahir[2b]	verraten[2b]	traicionar[3b]
birth[2a]	naissance[2b]	Geburt[3b]	nacimiento[3b], (parto[4b])
brown[1b], (tan[5a])	brun[2b]	braun[4a]	moreno[3a], pardo[3a]
building[1b], (construction[4a])	construction[3a]	Konstruktion[4a]	construcción[2b]
(letter-, note-) case[1a], (wallet[6])	portefeuille[3b]	Tasche[3b]	cartera[6a]
chair[1b] (university)	chaire[4b]	Stuhl[3a]	cátedra[5b]
champion[3b] (n.)	champion[4b]	Meister[1b]	campeón[5b]
chapter[3b]	chapitre[3a]	Kapitel[2a]	capítulo[2a]
cheek[2a]	joue[2a]	Wange[3b]	mejilla[3a]
color[1a] (tr. vb.), (dye[4a])	colorer[6a]	färben[3b]	teñir[3b], (azular[5b]) (blue), (colorear[6b])
communication[4b]	communication[3a]	Mitteilung[1b]	comunicación[2b]
compass[2b], (area[3a]), (tract[4b])	ampleur[5b], (contenance[6b])	Umfang[2a], Ausdehnung[2b], (Bereich[4b])	ámbito[4a]
confirm[3b] (verify)	confirmer[3a], (vérifier[4a])	bestätigen[2a]	confirmar[2b]
consideration[3b], (reference[5a])	considération[9a]	Betracht[9a], Betrachtung[2a], Erwägung[2b], (Berücksichtigung[4a]), (Bedacht[6a])	consideración[2b]
continual[3b], (continuous[4b])	continuel[4a], (incessant[5a])	beständig[2b], (fortwährend[3a]), (stetig[3b]), (ununterbrochen[4a]), (unaufhörlich[4b]), (immerfort[5a]), (unablässig[6a]), (unaufhaltsam[6b])	contínuo[1b], (incesante[3b])
	constamment[4a], (continuellement[5b])		

THE THIRD THOUSAND CONCEPTS — Sec. 2.5

English	French	German	Spanish
convenient[3b]	commode (*adj.*)[3a]	bequem[2b]	conveniente[2b], (cómodo[3b])
cook[1b] (*vb.*), (bake[2a]), (roast[2b])	cuire[3a], (rôtir[6a])	kochen[4a]	cocer[2a], (asar[3a]), (guisar[4a]), (cocido[5b])
creature[2a]	créature[3a]	Geschöpf[3b]	criatura[2a]
decision[4a]	décision[2a]	Entscheidung[1b], (Entschluß[2a]), (Beschlußfassung[5b])	decisión[3a]
differ[3b]	différer[4b]	anderer[1a] Meinung[1a] (sein)	diferir[5a]
engaged (engage[2b]), (betrothed [betroth[6]])	fiancé(e)[4b]	Braut[3a], (Bräutigam[4b])	prometido (prometer)[1b], (novio[2a])
European[3b] (*adj.*)	européen[3b]	europäisch[2b]	europeo[2b]
evident[3b], (patent[5a])	évident[3a], (manifeste[6a])	offenbar[2a], (verständlich[4a]), (augenscheinlich[5b]), (merklich[5b]), (erklärlich[6b]), (unverkennbar[6b])	constar[2b] (to be), (evidente[4a]), (patente[4a])
	(évidemment[2a])		
exception[3b]	exception[3a]	Ausnahme[2a], (Abweichung[4a])	excepción[2b]
fine[1a] (*n.*)	amende[6b]	Geldstrafe[2b]	multa[7a]
(catch[1b] [on]) fire[1a]	prendre[1a] feu[1a]	sich[1a] entzünden[4a], (zünden[5b])	inflamar[4a] (se), (incendiar[6b] [se])
fish[1b] (*vb.*), (troll[6])	pêcher[4a], (faire la) pêche (*f.*)[4b]	Fische (Fisch[3a]) fangen[1b]	pescar[5a], pesca[5b]
flight[2b] (in air)	vol[3b], (volée [*n.*][4a])	Flucht[3a], (Flug[5b])	vuelo[2b]
flight[2b], (rout[6])	fuite[2a]	Flucht[3a]	fuga[3b], (huida[6a])
floor[1a], story[1a]	étage[2a]	Geschoß[4a], (Stockwerk[6a])	piso[3a]
gleam[3b] (*n.*), (glimmer[6])	lueur[3b]	Schein[2b], (Schimmer[6a])	claridad[2a], (destello[5a])
grateful[3a], (thankful[4a])	reconnaissant[4a]	dankbar[2b]	agradecido (agradecer[1b])
hate[2a], (abhor[4b]), (loathe[6])	détester[3a], haïr[3a]	hassen[3a], (abhold[5b] sein[1a])	aborrecer[2a], (odiar[3b])
hold[1a] (*n.*), (grasp[4a])	prise[2b]	Halt[4a]	presa[3a]
host[2b]	hôte[3b]	Wirt[3a]	huésped[2b]
hurry[1b] (*tr. vb.*), rush[1b], (hasten[2b]), (quicken[4a])	hâter[3b], (accélérer[4b]), (activer[5b])	beschleunigen[4b]	apresurar[2b], dar[1a] prisa[2b]
independent[3a]	indépendant[3b]	selbständig[2a], (unabhängig[3a])	independiente[2b]
justify[3b], (warrant[4a])	justifier[3a], (motiver[6a])	berechtigen[2a], rechtfertigen[2b], (ermächtigen[6b])	justificar[2b]
lamp[2a]	lampe[2a]	Lampe[3b]	lámpara[3b], (candil[4b])
lion[1b]	lion[3b]	Löwe[4a]	león[2b]
majesty[3b]	majesté[4b]	Majestät[2a]	majestad[1b]
mayor[3a]	maire[3a]	Landrat[2b], (Gemeindevorsteher[3b]), (Bürgermeister[4a]), (Amtsvorsteher[6b]), (Gemeindevorstand[6a]), (Regierungskommissar[6a]), (Regierungspräsident[6a]), (Schulze[6a])	alcalde[2b], corregidor[2b]
(by) means (mean[1a]) (of)	moyennant[5a]	mittels[3a]	mediante[4a]
melt[2a], (thaw[5b]), (molten[6])	fondre[2b]	schmelzen[3b]	derretir[3b], (fundir[5a])
messenger[3a], (herald[5a])	commissionnaire[4b], (courrier[5a])	Bote[1b]	mensajero[5b], (nuncio[6a])

English	French	German	Spanish
method[3a]	méthode[2b], (tactique[5a])	Methode[2a], (Taktik[6a])	método[3a]
milk[1a]	lait[3a]	Milch[4b]	leche[2b]
monument[3a]	monument[3a]	Denkmal[2a]	monumento[2b]
oil[2a] (*n.*)	huile[3b]	Öl[3a]	aceite[2a]
patient[2b] (*n.*), (invalid[7])	malade[1b]	Kranke[3a], (Patient[6a])	paciente[4b], (doliente[5b])
payment[3b]	paiement[6b]	Zahlung[1b], (Bezahlung[5a])	pago[3a]
plate[2a] (*n.*)	assiette[3a]	Platte[3a], (Teller[6a])	plato[2a]
poem[3a]	poésie[2b], (poème[4a])	Gedicht[2a]	poema[3b], (soneto[5a])
population[3a]	population[3a]	Bevölkerung[2a]	población[2a]
prompt[2b], (punctual[6])	prompt[4b] (promptement[5a])	rechtzeitig[3a], (pünktlich[5b])	pronto[1a], (puntual[3a])
quarrel[2b] (*n.*), (brawl[6])	querelle[5a]	Streit[2b], (Streitigkeit[6a])	quimera[4b], (querella[5a]), (pendencia[5b]), (riña[5b])
quarter[1b] (of a town)	quartier[2a]	Quartier[4a], (Viertel[5b])	barrio[3a]
regard[2a] (*n.*), (esteem[3b])	égard[2a], (estime[3a])	Hochachtung[3b]	estimación[3b], (aprecio[4a])
renew[3a]	renouveler[3a]	erneue(r)n[2b]	renovar[2b]
rent[2a] (*n.*) (to pay)	loyer[6b]	Zins[2b]	alquiler[3b]
reward[3a] (*n.*)	récompense[3a]	Anerkennung[2b], (Belohnung[6a])	premio[2a], (recompensa[4a]), (galardón[5a])
series[4b]	série[2a]	Reihe[1b]	serie[3a]
shop[1b] (*n.*)	boutique[3b]	Laden[4b]	tienda[2a]
shower[2b] (*n.*)	averse[3b]	Guß[3b], (Schauer[7a])	lluvia[2b]
sincere[3a]	sincère[3a] (sincèrement[6a])	aufrichtig[2b]	sincero[2a]
speed[2a]	vitesse[2b], (rapidité[4b])	Geschwindigkeit[3b], (Schnelligkeit[4b])	rapidez[3a], ligereza[3b], (velocidad[4a]), (expedición[4b]), (prontitud[4b])
stairs (stair[2a])	escalier[2a], (perron[4a])	Treppe[3b]	escalera[3a]
steam[2a] (*n.*), (vapor[3a])	vapeur (*f.*)[3a]	Dampf[3a]	vapor[2a]
striking (*adj.*) (strike[1b])	saisissant (*adj.*)[6a], frappant (*adj.*)[6b]	auffallend (auffallen[2b]), (auffällig[6b])	sorprendente[7a]
style[2a]	style[3a]	Stil[3a]	estilo[2a]
sufficient[3a]	suffisant[3a] suffisamment[3b]	reichlich[2b]	suficiente[2a]
surprised (surprise[1b])	surpris[4a]	betroffen[4a]	sorprendido (sorprender[1b])
till[1a], (cultivate[3a]) (land)	cultiver[3a]	bearbeiten[4a]	cultivar[2b]
top[1a] (side)	dessus (*n.*)[4b]	Oberfläche[4a]	parte[1a] (lado[1a]) superior[1b]
tribe[2a]	tribu[5b]	Stamm[2b]	tribu[4b]
undertake[3b]	entreprendre[3a]	unternehmen[2a]	emprender[2a]
urge[2b] (*vb.*)	pousser[1a], (encourager[3a])	reizen[3a]	alentar[4a], (instar[6a])
wheat[1b], (buckwheat[6])	blé[3a]	Weizen[4b]	trigo[2b]
wheel[1b] (*n.*)	roue[3a]	Rad[4b]	rueda[2b]
workman(men)[4a], (laborer[5a])	ouvrier(-ère)[2a], (manœuvre[5b])	Arbeiter[1a], (Handwerker[2b])	trabajador[3a], (jornalero[5a]), (peón[6a])

SECTION 2.6. CONCEPTS 2122 THROUGH 2232

E F G S	E F G S	E F G S	E F G S	E F G S	E F G S	E F G S	E F G S
1–1–4–5	1–3–4–3	1–5 –4–1	2–2–3–4	2–5–3–1	3–2–2–4	3–5–1–5	4–3–1–3
1–1–5–1	1–4–3–6	1–6 –2–8*	2–3–3–3	2–6–2–4	3–3–2–3	3–6–1–4	4–5–1–1
1–2–3–8*	1–4–4–2	1–8*–2–6	2–4–3–2	3–1–2–5	3–4–2–2	4–1–2–1	5–1–1–1
1–2–4–4	1–5–3–5	2–1 –4–1	2–4–2–6	3–1–3–1	3–4–1–6	4–2–1–4	

English	French	German	Spanish
active[3a]	actif[3a]	tätig[2b], (aktiv[5b])	activo[3a]
ancient[2a], (antique[5b])	ancien[1a], (antique[3a])	antik[4b]	antiguo[1a], (anciano[2a]), (vetusto[5b]), (rancio[6a]), (añejo[7a])
apply[2a] (put on)	appliquer[1b]	auflegen[4b]	aplicar[1b]
assembly[3a], audience[3b], (congregation[5b])	assemblée[3a], congrès[3a], (assistance[4a]), (auditoire[5a])	Sammlung[2a], Versammlung[2a], Gemeindeversammlung[2b], (Generalversammlung[3a]), (Nationalversammlung[5a])	auditorio[3b], (concurrencia[4b]), (asamblea[5a])
balance[2b] (n.) (equilibrium)	équilibre[3b], (aplomb[5a])	Gleichgewicht[3a]	equilibrio[3b]
boat[1b], (canoe[4b]), (craft[5a]), (cutter[5b])	bateau[3a], barque[3b], (canot[6b])	Boot[4b], (Kahn[5a])	barca[3b], (lancha[4a]), (bote[4b])
bone[1b]	os[4b]	Knochen[4a]	hueso[2a]
brim[4a] (hat)	bord[1a]	Rand[2b]	ala[1b]
bring[1a] together[1a]	rapprocher[1b]	zusammenstellen[5b]	juntar[1b]
call[1a] back[1a]	rappeler[1a]	zurückrufen[5b]	llamar[1a], hacer[1a] volver[1a]
chariot[3b]	char[4b]	Wagen[2b]	carro[2a], (carruaje[4b])
church[1a] (adj.)	ecclésiastique[5b]	kirchlich[3a]	eclesiástico[5b]
clever[3b], (skilful[4a])	habile[3a], (adroit[4b]), (habilement[5b]), (adroitement[6b])	klug[2b], (schlau[5b]), (gescheit[7a])	diestro[3a], hábil[3a]
come[1a] (go[1a]) out[1a]	sortir[1a]	herauskommen[5a]	salir[1a]
compose[3b]	composer[1b], écrire[1a] (des vers)	dichten[3a], (verfassen[4b])	componer[1b]
conversation[3a]	conversation[1b], (entretien[2b])	Unterhaltung[3a]	conversación[1b]
country[1a] (adj.)	provincial[5a]	Land-[3a]	campestre[5b]
crack[2b] (vb.), (split[3b]), (cleave[4a]), (cleft[6])	craquer[4b], fendre[4b]	springen[2a]	hender[6b]
cry[1b] (n.)	cri[1b]	Geschrei[5a], Schrei[5b]	grito[1b]
current[2b] (n.)	courant[1b]	Strömung[4a]	corriente[1b]
decree[3b] (n.)	ordonnance[3b], (arrêté [n.][4a]), (décret[5a]), (édit[5b])	Verfügung[2a], (Erlaß[3a]), (Anzeige[3b]), (Verordnung[3b]), (Beschlußfassung[5b])	decreto[3b]
dense[3b]	dense[6a]	dicht[1b]	denso[4a]
depth[3a]	profondeur[2b]	Tiefe[2a], (Vertiefung[5b])	profundidad[4b]
detain[4b]	retenir[1a], (retarder[3b])	aufhalten[2b]	detener[1a], (retener[4b]), (retardar[7a])
dignity[3b]	dignité[3a]	Würde[2b]	dignidad[3a], (mesura[6b])
display[3a], (exhibition[5b])	exposition[3b], montre[3b], (exhibition[5b]), (étalage[6a])	Ausstellung[2b], (Weltausstellung[6a]), (Schau[6b])	exposición[3b]

English	French	German	Spanish
doctrine[4b]	doctrine[3a]	Lehre[1b]	doctrina[3a]
doubtful[3b], (uncertain[4b])	douteux[3b], indécis[3b], (équivoque[5a])	bedenklich[2b], (zweifelhaft[3a]), (fraglich[4a]), (unwahrscheinlich[6a])	dudoso[3b], (incierto[4b])
draw[1a] along[1a]	entraîner[1b]	hinziehen[5a]	tirar[1b]
edge[1b] (of knife)	fil[2b]	Schärfe[4b]	filo[4b]
enter[1b] (writing)	inscrire[2b]	eintragen[3b]	inscribir
escape[1b] (the memory)	échapper[1b]	entfallen[5a]	escapar[1b]
exchange[2b] (stock)	bourse[3b]	Börse[3a]	bolsa[3a]
existence[4b]	existence[1b]	Existenz[2b], (Dasein[3a]), (Sein[3a]), (Bestehen[6a])	existencia[1b]
expect[1b] (of a person)	attendre[1a] (de)	zumuten[5a]	esperar[1a]
experiment[4b] (n.)	expérience[2a], (essai[3b])	Versuch[1b], (Experiment[4b])	experimento[4b]
express[1b] (adj.), (deliberate[5b])	exprès (adj.)[3a]	absichtlich[4a], (vorsätzlich[6b])	expreso[3a], (deliberado [deliberar[5b]])
factory[3a]	usine[4a], (fabrique[5a])	Fabrik[2b], (Zuckerfabrik[6b])	fábrica[2b]
fail[2a]	manquer[1b], (faillir[3a]), (échouer[5b])	scheitern[4b]	dejar[1a], (malograr[4b] se[1a]), (fracasar[5b]), (fallar[7a])
fall[1a] (to pieces), (crumble[5a])	s'écrouler[4a], (crouler[5a]), (effondrer[5b]), (dégringoler[6a])	verfallen[3b], (zerfallen[4b]), (zusammenfallen[5b])	desmoronar[6a] (se)
farming (farm[1b])	culture[3a]	Wirtschaft[4a]	cultivo[3b], (labranza[6b])
fat[1b], (lard[4a]), (grease[5b])	gras[3a], (graisse[6a])	Fett[4b]	manteca[3a], (grasa[6b])
(for the) first[1a] time[1a]	(pour la) première (premier[1a]) fois[1a]	(zum) erstenmal[5b]	(por) primera (primero[1a]) vez[1a]
flag[2a], standard[2b], (banner[3b]), (ensign[6])	drapeau[3b], (pavillon[4a])	Fahne[3a], (Flagge[6a])	bandera[3a], (pabellón[4b]), (pendón[5b])
flow[1b] (n.), (tide[2b])	flux[6a]	Fluß[2a]	flujo
foreigner[4a]	étranger[1a]	Fremde[2b], (Ausländer[4b])	extranjero[1b]
fort[2b], (fortress[4b])	forteresse[5a]	Festung[3a], (Fort[4a]), (Befestigung[5a]), (Schanze[6a])	fuerte[1a], (fortaleza[3b])
free[1a] (of charge)	gratuit[5a]	umsonst[3b], (unentgeltlich[6b])	gratis[5b], (gratuito[7a])
Greek[3b]	grec[4a]	griechisch[2a], (Grieche[3b])	griego[2a]
hardy[3b], (rugged[5a]), (sturdy[5b]), (vigorous[6])	robuste[4a], vigoureux[4a]	kräftig[2a]	robusto[2b], (vigoroso[3a])
hill[1a], (ridge[3a]), (hillside[4a]), (knoll[6])	colline[3b], (coteau[5b]), (butte[6b])	Hügel[4a]	cerro[3b], (colina[6a]), (loma[6a]), (otero[6a])
holiday[2b]	jour[1a] (de) fête[1b]	Feier[4b], (Feiertag[6a])	(dia de) fiesta[1b]
hunter[2b]	chasseur[3a]	Jäger[3a]	cazador[3b]
impression[4a] (imprint)	empreinte[5b]	Eindruck[1b]	impresión[1b]
industry[2b], (application[3b]), (diligence[7])	application[4a], (assiduité[7a])	Fleiß[3a]	industria[2a], aplicación[2b], diligencia[2b]
institute[3b] (n.), (institution[4a])	institution[2b], (institut[3b])	Anstalt[2a], (Institut[3a]), (Institution[6b])	instituto[4a], institución[4b]
invention[3b]	invention[3a]	Erfindung[2a]	invención[3b]
judgment (ge)[2b] (insight)	jugement[2b]	Einsicht[3a]	criterio[4a]
knock[2a] (on door), (rap[5a]) (vb.)	frapper[1a], (taper[5a]), (cogner[6b])	klopfen[4a], (pochen[6a])	llamar[1a], tocar[1a]
leaf[5b] (of tree)	feuille[1b]	Blatt[1b]	hoja[1a]
lighted (light[1a])	éclairé[4b]	beleuchtet (beleuchten[4b])	alumbrado (alumbrar[2b])

THE THIRD THOUSAND CONCEPTS

Sec. 2.6

English	French	German	Spanish
(as) little[1a] (as)	aussi peu que[5b]	ebensowenig[4a] wie[1a]	tan[1a] poco[1a] como[1a]
majority[3a], (bulk[4a])	majorité[3a]	Mehrzahl[2a], (Mehrheit[3a]), (Majorität[3b])	mayoría[3a]
meadow[2a], (mead[5a]), (lea[6])	pré[3b], (prairie[4a])	Au[3b], (Wiese[4b])	prado[3b], (pradera[4b])
mine[1a] (*n.*)	mine[3a]	Grube[4b], (Bergwerk[6b])	mina[3b]
namely[5b]	(c'est à) dire[1a]	nämlich[1a]	(es) decir[1a] ....
neat[3a]	net[1b], rangé (ranger[1b]), (propre[2b])	ordentlich[3a], (reinlich[6b])	arreglado (arreglar[1b]), limpio[1b], ordenado (ordenar[1b]), (aseado [asear[6b]])
noise[2a], (clamor[4b]), (din[5a]), (tumult[5a]), (clang[5b]), (clatter[5b]), (uproar[5b])	bruit[1a], (rumeur[4b]), (tapage[5a]), (clameur[5b]), (fracas[5b]), (tumulte[5b]), (brouhaha[7a])	Lärm[4a], (Geräusch[5a])	ruido[1b], (estruendo[3b]), (estrépito[4a]), (clamor[5a]), (algarabía[5b]), (alboroto[6a]), (tumulto[6a]), (bulla[6b]), (bullicio[6b]), (fragor[6b])
observing (observe[2a])	observateur[6a]	aufmerksam[2a]	observador[4b], (lince[6b])
(for my) part[1a], (on my) side[1a]	(pour ma) part[1a], (de mon) côté[1a]	meinerseits[5a]	(de mi) parte[1a]
pass[1a] (e.g., time), (elapse[8])	passer[1a], (s'écouler[3a])	verfließen[5a]	pasar[1a], (transcurrir[3b])
peer[2b], (nobleman[5b])	noble[1b], (seigneur[2a]), (gentilhomme[3b]), (hobereau[4b]), (pair [*n.*][6a])	Edelmann[4b], (Junker[6b])	noble[1a], (hidalgo[3a]), (aristócrata[6b])
professor[3a]	professeur[3a]	Professor[2a]	profesor[3a], (catedrático[5a])
progress[3a] (*vb.*)	(faire des) progrès[2a]	Fortschritte (Fortschritt[2b]) (machen), (fortschreiten[4a])	progresar[4a]
(in) proportion[3a], relatively (relative[3a])	relativement[4a]	verhältnismäßig[2b]	relativo[2a]
punishment[3a]	supplice[4a], (punition[6a])	Strafe[2a], (Züchtigung[5b]), (Bestrafung[6b])	castigo[2a]
put[1a] (off) (postpone)	remettre[1a], (différer[4b]), (ajourner[6b])	verschieben[4b]	diferir[5b], (aplazar[6a])
put[1a] (on) (e.g., hat)	mettre[1a], (coiffer[3b])	aufsetzen[5b]	poner[1a]
quarter[1b] (fractional)	quart[1b]	Viertel[5b]	cuarto[1a]
rank[2a] (*n.*)	grade[5b]	Rang[3a]	grado[1b], (rango)
realize[3b] (be cognisant of)	comprendre[1a], (se rendre[7a] compte[1a])	einsehen[3a]	dar[1a](se) cuenta[1a]
receipt[3b] (recipe)	recette[4a]	Vorschrift[1b]	receta[6b]
reckon[3b] (calculate)	calculer[3a]	berechnen[2a]	calcular[3b]
(not) recognize[2b] (a person)	(ne pas) reconnaître[1a], (méconnaître[4b])	verkennen[4a]	(no) reconocer[1b]
referring (refer[3b])	se rapportant (rapporter[1b])	bezüglich[2a]	referente[5b]
retreat[3b] (*n.*)	retraite[2a]	Rückzug[2b]	retiro[4a]
review[2b] (*n.*)	revue[3b]	Rundschau[3b], (Rückblick[6b])	revista[3a]
roll[1a] (*n.*)	rouleau	Rolle[2a]	rollo[6b]
root[2a] (*n.*)	racine[4a]	Wurzel[3a]	raíz[2b], (radical[3b])
run[1a] down[1a] (run out) (finish)	tirer[1a] (à sa fin), (s'[1a] épuiser[2b])	ablaufen[5a]	acabar[1a] se[1a], (agotar[2b] [se])
sacrifice[2b] (*vb.*)	sacrifier[3a]	opfern[3b], (aufopfern[5b])	sacrificar[3a]
saint[2b]	saint[1b]	Heilige[4a], (Sankt[6a])	santo[1a]
sending (send[1a]) (*n.*)	expédition[3a], (envoi[7a])	Expedition[4a]	despacho[3a], (transmisión[5b]), (envío[7a])

English	French	German	Spanish
shelter[2a] (vb.), (screen[4a])	abriter[3b]	hegen[3a], (unterbringen[5a])	abrigar[3a], amparar[3a], (refugiar[4b])
sigh[2a] (vb.)	soupirer[4a]	seufzen[3b]	suspirar[2a]
skirt[2a], (petticoat[5b])	jupe[4b]	Rock[3b]	falda[2a]
smoke[1b] (vb.)	fumer[3a]	rauchen[4b]	fumar[3a], (humear[5b])
snatch[3b]	arracher[1b], (happer[7a])	entreißen[3b], (auffangen[6a])	arrancar[1b], (arrebatar[2b])
splendid[2a]	splendide[4b]	prächtig[3a]	espléndido[2b]
spoil[2a], (decay[3a]), (corrupt[4b]), (rotten[5a]), (rot[5b]), (taint[5b])	gâter[3a], (abîmer[5a]), (décomposer[5a]), (pourrir[6a])	verderben[3a], verfallen[3b]	corromper[3b], descomponer[3b], (dañar[4a]), (podrir[4b]), (contaminar[6a])
spring[1a] (n.), (jump[2a]), (leap[2a])	bond[4b], (saut[6a])	Sprung[4b]	salto[2b], (brinco[6b])
stop[1a] (of tram, etc.)	station[2b], (arrêt[3a])	Station[3b]	parada
store[1b] (n.)	magasin[4a]	Laden[4b]	tienda[2a], (almacén[4a])
take[1a] away[1a], back[1a], (withdraw[3a]), (withdrew[5b])	reprendre[1a], retirer[1a]	zurücknehmen[5b], (abheben[6b])	sacar[1a], retirar[1b]
three[1a] times (time[1a]), (thrice[4a])	trois[1a] fois[1a]	dreifach[5a], dreimal[5a]	tres[1*] veces (vez[1a])
traffic[3b] (street)	circulation[5a]	Verkehr[1b]	circulación[5a]
treaty[4b]	traité[2b]	Vertrag[1b], (Handelsvertrag[5b])	tratado[4b]
twist[3b], (wring[5b])	tordre[3b]	drehen[2b], (schlingen[6b])	retorcer[3b]
unusual[3b]	peu[1a] commun[1b], peu[1a] courant[1b]	ungewöhnlich[3b], (ungewohnt[6b])	(no) común[1b], (poco) común, ([no] usual[6a])
various[2a]	divers[1b], (varié [varier[2b]])	mannigfaltig[4a], mannigfach[4b]	vario[1a], diverso[1b]
wash[1b] (vb.)	laver[4a]	waschen[4b]	lavar[2a]

SECTION 2.7. CONCEPTS 2233 THROUGH 2333

E F G S	E F G S	E F G S	E F G S	E F G S	E F G S	E F G S	E F G S
1-1-4-6	1-3-4-4	1-6-3-5	2-2-4-1	2-6-3-1	3-2-3-1	3-5-2-2	4-4-1-3
1-1-5-2	1-4-4-3	2-1-3-6	2-3-2-8*	3-1-2-6	3-3-2-4	3-6-1-5	5-2-1-1
1-2-4-5	1-5-3-6	2-1-4-2	2-3-3-4	3-1-3-2	3-4-1-7	4-1-2-2	
1-2-5-1	1-5-4-2	2-2-3-5	2-4-3-3	3-2-2-5	3-4-2-3	4-2-2-1	

English	French	German	Spanish
acquaintance[3a] (person)	connaissance[2a]	Bekannte[3b], Bekanntschaft[3b]	conocido (conocer[1a]), conocimiento[1b]
affirm[4b], assert[4b], (attest[6])	affirmer[2a]	bestätigen[2a]	afirmar[1b]
(be) ahead[3b] (of), (surpass[4b])	devancer[4a], (surpasser[6b])	übergehen[2a], (übertreffen[4a]), (zuvorkommen[6a])	destacar[3a] se, (sobresalir[4b]), (campear[5b]), (descollar[5b])
anger[2a] (vb.), make[1a] angry[2a], (vex[3a]), (enrage[6]), (irritate[7])	mettre[1a] en[1a] colère[1b], (indigner[3a]), (irriter[3b])	ärgern[4a], (erbittern[6a])	enfadar[2b], (indignar[3a]), (irritar[3b]), (enfurecer[5a])
animal[1b] (adj.)	animal[2b]	tierisch[5b]	animal[1b]
annual[3a], (yearly[5b])	annuel[4b]	jährlich[2a], (alljährlich[4b])	anual[3b]

THE THIRD THOUSAND CONCEPTS

English	French	German	Spanish
astonish[3b], amaze[3b]	étonner[1a], (émerveillé[5b])	erstaunen[3a], (verwundern[4a]), (staunen[5a])	asombrar[2a], (maravillar[5a])
attract[3b]	attirer[1b]	anziehen[3a]	atraer[2b]
beg[2a], (beseech[5b]), (entreat[5b]), (implore[5b])	supplier[2a], (implorer[4b])	beschwören[4b], (flehen[5a])	rogar[1b], (implorar[4a])
beginning[5b]*	commencement[2a], début[2a]	Anfang[1b], (Beginn[2b]), (Ansatz[6b])	principio[1a], (comienzo[4a])
bind[2a] (a book)	relier[3b]	binden[2a]	encuadernar
blind[1b] (vb.)	aveugler[4a]	blenden[4b]	cegar[3b]
board[1b] (food)	pension[2b]	Pension[4b]	pensión[5b]
breaking (break[1b]) up, (dissolution[7])	dissolution[6a]	Aufhebung[3b], Auflösung[3b]	disolución[5a]
breathe[2a], (out), (in), (snuff[5a])	respirer[2a], (exhaler[5a]), (aspirer[6b]), (humer[6b])	atmen[4a]	aspirar[1b], (respirar[2a]), (exhalar[3b])
cart[3a], (buggy[6])	cabriolet[5b], (carriole[6b])	Wagen[2b]	coche[2a]
chain[1b] (vb.)	enchaîner[6a]	fesseln[3a]	encadenar[5b]
clerk[2b], (salesman[6])	employé(-e)[3a], (vendeur[6a]), (commis [n.][6b])	Verkäufer[3b], (Handlungsgehilfe[5b])	dependiente[4b], (vendedor[6a])
climb[2a]	grimper[3b], (gravir[4a])	aufsteigen[3b], (besteigen[5a]), (ersteigen[5a])	trepar[4b], (escalar[6a])
collection[3b]	collection[3a], (recueil[5a]), (assemblage[5b])	Sammlung[2a], Versammlung[2a]	colección[4b]
communicate[5b]	communiquer[2a]	mitteilen[1b]	comunicar[1b], (participar[3b])
comparison[3b]	comparaison[4b]	Vergleich[2a], (Vergleichung[5a])	comparación[3a]
condemn[3b], (convict[6])	condamner[2a]	verurteilen[3b]	condenar[1b]
constitution[3b], (organization[5b])	constitution[3b]	Verfassung[2a]	constitución[4a]
copy[2a] (e.g., of a book)	exemplaire[4b]	Exemplar[3b], (Abschrift[5b])	ejemplar[3a]
correct[2a] (vb.)	corriger[4a], (rectifier[5a])	verbessern[3a]	corregir[3a], (escarmentar[4b]), (enmendar[5a]), (rectificar[5a])
corresponding (correspond[4b]) (adj.) (like)	correspondant[4b]	entsprechend[1b]	correspondiente[3a]
crop[2a], harvest[2a]	moisson[4b], (récolte[5b])	Ernte[3a]	cosecha[3a], (mies[6a])
cross[1a] (tr. vb.) (put crossways)	croiser[2a]	kreuzen[5b]	cruzar[1b], (terciar)
curious[3a]	curieux[1b]	wißbegierig[3b], (neugierig[5b])	curioso[2a]
dainty[4b]	délicat[2a]	zart[2b]	delicado[1b]
dedicate[4b], consecrate[4b]	consacrer[2b], (dévouer[5b])	widmen[2b], (weihen[4a])	dedicar[1b], (consagrar[2a])
defeat[3b], (vanquish[6])	vaincre[2b], (vaincu [n.][6a])	einnehmen[2a], (erobern[3a])	derrotar[5a], superar[5a]
delay[2a] (tr.vb.)	tarder[2a] (à), (retarder[3b]), (attarder[6a])	verzögern[4b]	tardar[1b], (dilatar[2b]), (atrasar[5a]), (retrasar[6a]), (retardar[7a])
deposit[3b] (n.), (depot[5b])	dépôt[3a]	Lager[2a]	depósito[4a]
dinner[1b]	dîner[1b]	Essen[5a]	comida[2a]
discharge[3b] (of gun)	coup[1a] de[1a] feu[1a]	Schuß[2a]	disparo[6b]
dismiss[3b], discharge[3b]	renvoyer[2b], (donner[1a] congé[3b]), (congédier[6a])	entlassen[3b]	despedir[1b]

English	French	German	Spanish
drag[2b]	traîner[2a]	schleppen[4b]	arrastrar[1b]
drink[1a] (n.)	boisson[5a]	Getränk[4b]	bebida[2b]
eastern[3a], (Oriental [o][6])	oriental[4b]	östlich[2b], (orientalisch[5a])	oriental[3b]
exalt[4b], (glorify[5b])	exalter[4a]	erheben[1a]	exaltar[3a]
(the) faithful[2a]	croyant (n.)[6a]	Gläubige[3a]	fieles (fiel[1b])
faithful[2a], (trusty[5b])	fidèle[2a] (fidèlement[5a])	getreu[4a]	fiel[1b]
(get) (grow) fat[1b]	engraisser[6b]	dick[3a] (werden), zunehmen[3b]	engordar[5b]
fifth[2a]	cinquième[4b]	fünfte[3b]	quinto[3*]
flat[2a] (adj.)	plat[3b]	flach[3b], (platt[6a])	plano[4a]
furnace[3b]	four[4a]	Ofen[2b]	horno[3b]
game[1b] (to shoot)	gibier[5a]	Wild[4a]	caza[2b]
hasty[4b]	précipité (précipiter[1b])	flüchtig[2b], (hastig[5b])	apresurado (apresurar[2b]), (precipitado [precipitar[3a]]), (presuroso[5a])
inch[1b], (in.[6])	pouce[3b], (centimètre[4b])	Zentimeter[4a]	centímetro[4b], palmo[4b]
introduce[3a] (e.g., a subject)	présenter[1a], (introduire[2a])	einleiten[3b], (aufbringen[4a])	introducir[2a]
kindness[2b]	bonté[2b], (complaisance[5a]), (amabilité[5b]), (bienveillance[5b])	Gefalle(n)[4b], (Freundlichkeit[5b])	bondad[1b], (benevolencia[4a]), (amabilidad[5b])
leave[1a] (bequeath)	léguer[5a]	hinterlassen[3b]	legar[6b]
(in) love[1a]	amoureux[2b], (épris[5b])	verliebt (verlieben[5a])	enamorado[1b]
(bad) luck[3a]	fatalité[6a]	Unglück[1b]	fatalidad[5b]
mad[2a], (crazy[5a]), (madman[6])	fou, folle (adj.)[2a], (insensé[3b]), (fou [n.][3a]), (folle [n.][5a])	toll[4a]	loco[1a], (rabioso[4a]), (frenético[5a]), (insano[5b])
mass[2a] (religious)	messe[2b]	Messe[4b]	misa[1b]
miserable[3b], wretched[3b]	misérable[2a], (pitoyable[5a])	elend[3b]	miserable[1a], (mísero[3a])
misery[3b]	misère[2a]	Elend[3a]	miseria[1b]
mouth[1b] (of river)	embouchure[5b]	Mündung[3b]	ría[6b]
(spend[1b]) night[1a]	passer[1a] la[1a] nuit[1a]	(die) Nacht[1a] zubringen[4a]	trasnochar[6a]
oven[3b]	four[4a]	Ofen[2b]	horno[3b]
overcome[3b] (emotionally), (upset[5a])	bouleverser[2b]	(aus der) Fassung[2b] (bringen)	embargar[5a]
pale[2b], (ghastly[6]), (wan[6])	pâle[1b], (livide[5a]), (blême[5b]), ([être d'une] paleur[6a] ....)	bleich[4b], (blaß[5a]), (farblos[6a])	pálido[2b], (descolorido[5a]), (lívido[5b])
perish[3a]	périr[4a]	vergehen[2a]	perecer[3a], (sucumbir[4b])
pledge[3b] (vb.), (warrant[4a]), (guarantee[5b])	garantir[4a]	versprechen[1b], (garantieren), (zusichern)	garantizar[7a]
pond[2b]	étang[3b]	Lache[3b]	laguna[4a], (charco[6b])
porch[2b], (portal[6])	portail[4b], (porche[6b])	Tor[3b], (Pforte[4b])	portal[3b], (atrio[7a])
possibility[4b]	possibilité[4a]	Möglichkeit[1b]	posibilidad[3b]
potato[2a]	pomme[3b] de[1a] terre[1a]	Kartoffel[3b]	patata[4b]
praise[2a] (n.)	éloge[4a]	Lob[3a]	alabanza[3a], elogio[3b]
(on) principle[3b]	(par) principe[2a]	prinzipiell[3b], (grundsätzlich[5a])	(en) principio[1a]

English	French	German	Spanish
print[2a] (n.)	gravure[4b]	Stich[3b], (Holzschnitt[4b]), (Kupferstich[6b])	lámina[3b], (grabado[4b])
promise[1b] (n.)	promesse[4a]	Versprechen[4b]	promesa[3a]
quality[2a]	qualité[2a]	Qualität[4a]	c(u)alidad[1b]
raw[3a]	cru (adj.)[5a]	roh[2b]	crudo[2b]
recent[3a]	récent[2b]	neulich[3b]	reciente[1b]
recover[2b] (health)	(se) remettre[1a]	erholen[4a]	reponer[2b] (se), (sanar[6b])
relieve[3a]	décharger[4a], soulager[4a]	erleichtern[2b]	aliviar[3b], (desahogar[4b])
reproach[3b], (censure[5b]), (rebuke[5b]), (reproof[6])	reproche[2b]	Vorwurf[2a], (Tadel[5a])	censura[5a], reproche[5a]
reserve[3a] (vb.)	réserver[1b]	vorbehalten[3b], (zurücklegen[4a])	reservar[2b]
restless[3b]	inquiet[1b], (sans[1a] repos[2a])	unruhig[3b], (rastlos[5b])	inquieto[2a]
restore[2b] (put back)	remettre[1a], (rétablir[3b]), (restaurer[4a])	erstatten[4b]	reponer[2b], (restablecer[4a]), (restituir[4b]), (restaurar[6b])
reverence[3b] (vb.)	vénérer[4a]	verehren[2b]	venerar[3b]
salary[3a]	salaire[5b]	Lohn[2a]	sueldo[2b]
sample[3b]	échantillon[5a]	Muster[2b]	muestra[2b]
seed[1b]	grain[3a], (graine[5b])	Same(n)[4b], (Saat[6b])	simiente[4b], (semilla[5a])
set[1a] (on) fire[1a], (kindle[4b])	allumer[2a], (embraser[5a]), (enflammer[6b]), (incendier[6b])	anzünden[5a], (anstecken[6a])	encender[1b], (incendiar[6b])
settlement[3a], (agreement[4b])	accord[1b], (arrangement[4a])	Feststellung[3a], (Ausgleich[5a]), (Erledigung[5a]), (Ausgleichung[6b])	acuerdo[2a], (arreglo[3a])
source[3a], (origin[4b])	origine[2a], source[2b]	Entstehung[3b], Ursprung[3b]	fuente[1b], origen[1b]
stem[3a], (stalk[4a])	tige[3b]	Stamm[2b]	tallo[4b]
suit[1b] (clothes)	costume[2a], habit[2a], (complet [n.][5a])	Anzug[5a]	traje[1b]
summon[3a]	sommer[5b]	bestellen[2b]	requerir[2b], (intimar[4b])
swear[3b] (take oath), (sworn[4a]), (swore[5b])	jurer[2a], ([faire] serment[3b]), (prêter[2a] serment[3b])	schwören[3a], (Eid[4a] ablegen[3a])	jurar[1b]
Thursday[2b]	jeudi[2b]	Donnerstag[3b]	jueves[5a]
valuable[2b]	(de grande) valeur[1b], (précieux[2a])	kostbar[3a], wertvoll[3a]	valioso[6a]
verse[3a]	vers[2b], (couplet[5b])	Vers[3b]	verso[1b], (estrofa[6a]), (décima[6b])
wander[2a], (roam[3b]), (rove[4a]), (stroll[6])	errer[4a], rôder[4a]	wandern[3b], (durchziehen[5b])	vagar[3b], (errar[4b])
weigh[2a]	peser[2a]	wiegen[4a]	pesar[1a]
wit[2a], (humor[3a])	esprit[1a]	Humor[4a]	ingenio[2a]

SECTION 2.8. CONCEPTS 2334 THROUGH 2420

E F G S	E F G S	E F G S	E F G S	E F G S	E F G S	E F G S
1–2–5–2	1–4–4–4	2–1–4–3	2–4–2–8*	2–6 –3–2	3–3–3–1	3–5–2–3
1–3–4–5	1–5–3–7	2–2–3–6	2–4–3–4	2–8*–2–4	3–3–2–5	3–6–1–6
1–3–5–1	1–6–3–6	2–2–4–2	2–5–2–7	3–1 –3–3	3–4–2–4	4–2–2–2
1–4–3–8*	1–6–4–2	2–3–4–1	2–6–2–6	3–2 –3–2	3–4–1–8*	4–3–2–1
						4–4–1–4

English	French	German	Spanish
admiration[3b]	admiration[2a]	Bewunderung[3b]	admiración[2a]
agreed (agree[2a])	entendu[2a]	einverstanden[3a], (vertragsmäßig[5b])	acorde[6a]
agriculture[3a]	agriculture[4a]	Landwirtschaft[2b]	agricultura[4a]
appeal[3a], (make – to)	(avoir) recours[4a](à)	(sich) berufen[2a]	apelar[4a]
arrival[3b]	arrivée[2a], (venue [n.][3b])	Ankunft[3a], (Kommen[6b])	llegada[2b], (venida[4b])
assemble[3b]	rassembler[3a], (assembler[4a])	zusammensetzen[3a]	reunir[1b]
assume[3b] (take over)	assumer[4a]	übernehmen[1b]	asumir
attentive[4b]	attentif[2b] (attentivement[6a])	aufmerksam[2a]	atento[2a]
back[1a] (*adj.*), (hind[3a])	arrière[3b]	hintere[5a]	(de) atrás[1b], (posterior[4b])
backward[3b], (backwards[6*])	(en) arrière[3a]	rückwärts[3b]	(de) espaldas (espalda[1b]), hacia[1a] atrás[1b]
basket[1b]	panier[3b], (corbeille[5b])	Korb[4b]	cesto[5b], (cesta[6a])
birthday[2b]	anniversaire	Geburtstag[1b]	cumpleaños
blame[2a], (reproach[3b]), (censure[5b]), (reprove[6])	blâmer[4a]	tadeln[3b]	culpar[4b], (achacar[5b]), (censurar[6a]), (tachar[6a])
breath[2a]	souffle[2a], (haleine[4a])	Atem[4b], (Hauch[5a])	aliento[2a], (soplo[3b]), (hálito[4b])
camp[2a] (*n.*)	camp[5a]	Lager[2a], (Biwak[5b])	aduar[7a] (nomad)
(in) cash[3b]	comptant (compter[1a])	bar[3b]	(al) contado[3b]
clap[3a], (applaud[5b])	applaudir[2b], (acclamer[5b])	Beifall[3a] geben[1a]	aplaudir[2b], (aclamar[6b])
coming (come[1a]) before[1a] (preceding)	précédent[4a]	vorhergehend (vorhergehen[4b])	precedente[4b]
commercial[3b]	commercial[4a], commerçant[4a]	kaufmännisch[2b], (geschäftlich[4b])	comercial[4a], (mercantil[6a])
consent[2a] (*n.*)	consentement[6b]	Zustimmung[2b], (Einwilligung[5a])	consentimiento[6b]
convention[4a], (meeting [n.][6*])	réunion[2a], séance[2b]	Sitzung[2a], (Zusammenkunft[5a])	reunión[2a]
cream[2a] (of) crop[2a] (best)	prémices	(das) Beste[2b]	primicia[4b]
cut[1a] off[1a] (curtail)	retrancher[5a]	abschneiden[3b], (verringern[5b])	mermar[7a]
defense[3a]	défense[2b]	Verteidigung[3a], (Abwehr[6b])	defensa[2a]
delicious[3b]	délicieux[2b]	köstlich[3b]	delicioso[2b], (sabroso[3a])
demonstrate[5b]	démontrer[3a]	beweisen[1b]	demostrar[1b]
despair[3a] (*vb.*)	désespérer[2b]	verzweifeln[3b]	desesperar[2a]
desperate[3b], (hopeless[4b])	désespéré (désespérer[2b])	verzweifelt (verzweifeln[3b])	desesperado (desesperar[2a])
director[4b], (boss[6]), (manager[6])	directeur[2b], (administrateur[5a]), (gérant[6a]), (intendant[6b])	Arbeitgeber[2b], (Direktor[3a]), (Unternehmer[4a]), (Verwalter[4a]), (Vorstand[4b])	director[2b], (administrador[5a]), (mayordomo[6b])

THE THIRD THOUSAND CONCEPTS Sec. 2.8

English	French	German	Spanish
dispute[3a] (vb.)	disputer[2a]	bestreiten[3a]	disputar[2b]
(take) down[1a] (e.g., from wall)	décrocher[6b]	abnehmen[3a]	descolgar[6a]
fashion[2a], style[2a], (mode[3b])	mode (f.)[1b]	Mode[4b]	moda[3a]
fell[1a] (vb. infin.), (knock[2a] down)	terrasser[6b]	niederschlagen[4b]	derribar[2b], (atropellar[3b]), (tumbar[6b]), (derrumbar[7a])
foolish[2b], (silly[4a])	bête[2b], (sot[4a]), (niais[5a]), (badaud[5b]) (sottement[6b])	töricht[4a]	tonto[2a], (bobo[4b]), (majadero[5a]), (fatuo[6a])
fountain[2b]	fontaine[3a]	Brunnen[4b]	fuente[1b]
(make) fun[2a] (of), mock[2b], (scoff[5b]), (chaff[5a])	se moquer[2b](de), (se ficher[6b]), ([se] railler[6a])	spotten[4b]	burlar[2a], (escarnecer[5b]), (burlón[5b])
function[4b] (vb.)	fonctionner[4a]	gehen[1a]	funcionar[4b]
fury[3b], rage[3a], (madness[4b]), (frenzy[6])	rage[2b], (délire[3b]), (fureur[3b]), (furie[5b])	Wut[3b], (Wahnsinn[5b])	furor[2b], (furia[3a]), (rabia[3a])
gas[3a]	gaz[4a]	Gas[2b]	gas[4b]
genius[3b]	génie[2b]	Genie[3b], (Genius[5b])	genio[2a]
(put on) hat[1b]	coiffer[3b]	Hut[2a] aufsetzen[5b]	tocar[1a] (se)
hide[1b] (fact), (disguise[3b])	dissimuler[2b], (feindre[3b]), (déguiser[4a])	verhehlen[5b]	disimular[2b], (encubrir[3b])
horseman[3b], (rider[4a])	cavalier[3a]	Reiter[3a]	caballero[1a], (jinete[4b])
(be) hungry[2a]	(avoir) faim[3a]	Hunger[4b] (haben)	(tener) hambre[1b], (hambriento[3b])
immediate[2a]	immédiat[3a], (momentané[6b]) (immédiatement[2a]), (instantanément[6a]), (momentanément[7a])	sofortig[4b], (unverzüglich[6b])	inmediato[1b], (instantáneo[4b]), (momentáneo[6b])
innocent[3a], (guiltless[5a]), (blameless[6])	innocent[2b]	unschuldig[3a]	inocente[2a]
key[2a]	clef[2b]	Schlüssel[4a]	llave[2a]
kitchen[2a]	cuisine[2b]	Küche[4a]	cocina[2b]
Latin[3a]	latin[2b]	lateinisch[3b]	latino[2b], (latín[3b])
league[2b] (union)	ligue[6b]	Bund[2a]	liga[6a]
lock[2a] (n.) (on door)	serrure[4b]	Schloß[2a]	cerradura, cerrojo
meanwhile[4b], (in the) meantime[4b]	en attendant[3b]	inzwischen[2a], (unterdessen[4a]), ([in der] Zwischenzeit[6b])	mientras[1a] tanto[1a], (entretanto[3a])
mirror[3a]	glace[2a], (miroir[4a])	Spiegel[3a]	espejo[2a]
(give) notice[1b] (to)	donner[1a] congé[3b]	kündigen[5a]	despedir[1b]
offend[3a]	offenser[3b], (fâcher[5a])	beleidigen[3a], (verstoßen[6b])	ofender[1b], (desagradar[4a])
official[3a] (adj.)	officiel[2b]	amtlich[3a], (offiziell[4b]), (dienstlich[6a])	oficial[2a]
official[3a] (n.)	fonctionnaire[3b]	Beamte[2a]	funcionario[5b]
parliament[3b]	parlement[3b]	Reichstag[2a], (Parlament[3b])	parlamento[5b]
patience[3a]	patience[2b]	Geduld[3a]	paciencia[2a]
powder[3a], (gunpowder[6])	poudre[3b]	Pulver[3b]	polvo[1b], (pólvora[6b])

English	French	German	Spanish
publish[3a]	publier[2b]	veröffentlichen[3a], herausgeben[3b]	publicar[2a]
pull[1b] down[1a], (demolish[10])	démolir[4b]	niederlegen[3a]	demoler
recently (recent[3a])	récemment[3a]	neulich[3b], (kürzlich[4a])	poco[1a] ha, recién[1b], recientemente (reciente[1b])
reproach[3b], (rebuke[5b]), (reprove[6])	reprocher[1b]	verweisen[3b], (vorwerfen[6a])	reprender[3b]
republic[3b]	république[2b]	Republik[3b]	república[2a]
resist[3b], (withstand[5a])	résister[2a]	widerstehen[3b], (widerstreben[5b])	resistir[2a]
revenge[3a], (vengeance[4a])	revanche[2b], (vengeance[5b])	Rache[3b]	venganza[2a]
sigh[2a] (n.)	soupir[2b]	Seufzer[4a]	suspiro[2b]
slant[4b], (tilt[6])	incliner[3b]	neigen[2a]	inclinar[1b]
slip[2a], (slide[3a]), (glide[3b])	glisser[2a]	gleiten[4b], (entfallen[5a])	deslizar[2b], (escurrir[4a]), (resbalar[4a])
smell[2a] (n.), (odor[3b])	odeur[2a], (senteur[4a])	Geruch[4a]	olor[2a], (olfato[7a])
solemn[3b]	solennel[2b] (solennellement[4a])	feierlich[3a], (festlich[5b])	solemne[2b]
splendor[3b] (brilliance)	splendeur[5a]	Glanz[2b]	esplendor[3a]
steep[2b] (adj.)	rapide[1b], (raide[3b]), (abrupt[5a])	steil[4a], (schroff[5b])	pendiente[3a], (pino[4a])
surface[2b]	surface[2b], (superficie[7a])	Oberfläche[4a]	superficie[2b]
suspect[3b], ([have] suspicion[5b])	soupçonner[2b], ([se] méfier[4a])	(im) Verdacht[3b] (haben)	sospechar[2a], ([tener] malicia[3a]), (desconfiar[4b])
sympathy[3b]	sympathie[2b], (sentiments [sentiment[1b]] sympathiques [sympathique[4a]])	Mitleid[3b], (Sympathie[4b])	simpatía[2b]
throughout[2b]	complètement[2a]	durchweg[4b]	(al) través[2a] (de) ....
transform[4b], convert[4b]	transformer[2a], (convertir[3b])	verwandeln[2a], (umwandeln[5b])	transformar[2b], (modular[6b])
treatment[3b]	traitement[4b]	Behandlung[2a]	tratamiento[4a]
vacant[3b]	vacant[6b]	frei[1a]	vacante[6b]
vast[2b], (extensive[5a])	vaste[1b]	weitgehend[4a], (weitläufig[5b])	amplio[3a], extenso[3a], vasto[3a]
vote[2b] (n.)	vote[6a]	Abstimmung[3b]	voto[2a]
wear[1b] (out), (worn[2b]) (e.g., clothes)	user[2b]	verbrauchen[5b], (ausnutzen[6a])	gastar[2b]
wool[2a], (of) wool[2a], (woolen[4b]), (yarn[5b])	laine[2b], (de) laine[2b]	Wolle[4b], (aus) Wolle[4b]	lana[2b], (de) lana[2b]
worry[3b] (n.)	inquiétude[2a], (anxiété[4a]), (émoi[6a])	Unruhe[3a]	afán[2a], ansia[2b], inquietud[2b], (zozobra[3b]), (ansiedad[4a])
wound[2a] (n.)	blessure[2b]	Wunde[4a]	herida[2a]

THE THIRD THOUSAND CONCEPTS Sec. 2.9

SECTION 2.9. CONCEPTS 2421 THROUGH 2527

E F G S	E F G S	E F G S	E F G S	E F G S	E F G S
1-1-5-4	1-5-3-8*	2-2-4-3	3-2-3-3	3-4-3-1	4-8*-1-1
1-2-5-3	1-5-4-4	2-3-4-2	3-3-2-6	3-5-1-8*	5-1 -1-4
1-3-5-2	1-6-4-3	2-4-4-1	3-3-3-2	4-2-2-3	5-2 -1-3
1-4-5-1	2-1-4-4	2-4-3-5	3-4-2-5	4-3-2-2	5-3 -1-2

English	French	German	Spanish
absent[3a] (mind)	absent[3b], (distrait[6a]) (distraitement[6a])	zerstreut (zerstreuen[3a])	distraído (distraer[2b])
adversary[5b]	adversaire[2b]	Gegner[1b]	adversario[3b]
agent[4b]	agent[2a], (facteur[3b])	Vertreter[2a], Anwalt[2b], (Agent[3b]), (Kommissionär[3b])	agente[3b], (casero[6b])
amount[1b] (to), (sum)	revenir[1a]	belaufen[5a]	sumar[4a]
(too) bad[1a]	dommage[3a], (regrettable[6b])	schade[5a]	lástima[2a]
bloody[3b]	sanglant[3b]	blutig[3a]	sangriento[2b]
blow[1a] (vb.), (blew[3a])	souffler[2a]	blasen[5a]	soplar[3a]
brilliant[4a]	éclatant[3a]	glänzend[2a]	brillante[2a], luminoso[2b], (resplandeciente[5b])
burst[2a] (of laughter)	éclat[1b]	Ausbruch[4a]	carcajada[4a]
bursting (burst[2a]), (explosion[8])	éclat[1b], (explosion[5a])	Ausbruch[4a], (Explosion[7a])	explosión[4a]
catholic (C)[4b]	catholique[3a]	katholisch[2b], (Katholik[5b])	católico[2b]
change[1a] (conversion)	change[4a], transformation[4a], (conversion[7a])	Umwandlung[5a], (Umgestaltung[6b])	cambio[1b], (mudanza[4b]), (transformación[5a])
charity[3a]	charité[3b]	Menschenliebe[3b]	caridad[2a], (beneficencia[7a])
charter[4b]	charte	Brief[1a]	carta[1a], (patente[4a]), (cédula[6a])
clear[1a] (up) (get lighter)	éclaircir[5a]	aufklären[4a], erhellen[4b]	aclarar[4b], despejar[4b], (esclarecer[5b])
clearly (clear[1a])	clairement[4b], ouvertement[4b], (manifestement[6a])	augenscheinlich[5b]	claramente (claro[1a]), (manifiestamente [manifiesto[4a]])
coarse[3a] (person), (vulgar[5b])	vulgaire[3b], (grossier[4b])	grob[3b]	ordinario[2a], vulgar[2b], (grosero[3a])
colony[2b]	colonie[2b]	Kolonie[4a]	colonia[3a]
column[3a] (military)	colonne[3a]	Kolonne[3a]	columna[2a]
community[4b] (of individuals)	commune[3a]	Gemeinde[1a], (Landgemeinde[3b]), (Kommune[4a])	comunidad[6a]
congress[2b]	congrès[3a]	Kongreß[4a]	congreso[2b]
connection[3b], (association[4b])	association[3a], (liaison[4a])	Zusammenhang[2a], (Umgang[3a])	enlace[6a]
conquer[2b]	conquérir[3a]	besiegen[4a], siegen[4a]	conquistar[2b]
cover[1a], (lid[4a])	couvercle[6a]	Deckel[4a], (Klappe[6a])	cubierta[3b]
credit[3a] (n.)	crédit[3b]	Kredit[3a], (Haben[5a])	crédito[2b]
crown[1b] (vb.)	couronner[3b]	krönen[5a]	coronar[2b]
cure[2b] (vb.), (heal[3a])	guérir[3a]	heilen[4a]	curar[2b], (sanar[6b])
(make) curious[3a]	intriguer[5a]	beschäftigen[1b]	intrigar

English	French	German	Spanish
cut[1a] (off), (isolated [isolate[6]])	isolé[2b] (isolément[4b])	vereinzelt[5b]	aislado (aislar[3a]), (retirado[4b])
darkness[2a], (gloom[4a])	obscurité[3a], (ténèbres[4b])	Dunkelheit[4a], Finsternis[4a], Dunkel[4b]	obscuridad[2a], (tiniebla[3a])
debate[3b], (discuss[4a]), (argue[5b])	discuter[2a], (débattre[4a])	erörtern[3b], (verhandeln[4a])	discutir[3b], (argüir[6b])
demand[1b] (supply and –)	demande[2b]	Nachfrage[5a]	demanda[3b]
disappoint[3b]	décevoir[4a]	täuschen[2b], (enttäuschen)	desengañar[5a]
discussion[5b]	discussion[2a]	Verhandlung[1b], (Diskussion[3b]), (Abhandlung[4b]), (Auseinandersetzung[6a])	discusión[3a]
domestic[3a] (pertaining to house)	domestique[2a]	häuslich[3b]	doméstico[3b]
dumb[3a], (mute[4a])	muet[3b]	stumm[3b]	mudo[2b]
duty[1b] (custom)	douane[5b]	Zoll[3a]	aduana
eleven[2b]	onze[2b]	elf[4b]	once[3*]
essential[5b], vital[5b]	indispensable[2b], (essentiel[3a]) (essentiellement[5b])	wesentlich[1a], (unentbehrlich[3b]), (unerläßlich[5b])	esencial[3a], indispensable[3a], (vital[4a]), (imprescindible[5b])
exalted (exalt[4b]), sublime[4b]	sublime[3a], (relevé[4b])	erhaben[2b]	sublime[2b], (exaltado [exaltar[3a]]), (excelso[6a])
excuse[2b] (n.)	excuse[2b]	Entschuldigung[4b]	excusa[3b], (disculpa[4a])
explanation[5b]	explication[3b]	Erklärung[1b], (Aufklärung[4a]), (Auslegung[5b]), (Deutung[6a])	explicación[2b]
fasten[2b], (attach[3b])	attacher[1b]	anknüpfen[4b]	trabar[4a]
fellow[1b] worker[3b], associate[3b]	collègue[3a], confrère[3b], (collaborateur[4b]), (adjoint[6b])	Kollege[2b], (Bundesgenosse[5a]), (Mitarbeiter[5b])	colega[6a]
final[2a]	décisif[3a], définitif[3a], final[3a]	definitiv[4b], endgültig[4b]	final[2a]
fit[1b] (vb.), (adapt[7])	adapter[3b], (ajuster[4b])	anpassen[5a]	ajustar[2b], (adaptar[4b])
float[2b] (in water), (drift[4a])	flotter[2b], (flottant[6a])	schwimmen[4a]	flotar[3a], (flotante[6a]) (adj.)
forty[2a]	quarante[2a], (quarantaine[6a])	vierzig[4b]	cuarenta[3*]
(have) fun[2a]	(s')amuser[3a], (se) distraire[3b], ([se] divertir[5b])	Spaß[4a] (haben), (sich) vergnügen[4a]	divertir[2a] (se)
funny[3a]	drôle[2b], (comique[3b])	komisch[3b]	cómico[3a]
grass[1b]	herbe[2a]	Gras[5a]	hierba[3b], (yerba[5b])
heir[3b]	héritier[3b]	Erbe[3a]	heredero[2b]
hers[5a]	(le) sien[2a]	ihre (ihr[1a])	suyo[3*]
household[3a]	ménage[2b]	Haushalt[3b], (Hauswesen[4a]), (Wirtschaft[4a])	establecimiento[3a]
included (include[2a])	compris[4a]	einschließlich[4b]	comprendido (comprender[1a]), (incluso [incluir[3a]])
instrument[3a]	instrument[3a], (ustensile[6a])	Instrument[3b], (Gerät[5b])	instrumento[2a]
joke[3b] (n.), (jest[4b])	plaisanterie[3b]	Witz[3a], (Scherz[4a]), (Spaß[4a])	broma[2b], (chiste[3b]), (chasco[4b]), (chanza[6a])

English	French	German	Spanish
knife[2a], (knives[6])	couteau[2b]	Messer[4b]	cuchillo[3a], (cuchilla[7a])
leave[1a] (of absence)	permission[3a], congé[3b]	Urlaub[5b]	licencia[2b], (permiso[3a])
liberal[4a]	libéral[3b]	nationalliberal[2a], (liberal[4b]), (Nationalliberale[4a]), (freisinnig[5b])	liberal[2b]
list[1b] (n.), (catalog[ue][5b])	liste[3a]	Liste[5a], Verzeichnis[5b]	lista[2b], (catálogo[5a])
literature[4b]	littérature[3a]	Literatur[2a]	literatura[2b]
(make[1a]) mad[2a], (crazy[5a]), (craze[5b])	rendre[1a] fou[2a], (affoler[3a]), (enrager[5a])	toll[4a] machen[1a]	trastornar[3a], (enloquecer[4b]), (enajenar[6a])
make[1a] (up for), (make amends [amend[4b]] for), (redress[6])	réparer[3a], (restituer[5b])	büßen[5a]	reparar[2a]
mamma[3a]	maman[2a]	Mama[3b]	mamá[3b]
(good) manners (manner[1b])	politesse[2b]	Höflichkeit[5b]	cortesía[3a], (corrección[4b]), (urbanidad[5b])
manufacture[2b] (n.)	fabrication[4b]	Herstellung[3a], (Fabrikation[4b]), (Erzeugung[5b])	fabricación[5a]
miracle[4a]	miracle[3a]	Wunder[2a]	milagro[2b]
mortal[2b], (fatal[3b]), (deadly[4a])	fatal[3a], mortel[3b] (fatalement[6a])	tödlich[4b], (verderblich[5a]), (verhängnisvoll[5a])	mortal[2a], fatal[2b]
murmur[2a] (vb.), (mutter[4b])	murmurer[3a], (grogner[5a])	murmeln[4b]	murmurar[2a]
neighborhood[3a], (vicinity[6]), (surroundings[8])	voisinage[3a], (alentours [les][5a])	Umgebung[3a], (Nachbarschaft[5b]), (Umgegend[6a])	alrededores[2a], (proximidad[4a]), (inmediación[4b]), (vecindad[4b]), (vecindario[6a]), (cercanía[6b])
novel[4b] (n.)	roman[3a]	Roman[2b], (Novelle[4b])	novela[2b]
office[1b] (place), (bureau[3b])	bureau[2a], cabinet[2a]	Bureau[5a]	despacho[3a], (oficina[4a])
path[1b], (lane[3a]), (pathway[6])	allée[2b], sentier[2b]	Pfad[5a]	senda[3b], sendero[3b]
pause[3b] (n.)	cesse[2b], (arrêt[3a])	Pause[3b]	pausa[3a]
peaceful[3b], pacific[3b], (peaceable[6])	paisible[3a], (pacifique[4b]) (paisiblement[4a])	friedlich[3a], (ungestört[6a])	pacífico[2b], (apacible[3a])
pearl[2b]	perle[3b]	Perle[4b]	perla[2b]
pious[4b], (devout[6])	pieux[3a], (dévot[4b]), (pratiquant [adj.][5b])	fromm[2b]	piadoso[2b], (devoto[3a]), (pío[6a])
pledge[3b] (n.), (guarantee[5a])	garantie (n.)[4a], gage[4b]	Deckung[2b], (Garantie[4a]), (Sicherung[4b]), (Bürgschaft[6a]), (Pfand[6a])	abono[5a], garantía[5a]
princess[3a]	princesse[4b]	Fürstin[3a], Prinzessin[3b]	princesa (príncipe[1b])
profession[4b] (occupational)	profession[3b]	Beruf[2b]	profesión[2b]
provided (provide[2a]) (that)	pourvu que[3b]	vorausgesetzt[4b] (daß)	provisto (proveer[2b]) (que)
question[1b] (vb.)	interroger[2a], (questionner[4a])	befragen[5b]	interrogar[3b]
(get) rid[3a] (of)	(se) débarasser[3a]	(sich) befreien[2a]	desembarazar[6a] (se)

SEMANTIC FREQUENCY LIST

English	French	German	Spanish
ring[1b], (echo[2b]), (resound[5a])	retentir[2b], (résonner[4b])	ertönen[5b]	resonar[3a], (retumbar[5a]), (repercutir[6b])
ripe[2b], (mature[4a]), (mellow[5a])	mûr(-e)[2b]	reif[4a]	(en) sazón[3a], (maduro[4b])
rock[1a] (vb.)	bercer[5a]	wiegen[4a]	mecer[4a]
sailor[2b], (seamen[5b]), (marine[6])	marin[3b], (matelot[5b])	Schiffer[4a]	marinero[2b], (marino[3a])
saying (say[1a]), saw[1a]	proverbe[6b]	Spruch[4b]	refrán[3b]
scorn[3a] (vb.), despise[3a]	mépriser[3b], (dédaigner[5a])	verachten[3b], (verschmähen[5a])	despreciar[2a], (desdeñar[3b]), (desairar[5b])
shade[1b], (hue[5a]), (tint[6])	nuance[2b], (teinte[4a])	Färbung[5b]	matiz[3a], (tinte[6a])
silk[1b] (n.)	soie[3a]	Seide[5a]	seda[2b]
stable[2b] (adj.), (motionless[7])	immobile[2a]	stet[4a], (unbeweglich[6a])	inmóvil[3a], (estable)
stale[4b] (e.g., bread)	rassis	alt[1a]	duro[1a]
stature[5a]	taille[1b]	Gestalt[1b]	estatura[4a], (talla[7a])
strip[2a] (n.)	bande[2a]	Strich[4b], (Streifen[6b])	cinta[3b], (faja[4b]), (tira[6b])
suspect[3b] (have a presentiment)	se douter[3a] (de)	ahnen[2b]	recelar[6a], (barruntar[7a])
use[1a] (up), (consume[4a])	consommer[3a]	verbrauchen[5b]	consumir[2a]
virgin[3b] (n.)	vierge[3a]	Jungfrau[3b]	virgen[2a]
visible[4b]	visible[2b] (visiblement[6a])	sichtbar[2b], (bemerkbar[5b]), (sichtlich[6b])	visible[3b]
volume[3a] (book)	volume[3a]	Band[3a]	volumen[2b], (tomo[4a])
vulgar[5b]	vulgaire[3b]	gemein[1a]	vulgar[2b]
wave[1b] (n.), (roller[5a]), (billow[5a]), (ripple[5a]), (surge[6])	flot[3a], vague[3a]	Welle[5a]	ola[2b], (onda[3a]), (oleaje[6b])
weakness[3a], (frailty[6]), (infirmity[6])	faiblesse[2b]	Schwäche[3a], (Schwachheit[6b])	flaqueza[3b], (debilidad[4a])
wet[2a] (adj.)	mouillé (mouiller[2b])	naß[4b]	mojado (mojar[3a])
wet[2a] (vb.)	mouiller[2b]	naß[4b] machen[1a]	mojar[3a]
(to be) willing[2b], (fain[6])	vouloir[1a] bien[1a]	willig[4a] (sein), (bereitwillig[6b])	(ser) (estar) gustoso[4a]

SECTION 3. CONCEPTS 2528 THROUGH 2650

E F G S	E F G S	E F G S	E F G S	E F G S	E F G S	E F G S	E F G S	E F G S
1–1–5–5	1–4–4–6	1–8*–3–6	2–3–4–3	2–5 –4–1	3–1–4–1	3–5–2–5	4–2 –2–4	5–2–1–4
1–1–6–1	1–4–5–2	2–1 –4–5	2–4–3–6	2–6 –3–4	3–2–3–4	3–6–1–8*	4–3 –2–3	5–3–1–3
1–2–5–4	1–5–4–5	2–1 –5–1	2–4–4–2	2–8*–3–2	3–3–3–3	3–6–2–4	4–4 –2–2	5–4–1–2
1–3–5–3	1–6–4–4	2–2 –4–4	2–5–3–5	3–1 –3–5	3–4–3–2	4–1–3–1	4–8*–1–2	5–5–1–1
							5–1 –2–1	6–1–1–1

English	French	German	Spanish
(be) absorbed (absorb[5b]) (in work, etc.)	absorber[2b]	(in) Anspruch[1b] (nehmen), (vertiefen[5a])	absorto[4a], (embeber[6b])
advantage[2a] (to have the –) (in height, etc.)	dépasser[1b]	übertreffen[4a]	aventajar[5a]
air[1a] (n.), (tune[3a]), (melody[4b])	air[1a]	Melodie[5b]	melodía[5b], (tonada[6b])

English	French	German	Spanish
air[1a] (*adj.*)	aérien[4a]	Luft-[4a]	aéreo[6b]
(fit of) anger[2a]	accès[3a] (de) colère[1b]	Ausbruch[4a] von[1a] Wut[3b]	arranque[3b], (arrebato[5b])
apparent[4b]	apparent[3b]	scheinbar[2b], (anscheinend[4b])	aparente[3a]
appearance[2b] (coming into view)	apparition[3b]	Erscheinen[4b]	aparición[3a]
(be) ashamed[2b]	(avoir) honte[3a], (être) honteux[3a]	sich[1a] schämen[4a]	avergonzado (avergonzar[3a])
associate[3b] (*vb.*)	(s')associer[2a], (fréquenter[4b])	verkehren[3a]	asociar[4b]
audience[3b] (member of), (spectator[6])	spectateur[3b]	Zuschauer[3a], (Anwesende[6a])	espectador[3b], (circunstante[4a])
bag[1b], (sack[2b]), (pouch[6])	sac[2a], (bourse[3b])	Sack[5b], (Beutel[6b])	saco[4a], maleta[4b], (alforja[5a] [saddle-])
ball[1a] (dance)	bal[4a]	Ball[5a]	baile[2b]
basin[3b] (of river)	bassin[5a]	Bett[2a]	cuenca[5b], (cauce[6b])
bloom[2b] (*vb.*), blossom[2a]	fleurir[3a], (s')épanouir[3b]	blühen[4a]	florecer[3a]
(on) board[1b], (aboard[4b])	(à) bord[1a]	(an) Bord[5a]	(a) bordo[5b]
breakfast[1b] (*n.*)	déjeuner (*n.*)[2a]	Frühstück[5b]	desayuno[4b]
burst[2a] (out laughing)	éclater[1b]	anschlagen[5b]	echar[1a] (se), romper[1a] (a reír)
capacity[3b]	capacité[3b], (contenance[6b])	Gehalt[3a]	capacidad[3b]
carriage[2a], (bearing[8])	tournure[5a], pose[5b]	Haltung[3a]	porte[5a]
cave[2b], (cavern[6])	cave[3a]	Höhle[4b]	cueva[3b], (caverna[5b])
characteristic[5b] (*n.*), attribute[5b]	caractéristique[4b], (attribut[6a]), (propre [*n.*][6a])	Eigenschaft[1b], (Grundzug[3a]), (Eigentümlichkeit[4a]), (Eigenart[5b])	rasgo[2b], (atributo[5a]), (característica[5b])
charge[1b] (a price)	demander[1a]	anrechnen[6b]	cobrar[1b]
class[1b], (group[2b])	catégorie[3b]	Kategorie[5a]	categoría[3b]
cleaning (*n.*) (clean[1b])	nettoyage[6b]	Reinigung[4b]	limpieza[4a]
committee[3b]	comité[3a]	Kreisausschuß[3b], (Ausschuß[4a]), (Kommittee[5b])	comisión[3a], junta[3b]
conclusion[4b]	conclusion[3b]	Abschluß[2b]	conclusión[3a]
conference[4b]	conférence[3a]	Beratung[2a], (Unterredung[4b]), (Konferenz[5a]), (Unterhandlung[5b])	conferencia[3a], (consulta[6b])
consult[3b], (confer[4a]), (commune[6])	consulter[3a]	besprechen[3a]	consultar[3a]
copper[2b]	cuivre[2b]	Kupfer[4b]	cobre[4b]
creep[2b], (crept[3b]), (crawl[3b])	ramper[5a]	schleichen[4a], (kriechen[6a])	arrastrar[1b] se
crush[2b]	écraser[2b], (broyer[4b])	zerbrechen[4b], (zerschlagen[6b])	abrumar[4b], aplastar[4b], machacar[4b]
dealing[5a], (negotiation[7])	négociation[5a]	Verhandlung[1b]	trato[1b], (negociación[7b])
debate[3b], argument[3b]	argument[3a], (différend[5b]), (débat[6a])	Erörterung[3a], (Debatte[4a])	argumento[3b], (debate[6b])
decree[3b] (*vb.*)	arrêter[1a]	verfügen[3a]	decretar[5a]
demand[1b], (requirement[6]), (requisite[6])	exigence[5b]	Erfordernis[4a]	exigencia[5a]

English	French	German	Spanish
despair[3a] (n.)	désespoir[3a]	Verzweiflung[3a]	desesperación[3b]
discovery[3b]	découverte[3b]	Entdeckung[3a]	descubrimiento[3b]
display[3a] (vb.), (exhibit[4b])	étaler[3b]	ausstellen[3b], (aufweisen[4a])	desplegar[3a], (exhibir[5a])
disposed (dispose[2b]) (well- or ill-)	disposé (disposer[1a])	gesinnt[5b]	dispuesto (disponer[1a])
draft[3a] (sketch), (draught[4a])	brouillon[6b]	Entwurf[1b]	borrador
drinking (drink[1a]) (act of)	boire[1b]	Trinken[6b]	beber[1a]
elect[2a]	élire[4a], (élu[6a])	erwählen[4b]	elegir[2a]
electric[3a], (electrical[6])	électrique[3b]	elektrisch[3b]	eléctrico[3a]
embrace[3a] (vb.)	embrasser[1b]	umarmen[4a]	abrazar[1b]
endless[3b]	interminable[6b]	unendlich[2a], (endlos[6b])	interminable[4a]
errand[4a]	commission[3a]	Auftrag[2a]	recado[3b], (embajada[5b])
exclusively (exclusive[4b])	exclusivement[4a]	ausschließlich[2a]	exclusivamente (exclusivo[2b])
extol[5b]	préconiser[4b]	erheben[1a], (preisen[3a])	alabar[2b], (ensalzar[4a])
flatter[3a]	flatter[3a]	schmeicheln[3b]	halagar[3a], (adular[7a]), lisonjero[3b] (flattering)
fleet[2b] (n.)	flotte[6b]	Flotte[3b]	escuadra[4a], (armada[6b]), (flota[6b])
flow[1a] into[1a] (crowd, produce, river)	affluer	strömen[3a]	afluir[6b]
get[1a] up[1a] (rise[1b]) early[1a]	se lever[6a] tôt[1a], (de bonne heure)	früh[1a] aufstehen[4b]	madrugar[4a]
glow[2b], (luster[re][4b]), (brightness[5a])	brillant[2a]	Glut[4b]	fulgor[4b]
(with one's own) hand[1a]	(de sa propre) main[1a]	eigenhändig[6b]	(de propia) mano[1a]
(learn by) heart[1a]	(par) cœur[1a]	auswendig[6b]	(de) memoria[1a]
hell[3b]	enfer[4a]	Hölle[3b]	infierno[2a]
henceforth[3a]	dès[1a] maintenant[1a]	fortan[4b]	(de) ahora[1a] (en) adelante[1b]
hollow[2a] (adj.)	creux[3a]	hohl[4a]	hueco[3a]
(get) ill[1b]	(tomber) malade[1b]	erkranken[5b]	enfermar[5b], (adolecer[6b])
impose[4a]	imposer[1b]	auferlegen[3b]	imponer (+impuesto)[1b]
(well) informed (inform[2b])	(au) courant[1a], (s'y) connaître[1a]	geläufig[6b] (sein)	(al) corriente[1b]
(person) interested (interest[1b]), (concerned [concern[2b]])	intéressé (n.)[4a]	Interessent[5b]	interesado (interesar[2a])
invest[5a] (money)	placer[1b]	anlegen[2a]	colocar[1a] (dinero)
lawful[5b], legal[5b], (legitimate[7])	légitime[3a]	gesetzlich[1b], (gerichtlich[4b]), (gültig[4b]), (rechtmäßig[6b])	legítimo[3a], (legal[4b]), (lícito[4b])
lawyer[3b]	avocat[3a], (avoué [n.][6b])	Jurist[3b], (Advokat[5b])	abogado[3b]
(tell) lie[1b]	mentir[4a]	lügen[5a]	mentir[2a]
lunch[3b] (vb.)	déjeuner[3b]	zu[1a] Mittag[3a] essen[2b]	almorzar[3b]
magazine[4b]	revue[3b]	Zeitschrift[2b], (Wochenblatt[6b])	revista[3a]
manufacture[2b] (vb.)	fabriquer[3b]	anfertigen[4a], fertigen[4a], (verfertigen[6a])	fabricar[3b], (elaborar[6b])

English	French	German	Spanish
message[2a], (communication[4b])	communication[3a], (message[6b])	Botschaft[4b]	recado[3b]
mill[1b]	moulin[4a]	Mühle[5b]	molino[2b]
moderate[3a] (*adj.*)	modéré (modérer[3b])	mäßig[3a], (gemäßigt[6b])	moderado (moderar[3b]), (mediano[4a])
nail[2a] (*n.*), (tack[6])	clou[3b]	Nagel[4a]	clavo[3b]
nightly[6]	chaque[1a] nuit[1a], (toutes les nuits)	jede (jeder[1a]) Nacht[1a]	cada[1a] noche[1a], (todas las noches)
nought[5a]	néant[5a]	nichts[1a]	nada[1a]
object[1b] (grammatical)	complément[6b]	Objekt[4a]	complemento[4b]
opposition[4b]	opposition[3b]	Widerspruch[2a], Widerstand[2a], (Opposition[5a])	oposición[3b]
outlet[4b]	débouché	Absatz[1b]	salida[2a], (desembocadura)
outstretched (outstretch[6]) (arms)	(à bras) ouverts (ouvert[1b])	offen[1b]	(con brazos) abiertos (abrir[1a])
painter[3b]	peintre[3a]	Maler[3a]	pintor[3b]
performance[4b] (fulfilment)	exécution[3a]	Leistung[2a], (Durchführung[3a])	ejecución[3b]
post[1b] (*adj.*), (postal[5b])	postal[5b]	Post-[4b]	postal[5a]
post[1b] (*n.*), (pole[2a])	poteau[4b]	Stange[5a]	palo[2b], (estaca[5b])
(Great [great[1a]]) Power (power[1a])	puissance[1b]	Großmacht[6a]	poder[1b], (potencia[2b])
preach[2b]	prêcher[4a]	predigen[4a]	predicar[2b]
preparation[3b]	préparation[2a], (préparatifs [préparatif[4b]]), (apprêt[6b])	Vorbereitung[3a], (Bereitung[6b])	preparación[4a], (preparativo[5a]), (adobo[7b]) (of food)
preserve[2a] (*vb.*)	conserver[1b], (préserver[5b])	aufbewahren[4a], (verwahren[6a])	preservar[5a], (conserva[6a])
private[2a], privy[2b]	particulier[1b], (privé[3b])	privat[5b]	particular[1b], (privado [privar[2a]])
put[1a] over[1a], lay[1a] on[1a] (top)	superposer[5b]	auflegen[4b]	sobreponer[5a]
reader[4b] (person)	lecteur(-trice)[4b]	Leser[2a]	lector[2a]
reason[1a] (*vb.*)	raisonner[4b]	urteilen[4a]	razonar[6a]
register[3a] (*vb.*), (enroll[6])	enregistrer[3b]	eintragen[3b], (verzeichnen[4b]), (anmelden[5a])	registrar[3b]
retire[2b] (*intr. vb.*), (withdraw[3a])	se[1a] retirer[1a], (se replier[4a])	abtreten[5b], (zurückweichen[6b])	retirar[1a] se
rough[2a] (to touch)	rude[2a] (rudement[4a])	rauh[4a]	áspero[4a]
Russia(n)[3a]	russe[5b]	russisch[2a], (Russe[5b])	ruso[5b]
sail[1a] (*vb.*), (embark[6])	embarquer[3a]	an[1a] Bord[5a] gehen[1a]	embarcar[3a]
sea[1a] (*adj.*)	maritime[5b]	See-[4b]	marítimo[5a]
sheep[1b], (ram[4a]), (ewe[4b])	mouton[3a]	Schaf[5b]	carnero[3b], oveja[3b]
shipping (ship[1a])	navigation[5b]	Schiffahrt[4b], (Binnenschiffahrt[6b])	marina[5a], navegación[5a]
skill[3a], (craft[5a]), (prowess[6])	adresse[2a]	Geschick[3a], (Geschicklichkeit[4b]), (Fertigkeit[5b]), (Gewandtheit[6b])	tino[4a], maña[4b], (destreza[5b])

English	French	German	Spanish
somewhere[3b], (anywhere[4b])	quelque[1a] part[1a]	irgendwo[4b]	en[1a] alguna (algún[1a]) parte[1a]
spare[2a] (in reserve)	(de, en) réserve[3a]	in[1a] Vorrat[4a]	(de) sobra[3a]
spite[2a] (n.)	rancune[3b]	Trotz[4a]	rencor[3b]
stage[3a] (theatre)	scène[1b]	Bühne[3a]	escenario[5a], (tablado[6b])
standard[2b] (adj.)	(d')étalon	maßgebend[3a]	tipo[2a]
statesman[3b]	(homme d')État (état[1a])	Staatsmann[4a]	(hombre de) Estado (estado[1a])
(of) stone[1a]	(de, en) pierre[1b]	steinern[6a]	(de) piedra[1a]
strike[1b] (n.) (stopping work)	grève[4a]	Streik[4b], (Ausstand[6a])	huelga[6b]
subtle[5b]	subtil[4a]	fein[1b]	sutil[2b]
successive[5b]	successif[4b] (successivement[3b])	einander[1a] folgend[1a]	sucesivo[2b]
supply[1b] later (late[1a])	fournir[1b] plus tard	nachliefern[5a]	suministrar[5b] posteriormente (posterior[4b])
swing[2b] (vb.), (sway[3a])	balancer[2b], (osciller[6a])	schwingen[4b]	mecer[4a]
temperature[3b]	température[3a]	Temperatur[3a]	temperatura[3a]
tool[2b], (implement[5a])	outil[4b]	Werkzeug[3b]	herramienta[6a]
torrent[4b]	torrent[2b]	Strom[2b], (Guß[3b])	torrente[4b], (raudal[5a])
turn[1a], (revolution[4a])	tour (m.)[1a], (révolution[2a])	Drehung[6b]	vuelta[1b], (giro[2b]), (revolución[2b])
turn[1a] away[1a]	détourner[2a], (dévier[5a])	abwenden[5b]	desviar[4b]
upstairs[5b]	en[1a] haut (n.)[5b]	oben[1a]	arriba[1b]
(for) want[1a] of	(à) défaut[1b] de, (faute de[3b])	mangels[6a]	(a) falta[1a] de
want[1a] (n.), (scarcity[8])	défaut[1b], (manque[3b])	Ermangelung[6b]	falta[1a], (escasez[4b])
widow[3b]	veuve[4a]	Witwe[3a]	viuda (viudo[2a])
workmanship[6]	travail[1a], art[1b] (de) travailler[1a]	Arbeit[1a]	(el) trabajo[1a]
(make) worse[2a], (aggravate[6])	aggraver[5a]	erschweren[3b]	agraviar[5b]

SECTION 3.1. CONCEPTS 2651 THROUGH 2739

E F G S	E F G S	E F G S	E F G S	E F G S	E F G S	E F G S	E F G S	E F G S
1-1-5-6	1-4-5-3	1-8*-4-3	2-4 -4-3	3-1-4-2	3-5-3-2	4-2-2-5	4-5 -2-2	5-1-2-2
1-1-6-2	1-5-5-2	2-2 -4-5	2-5 -3-6	3-2-4-1	3-6-2-5	4-2-3-1	4-6 -1-5	5-2-2-1
1-2-6-1	1-5-4-6	2-2 -5-1	2-5 -4-2	3-3-3-4	3-6-3-1	4-3-2-4	4-6 -2-1	5-3-1-4
1-3-5-4	1-6-4-5	2-3 -4-4	2-8*-3-3	3-4-3-3	4-1-3-2	4-4-2-3	4-8*-1-3	5-4-1-3
								6-1-1-2

English	French	German	Spanish
accused (accuse[3b]) (n.)	accusé[5b], (inculpé[6a])	Angeklagte[3a]	acusado (acusar[2b])
addition[2b] (not mathematical)	addition[5b], (accroissement[6a])	Zusatz[3a], (Anschluß[4a]), (Zuschlag[5a]), (Beilage[6a])	añadidura[6a]
admirable[5b]	admirable[1b] (admirablement[4b])	vortrefflich[2b], wunderbar[2b]	admirable[2a]

THE THIRD THOUSAND CONCEPTS   Sec. 3.1   101

English	French	German	Spanish
agreement[4b] (state)	accord[1b], (entente[4b])	Übereinstimmung[3a], (Verständigung[4b]), (Vereinbarung[5a]), (Einverständnis[5b]), (Abkommen[6a]), (Abrede[6a]), (Verabredung[6b])	acuerdo[2a], (solidaridad[6a])
aside[3a]	(à l')écart[2b]	seitwärts[4a], (beiseite)	(a un) lado[1a]
attract[3b], (entice[4b]), (allure[5b]), (lure[5b])	attirer[1b], tenter[1b], (séduire[4b]), (captiver[7a])	locken[4a]	atraer[2b], (cautivar[4b]), (seducir[4b])
avenue[2b]	allée[2b], (avenue[3a]), (boulevard[3b])	Chaußee[4b]	avenida[5b]
battery[4b] (military)	batterie[6a]	Batterie[1b]	batería[5b]
blind[1b], (shutter[6])	volet[5a]	Laden[4b]	celosía[6b]
boil[2a] (vb.)	bouillir[5a]	kochen[4a]	hervir[2a]
bury[2a]	enterrer[4a], (enfouir[7a])	begraben[4a]	enterrar[3b], (sepultar[4a])
cheat[4a]	tricher[6b]	betrügen[2b]	engañar[1b], ([hacer] trampa[7a])
clasp[3a], (hug[5b])	serrer[1b], (étreindre[4a]), (resserrer[5b])	umarmen[4a], (klammern[6b] [an])	estrechar[2b], (abarcar[4a])
confound[4b], confuse[4b]	confondre[2a], rendre[1a] confus[2a], (déconcerter[3b])	verwirren[3b]	confundir[1b], corrido (correr[1a])
contrast[4b] (n.)	contraste[3b]	Gegensatz[2a], (Kontrast[6b])	contraste[4b]
cut[1a] (off), (isolate[6])	isoler[4a]	absondern[5a], (isolieren[6a])	aislar[3a]
dance[1b] (n.)	danse[5a]	Tanz[5a]	baile[2b], (danza[4a]), (jota[6b]), (tango[6b]), ([baile] flamenco[6a])
den[3a]	repaire[6b]	Bau[2b], (Höhle[4b])	guarida[5a]
departure[5b]	départ[1b]	Abschied[2b], (Abzug[3a]), (Abreise[4b]), (Auszug[5b]), (Fortgang[5a]), (Abgang[6b]), (Abmarsch[6b])	partida[2a], salida[2a], (ida[6a])
description[3b]	description[4a]	Schilderung[3a], Beschreibung[3b], (Charakteristik[6a])	descripción[3b]
design[3a] (n.)	dessin[3a]	Zeichnung[3a]	designio[4b]
dine[2b]	dîner[2a]	speisen[5a]	comer[1a]
dominion[4b] (possession, title)	empire[3a]	Herrschaft[2a]	señorío[4b]
drive[1a] back[1a], (push[2a]), (repel[7])	repousser[1b]	zurückdrängen[6a]	rechazar[2b]
earthly[3b]	terrestre[5a]	irdisch[3a], (zeitlich[6a])	terreno[2a], (terrestre[6b])
employee[4b]	employé(-e)[3a]	Beamte[2a], (Handlungsgehilfe[5b])	empleado[4a]
encounter[3b] (n.) (friendly)	rencontre[1b]	Treffen[4b], (Zusammenkunft[5a])	encuentro[2a]
envy[3a] (n.)	envie[1b]	Neid[4b]	envidia[2b]
etc.[4b]	etc.	(und so) weiter (weit[1a])	etcétera[3b]
expedition[4a], campaign[4b], (crusade[8])	campagne[1a], (expédition[3a])	Feldzug[3a]	campaña[2a], (expedición[4b]), (cruzada[5b])
failure[5a]	échec[3b]	Fall[1a]	fracaso[4a]
fun[2a], (chaff[5a]), (mockery[6])	raillerie[5a], (moquerie[6b])	Spott[4b]	burla[2a]

English	French	German	Spanish
governor[2a], (ruler[3a])	gouverneur[4a]	Herrscher[4a], (Statthalter[5a]), (Gouverneur[6b])	gobernador[3a], (gobernante[5a])
handle[2a] (*n.*)	poignée[3b], (manche [*m.*][5a]), (anse[6b])	Heft[4a], (Griff[5b])	puño[4b], (mango[6b])
harmony[3b], (accord[4a])	accord[1b], (harmonie[4b])	Harmonie[4b], (Einklang[5a])	armonía[2b], (harmonía[6b])
(state of) health[1b]	(état de) santé[2a]	Befinden[6b]	(estado de) salud[1b]
illustrious[5b]	illustre[2b]	berühmt[2a]	ilustre[1b]
Indian[1b]	indien, hindou	indisch[4b]	indio[3a], (indiano[5a])
indoors[6]	(à la) maison[1a], (dedans[2b])	(im) Hause (Haus[1a])	adentro[2b], bajo[1a] techo[2b]
inspire[4b]	inspirer[2a]	begeistern[3b], (einflößen[5b])	inspirar[1b], (infundir[3b])
jewel[3a], (jewelry[4b])	bijou[4a], (joyau[6a])	Schmuck[3b]	alhaja[3b], (dije[6a]), (pedrería[6a])
lend[3a], (lent[4b])	prêter[2a]	leihen[4b]	prestar[1b]
look[1a] (over), (review[2b])	revoir[1b], (repasser[4a])	durchgehen[5b]	repasar[6b]
male[3b]	mâle[5a]	männlich[3b]	varón[2a], (macho[5a])
manifest[4a] (*vb.*)	manifester[6a]	ausdrücken[2b]	manifestar[1b]
martyr[4b]	martyr[3b]	Opfer[2a]	mártir[4a]
minute[1b] (*adj.*)	minutieux[4a], (menu[6a])	umständlich[5b]	minucioso[3b]
mist[3a], (fog[4a])	brouillard[3b], brume[3b]	Nebel[3a]	niebla[4a], (bruma[5a])
morning[1a] (*adj.*)	matinal[5b]	Morgen-[4a]	matinal[6a]
mould[4a] (*n.*) (form)	moule	Form[1a]	molde[3b]
mourning (mourn[2b])	deuil[3a]	Trauer[4b]	luto[4a]
mutual[4b]	réciproque[5a]	gegenseitig[2b], (beiderseitig[5a]), (untereinander[5b])	mutuo[2b], (recíproco[6a])
nail[2a] (finger)	ongle[4b]	Nagel[4a]	uña[3b]
net[2b] (*n.*)	filet[4a], (réseau[6a])	Netz[4a]	red[3a], (malla[5b])
oak[1b]	chêne[3b]	Eiche[5b]	encina[4b], (roble[6a])
overthrow[4a]	renverser[2a]	stürzen[2b]	volcar[5a]
performance[4b] (theatre)	représentation[4a]	Vorstellung[2a]	representación[3a]
pierce[3b]	percer[2b], (trouer[4b])	durchbrechen[4b], (durchbohren[6a]), (durchschlagen[6b])	atravesar[1b], (calar[3a]), (agujerear[6a])
poison[3a] (*n.*)	poison[4b], (venin[6b])	Gift[3b]	veneno[3b]
prophet[3a]	prophète[4b]	Prophet[3b]	profeta[3b]
proposition[5b]	proposition[3a]	Antrag[1a]	proposición[4a], (propuesta[6a])
reality[5b]	réalité[2a]	Wirklichkeit[2a]	realidad[1b]
reel[3b], (stagger[4a]), (totter[6])	chanceler[4b], vaciller[4b], (osciller[6a])	schwanken[3a]	vacilar[3a]
refer[3b] (to), (allude[7])	(faire) allusion[3a] (à)	verweisen[3b]	aludir[4b], (referente[5b])
renounce[4b]	renoncer[1b], (abdiquer[7a])	verzichten[3a], (entsagen[4a]), (Verzicht[5b] leisten[1b])	renunciar[2b]
required (require[1b]), (compulsory[8])	obligatoire[5b]	obligatorisch[5a], (verbindlich[6a])	forzoso[2b], (obligatorio[7a])
ribbon[2b], (tape[6])	ruban[4a]	Band[4a]	cinta[3b]
run[1a] through[1a]	parcourir[2a]	durchlaufen[6a]	recorrer[1b]

English	French	German	Spanish
settle[1b] (down), (alight[5b])	(se) poser[1a]	niederlassen[5a]	posar[6a] se
soften[4b]	attendrir[3a]	weich[2b] machen[1a]	ablandar[4a], suavizar[4b]
speaker[3b], (orator[6])	orateur[4a]	Redner[3a], Vorredner[3a], (Referent[4b])	orador[3b]
staff[3b] (military)	état-major[6a]	Generalstab[3a]	estado[1a] mayor[1a]
stamp[2a] (n.)	timbre[4a]	Stempel[4a], (Gepräge[6b])	sello[3a], estampa[3b], (timbre[5a])
(gold) standard[2b]	étalon (or)	Goldwährung[3b]	patrón[3a] oro[1a]
steel[2a]	acier[4b]	Stahl[4b]	acero[3a]
stop[1a] up[1a] (obstruct)	obstruer[6a], boucher (vb.)[6b]	hemmen[4a]	tupir[5a]
stray[3b] (vb.)	égarer[3b]	verfahren[3a], (verlaufen[5a])	extraviar[4b]
student[2b]	étudiant[4a]	Student[4b]	estudiante[3b]
succession[5b]	succession[4b]	Folge[1a]	sucesión[3b]
summing (sum[2a]) (up) (n.), (summary[9])	résumé[4b], (sommaire[5b])	Wiederholung[4b]	resumen[3b], (compendio[6b])
testimony[4b]	témoignage[4a]	Zeugnis[2a]	testimonio[3a]
text[3b]	texte[3a]	Text[3a], (Wortlaut[5a])	texto[4b]
torment[3b] (vb.), (harrow[6])	tourmenter[4a], (harasser[6b])	quälen[3b], (plagen[6a])	atormentar[3b]
train[1a] (military) (of baggage)	train[1b]	Train[6a]	tren[2b]
triumph[3b] (n.)	triomphe[2b]	Triumph[4a]	triunfo[1b]
uniform[3a] (adj.)	uniforme[3b]	einheitlich[3b]	uniforme[4a]
whisper[2a] (vb.)	chuchoter[5b]	flüstern[4a]	murmurar[2a], (susurrar[6b])
will[1a] (n.), (testament [T])[7]	testament[6a]	Testament[4a]	testamento[5b]
wrong[1a] (n.), (injury[4a])	tort[1b]	Unrecht[5a]	sinrazón[6b]

SECTION 3.2.   CONCEPTS 2740 THROUGH 2846

E F G S	E F G S	E F G S	E F G S	E F G S	E F G S	E F G S	E F G S
1-1-6-3	1-6-5-2	2-3-4-5	2-5-4-3	3-2-4-2	3-5-3-3	4-3-2-5	5-1-2-3
1-2-6-2	2-1-5-3	2-3-5-1	2-6-3-6	3-3-3-5	3-6-3-2	4-3-3-1	5-2-2-2
1-3-6-1	2-2-4-6	2-4-3-8*	3-1-4-3	3-3-4-1	4-1-3-3	4-4-2-4	5-6-1-2
1-4-5-4	2-2-5-2	2-4-4-4	3-2-3-6	3-4-3-4	4-2-3-2	4-5-2-3	6-2-1-2

English	French	German	Spanish
ability[4b], (faculty[5a])	adresse[2a], faculté[2b], (habileté[4a]), (aptitude[4b])	Fähigkeit[3a], (Veranlagung[5a])	facultad[2a], habilidad[2b], (acierto[3b]), (aptitud[5a])
absence[3b]	absence[2b]	Abwesenheit[4b]	ausencia[2a]
affect[3a]	affecter[2b], (impressionner[4b])	einwirken[4a]	afectar[2b], (impresionar[5a])
aim[2b] (vb.) (point gun)	viser[2b], (pointer[5a]), (braquer[6a])	zielen[5b]	apuntar[2b]
arrow[2b], (shaft[4a])	flèche[4a]	Pfeil[4a]	flecha[4a], (dardo[5b]), (saeta[6a])
artificial[4b]	artificiel[4b], (factice[6b])	künstlich[2b]	artificial[4b], (postizo[6b])
(on the) average[3a]	(en) moyenne[3b]	(im) Durchschnitt[4a], durchschnittlich[4a]	medio[1a], (media[3b]), (promedio[7b])
balance[2b] (vb.)	balancer[2b], (équilibrer[5a])	ausgleichen[4a], (Bilanz[6b] ziehen[1a])	balancear[6a]
bead[3b]	perle[3b]	Perle[4b]	cuenta[1a]

English	French	German	Spanish
beard[2b]	barbe[2b]	Bart[5b]	barba[2a]
blame[2a] (n.)	critique (f.)[3b]	Tadel[5a]	culpa[1b], (censura[5a])
care[1a], charge[1b], (supervision[9])	surveillance[4a], (vigilance[6a])	Aufsicht[5a]	vigilancia[4b]
carry[1a] (back)	reporter[3b]	zurückbringen[6b]*	(volver a) llevar[1a]
chamber[2a] (of) commerce[2b]	chambre[1a] (de) commerce[2a]	Handelskammer[5b]	cámara[2b] (de) comercio[2b]
chant[5a] (vb.)	chanter[1b]	singen[2a]	entonar[3b]
check[2a] (n.)	contrôle[4b]	Kontrolle[3b]	control
check[2a], control[2b], (restrain[3b]), (curb[4b])	réprimer[4a]	hemmen[4a]	reprimir[4a]
civil[3a], polite[3b], (gallant[4a])	poli[2b], (galant[4b]) (poliment[4a])	höflich[4b]	galán[2a], (cortés[3b]), (galante[5a]), (urbano[6a])
confused (confuse[4b])	confus[2a]	verwirrt[3b]	confuso[2a]
confusion[3b]	trouble[2a], (confusion[6a])	Verwirrung[4b]	confusión[2a], (turbación[5a]), (trastorno[5b])
contest[3b] (vb.)	contester[6a]	bestreiten[3a]	luchar[2a], (discutir[3b])
contribute[5b]	contribuer[2b], (concourir[5b])	beitragen[2b], (spenden[5b])	contribuir[2a]
cool[1b] (n.)	fraîcheur[3a]	Frische[6b]	fresco[1b], (frescura[3a])
copy[2a] (n.) (reproduction)	copie[4a]	Abbildung[4a], (Abdruck[5a]), (Abschrift[5b]), (Kopie[5b]), (Nachbildung[6a])	copia[4b]
copy[2a] (vb.), (imitate[4b]), (ape[6])	imiter[2a]	nachahmen[5b], (nachmachen[6a])	imitar[2a], (copiar[3b]), (remedar[6a])
crew[2b] (ship)	équipage[4b]	Mannschaft[3a], (Besatzung[4b])	tripulación, dotación
defy[3b], (challenge[6])	défier[3a]	auffordern[3b]	desafiar[5a]
deprive[5b]	priver[2b]	entziehen[2a]	privar (+privado)[2a]
dip[3a], plunge[3a] (tr. vb.)	plonger[2a]	tauchen[4a]	hundir[2a]
draw[1a] up[1a] (e.g., document)	rédiger[4a]	aufsetzen[5b]	redactar[4b]
ease[2b], comfort[2a]	aise[2a], (aisance[4b])	Bequemlichkeit[5b], (Behagen[6b])	comodidad[2b]
embarrass[5b]	embarrasser[2a], gêner[2a], (déconcerter[3b])	verlegen[2b] machen[1a], ([in] Verlegenheit[3a] setzen[1a])	turbar[2a], ([poner en] apuro[3b]), (desconcertar[5a])
emotion[5b] (e.g., speak with –)	émoi[6a]	Bewegung[1a], (Bewegtheit)	emoción[2a]
(real) estate[3a]	immeuble[4a]	Grundstück[3a]	finca[4a]
farm[1a], (plantation[5a]), (grange[6])	ferme (n.)[2a]	Gehöft[6a]	hacienda[2a], (heredad[5a]), (cortijo[6a]), (predio[6b])
fifteen[2a]	quinze[1a], (quinzaine[6a])	fünfzehn[5a]	quince[3]*
flood[2b] (n.)	déluge[6a], inondation[6b]	Flut[3b]	diluvio[6b]
flour[2a]	farine[5b]	Mehl[4a]	harina[3a]
follower[4b], (attendant[5a]), (disciple[8])	partisan[4a], adhérent[4b], (disciple[5b])	Jünger[2b], (Anhänger[3b])	partidario[4a], (discípulo[5a])
folly[3a]	folie[2a]	Torheit[4a]	locura[2a], (desatino[3b]), (temeridad[4a]), (tontería[4a]), (extravagancia[5b]), (sandez[6b])
ghost[2b], (phantom[6])	esprit[1a], (apparition[3b]), (fantôme[4a])	Gespenst[5a]	fantasma[3b], (espectro[5a])

English	French	German	Spanish
grandfather[3a], (grandpa[4b])	grand-père[3b], (aïeul[4b])	Großvater[4b]	abuelo[1b]
heap[2b] (up), (hoard[6]), (stack[6])	entasser[4b], (accumuler[5a]), (amasser[7a])	häufen[4b]	colmar[4a], amontonar[4b], (acumular[6a])
hearth[3b], (fireplace[6])	cheminée[2a], foyer[2a]	Herd[4b], (Kamin[5b])	hogar[2a]
hotel[3a]	hôtel[1b]	Hotel[4b]	hotel[3b], (fonda[5a])
hunger[3a]	faim[3a]	Hunger[4b]	hambre[1b]
ideal[4a] (*adj.* and *n.*)	idéal[2b]	ideal[3b], Ideal[3a]	ideal[2a]
individual[3a] (*n.*)	individu[2a]	Individuum[4b]	individuo[2a]
industrious[4a], diligent[4b]	appliqué (appliquer[1b]), (laborieux[5a]), (assidu[7a])	fleißig[3a]	trabajador[3a], (laborioso[4b]), (diligente[5a]), (hacendoso[5b]), (asiduo[7a])
influence[2b] (*vb.*), (sway[3a])	influencer[5a]	einwirken[4a]	influir[3a]
inhabitant[4b], (tenant[5a]), (resident[5b])	habitant[2b], (locataire[6a])	Bewohner[3a], Einwohner[3a]	habitante[2b], (morador[4b]), (residente[5a])
install[5b]	installer[1b]	einrichten[2a], anbringen[2b]	instalar[3b]
instance[3a]	instance[4b]	Instanz[3b]	instancia[4a]
instinct[4b]	instinct[2a]	Trieb[3b]	instinto[2b]
interesting[5b]*	intéressant[2a]	interessant[2a]	interesante[2a]
intimate[5b] (*adj.*)	intime[2a]	innig[2a]	íntimo[2a]
invitation[3a]	invitation[4b]	Aufforderung[3b], (Einladung[4b])	convite[4b], (invitación[7a])
land[1a] (*vb.*) (go ashore)	débarquer[4a]	landen[5a]	desembarcar[4a]
landscape[4b]	paysage[2b]	Landschaft[3b]	paisaje[2b]
(commercial[3b]) law[1a]	loi[1b] commerciale (commercial[4a])	Handelsrecht[3b]	ley[1a] comercial[4a], (ley[1a] mercantil[6a])
lighting (light[1a])	éclairage[6a]	Beleuchtung[5a]	alumbrado (alumbrar[2a])
major[4a] (*n.*)	commandant[3b]	Major[2a]	comandante[5b]
mark[1a] (*vb.*) (characterize)	caractériser[4a]	kennzeichnen[5b]	caracterizar[4a]
meal[2a] (repast)	repas[2a]	Mahlzeit[5b], (Mahl[6a])	comida[2a]
moonlight[4b]	clair[1a] (de) lune[2b]	Mondschein[3b]	luz[1a] (de la) luna[2a]
native[2a] (*adj.*)	indigène[4a], (natal[5b])	inländisch[4a], einheimisch[4b], heimisch[4b], (eingeboren[5a]), (angeboren[6a])	indígena[4b], natal[4b], (criollo[5b]), (patrio[5a]), (nativo[6b])
nod[2b] (*vb.*)	incliner[3b], (hocher[4a])	nicken[5b]	inclinar[1b]
nourish[4b]	nourrir[2a]	nähren[3a], (ernähren[5b])	alimentar[2b], (nutrir[4b])
obedient[4b]	obéissant (obéir[1b]), (docile[4b]), (soumis [*adj.*][5b]) (docilement[6b])	gehorsam[3b]	dócil[3b], (obediente[5a]), (sumiso[5b])
painful[4b], (grievous[5a])	pénible[2a], (douloureux[3a]) (péniblement[4b]), (douloureusement[5a])	schmerzlich[3a], (peinlich[4a])	doloroso[2b], (penoso[3a])
painting[5b]*, (portrait[9])	portrait[2b], (peinture[3b])	Gemälde[2b], Fresko[2b], (Malerei[4a]), (Porträt[5a]), (Bildnis[6b])	retrato[2a], pintura[2b], (retratar[4b]) (make –)
passenger[3a]	passager (*n.*)[5a]	Reisende[3a]	pasajero[3a]
persecute[5b]	persécuter[6b]	verfolgen[1b]	perseguir[2a]
phenomenon[6]	phénomène[2b]	Erscheinung[1b]	fenómeno[2b]
pipe[2a], (tube[4a])	tuyau[4b], (tube[5a])	Röhre[4a]	tubo[4b]

English	French	German	Spanish
prevail[3a]	prévaloir[4b]	überwiegen[3b], (vorwiegen[5b]), (obwalten[6a])	predominar[4b], (prevalecer[5a])
purchase[2a] (n.)	achat[4b], (acquisition[5b])	Kauf[4a], (Ankauf[5b]), (Einkauf[6b])	compra[4a]
race[1b] (ethnic)	race[2a]	Rasse[6a]	raza[2a], (casta[3a]), (linaje[3b]), (estirpe[6a])
rage[3a] (vb.) (war, disease, etc.)	sévir[6b]	wüten[3b]	reinar[2a], (imperar[4b])
reception[4b]	accueil[3a], (réception[4b])	Aufnahme[2b], (Empfang[3a])	acogida[5a], (recibimiento[6b])
reform[4b] (n.)	réforme[4a]	Reform[2b], (Steuerreform[4b]), (Neuerung[5b]), (Erneuerung[6a]), (Reformation[6a])	reforma[4b]
reject[4b], (spurn[5b])	rejeter[2b]	verwerfen[3b], zurückweisen[3b], (abweisen[4a])	rechazar[2b], (desechar[4a])
rejoice[2a]	réjouir[2a]	jubeln[5b], (jauchzen[6b])	alegrar[2a] (se), (regocijar[5a] [se])
reputation[4b], (repute[6])	réputation[3a]	Ruf[2a]	reputación[5b]
reserve[3a] (n.) (character)	réserve[3a]	Reserve[3a], (Zurückhaltung[6b])	reserva[5a]
resolution[4b]	résolution[2b]	Resolution[3b], (Entschließung[5b]), (Kommissionsbeschluß[5b])	resolución[2a], empeño[2b], (determinación[4a])
revolution[4a]	révolution[2a]	Revolution[3a]	revolución[2b]
rub[2b], (chafe[6])	frotter[3a]	reiben[4b]	frotar[5b], (restregar[6a])
shed[2a], (hut[3a]), (cabin[3b])	case[5a], hutte[5a], (cabane[6b])	Hütte[4a]	barraca[3b], (cabaña[4a]), (choza[5a])
shock[2b] (sensibilities)	scandaliser[4b]	ärgern[4a]	escandalizar[4b]
shoe[1b]	soulier[2b], (sabot[3b]), (chaussure[4b])	Schuh[6a]	zapato[2b], (calzado[6a])
sink[2a], (sank[4a]), (sunk[4a]), (founder[4b])	enfoncer[2a], (s'affaisser[5a]), (effondrer[5b]), (sombrer[6b])	versinken[5a], (versenken[6b])	hundir[2a], (sumergir[4a])
solid[3a], (compact[5a])	solide[2a], (massif [adj.][4a]) (solidement[5b])	solid[4a], (derb[6a])	sólido[2b], (macizo[4b])
spear[3a], (lance[4a])	trait (n.)[1b]	Lanze[4a]	lanza[3a], (pica[6b])
stiff[2b]	raide[3b]	starr[4a], (steif[5b])	rígido[5a]
sunshine[2b], (sunlight[4b])	lumière[1a] (du) soleil[1a], (clarté[2b] [du] soleil[1a])	Sonnenschein[5a]	luz[1a] solar[3a]
temporary[4b]	provisoire[5b] (provisoirement[6a])	vorläufig[2b]	temporal[3b]
tendency[5b]	tendance[4a], (penchant[5b])	Neigung[1b], (Tendenz[3b])	tendencia[4a]
theme[4b] (paper)	composition[3a], (mémoire [m.][4b])	Aufsatz[3a]	memoria[1a]
time[1a] (music)	mesure[1a]	Takt[6a]	compás[3a]
transport[3b], (transportation[4b])	transport[2b]	Transport[3b], (Beförderung[4a])	transporte[6b]
(pay) tribute[4a] (to)	honorer[4a]	ehren[2a]	tributar[4a]
trick[2b] (n.)	tour (m.)[1a], (niche[5a])	List[5a], Kunststück[5b]	artificio[3b], (maña[4b]), (argucia[7a])
vice[3a]	vice (n.)[2b]	Laster[4a]	vicio[2a]

English	French	German	Spanish
wand[3b]	baguette[5b]	Stab[3a]	vara[3a]
worry[3b], fret[3a]	inquiéter[2a], (préoccuper[6a]), ([se faire de la] bile[6a])	beunruhigen[4a], kümmern[4a]	preocupar[2b], (inquietar[5a])
wrong[1b], (misdeed[14])	méfait[6b]	Unrecht[5a]	mal (*n.*)[2a], (sinrazón[6b])

SECTION 3.3. CONCEPTS 2847 THROUGH 2950

E F G S	E F G S	E F G S	E F G S	E F G S	E F G S	E F G S	E F G S	E F G S	E F G S
1-1-5-8*	1-5 -5-4	2-2-4-7	2-4-4-5	3-1-4-4	3-4-3-5	3-8*-2-5	4-3-3-2	5-1-1-8*	5-5 -1-4
1-1-6-4	1-6 -5-3	2-2-5-3	2-4-5-1	3-2-4-3	3-4-4-1	4-1 -2-8*	4-4-2-5	5-2-2-3	5-8*-1-1
1-3-5-6	1-8*-4-5	2-3-4-6	2-5-3-8*	3-3-3-6	3-5-2-8*	4-1 -3-4	4-4-3-1	5-3-2-2	6-3 -1-2
1-3-6-2	1-8*-5-1	2-3-5-2	2-6-4-3	3-3-4-2	3-6-3-3	4-2 -3-3	4-6-2-3	5-4-2-1	

English	French	German	Spanish
activity[6]	activité[3a]	Tätigkeit[1b]	actividad[2b]
agricultural[4b]	agricole[4b]	landwirtschaftlich[2b]	agrícola[5a]
(first) appearance[2b]	début[2a]	(erstes) Auftreten[4a]	debut[7b]
ash(es)[3b]	cendre[3b]	Asche[4b]	ceniza[2b], (ceniciento[6a]) (*adj.*)
bishop[4b]	évêque[3a]	Bischof[3b]	obispo[2b]
borrow[3a]	emprunter[4b]	Anleihe[4a] aufnehmen[1b], leihen[4b]	tomar[1a] prestado (prestar[1b])
brain[3a]	cerveau[3a], cervelle[3a]	Gehirn[4a]	cerebro[2a], (seso[4a])
camp[2a] (*vb.*), (encamp[6])	camper[5a]	lagern[3b]	acampar
carve[3b] (general)	découper[3a]	schneiden[3a]	recortar[6b], (trinchar[7b])
chances (chance[1b]), (probability[7])	probabilité	Wahrscheinlichkeit[4a]	probabilidad[5b]
cherish[5a]	chérir	(mit) Liebe[1a] behandeln[1b]	querer[1a], estimar[1b]
childhood[4a], (infancy[6])	enfance[2b]	Kindheit[3b]	infancia[3b], (niñez[4a])
chimney[2b]	cheminée[2a]	Kamin[5b]	chimenea[3b]
Christ[3b], (Jesus[5b])	Christ[5a]	Christus[2a], Jesus[2b]	Cristo, Jesús
circular[4a] (*adj.*)	circulaire[6b]	rund[2b]	circular[3a], (rotundo[6b])
column[3a], (pillar[4a])	colonne[3b], (pilier[4b])	Säule[4a]	columna[2a]
conquest[3b]	conquête[3a]	Eroberung[4b]	conquista[2a]
conscious[4b] (of), sensible[4b] (of), (aware[5b] [of])	sensible[2b]	empfindlich[3b]	sensible[3a]
considerable[4a]	considérable[2a]	beträchtlich[3b]	considerable[3b]
copy[2a] (*n.*), (imitation[8])	imitation[6b]	Nachahmung[4a]	imitación[3b]
country[1a] house[1a] (establishment)	maison[1a] (de) campagne[1a], (villa[5b])	Villa[6b]	quinta[4a]
date[1b] (*vb.*)	dater[3b]	datieren[5b]	datar[6a], (fechar[7a])
decline[3b], (lessen[5b]), (abate[6]), (dwindle[6]), (ebb[6])	atténuer[4b], (amoindrir[7a])	vermindern[4a], (ermäßigen[6b])	reducir[1b], (disminuir[2b]), (rebajar[5b]), (declinar[6a])
discuss[4a]	discuter[2a]	besprechen[3a], (bereden[5b])	discutir[3b]
distribute[5a]	distribuer[3b], (répartir[4a])	verteilen[2b]	repartir[2a], (distribuir[3b])
ear[1a] (hearing)	ouïe	Gehör[5a]	oído[1b]
ease[2b] (*n.*) (facility)	facilité[3b], (aisance[4b])	Leichtigkeit[5a]	facilidad[2b], (soltura[5a])

English	French	German	Spanish
(full of) energy[4b], (energetic[8])	énergique[3b] (énergiquement[5b])	energisch[3a]	enérgico[2b]
enlarge[4a], (dilate[6]), (expand[6])	élargir[3a], (amplifier[5b])	weiten[3b]	dilatar[2b], (ensanchar[3b]), (ampliar[6a])
excess[4a], extra[4a]	excès[2b], (surplus[4a])	Überschuß[3a]	exceso[3a], sobra[3a], (demasía[5a])
expectation[4b]	prévision[4a]	Erwartung[3a], Ahnung[3b]	esperanza[1a], (previsión[6a])
expense[2b]	frais (n.)[2a], dépense[2a], (dépens[5b])	Aufwand[5b], Auslage[5b], (Unkosten[6a])	gasto[3a], (coste[7b])
faint[2a] (vb.)	s'évanouir[3b]	ohnmächtig[5a] (werden), ([in] Ohnmacht[6a] [fallen])	desvanecer[2b], (desmayar[3a])
familiar[2b], (intimate[5b])	familier[2b] (familièrement[6b])	befreundet[5b], vertraulich[5b]	familiar[3a]
female[3a] (adj.)	féminin[6a]	weiblich[3a]	femenino[3b], hembra[3b]
fever[2b]	fièvre[2b]	Fieber[5a]	fiebre[3a], (calentura[4b])
flash[2a] (of) lightning[3a]	éclair[3b]	Blitz[4b]	relámpago[2b]
freeze[2b], frozen[2b]	glacer[3a], (geler[4b])	erstarren[5b]	helar[2a]
furnish[2a] (room, house)	garni[4b], (meubler[5a])	ausstatten[4a], (möblieren)	amueblar[5b]
globe[3a]	globe[6b]	Kugel[3b]	globo[3b]
globe[3a] (earth), sphere[3b], (orb[5a])	globe[6b]	Kugel[3b]	globo[3b], orbe[3b]
graceful[4a]	gracieux[3b]	zierlich[3b], (anmutig[4a])	gracioso[2a], gentil[2b], (gallardo[3a])
gratitude[4a]	reconnaissance[2b], (gratitude[4b])	Dankbarkeit[3b]	agradecimiento[3a], gratitud[3a], (reconocimiento[4a])
historic[5b]	historique[2b]	historisch[2a], (geschichtlich[3a])	histórico[3b]
imperial[4a]	impérial[6b]	kaiserlich[2a]	imperial[3b]
institute[3b] (vb.)	instituer[5a]	einrichten[2a]	instituir
insurance[5b], assurance[5b]	assurance[4a]	Versicherung[2a], (Lebensversicherung[6a])	seguro[1a], (aseguro)
kindly[2a]	aimable[2a], (bienveillant[6a])	gemütlich[5b]	bondadoso[3b]
link[3b] (in chain)	chaînon	Glied[2a]	eslabón[5a]
literary[5b]	littéraire[3a]	literarisch[2b]	literario[2b]
loaf[4b] (bread)	pain[1b]	Brot[2b]	bollo, hogaza
lonely[4b], solitary[4a], (lonesome[5a]), (forlorn[5b])	solitaire[3b]	einsam[3a]	solitario[2b]
(full of) meaning[5b]*, (significant[7])	expressif[5a], significatif[5a]	bedeutend[1b], (bedeutsam[5a])	expresivo[4a], (significativo[6a])
melting (melt[2a]) (of metals)	fonte[5b]	Guß[3b]	fundición
monarch[3b]	monarque[6a]	Monarch[3b]	monarca[3a]
Monday[2a]	lundi[4b]	Montag[4a]	lunes[5b]
murder[3a] (n.)	meurtre[3b], (assassinat[5b])	Mord[3b]	homicidio[6b]
nest[1b]	nid[3b]	Nest[6a]	nido[2b]
night[1a] (adj.)	nocturne[6b]	nächtlich[5b]	nocturno[3b]
one[1a] after[1a] (the) other[1a], (in[1a] succession[5b])	successivement[3b]	hintereinander[6a]	sucesivo[2b], (sucesivamente)
overcome[3b] (to be)	subjugué	unterliegen[2b]	subyugado (subyugar[5b])

English	French	German	Spanish
pale[2b] (*vb.*)	pâlir[3a]	bleich[4b] werden[1a], (blaß[5a] werden[1a])	palidecer[6b]
pane[4b]	vitre[2b], (carreau[4a])	Scheibe[3b]	vidrio[3a]
paragraph[5b]	paragraphe	Paragraph[1a], Absatz[1b], (Abschnitt[2b])	aparte[1a], (párrafo[3b])
permission[4b]	permission[3a]	Erlaubnis[3a], Zulassung[3b], (Bewilligung[5a])	licencia[2b], (permiso[3a])
philosopher[4b]	philosophe[3b]	Philosoph[3b], (Denker[6b])	filósofo[2b]
philosophy[4a]	philosophie[3a]	Philosophie[3a], (Weltanschauung[6a])	filosofía[2b]
pointed (point[1a])	aigu[3a], (pointu[4b])	gespitzt (spitzen[6a])	agudo[2b], (puntiagudo[6a])
pope (P)[3b]	pape[3b]	Papst[3a]	papa[6b]
porter[4b], (carrier[5a]), (bearer[5b])	facteur[3b], porteur[3b], (commissionnaire[4b])	Träger[3b]	mozo[1b] (de) cuerda[2b], (portador[5b])
post-office[5b]	poste[2a]	Post[2a]	casa[1a] (de) correos (correo[3b]), (posta[6b])
preference[6]	préférence[3b]	Vorzug[1b]	afición[2b], (preferencia[3b])
problem[3a]	problème[2b]	Problem[4a]	problema[3a]
prudent[4b], (cautious[6])	prudent[3a] (prudemment[6a])	vorsichtig[3b]	prudente[2b], (cuerdo[4a]), (cauto[6a]), (cauteloso[6b]), (juicioso[6b])
queer[3b] person[1a]	original[3a]	Original[4a]	original[2b]
receipt[3b] (receiving)	réception[4b]	Empfang[3a]	recibo[5a]
receipts (receipt[3b]) (e.g., for expenditures)	recettes (recette[4a])	Einnahme[3a]	recibo[5a]
relief[3a]	soulagement[6a]	Erleichterung[3a], (Befreiung[4a]), (Entlastung[5a]), (Ablösung[6a])	alivio[3b], (desahogo[4b])
robe[3a] (e.g., hermit's)	robe[1b]	Gewand[4b]	túnica[4a]
rope[2b], string[2b], (cord[3b]), (cable[4b])	corde[3a], (cordon[4a]), (câble[5b])	Schnur[5b], (Strick[6a])	cuerda[2b], (cable[5b]), (cordón[6a]), (cordel[7a])
rural[3b], (rustic[4b])	rustique[6a]	ländlich[3a]	rústico[3a], (rural[6b])
schoolroom[5a]	salle[1b] (de) classe[1b]	Klasse[1b]	aula
scorn[3a] (*n.*), (contempt[4b]), (disdain[4b])	mépris[3a], (dédain[5a])	Verachtung[4a], (Hohn[6b])	desdén[2b], desprecio[2b]
sex[4b]	sexe[6a]	Geschlecht[2a]	sexo[3a]
shame[2a] (*n.*)	honte[3a]	Scham[5b]	vergüenza[2a], (desvergüenza[5b]), (sonrojo[6b])
shed[2a] (*vb.*) (e.g., tree)	(se) dépouiller[3a]	ausfallen[4a], (abfallen[5b])	deshojar[6a] (se)
silk[1b] (*adj.*), (silken[6])	(de) soie[3a]	seiden[6a]	(de) seda[2b]
slight[2a], (slender[3b])	mince[2a], (élancé[6a]), (grêle [*adj.*][6a])	schlank[5a]	delgado[3a], (esbelto[5b])
sore[2b] (*n.*)	plaie[4a]	Wunde[4a]	llaga[5b]
spiritual[4b]	spirituel[2b]	geistlich[3a]	espiritual[3a]
stove[3a]	fourneau[5a], poêle (*m.*)[5a]	Ofen[2b]	estufa
stride[4b] (*vb.*)	marcher[1a] (à grand pas), (enjamber[5b])	schreiten[2a]	tranquear
take[1a] off[1a] (clothes), (undress[7])	déshabiller[6a]	ausziehen[5a]	desnudar[3b] (se)
theory[5b]	théorie[2b]	Theorie[2b]	teoría[3b]

110 Sec. 3.3   SEMANTIC FREQUENCY LIST

English	French	German	Spanish
thirst[3a]	soif[3b]	Durst[4a]	sed[2b]
(home[1a] [native[2a]]) town[1a]	ville[1a] natale (natal[5b])	Vaterstadt[5b]	ciudad[1a] (pueblo[1a]) natal[4b]
university[3a]	université[6b]	Universität[3a]	universidad[3b]
unjust[3b]	injuste[3b]	ungerecht[4a], (unrecht[6b])	injusto[2b]
vanity[3b]	vanité[3a], amour-propre[3b]	Eitelkeit[4a]	vanidad[2a]
wash[1b] (n.) (clothes), (laundry[5b])	linge[3a]	Wäsche[6a]	lavado (lavar[2a])
welcome[2a] (adj.)	bienvenu[5a]	willkommen[3a]	bienvenido
wind[1a] (vb.)	rouler[1b], ([s']enrouler[6a])	winden[5b]	enrollar
wounded[2a]	blessé[4a]	Verwundete[5b]	herido (herir+herido[1b])
youthful[4b]	jeune[1a]	jugendlich[3a]	juvenil[4a]

SECTION 3.4. CONCEPTS 2951 THROUGH 3047

E F G S	E F G S	E F G S	E F G S	E F G S	E F G S	E F G S	E F G S	E F G S	E F G S
1–1–6–5	1–4–6–2	1–8*–4–6	2–4–5–2	2–8*–4–2	3–4–4–2	3–8*–2–6	4–4–3–2	5–1–3–1	5–5–2–1
1–2–6–4	1–5–5–5	2–1 –6–1	2–4–4–6	3–1 –5–1	3–4–3–6	4–1 –4–1	4–5–2–5	5–2–2–4	5–6–1–4
1–3–6–3	1–6–4–8*	2–2 –5–4	2–5–4–5	3–2 –4–4	3–5–3–5	4–2 –3–4	4–6–2–4	5–3–2–3	6–1–2–1
1–4–5–6	1–6–5–4	2–3 –5–3	2–6–4–4	3–3 –4–3	3–6–3–4	4–3 –3–3	5–1–2–5	5–4–2–2	

English	French	German	Spanish
(of own) accord[4a], (fain[6]), (voluntary[6])	volontaire[2a], (spontané[5a]) (volontairement[6a])	freiwillig[3a]	voluntario[4a]
across[1a] (athwart)	en travers[4a]	quer[6b] über[1a]	(de) través[2a]
aisle[5b]	passage[1b], (allée[2b])	Gang[2a]	pasillo[5b], (crujía), (pasadizo)
angle[4b]	angle[3a]	Winkel[3b]	ángulo[3b]
artistic[5b]	artistique[4b], (esthétique[6b])	künstlerisch[2b], (ästhetisch[4b])	artístico[2b]
basis[4a] (hypothesis)	hypothèse[5a], (supposition[6a])	Voraussetzung[2b], (Hypothese[6b])	suposición[5a], (hipótesis[7a])
beget[5b]	engendrer[4b]	erzeugen[2a], (zeugen[3b])	engendrar[2b]
benefit[2b] (n.)	bienfait[4b]	Wohltat[5a]	beneficio[2b], provecho[2b]
bridle[3b], rein[3b]	bride[6b]	Zügel[3b]	rienda[4a], freno[4b]
carry[1a] away[1a] (by passion)	passionner[4b]	fortreißen[6b]	apasionar (+apasionado -a -mente)[2b]
clay[2b]	argile[6b]	Ton[4b]	barro[4a]
comrade[4a]	camarade[2a]	Kamerad[3a]	camarada[4a]
converse[4b] (vb.)	converser[6a]	unterhalten[2b]	conversar[4b]
cottage[2b], (cot[4a])	chaumière[5b]	Hütte[4a]	choza[5a]
cow[1b], (heifer[5b])	vache[4a]	Kuh[6b]	vaca[2b]
crack[2b] (n.)	fente[5a]	Sprung[4b]	quiebra[5a], grieta[5b], (raja[7b])
creation[4b]	création[3b]	Schöpfung[3a], (Schaffen[6a])	creación[3a]
damp[3b], (moist[4a])	humide[3b]	feucht[4a]	húmedo[3a]
disgrace[3b], (dishonor[5a]) (n.)	déshonneur[6b]	Schande[3b], (Schmach[5a])	afrenta[4a], (baldón[7a])

THE THIRD THOUSAND CONCEPTS — Sec. 3.4

English	French	German	Spanish
downward(s)[3b]	(de) haut[1a] (en) bas (*adj.*)[1a], ([en] descendant[5a])	abwärts[5b]	hacia[1a] abajo[1b]
dozen[2a]	douzaine[3b]	Dutzend[5b]	docena[3a]
fairy[2b] tale[2a], (fable[4a])	conte[3b] (de) fée[4b], (fable[5a])	Märchen[4a]	cuento[2a] (de) hadas (hada[6b])
farewell[2b], (good-by[3b])	(au) revoir[1b], (adieu[2b])	(auf) Wiedersehen[6a]	(hasta la) vista[1a], (hasta la) luego[1a], adiós[1b]
favorite[2b]	favori (*adj.*)[6a], favori(-te) (*n.*)[6b]	Liebling[4b]	favorito[4b], predilecto[4b]
festival[4b], (celebration[5b]), (jubilee[6])	fête[1b]	Feier[4b]	fiesta[1b]
fist[3b]	poing[2b]	Faust[4b]	puño[4b]
fluid[4b] (*n.*)	liquide[4a], (fluide[5b])	Flüssigkeit[3a]	líquido[2a]
fourteen[3b]	quatorze[3a]	vierzehn[4a]	catorce[3*]
freeing (free[1a]), (emancipation[9])	émancipation	Befreiung[4a]	emancipación[6b]
generation[3b]	génération[3a]	Generation[4b]	generación[3a]
gospel[4b]	évangile[6a]	Evangelium[2b]	evangelio[4b]
grant[1b] (*n.*)	concession[4b]	Gewährung[5b]	concesión[6b]
graze[3b], (skim[4b] [over]) (just touch)	effleurer[5a], frôler[5b]	streifen[3b]	rozar[5a]
grieve[3a] (*tr. vb.*), (afflict[4b])	affliger[4a], attrister[4a], (fâcher[5a]), (navrer[5a]), (peiner[7a])	betrüben[4a], (bekümmern[5a])	afligir[2a], (quebrantar[3b]), (entristecer[4b]), (apenar[7a])
(city, town) hall[1b]	hôtel[1b] (de) ville[1a], (mairie[5a])	Rathaus[6b]	ayuntamiento[5a]
headquarters[5b]	quartier[2a] général[1b]	Hauptquartier[2b]	cuartel[4a] general[1a]
hearty[4a] (fellow), (lusty[5b])	gaillard (*adj.*)[3b]	munter[3b]	cordial[3b]
House (house[1a]) of[1a] Representatives (representative[3a]), (House of Commons)	Chambre (chambre[1a]) (des) Députés (député[2b])	Abgeordnetenhaus[4b], (Bürgerschaft[6b]), (Volksvertretung[6b])	Cámara (cámara[2b]) (de) Representantes (representante[4a])
innocence[4b]	innocence[4a]	Unschuld[3b]	inocencia[2b]
insult[4a] (*vb.*)	insulter[4b], (injurier[6a])	beleidigen[3a]	insultar[2b], (afrentar[6b])
keeping (keep[1a]) up[1a] (*n.*) (maintenance)	entretien[2b], (maintien[6b])	Aufrechterhaltung[6a]	conservación[4b]
(give the) lie[1b] (to), (refute[7])	démentir[5b]	widerlegen[5a]	desmentir[5a]
lieutenant[4b]	lieutenant[2b]	Leutnant[3b]	teniente[4b]
liquid[3b] (*adj.*), (fluid[4b])	liquide[4a], (fluide[5b])	flüssig[4a]	líquido[2a], (flúido[6b])
(the) living (live[1a])	vivant[2a]	Lebende[6a]	viviente[4b]
medicine[2b]	médecine[3a]	Medizin[5b], (Arznei[6a])	medicina[3a]
ministry[5b]	ministère[2b]	Ministerium[2b]	ministerio[4b]
neighbor[1b] (fellow-being)	autrui[6a], (prochain [*n.*][7a])	Nächste[5b]	prójimo[4b]
nowhere[6]	nulle (nul[1a]) part[1a]	nirgends[2b]	(en) ninguna (ninguno[1a]) parte[1a]
obstacle[5a]	obstacle[3a]	Hindernis[2b]	obstáculo[3a], (embarazo[6a])
outward(s)[4a], (outer[6]), (external[8])	extérieur[2a]	äußerlich[3a]	externo[4b]
papa[3a], (pa[6])	papa[2b]	Papa[4a]	papá[4b]
parish[5b]	paroisse[6a]	Gemeinde[1a]	parroquia[4a]

English	French	German	Spanish
partner[3b]	associé (associer[2a]), (partenaire[6a])	Aktionär[4a], Gesellschafter[4a], Beteiligte[4a], (Anteilseigner[6a])	socio[4a]
perfection[4b]	perfection[4a]	Vollendung[3b], (Vollkommenheit[5a]), (Vervollkommnung[6a])	perfección[2b], (remate[5b])
ply[5a] (go to and fro regularly)	(faire le) service[1a]	verkehren[3a]	ir[1a] (y) venir[1a]
pool[3b] (water)	mare[6a]	Lache[3b]	estanque[4a]
practice(se)[1b], trade[1b], (custom[2a]) (clientele)	pratique[2b], (clientèle[5b])	Kundschaft[6a]	parroquia[4a], (parroquiano[5b])
pressure[4b]	pression[3b]	Zwang[3b]	presión[3a]
prey[3a], (quarry[5a])	proie[3b]	Beute[4b]	presa[3a]
produce[2a], yield[2a] (the field yields –)	produire[1a]	hergeben[6b]	producir[1a], rendir[1b]
pursuit[4b]	poursuite[2b]	Verfolgung[3a]	persecución[4b]
rate[2a] (of speed)	vitesse[2b]	Tempo[5b]	velocidad[4a]
reasonable[4a], sensible[4b]	logique[2b], raisonnable[2b], (sensé[5b]), (judicieux[6b])	vernünftig[3a], verständig[3a]	lógico[4a], racional[4b], (razonable[5a])
reed[3b]	roseau[5b]	Rohr[3b]	junco[5a]
regret[3b] (n.)	regret[1b]	Bedauern[5b]	pesar[1a]
(get) ripe[2b], (ripen[4a]), (mature[4a]), (mellow[5a])	mûrir[6a]	reifen[4b]	madurar[4a]
risk[3b] (n.)	risque[4a]	Risiko[4b]	riesgo[2a]
senate[3a]	sénat[4b]	Senat[3b]	senado[6a]
send[1a] forth[1b], (emit[8])	émettre[4b]	(in) Umlauf[5b] (setzen)	emitir[6b]
separation[4b], (parting[6*])	séparation[3b]	Trennung[3a], (Scheidung[6a])	separación[3b]
shame[2a] (vb.)	(faire) honte[3a] à	beschämen[5b]	avergonzar[3a]
shell[2a] (explosive)	bombe[5b], (obus[6b])	Granate[4a], (Schrapnell[6b])	bomba[5a]
shooting (n.) (shoot[2a])	tir	Schießen[4b]	tiro[2b], (disparo[6b])
show[1a] (through), ([be] transparent[7])	(être) transparent[5a]	durchsichtig[5a] (sein)	traslucir[5b] (se)
sign[1b] (over shop)	enseigne[6b]	Schild[4b]	rótulo
sojourn[5b] (vb.)	séjourner[5b]	(sich) aufhalten[2b], (weilen[4b])	pasar[1a] (unos) dias (dia[1a])
solicit[4b]	solliciter[4a]	erbitten[3b]	solicitar[2a]
somewhere[3b] else[1a], (elsewhere[4a])	ailleurs[1a]	anderweit[5b], (anderwärts[6a]), (anderswo[6b])	(en alguna otra) parte[1a]
spare[2a] (vb.)	faire[1a] grâce[1a], (épargner[3b])	verschonen[6b]	perdonar[1b]
square[1b] (adj.), (sq.[6])	carré[3b]	viereckig[6b]	cuadrado[3a]
staff[3b] (of people)	personnel[1b]	Personal[5a]	cuerpo[1a], (personal[2a])
stay[1a] away[1a], (absent[3a] [oneself])	rester[1a] absent[3b]	ausbleiben[6a]	permanecer[1b] ausente[3a]
strengthen[4b], (fortify[6])	fortifier[5a], (affermir[6a]), (consolider[6b])	verstärken[2b], (stärken[3b]), (bestärken[6a])	consolidar[5b], reforzar[5b]
successful[3a]	(avoir du) succès[1b], heureux[1a]	erfolgreich[5a]	feliz[1a], (afortunado[3b])

THE THIRD THOUSAND CONCEPTS

English	French	German	Spanish
summit[4b]	sommet[3b], (cime[4b]), (haut [n.][5b])	Gipfel[3b]	cima[3a]
tent[2a]	tente[4b]	Zelt[5a]	tienda[2a]
tide[2b]	marée	Flut[3b]	marea[6b]
(put in) tune[3a] (with)	assortir, harmoniser	stimmen[2a]	armonizar[6a]
unfold[4b]	dérouler[3b], (déployer[4a]), (déplier[6a])	entfalten[3b]	desenvolver[3a], desplegar[3a]
veil[3b] (n.)	voile (m.)[3a]	Schleier[4b]	velo[3b], (mantilla[5a])
warning (warn[2b])	avertissement[3b]	Warnung[5a], Mahnung[5b]	aviso[3a], (amonestación[6a])
waver[4a], hesitate[4b], (falter[6])	hésiter[1b], (vaciller[4b]), (branler[6a])	zögern[4a], (wanken[5a])	dudar[1b], (vacilar[3a]), (titubear[5b])
web[3b]	tissu[4b]	Gewebe[4b]	tejido (tejer[2b]), (red[3a]), (malla[5b])
wedding[4b]	noce[4a]	Hochzeit[3a], (Heirat[4a])	boda[2a], (nupcias[6b])
width[3a], breadth[3b]	largeur[5a], large (n.)[5b]	Breite[3a]	latitud[5a], (anchura[6a])
wrapping (wrap[2b]), (envelope[4a])	enveloppe[3a]	Hülle[5a]	cubierta[3b]

PART IV

THE FOURTH THOUSAND CONCEPTS

SECTION 3.5. CONCEPTS 3048 THROUGH 3138

E F G S	E F G S	E F G S	E F G S	E F G S	E F G S	E F G S	E F G S	E F G S	E F G S
1-3-6-4	2-1-6-2	2-4-4-7	2-6 -4-5	3-1-5-2	3-3-4-4	4-1-4-2	4-4-3-3	5-1-3-2	5-4-2-3
1-4-6-3	2-2-5-5	2-4-5-3	2-6 -5-1	3-2-4-5	3-4-4-3	4-2-3-5	4-5-2-6	5-2-2-5	5-5-1-6
1-5-5-6	2-2-6-1	2-5-5-2	2-8*-4-3	3-2-5-1	3-5-3-6	4-2-4-1	4-6-2-5	5-2-3-1	5-6-1-5
1-5-6-2	2-3-5-4	2-5-4-6	3-1 -4-6	3-3-3-8*	3-5-4-2	4-3-3-4	4-6-3-1	5-3-2-4	6-4-1-3
									6-6-1-1

English	French	German	Spanish
abuse[3b] (*n.*)	abus[3b]	Mißbrauch[4b]	abuso[4b]
affection[3b]	affection[2b], (attachement[6b])	Anhänglichkeit[5b], Zuneigung[5b]	afecto[1b]
alarm[2b] (*vb.*), (startle[4b])	alarmer[6a]	beunruhigen[4b]	alarmar[5a]
altar[3b], (shrine[4b])	autel[5a]	Altar[4a]	altar[2b], (ara[5b])
amuse[4a]	amuser[2a], (distraire[3b]), (amusant[3a])	zerstreuen[3a]	recrear[5a]
animate[5b] (*vb.*)	animer[2b]	beleben[3a], (beseelen[5a])	animar[1b]
apple[1a]	pomme[3b]	Apfel[6a]	manzana[4b]
bar[2a] (metal or wood)	barre[4a], (barreau[5b])	Stange[5a]	barra[3b], (palanca[6a])
bill[1b] (poster)	affiche[5b]	Zettel[5b]	cartel[6a]
burden[3a] (*vb.*), (overwhelm[5b])	charger[1b], (accabler[3a])	belasten[4b]	agobiar[6a]
burst[2a] (into tears)	fondre[2b] (en larmes)	ergießen[6a]	romper[1a], echar[1a] (se)
butter[1b]	beurre[4b]	Butter[6a]	mantequilla,(+manteca)[3a]
cabinet[4b]	cabinet[2a]	Kabinett[3a]	gabinete[5a]
celestial[4b], heavenly[4a]	céleste[4a]	himmlisch[3a]	celeste[3a], (celestial[4a])
ceremony[3b], (rite[5b])	cérémonie[3a]	Feier[4b]	ceremonia[4b]
confidence[3b] (disclosure)	confidence[3b]	Eröffnung[3b]	confidencia
contrary[2b] (to)	contrairement[6a]	zuwider[5b]	contrariamente (contrario[1a])
corporation[5b]	corporation[5a]	Gesellschaft[1a], (Aktiengesellschaft[2b])	corporación[6a]
correspondence[4b] (similarity)	correspondance[4a]	Übereinstimmung[3a]	correspondencia[3a]
curse[2b] (*n.*)	malédiction	Fluch[4a]	maldición[3a]
dawn[2a] (*n.*)	point[1a] (du) jour[1a], (aurore[3b]), (aube[4a])	Dämmerung[6a]	aurora[2b], (amanecer[3a]), (alba[3a]), (madrugada[4b]), (albor[5b]), (alborada[6a])
definite[5b], (concrete[6])	défini (*adj.*)[6a]	bestimmt[1a]	concreto[5a]
desirable[4b]	désirable[6a]	wünschenswert[3b]	(de) desear[1a] se
diffuse[5b]	répandre[2a]	verbreiten[2a]	difundir[5a]
dull[3a], (stupid[4b])	bête (*adj.*)[2b], (stupide[3b]), (hébété[5b]), (idiot[5b])	dumm[4a], (stumpf[6b])	estúpido[5a], insensato[5a], (lerdo[6b])
(not) envy[3a]	(ne pas) envier[5b]	gönnen[4a]	(no) envidiar[2b]

English	French	German	Spanish
excel[4b]	exceller[6a]	hervorragen[2a]	descollar[5b]
exchange[2b] (vb.)	échanger[2a]	vertauschen[6b]	cambiar[1b], (canjear)
feast[2a], (banquet[3b])	banquet[4a], (festin[5a])	Essen[5a]	banquete[3a], (festín[5a])
friendly[2a]	amical[5a] (amicalement[6a])	freundschaftlich[4a]	amistoso[6a]
fugitive[5a] (adj.)	passager (adj.)[4b], (fuyant[6b])	flüchtig[2b]	pasajero[3a], (fugitivo[4b]), (fugaz[6a])
hostile[5b]	hostile[5a]	feindlich[1b], (feindselig[6b])	hostil[6b]
humble[3a], (meek[4a]), (lowly[6])	humble[2b] (humblement[5b])	demütig[5b]	humilde[1b], (sumiso[5b])
identical[6]	identique[4b]	vollkommen[1b] gleich[1a]	idéntico[3a]
image[3a]	image[2b]	Gleichnis[5b]	imagen[1b]
improve[2b] (tr. vb.)	améliorer[5a], perfectionner[5b]	bessern[5b]	mejorar[2a], (perfeccionar[5a])
infinite[3b]	infini[2a] (infiniment[3a])	unermeßlich[5b]	infinito[1b]
inhabit[4b]	habiter[1b]	bewohnen[4a]	habitar[2a]
inquiry[5b], (investigation[6])	recherche[2b], (enquête[3a]), (investigation[6b])	Untersuchung[2a], (Forschung[3b]), (Ermittelung[5a])	investigación[5a]
Jew[4a] -s	juif[6a] -s	Jude[2a] (Judentum[5a])	judío[5a] -s
lantern[4b]	lanterne[3b]	Lampe[3b]	linterna[4a], farol[4b]
library[2b]	bibliothèque[3a]	Bibliothek[5a]	biblioteca[4a]
magic[3a] (n.)	pouvoir[2a] magique[5a]	Zauber[4b]	poder[1b] mágico[2b]
magnificent[3a], (gorgeous[4b])	magnifique[1b], (superbe[2b])	prachtvoll[5a]	magnífico[2a], (augusto[3b]), (vistoso[4b]), (pomposo[5b])
maintain[2b], (affirm[4b]), (profess[5a]), (allege[5b])	affirmer[2a], maintenir[2a]	bejahen[6b]	mantener[1b], (alegar[4a])
maker[3a], (manufacturer[5b])	industriel[2b], (fabricant[6b])	Fabrikant[4a], (Industrielle[6b])	fabricante[5a], industrial[5a]
mechanic[4a] (adj.), (mechanical[6])	mécanique[3a]	mechanisch[3b]	mecánico[4a]
mistress[2b] (f. of master)	maîtresse[2a]	Herrin[6b]	señora (señor[1a])
murder [3a] (vb.)	assassiner[4a], (assommer[6a])	ermorden[4a], (morden[6b])	asesinar[3b]
mysterious[4b]	mystérieux[1b]	geheimnisvoll[4b], (rätselhaft[6b])	misterioso[2a]
nerve[4a]	nerf[4a]	Nerv[3b]	nervio[3a]
oppression[4b]	oppression[6b]	Druck[2a]	opresión[5a]
oration[6]	oraison[6b]	Rede[1a]	oración[1b]
organization[5b]	organisation[3b], organisme[3b]	Betrieb[2a], Organisation[2b], (Verband[3a]), (Schulverband[5a]), (Zweckverband[6a]), (Geschäftsbetrieb[6b])	organización[4a], (organismo[5b])
pack[2a] (vb.)	(faire la) malle[4b]	packen[4a]	(hacer el) baúl[7a]
pasture[2b]	herbage[6a]	Wiese[4b]	pasto[5a]
peer[2b], (stare[3b]), (glare[4a])	fixer[1b]	starren[6a]	clavar[2a] (la mirada)
post[1b] bill[1b]	afficher[5b]	Zettel[5b] anschlagen[5b]	fijar[1b] carteles (cartel[6a])
prescribe[4a]	prescrire[5b]	vorschreiben[2b]	prescribir[6b]
proclaim[3a], (announce[5b])	proclamer[4a]	verkünden[4a]	proclamar[3a], (pregonar[5a])

English	French	German	Spanish
project[4b] (n.)	projet[1b]	Projekt[4a]	proyecto[2b]
quaint[5a]	bizarre[2b]	wunderlich[3a]	(agradablemente) raro[1b]
realize[3b] (literally)	réaliser[1b]	verwirklichen[5b]	realizar[2a]
reduce[3a], (decrease[4a]), (diminish[5a])	réduire[1b], (abattre[2a]), (diminuer[2b]), (amoindrir[7a])	abfallen[5b], (nachlassen[6b])	disminuir[2b], (menguar[3b])
representation[5b]	représentation[4a]	Gemeindevertretung[2b], (Vertretung[3b])	representación[3a]
sadness[4b]	tristesse[2a]	Trauer[4b]	tristeza[1b]
sail[1a] (n.)	voile (f.)[5a]	Segel[6b]	vela[2a]
Saturday[2b]	samedi[3a]	Sonnabend[5a]	sábado[4a]
shield[3a] (n.)	écu[4b]	Schild[4b]	escudo[3b]
shift[3b] (of workmen)	équipe[5a]	Schicht[3a]	turno[6b]
shock[2b] (n.)	choc[3a]	Anstoß[5a]	choque[4a]
(put on) shoes (shoe[1b])	(se) chausser[4b]	Schuhe (Schuh[6a]) anziehen[3a]	calzar[3b]
slip[2a] (of paper)	fiche (n.)[5b]	Zettel[5b]	trozo[2b]
smell[2a] (vb.), (scent[4b]), (smelt[6])	sentir[1a], (flairer[5a])	riechen[6b]	oler[2b]
solution[5b]	solution[3a]	Lösung[2b], (Auflösung[3b])	solución[4a]
spoils (spoil[2a]), (booty[7])	butin	Beute[4b]	despojo[3a], (botín[6a])
sting[3a], (stung[6]) (insect)	piquer[2b]	stechen[5b]	picar[1b]
substance[3b]	substance[5a]	Substanz[4a]	substancia[2b]
swallow[2a] (vb.)	avaler[4b]	verschlingen[5b]	tragar[3b]
tailor[2b]	tailleur[4a]	Schneider[5b]	sastre[3b]
tax[2a] (vb.)	taxer[6b]	besteuern[5b]	cobrar[1b] impuestos (imponer+impuesto[1b])
tip[2a] over[1a], (overturn[5a]), (upset[5a]), (spill[5b])	renverser[2a]	überfallen[5a]	volcar[5a], (tumbar[6b]), (voltear[7a])
torment[3b] (n.)	tourment[5b]	Qual[4a]	tormento[2b]
torture[4a] (vb.)	torturer[4b]	quälen[3b]	atormentar[3b]
undone[6] (figurative) (done for)	fichu (adj.)[6b]	ab[1a], aus[1a]	deshecho (deshacer[1b])
unexpected[4b]	inattendu[3a], (imprévu[4a])	unerwartet[3b]	inesperado[4a], (de) improviso[4b], (imprevisto[7a])
union[2a] (bringing together)	rapprochement[5b]	Annäherung[5b]	reunión[2a], unión[2a]
warp[5b] (vb.)	jouer[1a], (gauchir)	verderben[3a], verwerfen[3b]	torcer[2a] (se)
warrior[3a], (fighter[6])	combattant[4b], (guerrier[5a])	Krieger[4b], (Kämpfer[6a])	guerrero[3b]
welfare[4a]	bien-être[4a]	Heil[3a], Wohl[3a]	bienestar[3a]
wire[2b], (telegram[4b])	dépêche[4a], (télégramme[5a])	Telegramm[5a], Depesche[5b]	despacho[3a], (telegrama[5b])

THE FOURTH THOUSAND CONCEPTS

SECTION 3.6. CONCEPTS 3139 THROUGH 3236

E F G S	E F G S	E F G S	E F G S	E F G S	E F G S	E F G S	E F G S	E F G S	E F G S
1–3–6–5	1–6 –5–6	2–2–6–2	2–6 –4–6	3–3 –4–5	3–5–3–7	4–3–3–5	4–6 –3–2	5–3 –2–5	6–2–2–2
1–3–7–1	1–8*–4–8*	2–3–5–5	2–8*–4–4	3–3 –5–1	3–5–4–3	4–3–4–1	4–8*–1–8*	5–4 –2–4	6–3–1–5
1–4–5–8*	2–1 –5–7	2–4–5–4	3–1 –5–3	3–4 –4–4	4–1–3–7	4–4–2–8*	5–1 –3–3	5–5 –2–3	6–5–1–3
1–4–6–4	2–1 –6–3	2–5–4–7	3–2 –4–6	3–4 –3–8*	4–1–4–3	4–5–3–3	5–2 –2–6	5–8*–1–4	
1–5–6–3	2–2 –5–6	2–5–5–3	3–2 –5–2	3–8*–3–4	4–2–4–2	4–6–2–6	5–2 –3–2	6–2 –1–6	

English	French	German	Spanish
adventure[3b]	aventure[2a]	Abenteuer[5a]	aventura[2a]
ample[3b]	ample[5a]	hinlänglich[4a]	amplio[3a]
appreciate[4b]	apprécier[2b]	würdigen[4b]	apreciar[2b]
approach[2a] (n.)	abord[2a], (accès[3a]), (approche[3b])	Annäherung[5b]	acceso[6a]
attitude[5b]	attitude[2a]	Haltung[3a]	actitud[2a]
barrel[3a]	tonne[5a], tonneau[5a], (barrique[6a])	Tonne[3a], (Faß[4b])	barril[7a]
benefit[2b] (tr. vb.)	(faire du) bien[1a], (bénéficier[6b])	wohltun[5b]	beneficiar[7a]
breath[2a], breathing (breathe[2a])	respiration[5a]	Atem[4b], (Atmen)	respiración[7a]
case[1a] (spectacle, etc.)	étui[6b]	Hülle[5a]	estuche[6b]
contemporary[6] (adj.)	contemporain[3a]	gleichzeitig[1b]	contemporáneo[5a]
customer[3b]	client[3a]	Kommittent[4a]	cliente[5a]
decisive[6]	décisif[3a]	bestimmt[1a]	decisivo[5b]
defeat[3b], (rout[6]) (n.)	défaite (n.)[4a], (déroute[6a])	Niederlage[4a]	derrota[4b], (rota[5a]) (vencimiento[6a])
demonstration[6]	démonstration[5b]	Beweis[1b]	demostración[3b]
desk[2a]	bureau[2a], (pupitre[5b])	Schreibtisch[5b]	escritorio[6a]
(in) detail[4a]	(en) détail[1a]	ausführlich[3a], (umständlich[5b])	detalladamente (detallar[7a])
diamond[2a]	diamant[4a]	Diamant[5a]	diamante[4a]
distract[5b]	détourner[2a], (distraire[3b])	zerstreuen[3a]	distraer[2b]
ditch[3a] (irrigation)	fossé[3b]	Graben[4b]	acequia[5b]
draft[3a] (draw up) (vb.)	élaborer	entwerfen[3b]	redactar[4b]
edition[5b]	édition[4b]	Ausgabe[2a], Auflage[2b]	edición[4b]
elegant[4b]	élégant[2b]	elegant[4b]	elegante[2b]
energy[4b]	énergie[2a]	Energie[4a], (Arbeitskraft[5b])	energía[2a]
enthusiasm[5b]	enthousiasme[2a]	Begeisterung[3a]	entusiasmo[2a]
exquisite[5b]	exquis[2b]	köstlich[3b], (ausgesucht [aussuchen[5b]])	exquisito[2b], (primoroso[5b])
fare[2a], rates (rate[2a])	tarif[6a]	Tarif[4b]	tarifa[6b]
fiery[3b]	ardent[2b], (brûlant [adj.][4b])	feurig[4a]	ardoroso[6a], brioso[6a]
Friday[2a]	vendredi[4a]	Freitag[5b]	viernes[4a]
function[4b] (n.)	fonction[2b]	Funktion[4b]	función[2a]
gem[2b], precious[2b] stone[1a]	pierre[1b] précieuse (précieux[2a])	Edelstein[6b]	piedra[1a] preciosa (precioso[2a]), joya[2b], (pedrería[6a])
glitter[3a], sparkle[3a], twinkle[3b], (glisten[5a])	briller[2b], (étinceler)	schimmern[5a], (funkeln[6a])	brillar[2a], (resplandecer[4b])
group[2b] (vb.)	grouper[3b]	zusammenstellen[5b]	agrupar[5b]

English	French	German	Spanish
grouping (group[2b])	groupement[6a]	Zusammenstellung[4b]	agrupación[6b]
gush[4b], (jet[5a])	jet[3b], (effusion[6a])	Guß[3b]	efusión[5a], chorro[5b]
hallow[5a], (sanctify[6])	consacrer[2b]	heiligen[3b]	consagrar[2a], (santificar)
horn[2a], (trumpet[3a]), (bugle[4b])	trompe[3b]	Horn[5b]	trompa[5a], trompeta[5a], clarín[5b]
imprison[4b]	emprisonner[6a]	(ins) Gefängnis[2b] setzen[1a]	aprisionar[6b]
improvement[4b]	réforme[4a]	Verbesserung[2b], (Besserung[4a])	mejora
income[4b], (revenue[5b])	rente[2b], (revenu [n.][4a])	Einkommen[4a]	renta[2b]
incur[5b]	encourir	(auf sich) ziehen[1a]	incurrir[4b]
independence[4a]	indépendance[2b]	Selbständigkeit[4b], (Unabhängigkeit[5a])	independencia[2b]
inferior[4a]	inférieur[2a]	nachstehen[4b] (to be –), (untergeordnet[5a])	inferior[2b]
intelligent[5b]	intelligent[2b]	verständig[3a], (gescheit[7a])	inteligente[2b]
kick[2b] (n.)	coup[1a] (de) pied[1a]	Tritt[5a]	patada[7a]
learning (learn[1a]) (n.)	érudition[5b]	Gelehrsamkeit[6b]	saber (n.)[3b], (sabiduría[4b]), (erudición[6a])
line[1a] up[1a]	aligner[4a]	ausrichten[5b]	alinear
linen[2b], (canvas[3b])	toile[2a], (linge[3a])	Leinwand[6a]	tela[2b] (de) hilo[2a], (lienzo[3a])
linger[4a], (tarry[5a]), (lag[5b]), (loiter[6])	s'attarder[6b]	(sich) aufhalten[2b]	retrasar[6a] (se)
loyalty[5b], allegiance[5b]	loyauté[5a], (fidélité[6a])	Treue[2b]	fidelidad[3b], (lealtad[4a])
mental[6]	mental[5b] (mentalement[6b])	geistig[1b]	mental[3a]
mention[2a] (n.)	mention	Erwähnung[4b]	mención[4b]
morals (moral[3a]), (morality[8])	morale (n.)[3a], (moralité[4a])	Moral[5a], (Sittlichkeit[6a])	moral[1b], (moralidad[5b])
(so) much[1a] (the) more[1a], all[1a] (the) more[1a]	d'autant plus[3a]	umsomehr[7a]	tanto[1a] (más)
musical[3a] (person)	musicien[4a]	musikalisch[4a]	músico[4b]
navy[3a]	marine[3a]	Marine[4b]	marina[5a]
(bank) note[1b]	billet[2b] (de) banque[4a]	Banknote[6b]	billete[4a] (de) banco[2b]
ocean[1b]	océan[5a]	Ozean[6a]	océano[3a]
offer[1b] (n.)	offre[3b]	Angebot[6b]	ofrecimiento[5b], (oferta[6b])
operate[5b]	opérer[3a]	betreiben[2b]	operar[5b]
(surgical) operation[2b]	opération[2b]	Eingriff[6b]	operación[2b]
overcoat[4b]	pardessus[3a]	Mantel[3b]	gabán[5b]
pardon[2b] (n.), (forgiveness[5b])	pardon[2a]	Vergebung[6a], Verzeihung[6a]	perdón[2a], (indulto[6a])
peculiar[3a] (to)	propre[1a], particulier[1b]	eigenartig[5a]	peculiar[3b]
perplex[4b], puzzle[4b]	embrouiller[5a]	verwirren[3b]	aturdir[3b], (embrollar[5b])
personage[6]	personnage[2a]	Persönlichkeit[2b]	personaje[2a]
pipe[2a] (to smoke)	pipe[2b]	Pfeife[5b]	pipa[6a]
prick[3b] (n.)	piqûre[5b]	Stich[3b]	pinchazo[7b]
prolong[4a], (lengthen[5b])	prolonger[2a], (allonger[3b]), (éterniser[6a])	verlängern[4b]	prolongar[2b]
range[2a], (extent[4a]), (tract[4b]), (span[5a])	portée[2b], (étendue[3a])	Tragweite[6a]	extensión[2a], (alcance[3a]), (dimensión[4b]), (anchura[6a])
rebel[3b], (revolt[4b])	révolter[3a]	(sich) empören[4a]	rebelarse[5b]

English	French	German	Spanish
regiment[6]	régiment[2b]	Regiment[1b]	regimiento[6a]
remedy[3a] (*n.*)	remède[3b]	Abhilfe[5b]	remedio[1b], (cura[2a])
remit[5b]	remettre[1a]	überweisen[3a]	remitir[3a]
resource[5b]	ressource[2a]	Hilfsmittel[3a]	recurso[2b]
ridiculous[5b]	ridicule[2a], (grotesque[4b]), (burlesque[6a])	lächerlich[3b]	ridículo[2a]
secretary[3b]	secrétaire[2b]	Sekretär[5a]	secretario[2b], (secretaría[6b])
slope[2b]	pente[2b], (talus[4b]), (inclinaison[6b])	Abfall[6a], Abhang[6a], Hang[6a]	inclinación[2b], (pendiente[3a]), (cuesta[4b]), (ladera[6b])
(be) slow[1b] (e.g., watch)	retarder[3b]	nachgehen[6a]	atrasar[5a]
solitude[4a]	solitude[2b]	Einsamkeit[4b]	soledad[2a]
sow[2b] (*vb.*)	semer[2b]	säen[6a]	sembrar[2b], (sembrado[6a])
splendor[3b], (magnificence[6])	éclat[1b], (splendeur[5a])	Pracht[5a]	esplendor[3a], (brillo[4a]), (magnificencia[6a])
spur[4a], (impulse[6])	impulsion[6b]	Trieb[3b], (Drang[4a]), (Stoß[4b]), (Anstoß[5a]), (Antrieb[6a])	impulso[2a]
squeeze[5a] (e.g., water out of something)	presser[2a]	ausdrücken[2b]	exprimir[6a]
stage[3a] (e.g., in a journey)	traite[4a], (étape[5a])	Station[3b]	etapa
stately[4b], (dignify [ied][5b])	(plein de) dignité[3a]	stattlich[4a]	grave[1a], (respetable[3a]), (augusto[3b])
statue[3a]	statue[2a], (statuette[6b])	Statue[5b]	estatua[2a]
stripe[4a], (streak[6])	bande[2a], (galon[5b])	Strich[4b], (Streifen[6b])	lista[2b], (raya[3b]), (tira[6b])
substantial[4b]	substantiel	wesentlich[1a]	su(b)stancial
swim[2a], (swam[6])	nager	schwimmen[4a]	nadar[4a]
theirs[4b]*	(le) leur[1a]	ihrige[4a]	suyo[3]*
thunder[2b]	tonnerre[5a]	Donner[5b]	trueno[3a]
vary[3a]	varier[2b], (différer[4b])	abwechseln[5a]	variar[2a]
vein[3a]	veine[3b]	Ader[5a]	vaso[1b], (vena[3a])
violence[3b]	violence[2a], (véhémence[4b])	Heftigkeit[5a]	violencia[2a]
wax[3a] (*n.*)	cire[5a]	Wachs[4b]	cera[3b]
work[1a] together[1a] (collaborate)	collaborer	mitwirken[4b]	colaborar
worship[3a] (*n.*)	adoration[5b], (vénération[6b])	Verehrung[4a], (Andacht[5b])	veneración[3b], (adoración[5b])
worship[3a], (adore[4b])	adorer[3a]	anbeten[5b]	adorar[1b], (idolatrar[5a])

SECTION 3.7. CONCEPTS 3237 THROUGH 3323

E F G S	E F G S	E F G S	E F G S	E F G S	E F G S	E F G S	E F G S	E F G S
1-3-6-6	1-8*-6-1	2-3-5-6	2-5 -5-4	3-2-5-3	3-4-4-5	4-1-3-8*	4-3-4-2	4-5-3-4	5-3-3-2
1-4-6-5	2-1 -6-4	2-3-6-2	2-6 -5-3	3-3-4-6	3-5-3-8*	4-1-4-4	4-4-3-5	4-6-3-3	5-4-2-5
1-5-6-4	2-2 -6-3	2-4-5-5	2-8*-4-5	3-3-5-2	3-6-4-3	4-2-4-3	4-5-2-8*	5-2-3-3	5-5-2-4
									6-2-2-3

English	French	German	Spanish
absurd[5b]	absurde[3b]	lächerlich[3b]	absurdo[2b]
acid[5b] (*n.*)	acide[4b]	Säure[2b], (Schwefelsäure[4a]), (Salpetersäure[5a]), (Salzsäure[6a])	ácido[5b]
ambition[3b]	ambition[2b]	Ehrgeiz[5a]	ambición[3a]

English	French	German	Spanish
apparatus[6]	appareil[2b]	Apparat[2b]	aparato[3a]
applause[5a], hurrah[5a]	bravo[3b], (applaudissement[5b])	Beifall[3a], bravo[3a], (Hurra[6b])	aplauso[2b], (viva[6b])
attribute[5b], (impute[6])	attribuer[3a]	zuschreiben[3b]	atribuir[2b], (imputar[6b])
authorize[6]	autoriser[2b]	berechtigen[2a], (ermächtigen[6b]) (befugt[4b])	autorizar[3a]
bathe[3a]	baigner[3a]	baden[5b]	bañar[2a]
bite[2a] (vb.), (nibble[6]), (nip[6])	mordre[3a]	beißen[6a]	morder[2b], (hincar[5a] el diente)
bliss[4a], rapture[4b], (ecstasy[6])	transport[2b], (ivresse[3a]), (délire[3b]), (félicité[5b])	Seligkeit[4a], (Wonne[5b]), (Glückseligkeit[6a])	delirio[3a], (embeleso[6a]), (éxtasis[6a])
button[2b] (n.)	bouton[3b]	Knopf[5b]	botón[6a]
cattle[2a]	bétail[6b]	Vieh[5b]	ganado[3a]
ceiling[4b]	plafond[3b]	Decke[4b]	techo[2b]
chest[2b] (box)	coffre[6b]	Kiste[5b]	arca[3b]
china[2b]	porcelaine[5b]	Porzellan[5b]	porcelana[4b]
choir[4b] (loft)	chœur[3b]	Chor[4b]	coro[2b]
choke[4a] (intr. vb.), (stifle[6]), (strangle[6])	étouffer[2b], (suffoquer[4b])	ersticken[4b]	sofocar[3b]
comedy[4b]	comédie[3a]	Komödie[4b], (Lustspiel[5b])	comedia[2a], (sainete[5b])
correction[5b]	correction[5b]	Verbesserung[2b], (Korrektur[4b])	corrección[4b]
crooked[4b]	de[1a] travers[3b]	schräg[4a], (schief[5b])	torcido (torcer[2a])
culture[5b], (civilization[6])	civilisation[2b], (culture[3a])	Kultur[3b]	civilización[3a], cultura[3a]
deck[2b] (n.) (ship)	pont[2b]	Deck[6b]	cubierta[3b]
deny[2b], (disown[9])	méconnaître[4b], (renier[5b])	verleugnen[5b]	renegar[5b]
device[4b] (technical)	appareil[2b]	Vorrichtung[4b]	aparato[3a]
distribution[4b]	distribution[5a]	Verteilung[3a]	reparto[4a], distribución[4b]
drain[2b], empty[2a]	vider[3a], (dessécher[4b])	leeren[6b]	agotar[2b], (escurrir[4a]), (disocupar[4b])
drama[5b]	drame[3a], (l'art) dramatique[3b]	Drama[3b]	drama[2a]
employer[6]	patron[2b]	Arbeitgeber[2b]	patrón[3a]
employment[5b]	emploi[3b]	Beschäftigung[3a]	empleo[2b]
fancy[2a], (whim[10])	caprice[3b], (frivolité[6a])	Grille[6b]	capricho[2b], (quimera[4b]), (antojo[5a])
(in the) first[1a] (place), firstly (first[1a])	premièrement	erstlich[6b]	(en primer) lugar[1a], primeramente (primero[1a])
fortunately (fortunate[3b]), (happily[4a])	heureusement[2a]	glücklicherweise[5b]	afortunadamente (afortunado[3b])
genuine[4b]	authentique[4b]	wahrhaft[3a], wahrhaftig[3b]	auténtico[5a], (genuino[6a])
gruff[5a]	rude[2a], brusque[2b]	grob[3b], (rauh[4a])	brusco[3b]
hinder[4a]	empêcher[1a], (gêner[2a])	abhalten[3a]	entorpecer
hint[4b], (intimate[5b])	insinuer[5b]	andeuten[3a]	insinuar[4a], intimar[4b]
horn[2a]	corne[5a]	Horn[5b]	cuerno[4a]
idle[2b]	oisif[6b]	müßig[5a]	ocioso[3b]
introduction[5b] (book, etc.)	introduction[5b]	Einführung[2a], (Einleitung[4a]), (Anleitung[5a]), (Vorrede[6a])	introducción[4b], (preámbulo[5b]), (prólogo[6b])

THE FOURTH THOUSAND CONCEPTS — Sec. 3.7

English	French	German	Spanish
invisible[4b]	invisible[2b], (imperceptible[4a])	unsichtbar[4a]	invisible[3b]
lavish[5b] (*adj.*)	prodigue[5b]	reichlich[2b]	pródigo[4a]
luxury[3a]	luxe[2b]	Luxus[5b]	lujo[3a]
mansion[4a]	hôtel[1b] particulier[1b], (château[2a])	Herrenhaus[4b]	mansión[4a]
mortal[2b] (susceptible to death)	mortel[3b]	sterblich[6a]	mortal[2a]
native[2a] (*n.*)	naturel[1a], (nationaux [national[2a]]), (indigène[4a])	Eingeborene[6a]	indígena[4b]
nephew[4a]	neveu[4a]	Neffe[4b]	sobrino[1b]
nobility[5b] (the –)	noblesse[3a], (aristocratie[4b])	Adel[3a]	nobleza[2b], (hidalguía[6b])
occasional[4b]	(de) temps[1a] (en temps)	gelegentlich[3a]	ocasional
organize[4b], (contrive[6])	organiser[2a]	organisieren[4b], (veranstalten[5a])	organizar[3b]
passionate[5b]	passionné[3b]	leidenschaftlich[3a], (feurig[4a])	apasionado (apasionar[2b])
photograph[5b]	photographie[4a]	Aufnahme[2b], (Photographie[5a])	fotografía[5a]
plane[4b] (mathematical)	plan[1b]	Ebene[4a]	plano[4a]
plume[4a]	panache[5a]	Feder[2b]	penacho
police[4a] (*n.*)	police[2b]	Polizei[4b]	alguacil[3b], (policía[4b])
precept[6]	précepte[6b]	Regel[1b], Vorschrift[1b]	precepto[3b]
privilege[3b]	privilège[3a], (prérogative[7a])	Privileg(ium)[5a], (Vorrecht[6a])	privilegio[2b], (prerrogativa[7a])
project[4b], (jut[6])	dépasser[1b], (projeter[3b]), (saillir[7a])	ragen[4b]	sobresalir[4b]
prudence[5b], (caution[6])	précaution[2b], (prudence[3a])	Vorsicht[3a], (Klugheit[4a])	prudencia[3a], (precaución[4a]), (cautela[6a]), (recato[6a])
questioning (question[1b]) (formal)	interpellation[5a]	Anfrage[5a]	interpelación, interrogatorio
rage[3a], (rave[5a]), (fume[6])	s'emporter[4b]	rasen[4a], stürmen[4a], (toben[5b]), (brausen[6a])	rabiar[5a], (delirar[6b])
relative[3a] (*adj.*), (comparative[5b])	relatif[3b]	relativ[5a]	relativo[2a]
repair[2a], (mend[3a]), (patch[3a]), (darn[6])	réparer[3a], (raccommoder[6b])	wiederherstellen[6a]	reparar[2a], compuesto[2b], (remendar[5b]), (restaurar[6b]), (compostura[5b])
respective[4b]	respectif[6b]	respektiv[3a], (jeweilig[6b]) (beziehungsweise[2b])	respectivo[3a]
robber[3a]	bandit[4a], brigand[4a]	Räuber[4b]	bandolero[5b], (bandido[6a])
satisfactory[5b]	satisfaisant[4b]	befriedigend (befriedigen[2a])	satisfactorio[5a]
savings (save[1a])	épargne[4b]	Ersparnis[6a]	ahorro[5b] (*pl.*)
sermon[4b]	sermon[6a]	Predigt[3b]	sermón[3b]
shell[2a]	coquille[6b]	Schale[5a]	concha[3b]
shepherd[2b]	berger[6a], pâtre[6a], (bergère[7a])	Hirt[5a]	pastor[3a], (zagal[6a])
sixth[2b]	sixième	sechste[4a]	sexto[5*]

122 Sec. 3.7 SEMANTIC FREQUENCY LIST

English	French	German	Spanish
(be) sore[2b]	(avoir) mal[1a]	wund[6a] (sein[1a])	dolorido[4a]
sovereign[4b]	souverain[3a]	Herrscher[4a]	soberano[2a]
sprinkle[3b], spray[3b]	arroser[4a]	sprengen[4b]	rociar[5b]
steamer[3b], (steamship[6]), (steamboat[6])	vapeur (m.)[6a], paquebot[6b]	Dampfer[4a]	buque[3a] (de) vapor[2a]
stomach[4a]	estomac[3a]	Magen[4b]	estómago[2b]
straw[2a]	paille[2b]	Stroh[6b]	paja[3b]
strip[2a] (tr. vb.)	dépouiller[3a]	entblößen[6a]	despojar[2b], (desnudar[3b]), (deshojar[6a]) (leaves)
substitute[3b] (n.)	substitut[5b]	Ersatz[3a]	substituto
supply[1b] (– and demand)	offre[3b]	Angebot[6b]	oferta[6b]
suppress[5b]	supprimer[2b]	unterdrücken[3b], (verdrängen[4b]), (dämpfen[6b])	suprimir[3a]
thief[3a], (thieve[s][5a])	voleur[3a]	Dieb[5a]	ladrón[2a]
(be) thirsty[4b]	(avoir) soif[3b]	Durst[4a] (haben)	(tener) sed[2b], (sediento[6b])
ton[3a]	tonne[5a], tonneau[5a]	Tonne[3a], Zentner[3b]	tonelada
tradition[4a]	tradition[2a]	Überlieferung[4a], Tradition[4b]	tradición[3b]
Tuesday[2b]	mardi[4a]	Dienstag[5b]	martes[5b]
white[1a] (n.)	blancheur[5a]	Weiß[6b]	blancura[4b]
wreath[3a], (garland[4a])	couronne[3a]	Kranz[4b]	guirnalda[6b]

SECTION 3.8. CONCEPTS 3324 THROUGH 3422

E F G S	E F G S	E F G S	E F G S	E F G S	E F G S	E F G S	E F G S	E F G S	E F G S
1-4 –6-6	2-2-6-4	2-5 –5-5	3-1-5-5	3-4-5-2	3-8*-4-2	4-5-3-5	5-3-3-3	5-6-1-8*	6-3-2-3
1-5 –6-5	2-3-6-3	2-5 –6-1	3-1-6-1	3-5-4-5	4-3 –4-3	4-6-2-8*	5-4-2-6	5-6-2-4	6-4-1-6
1-6 –6-4	2-4-5-6	2-6 –5-4	3-2-4-8*	3-5-5-1	4-4 –3-6	4-6-3-4	5-4-3-2	6-1-2-5	6-4-2-2
1-8*-5-6	2-4-6-2	2-8*-5-2	3-3-5-3	3-6-4-4	4-4 –4-2	5-1-4-1	5-5-2-5	6-1-3-1	6-5-1-5
									8-1-1-1

English	French	German	Spanish
acceptance[5b]	acceptation[6b]	Annahme[1b], (Genehmigung[3a]), (Akzept[5b])	aceptación
accommodate[5b]	accommoder[4b], approprier[4b]	einstellen[3a], (anpassen[5a])	acomodar[2b], ajustar[2b]
adjoining (adjoin[5a])	voisin[1a]	benachbart[4a]	vecino[1b]
adoption[5b]	adoption[6b]	Annahme[1b]	adopción
antiquity[5b]	antiquité[3b]	Altertum[3a]	antigüedad[3b]
appeal[3a] (n.)	appel[2a], (recours[4a])	Berufung[4a]	apelación
artillery[6]	artillerie[4b]	Artillerie[1b], (Korpsartillerie[5b])	artillería[6a]
avenge[5b]	venger[4a]	rächen[3b]	vengar[2b]
bestowing (bestow[3b])	don[3a]	Erteilung[5b]	don (gift)[3b], (donación)
blank[3a] (void) (adj.)	en[1a] blanc[1a]	blank[6b]	en[1a] blanco[1a]
boot[2b]	botte[3a], (bottine[6b])	Stiefel[6a]	bota[3b], (botín[6a])
break[1b] (n.) (rupture)	rupture[4b]	Bruch[6a]	ruptura[6b]
buyer[5b]	acheteur[4b]	Käufer[2b]	comprador[6b]

THE FOURTH THOUSAND CONCEPTS — Sec. 3.8

English	French	German	Spanish
cap[1b]	casquette[4b], (képi[5a])	Mütze[6b]	gorra[6a], gorro[6b], montera[6b]
casual[5b]	éventuel[6a]	zufällig[2a]	casual[4b]
cellar[3a]	cave[3a]	Keller[5a]	cueva[3b], (bodega[5a])
(– in the) chair[1b], (chairman[5b])	présidence[5b]	Vorsitz[6a]	presidencia[5a]
characteristic[5b] (adj.)	caractéristique[4b]	eigentümlich[2a], (charakteristisch[4a])	característico[6a], típico[6a]
check[2a] (vb.)	vérifier[4a], (contrôler[5a])	kontrollieren[6b]	verificar[2b], (comprobar[5b])
classic[4b] (adj.)	classique[3b]	klassisch[4a]	clásico[3a]
clerk[2b] (who writes)	greffier[6a], clerc[6b]	Schreiber[5a]	escribano[4a]
cock[2a], (rooster[5b])	coq[4a]	Hahn[6a]	gallo[2b]
college[2a]	collège[3a]	Seminar[6b]	colegio[3a]
community[4b] (e.g., of interests)	communauté[4b]	Gemeinschaft[3b]	comunidad[6a]
competition[5b]	concurrence[3b]	Konkurrenz[3b]	concurso[3b], (competencia[5b])
composition[4b]	composition[3a]	Zusammensetzung[4a], (Komposition[5a])	composición[3b]
contemplation[5b]	contemplation[6a]	Betrachtung[2a]	contemplación[4a]
convent[5a]	couvent[3b], (cloître[4b]), (communauté[4b]), (monastère[5a])	Kloster[3b]	convento[3a], (monasterio[5a])
corps[8]	corps[1a]	Korps (C)[1a], (Garde[3a]), (Gardekorps[3a])	cuerpo[1a]
cotton[2a], (gingham[6])	coton[6b]	Baumwolle[5b]	algodón[4a]
criticism[6]	critique (f.)[3b]	Kritik[2b]	crítica[3b]
curtain[2a]	rideau[2a], (portière[4a])	Vorhang[6a]	cortina[4b], (telón[5a]) (theatre)
delay[2a] (n.)	retard[2a], (délai[3b])	Verschiebung[6b], Verzögerung[6b]	tardanza[4b]
devour[4a], (gobble[6])	dévorer[3b], (engloutir[7a])	verzehren[4a], (verschlingen[5b])	devorar[3a], (engullir[6a])
discharge[3b] (dismissal)	congé[3b], (renvoi[5b])	Entlassung[5b]	despedida[3b]
division[3a] (act of dividing)	division[3b]	Teilung[5b]	división[3b]
draft[3a] (on bank)	traite[4a]	Tratte[5b]	giro[2b]
enjoyment[6]	jouissance[4b]	Genuß[2a]	goce[2b]
establishment[5b] (act of establishing)	établissement[3a], (fondation[5b])	Begründung[3a], (Errichtung[4a]), (Gründung[4b]), (Festsetzung[5a]), (Etablissement[5b])	establecimiento[3a]
estimate[3b] (n.)	appréciation[6a]	Schätzung[4b], (Einschätzung[6a]), (Würdigung[6a])	presupuesto[4a], (apreciación[5a])
(New Year's) Eve[3a]	(la) veille[1b] (du jour de l'an)	Sylvester[5a] (-abend)	víspera[5b] (de Año Nuevo)
explore[4b]	explorer[6a]	untersuchen[3a]	explorar[4b]
face[1a] (vb.) (stand up to)	braver[5b], (affronter[7a])	entgegenstehen[6a]	arrostrar[5a]
fancied (fancy[2a]), (imaginary[6])	imaginaire[4a]	eingebildet (einbilden[5a])	imaginario[6a]
fertile[4a], fruitful[4b]	fécond[4a], (fertile[5b])	fruchtbar[4a]	fecundo[2b], (fértil[4b]), (productivo[6a])
foster[5b]	protéger[2a]	hegen[3a]	fomentar[4a]

English	French	German	Spanish
freight[3a]	chargement	Fracht[4a]	carga[2b]
glorious[2b]	glorieux[4a]	glorreich[6b]	glorioso[2a]
gravity[6], (seriousness[10])	sérieux[1a], (gravité[3a])	Ernst[2a]	seriedad[5b]
hover[5a]	se balancer[5b], voltiger[5b] (au-dessus de ....)	schweben[2b]	cerner[5b] se
immortal[3a]	immortel[3b]	unsterblich[5b]	inmortal[3a]
individual[3a] (adj.)	individuel[5a]	individuell[4b]	individual[5b]
invade[4a]	envahir[3a], ([faire une] invasion[5b])	einfallen[4a]	invadir[3a]
laughter[3a]	rire[1a]	Gelächter[6a]	risa[1b]
layer[5a]	assise (n.)[4b]	Schicht[3a]	capa[2a], (camada)
lazy[2b]	paresseux[4b]	faul[6a]	perezoso[2b], (holgazán[6a])
leather[2a]	cuir[3b]	Leder[6a]	cuero[3a]
life[1a] (animation)	vivacité[5b]	Lebhaftigkeit[6a]	animación[5a], (viveza[6a])
lighten[4a]	alléger[6b]	erleichtern[2b]	aligerar
local[3a]	local (adj.)[3a]	lokal[5a], örtlich[5a]	local[3b]
(be in the) majority[3a]	(avoir la) majorité[3a]	(im) Übergewicht[5b]	(estar en) mayoría[3a]
manly[4b], (masculine[5b])	mâle[5a]	männlich[3b]	viril[5a], varonil[5b]
marble[2b]	marbre[3a]	Marmor[6a]	mármol[3a]
moderation[6] (temperateness)	sobriété[5a]	Maß[1b], (Mäßigung[6b])	moderación[5b], (sobriedad[7a])
needle[2b]	aiguille[3b]	Nadel[6a]	aguja[3a]
negro[3a]	nègre[5b]	Neger[5a]	negro[1a]
offense[3a], (insult[4a])	injure[3b], (affront[6b]), (insulte[7a])	Beleidigung[5a]	agravio[3b], (afrenta[4a]), (injuria[4a]), (insulto[4b]), (ofensa[4b]), (denuesto[6b])
offering (offer[1b])	offrande[6b]	Angebot[6b]	ofrenda[4b]
ox(en)[2a]	bœuf[3a]	Ochse[6b]	buey[3a]
paradise[3a]	paradis[3b]	Paradies[5a]	paraíso[3a]
(be) patient[2b]	(avoir de la) patience[2b], (patient[5a])	geduldig[6a] (sein), gedulden[6b]	paciente[4b]
persist[5b]	persister[3b], (persévérer[5b]), (s'obstiner[6b])	verbleiben[3a], (beharren[6a])	obstinarse[3a], (porfiar[4b]), (persistir[6a])
positive[4b]	positif[3a]	positiv[4a]	positivo[3b]
purse[2b]	bourse[3b]	Beutel[6b]	bolsa[3a]
rate[2a] (of interest)	taux	Prozentsatz[5a], (Zinsfuß[6a])	tipo[2a] (de) interés[1b]
record[2a] (n.), (register[3a])	dossier[4b], registre[4b]	Archiv[5a], Protokoll[5a], (Register[6a])	registro[6b]
reliable[6]	digne[1b] (de) confiance[1b]	zuverlässig[3b]	digno[1a] (de) confianza[1b]
reward[3a] (vb.), (recompense[4b])	récompenser[6b]	lohnen[4a], belohnen[4b]	recompensar[4b], (premiar[5a])
rumor[4b]	rumeur[4b]	Gerücht[4a]	rumor[2a]
saddle[2b] (n.)	selle[5a]	Sattel[6a]	silla[1b]
see[1a] (in) advance[2a], (foresee[5b])	prévoir[2a]	voraussehen[6a]	prever[4a]
shirt[2b]	chemise[3a]	Hemd[6b]	camisa[3a]
slap[5b], (smack[6]) (n.)	soufflet[5b]	Schlag[2b]	bofetada[5b], palmada[5b], (bofetón[6a])
snake[3b], (serpent[4a])	serpent[6b]	Schlange[4b]	serpiente[4b], (culebra[5b]), (sierpe[6b])

English	French	German	Spanish
sober[3a], moderate[3a], temperate[3b]	sobre[6b]	nüchtern[4b]	sobrio[4b]
stable[2b] (n.)	écurie[5a]	Stall[5b]	establo[5a]
successor[5b]	successeur[3b]	Nachfolger[3b], (Folgende[4b])	sucesor[3b]
translate[4b]	traduire[3a]	übersetzen[4a]	traducir[3a]
trimming (trim[2a]), (ornament[3a]), (decoration[4b])	décor[3b], (décoration[5b]), (ornement[5b]), (parure[6a])	Verzierung[6a]	adorno[3a], decoración[3b], (guarnición[5b]), (aliño[6b])
undergo[5b]	subir[1b]	(sich) unterziehen[4b]	pasar[1a], sufrir[1a]
unity[5b]	unité[3b]	Einheit[3a]	unidad[3a]
universal[3a]	universel[3a]	allseitig[5a]	universal[3a]
unpleasant[5b], disagreeable[5b]	fâcheux[3a], (désagréable[4b])	unangenehm[3a], (verdrießlich[5a])	desagradable[3b]
upright[3a], (righteous[5a])	juste[1a]	rechtschaffen[6a]	justo[1b]
variety[3a]	variété[3b]	Mannigfaltigkeit[5a]	variedad[3a]
vexing (vex[3a]), (annoying [annoy[5b]]), (troublesome[5b])	importun[6a]	lästig[4a], (beschwerlich[6a]), (ärgerlich[6b])	molesto[4a], importuno[4b], (fastidioso[5b])
victor[4a]	vainqueur[3b]	Sieger[4a]	vencedor[3a]
vivid[5b]	imagé[4a]	lebendig[2a]	gráfico[6b]
wave[1b] (n.) (undulation)	ondulation	Welle[5a]	ondulación[6b]

SECTION 3.9. CONCEPTS 3423 THROUGH 3515

E F G S	E F G S	E F G S	E F G S	E F G S	E F G S	E F G S	E F G S
2-1-6-6	2-5-6-2	3-2-6-1	3-5-4-6	4-3-4-4	4-6-3-5	5-2-4-1	5-5 -3-2
2-2-6-5	2-6-5-5	3-3-4-8*	3-5-5-2	4-4-3-7	4-6-4-1	5-3-2-8*	5-8*-2-3
2-3-6-4	3-1-5-6	3-3-5-4	4-2-5-1	4-4-4-3	5-1-4-2	5-3-3-4	6-1 -2-6
2-4-6-3	3-1-6-2	3-4-5-3	4-3-3-8*	4-5-3-6	5-2-3-5	5-4-3-3	6-3 -2-4
							6-5 -2-2

English	French	German	Spanish
abolish[5b]	abolir[3b]	vernichten[2b]	abolir
accent[4b] (vb.)	accentuer[4b]	betonen[3a]	acentuar[7b]
actor[4b]	acteur[4b], (comédien[5b]), (actrice[6a])	Schauspieler[4b]	actor[3a], (protagonista[6b])
ambassador[4b]	ambassadeur[3b]	Gesandte[3b]	embajador
ass[3b], (donkey[4a])	âne[4a]	Esel[5b]	burro + borrico[3a], asno[3b], (pollino[6b]), (jumento[7a])
assistance[4a] (collaboration)	collaboration[5a]	Mitwirkung[3b]	colaboración[6a]
bath[3a]	bain[4a]	Bad[5a]	baño[3a]
beach[2b], (strand[5a])	grève[4a], rivage[4a], (plage[5a])	Strand[6a]	playa[3a]
beer[4b], (ale[6])	bière[3b]	Bier[3b]	cerveza
(from the) beginning[5b]*	dès[1a] (le) commencement[2a]	(von) vornherein[4a]	(desde un) principio[1a]
(make) bitter[2a]	rendre[1a] amer[2a]	erbittern[6a]	amargar[5a]
brood[4a], (meditate[5b])	méditer[4a]	sinnen[4a]	meditar[3a]
cab[6], hack[6]	fiacre[5a]	Wagen[2b]	coche[2a] ([de] alquiler[3b])
chapel[3a]	chapelle[3a]	Kapelle[5b]	capilla[4a]
circuit[4b]	circuit[6a]	Umgebung[3a]	derredor[5a]

English	French	German	Spanish
colonel[6]	colonel[3b]	Oberst[2b]	coronel[4a]
correspondence[4b] (writing)	correspondance[4a]	Korrespondenz[4a], (Briefwechsel[5a])	correspondencia[3a]
countless[5b], (innumerable[6]), (myriad[6])	innombrable[4b]	zahllos[3a], (unzählig[4a])	innumerable[3a]
cure[2b] (n.)	cure[5a]	Erholung[6a], Kur[6a]	cura[2a]
dazzle[4b]	éblouir[3b], (éblouissant[4b])	blenden[4b]	deslumbrar[4a]
deceit[5b], fraud[5b]	déception[5b]	Betrug[3b], Täuschung[3b]	engaño[2a]
dew[2b]	rosée[5b]	Tau[6b]	sereno[2a], (rocío[6a])
disaster[5b], (calamity[6]), (catastrophe[8])	catastrophe[3a], désastre[3b], sinistre[3b]	Unfall[3b], (Katastrophe[4b]), (Unheil[5a])	calamidad[4a], catástrofe[4a], desastre[4a]
discretion[6]	discrétion[3b]	Vernunft[2b], (Einsicht[3a])	discreción[4b]
dismal[4b], gloomy[4b], (dreary[5b])	morne[3b], (funèbre[4a]), (lugubre[4a]), (ténébreux[6b])	düster[4a], trüb[4a]	lúgubre[4b], (fúnebre[6a]), (tétrico[6b])
dissolve[3b]	dissoudre[3b]	zersetzen[5b]	disolver[4a]
distinction[5b]	distinction[5b]	Ehrung[3b], (Auszeichnung[5b])	distinción[2b]
ditch[3a], pit[3a], (trench[5a])	fossé[3b]	Graben[4b]	fosa, zanja
drove[2b] (n.) (group of animals, etc.), flock[2b], herd[2b], (swarm[3b])	troupeau[3b], (volée [n.][4a]) (birds), (nuée[5b]), (essaim[6a])	Herde[6b]	bandada[4a] (birds), rebaño[4b], (enjambre[5b])
dull[3a] (unpolished)	mat (adj.)[5a], terne (adj.)[5a]	matt[4a]	mate[6b]
empty[2a] (river)	(se) jeter[1a]	(sich) ergießen[6a]	desembocar[6a]
encounter[3b] (n.) (military)	rencontre[1b]	Aktion[6b], Zusammenstoß[6a]	encuentro[2a]
ending[4b] (e.g., of a session)	dissolution[6a]	Aufhebung[3b]	disolución[5a], terminación[5b]
envy[3a] (vb.)	envier[5b]	beneiden[5b]	envidiar[2b]
eternity[4b]	éternité[5a]	Ewigkeit[3b]	eternidad[6a]
fan[2b] (n.)	éventail[6b]	Fächer[5a]	abanico[5a]
fiction[6]	roman[3a]	Dichtung[2b]	ficción[4b]
fostering (foster[5b]) (n.)	protection[2b]	Pflege[3b]	fomento[5b]
glove[2b], (mitten[5a])	gant[4b]	Handschuh[6b]	guante[3b]
handle[2a], (wield[6])	manier[4b], (manœuvrer[5a])	handhaben[6a]	manejar[3b], (esgrimir[6a])
harsh[4a] (to touch, etc.)	âpre[3a]	rauh[4a]	áspero[4a]
hive[4a] (bee)	ruche[6b]	Stock[3b]	colmena[5b]
honey[2a]	miel[5a]	Honig[6b]	miel[2b]
imagination[3b]	imagination[2a]	Einbildung[6b]	imaginación[1b]
imperfect[4b], (defective[6])	défectueux[6b]	mangelhaft[4b], (dürftig[5a])	pobre[1a], (imperfecto[3b]), (falto[5a])
inheritance[4b]	héritage[4a]	Erbschaft[4b], (Nachlaß[5a])	herencia[3a], (patrimonio[4b])
inland[5a]	intérieur[1a]	Inland[4b]	tierra[1a] adentro[2b]
invert[6]	retourner[1a]	umkehren[2b]	invertir[6a]
involve[4b]	impliquer[4b], (brouiller[5b])	verwickeln[4a], (befangen[6a])	enredar[3a], (implicar[4b])
kneel[4a]	s'agenouiller[3b]	knien[4b]	arrodillarse[4a], (hincar[5a] [la] rodilla[2a]), (poner[1a] [se] [de] hinojos [hinojo[6b]])
legend[5b]	légende[3a]	Sage[3a]	leyenda[4a]
likeness[4b]	ressemblance[3b]	Ähnlichkeit[4a]	semejanza[4a]
loyal[4a]	loyal[4b], (loyalement[6b])	getreu[4a]	leal[3a]

THE FOURTH THOUSAND CONCEPTS Sec. 3.9

English	French	German	Spanish
margin[5a]	marge	Rand[2b]	margen[3a]
mixture[4a]	mélange[3a]	Mischung[4b], (Gemenge[6a]), (Gemisch[6b])	mezcla[4a]
movable (move)[5b]	mobile[3b]	beweglich[3b], (mobil[6b])	móvil[4b], (movible[5b])
normal[4b]	normal[3a]	normal[4a]	normal[4a]
ours[3a]	nôtre[3a]	unsrige[5b]	nuestro[4*]
overtake[4a], (overtook[6])	rejoindre[2a], (rattraper[4a])	einholen[5b]	alcanzar[1a]
pensive[4b], thoughtful[4b]	rêveur[4a], (pensif[5a])	(sinnen[4a]), (besonnen[6a])	pensativo[3a], (reflexivo[5b])
periodical[6] (n. and adj.)	périodique[5a]	Zeitschrift[2b], (periodisch)	periódico[2a]
personality[6]	personnalité[3b]	Persönlichkeit[2b], (Individualität[5b])	personalidad[4a]
pig[2a], (hog[3b]), (pork[4a]), (swine[5a])	cochon[4a], (porc[5b]), (sanglier[5b])	Schwein[6b]	puerco[3b], (cerdo[4b]), (cochino[6a])
planet[4b]	planète[4b]	Planet[4b]	planeta[3a]
plot[3a], (conspiracy[5b])	complot[5b]	Anschlag[4b], (Verschwörung[6b])	intriga[6a]
poetic[5b]	poétique[4a]	poetisch[3a], dichterisch[3b]	poético[3b]
production[4b]	production[4a]	Produktion[4a], (Erzeugung[5b]), (Gewinnung[6a])	producción[3a]
recite[4b]	réciter[3a], (déclamer[5b])	vortragen[4a]	recitar[4a]
refuge[3b], (haven[5b])	asile[3b], (refuge[6a])	Zuflucht[5a]	asilo[4a], (refugio[5a])
(take) refuge[3b]	se réfugier[3b]	Zuflucht[5a] finden[1a], Zuflucht[5a] suchen[1a]	refugiarse[4b]
relieve[3a] (someone of a duty)	relever[1a]	ablösen[5b]	relevar[6b]
respectful[5b]	respectueux[4b]	hochachtungsvoll[3b], (hochachtend[6a]), (achtungsvoll[6b])	respetuoso[3b]
(priest's) robe[3a]	soutane[5a]	Gewand[4b]	sotano[6b]
salvation[5b]	salut[3b]	Rettung[3b]	salvación[4b]
scientific[6]	scientifique[4a]	wissenschaftlich[2a], (naturwissenschaftlich[6a])	científico[3a]
secretary[3b] (of) state[1a]	ministre[2a] (des affaires) étrangères (étranger[1b])	Staatssekretär[6a]	ministro[1b] (de Estado)
shipment[4b], (despatch[6])	expédition[3a], (envoi[7a])	Sendung[4a]	expedición[4b], (envío[7a])
sketch[5b] (n.)	dessin[3a], (esquisse[6a])	Aufsatz[3a], (Skizze[5a]), (Riß[6b])	dibujo[4a]
(go to) sleep[1a]	s'endormir[2b], (s'assoupir[6b]), (se rendormir[6b])	einschlafen	dormir[1a] (se), (adormecer[4a] [se])
sly[4a], (furtive[9])	furtif[6a]	heimlich[3a]	furtivo[5b]
spin[3a], (spun[5a])	filer[2b]	spinnen[5b]	hilar[5b]
stamp[2a] (vb.) (e.g., a paper)	timbrer[6b]	ausprägen[5b], prägen[5b], (abdrucken[6b])	estampar[5b]
steer[3b] (vb.)	diriger[1a], (gouverner[4b])	steuern[6a]	gobernar[2a], (navegar[4a])
swell[2b], (swollen[6])	gonfler[3b], (enfler[6a])	schwellen[6b]	hinchar[4a]
team[2b]	attelage	Joch[5a], (Gespann)	tronco[3a] (horses), (equipo[7b])
tobacco[3a]	tabac[3b]	Tabak[5a]	tabaco[4a]
torture[4a] (n.)	supplice[4a], (torture[5a]), (tourment[5b])	Qual[4a]	martirio[3a], (suplicio[5b])

English	French	German	Spanish
transport³ᵇ, (convey⁴ᵇ)	transporter²ᵇ	übersenden⁵ᵃ, versenden⁵ᵃ	transportar⁵ᵃ, (acarrear⁶ᵃ)
trifle³ᵇ (n.)	petitesse⁶ᵃ	Kleinigkeit⁴ᵇ	friolera⁵ᵃ, pequeñez⁵ᵇ
unequal⁵ᵇ, (uneven⁶)	inégal⁴ᵃ	ungleich³ᵃ	desigual³ᵃ
victorious⁴ᵃ	vainqueur³ᵇ	siegreich⁴ᵃ	victorioso⁴ᵇ
want¹ᵃ (privation)	privation⁶ᵇ	Entbehrung⁶ᵇ	privación⁵ᵃ
whistle²ᵃ (n.)	sifflet⁵ᵃ	Pfeife⁵ᵇ	silbido⁶ᵃ

SECTION 4. CONCEPTS 3516 THROUGH 3601

E F G S	E F G S	E F G S	E F G S	E F G S	E F G S	E F G S	E F G S	E F G S
1-3-8*-1	1-8*-5-8*	2-4-6-4	3-2-5-6	3-4 -5-4	3-8*-4-4	4-4 -4-4	4-8*-3-4	5-5-3-3
1-4-6 -8*	2-2 -6-6	2-5-6-3	3-2-6-2	3-5 -5-3	4-2 -5-2	4-5 -3-7	5-1 -4-3	6-3-2-5
1-4-7 -4	2-2 -7-2	2-6-5-6	3-3-5-5	3-6 -4-6	4-3 -4-5	4-5 -4-3	5-2 -4-2	6-3-3-1
1-5-6 -7	2-3 -6-5	2-6-6-2	3-3-6-1	3-6 -5-2	4-3 -5-1	4-6 -4-2	5-4 -2-8*	6-5-2-3
1-6-6 -6	2-4 -5-8*	3-1-6-3	3-4-4-8*	3-8*-3-8*	4-4 -3-8*	4-8*-2-8*	5-4 -3-4	6-6-1-9

English	French	German	Spanish
accuse³ᵇ	accuser²ᵇ	anklagen⁶ᵇ, beschuldigen⁶ᵇ	acusar²ᵇ
attractive⁴ᵃ, enticing (entice⁴ᵇ), (alluring [allure⁵ᵇ])	séduisant⁵ᵇ	lockend (locken⁴ᵃ)	atractivo³ᵃ, seductor³ᵇ, (halagüeño⁵ᵃ), (tentador⁶ᵇ)
baron⁵ᵇ	baron⁴ᵇ	Freiherr²ᵇ, (Baron³ᵃ), (Baronin⁶ᵇ)	barón
beggar³ᵃ	gueux⁵ᵃ, mendiant⁵ᵇ	Bettler⁵ᵇ	mendigo³ᵇ
blank³ᵃ book¹ᵃ	cahier⁴ᵃ	Heft⁴ᵃ	cuaderno
blanket⁴ᵇ	couverture³ᵃ (de lit)	Decke⁴ᵇ	manta⁵ᵃ
block²ᵃ up¹ᵃ	encombrer⁴ᵇ	sperren⁵ᵃ	obstruir
blush³ᵇ (vb.)	rougir²ᵇ	erröten⁵ᵇ	ruborizar⁶ᵇ (se)
bore²ᵇ (n.) (tedium)	ennui²ᵇ, (cauchemar⁴ᵃ)	Langeweile⁶ᵃ	hastío⁶ᵇ
bundle³ᵇ, package³ᵃ, parcel³ᵃ	paquet²ᵇ, (ballot⁴ᵇ), (fagot⁶ᵃ) (wood)	Ballen⁶ᵇ, (Paket)	bulto²ᵇ, (fardo⁶ᵃ), (lío⁶ᵇ), (paquete⁶ᵇ)
career⁴ᵇ	carrière²ᵇ	Laufbahn⁵ᵇ	carrera²ᵃ
catching (catch¹ᵇ), (contagious⁸)	contagieux⁵ᵇ	ansteckend (anstecken⁶ᵃ)	contagioso⁷ᵃ
choir⁴ᵇ (people)	maîtrise⁶ᵃ	Chor⁴ᵇ	coro²ᵇ
climate³ᵃ, (clime⁵ᵃ)	climat⁶ᵇ	Klima⁵ᵃ	clima²ᵇ
conception⁶ (physical)	conception³ᵇ	Auffassung²ᵃ	concepción⁵ᵇ
conscious⁴ᵇ	conscient	(bei) Bewußtsein²ᵃ	consciente
copy²ᵃ (make a copy)	copier⁵ᵃ	abschreiben⁶ᵃ, abbilden⁶ᵇ	copiar³ᵇ
correspond⁴ᵇ (writing)	correspondre³ᵇ	(in) Briefwechsel⁵ᵃ (stehen)	corresponder¹ᵇ
cunning³ᵃ, (craft⁵ᵃ)	ruse⁴ᵇ, (artifice)	List⁵ᵃ	ardid⁴ᵇ
day¹ᵃ before¹ᵃ yesterday¹ᵇ	avant-hier⁴ᵃ	vorgestern⁶ᵃ	anteayer
(in) debt²ᵃ	(être) débiteur⁶ᵃ	verschulden⁶ᵃ	(en) deuda²ᵇ
decent⁵ᵇ, (respectable⁶)	(comme il) faut (falloir¹ᵃ), (convenable³ᵇ), (respectable⁴ᵃ)	anständig⁴ᵇ, (schicklich⁶ᵇ)	respetable³ᵃ, decente³ᵇ
defiance⁴ᵇ	défi⁵ᵃ	Trotz⁴ᵃ	desafío³ᵃ
divorce⁴ᵇ (vb.)	divorcer	scheiden²ᵃ	divorciar

THE FOURTH THOUSAND CONCEPTS — Sec. 4

English	French	German	Spanish
(become[1a]) dumb[3a]	devenir[1a] muet[3b]	verstummen[5a]	enmudecer[5a]
Dutch[3a]	hollandais	niederländisch[4a], (holländisch[6a])	holandés[4b]
fold[2a] (vb.)	plier[2b]	falten[7a]	doblar[2a], (plegar[4a])
formation[5b]	formation[4b]	Gestaltung[3a], (Gebilde[5a])	formación[4a]
(man of) genius[4a]	(homme de) génie[2b]	Genius[5b]	genio[2a]
giant[2a] (n.)	colosse[6b], géant[6b]	Riese[6a]	gigante[2b]
green[1a] (n.) (verdure)	verdure[4b]	Grün(e)[7a]	verdura[4b], (verdor[6a])
grievous[5a], (lamentable[8])	lamentable[5b], (regrettable[6b])	schmerzlich[3a], (verdrießlich[5a])	lamentable[3a]
(do) hair[1a]	coiffer[3b]	frisieren	tocar[1a] (se)
honorable[3a]	honorable[4b]	ehrenvoll[5b], (rühmlich[6b])	honroso[4a]
horizon[4b]	horizon[2a]	Horizont[5a]	horizonte[2b]
imitate[4b]	imiter[2a]	nachahmen[5b]	imitar[2a]
inflict[5b]	infliger[5a]	auferlegen[3b]	inferir[3b]
insignificant[5b]	insignifiant[5a]	unbedeutend[3a], (unerheblich[6a])	insignificante[3b]
inspiration[5b]	inspiration[5a]	Anregung[3a]	inspiración[3a]
intelligence[4a]	intelligence[2a]	Intelligenz[5b]	inteligencia[2a]
intensity[6]	intensité[5a]	Stärke[2b]	intensidad[3b]
(of the same) kind[1a], (homogeneous[14])	homogène[6b]	gleichartig[6a]	homogéneo[6b]
legal[5b] (juristic)	légal[4b], (judiciaire[6b])	juristisch[3a]	legal[4b]
magistrate[4b]	magistrat[3b]	Magistrat[4b], (Amtmann[5a])	magistrado[5a]
mature[4a], (adult[8])	adulte	erwachsen[3a]	maduro[4b], (adulto)
motive[3b]	motif[3a], mobile[3b]	Beweggrund[6b]	motivo[1b], (móvil[4b])
museum[4a]	musée[4b]	Museum[4a]	museo[4b]
obligation[5b]	obligation[2b]	Verbindlichkeit[4b]	obligación[2a], empeño[2b]
patron[4a], (protector[6])	patron[2b], (protecteur[5a])	Patron[5b]	protector[2b], (patrón[3a]), (padrino[4a])
perfume[4a], scent[4b], (fragrance[5b])	odeur[2a], parfum[2b]	Duft[5a]	perfume[2b], (aroma[4a]), (fragancia[5b])
petition[4b]	pétition	Petition[3b], (Gesuch[5b])	petición[4a]
physical[5b]	physique[2b]	physisch[4a]	físico[2a]
pin[2a] (n.)	épingle[4a]	Nadel[6a]	alfiler[4b]
placing (place[1a]) (localization)	placement[4b]	Lokalisierung[6b]	localización
platter[6]	plat (n.)[3a]	Platte[3a]	fuente[1b]
poverty[3b]	pauvreté[6a]	Armut[5a]	pobreza[2b]
presume[4a] (presuppose)	présumer[6b]	voraussetzen[4a]	presumir[2b]
pretense(ce)[5b], (pretext[10])	prétexte[2a]	Vorwand[4b]	pretexto[2b]
put[1a] (to) sleep[1a]	endormir[3a]	einschläfern	hacer[1a] dormir[1a]
quote[4b], (cite[6])	citer[2b], ([faire une] citation[5b])	zitieren[5b]	citar[2a]
rebel[3b] (n.)	rebelle[5a], (mutin[6b])	Rebell[5b]	rebelde[3b]
relish[6] (vb.), savor[6]	savourer[6a]	genießen[1b]	saborear[6b]
remedy[3a] (vb.)	remédier[5b]	abhelfen[5b]	remediar[3a]

130 Sec. 4 SEMANTIC FREQUENCY LIST

English	French	German	Spanish
resolute[4b]	résolu (adj.)[3b], (résolument[5b])	entschlossen[5b]	resuelto (resolver[1b])
rocking (rock[1a])	balancement	Schwankung[5b]	balanceo
scold[3b]	gronder[2b]	schelten[6a]	reñir[2a]
seal[2b] (n.)	sceau[5b], (cachet[6b])	Siegel[6a]	sello[3a]
sharp[2a] (taste), (tart[6] [adj.])	piquant (adj.)[3b], (acide[4b]), (âcre[6a])	herb[6a], (pikant)	picante[5a]
sixty[3a]	soixante[1b]	sechzig[6b]	sesenta[3*]
slice[4b] (n.)	tranche[4b]	Scheibe[3b]	tajada, rebanada
stormy[3a], (tempestuous[6])	(d')orage[2b]	stürmisch[5a]	turbulento[6b]
suspicion[5b]	soupçon[4a]	Verdacht[3b]	sospecha[4a]
swamp[4a], (bog[5a]), (marsh[5a])	marais[5a]	Marsch[3b]	pantano[7a]
tax[2a] rate[2a]	tarif[6a] (d')impôt[3a]	Steuersatz[5a]	tarifa[6b] (de impuesto)
tempt[3a]	tenter[1b]	anfechten[6b]	tentar[3a]
theme[4b] (topic)	thème[6b]	Thema[4b]	tema[2b]
tin[3a] (metal)	étain[6b]	Zinn[4b]	lata[6b]
transfer[3b] (n.) (money)	transfert	Überweisung[3a]	remesa
trembling (tremble[2b]) (n.)	tremblement[4b]	Zittern[6b]	temblor[4a]
twist[3b], (twine[4a]) (vb.), (coil[5b]), (wreathe[6])	(s')enrouler[6a]	verschlingen[5b]	torcer[2a]
uncertain[4b]	incertain[4a], (précaire[5a]), (hasardeux[6a])	unsicher[4b], (ungewiß[6a])	incierto[4b], (inseguro[6a])
vague[5b]	vague[2a], (indécis[3b]) (vaguement[4b])	dumpf[4b], (unbestimmt[5a]), (ungewiß[6a])	vago[2a], (indeciso[6b])
vigor[3b]	vigueur[5a], fermeté[5b]	Lebenskraft[5b]	brío[3a], vigor[3a], (lozanía[5b])
vine[2b]	vigne[3a]	Rebe[6b]	parra[5b]
whirl[3b] (n.)	tourbillon[6a]	Wirbel[5b]	giro[2b], (remolino[7a])
wrestle[5b]	lutter[2b]	ringen[4b]	luchar[2a]

SECTION 4.1. CONCEPTS 3602 THROUGH 3692

```
E F G S    E F G S    E F G S    E F G S    E F G S    E F G S    E F G S    E F G S    E F G S    E F G S
1-1-8*-4   1-6 -6-7   2-3 -6-6   2-8*-6-1   3-4-5-5    3-8*-4-5   4-3-5-2   4-6-4-3   5-4-3-5   6-3 -3-2
1-2-8*-3   1-6 -7-3   2-4 -6-5   3-1 -6-4   3-5-4-8*   4-1 -4-8*  4-4-4-5   5-1-4-4   5-4-4-1   6-4 -2-5
1-4-8*-1   1-8*-6-5   2-6 -6-3   3-2 -6-3   3-5-5-4    4-2 -5-3   4-5-3-8*  5-2-4-3   5-5-2-8*  6-5 -2-4
1-5-7 -4   2-3 -7-2   2-8*-5-5   3-3 -6-2   3-6-4-7    4-3 -4-6   4-5-4-4*  5-3-3-6   5-5-3-4   6-6 -2-3
                                                                            5-3-4-2   5-6-3-3   6-8*-2-1
```

English	French	German	Spanish
abyss[5b]	abîme[3b], (gouffre[4b])	Abgrund[4b]	abismo[2b]
amends (amend[4b])	réparation[3a], (compensation[6a])	Buße[5b]	satisfacción[2b]
anywhere[4b]	(n'importe) où[1a]	irgendwo[4b]	dondequiera, doquiera
atmosphere[5b]	atmosphère[3a]	Atmosphäre[4b]	ambiente[2b], (atmósfera[3a])
Austria(n)[5b]	autrichien[5b]	österreichisch[2a]	austriaco
banish[3b], (exile[4b])	exiler[5a], (bannir[6a])	verbannen[5b], (bannen[6a])	desterrar[4a]
bee[1b]	abeille[6b]	Biene[7a]	abeja[3b]
beef[3b]	bœuf[3a]	Ochse[6b]	vaca[2b], (res[6a])

English	French	German	Spanish
brighten[4b] (*intr. vb.*)	s'éclaircir[5a]	erleuchten[4a]	aclarar[4b]
candidate[4a]	candidat[4a]	Kandidat[4b]	pretendiente[5b]
cat[2a], (pussy[3b]), (kitty [K][4b]), (kitten[5a]), (puss[6])	chat[3a]	Katze[7a]	gato[2b]
compliment[5b] (*n.*)	compliment[3a], (galanterie[5a])	Empfehlung[4b], (Kompliment[6a])	cumplimiento[2b], (elogio[3b]), (galantería[5b]), (parabién[6a]), (requiebro[6b])
concert[4a]	concert[3a]	Konzert[5a]	concierto[2b]
conqueror[4a]	conquérant[5b]	Sieger[4a], (Eroberer)	conquistador[4a]
consequently (consequent[5a])	(par) conséquent[3a]	folglich[4b], (infolgedessen[6b])	(por) consiguiente[2b]
couch[3a], (sofa[5b])	canapé[4b], (divan[6b])	Sofa[5b]	sofá[5a], (diván[6b])
countenance[4a]	physionomie[3a]	Antlitz[4a]	fisonomía[6a]
covet[5b]	convoiter[5a]	begehren[3b]	codiciar[4b]
creditor[5b]	créancier[5a]	Gläubiger[3a]	acreedor[4a]
criminal[5b] (*adj.*)	criminel[3b]	strafbar[4b]	criminal[2b], (reo[4a])
deliberate[5b] (*vb.*)	délibérer[4b]	erwägen[3b], überlegen[3b]	deliberar[5b]
denounce[5b]	dénoncer[3b]	anzeigen[3b]	denunciar[6b]
dim[3a] (*adj.*), cloudy[3b], (obscure[5a]), (dusky[6]), (misty[6])	sombre[1b], (obscur[2a]), (indécis[3b])	unklar[6a]	lóbrego[4b], (indefinido[5b])
eagle[2b]	aigle[6b]	Adler[6a]	águila[3a]
eighth[3a]	huitième[5a]	achte[5b]	octavo[4*]
emerge[5b]	surgir[3a]	auftauchen[4b]	surgir[2b]
eminently (eminent[6])	éminemment[6b]	hervorragend (hervorragen[2a])	eminentemente (eminente[3a])
excursion[5b]	excursion[6b]	Fahrt[3a], Partie[3b], (Wanderung[5a]), (Ausflug)	excursión[3b]
expansion[6]	expansion[5b]	Ausdehnung[2b], (Ausbreitung[6a])	expansión[4b]
extra[4a], (additional[5b])	(en) plus[1a], (supplémentaire[6b])	(zur) Ergänzung[4a]	extra
faint[2a] (*n.*)	évanouissement[6b]	Ohnmacht[6a]	desmayo[3b]
feminine[5b]	féminin[6a]	weiblich[3a]	femenino[3b]
financial[5b]	financier[3b]	finanziell[3a]	financiero[6b]
flourish[3b] (*vb.*), (prosper[4a]), (thrive[4a])	prospérer	gedeihen[4a]	medrar[5a], (prosperar[6a])
go[1a] along[1a] (e.g., a river)	longer[4b]	entlanglaufen	ir[1a] (a lo) largo[1a] de
goblet[6a]	coupe[3b]	Becher[3b]	copa[2a], (cáliz[5a])
grapes (grape[2a])	raisin[4a]	Traube[6b]	uva[5a] (*pl.*)
harry (H)[2a] (*vb.*)	harasser[6b]	plagen[6a]	acosar[3b]
hint[4b] (*n.*)	allusion[3a]	Wink[4b], (Andeutung[5a])	insinuación[6b]
inconvenience[6]	inconvénient[3a]	Übelstand[3b]	inconveniente[2b], (incomodidad[6a])
indulge[6] (in)	s'adonner	sich[1a] ergehen[2b]	gozar[1a] (de)
insensible[6] (unconscious of)	insensible[4a]	nicht[1a] bewußt[2b]	insensible[5a]
jealous[3b]	jaloux[2b]	eifersüchtig[6b]	celoso[3a]
lasting (last[1a]), (durable[6])	durable[6b]	dauerhaft[6a]	duradero[7a]

English	French	German	Spanish
madness[4b], (frenzy[6])	folie[2a], (délire[3b])	Wahnsinn[5a]	manía[3b], (extravío[6b]), (frenesí[7a])
magnify[5a]	grossir[4a]	vergrößern[4b]	aumentar[1b]
make[1a] (up for) (compensate)	(faire) compensation[6a]	entschädigen[6a]	compensar[7a]
mission[4b]	mission[2b]	Mission[5b]	misión[3a]
monster[4b]	monstre[3a]	Ungeheuer[5a]	monstruo[2b]
mother[1a] (*adj.*), (maternal[7])	maternel[5b]	mütterlich[7a], (Mutter-)	maternal[4b], (materno[7a])
murderer[4b]	assassin[4a], meurtrier (*n.*)[4b]	Mörder[4a]	asesino[5a], (homicida[6a])
niece[5b]	nièce[4a]	Nichte[4a]	sobrina (sobrino[1b])
original[3a] (an – idea)	original[3a]	originell[6b]	original[2b]
polish (P)[3b] (Polish)	polonais[5a]	polnisch[4a]	polaco
popular[3b]	populaire[2a]	populär[6b]	popular[3a]
procession[4b], (parade[5a])	cortège[3a], (procession[4b]), (parade[6a])	Aufmarsch[4a], (Aufzug[6a]), (Parade[6b])	cortejo[6a], procesión[6a]
profitable[5a] (advantageous)	avantageux[3b]	vorteilhaft[3b]	productivo[6a], provechoso[6a], ventajoso[6a]
protest[4b] (*n.*)	protestation[6a]	Protest[4a], (Einwendung[5a])	protesta[3a]
provision[3b]	provision[4a]	Provision[5b]	provisión[5a]
(out of) reach[1a], (inaccessible[11])	(hors de) portée[2b], ([hors d']atteinte[3a])	unerreichbar	(fuera de) alcance[3a], (inaccesible[6b])
refrain[5a] (from doing)	s'abstenir[4a]	unterlassen[3a]	abstenerse[5a]
remorse[5b], (repentance[6])	remords[2b]	Reue[4b]	remordimiento[3a], (arrepentimiento[6a])
residence[3b] (general and special)	résidence[5b]	Residenz[5b]	residencia[4a]
restraint[4b]	contrainte[3a]	Einschränkung[4b]	limitación[6b]
reverence[3b], (awe[4a])	révérence[5a]	Ehrfurcht[5a]	reverencia[4b]
satisfied (satisfy[2a]) (hunger)	rassasié	satt[6a]	satisfecho (satisfacer[1b]), (saciado [saciar[5b]])
(take off) shoes (shoe[1b])	déchausser	Schuhe (Schuh[6a]) ausziehen[5a]	descalzar[5b]
side[1a] (*adj.*), (lateral[7])	(de) côté[1a]	seitlich	lateral[4b]
signature[5b]	signature[3b]	Unterschrift[4a]	firma[2b]
slab[6]	plaque[4b], (dalle[5a])	Tafel[2b]	plancha[5b], (losa[6a])
spread[1b] (*n.*), (diffusion[11])	diffusion	Zerstreuung[6a]	difusión[5a]
statute[5b]	statut[5a]	Statut[3b], (Städteordnung[6a]), (Ortsstatut[6b])	fuero[4a], (estatuto[6b])
strain[3a] (*n.*), (tension[11])	tension[6b]	Spannung[4b]	tensión[7b]
stubborn[4a], (obstinate[5b]), (wilful[6])	obstiné[6a], têtu[6a]	hartnäckig[4b]	obstinado (+obstinarse)[3a], (terco[4b])
stuff[2b] (*vb.*), (pad[5a]), (cram[6])	bourrer[3b]	anfüllen[6b]	cebar[6a]
subsequent[5b]	suivant[1b]	nachträglich[4a]	ulterior[4b]
superfluous[5b]	superflu[5b]	überflüssig[3b]	prolijo[4a]
tail[1b] (animal)	queue[2b]	Schwanz	cola[3b], (rabo[5a])
take[1a] (out), (suppress[5b])	supprimer[2b]	ausmerzen	suprimir[3a]
tavern[4b]	café[2a], (cabaret[4b]), (brasserie[6a])	Wirtshaus[5a]	taberna[3a]

THE FOURTH THOUSAND CONCEPTS Sec. 4.2

English	French	German	Spanish
tea[2a]	thé	Tee[5b]	té (n.)[5a]
tenth[3a]	dixième[5b]	zehnte[5b]	décimo[4*]
testify[5b], (attest[6])	témoigner[3a], attester[3b]	zeugen[3b], (bezeugen[4a])	atestiguar[6b]
thunderbolt[5b]	foudre[4a]	Blitz[4b]	rayo[1b], (centella[4b])
tinkle[5b] (vb.)	tinter[5a]	klingen[2a]	tintinear
tuck[4b] (sewing) (vb.)	plisser[5a]	einschlagen[3a]	(hacer) alforzas
unable[4b], (incapable[7])	incapable[2a]	unfähig[5b]	incapaz[3b]
upright[3a], (vertical[6])	vertical	senkrecht[4b]	vertical[5b]
vex[3a], (bother[4a]), (gall[5a]), (annoy[5b])	ennuyer[3a], (agacer[4a]), (contrarier[4b]), (impatienter[4a])	belästigen[6b], plagen[6a], verdrießen[6b]	molestar[2a], (enojar[3b]), (contrariar[4b]), (fastidiar[5a]), (mortificar[5a])
virgin[3b] (adj.) (e.g., ground, etc.)	vierge[3a]	unberührt[6b]	virgen[2a]
witty[5b]	spirituel[2b]	geistreich[4b], (geistvoll[6a]), (witzig[6a])	ingenioso[3a], (donoso[5b])

SECTION 4.2.   CONCEPTS 3693 THROUGH 3782

```
E F G S    E F G S    E F G S    E F G S    E F G S    E F G S    E F G S    E F G S    E F G S    E F G S
1-2-8*-4   1-8*-6-6   2-6 -6-4   3-4-5-6    3-8*-4-6   4-4-4-6    5-1-5-1    5-4-4-2    6-1 -4-1   7-1-3-1
1-3-8*-3   2-2 -6-8*  2-8*-5-6   3-4-6-2    4-1 -6-1   4-4-5-2    5-2-4-4    5-5-3-5    6-3 -3-3   7-4-2-2
1-4-7 -6   2-4 -6-6   3-1 -6-5   3-5-5-5    4-2 -4-8*  4-5-4-5    5-3-3-7    5-5-4-1    6-5 -3-1   8-2-1-4
1-5-8*-1   2-5 -6-5   3-2 -6-4   3-5-6-1    4-2 -5-4   4-6-3-8*   5-3-4-3    5-6-2-8*   6-6 -2-4
1-6-6 -8*  2-6 -5-8*  3-3 -6-3   3-6-5-4    4-3 -5-3   4-6-4-4    5-4-3-6    5-6-3-4    6-8*-2-2
```

English	French	German	Spanish
abundant[3b], (plentiful[5a])	abondant[4a]	unerschöpflich[6b], massenhaft[6b]	abundante[2b], (abundar[3b]), (copioso[5b])
anyhow[6]	(n'importe) comment[1a]	irgendwie[4b]	(de todos) modos (modo[1a])
argument[3b]	argument[3a]	Argument[6a]	argumento[3b]
aspire[5b]	aspirer à[5b]	trachten[4b]	aspirar[1b]
background[7]	fond[1a]	Hintergrund[3b]	fondo[1a]
blow[1a] nose[1b]	moucher[5a]	schneuzen	sonar[1b]
book[1a] shop[1b]	librairie	Buchhandlung[6b]	librería[6a]
bowl[2a] (n.)	écuelle[6b]	Schale[5a]	escudilla
brand[3b] (of goods)	marque[2b]	Marke[6a]	marca[4b]
British[2b]	britannique[6a]	britisch[6b]	británico[4b]
carpet[3b], rug[3a]	tapis[2a]	Teppich[6a]	alfombra[4a]
chop[3a], (mince[6])	hacher[5b]	hauen[6a]	picar[1b]
Christmas[1b]	noël	Weihnacht[6a]	navidad[6b]
colored (adj.)[4a*]	coloré[4a]	bunt[4a], (farbig[5a])	coloreado (colorear[6b])
conviction[8] (feeling)	conviction[2b]	Überzeugung[1b]	convicción[4b]
corporal[6]	brigadier[5b]	Unteroffizier[3a], (Wachtmeister[6b])	cabo[1b]
damn[5a]	damner[5b]	verdammen[4b]	condenar[1b]
deplore[7]	déplorer[4b]	beklagen[2b]	lamentar[2b], (deplorar[7a])
destruction[3a]	destruction[5b]	Verfall[5a], Vernichtung[5a], Zerstörung[5a]	destrucción[5a]
device[4b], (motto[7])	devise[4a]	Spruch[4b]	divisa[6b], lema[6b], mote[6b]

English	French	German	Spanish
dirty[3b], foul[3a], (filthy[6]), (unclean[6])	sale[3b]	schmutzig[6a], unrein[6a]	sucio[3a], (asqueroso[7a])
dive[4b]	plonger[2a]	tauchen[4a]	bucear
double[1b] (vb.)	doubler[4a], (redoubler[5b])	verdoppeln[7a]	duplicar[6a]
elevation[5b]	élévation[5b]	Erhebung[3a], (Hebung[5a])	elevación[5a]
even[1a] (off), (level[2a] [off]), (grade[2b])	aplanir[6b], (niveler)	ebnen[6b]	nivelar
excitement[5b]	agitation[3b], (excitation[6a])	Aufregung[4b], Erregung[4b], (Aufsehen[5b])	agitación[3b], (alborozo[7a])
exclusive[4b]	exclusif[4b]	alleinig[5b]	exclusivo[2b]
expert[4b] (n.)	expert[5a]	Sachverständige[4a], (Kenner[5b])	experto[5b], (conocedor[6a]), (perito[6b])
feeding (feed[1b]) (action)	alimentation[6b]	Ernährung[6a], (Fütterung)	alimentación, nutrición
fly[1a] (n.)	mouche[3b]	Fliege	mosca[3a]
fork[2b] (table)	fourchette[5a]	Gabel[6a]	tenedor[5a]
foundation[3a], (establishment[5b])	fondation[5b]	Stiftung[5b], (Stift[6a])	fundación[5b]
gallery[4a]	galerie[2b]	Galerie[5a]	galería[4b]
glasses (glass[1b]), (spectacles [spectacle[4a]])	lunette[3b], (lorgnon[6b])	Brille	lentes (lente[3b]), (anteojo[4a]), (gafas[7a])
growth[3a] (amount)	cru (n.)[4b], (accroissement[6a])	Wachstum[5a]	crecimiento[6a]
head[1a] dress[1a], hair[1a] dressing (dress[1a])	coiffure[5b]	Frisur, Kopfputz	tocado (tocar[1a])
headlong[5a], (impetuous[7])	impétueux[5b]	mit[1a] Begeisterung[3a]	impetuoso[5a]
hook[2b] (n.)	crochet[4b]	Haken[6a]	garabato[6a]
imperfect[4b] (incomplete)	incomplet[3b]	unvollkommen[5b]	imperfecto[3b]
incidents (incident[5b])	incident[2a], (péripétie[6a])	Vorfall[4a]	incidente[4a]
indebted[6]	(être) redevable	verdanken[2b]	(en) deuda[2b]
indignation[4b]	indignation[4b]	Unwille[5a], (Empörung[6a])	indignación[2b]
inn[3b]	auberge[3a]	Gasthof[6b]	posada[3b], (fonda[5a]), (mesón[7a])
interpret[5b]	interpréter[6a]	deuten[3a], (auslegen[6a])	interpretar[4b]
jealousy[4a]	jalousie[4a]	Eifersucht[5a]	celos (celo[2b])
jewel[3a]	bijou[4a], (joyau[6a])	Edelstein[6b]	joya[2b], (alhaja[3b])
journal[5b] (diary)	journal[1b]	Archiv[5a], Tagebuch[5b]	diario[1b]
lamentation[5b]	plainte[2b]	Jammer[4b]	lamento[4a], (plañido)
lay[1a] (person)	laïque[6b]	Laie[6a]	laico, lego
lime[4a] (mineral)	chaux[6a]	Kalk[3a]	cal
luminous[7]	lumineux[4a]	leuchtend (leuchten[2a])	luminoso[2b]
make[1a] believe[1a], (pretend[3b]), (feign[4a])	faire[1a] semblant[5a]	vorgeben	pretender[1b], (fingir[2a]), (simular)
manifest[4a] (adj.)	manifeste[6a]	ersichtlich[4b]	manifiesto[4a]
marshal[5a] (n.)	maréchal[3a]	Marschall[3b], (Feldmarschall[6b])	mariscal[7a]
merciful[6]	clément[6a]	gnädig[2a]	compasivo[4a], (misericordioso[6a])
moderate[3a] (vb.)	modérer[3b]	ermäßigen[6b]	moderar[3b]
pencil[2b]	crayon[4b]	Stift[6a]	lápiz[6a]
permanent[4a], everlasting[4a], perpetual[4a]	permanent[3b], (perpétuel[4a])	ständig[5b]	perpetuo[3a], permanente[3b], (perenne[5a])

English	French	German	Spanish
persecution[5b]	persécution[6a]	Verfolgung[3a]	persecución[4b]
prejudice[5b], (bias[6])	préjugé (n.)[4a]	Vorurteil[3b], (Vorliebe[4b])	prejuicio[6b]
program[5b]	programme[2b]	Programm[4a], Tagesordnung[4b]	programa[4b]
rain[1a] (vb.)	pleuvoir[3b]	regnen	llover[3a]
(little[1a]) rascal[5a], (imp[11])	morveux[6b], polisson[6b]	Teufel[2a], (Teufelchen)	granujilla, truhán
registering (register[3a]), (registration[9])	enregistration	Eintragung[4b], (Anmeldung[5b])	registro[6b]
relation[2b], ([family] relationship[8])	parenté	Verwandtschaft[5a]	parentesco[6a]
rigor[5b], (severity[6])	rigueur[4a], sévérité[4b]	Strenge[4a], Schärfe[4b]	rigor[2a], (severidad[3b]), (inclemencia[5b]), (austeridad[7a])
(have) roots (root[2a]) (in), (be rooted in)	enraciné (dans)	wurzeln[5b]	arraigado (arraigar[6a])
(make) rounds (round[1a]) (military)	ronde[2b]	Runde	ronda[4b]
rule[1b] (vb.) (draw lines)	régler[2a]	linieren	rayar[4a]
sap[4a]	sève[5a]	Saft[4b]	savia[5a]
school[1a] system[2a]	système[2a] scolaire[5b]	Schulwesen[6a]	sistema[2a] escolar[5a]
scientist[6]	(homme de) science[1b]	Naturforscher[4b]	(hombre de) ciencia[1a]
shatter[4b]	fracasser[6a]	zerbrechen[4b]	estrellar[4b]
shy[4b], (bashful[5b])	farouche[3a], timide[3b] (timidement[4b])	scheu[5a], schüchtern[5b]	tímido[3a], (vergonzoso[4a]), (esquivo[6a])
skilful[4a] (dexterous)	habile[3a], (adroit[4b])	geschickt[5b]	diestro[3a], (artificioso[5b])
sly[4a]	malin[3b]	schlau[5b]	astuto[3b], (malicioso[5a]), (socarrón[5a]), (artificioso[5b]), (cuco[6a])
staff[3b] (university)	conseil[1a], (faculté[2b])	Kollegium[6b]	claustro[5a]
temper[3a], (disposition[5a])	disposition[2a], (tempérament[3b])	Temperament[6b]	temperamento[4a], (talante[6b])
threshold[5b]	seuil[2b]	Schwelle[4b]	umbral[4b]
thunder[2b] (vb.)	tonner[5b]	donnern[6b]	tronar[5a]
ticket[3a]	billet[2b], (bulletin[6a])	Billett[6a]	billete[4a]
triumph[3b] (vb.)	triompher[4a]	triumphieren[6a]	triunfar[2a]
twenty[1b] five[1a]	vingt-cinq[2b]	fünfundzwanzig	veinticinco[4*]
tyrant[4a]	tyran[4a]	Tyrann[5a]	tirano[2a], (déspota[6a])
unit[6]	unité[3b]	Einheit[3a]	unidad[3a]
university[3a] (adj.)	universitaire[6a]	akademisch[5b]	académico[4b]
unnecessary[5b], needless[5b]	(pas, peu) nécessaire[1a], inutile[1a]	unnötig[5a], (entbehrlich[6b])	(no es) necesario[1a], inútil[1b]
waste[1b] (vb.)	dissiper[3a]	verschwenden	disipar[3b], (malograr[4b])
wire[2b] (metal)	fil[2b] (de fer, cuivre, etc.)	Draht[6b]	alambre
worthless[4a]	sans[1a] valeur[1b]	wertlos[6a]	sin[1a] valor[1a]

SECTION 4.3. CONCEPTS 3783 THROUGH 3859

E F G S	E F G S	E F G S	E F G S	E F G S	E F G S	E F G S	E F G S	E F G S	E F G S
1-1-8*-6	1-5-8*-2	2-3-6-8*	3-3-5-8*	3-5 -6-2	4-2-6-1	4-6 -4-5	5-2-4-5	5-5-4-2	6-6-2-5
1-3-8*-4	1-6-8*-1	2-3-7-4	3-3-6-4	3-6 -5-5	4-4-5-3	4-8*-4-3	5-3-4-4	5-6-3-5	7-3-1-8*
1-4-8*-3	2-1-8*-2	2-5-6-6	3-4-6-3	3-8*-5-3	4-5-4-6	5-1 -5-2	5-4-4-3	6-2-3-5	7-3-2-4
1-5-7 -6	2-2-8*-1	3-2-6-5	3-5-5-6	4-1 -6-2	4-5-5-2	5-2 -5-1	5-5-3-6	6-4-3-3	7-4-2-3

English	French	German	Spanish
abuse³ᵇ (vb.)	abuser³ᵇ	mißbrauchen⁶ᵃ	abusar⁴ᵃ, maltratar⁴ᵇ
academy⁵ᵇ	académie⁴ᵃ	Akademie⁴ᵃ	academia³ᵇ
affectionate⁵ᵇ	affectueux⁵ᵃ, (câlin⁶ᵃ)	liebevoll⁴ᵇ	amoroso²ᵃ, cariñoso²ᵇ, (expresivo⁴ᵃ), (afectuoso⁴ᵇ)
amen⁵ᵇ	ainsi¹ᵃ soit⁵ᵇ il¹ᵃ	Amen³ᵇ	amén⁶ᵇ
Arabia(n)⁴ᵇ	arabe⁵ᵃ	arabisch⁴ᵇ	árabe⁶ᵃ
audience³ᵇ (member of -), (hearer⁶)	auditeur⁵ᵃ	Zuhörer⁵ᵃ	oyente⁶ᵃ
beckon⁵ᵇ	faire¹ᵃ signe¹ᵃ	winken⁵ᵃ	(llamar con) señas (seña²ᵃ)
blaze²ᵇ (vb.)	flamber³ᵇ	flammen⁶ᵃ	llamear
bow¹ᵇ (prow)	avant¹ᵃ	Bug	proa⁶ᵃ
breakfast¹ᵇ (vb.)	déjeuner (vb.)³ᵇ	frühstücken	desayunarse⁴ᵇ
clear¹ᵃ (table)	desservir⁶ᵃ	abräumen	quitar¹ᵃ (la mesa), (alzar los manteles)
coat¹ᵇ (of suit)	veste⁵ᵇ, veston⁵ᵇ	Jacke	americana (americano²ᵃ)
combination³ᵇ	combinaison³ᵃ	Kombination⁶ᵇ	combinación⁴ᵃ
condense⁵ᵇ	concentrer⁴ᵇ, (condenser⁶ᵃ)	konzentrieren⁴ᵃ, (zusammendrängen⁶ᵃ)	condensar³ᵇ, (comprimir⁵ᵇ)
confession⁵ᵇ, admission⁵ᵇ	aveu³ᵇ, (confession⁴ᵇ), (admission⁶ᵇ)	Bekenntnis⁴ᵇ, (Geständnis⁵ᵇ), (Konfession⁵ᵇ)	confesión⁴ᵃ
contract³ᵃ (vb.) (literally)	contracter⁴ᵃ, (rétrécir⁵ᵃ)	zusammenziehen⁶ᵇ	contraer³ᵃ
contradiction⁷	contradiction³ᵇ	Widerspruch²ᵃ	contradicción⁴ᵃ
cook¹ᵇ (n.)	cuisinière⁴ᵃ	Koch, Köchin	cocinero³ᵃ
cool¹ᵇ (vb.), (chill³ᵃ)	refroidir³ᵇ	kühlen	enfriar⁴ᵇ
costume⁵ᵇ	costume²ᵃ	Tracht⁵ᵇ	traje¹ᵇ
courteous⁵ᵃ	galant⁴ᵇ, (courtois⁶ᵇ)	höflich⁴ᵇ, (ritterlich⁶ᵇ)	cortés³ᵇ, (cortesano⁴ᵇ), (caballeresco⁶ᵃ), (urbano⁶ᵃ)
cradle³ᵇ, (crib⁶)	berceau⁴ᵃ	Wiege⁶ᵇ	cuna³ᵇ
cup¹ᵇ, (mug⁶)	tasse³ᵃ	Tasse	taza⁴ᵃ, (jícara⁶ᵃ)
day¹ᵃ after¹ᵃ tomorrow¹ᵇ	après-demain⁶ᵃ	übermorgen	pasado¹ᵇ mañana¹ᵃ
decay³ᵃ, decline³ᵇ (n.)	décadence⁶ᵇ, déclin⁶ᵇ	Verfall⁵ᵃ, Vergehen⁵ᵃ, Abnahme⁵ᵇ	decadencia⁵ᵇ
decidedly⁷	décidément³ᵃ	entschieden (entscheiden¹ᵃ)	decididamente
disastrous⁶	funeste⁴ᵃ, (désastreux)	entsetzlich³ᵃ	funesto³ᵇ, (desastroso⁵ᵇ)
dispute³ᵃ (n.), (controversy⁶)	dispute³ᵇ, (polémique⁶ᵇ)	Auseinandersetzung⁶ᵃ	disputa⁴ᵇ
double¹ᵇ (effort), (redouble⁸)	redoubler⁵ᵇ	verdoppeln⁷ᵃ	redoblar⁶ᵇ
drown²ᵃ	noyer²ᵇ	ertränken, ertrinken	ahogar¹ᵇ, (anegar⁴ᵃ)
drum²ᵇ	tambour⁵ᵇ	Trommel⁶ᵃ	tambor⁶ᵃ

English	French	German	Spanish
eighteen[2b]	dix-huit[3b]	achtzehn[7a]	dieciocho[4*]
emotion[5b]	émotion[1b], (attendrissement[5a])	Rührung[5b]	emoción[2a]
endow[5b]	doter[3b], (douer[4b])	ausstatten[4a], (ausrüsten[5a])	dotar[4a]
expel[5a]	expulser[3b], (reléguer[6b])	vertreiben[3a]	expulsar
expire[4b] (e.g., a certain time)	expirer[4b]	verfließen[5a]	expirar[3b]
(of) genius[3b]	génial[6a]	genial[5a]	genial[5b]
gesture[5b]	geste[1b]	Gebärde[5a]	gesto[2a], ademán[2b]
Hebrew[6] (*adj.*)	juif[6a]	jüdisch[2b]	judío[5a]
helper[5b], (assistant[6])	auxiliaire[4b], (adjoint[6b])	Gehilfe[4a], (Adjutant[6a])	auxiliar[3a]
impatient[4b]	impatient[4a]	ungeduldig[5a]	impaciente[3b]
infamous[7]	infâme[4b]	gemein[2b]	infame[3a]
injurious[5b]	nuisible[5a]	schädlich[3b], (nachteilig[4a])	nocivo[6b], perjudicial[6b]
interview[5a] (*n.*)	entretien[2b], (interview[5b])	Unterredung[4b]	entrevista[5b]
joke[3b] (*vb.*), (jest[4b])	plaisanter[3a]	scherzen[5a]	bromear, embromar, chancear
juice[4a]	jus	Saft[4b]	jugo[3b]
lawn[2b] (grass)	pelouse[3b], (gazon[6a])	Rasen[6b]	césped
liquor[4b], (gin[6])	alcool[4a], liqueur[4a], (eau-de-vie[5a]), (absinthe[5a]), (rhum[6a])	Alkohol[5a], Branntwein[5a], Spiritus[5a]	licor[3b], (alcohol[4a]), (aguardiente[5b])
mistrust[5b] (*n.*)	défiance[6a], méfiance[6b]	Mißtrauen[3b]	desconfianza[5b]
novelty[4b]	nouveauté[5a]	Neuigkeit[5b]	novedad[2b]
pension[5b] (money)	pension[2b]	Pension[4b], Rente[4b]	pensión[5b]
people[1a] (*vb.*), (populate[12])	peupler[4b]	bevölkern	poblar[3a]
projecting (project[4b]), (salient[13])	saillant[6b]	vorstehend (vorstehen[4b])	saliente[5a]
providence[4a]	providence[4b]	Vorsehung[5b]	providencia[3b]
rapt[6]	transporté (transporter[2b])	begeistert (begeistern[3b])	transportado (transportar[5a]), (rapto)
reflect[4a] (e.g., in a glass)	réfléchir[1b], (refléter[4b])	spiegeln[6a], zurückwerfen[6a]	reflejar[2b]
repent[3b]	se repentir[5a]	bereuen[6a]	arrepentirse[2b]
reproduce[6]	reproduire[4a]	wiedergeben[3b]	reproducir[3a]
(place of) residence[3b]	(lieu de) séjour[3a], (résidence[5b])	Wohnort[6b]	domicilio[4b]
responsible[5b]	responsable[3b]	verantwortlich[4b]	responsable[4b]
roll[1a] (of carriage, thunder, etc.)	roulement[5b]	Rollen	(el) rodar[2a], (redoble)
romantic[5b]	romantique[4b], (romanesque[5b])	romantisch[4a]	romántico[3a]
(make the) rounds (round[1a])	(faire une) tournée[3b]	bereisen	(hacer la) ronda[4b]
rude[2b], rough[2a], (unpolished) (person), (crude[6])	commun[1b], (vulgaire[3b])	ungeschliffen	rudo[2b], (tosco[3a]), (agreste[5b])
singer[4a]	chanteur[4b]	Sänger[5a]	cantor[3b]
sole[2b] (*n.*) (foot)	plante[2b]	Sohle	planta[1b]
soothe[5b]	adoucir[4a], (alléger[6b])	mildern[4a]	aliviar[3b], tranquilizar[3b]
start[1a] toward(s)[1b] (bend one's steps)	(s')acheminer[5b]	(sich) aufmachen	encaminar[2b] (se)

English	French	German	Spanish
subdue[3b], (quell[6])	soumettre[2a], (dompter[6b])	bezwingen[6b]	subyugar[5b]
sunbeam[4b]	rayon[2a] (de soleil)	Sonnenstrahl[6b]	rayo[1b] (de sol)
supreme[3b] court[1b]	cour de cassation	Reichsgericht[5a]	tribunal[3a] supremo[2a]
suspect[4a] (*adj.*), (suspicious[6])	suspect[6a]	verdächtig[4b]	sospechoso[5b], (receloso[6a])
thorn[3a], (briar[4a])	épine[4b]	Dorn[6b]	espina[3b], (abrojo[5a])
thumb[3b] (*n.*)	pouce[3b]	Daumen[5a]	pulgar
treason[4b], (treachery[6])	trahison[4b]	Verrat[5a]	traición[3a]
twilight[3b], (dusk[6])	crépuscule[4b]	Dämmerung[6a]	anochecer[3b], crepúsculo[3b]
Wednesday[2b]	mercredi[3b]	Mittwoch[6a]	miércoles

SECTION 4.4. CONCEPTS 3860 THROUGH 3952

```
 E F G S   E F G S   E F G S   E F G S   E F G S   E F G S   E F G S   E F G S   E F G S E F G S
 1-2-8*-6  2-1-8*-3  2-6 -6-6  3-4 -6-4  4-1-6-3  4-5 -5-3  5-3-4-5  5-6 -4-2  6-5 -3-3  7-6-1-6
 1-3-8*-5  2-2-8*-2  2-8*-5-8*  3-5 -6-3  4-2-6-2  4-8*-3-8*  5-4-3-8*  5-8*-3-4  6-6 -2-6  8-2-2-2
 1-4-8*-4  2-3-8*-1  2-8*-6-4  3-6 -6-2  4-3-5-5  4-8*-4-4  5-4-4-4  6-2 -3-6  6-8*-2-4
 1-5-8*-3  2-3-7 -5  3-3 -6-5  3-8*-4-8*  4-4-4-8*  5-2 -4-6  5-5-4-3  6-4 -2-8*  7-1 -2-7
 1-6-8*-2  2-4-6 -8*  3-4 -5-8*  3-8*-5-4  4-4-5-4  5-2 -5-2  5-6-3-6  6-4 -3-4  7-5 -2-3
```

English	French	German	Spanish
acre[2b]	hectare[4b]	Hektar[6b]	hectárea, fanega
Africa(n)[2b] (*adj.*)	africain	afrikanisch[6b]	africano[4a]
alleged (allege[5b])	allégué	angeblich[3b]	alegado (alegar[4a])
armor[3a]	armure	Rüstung[4b]	armadura
assurance[5b], (certainty[7])	certitude[2b], (assurance[4a])	Gewißheit[4a]	certeza[6b]
baby[1b], (babe[4a])	bébé[6b]	Säugling	criatura[2a]
bedroom[4a]	chambre[1a] (à) coucher[1b]	Schlafzimmer[6a]	alcoba[3b], (dormitorio[6b])
clamor[4b], (din[5a])	clameur[5b]	Geschrei[5a]	estruendo[3b], (clamor[5a]), (fragor[6b])
collar[2b]	col[3a], collier[3b], (collet[4b])	Kragen	cuello[1b]
commander[4b]	commandant[3b]	Kommandeur[5a], (Kommandant[6a]), (Befehlshaber[6b])	comandante[5b]
conservative[6]	conservateur	konservativ[2b], (Konservative[6a])	conservador[4a]
continent[3a] (*n.*)	continent[6b]	Weltteil[6b]	continente[2b]
contribution[6]	contribution[4b]	Beitrag[3a]	contribución[4b]
creator[5b]	créateur[5a]	Schöpfer[4b]	creador[3a]
decline[3b] (*n.*) (person)	déchéance[6a]	Sturz[6a]	ruina[2a]
delivery[4b], surrender[4a]	remise[4b]	Übergabe[4b]	entrega
disappointment[4b]	déception[5b]	Verdruß[5a], (Enttäuschung[6a])	desengaño[3a], (contrariedad[4b]), (contratiempo[6b])
disturbance[5b]	désordre[3a], agitation[3b]	Störung[4a]	perturbación[5a], (alboroto[6a])
(make) dizzy[6]	étourdir[5b]	verwirren[3b]	aturdir[3b]
dove[3a], (pigeon[4b])	pigeon[5a], (colombe[7a])	Taube[6a]	paloma[3a], (pichón[6b]), (tórtola[6b])
driver[4a]	cocher[3b], conducteur[3b], (chauffeur[5b])	Kutscher[5b]	cochero[5a], (mayoral[6b])

English	French	German	Spanish
droop[3b]	(se) flétrir[4b], ([se] faner[5b])	zusammenfallen[5b], (verwelken)	languidecer
emphasize[7]	appuyer[1b] (sur), (accentuer[4b])	hervorheben[2a]	acentuar[7b]
enforce[5b]	(faire) exécuter[2a]	erzwingen[5b]	ejecutar[2a]
entangle[6], snarl[6]	embrouiller[5a]	verwirren[3b]	enredar[3a], (embrollar[5b]), (enmarañar[6a])
extension[5a]	extension[6a]	Erweiterung[4a], (Verlängerung[5a]), (Anbau[6b])	extensión[2a]
fable[4a]	fable[5a]	Fabel[5b]	fábula[3b]
fast[1a] (n.)	jeûne[3a]	Fasten	ayuno[5a]
fold[2a] (n.)	pli[3a], (repli[6a])	Falte[7a]	pliegue[5b], doblez[5b]
foundation[3a] (of a building)	fondation[5b]	Fundament[6b]	cimiento[3a]
full[1a] (river, carrying much water)	abondant[4a]	wasserreich	caudaloso[4b]
furniture[2b]	meuble[2a], (mobilier[4a]), (ameublement[6b])	Möbel	muebles (mueble[2b])
ground[1a] floor[1a]	rez-de-chaussée[5b]	Erdgeschoß	piso[3a] bajo[1a]
hire[2b], rent[2a]	louer[3b]	mieten[7a]	alquilar[5b]
horror[4a], (outrage[6])	horreur[2a]	Greuel[6b]	horror[2a]
inevitable[5b]	inévitable[4a]	unvermeidlich[4a]	inevitable[4b]
inquiry[5b], interrogation[5b]	demande[2b], (interrogation[5b])	Anfrage[5a], Nachfrage[5a], (Erkundigung[6b])	pregunta[2a]
insect[3a], (bug[5a] [Amer.])	insecte[4b]	Insekt[6b]	insecto[4a]
insert[5b]	introduire[2a]	einlegen[4b], (einrücken[5b]), (einfügen[6b])	insertar[6b]
knot[3b] (n.)	nœud[5a]	Knoten[6a]	nudo[3b]
manifold[5b]	multiple[4b]	mannigfaltig[4a]	múltiple[4b]
medal[5b]	médaille[4a]	Orden[4b]	medalla[4b]
memorial[4b]	– commémoratif	Gedächtnis[3a]	– conmemorativo
minor[7]	mineur[6a]	minder[1b]	menor[6a]
moisture[4b]	humidité[4a]	Nässe[5a], Feuchtigkeit[5b]	humedad[4a]
nervous[4b]	ému[2a], nerveux[2a], (énervé [énerver[3b]])	nervös[6b]	nervioso[2b]
objection[5b]	objection[4a]	Einwand[4b]	reparo[4a], (objeción[6b])
omit[4b]	laisser[1a] (de) côté[1a]	auslassen[6b]	suprimir[3a], (omitir[5a])
opening (open[1a]) (first performance)	début[2a]	Debut	estreno[6b]
pass[1a], (permit[2a])	passe[5b]	Paß	permiso[3a], (pase[7b]), (salvoconducto)
polish[3b] (vb.)	cirer[4b], (polir[5a])	putzen[6b]	pulir[4a]
politics[8]	politique (n.)[2b]	Politik[2a]	política[2a]
pomp[4a]	pompe[5b]	Pracht[5a]	aparato[3a], (pompa[4a]), (solemnidad[5a])
printing (print[2a]) office[1b], (printing) business[1b]	imprimerie	Druckerei[6a]	imprenta[4a]
prosperity[4b]	prospérité[4a]	Wohlstand[5a], (Gedeihen[6a])	prosperidad[4b]
protest[4b] (vb.)	protester[2b], (se récrier[5b])	protestieren[6a]	protestar[2a]
Protestant (p)[6]	protestant[4a]	evangelisch[2b], (Protestant[4b]), (protestantisch[4a])	protestante

English	French	German	Spanish
purify[5b]	purifier[6a]	reinigen[3a], (klären[6b])	purificar[6b]
refuse[2a] (n.)	ordure[6b]	Abfall[6a]	basura[6a]
regulate[5a]	régler[2a]	regulieren[5b]	regular[2b]
republican (R)[4b]	républicain[3b]	republikanisch[5b]	republicano[5a]
restore[2b] (to youth)	rajeunir[4b]	verjüngen[6a]	rejuvenecer
revolt[4b] (n.), (rebellion[5b])	révolte[4b]	Aufruhr[5a]	revuelta[4b], rebelión[4b]
rub[2a] out[1a], (erase[9])	effacer[2a]	ausradieren	borrar[2b]
search[2a] (n.), (quest[5b])	recherche[2b]	Suche	busca[2b]
sensitive[6]	sensible[2b], (sensitif)	empfindlich[3b]	sensitivo[6b]
sheath[5b] (n.)	fourreau[4b]	Hülse[3b], (Scheide[6a])	vaina
similar[3b]	analogue[4b], conforme[4b], correspondant[4b]	gleichartig[6a]	análogo[4a]
slander[5b] (vb.)	calomnier	beleidigen[3a]	calumniar[4b]
slow[1b] down[1a], up[1a], (slacken[7])	ralentir[6a]	verlangsamen	reducir[1b] (la) marcha[2b], (acortar[6a] [la] marcha[2b]), (acortar[6a] [el] paso[1a])
sour[4b]	aigre[4a]	sauer[4b]	agrio
spark[3b]	étincelle	Funke[5a]	chispa[4a]
spell[2b] (n.)	enchantement[6a]	Bann[6b]	hechizo[6a]
sphere[3b]	sphère[6b]	Sphäre[6b]	esfera[2b]
spot[1b] (vb.)	tacher[6b]	beflecken	manchar[2b]
square[1b] (geometrical), (sq.[6])	carré[5a]	Quadrat	cuadrado[3a]
stocking[2b], (hose[4b])	bas[1b]	Strumpf	media[3b]
stroke[2b] (vb.), (pet[4a]), (caress[6])	caresser[2b]	streicheln	acariciar[2b]
temptation[4b]	tentation	Versuchung[4a], (Anfechtung[6b])	tentación[4a]
tenderness[5b]	tendresse[2b]	Zärtlichkeit[5b]	ternura[2b]
thrill[4a] (vb.)	tressaillir[5a], vibrer[5b], (palpiter[6a])	beben[5b]	estremecer[3b] se
tragedy[4b]	tragédie[4b]	Tragödie[5b]	tragedia[4a]
transition[6]	transition[6a]	Übergang[2b]	transición[6b]
troublesome[5b]	ennuyeux[4a], (importun[6a])	lästig[4a], (beschwerlich[6a])	importuno[4b]
unconscious[4b]	inconscient[4a]	unbewußt[5a]	inconsciente[4b]
under[1a] side[1a]	dessous (n.)[6b]	Kehrseite	parte[1a] inferior[2b]
uniform[3a] (n.), (livery[5b])	uniforme (n.)[4a], (tunique[6a])	Uniform[6a]	uniforme[4a]
van[4b] (military)	avant-garde	Avantgarde[3b]	vanguardia
vibrate[7]	vibrer[5b]	zittern[2b]	vibrar[3a], (vibrante[6b])
waist[2b]	taille[1b]	Hüfte(n)	talle[3a], (cintura[4b])
waking (wake[2a]) (n.)	réveil[3b]	Erwachen	despertar[1a]
wretched[3b], (disconsolate[9])	désolé (désoler[3a]), (inconsolable)	trostlos[6b]	desolado (desolar[5a]), (desconsolado)
yoke[3b] (n.)	joug	Joch[5a]	yugo[4a]

SECTION 4.5. CONCEPTS 3953 THROUGH 4013

E F G S	E F G S	E F G S	E F G S	E F G S	E F G S	E F G S	E F G S	E F G S	E F G S
1-3-8*-6	1-6-8*-3	2-8*-6-5	3-8*-5-5	4-3-6-2	4-8*-4-5	5-4-4-5	5-6 -4-3	6-4 -3-5	7-5-1-8*
1-4-8*-5	2-2-8*-3	3-2 -7-3	3-8*-6-1	4-4-5-5	5-1 -5-4	5-4-5-1	5-8*-3-5	6-5 -3-4	7-6-2-3
1-5-8*-4	2-3-8*-2	3-4 -6-5	4-2 -5-7	4-5-4-8*	5-2 -5-3	5-5-3-8*	6-2 -4-3	6-8*-2-5	8-4-1-5
1-6-7 -7	2-4-8*-1	3-5 -5-8*	4-2 -6-3	4-6-4-7	5-3 -5-2	5-5-4-4	6-3 -4-2	6-8*-3-1	

English	French	German	Spanish
adjust[5b]	adapter[3b], (ajuster[4b])	anpassen[5a], berichtigen[5a]	ajustar[2b], (adaptar[4b])
advertisement[6]	annonce[5b]	Anzeige[3b]	anuncio[4a]
amendment[4b]	amendement	Ergänzung[4a]	enmienda[5b]
ancestor[4a], (forefather[6])	ancêtre[4a], aïeul[4b]	Vorfahr[5a], (Ahne[6a])	antecesor[5a], antepasado[5a], (ascendiente[7a])
appointment[4b] (to meet), engagement[4b]	rendez-vous[3a]	Verabredung[6b]	cita[2b]
appointment[4b] (to something)	nomination[4b]	Ernennung[5b]	nombramiento[5a]
bag[1b] (suitcase), (valise[16])	valise[5b]	Reisetasche, Koffer	saco[4a] (de viaje), maleta[4b], (valija)
bay[1b] (n.) (water)	baie[4a], (anse[6b])	Bucht	bahía[5a]
bear[1a] (n.)	ours[6b]	Bär[7a]	oso[7b]
blade[2b] (e.g., of knife)	lame[4a]	Klinge	hoja[1b]
brass[2b]	cuivre[2b]	Messing	bronce[3b]
candy[2b], (goody[6])	bonbon[4a]	Süßigkeiten	dulce[1a]
capture[3b] (n.)	prise[2b]	Fang[7a]	presa[3a]
central[2b]	central[2b]	zentral	central[3b]
Chinese[5a] (adj.)	chinois[5b]	chinesisch[4b]	chino[4b]
criminal[5b] (n.)	criminel[3b], (malfaiteur[5a]), (scélérat[6a])	Verbrecher[5b]	criminal[2b]
(grow) dark[1a], (darken[4b])	s'assombrir[6a]	dunkeln	obscurecer[3b]
declaration[6] (customs)	déclaration[3a]	Deklaration[4b]	declaración[2b]
dish[2a] (container)	plat (n.)[3a], (écuelle[6b]), (vaisselle[6b]) (dishes)	Geschirr	plato[2a]
duly[6]	dûment	angemessen[3a]	debidamente (debido+deber[1a])
dying[3b] (adj.)	mourant (adj.)[4a]	sterbend[6b]	moribundo[5a]
echo[2b] (n.)	écho[3a]	Echo	eco[2b]
evolution[8]	évolution[4a]	Entwick(e)lung[1b], (Entfaltung[6a])	evolución[5a]
exaggerate[6]	exagérer[2b]	übertreiben[4a]	exagerar[3b], (extremar[4a])
gap[4a], (breach[6])	brèche[6a]	Lücke[4a]	brecha[7a]
gild[4a]	dorer[2b]	vergolden[6b]	dorar[3a]
gush[4b] (vb.), (spout[6])	jaillir[3a]	ergießen[6a]	brotar[2b], (manar[6b])
handkerchief[2b]	mouchoir[2b]	Taschentuch	pañuelo[3b]
howl[3a], (growl[5a]) (vb.)	hurler[4a]	heulen[6b]	latir[5a] (dog)
import[3b], (importation[9])	importation[5b]	Einfuhr[5b]	importación
knave[4a], wretch[4a], (rascal[5a]), (rogue[5a]), (villain[5a])	vilain[3b], (bandit[4a]), (brigand[4a]), (canaille[4a]), (drôle [n.][4a]), (scélérat[6a])	Schurke[6a], Schelm[6b]	pícaro[2b], (villano[3b]), (golfo[4a]), (malvado[5a]), (bribón[5b]), (bandido[6a]), (bellaco[6b]), (pillo[6b])
lunch[3b] (n.), (luncheon[6])	déjeuner (n.)[2a]	Gabelfrühstück	almuerzo[3b]

English	French	German	Spanish
mask[4b] (*n.*)	masque[4b]	Maske[5b]	máscara[5b]
mischief[3b]	espièglerie	Unheil[5a]	travesura[5b]
opera[4a]	opéra[5a]	Oper[4a]	ópera
organic[6]	organique[5b]	organisch[3b]	orgánico[4b]
outline[5a] (*vb.*), sketch[5b]	ébaucher[5b]	entwerfen[3b], (skizzieren)	esbozar
overcome[3b], (overpower[7])	subjuguer	hinreißen[5b]	subyugar[5b]
partial[5b] (biassed)	prévenu	einseitig[3b]	parcial[5b]
peninsula[4b]	péninsule	Halbinsel[4a]	península[5b]
petty[5a], (trivial[6])	petit[1a], (mesquin[5b])	kleinlich[5b]	mezquino[4b]
poise[6]	savoir-faire	Fassung[2b]	aplomo[5b]
presence[2a] (of mind)	sang-froid[4a]	Geistesgegenwart	sangre[1a] fría (frío[1a])
presentation[7]	présentation[6a]	Vorstellung[2a]	presentación[3b]
professional[6]	professionel[4b]	gewerblich[3b]	profesional[5a]
Prussia(n)[7] (*adj.*)	prussien[5a]	preußisch[1a]	prusiano
recommendation[5b]	recommendation[6b]	Empfehlung[4b]	recomendación[3b]
respite[7]	relâche[6a]	Frist[2b]	pausa[3a], (respiro)
scanty[5b], (scant[6])	peu[1a] abondant[4a]	knapp[5b]	escaso[1b]
season[1b], (flavor[4b])	assaisonner[6b]	würzen	sazonar[3b]
seventh[3a]	septième	siebente[5a]	séptimo[5*]
shallow[3b], (superficial[9])	superficiel	oberflächlich[5a]	superficial[5a]
shelf[4b]	rayon[2a], (planche[3a])	Bord[5a]	estante[7a]
signal[4a] (*n.*)	signal[3a]	Signal[6b]	señal[2a]
slumber[3a] (*vb.*)	sommeiller	schlummern[6b]	dormir[1a], (dormitar[6a]) (lightly)
sowing (*n.*) (sow[2b])	semailles	Saat[6b], (Säen)	siembra[5b]
spread[1b] (butter) (*vb.*)	étaler[3b]	schmieren	untar[6a]
subtract[5b]	soustraire[4b]	abziehen[4a]	deducir[5a], restar[5a], sustraer[5b], (descontar[6a])
suffering (*n.*)[5b]*	souffrance[2b]	Leiden[5b]	sufrimiento[3b], (padecimiento[5b])
usurp[6]	usurper	(an sich) reißen[2a]	usurpar[5b]
wait[1a] (*n.*)	attente[4a]	Warten	espera[5b]

PART V

THE FIFTH THOUSAND CONCEPTS

SECTION 4.6. CONCEPTS 4014 THROUGH 4106

```
 E F G S  E F G  S  E F  G S E  F G S E F G S  E F G  S E F G S E F G S  E F G  S
1–4–8*–6 2–3–8*–3 2–8*–6 –6  3–5 –6–5 4–2–5–8* 4–5 –6–1  5–1–5–5 5–5 –4–5 6–2–3–8* 6–8*–2–6
1–5–8*–5 2–4–8*–2 3–1 –8*–1 3–6 –6–4 4–3–6–3  4–6 –4–8* 5–3–5–3 5–6 –3–8* 6–3–4–3 6–8*–3–2
1–6–8*–4 2–5–8*–1 3–2 –6 –8* 3–8*–5–6 4–4–5–6 4–6 –5–4  5–4–4–6 5–6 –4–4 6–4–4–2 7–3 –3–3
2–2–8*–4 2–6–6 –8* 3–3 –6 –7 3–8*–6–2 4–4–6–2 4–8*–4–6  5–4–5–2 5–8*–4–2 6–6–2–8* 7–6 –1–8*
                                                                              7–8*–1–6
```

English	French	German	Spanish
accusation[5b]	accusation[4b]	Anklage[4b]	acusación[6a]
add[1a] up[1a]	additionner[6b]	zusammenzählen	sumar[4a]
alley[5a]	passage[1b]	Gasse[5a]	calleja[5a]
ankle[4a]	cheville[6a]	Enkel[4b]	tobillo
bars (bar[2a]), (grating [grate[4a]])	grille[3b]	Gitter	reja[3b], (verja[5b])
beating[6*] (heart)	battement	Schlag[2b]	latido[6a]
beg[2a] (literally)	mendier[5b]	betteln	pedir[1a]
bible (B)[4b], (scripture[5b])	bible[6a]	Bibel[4a]	Biblia
bore[2b] (tire)	ennuyer[3a], (embêter[4a])	langweilen	aburrir[3a]
box[1a] (theatre)	loge[5b]	Loge	palco[5b]
brave[1b] (*vb.*)	braver[5b], (affronter[7a])	trotzen	arrostrar[5a]
brush[2a] (paint)	pinceau, brosse	Pinsel[6b]	pincel[6b]
cathedral[4b]	cathédrale[3b]	Dom[6a]	catedral[3a]
cell[3a] (organic)	cellule[3b]	Zelle[6a]	célula[7b]
changing (change[1a]), (unsettle[d][6])	variable[5b]	veränderlich	variable[5a]
charity[3a] societies (society[2b])	sociétés (société[1b]) (de) bienfaisance[6a]	Gesamtarmenverbände[6b]	sociedades (sociedad[1b]) benéficas (benéfico[4a])
cheer[2a] (up) (*tr. vb.*)	égayer[5a]	aufmuntern	animar[1b], (alentar[4a])
childish[5b]	enfantin[3b], ([être de l']enfantillage[6a]), (puéril[6b])	kindisch[5b]	infantil[3b], (pueril[4a])
cliff[3a], (bluff[5a]), (crag[6])	falaise[5b]	Abhang[6a]	risco[5a], (precipicio[7a])
cowardly[5b]	lâche[3a]	feig[5b]	cobarde[3a], medroso[3b]
crystal[4a] (*n.*)	cristal[4a]	Kristall[6a]	cristal[2a]
curse[2b] (*vb.*), (accursed[5a])	maudit (*adj.*)[4a], (maudire[6a])	verfluchen	maldecir[2a]
curve[3b] (*n.*)	courbe[5b]	Krümmung[6b]	curva[5a]
daylight[3b]	jour[1a]	Tageslicht	luz[1a] (diurna), luz[1a] (de día)
discontent(ed)[4a]	mécontent[4a]	unzufrieden[5b]	descontento[6a]
disgust[5b] (*n.*)	dégoût[4b]	Widerwille[5b], (Abscheu[6a])	disgusto[2a], (asco[6a]), (hastío[6b])
(side) dish[2a]	entremets[6a]	Einlage[6b]	entremés
dramatic[7]	dramatique[3b]	dramatisch[3b]	dramático[3b]

143

English	French	German	Spanish
empress[6]	impératrice	Kaiserin[3b]	emperatriz (emperador[2b])
entertainment[5a] (treat)	fête[1b]	Essen[5a]	agasajo[5b]
equality[5b]	égalité[3b]	Gleichheit[5a]	igualdad[3a]
excessive[5b]	outré (adj.)[3b], (excessif[4a])	übermäßig[5a]	excesivo[3a]
exploration[5b]	exploration[6b]	Forschung[3b]	exploración
funds (fund[4b])	fonds[5a]	Fonds[6a]	fondos (fondo[1a])
groom[5b] (Amer.), (bridegroom[6])	(nouveau) marié	Bräutigam[4b]	novio[2a]
grudge[5b] (n.)	rancune[3b], (ressentiment[5a])	Unwille[5a]	rencor[3b]
homage[5b]	hommage[3b]	Huldigung[5b]	homenaje[3b]
ignoble[6]	ignoble[6a]	niedrig[2a]	innoble
ignorance[4a]	ignorance[4a]	Unwissenheit[6b]	ignorancia[2b]
indicative[7]	indicatif	Zeichen[1b] (für)	indicativo[6a]
initial[7]	initial[6b]	erste[1a], (Anfangs-)	inicial
injustice[5b]	injustice[3b]	Ungerechtigkeit[5a], Unrecht[5a]	injusticia[3a]
investigate[5b]	approfondir[6b]	forschen[4b]	inquirir[4b], (indagar[6a]), (investigar[6a])
jerk[6] (vb.)	(donner une) secousse[4a], ([donner des coups] saccadés [saccadé[5a]])	zucken[4a]	sacudir[2b]
kernel[6]	noyau	Kern[3b]	grano[2b]
lame[3a] (vb.), (cripple[4b])	estropier	lähmen[5b]	estropear[6a]
leadership[6]	direction[2a], conduite[2b]	Führung[3a]	jefatura
legislation[6]	législation	Gesetzgebung[2a]	legislación[6a]
license[4b]	concession[4b], (autorisation[5b])	Konzession[6a]	licencia[2b]
muse[3b] (n.)	muse[6a]	Muse[6a]	musa[4a]
nail[2a] (vb.)	clouer[4b]	nageln	clavar[2a]
oath[6] (e.g., take an –)	serment[3b]	Eid[4a]	juramento[3a]
picturesque[5b]	pittoresque[3b]	malerisch[5b]	pintoresco[3a]
pink[2b] (adj.), (rosy[4a])	rose[2a]	rosa	rosado[4a], (sonrosado[6b])
pity[2a] (vb.)	(avoir de la) pitié[2a], plaindre[2b]	bemitleiden	compadecer[4a]
plague[3b], (pestilence[6])	peste[6a]	Seuche[6a]	peste[4b], (plaga[6a])
pole[2a] (N. and S.)	pôle	Pol[6b]	polo[6b]
police[4a] department[3a]	gendarmerie[6a]	Polizei[4b]	comisaría
policy[3b] (life insurance)	police[2b]	Police[6b]	póliza
preliminary[6]	préliminaire[6b], préalable[6b]	vorläufig[2b]	preliminar
publication[5b]	publication[5a]	Veröffentlichung[4b], Verlag[4b], (Publikation[6b])	publicación[5a]
quit[2b]	quitte[5a]	quitt	libre[1a]
reasoning (reason[1a])	raisonnement[5a]	Gedankengang	razonamiento[5a], (raciocinio[6a])
reconcile[4a] (things)	concilier[4a], (réconcilier[5a])	vereinbaren[5a]	conciliar[6a], reconciliar[6b]
removal[7] (taking away)	enlèvement[6b]	Entfernung[1b]	remoción, deposición
riddle[4a]	rébus, devinette	Rätsel[4a]	enigma[6a]
riot[4b]	troubles (trouble [n.][2a]), (désordre[3a]), (émeute[6b])	Aufruhr[5a], Aufstand[5e]	motín

English	French	German	Spanish
run[1a] (into) (a street into another)	déboucher[4b]	münden	desembocar[6a]
rustle[4b] (vb.)	bruire	rauschen[4a]	susurrar[6b]
school[1a] (adj.)	scolaire[5b]	Schul-	escolar[5a]
scroll[6]	rouleau	Rolle[2a]	rollo[6b] (de papel), (pergamino)
smart[3a] (dashing person)	chic[5a]	keck[6a]	bizarro[5a], (apuesto[7a])
soap[3a]	savon[6a]	Seife[6b]	jabón[4b]
spoil[2a] (child)	gâter[3a]	verziehen	mimar[3b]
straighten[5b] (up)	redresser[3b], (se redresser[4a])	ausrichten[5b]	enderezar[3b]
supper[2a]	souper (n.)[4a]	Abendessen	cena[2b]
surpass[4b]	surpasser[6b]	übertreffen[4a]	sobrepasar
tap[3a] (vb.), (pat[3b])	taper[5a]	pochen[6a]	golpear[5a]
theatre[2b] (adj.)	(de) théâtre[2a], (théâtral)	Theater-	teatral[4b]
threat[5a]	menace[3b]	Drohung[5b]	amenaza[3b]
timid[4a]	timide[3b]	furchtsam[6b]	tímido[3a], temeroso[3b]
toe[3a]	doigt[1a] de[1a] pied[1a]	Zehe	dedo[1b] (del) pie[1a]
trade[1b] (adj.)	syndical[6a]	Handels- und Gewerbe-	comercial[4a], (mercantil[6a])
triumphant[5b]	triomphant[5a]	siegreich[4a]	triunfante[5b], triunfal[5b]
trot[3b] (n.)	trot	Trab[5b]	trote[6a]
twenty[1b] two [1a]	vingt-deux[5a]	zweiundzwanzig	veintidós[5*]
uncomfortable[5b]	(peu) confortable[4b], (incommode[6a])	unbequem[5a]	inconveniente[2b], (incómodo[5a])
unwillingly (unwilling[5b])	à contre-cœur	ungern[4b]	(a) disgusto[2a]
voter[5b]	électeur[5a]	Wähler[4b]	vocal[5b]
weave[3a], (woven[4b]), (wove[5b])	tisser	einschießen[6a], weben[6a]	tejer[2b]
whistle[2a] (vb.)	siffler[3a], (siffloter[5a])	pfeifen	silbar[3a]
wholesome[4a], (healthful[6]), (sanitary[6])	salutaire[6b]	heilsam[5a]	saludable[4b]
worldly[5a] (mundane)	mondain[4b]	weltlich[4a]	mundano[6a]

SECTION 4.7. CONCEPTS 4107 THROUGH 4180

E F G S	E F G S	E F G S	E F G S	E F G S	E F G S	E F G S	E F G S	E F G S
1-3-8*-8*	2-2-8*-5	3-1-8*-2	3-4 -6-7	4-3-6-4	4-5 -6-2	5-4-4-7	6-4-3-7	6-6 -3-5
1-4-8*-7	2-3-8*-4	3-2-8*-1	3-6 -6-5	4-4-5-7	4-6 -5-5	5-4-5-3	6-4-4-3	6-8*-2-7
1-5-8*-6	2-4-8*-3	3-3-6 -8*	3-8*-6-3	4-4-6-3	4-8*-5-3	6-2-5-1	6-5-3-6	7-5 -2-6
1-6-8*-5	2-5-8*-2	3-3-7 -4	4-2 -6-5	4-5-5-6	5-3 -5-4	6-3-4-4	6-5-4-2	7-8*-2-3

English	French	German	Spanish
accidental[6]	fortuit	zufällig[2a]	accidental[7a]
Arab[6]	arabe[5a]	Araber[3b]	árabe[6a]
attorney[5a]	procureur[4b]	Rechtsanwalt[4a], Verteidiger[4b]	procurador[7a]
belt[2b], (sash[4a]), (girdle[4b])	ceinture[3a]	Gürtel	faja[4b], (cinto), (cinturón)
boldness[5b], (daring[6])	audace[3b], (aplomb[5a]), (hardiesse[6a])	Kühnheit[5b]	atrevimiento[4a], audacia[4a]. (osadía[6b])
breed[3b], (bred[4a])	élever[1a]	züchten	criar[2a]

English	French	German	Spanish
cake[1b]	gâteau[6b]	Kuchen	torta[5b], (melindre[6b]), (pastel[6b])
cheese[2b]	fromage[4b]	Käse	queso[3b]
conjecture[6]	supposition[6a]	Vermutung[3b]	suposición[5a]
continuation[7]	continuation	Fortsetzung[2a]	continuación[3b]
corrupt[4b] (vb.)	corrompre	verführen[5b]	corromper[3b]
(fellow[1b]) countryman[6], (compatriot[13])	compatriote[3b]	Landsmann[4a]	paisano[4b], (compatriota[5a])
courtesy[5a]	courtoisie[4b]	Höflichkeit[5b]	cortesía[3a], (obsequio[4a]), (finura[5b]), (galantería[5b])
cross[1a] (out)	rayer[5a]	durchstreichen	tachar[6a]
cut[1a], (mow[6])	faucher[6b]	mähen	segar[5b]
dam[4a] (n.)	barrage	Wall[5b], (Damm[6a])	presa[3a] (de) agua[1a]
decrease[4a], (reduction[5b])	réduction[5b]	Abnahme[5b], Verminderung[5b]	mengua[6a]
duchess[6]	duchesse[4b]	Herzogin[4b]	duquesa (duque[3a])
engagement[4b] (to do something)	engagement[3b]	Verabredung[6b]	compromiso[4a]
fantastic[5b]	fantastique[4a]	phantastisch[5a]	fantástico[3a]
fisherman[4b], (fisher[6])	pêcheur[4a]	Fischer[6b]	pescador[3b]
flood[2b] (vb.)	inonder[4a], (submerger[6a])	überschwemmen	inundar[3a]
frequent[2a] (vb.)	fréquenter[4b]	frequentieren	frecuentar[3b]
gallop[3b] (n.)	galop[3b]	Galopp[6a]	galope
gather[1b] (sewing)	froncer[6b]	kräuseln	fruncir[5a]
generous[3a]	généreux[2b]	großzügig	generoso[1b]
grandson[6], (granddaughter[12])	petit-fils[5a], (petite-fille[6a])	Enkel[4b]	nieto[2b]
hateful[5b], (odious[6])	odieux[3b], (détestable[5a])	verhaßt[5b]	odioso[4a], detestable[4b]
haughty[4a]	hautain[5a], (orgueilleux[6b])	hochmütig[6a], übermütig[6a], (im) Übermut[6a]	soberbio[2a], (altivo[3a]), (orgulloso[3a]), (arrogante[4b]), (altanero[5a])
head[1a] (of bed)	chevet[6a]	Kopfende	cabecera[5a]
hen[2a]	poule[5b]	Henne	gallina (gallo[2b])
herb[4a]	herbe[2a]	Kraut[6b]	yerba[5b]
illusion[6]	illusion[2b]	Wahn[5a]	ilusión[1b]
indifference[6]	indifférence[4a]	Gleichgültigkeit[4a]	indiferencia[3a], (desvío[5a])
ingenious[5b]	ingénieux[4b]	genial[5a]	ingenioso[3a]
maker[3a]	fabricant[6b]	Produzent[6a], (Hersteller)	fabricante[5a]
making (make[1a]) (e.g., of clothes)	confection[6a]	Konfektion	hechura[5a], confección[5b]
miner[5b]	mineur[4b]	Bergmann[4b], (Bergarbeiter[6b])	minero[7a]
modesty[5b]	modestie[4a], (pudeur[5a])	Scham[5b], (Bescheidenheit[6a])	modestia[3b], (pudor[4b])
monk[5a], friar[5b]	moine[4b], (capucin[5a])	Mönch[5b]	fraile[3a], monje[3a]
monstrous[4a]	monstrueux[3b]	unnatürlich[6a]	monstruoso[4a], grotesco[4b]
neglect[2b] (n.)	négligence[5b]	Vernachlässigung	descuido[2b]
ninth[3a]	neuvième[6a]	neunte[6a]	noveno[5*]
opening (open[1a]) (e.g., of a meeting)	ouverture[3a]	Eröffnung	apertura

English	French	German	Spanish
ounce[3b], (oz.[4b])	once	Gramm[6a]	onza[3b], (gramo[4a])
piano[4a]	piano[2b]	Klavier[6b]	piano[5a]
prosperous[3b]	prospère[6b]	segensreich[6a]	próspero[5b]
purity[5a]	pureté[4a], (candeur[5a])	Reinheit[5a]	pureza[3b]
quart[3b], (pint[4a]), (qt.[5a]), (gallon[5b]), (pt.[6])	litre[4a]	Liter[6b]	litro[7a], cuartillo[7b]
rally[7] (vb.)	rallier[5b]	versammeln[2a]	rehacer[6b] (se)
recess[3b] (time)	trêve[6b]	Zwischenzeit[6b]	intermedio[5a], tregua[5a]
reconcile[4a] (persons)	réconcilier[5a]	versöhnen[5a], (Versöhnung[6b])	reconciliar[6b]
redeem[4b]	racheter[5b]	einlösen[6b]	desempeñar[2b], (redimir[5b])
restaurant[4b]	restaurant[4b]	Lokal[5b]	restaurant[7b]
rice[3a]	riz[6b]	Reis[6a]	arroz[5a]
roar[2a], (bellow[4b])	hurler[4a]	brüllen	rugir[3b], (bramar[4a])
salt[1b] (vb.)	saler[6a]	salzen	salar[5a]
severity[6]	sévérité[4b]	Strenge[4a]	severidad[3b]
sew[2a]	coudre[4b]	nähen	coser[3a]
shameful[5b]	honteux[3a], (scandaleux[6b])	schändlich[5b]	vergonzoso[4a], (escandaloso[6a])
sharpen[4a]	aiguiser[6b]	schleifen[5b], (spitzen[6a])	afilar[5b], aguzar[5b]
shiver[3b] (n.), (shudder[6])	frisson[3b], (frémissement[5b])	Schauer[7a]	temblor[4a], (estremecimiento[7a])
shrill[4a]	criard[5a]	grell[6b]	agudo[2b], (penetrante[7a])
sweat[4a] (n.)	sueur[4a]	Schweiß[6a]	sudor[3a]
technical[6]	technique[4b]	technisch[3a]	técnico[7b]
twenty[1b] four[1a]	vingt-quatre[6b]	vierundzwanzig	veinticuatro[5*]
twenty[1b] six[1a]	vingt-six[6a]	sechsundzwanzig	veintiseis[5*]
unworthy[5b]	indigne[4b]	unwürdig[5a]	indigno[3a]
vault[4a]	voûte[3a]	Gewölbe[6a]	bóveda[4b]
wagon[2a], (cart[3a])	charrette[5a], (chariot[6b])	Fuhrwerk	carro[2a], (galera[5a]), (carreta[5b])
wipe[2b]	essuyer[2b]	wischen	enjugar[5a]
wolf[2a], (wolves[5b])	loup[3b]	Wolf	lobo[4a]
working (work[1a]) (action)	exploitation[4b]	Auswertung, Ausbeutung	explotación[7b]
worm[2b]	ver[4b]	Wurm	gusano[3b]

SECTION 4.8. CONCEPTS 4181 THROUGH 4281

```
  E F G S    E F G S    E F G  S    E F G S   E F G S    E F G S   E F G S    E F G  S   E F G S    E F G S
1 -8*-8*-4  2-5 -8*-3  3-2 -8*-2  4-4-6-4  4-8*-4-8*  5-3-5-5  5-6 -4-6  6-4 -4-4  6-8*-3-4  7-6-2-6
2-2 -8*-6  2-6 -8*-2  3-3 -8*-1  4-5-5-7  4-8*-5-4   5-4-5-4  5-8*-3-8*  6-5 -4-3  7-3 -3-5  8-3-2-5
2-3 -8*-5  2-8*-6 -8*  3-6 -6 -6  4-5-6-3  5-1 -6-3   5-5-4-7  5-8*-4-4  6-6 -3-6  7-4 -2-8*  8-4-1-8*
2-4 -8*-4  3-1 -8*-3  3-8*-5 -8*  4-6-5-6  5-2 -6-2   5-5-5-3  6-3 -4-5  6-6 -4-2  7-4 -3-4  8-4-2-4
                                             6-3 -5-1  6-8*-2-8*  7-5 -3-3  9-4-1-4
```

English	French	German	Spanish
alternately (alternate[5b])	alternativement[5b]	abwechselnd (abwechseln[5a])	alternativo[3b], (alternado [alternar[6a]])
aspiration[7]	aspiration[5a]	Sehnsucht[3a], Streben[3a]	aspiración[3b]
(without) authority[2b], (illicit[15])	illicite	unberechtigt[6a]	ilícito

English	French	German	Spanish
bleak[6]	morne[3b]	öde[5a]	triste[1a], (sombrío[3a])
bud[2b] (n.)	bouton[3b]	Knospe	yema[5a], (botón[6a]), (capullo[6b])
budget[7]	budget[4b]	Etat[3a]	presupuesto[4a]
bunch[3a], cluster[3b], (bouquet[6])	bouquet[2b]	Strauß	ramo[2b], (racimo[5b])
cake[1b] (of) soap[3a]	pain[1b] (de) savon[6a]	Stück[1a] Seife[6b]	pastilla[6b] (de) jabón[4b]
check[2a], (cheque[12])	chèque	Check[6b]	cheque
chicken[2a], (chick[3b])	poulet[4b], (poule[5b])	Huhn, Kücken	pollo[4b]
cloak[2b], (cape[3a]), (mantle[3b])	pèlerine[6a]	Pellerine	capa[2a], manto[2b]
clump[8] (trees, etc.)	massif (n.)[4a]	Gruppe[2b]	macizo[4b]
code[7]	code[3b]	Gesetzbuch[3a], Handelsgesetzbuch[3a], (Zivilprozeßordnung[4b]), (Strafgesetzbuch[5b])	código[5b]
comet[6]	comète	Komet[3b]	cometa[4b]
community[4b] (adj.)	communal	kommunal[4a]	comunal
concentrate[6]	concentrer[4b]	konzentrieren[4a]	concentrar[4b], reconcentrar[4b]
contemporary[6] (n.)	contemporain[3a]	Zeitgenosse[4b]	contemporáneo[5a]
corn[1a] (Amer.)	maïs	Mais	maíz[4a]
cruelty[4b]	barbarie[5a], (cruauté)	Grausamkeit[6b]	crueldad[3a], (barbarie[5a])
curiosity[5a]	curiosité[2a]	Neugier[6b], Neugierde[6b]	curiosidad[2a]
curl[2b] (vb.)	boucler[4b], (friser[6a])	kräuseln	rizar[4a]
deaf[3b]	sourd[2b]	taub	sordo[2a]
dealer[4b]	vendeur[6a]	Händler[5a]	vendedor[6a]
debtor[6]	débiteur[6a]	Schuldner[3a], (Bezogene[5b])	deudor[6a]
delivery[4b] (of goods)	livraison	Lieferung[4a]	entrega
detachment[8] (troops)	détachement[4b]	Abteilung[1b]	destacamento
dig[2b], (dug[3b]), (scoop[6])	creuser[2b], fouiller[2b]	graben	cavar[6a]
disadvantage[6]	désavantage	Nachteil[2a]	desventaja
discipline[5a]	discipline	Disziplin[4b], (Zucht[5b])	disciplina[4a]
discontent[4a] (n.)	mécontentement[6a]	Unzufriedenheit[5b]	descontento[6a]
disobey[5a]	désobéir	(nicht) gehorchen[3b], (ungehorsam sein)	desobedecer
(put in) disorder[5b]	(mettre en) désordre[3a]	durcheinander[5a] (bringen), (in) Unordnung[6a] (bringen)	desordenar[5a]
(make) drunk[4b]	griser[4a], (enivrer[6b])	berauschen[6b], (trunken machen)	embriagar[4a]
Easter[4a]	pâques[6b]	Ostern[5b]	pascua[6b]
encourage[3a]	encourager[3a]	ermutigen	animar[1b], (alentar[4a])
engineer[4a]	ingénieur[5b]	Ingenieur[6a]	ingeniero[3a]
exceptionally (exceptional[5b])	exceptionnellement[6b]	ausnahmsweise[4b]	excepcionalmente (excepcional[6b])
fence[2a]	barrière[3a], (clôture[5a])	Zaun	valla[5b]
fervor[7]	ferveur[6b]	Eifer[2b]	fervor[6a]
goddess[4a]	déesse	Göttin[5b]	diosa[4a]
grease[5b] (n.)	graisse[6a]	Fett[4b]	grasa[6b]

English	French	German	Spanish
greedy[4a]	avide[4a]	begierig[6a]	insaciable[4b], (ávido[5b])
hammer[2b] (n.)	marteau[4b]	Hammer	martillo[4a]
harvest[2a] (vb.), (reap[3b])	(faire la) récolte[5b]	ernten	(hacer la) cosecha[3a]
hay[2a]	foin[5b]	Heu	paja[3b]
heathen[4a]	païen[5b]	Heide[5a]	pagano[7a]
highness[6] (title)	excellence[3a]	Hoheit[4a]	alteza[5b]
inaugurate[8]	inaugurer[3b]	eröffnen[2a]	inaugurar[5a]
international[7]	international[3b]	international[3a]	internacional[5a]
inventor[5b]	inventeur[5a]	Erfinder[4b]	inventor[7a]
investment[7]	placement[4b]	Anlage[2a]	inversión
kettle[3a]	bouillotte	Kessel[5b]	marmita
leisure[5a]	loisir[3b]	Muße[5b]	ocio[5a]
lock[2a] (sluice)	écluse	Schleuse[6a]	esclusa
log[2b]	bûche[5a]	Kloben	tronco[3a]
lust[4b] (n.)	cupidité	Begierde[5a]	codicia[4b]
malice[5a]	malice[5a]	Bosheit[5b]	malicia[3a]
metal[2b] (adj.)	métallique[4b]	metallisch	metálico[4b]
metropolis[6]	métropole[6a]	Hauptstadt[3a]	metrópoli[6b]
mockery[6]	moquerie[6b]	Spott[4b]	burla[2a]
mud[2b], (mire[5a])	boue[4b]	Schmutz	barro[4a], lodo[4a]
multiple[9] (adj.)	multiple (adj.)[4b]	vielfach[1b]	múltiple[4b]
murmur[2a] (n.)	murmure[3b]	Gemurmel, Getuschel	cuchicheo[5a], murmullo[5b]
musician[4b]	musicien[4a]	Musiker[6b]	músico[4b]
negative[5b] (adj.)	négatif[5b]	verneinend (verneinen[5b])	negativo[3b]
oar[4b]	rame	Ruder[5b]	remo[4b]
oath[6] (blasphemy)	juron[5b]	Fluch[4a]	juramento[3a], (blasfemia[4b])
organism[6]	organisme[3b]	Organismus[4a]	organismo[5b]
outline[5a] (n.)	contour[5a], silhouette[5a]	Umriß[5b]	contorno[3a], (silueta[6a])
overwhelm[5b]	accabler[3a]	niederdrücken[5a]	arrollar[5a]
passage[3a], (corridor[7])	passage[1b], (couloir[3a]), (corridor[3b])	Flur	corredor[3b], (pasillo[5b])
pastime[4b], (entertainment[5a]), (amusement[5b])	distraction[4a], (amusement[6a]), (récréation[6a])	Zerstreuung[6a]	distracción[4a], diversión[4a], pasatiempo[4b], (recreo[5a]), (entretenimiento[6a])
paternal[6]	paternel[4a]	väterlich[4a]	paternal[4a], (paterno[5a])
patriotic[5b]	patriote[4a]	patriotisch[5b]	patriótico[4b]
pigeon[4b]	pigeon[5a]	Taube[6a]	paloma[3a], (pichón[6b])
rabbit[2b]	lapin[4b]	Kaninchen	conejo[4a]
reference[5a]	référence	Berufung[4a], (Hinweis[5b])	referencia[4a]
robbery[5b]	vol[3a]	Raub[5a], (Diebstahl[6b])	robo[5a], (rapiña[6b])
savior (S)[5a]	sauveur	Heiland[4b], (Erlöser[5a])	salvador[4b]
seduce[5b]	séduire[4b]	verleiten[5a], verführen[5b]	seducir[4b]
senior[6]	aîné[3a]	Älteste[5b]	mayor[1a]
share[2a] holder[4b]	actionnaire	Aktionär[4a], (Anteilseigner[6a])	accionista
shorten[5b]	abréger[5a]	verkürzen[5b]	encoger[3b], (abreviar[4b]), (acortar[6a])
siege[5b]	siège[1b]	Belagerung[6a]	cerco[3b]

English	French	German	Spanish
slander[5b] (n.)	calomnie[5a]	Beleidigung[5a]	calumnia[3b]
spacious[5a], (capacious[6])	vaste[1b], (ample[5a])	geräumig[6b]	amplio[3a]
spoon[2b], (teaspoon[6])	cuiller(-ère)[4a]	Löffel	cuchara[4a]
studious[6]	studieux	fleißig[2a]	estudioso
swing[2b] (n.) (motion)	balancement	Schwung[6b]	balanceo
temple[2b] (head)	tempe[4a]	Schläfe	sien[4b]
(legal[5b]) tender[2a], (currency[6])	monnaie[3a] légale (légal[4b])	Zahlungsmittel[5b]	moneda[2b] legal[4b]
thoughtless[5b]	étourdi (adj.)[5b], (distrait[6a])	leichtsinnig[5a], (im) Leichtsinn[5b]	aturdido (aturdir[3b])
type[3a] (n.)	type[2a]	Typ	tipo[2a]
unseen[4a]	inaperçu[5a]	unbemerkt[5a]	inadvertido[7a]
urge[2b] on[1a], whip[2b] up (horse)	exciter[2b] (un cheval)	antreiben, anspornen	arrear[6b]
vegetable[2b]	légume[4b], (végétal[5a])	Gemüse	legumbre[4a], vegetal[4a], (hortalizas[5b])
vehement[6]	véhément	energisch[3a]	vehemente[4b]
virtuous[4a]	vertueux[5b]	tugendhaft[6a]	virtuoso[3b]
weaken[5b] (make weak)	affaiblir[4a], (faiblir[5a])	schwächen[5a], verdünnen[5b]	debilitar[4b]
whip[2b] (vb.), (lash[5a])	fouetter[4b]	peitschen	azotar[4b]
whip[2b] (n.), (lash[5a])	fouet[5a]	Peitsche	azote[3b], (látigo[5b])

SECTION 4.9. CONCEPTS 4282 THROUGH 4377

E F G S	E F G S	E F G S	E F G S	E F G S	E F G S	E F G S	E F G S	E F G S
1-5 -8*-8*	2-5 -8*-4	3-8*-6-5	4-5 -6-4	5-2-6-3	5-4-5-5	5-6 -4-7	6-2-5-3	6-5 -3-8*
1-8*-8*-5	2-6-8*-3	4-3 -7-2	4-6 -5-7	5-3-5-6	5-5-5-4	5-8*-4-5	6-3-5-2	6-6 -3-7
2-3 -8*-6	3-1-8*-4	4-4 -6-5	4-8*-5-5	5-3-6-2	5-5-4-8*	6-1 -4-8*	6-4-4-5	6-8*-3-5
2-4 -8*-5	3-3-8*-2	4-5 -5-8*	4-8*-6-1	5-4-6-1	5-6-5-3	6-1 -5-4	6-4-5-1	7-5 -3-4
								8-6 -2-3

English	French	German	Spanish
access[5b]	accès[3a]	Zutritt[5b]	acceso[6a]
aggravate[6]	aggraver[5a]	erschweren[3b]	agravar
alarm[2b] (n.)	alerte[5a]	Alarm	alarma[4a]
amend[4b] (vb.)	amender	berichtigen[5a]	enmendar[5a]
awkward[5b]	maladroit[3a], (gauche [awkward][5a]), ([d'une grande] maladresse[6a])	ungeschickt[6b]	torpe[2b]
axis[5b], (axle[6])	axe[5b]	Achse[5b]	eje[4b]
bark[2a] (of tree)	écorce[5a]	Rinde	corteza[4b], (cáscara[5b])
berry[2b]	grain[3a], (baie[4a]), (graine[5b])	Beere	mora[6b] (black –)
boundless[4b]	illimité[6b]	unbeschränkt[5b]	ilimitado[7a]
box[1a] (tree)	buis[5b]	Buchs	boj
bush[2a]	buisson[5a]	Gebüsch	mata[4b]
butt[6] (n.) (end)	bout[1a]	Kolben[4b]	culata
chat[5b] (vb.)	bavarder[5b]	plaudern[5b]	charlar[4b]
chemical[7] (adj.)	chimique[5a]	chemisch[3a]	químico[4a]
coach[2b] (e.g., and four)	carrosse[5b]	Gefährt	carruaje[4b]
consul[6]	consul[6b]	Konsul[3b]	cónsul[7b]

THE FIFTH THOUSAND CONCEPTS

English	French	German	Spanish
cool[1b] (*vb.*) (refresh)	rafraîchir	erfrischen	refrescar[5a]
curl[2b] (*n.*)	boucle[4a]	Locke	rizo[5a]
currency[6]	monnaie[3a] (du pays)	Valuta[5b], Zahlungsmittel[5b], (Währung[6a])	moneda[2b]
cylinder[5b]	cylindre	Zylinder[4a], (Walze[5b])	cilindro[5a]
depose[6]	déposer[1b]	absetzen[5a]	deponer[4b], (destronar[6b])
depress[6]	abattre[2a], (déprimer)	niederdrücken[5a]	abatir[3a]
deputy[5b], delegate[5b]	député[2b]	Delegierte[6a], Deputierte[6b], Bevollmächtigte[6a]	diputado[3b], (delegado[4a]), (comisario[6b])
dining (dine[2b]) room[1a]	salle à manger[6b], réfectoire[6b]	Eßzimmer	comedor[3b]
divinity[5b]	divinité	Gottheit[4a]	divinidad[5b]
doll[2b], (dolly [D][5a])	poupée[5a]	Puppe	muñeca[4a]
extensive[5a]	répandu[6a]	umfangreich[5a]	extenso[3a]
fade[2b], (wither[3b]), (wilt[4a])	flétrir[4b], (faner[5b])	verwelken	marchitar[5a], mustio[5a], marchito[5b]
fast[1a] (*vb.*)	jeûner	fasten	ayunar[5b]
finding (find[1a]) (something found)	trouvaille	Fund	hallazgo[5b]
flap[5a] (of table)	battant (*n.*)[4b]	Klappe[6a]	hoja[1b] (de la mesa)
fox[2a]	renard[5a]	Fuchs	zorro[4b]
fraction[5a]	fraction[6b]	Fraktion[4b]	fracción[7b]
garrison[6]	garnison[4b]	Besatzung[4b], (Garnison[5b])	presidio[5a], guarnición[5b]
goat[2a], kid[2b]	chèvre[6b]	Ziege	cabra[3a]
grumble[5a] (*vb.*)	grogner[5a]	jammern[5b]	gruñir[4a]
heel[2a] (on foot)	talon[4a]	Ferse	talón[5b]
helmet[4b]	casque[5a]	Helm[6a]	casco[4a]
hospitality[6]	hospitalité[5b]	Gastfreundschaft[3a]	hospitalidad
instinctive[6]	instinctif[4b] (instinctivement[5a])	unwillkürlich[4a]	instintivo[5a]
interval[5a]	intervalle[3a]	Zwischenraum[5b]	intervalo[6b]
lamb[2a]	brebis[6a]	Lamm	cordero[3a]
lily[3a]	lis	Lilie[6b]	azucena[5b], (lirio[6a])
marble[2b] (game)	bille[6b]	Marmel	bola[3a]
mob[5b]	canaille[4a]	Pöbel[5b]	canalla[5a], turba[5a], (plebe[6a])
nomination[5b]	nomination[4b]	Ernennung[5b]	nombramiento[5a]
note[1b] book[1a] (small)	carnet[5b]	Taschenbuch	cuaderno, carnet
nucleus[6]	noyau	Kern[3b]	núcleo[5b]
orange[2a] blossom[2a]	(fleur d')oranger[5b]	Orangenblüte	azahar[4b]
Orient (o)[5a] (*vb.*)	s'orienter[5b]	sich[1a] erkundigen[4b]	orientarse
pan[2b]	casserole[5b], (poêle [*f.*][6a])	Pfanne	cazuela[4a], (cacerola[5b])
parallel[4b] (*adj.*)	parallèle[5a]	parallel[6b]	paralelo[4b]
pastor[5a]	pasteur[6a]	Pastor[5a]	pastor[3a]
pay[1a] off[1a], settle[1b] up[1a]	liquider[5b]	ausbezahlen	liquidar
piety[5b]	piété[3b]	Frömmigkeit[6a]	piedad[2a], (devoción[3a])
pine[2b] (*n.*)	pin[5a]	Tanne	pino[4a]

English	French	German	Spanish
preceding (precede[6])	précédent[4a]	vorhergehend (vorhergehen[4b])	precursor[5a]
preceding (precede[6]) year[1a]	année[1a] précédente (précédent[4a])	Vorjahr[5b]	año[1a] anterior[1b], ([año] precedente[4b])
proverb[5b]	proverbe[6b]	Sprichwort[5b]	refrán[3b]
purple[2b] (royal)	pourpre[4b]	Purpur	púrpura[5b], cárdeno[5b]
radiance[8]	rayonnement[6a]	Glanz[2b]	esplendor[3a], (radiancia)
rash[4b], (reckless[7])	téméraire	übereilt (übereilen[6b])	atrevido (+atreverse)[1a], (temerario[4a])
receipt[3b] (for payment)	reçu	Quittung[6a]	recibo[5a]
reverend[4b]	révérend	ehrwürdig[5a]	reverendo[5b]
ringing (ring[1b]) (n.) (bell)	sonnerie[5a]	Geläute	tañido, timbrazo, campaneo
round[1a] (off) (e.g., edge), make[1a] round[1a]	arrondir[5a]	abrunden	redondear
select[2b] (people)	élite[5a]	erlesen	selecto[4b], (granado[5b])
shade[1b] (vb.)	ombrager[5b]	schatten	sombrear
sheet[2a] (bed)	drap[3b]	Bettuch	sábana[6b]
(sea) sickness[3a]	mal[1a] de[1a] mer[1b]	Seekrankheit	mareo[4a]
sink[2a] (under a burden), (succumb[14])	succomber[5b]	zusammenbrechen	sucumbir[4b]
skin[1b] (vb.), (flay[11])	écorcher	schinden	desollar[5a]
snow[1b] (vb.)	neiger	schneien	nevar[5b]
soil[1b], (dirty[3b]) (vb.)	salir[5b]	beschmutzen	ensuciar
spring[1a] (adj.) (season)	printanier[5b]	Frühlings-	primaveral
squadron[6]	escadron	Eskadron[3b], (Schwadron[4b])	escuadrón[5a]
(make) stiff[2b], (stiffen[8])	raidir[4a]	versteifen	(hacer) rígido[5a]
strain[3a], (sift[4b])	passer[1a]	sieben	colar[4a], filtrar[4b], (cerner[5b])
survey[4a] (n.), (inspection[7])	inspection[5a]	Übersicht[5a], (Überblick[6b])	inspección
syllable[5a]	syllabe[5b]	Silbe[5b]	sílaba[4b]
telegraph[4a] (n.)	télégraphe[4b]	Telegraph[6b]	telégrafo[5a]
tell[1a] (in) advance[2a], (prophesy[5a]), (foretold[6]), (predict[7])	prédire[4b]	voraussagen	augurar[5a]
temper[3a] (vb.) (steel)	tremper[3a]	härten, tempern	templar[2b]
tragic[6]	tragique[3a]	tragisch[5a]	trágico[2b]
traitor[4a]	traître[3b]	Verräter[7a]	traidor[2b]
tramp[4a], (rover[5a])	gueux[5a], vagabond[5a]	Wanderer[6a]	vagabundo[4b]
treat[2a] (give a treat to)	régaler[5b]	traktieren	obsequio[4a]
turn[1a] (up), (hem[4a]), (tuck[4b] [up])	retrousser[5a]	schürzen	remangar
ungrateful[5b]	ingrat[3b]	undankbar[6b]	ingrato[2b]
vow[3a] (n.)	vœu[3a]	Gelübde	voto[2a]
wandering (wander[2a]), (errant[13])	errant[5a]	Fahrende	errante[4b], (andante[5a])
(lay) waste[1b], (ravage[8])	ravager[5a]	verheeren, verwüsten	asolar, devastar
wings (wing[1b]) (in theatre)	coulisse[5b]	Kulisse	bastidores
womb[6]	matrice	Schoß[3b]	matriz[5a]
working (work[1a]) (out)	élaboration[5b]	Ausarbeitung	elaboración
world[1a] (adj.)	mondial[5b]	Welt-	mundial

SECTION 5. CONCEPTS 4378 THROUGH 4477

```
E F G S   E F G S   E F G S   E F G S   E F G S   E F G S   E F G S   E F G S   E F G S
1-6 -8*-8*  2-5 -8*-5  3-3 -8*-3  4-1-8*-1  4-6 -5-8*  5-3-6-3  5-6-4-8*  6-4 -4-6  6-8*-4-2  7-8*-2-6
1-8*-8*-6  2-6 -8*-4  3-5 -8*-1  4-2-6 -8*  4-8*-5-6  5-4-5-6  6-1-6-1  6-5 -4-5  7-4 -3-6  7-8*-3-2
2-2 -8*-8*  2-8*-8*-2  3-6 -6 -8*  4-4-6 -6  5-2 -5-8*  5-4-6-2  6-2-4-8*  6-6 -4-4  7-6 -2-8*  8-3 -3-3
2-4 -8*-6  3-1 -8*-5  3-8*-6 -6  4-5-6 -5  5-2 -6-4  5-5-5-5  6-3-5-3  6-8*-3-6  7-6 -3-4  8-4 -2-6
```

English	French	German	Spanish
absent[3a]	absent[3b]	abwesend	ausente[3a]
appetite[3b]	appétit[3a]	Appetit	apetito[3a]
apple[1a] tree[1a]	pommier[6b]	Apfelbaum	manzano
assurance[5b], security[5b]	assurance[4a]	Gewähr[6a]	seguridad[2a]
astonishing[5b]	étonnant[3b]	erstaunlich[6a]	asombroso[3b]
ax(e)[2b], (hatchet[5a])	hache[5a]	Axt	hacha[5b]
banker[5b]	banquier[4b]	Bankier[5b]	banquero[6a]
battalion[8]	bataillon[4b]	Bataillon[2a], Armeekorps[2b]	batallón[6a]
bent[2b] (adj.), arched (arch[2b]), (stooped [back of person] [stoop[3a]])	voûté[2b]	gewölbt	arqueado, abombado
bleed[4a]	saigner[6a]	bluten[5b]	sangrar
bleeding (bleed[4a]) (adj.)	saignant (adj.)[6a]	blutend (bluten[5b])	sangrante
bore[2b], drill[2b] (vb.)	percer[2b], (trouer[4b])	bohren	taladrar
brick[2a]	brique[4b]	Ziegel	ladrillo[6a]
cape[3a] (headland)	cap[5b]	Kap	cabo[1b]
cling[5a], (clung[6])	(s')accrocher[2b], (se cramponner)	(sich) klammern[6b]	adherir[4a] (se)
commissioner[4b]	commissaire[4a]	Kommissar[6a], Regierungskommissar[6a]	comisionado[6b]
conservation[7], (preservation[8])	conservation[6b]	Erhaltung[3a]	conservación[4b], (preservación)
consign[7]	consigner[6b]	überweisen[3a]	consignar[4a]
corn[1a] (on toe)	cor	Hühnerauge	callo[6a]
coward[3b]	lâche[3a]	Feigling	cobarde[3a]
critical[7]	critique	kritisch[3b]	crítico[2b]
cube[5a]	cube[6a]	Würfel[4b]	cubo
deepen[5b]	creuser[2b], (foncer[4a]), (approfondir[6b])	vertiefen[5a]	profundizar
democrat[5b]	démocratique[5b]	demokratisch[5b]	democrático[5a]
devotion[5a]	dévouement[3b]	Hingebung[6a]	devoción[3a]
dictate[5a]	dicter[4b]	diktieren[6a]	dictar[2b]
dislike[5b] (n.)	aversion[5a], répugnance[5b]	Abneigung[5b]	repugnancia[5a]
disorder[5b], mess[5b]	désordre[3a], (désarroi[6b])	Unordnung[6a]	desorden[3a]
dragon[3b]	dragon[6a]	Drache[6b]	dragón
duck[2b]	canard[5b]	Ente	pato[5a]
elephant[4a]	éléphant	Elefant[5a]	elefante[6b]
enrich[5a]	enrichir[3b]	bereichern[6a]	enriquecer[3a]
extract[5b] (vb.)	extraire[5b]	ausziehen[5a]	extraer[5a]
fairy[2b]	fée[4b]	Fee	hada[6b]
fan[2b] (up) (e.g., fire)	activer[5b]	anfachen	avivar[5a]

English	French	German	Spanish
felt[1b] (material)	feutre[6a]	Filz	fieltro
frost[2a]	givre	Frost	helada (helar[2a])
fur[2a]	fourrure	Pelz	piel[2a]
graze[3b] (e.g., flock)	paître	weiden[6b]	pacer[6b]
grind[2b] (teeth)	grincer[5a]	knirschen	crujir[5a] (los dientes)
groan[3a] (vb.), (moan[4a])	gémir[3b]	stöhnen	gemir[3a]
gulf[2b]	golfe[6b]	Meerbusen	golfo[4a]
heating (heat[1b])	chauffage[6b]	Heizung	calefacción
helpless[4a]	impuissant[5a]	hilflos[6b]	desvalido[5a], (impotente[6a])
highland[4b]	terre[1a] haute (haut[1a])	Hochland	tierra[1a] (de) altura[1b]
(do) homage[5b] (to)	(rendre) hommage[3b] (à)	huldigen[6a]	rendir[1b] homenaje[3b]
hospital[3a]	hôpital[3a]	Krankenhaus	hospital[3b]
humble[3a] (vb.)	humilier[3b]	demütigen	humillar[3a]
ignorant[3b]	ignorant[3a]	unwissend	ignorante[3a]
impartial[6]	objectif[4b], (impartial[6b])	sachlich[4a], objektiv[4b]	imparcial[6a]
imprisonment[6]	emprisonnement	Gefängnisstrafe[4a], (Haft[6b])	prisión[2b]
indication[8]	indication[3b], (indice[5a])	Anzeige[3b]	indicación[3b]
indirect[6]	indirect[6a]	indirekt[4a]	indirecto[4a]
involved (involve[4a])	compliqué[4b]	kompliziert[6a]	intrincado[6b]
irregular[4b]	anormal[5a]	unnatürlich[6a]	irregular[5b]
jury[5b]	jury[6b]	Geschworene[4b]	jurado
knot[3b] (hair)	chignon	Knoten[6a]	moño[6a]
ladder[3a]	échelle[3b]	Leiter (f.)	escala[3a]
landing (land[1a]) (from ship, etc.)	débarquement[6b]	Ausschiffung	desembarco
manager[6]	administrateur[5a]	Verwalter[4a]	administrador[5a]
melancholy[5b] (n.)	mélancolie[3a]	Wehmut[6b]	melancolía[3b]
melancholy[5b] (adj.)	mélancolique[3b]	wehmütig[6b]	melancólico[3b]
mouse[2a], (mice[4a])	souris (f.)[6a]	Maus	ratón[4a]
nonsense[5a]	bêtise[3b], (sottise[4b])	Dummheit[6b], Unsinn[6b]	disparate[3b], (tontería[4a]), (necedad[5a]), (despropósito[6a]), (estupidez[6a])
orange[2a] tree[1a]	oranger[5b]	Orange(nbaum)	naranjo[5a]
pathetic[7]	pathétique[6b]	rührend (rühren[2a])	patético
police[4a] (adj.)	(de) police[2b]	polizeilich[6b]	policiaco
prohibition[6]	défense[2b]	Verbot[4b]	prohibición
radical[6]	radical[3a]	radikal[5b]	radical[3b]
reform[4b] (vb.)	réformer[4b]	reformieren[6b]	reformar[6a]
repay[4b]	rendre[1a], (rembourser[5a])	rückzahlen	pagar[1a], (reembolsar)
revolutionary[6]	révolutionnaire[3b]	revolutionär[5b]	revolucionario[3b]
rib[3a]	côte[1b]	Rippe	costilla[5a]
ripple[5a] (vb.)	onduler[5a]	wogen[5a]	ondular[5b]
rival[3b] (n.)	rival[3a], (concurrent[5b])	Mitbewerber	rival[3b]
row[1b] (vb.)	ramer	rudern	bogar[6b]
rubber[3a]	caoutchouc[6a]	Kautschuk[6a]	goma, caucho
sinister[8]	sinistre[3b]	finster[3a]	siniestro[3b]

English	French	German	Spanish
skin[1b] (vb.) (scrape)	écorcher	schaben	descarnar[6a]
soup[3a]	soupe[3b]	Suppe	sopa[3a]
stimulus[7]	stimulant	Reiz[2b]	estímulo[6b]
sumptuous[5b]	somptueux[5a]	üppig[5a]	suntuoso[5a]
superintendent[5b]	gérant[6a]	Verwalter[4a]	superintendente
swallow[2a] (bird)	hirondelle[4b]	Schwalbe	golondrina[6b]
swarm[3b] (vb.)	grouiller[6b]	schwärmen[6a]	enjambrar
torch[4b]	flambeau[5a], torche[5b]	Fackel[6b]	antorcha[5a]
tough[6]	dur[1b]	zäh[6b]	duro[1a]
translation[7]	version[4b], (traduction[5b])	Übersetzung[3b], (Übertragung[4a])	traducción[6a], versión[6a]
trivial[6]	trivial	unbedeutend[3a]	fútil[6b]
trunk[2a] (to pack)	malle[4b]	Koffer	cofre[6b], (baúl[7a])
Turkish[5a], Turk[5b]	turc[4a]	türkisch[5a]	turco[6a]
unanimous[6]	unanime[4a]	einstimmig[4b]	unánime[6a]
uneasiness[7]	malaise[4a]	Unruhe[3a]	malestar[6b]
vegetable[2b] (adj.)	potager[6a]	Gemüse-	vegetal[4a]
vehicle[6]	véhicule[5b]	Fahrzeug[4a]	vehículo[5a]
villain[5a]	vilain[3b]	Schurke[6a]	villano[3b], (malvado[5a])
vomit[7] (vb.)	vomir	(sich) übergeben[2b]	vomitar[6a]
water[1a] (adj.)	aquatique	Wasser-	acuático[6a]
(stopping [stop[1a]] of) work[1a]	chômage[6b]	Arbeitsunterbrechung	paro
working (work[1a]) (n.) (functioning)	fonctionnement[6b]	Funktionieren	funcionamiento

SECTION 5.1.   CONCEPTS 4478 THROUGH 4543

```
E F G  S      E F G  S      E F  G  S     E F  G  S     E F  G  S     E F  G  S     E F  G  S     E F  G  S     E F  G  S
2-3-8*-8*     2-8*-8*-3     3-5 -8*-2     4-4-6-7       5-1-6-6       5-4-6-3       5-8*-4-7      6-4 -5-3      7-3-4-4
2-4-8*-7      3-2 -8*-5     3-6 -8*-1     4-4-7-3       5-2-6-5       5-5-5-6       5-8*-5-3      6-6 -4-5      7-6-4-1
2-5-8*-6      3-3 -8*-4     3-8*-6 -7     4-5-6-6       5-3-6-4       5-5-6-2       6-3 -5-4      6-8*-3-7      8-6-3-1
2-6-8*-5      3-4 -8*-3     4-2 -8*-1     4-5-7-2       5-4-5-7       5-6-6-1       6-4 -4-7      6-8*-4-3
```

English	French	German	Spanish
abominable[5b]	abominable[5a]	abscheulich[5a]	abominable[6b]
almighty[5a]	tout[1a] puissant[1b]	allmächtig[6b]	omnipotente[6b]
bark[2a] (vb.)	aboyer[6a]	bellen	ladrar[5a]
border[2a], (hem[4a]) (put a – on)	border[3b]	umranden	(tomar el) ruedo, (hacer el) ruedo
cardinal[5b] (n.)	cardinal (n.)[5a]	Kardinal[5b]	cardenal[6a]
cigar[5b]	cigare[3b]	Zigarre[6a]	cigarro[4a]
clash[5b] (n.) (physical)	choc[3a]	Zusammenstoß[6a]	choque[4a]
confederacy[6]	fédération[4b]	Bundesstaat[4b]	federación[7a], confederación[7b]
confident[5a]	confident[6b]	getrost[6a]	cierto[1a], seguro[1a], (confiado [confiar[2a]])
confirmation[5b]	confirmation	Bestätigung[4b]	confirmación[7a]
contrast[4b] (vb.)	contraster[5b]	abheben[6b]	contrastar[6a]
cream[2a]	crème[5b]	Sahne	nata[6b]

English	French	German	Spanish
critic[5a]	critique (m.)[5a]	Kritiker[6a]	crítico[2b]
cunning[3a] (quality)	adresse[2a], (ruse[4b])	Verschlagenheit	astucia[5a], sutileza[5b]
descent[5a]	descente[4b]	Niedergang[5b]	descenso[7a]
despatch[6] (n.)	dépêche[4a]	Depesche[5b]	despacho[3a]
document[5b]	document[4a]	Dokument[6b], Schriftstück[6b]	documento[3a]
elbow[3b]	coude[3a]	Ellbogen	codo[4a]
eloquence[5a]	éloquence[3b]	Beredsamkeit[6a]	elocuencia[4b]
emphasis[6]	emphase[6b]	Nachdruck[4a], (nachdrücklich[6a])	énfasis[5b]
enclosed (enclose[3b]) (e.g., in letter)	ci-inclus, ci-joint	einliegend[6b]	adjunto[7a]
entry[4a], item[4b]	article[2a]	Eintrag	entrada[1b], (partida[2a])
excellence[6] (superiority)	excellence[3a]	Exzellenz[5a]	excelencia[4a]
export[5b] (n.)	exportation[5a]	Export[5a], (Ausfuhr[6a])	exportación[6b]
extremity[5b]	extrémité[2b]	Äußerste[6b]	extremidad[5b]
famine[3b]	famine[6b]	Hungersnot	hambre[1b]
formal[6]	cérémonieux	förmlich[4a], formell[4b]	formal[3a], ([de] etiqueta[4a])
fowl[3a], (poultry[4a])	volaille[5b]	Geflügel	(aves de) corral[2b]
frail[3b]	fragile[4b], (frêle[5a])	zerbrechlich	frágil[3b]
frame[2a] (vb.)	encadrer[3b]	rahmen	enmarcar, encuadrar
grind[2b]	moudre	mahlen	moler[3a]
hoof[3a]	sabot[3b]	Huf	casco[4a]
ink[3a]	encre[4a]	Tinte	tinta[3a]
lately[7*]	dernièrement[6b]	kürzlich[4a]	últimamente (último[1a])
laurel[4b]	laurier[4b]	Lorbeer[7a]	laurel[3a], (lauro[5b])
limit[2a], (confine[4a]), (particularize[16])	confiner[6b]	spezifizieren	concretar[5b]
medical[5b]	médical[5b]	medizinisch[6a], ärztlich[6b]	médico[2a]
meditation[6]	méditation[3b]	Nachdenken[5a]	meditación[4b]
multiply[3a]	multiplier[4b]	vervielfältigen	multiplicar[3a]
nut[2a]	noix[6a]	Nuß	nuez[5b]
palm[3a] (of hand)	paume[5a]	Handfläche	palma[2b]
paw[3b] (n.)	patte[3b]	Pfote	pata[4a]
pie[2a] (meat)	pâté[5b]	Pastete	pastel[6b]
plate[2a] (vb.)	plaquer[6b]	plattieren	platear[5b]
plead[3b]	plaider[5a]	plaidieren	suplicar[2a]
poison[3a] (vb.)	empoisonner[3b]	vergiften	envenenar[4b]
procedure[8]	procédure[6a]	Vorgehen[3b]	proceder[1b]
publication[6] (of the) general[1a] staff[3b]	Revue (revue[3b]) (de l')état-major[6a]	Generalstabswerk[4b]	publicación[5a] (del) estado[1a]
responsibility[7]	responsabilité[3a]	Haftung[4a], (Verantwortlichkeit[5a]), (Verantwortung[5a])	responsabilidad[4a]
saucy[6]	insolent[4b]	frech[5b]	impertinente[3b], (insolente[4a])
scornful[6], contemptuous[6]	méprisant (mépriser[3b]), (dédaigneux[4b])	verächtlich[5a]	desdeñoso[4b]
seventy[2a]	soixante-dix[6b]	siebzig	setenta[5*]

English	French	German	Spanish
sinner[5a]	pécheur	Sünder[5a]	pecador[3a]
sleeve[3b]	manche (f.)[3b]	Ärmel	manga[4a]
sport[2a] (n.)	sport[3b]	Sport	deporte
spy[2b] (vb.)	épier[5a]	spähen	espiar[6a], acechar[6b]
structure[6]	structure[6a]	Zusammensetzung[4a]	estructura[5a]
suffrage[6] (right to vote)	suffrage	Stimmrecht[3a], (Wahlrecht[4a])	sufragio[7a]
suggestion[5b]	suggestion[5b]	Andeutung[5a]	sugestión[6b]
thickness[4b]	épaisseur[5a]	Dicke[7a]	grueso[2b], (espesor[7a])
tights (tight[2b])	maillot[6a]	Trikot	mallas (malla[5b])
toy[2a], (plaything[5a])	jouet	Spielzeug	juguete[3b]
trap[2b] (n.), (snare[4b])	piège[4a], (trappe[6b])	Falle	trampa[7a]
venerable[6]	vénérable[4a]	ehrwürdig[5a]	venerable[3b]
vineyard[5b]	vigne[3a]	Weinberg[6a]	viña[4a]
visitor[4a]	visiteur[4b]	Besucher[6b]	visitante[7a]

SECTION 5.2. CONCEPTS 4544 THROUGH 4621

E F G S	E F G S	E F G S	E F G S	E F G S	E F G S	E F G S	E F G S
2-4 -8*-8*	2-8*-8*-4	3-6 -8*-2	4-4 -6-8*	5-3-6-5	5-5 -6-3	6-4-4-8*	6-8*-3-8*
2-5 -8*-7	3-3 -8*-5	3-8*-6 -8*	4-4 -7-4	5-4-5-8*	5-6 -5-6	6-4-5-4	6-8*-4-4
2-6 -8*-6	3-4 -8*-4	4-2 -8*-2	4-8*-5-8*	5-4-6-4	5-8*-4-8*	6-5-4-7	7-4 -3-8*
2-8*-7 -8*	3-5 -8*-3	4-3 -8*-1	4-8*-6-4	5-5-5-7	5-8*-5-4	6-5-5-3	7-8*-3-4
						6-6-4-6	8-4 -3-4

English	French	German	Spanish
abound[5b]	abonder[5a]	Überfluß[6a] (haben)	abundar[3b]
allied[6]	allié (allier[4a])	verbündet[4b]	aliado
anchor[3b]	ancre	Anker[6b]	ancla
audience [3b] (have – with)	audience[4b]	Audienz	audiencia[4a]
block[2a] (n.)	bloc[4a]	Block	bloque
(can be) borne[3b], (bearable)	supportable	erträglich[6b]	soportable
bower[3b], (arbor[6])	charmille	Laube[6b]	glorieta
breeze[3a], (zephyr[9])	brise[4b]	Brise	brisa[4a], (aura[5a]), (céfiro[6b])
butterfly[3b]	papillon[4b]	Schmetterling	mariposa[4a]
buzz[3b], hum[3b] (vb.)	bourdonner[4b]	summen	zumbar[4b]
careless[3b], (thoughtless[5b])	négligent[6a]	unvorsichtig	descuidado[2b]
complement[6]	complet	Ergänzung[4a]	complemento[4b]
convert[4b] (vb.)	convertir[3b]	bekehren	convertir[1b]
countryman[6]	campagnard[5b]	Landmann[5b]	campesino[3b]
deliverance[5a]	délivrance	Befreiung[4a], (Erlösung[6b])	liberación
dependent[7] (adj.)	dépendant	abhängig[3a]	dependiente[4b]
desirous[5b]	désireux[5a]	begierig[6a]	deseoso[3b]
draft[3a] (military)	enrôlement	Einziehung[6b]	cuota
dull[3a], (blunt[4b]) (adj.)	émoussé	stumpf[6b]	boto, embotado, romo
embrace[3a], (hug[5b]) (n.)	étreinte[6a]	Umarmung	abrazo[2b]
falling (fall[1a]) due[2a] (n.)	échéance[6b]	Fälligkeit	vencimiento[6a]

English	French	German	Spanish
foliage[5b]	feuillage[3b]	Laub[6b]	follaje[5a], ramaje[5b]
fuel[3b]	combustible	Brennmaterial[6b]	combustible
fundamental[6]	fondamental[4a]	Grund-[5b]	fundamental[4a]
germ[5b]	germe	Keim[5a]	germen[4b]
grasp[4a] (convulsively)	crisper[4a]	klammern[6b]	crispar
gross[4a] (measure)	grosse	Gros[5b]	gruesa
heroic[4b]	heroïque[2b]	heldenhaft	heroico[2b]
holidays (holiday[2b]), (vacation[3b])	vacances[4a]	Ferien	vacaciones
illustrate[5a]	illustrer[5a]	illustrieren[6b]	ilustrar[3a]
inscription[6]	inscription[5a]	Inschrift[4b]	inscripción[7a]
interpose[6]	interposer	einlegen[4b]	interponer[4b]
kite[4b]	cerf-volant	Drache[6b]	cometa[4b]
knoll[6]	butte[6b]	Hügel[4a]	otero[6a]
label[5b], (tag[6] [Amer.])	étiquette	Zettel[5b], (Etikette)	etiqueta[4a], (letrero[6a])
lawn[2b] (cloth), (muslin[6])	mousseline[6a]	Musselin	gasa[6b]
legislature[5b]	législature	Landtag[4b]	legislatura
lung[4b]	poumon[4b]	Lunge[6b]	pulmón
mar[5a], (deform[6]) (mutilate)	mutiler[4a]	entstellen[6b]	afear[4b], (menoscabar[6a])
match[2a] (to light)	allumette[6a]	Streichholz	fósforo[6a]
mechanically (mechanical[7])	machinalement[4a]	mechanisch[3b]	mecánicamente, maquinalmente
muddy[6]	boueux	trüb[4a]	turbio[4a]
muzzle[5b] (of an animal)	museau[6b]	Maul[5b]	hocico[6b]
naval[6]	naval[6a]	See-[4b]	naval[6b]
orange[2a]	orange	Apfelsine	naranja[4a]
orchard[2b]	verger	Obstgarten	huerto[4b]
patent[5a] (n.)	brevet	Patent[5a]	patente[4a], (cédula[6a])
patriot[5b]	patriote[4a]	Patriot[6b]	patriota[4b]
peel[5a], (husk[6]), (pare[6])	peler	schälen[5b]	pelar[4b]
perseverance[6]	persévérance	Konsequenz[3b], (Ausdauer[6a])	perseverancia
philosophical[8]	philosophique[4a]	philosophisch[3b]	filosófico[4a]
pillow[3a]	oreiller[4b]	Kissen	almohada[4a]
rat[2b]	rat[4a]	Ratte	rata
refresh[5a] (in spirit)	ranimer[5b]	erquicken[5b]	reanimar[7a]
relief[3a] (raised)	(en) relief[3b]	Relief	relieve[5a]
revive[4b] (intr. vb.)	ressusciter[4a], revivre[4b]	auferstehen[7a]	resucitar[4a]
rose[1b] bush[2a]	rosier[6a]	Rosenstrauch	rosal[6a]
rude[2b] (impolite)	impoli[5a]	ungeschliffen	descortés[7a]
rust[3b] (n.)	rouille	Rost[6b]	moho, orín
scale[2a] (vb.)	escalader[6b]	erklettern	escalar[6a]
seal[2b] (vb.)	sceller	siegeln	sellar[4a]
senator[4b]	sénateur[4b]	Senator[6a]	senador
shrink[5a]	rétrécir[5a]	einlaufen[6a]	encoger[3b]
sixteen[3b]	seize[3b]	sechzehn	dieciseis[5*]
sole[2b] (on shoe)	semelle[4b]	Sohle	suela

English	French	German	Spanish
stall[3b], (booth[5a])	baraque[5b]	Bude	barraca[3b]
sulphur[6]	soufre	Schwefel[3a]	azufre
sweetness[4b]	douceur[2a]	Süße	dulzura[2a]
tedious[5a], (tiresome[6])	ennuyeux[4a], (embêtant[6b])	langweilig[5b]	aburrido
thigh[4a]	cuisse[4b]	Schenkel[6a]	muslo
thirteen[3a]	treize[3a]	dreizehn	trece[5*]
tip[2a], (fee[4a])	pourboire[6b]	Trinkgeld	propina[6b]
velvet[3a]	velours[3a]	Samt	terciopelo[5a]
violet[3a] (flower)	violette[3a]	Veilchen	violeta[5a]
void[4a], (vacancy[6])	vide (n.)[2b]	Leere	vacío[2a]
vow[3a] (vb.)	vouer[6b]	geloben	(hacer) votos (voto[2a])
ward[3b] (n.) (person)	pupille[5b]	Mündel	pupilo[3b]
witch[3a]	sorcier(-ère)[4b]	Hexe	bruja[4a]

SECTION 5.3. CONCEPTS 4622 THROUGH 4707

E F G S	E F G S	E F G S	E F G S	E F G S	E F G S	E F G S	E F G S
2-5 -8*-8*	3-4 -8*-5	4-4 -8*-1	5-5-5-8*	5-8*-5-5	6-3-6-2	6-6 -5-3	7-5 -3-8*
2-6 -8*-7	3-5 -8*-4	4-8*-6 -5	5-5-6-4	6-1 -6-4	6-4-5-5	6-8*-4-5	7-5 -4-4
2-8*-8*-5	3-6 -8*-3	5-3 -6 -6	5-6-5-7	6-2 -5-7	6-5-4-8*	7-2 -5-3	7-8*-3-5
3-3 -8*-6	3-8*-8*-1	5-4 -6 -5	5-6-6-3	6-3 -5-6	6-5-5-4	7-3 -5-2	8-8*-2-5
					6-6-4-7	7-4 -4-5	9-6 -2-3

English	French	German	Spanish
abolition[7]	abolition[5b]	Beseitigung[3b]	abolición
accomplishment[6]	atteinte[3a]	Erreichung[5a]	adquisición[6a]
accuracy[7]	justesse[5b]	Richtigkeit[4b]	exactitud[4a]
acid[5b] (adj.)	aigre[4a], acide[4b]	herb[6a]	ácido[5b], (acre[7a])
artisan[8]	artisan	Handwerker[2b]	artífice[5b]
bandage[7]	pansement	Verband[3a]	venda[5b]
bankrupt[7] (n.) (person)	banqueroutier	Gemeinschuldner[3b]	(en) quiebra[5a]
barren[3b]	stérile[6b]	unfruchtbar	estéril[3b], (yermo[6b])
blade[2b] (grass)	brin[5b]	Halm	brizna
boiling (boil[2a]) (n.)	ébullition[5b]	Kochen	ebullición
buffet[5b], (dresser[6]) (sideboard)	buffet[5a]	Servante[5b]	aparador
cask[7]	tonneau[5a]	Tonne[3a], (Faß[4b])	tonel, cuba
cavalry[9]	cavalerie[6b]	Kavallerie[2a], (Kavalleriedivision[3b]), (Reiterei[5b])	caballería[3a]
choice[2a] (adj.)	recherché (adj.)[5a], (enlevé [adj.][7a])	erlesen	escogido
choke[4a], (strangle[6]) (tr. vb.)	étrangler[4a]	strangulieren	ahogar[1b], (estrangular)
cleanliness[6]	propreté[5a]	Reinheit[5a]	aseo[4a]
coffin[5b]	cercueil[6b]	Sarg[5a]	ataúd[7a]
complex[7] (adj.)	complexe[5a]	zusammengesetzt (zusammensetzen[3a])	complejo
compromise[6] (vb.)	compromettre[3a]	Kompromiß[6a] (schließen)	comprometer[2b]

English	French	German	Spanish
conceit[5b]	amour-propre[3b]	Einbildung[6b]	presunción[6a], vanagloria[6a]
congratulation[6]	félicitation[6a]	Glückwunsch[5a]	enhorabuena[3b], (albricias[6b]), (felicitación[6b])
contradict[7]	contredire[5b]	widersprechen[3a]	contradecir
cricket[4b] (insect)	grillon	Grille[6b]	grillo[5a]
crow[2b] (n.), (raven[3b])	corbeau	Rabe	cuervo[5a]
descendant[6]	descendant[5a]	Nachkomme[5b]	descendiente[4a]
dull[3a] (vb.) (numb)	engourdir[5b]	abstumpfen	adormecer[4a]
dull[3a] (vb.) (tarnish)	ternir[5a]	anlaufen, beschlagen	empañar[4a]
eighty[3b]	quatre-vingts[4a]	achtzig	ochenta[5*]
eminence[7]	éminence	(hohe) Rang[3a]	eminencia[5a]
entrance[2b] hall[1b]	antichambre[5b]	Vorzimmer	antecámara, recibidor
equipment[5b], (outfit[6])	équipement[6b]	Ausstattung[5b], (Ausrüstung[6a])	equipo[7b]
exclamation[6]	exclamation[4b]	Geschrei[5a]	exclamación[5b], (interjección[6b])
failure[5a] (bankruptcy)	banqueroute	Konkurs[5a]	quiebra[5a]
finance[6]	finance[3a]	Finanz[6a]	hacienda[2a]
flat[2a] (adj.) (taste)	fade[5b]	fade, schal	soso
foam[3b] (n.)	écume[6a], mousse (f.)[6a]	Schaum	espuma[3a]
formula[7]	formule[3a]	Formel[5b], (Formular[6b])	fórmula[2b]
goodwill[6]	bienveillance[5b]	Wohlwollen[5a]	benevolencia[4a]
goose[2a], (geese[4b])	oie[5a]	Gans	ganso
groan[3a] (n.), (moan[4a])	gémissement[5a]	Stöhnen	gemido[4a], (quejido[6b])
hail[2b] (n.)	grêle[5b]	Hagel	granizo
harmonious[6]	harmonieux[5a]	harmonisch[5b]	armonioso[4b], (armónico[5a])
harness[3a] (vb.), yoke[3b]	atteler[4a]	anspannen	ensillar[5b]
heath[5a]	bruyère[6a]	Heide[5a]	matorral[7a]
hood[3b]	bonnet[3b]	Kappe, Kapuze	gorro[6b]
humane[6]	humain[1b], (bienfaisant[4b])	(mit) Menschlichkeit[6b]	bienhechor[4a]
impatience[7]	impatience[2b]	Ungeduld[5a]	impaciencia[3b]
index[6] (n.)	(table des) matières (matière[2a])	Tabelle[5b]	índice[7a]
indulge[6] (tr. vb.)	(avoir de l')indulgence[5b] (pour)	(jemandem etwas) nachsehen[4b]	gratificar
intense[6]	intense[3b]	intensiv[6a]	intenso[2b]
intolerable[7], (unbearable[12])	insupportable[4a], intolérable[4a]	unerträglich[4b]	intolerable[5b], (insufrible[6b])
legal[5b] information[3a]	renseignements (renseignement[2b]) légaux (légal[4b])	Rechtsbelehrung[6b]	información[5a] legal[4b]
loan[6] (n.)	emprunt[4b]	Darlehen[5b]	préstamo[5b]
lock[2a] (of hair)	mèche[5b]	Locke	mechón
peel[5a], (husk[6]) (n.)	pelure	Schale[5a]	cáscara[5b]
plea[6]	requête[6a]	Gesuch[5b]	ruego[3a], (petición[4a])
plow[3a], (plough[4b]) (n.)	charrue[5b]	Pflug	arado[4a]
prose[5b]	prose[6a]	Prosa[6a]	prosa[3a]
pump[3a] (n.)	pompe[4b]	Pumpe	bomba[5a]

THE FIFTH THOUSAND CONCEPTS Sec. 5.4

English	French	German	Spanish
pupil[2a] (eye)	prunelle[5a]	Pupille	pupila
rag[3a], (tatter[6])	lambeau[5a], (haillon[6b])	Lumpen	trapo[4b], (harapo[7a])
rail[2b] (for vehicle)	rail[5b]	Schiene	rail, riel
reduction[5b]	réduction[5b]	Ermäßigung[5b], (Herabsetzung[6a])	reducción
repetition[6]	répétition	Wiederholung[4b]	repetición[5b]
resort[3b] (vb.)	recourir[5a]	zurückgreifen	recurrir[4b]
roar[2a] (n.)	rugissement	Brüllen	rugido[5b]
ruddy[6] (healthy complexion)	vermeil	blühend[4a]	lozano[5a]
sanctuary[5a]	sanctuaire	Heiligtum[5b]	santuario[5b]
scratch[3a] (vb.)	gratter[4b]	kratzen	rascar[5a], escarbar[5b] (chicken)
session[5b]	session[5a]	Session[6a]	sesión[4b]
social[3b] democracy[6]	démocratie[5b] sociale (social[2b])	Sozialdemokratie[4a]	social democracia
solemnity[6]	solennité[4b]	Weihe[5a]	solemnidad[5a]
speculation[7]	spéculation[5b]	Spekulation[3b]	especulación
spelling (spell[2b]), (orthography[15])	orthographe[6b]	Rechtschreibung	ortografía[7b]
sport[2a] (adj.)	sportif[5a]	sportlich	deportivo
(editorial[7]) staff[3b]	rédaction[4b]	Redaktion[4b]	redacción[5a]
starve[3a]	affamer[5a]	aushungern	desfallecer[4a] (de hambre)
strait[3b] (n.)	détroit	Enge	estrecho[1b]
sunset[3b]	coucher (n.)[4b] (du soleil)	Sonnenuntergang	puesta[5b] (del sol), ocaso[5a]
syrup[6]	sirop[6a]	Saft[4b], (Sorghum[5b])	almíbar[7a]
telegraph[4a] (adj.)	télégraphique	telegraphisch[6a]	telegráfico[5b]
telephone[3a], (phone[5a])	téléphone[4a]	Fernsprecher	teléfono[5b]
ticket[3a] window[1a]	guichet[6b]	Schalter	reja[3b] (de taquilla), (ventanilla)
unheard[6] (of)	inouï[3b]	unerhört[5a]	inaudito[6a]
virgin[3b] (adj.), (virginal[12])	vierge[3a]	jungfräulich	virginal[6a]
weed[2b] (n.)	mauvaise herbe	Unkraut	maleza[5a]

SECTION 5.4. CONCEPTS 4708 THROUGH 4780

E F G S	E F G S	E F G S	E F G S	E F G S	E F G S	E F G S	E F G S	E F G S
2–6 –8*–8*	3–4 –8*–6	4–1–8*–5	4–6 –6 –8*	5–4–6–6	5–8*–5–6	6–5 –5–5	7–1–6–1	7–6 –4–4
2–8*–8*–6	3–5 –8*–5	4–3–8*–3	4–8*–6 –6	5–5–6–5	6–2 –6–4	6–6 –4–8*	7–3–4–7	7–8*–3–6
3–2 –8*–8*	3–6 –8*–4	4–4–7 –6	5–1 –8*–1	5–6–5–8*	6–3 –6–3	6–6 –5–4	7–3–5–3	8–6 –2–8*
3–3 –8*–7	3–8*–8*–2	4–4–8*–2	5–2 –6 –8*	5–6–6–4	6–4 –6–2	6–8*–4–6	7–5–4–5	8–6 –3–4
								10–4 –2–2

English	French	German	Spanish
abandon[4a] (n.)	abandon[3b]	Hingabe, Rückhaltlosigkeit	abandono[3a]
admission[5b] (concession)	concession[4b], (admission[6b])	Zugeständnis[6a]	concesión[6b]
alternate[5b] (vb.)	alterner	abwechseln[5a]	alternar[6a]
apostle[8]	apôtre[6b]	Apostel[3a]	apóstol[4a]
apron[3b]	tablier[4b]	Schürze	delantal[6b]

English	French	German	Spanish
arbitrary[7]	arbitraire	willkürlich[3b]	arbitrario[6b]
associate[3b] (e.g., professor)	adjoint[6b]	Adjunkt	asociado (asociar[4b]), (adjunto[7a])
aware[5b] (knowingly)	(en) connaissance[2a] (de cause), (sciemment)	wissentlich[6b]	consciente(mente)
backward[3b] (*adj.*)	arriéré[5b]	rückständig	tardo[5b]
beads (bead[3b]) (rosary)	chapelet[6a]	Rosenkranz	rosario[4a]
bean[2b]	haricot	Bohne	haba[6a], judía[6b], lenteja[6b]
binding (bind[2a]) (of book)	reliure[6a]	Einband	encuadernación
bull[3a]	taureau	Stier	toro[2b]
buzz[3b], hum[3b] (*n.*)	bourdonnement[5a]	Summen	zumbido[5a]
charitable[6]	bienveillant[6a], charitable[6b]	wohltätig[5a]	benévolo[4b]
chin[4a]	menton[4a]	Kinn	barba[2a]
chocolate[4a]	chocolat[4a]	Schokolade	chocolate[2b]
circulation[6]	circulation[5a]	Umlauf[5b]	circulación[5a]
colt[3a]	poulain[6a]	Füllen	potro[4b]
countess[10]	comtesse[4a]	Gräfin[2b]	condesa (conde[2a])
crowded (*adj.*)[7*] (with people)	rempli (remplir[1a]), plein[1a], (bondé)	massenhaft[6b]	lleno[1a], (abarrotado)
deity (D)[6]	déité	Gottheit[4a]	deidad[6b]
delicacy[6]	délicatesse[3a], finesse[3b]	Feinheit[6a]	delicadeza[3b], (fineza[5a])
disk[8], (disc[9])	disque[6b]	Scheibe[3b]	disco[4b]
dock[4a], (pier[6])	quai[3a]	Dock, Pier, Quai, Kaje	muelle[3b]
dye[4a] (*n.*)	teinture	Farbstoff[6a]	tinte[6a]
efficacy[7], (efficiency[9])	efficacité	Wirksamkeit[3b], (Tüchtigkeit[6b])	eficacia[6a]
Egyptian[5b]	égyptien	ägyptisch[5a]	egipcio[6a]
enthusiastic[5b]	enthousiaste[6a]	schwärmend (schwärmen[6a]) (für)	entusiasto[4a]
exceptional[5b]	exceptionnel[4a]	außergewöhnlich[6b]	excepcional[6b]
extract[5b] (*n.*)	extrait (*n.*)[6a]	Auszug[5b]	extracto
firmness[7] (of character), stability[7]	fermeté[5b]	Festigkeit[4b]	firmeza[5b]
funeral[3a] (procession)	convoi[3b] funèbre[4a]	Leichenzug	funeral[6b]
hardness[7]	dureté[6b]	Härte[4a]	dureza[4a]
hedge[3a]	haie[2b]	Hecke	seto
hiss[4a] (*vb.*)	siffler[3a]	zischen	silbar[3a]
humility[5b], (meekness[6])	humilité[6b]	Demut[6a]	humildad[4a], (mansedumbre[6a])
incredible[6]	incroyable[5a]	unglaublich[5a]	increíble[5a], (inverosímil[6a])
invasion[6]	invasion[5b]	Besetzung[5a]	invasión[5b]
involuntary[6]	involontaire[6b] (involontairement[5b])	unwillkürlich[4a]	involuntario
irresistible[7]	irrésistible[3b]	unwiderstehlich[5b], (unüberwindlich[6b])	irresistible[3a]
irritation[8] (physical)	irritation[6a]	Reiz[2b]	irritación
jar[3a], (urn[4b]), (vase[6])	vase (*m.*)[3a]	Krug	jarra[7a]
knit[3a]	tricotter	stricken	tejer[2b]
loop[4b]	boucle[4a]	Schleife	lazo[2a]

English	French	German	Spanish
lowland[5b]	terre[1a] basse (bas[1a])	Flachland	tierra[1a] baja (bajo[1a])
luggage[5b]	bagage(s)[5a]	Gepäck[6b]	equipaje[5a]
martial[6], warlike[6]	martial	kriegerisch[4a]	bélico[6a]
mask[4b] (*vb.*)	masquer[3a]	maskieren	disfrazar[3b]
merciless[6], pitiless[6]	impitoyable[4b]	rücksichtslos[6a]	sin[1a] piedad[2a], (desalmado[5b])
observer[7]	observateur[6a]	Beobachter[4b]	observador[4b]
oral[7], (verbal[9])	verbal	mündlich[3a], (wörtlich[4b])	verbal[6a]
parade[5a]	parade[6a]	Parade[6b]	alarde[4a]
pea[3a]	pois[5a]	Erbse	garbanzo[5b] (chick-pea), (guisante[7b])
perfume[4a] (*vb.*), scent[4b]	parfumer[3b], (embaumer[5b])	parfümieren	perfumar[3b]
plot[3a] (*vb.*), (conspire[6])	conjurer[4a]	verschwören	conjurar[6a], conspirar[6a]
plow[3a] (*vb.*) (e.g., ship –s through waves)	fendre[4b]	pflügen	surcar[6b]
quench[3b] (thirst)	étancher	stillen	apagar[2a], (saciar[5b])
reflection[4b] (in glass, etc.)	reflet[3a]	Spiegelung	reflejo[3a]
resistance[6], (endurance[7])	résistance[3a]	Ausdauer[6a]	resistencia[3a]
roast[2b] (*n.*)	rôti (*n.*)[6a]	Braten	asado
(behind the) scene[2b]	(à la) cantonade[6a]	(hinter d.) Kulissen	tras bastidores
shoot[2a], (sprout[6]) (*n.*)	pousse (*n.*)[6b]	Schößling, Sproß	brote, retoño
simplicity[4b] (of nature)	simplicité[3a], (naïveté[6a])	Einfalt	sencillez[3a], (ingenuidad[6a])
soften[4b] (a blow), (deaden[12] [a sound])	amortir[6a]	dämpfen[6b]	amortiguar
sole[2b] (*vb.*)	ressemeler[6a]	besohlen	(poner, echar) suela (al) calzado[6a]
spy[2b] (*n.*)	espion[6a]	Spion	espía
telescope[7]	lunette[3b] (d')approche[3b]	Fernrohr[4b]	telescopio[7a]
umbrella[4b]	parapluie[4b]	Schirm[7a]	paraguas[6b]
universe[6]	univers[3a]	All[6b]	universo[3b]
void[4a] (*adj.*)	nul[1b], (vide[2a])	nichtig	nulo[5b]
windmill[4b]	moulin[4a] (à vent)	Windmühle	molino[2b] (de viento)
wrinkle[4a] (*n.*)	ride[4a]	Falte[7a]	arruga[6a]

SECTION 5.5.   CONCEPTS 4781 THROUGH 4828

E F G S	E F G S	E F G S	E F G S	E F G S	E F G S
2–8*–8*–7	3–8*–8*–3	4–5–7 –6	5–4–6–7	6–3 –6–4	7–4–4–7
3–4 –8*–7	4–1 –8*–6	4–5–8*–2	5–5–6–6	6–5 –5–6	7–5–4–6
3–5 –8*–6	4–3 –8*–4	5–1–8*–2	5–6–6–5	6–8*–4–7	7–6–4–5
3–6 –8*–5	4–4 –8*–3	5–2–8*–1	6–2–6–5	7–2 –6–1	8–2–4–5
					8–4–4–3

English	French	German	Spanish
baptism[6]	baptême[5a]	Taufe[5a]	bautismo[6b], (bautizo[7a])
barn[2a]	grange	Scheune	pajar[7b], (granero)
blush[3b] (*n.*)	rougeur	Röte	rubor[3b]
bolt[3a] (metal)	verrou[4a]	Riegel	tornillo[7b]
broom[3b] (to sweep)	balai[6b]	Besen	escoba[5b]
cage[3b]	cage[5a]	Käfig	jaula[6b]
carpenter[3a]	menuisier[6b], (charpentier[7a])	Zimmermann	carpintero[5b]

English	French	German	Spanish
chestnut[3b] (n.)	marron (n.)[5b]	Kastanie	castaña[6b]
detachment[8], unconcern[8]	détachement[4b]	Gleichgültigkeit[4a]	indiferencia[3a], (despego)
displease[4b]	déplaire[3a]	mißfallen	desagradar[4a], disgustar[4a]
distracted (distract[5b]), (frantic[7])	éperdu[6a]	bestürzt[6b]	frenético[5a]
drunk[4b] (adj.)	ivre[4a]	(be)trunken	borracho[3b], (ebrio[7a])
fiber[5a]	fibre[6a]	Faser[6b]	fibra[5b]
firmness[7] (physical), stability[7]	fixité[6b]	Festigkeit[4b]	fijeza[5b]
flowery[4b]	fleuri (fleurir[3a])	blumig	florido[4a]
fragrant[4b]	parfumé (parfumer[3b]), (odoriférant)	duftig	oloroso[4b]
frown[3b] (vb.)	froncer[6b]	(Stirn) runzeln	fruncir[5a] (el) ceño[3b], arrugar[5b] (el) ceño
gentleness[6]	douceur[2a]	Milde[6b]	suavidad[5a]
guardian[5b] (of a child)	tuteur[4b]	Vormund[6a]	tutor[7a]
industrial[8]	industriel[2b]	industriell[4b]	industrial[5a]
interpretation[6]	interprétation[5a]	Auslegung[5b]	version[6a], interpretación[6b]
laboratory[7]	laboratoire[6a]	Werkstatt[4b]	laboratorio[5b]
(be) lame[3a] (adj.), (limp[5b])	(être) boiteux, boiter	lahm (sein)	(estar) cojo[3a]
location[4b]	situation[1b]	Örtlichkeit	localidad[6a]
locomotive[5b]	locomotive[5a]	Lokomotive[6b]	locomotora[6a]
mirth[3b], (glee[5a])	allégresse[6a]	Frohsinn	júbilo[5a]
napkin[3b]	serviette[4a]	Serviette	servilleta[7b]
nationality[7]	nationalité[5b]	Nationalität[4a]	nacionalidad[6a]
orchestra[5b]	orchestre[5b]	Orchester[6b]	orquesta[6b]
overflow[4a] (vb.)	déborder[3b]	überlaufen	rebosar[4a], desbordar[4b]
palm[3a] tree[1a]	palmier[6a]	Palme	palmera[5a]
pear[3a]	poire[5a]	Birne	pera[6b]
politician[7]	politique (n.)[2b], (politicien)	Politiker[6a]	político[1b] (n.)
precipice[7]	précipice[4b]	Abgrund[4b]	precipicio[7a]
refine[3b]	policer[6a], raffiné[6b]	verfeinern	refinar[5a]
revelation[6]	révélation[3a]	Offenbarung[6a]	revelación[4a]
revolve[5a]	tourner[1a], (circuler[4a])	herumlaufen	revolver[2a], (girar[3a])
sauce[4a], (gravy[6])	sauce[5a]	Tunke	salsa[2b], (caldo[4a])
scrap[4b] (paper, cloth, etc.)	chiffon[5b]	Fetzen	trozo[2b]
screen[4a] (n.)	écran[5b]	Schirm[7a]	pantalla[6b]
sidewalk[4a] (Amer.), pavement[4b] (Eng.)	trottoir[3b]	Bürgersteig	acera[4a]
socket[6] (of eye)	orbite	Höhle[4b]	órbita[7a]
stumble[4b]	trébucher[5b]	stolpern	tropezar[2a]
trot[3b] (vb.)	trotter[5b]	trotteln	trotar[6a]
undo[5a], (undone[6])	défaire[2b]	rückgängig (machen)	deshacer[1b]
uneasy[5a]	inquiet[1b], (gêné [gêner[2a]]), ([être à la] gêne[3b])	geniert	inquieto[2a]
violet[3a] (color)	mauve[6b]	violett	violeta[5a]
workshop[8]	atelier[4a]	Werkstatt[4b]	taller[3a]

SECTION 5.6. CONCEPTS 4829 THROUGH 4913

E F G S	E F G S	E F G S	E F G S	E F G S	E F G S	E F G S
2-8*-8*-8*	4-3-8*-5	4-6- 8*-2	5-4 -6-8*	6-4-5-8*	6-8*-4-8*	8-3 -4-5
3-4 -8*-8*	4-4-8*-4	4-8*-6 -8*	5-8*-5-8*	6-4-6-4	6-8*-5-4	8-6 -3-6
3-6 -8*-6	4-5-7 -7	5-1 -8*-3	5-8*-6-4	6-6-5-6	7-8*-3-8*	9-8*-1-8*
3-8*-8*-4	4-5-8*-3	5-2 -8*-2	6-3 -6-5	6-6-6-2	7-8*-4-4	10-8*-1-4

English	French	German	Spanish
ammunition[6]	munitions	Munition[4a]	municiones
astounded (astound[8]), (stupefied [stupefy[11]])	stupéfait[3b]	betroffen[4a]	atónito[5b]
besiege[5a]	assiéger[4a]	belagern[6b]	asediar
blacksmith[3a]	forgeron[4b]	Schmied	herrero
brake[3b]	frein	Bremse	freno[4b]
brush[2a] (n.) (instrument)	brosse	Bürste	brocha, cepillo
bubble[3a]	bulle	Blase	pompa[4a]
butcher[3a]	boucher (n.)[6a]	Schlachter	carnicero[6a]
carve[3b] (art)	sculpter[4b], (sculpté[6a])	schnitzen	esculpir, tallar
chancellor[6]	chancelier	Reichskanzler[4a] (Kanzler[5b])	canciller
cherry[2b]	cerise	Kirsche	cereza
chime[4a] (n.)	carillon[6b]	Glockenspiel	juego[2a] (de campanas)
closet[3b], (cupboard[5a])	armoire[4a]	Schrank	armario, alacena
corruption[6]	corruption[6b]	Mißstand[5a]	corrupción[6a]
crash[4a] (n.)	fracas[5b]	Krach	estruendo[3b], (choque[4a])
cushion[3b]	coussin[4a]	Kissen	cojín, almohadón
dagger[6]	dague	Dolch[5b]	puñal[4a], (daga[6b])
decade[6]	décennie	Jahrzehnt[4a]	década
desolate[4b] (vb.)	désoler[3a]	verheeren	desolar[5a]
dimension[6]	dimension[4b]	Dimension[6a]	dimensión[4b]
disgrace[3b] (vb.), (dishonor[5a]), (degrade[6])	avilir[6a], (déshonorer)	entehren	deshonrar[6a]
dividend[6]	dividende	Dividende[4b]	dividendo
drug[3b] store[1b]	pharmacie[6b]	Drogerie	botica[6a]
elector[7] (title)	électeur	Kurfürst[3b]	elector
electricity[6]	électricité[4a]	Elektrizität[6a]	electricidad[4b]
envelope[4a] (for letter)	enveloppe[3a], pli[3a]	Umschlag	sobre[5a]
excellence[6], refinement[6]	excellence[3a], (raffinement[5b])	Feinheit[6a]	refinamiento[5b]
exile[4b] (person banished)	proscrit[4b]	Verbannte	desterrado (desterrar[4a])
expert[4b] (adj.)	ferré[3b]	beschlagen	experto[5b], (perito[6b])
frog[3a]	grenouille	Frosch	rana[4b]
fugitive[5a] (n.)	fugitif	Flüchtling[6b]	fugitivo[4b]
(bear) grudge[5b]	(en) vouloir[1a] (à), ([garder] [de la] rancune[3b], [du] ressentiment[5a])	verargen	guardar[1a] rencor[3b]
handful[4b]	poignée[3b]	Handvoll	puñado[5a], manojo[5b]
hare[3b]	lièvre	Hase	liebre[4b]
helm[5a]	gouvernail	Ruder[5b]	caña[2b] (del) timón, rueda[2b] (del) timón

English	French	German	Spanish
helpful[5b]	utile[2a], (secourable)	hilfreich	útil[2a], (provechoso[6a])
historian[6]	historien[4a]	Historiker[6b]	historiador[4a]
imposing (impose[4a])	imposant (adj.)[4b]	eindrucksvoll	imponente[4b]
infantry[9]	infanterie	Infanterie[1b]	infantería
ingenuity[6]	ingéniosité[6a]	Scharfsinn[6b]	ingenio[2a]
ivory[3b]	ivoire	Elfenbein	marfil[4b]
jaw[3a]	mâchoire[4b]	Kiefer	quijada
mast[3a]	mât[6b]	Mast	mástil[6b]
monarchy[6]	monarchie	Monarchie[4a]	monarquía
monkey[4a], (ape[6])	singe[4a]	Affe	mono[4a]
muscle[5b]	muscle[4b]	Muskel[6a]	músculo
nourishment[6]	nourriture[4b]	Verpflegung[5a], (Ernährung[6a])	nutrición
onion[4a]	oignon[5a]	Zwiebel	cebolla[3b]
orphan[4a]	orphelin[4a]	Waise	huérfano[4a]
owl[2b]	hibou	Eule	buho, lechuza
oxygen[7]	oxygène	Sauerstoff[3a]	oxígeno
pail[3a], (bucket[4a])	seau	Eimer	balde[4a]
perch[3b] (vb.)	se percher[6b]	hocken	posar[6a] (se), (encaramar [se])
Persian[5a]	perse, persan	persisch[5b]	persa
pitcher[4a], (jug[7])	pot[3a]	Krug	cántaro[5a], jarro[5a]
porter[4b] (of a building)	concierge[3a]	Hauswart	portero[5a]
promotion[6] (fostering)	avancement	Beförderung[4a]	adelantamiento
proximity[10]	proximité	Nähe[1b]	proximidad[4a]
psalm[5b]	psaume	Psalm[5b]	salmo
robin[2b]	rouge-gorge	Rotkehlchen	petirrojo
rye[4b]	seigle	Roggen[6a]	centeno
scrape[3b]	gratter[4b]	kratzen	raspar
secular[7]	temporel	weltlich[4a]	secular[4b]
sensual[8]	sensuel[6a]	sinnlich[3b]	sensual[6a]
shave[4b] (vb.)	raser[3b]	rasieren	afeitar[5b]
silvery[6]	argentin	silbern[4a]	plateado
soar[5a]	(s')élever[1a]	(sich) aufschwingen	remontar[3a]
soda[6] (bicarbonate)	soude	Natron[4b]	bicarbonato
spectacle[4a] (great sight)	féerie[6b]	Feerie, Zauberstück	espectáculo[2b]
stain[3a] (with blood)	tacher (spot)[6b] (de sang)	(mit Blut) beflecken	ensangrentar[6b]
sway[3a] (the body)	se dandiner[6b]	watscheln	balancear[6a] (se)
symbol[4b]	symbole[5a]	Symbol	símbolo[3b]
tame[3a] (vb.)	dompter[6b]	zähmen	domar[6a]
tangle[7] (n.)	embrouillement	Verwirrung[4b]	enredo[4b]
thrill[4a] (n.), (shudder[6])	tressaillement[5b]	Schauer[7a]	estremecimiento[7a]
thumb[3b] (turn over pages)	feuilleter[4b]	blättern	hojear
toast[4b] (vb.), toast[4b] (n.)	griller[5a]	rösten	tostar[3b], (tostada[6a] [n.])
treasury[4b]	trésorerie	Staatskasse[6b]	tesorería
trousers[4a]	pantalon[4a]	Hose(n)	calzón[4b], (pantalón[5a])
turkey[3a]	dindon	Puter	pavo[4b]

English	French	German	Spanish
typewriter[5b]	machine[2b] à[1a] écrire[1a]	Schreibmaschine	máquina[2a] (de) escribir[1a], (máquina dactilográfica)
tyranny[4b]	tyrannie[5a]	Tyrannei	tiranía[3b], (despotismo[5b])
unsteady[8], (unstable[11])	instable[6a]	schwankend (schwanken[3a])	inseguro[6a]
weariness[5b], (fatigue[6])	fatigue[1b], (lassitude[6a])	Überdruß	cansancio[3a], fatiga[3a]
willow[3b] (n.), willow[3b] (tree)	osier[6b], saule[6a]	Weide	mimbre[6a]

SECTION 5.7. CONCEPTS 4914 THROUGH 4974

E F G S	E F G S	E F G S	E F G S	E F G S	E F G S
3–5 –8*–8*	4–3–8*–6	5–1–8*–4	5–8*–6–5	6–5 –5–8*	7–3 –5–6
3–6 –8*–7	4–4–8*–5	5–2–8*–3	6–2 –6–7	6–5 –6–4	7–4 –5–5
3–8*–8*–5	4–5–8*–4	5–3–8*–2	6–3 –6–6	6–6 –5–7	7–5 –5–4
4–2 –8*–7	4–6–8*–3	5–5–6 –8*	6–4 –6–5	6–8*–5–5	7–8*–4–5
				7–2 –6–3	8–4 –4–5

English	French	German	Spanish
absorb[5b]	absorber[2b]	aufsaugen	absorber[3b]
alight[5b] (person)	descendre[1a]	aussteigen	apearse[4b]
architect[6]	architecte[4b]	Architekt[6b]	arquitecto[5a]
barbarous[5b]	barbare[3b]	barbarisch	bárbaro[2b]
bitterness[5b]	amertume[3b], (âpreté[6b])	Bitterkeit	amargura[2a]
blast[3a], (gust[6]) (of wind)	rafale	Bö	ráfaga[5b]
bruise[4a] (vb.)	froisser[4a], (meurtrir[5a])	schürfen	golpear[5a]
brute[4b] (n.)	bourreau[6a], brute[6b]	(brutale) Mensch	bruto[3a]
burial[4a]	enterrement[5a]	Beerdigung	entierro[4b]
captivity[5b], (bondage[6])	captivité	Gefangenschaft[6b]	cautiverio[5b]
compromise[6] (n.)	compromis[5a]	Kompromiß[6a]	compromiso[4a]
contend[4a], (compete[8])	concourir[5b]	bewerben	competir[4a], (contender[6b])
cough[4a] (vb.)	tousser[5a]	husten	toser[4b]
courtier[4b]	courtisan[5b]	Höfling	cortesano[4b]
dairy[3b]	laiterie[5b]	Molkerei	lechería
discreet[5b]	discret[3b] (discrètement[5b])	diskret	discreto[2a]
elm[3b]	orme	Ulme	álamo[5b]
envious[5a]	jaloux[2b]	neidisch	envidioso[3b]
episode[8]	épisode[4a]	Vorfall[4a]	episodio[5b]
equity[6]	équité[5b]	Billigkeit[5b]	equidad
essence[5b]	essence[3b]	Essenz	esencia[2b], (médula[6a])
fertilizer[6]	engrais	Kali[5b], (Salpeter[6b])	abono[5a], (fertilizante)
filthy[6]	sale[3b]	unrein[6a]	inmundo[6b]
flutter[3a], (flit[5a])	voltiger[5b]	flattern, huschen	revolotear
foam[3b] (vb.)	écumer[6a]	schäumen	espumar[7a]
forge[4b] (vb.) (metal)	forger[5a]	schmieden	forjar[4b], (fraguar[6b])
grate[4a], (squeak[5a]) (vb.)	grincer[5a]	knarren	rechinar[4a]
gutter[5b] (street)	ruisseau[3b]	Gosse	arroyo[2b] (de la calle)
ham[4a]	jambon[6b]	Schinken	jamón[3b]
haunt[3b]	hanter[5b]	heimsuchen	rondar

English	French	German	Spanish
howl[3a] (*n*.), (bellow[4b])	hurlement	Geheul	aullido[5b]
independent[3a] person[1a] (financially)	rentier[5b]	Rentner	rentista
infer[7]	conclure[2a], (déduire)	folgern[6b]	inferir[3b]
inherit[4a]	hériter[6a]	erben	heredar[3a]
initiative[7]	initiative[5a]	Initiative[5b]	iniciativo[4a]
loin[4b] (on person)	reins[4b]	Lende	riñones (riñón[5a])
mould[4a] (*vb*.), (knead[8])	pétrir[4b]	kneten	amasar[5a]
nostril[4a]	narine[6b]	Nüster	nariz[3a]
offensive[6] (*adj*.)	injurieux[6a]	offensiv[5b]	ofensivo[7a]
olive[3a] tree[1a]	olivier	Olive	olivo[5b]
pant[3a], (gasp[6]) (*vb*.)	haleter[5a]	keuchen	jadear
paralyze(se)[7]	paralyser[4b]	lähmen[5b]	paralizar[5b]
pavement[4b] (Amer.)	pavé (*n*.)[3a]	Pflaster	pavimento[6a]
penance[6]	pénitence	Buße[5b]	penitencia[5b]
plow[3a], (plough[4b]) (*vb*.) (agricultural)	labourer	pflügen	arar[5a]
postage[4b]	port[2a] (de lettre), (affranchissement)	Porto	franqueo[7b]
prank[6]	espièglerie	Streich[5a]	travesura[5b]
pyramid[6]	pyramide[5b]	Pyramide[6b]	pirámide[4b]
rainy[4a]	(de) pluie[2a], (pluvieux)	regnerisch	lluvioso[7a]
refusal[7]	refus[3b]	Ablehnung[5a]	negativa[6a]
scout[4b], (runner[5a])	coureur[6a]	Läufer	corredor[3b]
selfish[4a]	égoïste[4a], (par, avec) égoïsme[4b]	selbstisch	egoísta[5a]
shift[3b] (change of place)	déplacement[5b]	Umstellung, Umzug	desplazamiento
slipper[3b]	pantoufle[6b]	Pantoffel	babucha[7b]
stump[3a] (of tree)	souche[5a]	Stumpf	tocón
sultan[7]	sultan	Sultan[4b]	sultán[5b]
tradesman[6]	marchand[2b]	Gewerbetreibende[6a]	tendero[7a]
transparent[7]	transparent[5a]	durchsichtig[5a]	transparente[4b], (diáfano[5a])
vest[3a] (Amer.), (waistcoat[8])	gilet[5b]	Weste	chaleco
weekly[5b]	hebdomadaire[5b]	wöchentlich[6a]	semanario
wrinkle[4a] (*vb*.)	froisser[4a], (rider[5a])	runzeln	arrugar[5b]

PART VI

THE SIXTH THOUSAND CONCEPTS

SECTION 5.8. CONCEPTS 4975 THROUGH 5080

E F G S	E F G S	E F G S	E F G S	E F G S	E F G S	E F G S
3–6 –8*–8*	4–4 –8*–6	5–2–8*–4	5–6 –6 –8*	6–5 –6–5	6–8*–6–2	7–6 –4–8*
3–8*–8*–6	4–5 –8*–5	5–3–8*–3	5–8*–6 –6	6–6 –5–8*	7–2 –6–4	7–8*–4–6
4–2 –8*–8*	4–6 –8*–4	5–4–8*–2	6–1 –8*–1	6–6 –6–4	7–3 –6–3	8–2 –4–8*
4–3 –8*–7	4–8*–8*–2	5–5–7 –5	6–4 –6 –6	6–8*–5–6	7–5 –5–5	8–8*–3–6
						10–6 –1–8*

English	French	German	Spanish
ambitious[4b] (be – for)	ambitieux[4b]	ehrgeizig	ambicioso[6b], (ambicionar[7a])
apprenticeship[10]	apprentissage[6a]	Lehre[1b]	aprendizaje
blackboard[4a]	tableau[2a] noir[1a]	Wandtafel	pizarra
bob[3b] (mane, etc.) (vb.)	rogner	stutzen	recortar[6b]
boiler[6]	chaudière[6b]	Kessel[5b]	caldera
bond[3a] (commercial)	bon	Kaution	bono[6a]
brood[4a] (n.)	engeance[6a] (pejorative), (couvée)	Brut	cría[4b]
butcher[3a] shop[1b]	boucherie[6a]	Metzgerei, Schlachterei	carnicería
cable[4b]	câble[5b]	Kabel	cable[5b]
calendar[5b]	calendrier[6a]	Kalender[6b]	calendario
calf[4a], (calves[6]) (animal)	veau[5a]	Kalb	ternera[5b], (becerro[7a])
cedar[3b]	cèdre	Zeder	cedro[6b]
certificate[5b]	certificat	Coupon[6b], Dokument[6b]	certificado[6a]
cloudy[3b], (misty[6])	nuageux	bewölkt	nublado[6b]
consecration[6]	consécration	Weihe[5a]	consagración[6a]
crisis[7]	crise[2b]	Krisis[6b]	crisis[4b]
crumb[4b]	miette[6b]	Krume	miga[4a]
crust[4a]	croûte[6b]	Kruste	corteza[4b]
deer[3a], (hart[5a]), (stag[6])	cerf	Reh	ciervo[6a]
discharge[3b], (volley[8])	décharge, salve	Salve	descarga[6a], salva[6b]
discourage[4a]	décourager[3b]	entmutigen	desalentar[7a]
disguise[3b] (n.)	déguisement[6b]	Tarnung, Verkleidung	disfraz
drug[3b]	drogue[6b]	Droge	droga
(get) drunk[4b] (intr. vb.)	s'enivrer[6a]	(sich) betrinken	embriagar[4a] se
drunken[5b] revel[5a]	débauche[5b]	Ausschweifung[7a]	orgía[5b]
enmity[6], (hostility[7])	hostilité[4b]	Feindschaft[6b]	hostilidad[6b]
exploit[5b] (vb.)	exploiter[3a]	ausbeuten	explotar[3b]
farce[6]	farce (n.)[6b]	Posse[6b]	farsa[4b]
filial[7]	filial	kindlich[4a]	filial[6a]
flourish[3b] (n.) (trumpets)	fanfare[6b]	Fanfare, Trompetenstoß	charanga
fringe[4b]	frange	Franse	borde[2b]

English	French	German	Spanish
frivolous[7]	frivole[6a]	leichtsinnig[5a]	frívolo[4b]
gardener[4a]	jardinier[3b]	Gärtner	jardinero[7a]
grate[4a], (creak[7]) (e.g., door)	grincer[5a]	kreischen	crujir[5a]
harmless[5a]	inoffensif[6a]	harmlos[6a], unschädlich[6b]	inofensivo
hawk[3b]	épervier, faucon	Habicht	halcón[6b], (falcón)
heroine[6]	héroïne	Heldin[6a]	heroína (héroe[2b])
hymn[4a]	cantique[5a], hymne[5a]	Choral	himno[5a]
idiot[5a]	imbécile[2b], (idiot[5b])	Idiot, Dummkopf	idiota[4b], imbécil[4b]
indulgence[6]	indulgence[4a]	Nachsicht[6a]	indulgencia[6b]
innkeeper[8]	aubergiste	Wirt[3a]	ventero[6a]
isthmus[3b]	isthme	Isthmus	istmo[6b]
joint[3a] (anatomical)	joint, jointure, articulation	Gelenk	coyuntura[6b], (articulación[7a])
lark[3a] (bird)	alouette[6b]	Lerche	alondra
legion[4b]	légion[5a]	Legion	legión[5a]
legitimate[7] (child)	légitime[3a]	ehelich[6a]	legítimo[3a]
liable[6] (- to do)	capable[1b]	imstande	capaz[1b]
manuscript[6]	manuscrit	Manuskript[5a]	manuscrito[6a]
mariner[5a]	marin[3b]	Seemann	marino[3a]
mat[3b] (straw)	paillasson	Matte	estera[6a]
moderation[6] (diminution)	modération[5a]	Mäßigung[6b]	moderación[5b]
monthly[5b]*	mensuel	monatlich[6a]	mensual[6b]
moor (M)[4a] (adj.)	mauresque	maurisch	moro[2b], (morisco[6b])
moss[3b]	mousse (f.)[6a]	Moos	musgo
musical[3a] (composition, etc.)	musical	Musik-	musical[6a]
mutton[5b]	mouton[3a]	Schafs-	carnero[3b]
nameless[6]	sans[1a] nom[1a]	namenlos	sin[1a] nombre[1a]
ninety[3b]	quatre-vingt-dix	neunzig	noventa[6]*
noisy[5b], (boisterous[6])	bruyant[3b]	lärmend	ruidoso[3b], (fragoso[6a])
nursery[6]	chambre[1a] (d') enfants (enfant[1a])	Kinderstube	cuarto[1a] (de los) niños (niño[1a])
olive[3a]	olive	Olive	oliva[6a], aceituna[6b]
oppress[4a]	opprimer	bedrücken	oprimir[2b]
output[7]	rendement[6a]	Leistungsfähigkeit[4b]	rendimiento
outrageous[7], (atrocious[14])	atroce[5a]	gräßlich[5a]	atroz[5a]
Parisian[8] (adj.)	parisien[2b]	parisisch[4a]	parisién, parisiense
peach[3a]	pêche (f.)[6b]	Pfirsich	melocotón
(do) penance[6]	(faire) pénitence	büßen[5a]	penar[6a]
pestilence[6]	peste[6a]	Seuche[6a]	peste[4b], (pestilencia)
pilgrim[4a]	pélerin	Pilger	peregrino[2b]
platform[4a]	tribune[4b]	Tribüne	tribuna[6a]
poisoning (poison[3a])	empoisonnement[6b]	Vergiftung	envenenamiento
policeman[5b], (constable[6]), (sheriff[6])	gendarme[3b], (policier[6a])	Polizist	alguacil[3b], (policía[4b])
precision[7]	précision[3a], (exactitude[5a]), (justesse[5b])	Genauigkeit[6a]	precisión[3a], (exactitud[4a])

English	French	German	Spanish
publisher[6]	éditeur	Verleger[5a], Herausgeber[5b], (Buchhändler[6b])	editor[6b]
puff[3a] (praise) (n.)	réclame[6a]	Puff, Reklame	reclamo
rainbow[3b]	arc-en-ciel	Regenbogen	iris[6b]
recall[3b] (n.)	rappel[6a]	Widerruf	revocación
(have) recess[3b]	vaquer[6b]	Ferien (haben)	(estar de) receso
ruffle[5a] (hair)	ébouriffer[6b]	(in) Unordnung[6a] (bringen)	desgreñar
rust[3b] (vb.)	rouiller[6a]	rosten	enmohecer
satin[4b] (n.)	satin[6b]	Satin	raso[4b]
sausage[5b]	saucisse	Wurst[6a]	chorizo[6b]
scandal[5b]	scandale[4b]	Skandal	escándalo[2b]
screw[5a] (n.)	vis	Schraube[6a]	rosca[6b], (tornillo[7b])
spade[3b], (shovel[4b])	pelle[6a]	Schaufel	pala
specific[6]	spécifique	spezifisch[5b]	específico[6b]
spur[4a] (on boot)	éperon[6a]	Spore	espuela[4b]
steeple[4b], spire[4b]	clocher[4a]	Kirchturm	campanario[6b]
strawberry[3b]	fraise[6a]	Erdbeere	fresa
sullen[4a]	maussade[5a]	verstimmt	mohino[5b]
sunrise[5b]	lever (n.)[4a] (du soleil)	Sonnenaufgang	salida[2a] (del sol)
survey[4a], (inspect[6])	inspecter[4b]	übersehen, inspizieren	inspeccionar[6b]
survive[5a]	survivre[6a]	überleben[6a]	sobrevivir
suspension[8] (tension)	suspension[5b]	Spannung[4b]	suspensión[5a]
swan[3b]	cygne	Schwan	cisne[6a]
sweat[4a] (vb.)	suer[5a]	schwitzen	sudar[3a]
tapestry[6]	tapisserie[4b]	Teppich[6a], (Gobelin)	tapiz[6a], (tapicería)
tiger[4b]	tigre[6b]	Tiger	tigre[4b]
tile[4a]	carreau[4a]	Fliese	losa[6a]
triple[7]	triple[4b]	dreifach[5a]	triple[6a]
turf[5a], sod[5a]	gazon[6a]	Rasen[6b]	césped
twin[3a]	jumeau(-elle)	Zwilling	gemelo[6b]
vexation[6]	chagrin (n.)[2a], ennui[2b]	Ärger[7a]	enfado[4b], (irritación)
wink[3b] (vb.)	cligner[6b] (de l'œil)	zwinkern	pestañear
wretched[3b]	déplorable[6a]	jämmerlich	deplorable
yawn[4b] (vb.), (gape[6])	bâiller[5a]	gähnen	bostezar[5a]

SECTION 5.9. CONCEPTS 5081 THROUGH 5124

```
E F G S      E F G S      E F G S      E F G S      E F G S
3-7 -8*-8*   4-5 -8*-6    5-3-8*-2     6-1 -8*-2    10-5-2-6
3-8*-8*-7    4-6 -8*-5    5-4-8*-3     6-6 -6 -5    10-6-2-5
4-3 -8*-8*   4-8*-8*-3    5-5-8*-2     6-8*-6 -3    11-2-2-5
4-4 -8*-7    5-1 -8*-6    5-6-8*-1     9-5 -3 -6    11-4-2-3
```

English	French	German	Spanish
arbiter[10]	arbitre[5b]	Richter[2a]	árbitro[6b]
architecture[6]	architecture[6a]	Baukunst[6a]	arquitectura[5a]
arid[10]	aride[6b]	trocken[2b]	árido[5a], (yermo[6b])
ballad[6]	ballade	Ballade[6b]	copla[3a]

English	French	German	Spanish
beak[5a]	bec[5b]	Schnabel	pico[2a]
bourgeois[11]	bourgeois[2a]	Bürger[2a]	burgués[5b]
cabbage[4b]	chou[6a]	Kohl	col[5a]
confer[4a], (award[6])	conférer[5b]	zuerkennen	conferir[6a]
continuance[6], (continuation[7])	continuation	Fortdauer[6a]	continuación[3b], (prolongación[6b])
convenience[5a]	convenance[4b]	Annehmlichkeit	conveniencia[3b]
creek[4a]	baie[4a]	Bucht	ensenada[7b]
dispense[5a] (give out)	dispenser[4a]	verabreichen	dispensar[3a]
drunken[5b] (person)	ivrogne[4b]	Trunkenbold	borracho[3b], (beodo[7a])
embroider[5b]	broder[3b]	sticken	bordar[4a]
exploit[5b], feat[5a]	exploit[4b]	Heldentat	hazaña[3a], (proeza[5a])
fir[4b]	sapin[3b]	Tanne	abeto
forge[4b] (n.)	forge[5a]	Schmiede	fragua[6a]
gorge[6] (n.)	défilé	Schlucht[6b]	cañón[3b], (barranco[4b])
graduate[4a] (vb.)	....	absolvieren	graduar[3b]
grin[4b] (vb.) (with a jeer)	ricaner[6b]	grinsen	sonreír[1b] burlonamente (burlón[5b])
harness[3a] (n.)	harnais	Geschirr	aparejo[7b]
idol[4b]	idole	Abgott	ídolo[3b]
meddle[5a], (interfere[6])	intervenir[3a]	einmischen	intervenir[4a], (entremeterse)
pepper[4a]	poivre	Pfeffer	pimienta[3b], (pimiento[5b])
pertaining (pertain[6])	appartenant (appartenir[1b])	zugehörig	relativo[2a], (perteneciente[4a])
pistol[4a]	revolver[4b], (pistolet[5a])	Pistole	pistola[7a]
preside[5b]	présider[3a]	vorsitzen	presidir[4a]
prestige[11]	prestige[4a]	Ruf[2a]	prestigio[3b]
rocky[4a]	couvert[2a] (de) rochers (rocher[3a]), (rocheux)	felsig	rocoso
scepter(re)[4b]	sceptre	Szepter	cetro[3a]
scruple[5b]	scrupule[3a]	Skrupel	escrúpulo[4a]
sincerity[5b]	sincérité[4a]	Aufrichtigkeit	sinceridad[3b]
slaughter[4b] (n.)	massacre[5b]	Totschlag	matanza[6b]
snap[3a] (e.g., dog) (and seize)	happer[7a]	schnappen	pegar[2a] una dentellada
soak[5b]	tremper[3a]	durchnässen	empapar[4b]
sob[5a] (n.)	sanglot[3b]	Schluchzer	sollozo[4a]
spit[4b] (vb.)	cracher[5a]	speien	escupir[6b]
switch[5b] (hair)	faux[1b] cheveu(x)[1b]	(falsche) Zopf	postizo[6b]
tease[5b]	taquiner[6b]	necken	tomar[1a] (el) pelo[1b], (molestar[2a])
theoretical[9], (theoretically)	théoriquement[5b]	theoretisch[3b]	teórico[6a]
thrash[5a] (agricultural)	battre[1a]	dreschen	trillar[6a]
trample[4a]	piétiner	trampeln	hollar[3b]
unit[6] (military), (contingent[14])	contingent	Kontingent[6b]	unidad[3a], (contingente[5b])
writ[4b]	mandat[5a]	Mandat	mandamiento[6b]

THE SIXTH THOUSAND CONCEPTS — Sec. 6

SECTION 6. CONCEPTS 5125 THROUGH 5210

E F G S	E F G S	E F G S	E F G S	E F G S	E F G S
3-8*-8*-8*	4-8*-8*-4	5-5 -8*-3	6-2-8*-2	6-8*-5-8*	7-5 -6-3
4-4 -8*-8*	5-1 -8*-7	5-6 -8*-2	6-3-8*-1	6-8*-6-4	7-6 -5-6
4-5 -8*-7	5-3 -8*-5	5-8*-6 -8*	6-4-6 -8*	7-3 -6-5	8-8*-4-4
4-6 -8*-6	5-4 -8*-4	6-1 -8*-3	6-6-6 -6	7-5 -5-7	9-4 -3-8*

English	French	German	Spanish
adequate[7]	suffisant[3a]	sachgemäß[6a]	adecuado[5b]
alms[5a]	aumône[5b]	Almosen	limosna[3a]
ant[4a]	fourmi	Ameise	hormiga[4b]
attraction[5b]	attraction[5a]	Anziehen	atracción[3b]
baker[4a]	boulanger[4b]	Bäcker	panadero
baptize[7]	baptiser[5b]	taufen[5a]	bautizar[7a]
barge[6]	chaland, péniche	Kahn[5a]	barcaza
braid[4b] (n.) (hair, etc.)	natte	Zopf	trenza[4b]
bribe[5b] (vb.)	acheter[1b]	bestechen	sobornar[7a]
bulb[5b]	oignon[5a]	Zwiebel	cebolla[3b], (bulbo)
bushel[3a], (bu.[6]), (peck[3b])	boisseau	Scheffel	fanega
capture[3b] (vb.)	capturer	kapern	capturar
cavalier[6]	cavalier[3a]	Kavalier	caballero[1a]
cemetery[5b], (churchyard[6])	cimetière[3b]	Friedhof	cementerio[5a]
chatter[4a] (teeth) (vb.)	claquer[4a]	klappern	castañetear (los dientes)
comb[4a] (vb.)	peigner	kämmen	peinar[4a]
combustion[6]	combustion	Verbrennung[5b]	combustión
cuff[4a]	manchette	Manschette	puño[4b]
dependence[7]	dépendance[5a]	Abhängigkeit[6a]	dependencia[3b]
determination[6]	détermination	Entschlossenheit[6b]	determinación[4a]
dirt[3b]	saleté	Schmutz	mugre, suciedad
disgust[5b] (vb.), (sicken[6])	dégoûter[4a], (écœurer[7a])	anekeln	disgustar[4a], repugnar[4a]
earthquake[4b]	tremblement[4b] (de terre)	Erdbeben	temblor de tierra, terremoto
eighteenth[6]	dix-huitième[6a]	achtzehnte[6b]	décimoctavo[6*]
elf[5a], (sprite[6])	lutin	Theaterkobold[6a]	duende
ether[6]	éther	Äther[6a]	éter[4b]
exile[4b], (banishment[5b])	exil[4a]	Verbannung	destierro
fashionable[6]	(à la) mode[1b], (chic[5a])	modisch	(a la) moda[3a]
fife[6]	fifre	Pfeife[5b], (Flöte)	flautín
furrow[5a]	sillon[3b], (ornière[5b])	Furche	surco[5b]
gorge[6] (vb.)	se gorger	fressen[6a]	hartar[4b]
greedy[4a] (pejorative)	gourmand[6a]	gierig	codicioso[6a], voraz[6a]
hello[5b]	hé[5b], (holà[6a])	hallo	hola[3b]
hydrogen[6]	hydrogène	Wasserstoff[5a]	hidrógeno
icy[4b], (frosty[5a])	glacial[6b]	eisig	glacial[6a]
immortality[5b]	immortalité	Unsterblichkeit[6b]	inmortalidad
liver[4b] (anatomical)	foie[4b]	Leber	hígado
mistrust[5b] (vb.)	(se) méfier[4a]	mißtrauen	desconfiar[4b]
misunderstanding (misunderstand[6])	malentendu	Mißverständnis[5a]	malentendido

English	French	German	Spanish
mule[4a]	mule	Maulesel	mula[4a]
nap[4b] (sleep) (n.)	somme	Schlummer	siesta[4a]
needy[7]	dépourvu[6b]	dürftig[5a]	menesteroso[6b]
oat[3a]	avoine	Hafer	avena
obedience[4a]	obéissance	Gehorsam	obediencia[4b]
obscure[5a] (vb.)	obscurcir[5a]	verdunkeln	obscurecer[3b]
peg[5a] (for hat, etc.)	patère	Haken[6a]	clavija, gancho (de ropa)
pinch[4a] (vb.)	pincer[4a]	kneifen	pellizcar
plane[4b] tree[1a]	platane[6b]	Platane	plátano[6a]
plateau[5a]	plateau[3b]	Plateau	meseta[5a]
player[5b]	joueur[4b]	Spieler	jugador[4b], (tocador[6b])
playground[6]	terrain[2a]	Spielplatz	campo[1a] (de) juegos (juego[2a])
plum[3a]	prune	Pflaume	ciruela
poisonous[6]	vénéneux, venimeux	giftig[5a]	venenoso
predecessor[6]	prédécesseur	Vorgänger[5a]	predecesor
pudding[3b]	pouding	Pudding	pudín
pulse[4a]	pouls	Puls	pulso[4b]
ragged[4b]	(en) haillons (haillon[6b]), (déguenillé)	zerlumpt	desastrado[6b]
rattle[3b] (child's)	hochet	Klapper	sonajero
receiver[6]	receveur, récipient	Empfänger[5b]	receptor
rhyme[3b]	rime	Reim	rima
salad[5b]	salade[4a]	Salat	ensalada[4b]
sandy[3b]	sablonneux	sandig	arenoso
serene[5a]	serein (adj.)[6a]	abgeklärt	sereno[2a]
seventeen[4b]	dix-sept[6a]	siebzehn	diecisiete[6*]
sinew[5a]	tendon	Sehne[6b]	tendón
skate[3b] (vb.)	patiner	Schlittschuh (laufen)	patinar
skull[5a]	crâne[4a]	Schädel	casco[4a], (cráneo[5b]), (calavera[6a])
sparrow[3a]	moineau	Spatz, Sperling	gorrión
spice[3b]	épice	Gewürz	especia
spider[4a]	araignée	Spinne	araña[4a]
spontaneous[7]	spontané[5a] (spontanément[6a])	(aus eignem) Antrieb[6a]	espontáneo[3b]
squire[4a] (n.) (equerry)	écuyer	Knappe	escudero[4b]
squirrel[3a]	écureuil	Eichhörnchen	ardilla
stammer[5b]	balbutier[4a], (bégayer[5b]), (ânonner[6a])	stottern	balbucear[4b]
stony[5a]	pierreux	steinern[6a], (steinig)	pétreo, pedregoso
submission[6]	soumission	Unterwerfung[6b]	sumisión[4a]
suck[4b]	sucer[6b]	saugen	mamar[6b], (chupar[7a])
sunny[3b]	ensoleillé	sonnig	soleado
(in) suspense[8]	(en) suspens	(in) Spannung[4b]	suspenso[4a]
thatch[7]	chaume[5b]	Stroh[6b], (Dachstroh)	paja[3b] (de) techo[2b]
thicket[4b]	buisson[5a]	Dickicht	matorral[7a]

English	French	German	Spanish
treacherous[5a], (faithless[6])	traître[3b], (perfide[5a])	verräterisch	alevoso[5a], perfido[5a], (aleve[6a])
unaware[5b]	(au) dépourvu[6b]	unversehens	(de) sorpresa[2a], ([de] imprevisto[7a])
unfavorable[9]	peu[1a] propice[4a]	ungünstig[3a]	desfavorable
wireless[6]	sans[1a] fil[2b]	drahtlos	sin[1a] hilos (hilo[2a])
zinc[6]	zinc[4b]	Zink[6b]	cinc

SECTION 6. 1.   CONCEPTS 5211 THROUGH 5272

```
  E  F  G  S      E  F  G  S      E  F  G  S      E  F  G  S      E  F  G  S
  4-5 -8*-8*      5-3 -8*-6       5-8*-8*-1       6-8*-6-5        8-3 -6-2
  4-6 -8*-7       5-4 -8*-5       6-1 -8*-4       7-5 -5-8*       8-5 -4-8*
  4-8*-8*-5       5-5 -8*-4       6-2 -8*-3       7-6 -6-3        8-5 -5-4
  5-1 -8*-8*      5-8*-8*-1       6-3 -8*-2       8-3 -5-6        11-8*-1-5
```

English	French	German	Spanish
(under) arrest[4a]	(en état d')arrestation[5b]	(in) Arrest	arrestado, detenido
bacon[4a]	lard fumé	Speck	tocino[5a]
balloon[7]	ballon[6b]	Ballon[6a]	globo[3b]
barber[5a], (hair[1a] dresser[6])	coiffeur[6b]	Haarschneider	barbero[3b]
barley[4a]	orge	Graupen	cebada[5a]
bust[5a]	buste[4a]	Büste	busto[5b]
claw[5a] (n.)	serre[4b], (griffe[6a])	Klaue	garra[5a]
cod[4b]	morue[6b]	Kabeljau	bacalao[7a]
colonist[4b], settler[4a], (colonial[5b])	colon	Kolonist, Siedler	colono[5a]
concrete[6] (adj.)	concret	real[6a]	concreto[5a]
consistent[8]	conséquent[3a]	konsequent[6b]	consiguiente[2b]
drawer[4a]	tiroir[5b]	Schublade	gaveta, cajón
drawers (drawer[4a]) (chest of –)	commode (n.)[5a]	Kommode	cómoda
dungeon[4b]	cachot[5b]	Verließ	calabozo
dusty[4b]	poussiéreux[5b]	staubig	polvoriento
dwarf[4b] (n.)	nain	Zwerg	enano[5a]
editor[8]	rédacteur[5a]	Redakteur[5a]	redactor[4b]
focus[6] (n.)	foyer[2a]	Brennpunkt	foco[3b]
founder[4b] (n.)	fondateur[5b]	Gründer	fundador
friction[6]	friction	Reibung[6a]	roce[5b]
frock[5a] coat[1b]	redingote[4b]	Überrock, Gehrock	levita[5a], casaca[5b]
gnaw[5a]	ronger[5a]	nagen	roer[4a]
graduate[4a] (n.) (from university)	bachelier	Bakkalaurius	bachiller[5a], licenciado[5b]
grammar[5a]	grammaire[6b]	Grammatik	gramática[3a]
harden[4b]	endurcir[6b]	härten	endurecer[7a]
harp[4a]	harpe	Harfe	arpa[5b]
hopelessly (hopeless[4b])	désespérément[5b]	hoffnungslos	desesperadamente
imminent[7]	imminent[5a]	bevorstehend[5a]	inminente
incense[4a]	encens	Weihrauch	incienso[5a]

English	French	German	Spanish
intellectual[6]	intellectuel[3a]	intellektuell	intelectual[2b]
jacket[5a]	pourpoint[5b], veste[5b]	Jacke	saco[4a]
jelly[4a], (jam[8])	confiture[5b], (gelée)	Gelée	jalea
lemon[4a]	citron	Zitrone	limón[5a]
liar[5a]	menteur(-se)[5b]	Lügner	embustero[4b], (mentiroso[5b])
miller[4a]	meunier	Müller	molinero[5b]
mineral[4b] (*adj.*)	minéral	mineralisch	mineral[5a]
nightingale[4b]	rossignol	Nachtigall	ruiseñor[5b]
oversight[8]	oubli[3b]	Versehen[5b]	imprevisión[6a], inadvertencia[6a]
pansy (P)[5a] (flower)	pensée	Stiefmütterchen	pensamiento[1a]
paste[5b] (*n.*)	pâte[4a]	Paste	pasta[5a]
pumpkin[4b]	citrouille	Kürbis	calabaza[5b]
quack[5a] (*vb.*) (duck)	crier[1b]	quaken	graznar
raving (rave[5a]) (*n.*)	délire[3b]	Faseln	desvarío[6a]
rehearse[6]	répéter[1a]	proben	ensayar[4a]
relic[5b] (religious)	relique[5a]	Reliquie	reliquia[4a]
ruffle[5a] (*n.*)	volant (*n.*)[4b]	Volant	volante[5b]
scarf[4a]	écharpe[5a]	Schärpe	bufanda
shady[4b], (shadowy[6])	ombragé (ombrager[5b])	schattig	umbroso
shrub[4a]	buisson[5a]	Busch	arbusto
sip[5a] (*vb.*)	boire[1b] (à petits coups)	schlürfen	tomar[1a] a sorbos
slippery[4a]	glissant (*adj.*)[5b]	schlüpferig	resbaladizo, resbaloso
sob[5a] (*vb.*)	sangloter[4a]	schluchzen	sollozar[5a]
socialist[8]	socialiste[3a]	Sozialdemokrat[5b], (sozialdemokratisch[4a])	socialista[6b]
statistics[8]	statistique[5a]	Statistik[4a], statistisch[4b]	estadísticas
stitch[4a] (knitted)	maille[5b]	Masche	puntada
tank[4b], (cistern[6])	réservoir[5a]	Behälter, Tank	cisterna, tanque
thesis[11]	thèse	Satz[1b], (These)	tesis[5b]
unkind[5b]	peu[1a] charitable[6b]	unfreundlich	poco[1a] bondadoso[3b]
violin[5a], (fiddle[6])	violon[4b]	Geige	violín[5b]
wedge[5a] (*n.*)	coin[1b]	Keil	cuña
wring[5b] (out)	tordre[3b] (e.g., linge)	wringen	exprimir[6a]
wrist[5b]	poignet[5b]	Handgelenk	muñeca[4a]

SECTION 6.2. CONCEPTS 5273 THROUGH 5348

E F G S	E F G S	E F G S	E F G S	E F G S	E F G S
4-6 -8*-8*	5-5 -8*-5	6-3 -8*-3	7-2 -6-8*	7-8*-5-6	10-4 -3-6
4-8*-8*-6	5-6 -8*-4	6-4 -8*-2	7-4 -6-6	7-8*-6-2	10-5 -3-5
5-2 -8*-8*	6-1 -8*-5	6-6 -6 -8*	7-5 -6-5	8-3 -6-3	10-6 -2-8*
5-4 -8*-6	6-2 -8*-4	6-8*-6 -6	7-6 -5-8*	8-6 -4-8*	

English	French	German	Spanish
appendix[7] (book)	appendice	Anhang[5b]	apéndice[6a]
archbishop[7]	archevêque[5b]	Erzbischof[6a]	arzobispo[5b]
assumption[7] (taking over)	adoption[6b]	Übernahme[5a]	adopción
bachelor[6]	garçon[1b]	Junggeselle	soltero[5a]

THE SIXTH THOUSAND CONCEPTS Sec. 6.2

English	French	German	Spanish
bald[6]	chauve	kahl[6b]	calvo[6b]
banana[4b]	banane	Banane	plátano[6a]
behead[6]	couper[1a] (la tête), (décapiter)	enthaupten	degollar[5a]
belly[6]	ventre[3a]	Bauch	vientre[3b], (panza[5b])
blunt[4b] (vb.)	émousser	abstumpfen	embotar[6a]
bridal[6]	(de) noces (noce[4a]), (de mariée)	bräutlich	(de) matrimonio[2a]
brigade[10]	brigade[6a]	Brigade[2a]	brigada
bronze[6]	bronze[3b]	Bronze	bronce[3b]
caress[6] (n.)	caresse[4b]	Liebkosung	caricia[2b], (mimo[6b])
chalk[4b]	craie[6b]	Kreide	tiza
chaste[5b]	chaste[5b]	keusch	casto[5b]
Christianity[10]	christianisme[4b]	Christentum[3a]	cristianismo[6b]
circus[5a]	cirque[4b]	Zirkus	circo[6b]
coldness[10]	froideur[5a]	Kälte[3b]	frialdad[5b]
colonial[5b]	colonial[4a]	kolonial	colonial[6a]
comb[4a] (on bird)	crête	Kamm	cresta[6b]
complicate[7]	compliquer[2b], (compliqué[4b])	komplizieren[6a]	complicar
congratulate[5b]	féliciter[4b]	beglückwünschen	felicitar[6a]
constable[6]	garde[1b] champêtre	Vogt[6b]	guardia[3a] rural[6b]
correspondent[7]	correspondant[4b]	Korrespondent[6b]	corresponsal[6a]
cough[4a] (n.)	toux[6b]	Husten	tos
crab[4b]	crabe	Krabbe, Krebs	cangrejo[6b]
Cuba(n)[4a] (adj.)	cubain	kubanisch	cubano[6a]
cuckoo[4b]	coucou	Kuckuck	cuco[6a], (cuchillo)
demonstration[6] (public – against something)	manifestation[3b]	Kundgebung	manifestación[3b]
diameter[7]	diamètre	Durchmesser[5a]	diámetro[6a]
diet[5b]	régime[2a]	Diät	dieta
digest[6]	digérer[6b]	verarbeiten[6a]	digerir
din[5a] (vb.)	abasourdir[4b], (étourdir[5b])	betäuben	atronar[6a]
disgusting (disgust[5b])	dégoûtant[6a]	eklig	repugnante[4a]
dome[4b]	dôme	Kuppel	cúpula[6b]
dough[6]	pâte[4a]	Teig	masa[2a]
(musical[3a]) drama[5b]	opéra[5a] comique[3b]	Operette	zarzuela[5a]
drawers (drawer[4a]) (clothing)	chausse[6b]	Hose(n)	calzoncillos, pantaloncillos
drowsy[4a] (to become –)	s'assoupir[6b]	schläfrig (sein)	adormilarse, ([estar] soñoliento)
economic[8]	économique[3a]	ökonomisch[6b]	económico[3b]
economy[6] (both senses)	économie[2b]	Ökonomie	economía[4a]
fairyland[5b]	(pays de) fées (fée[4b])	Märchenland	(país de las) hadas (hada[6b])
forge[4b] (falsify)	contrefaire	fälschen	falsear[6b]
gentry[7]	bourgeoisie, gentry	Gentry[6b]	clase[1b] acomodada (acomodar[2b])
geography[4b]	géographie	Geographie	geografía[6b]
grasshopper[4a]	sauterelle	Heuschrecke	cigarra

178 Sec. 6.2   SEMANTIC FREQUENCY LIST

English	French	German	Spanish
housekeeper[6], housewife[6]	ménagère[4b]	Haushälterin	ama (amo[1a]) (de) llaves (llave[2a])
lick[4a]	lécher[6b]	lecken	lamer
logic[6]	logique[2b]	Logik	lógica[4b]
lump[4b]	motte	Klumpen	terrón[6a]
morsel[6]	morceau[1b]	Bissen	bocado[5a]
moulding (mould[4a]) (architectural)	moulure	Leiste	moldura[6a]
mute[4a] (n.) (music)	sourdine[6b]	Dämpfer	sordina
oblique[8], (slanting[10*])	oblique[6a]	schräg[4a]	oblicuo, soslayado
oyster[4a]	huître	Auster	ostra[6a]
pantry[5a]	office[2b]	Speisekammer	despensa
pave[4b]	paver[6b]	pflastern	pavimentar
platform[4a] (dais)	estrade	Podium	dosel[6a], (plataforma)
prairie[5b]	terre[1a] inculte[6b]	Prärie	pradera[4b], (pampa[6a])
rake[4b] (n.)	râteau[6b]	Harke, Rechen	rastrillo
scar[4b] (n.)	cicatrice	Narbe	cicatriz[6a]
shapeless[6]	informe[4b]	formlos	informe[2b]
shoemaker[4a], (cobbler[5a])	cordonnier	Schuster	zapatero[6b]
slavery[5a]	servitude[6b], (esclavage)	Sklaverei	esclavitud[4b]
sprout[6] (vb.)	germer[4a]	sprießen	brotar[2b]
strap[4b] (n.)	courroie, lavière	Riemen	correa[6a]
surpassing (surpass[4b]), (transcendental)	transcendant(al)	transzendental	transcendental[6b]
tablet[4b] (viz., cough drop)	pastelle	Pastille	pastilla[6b]
towel[4b]	torchon[6b]	Handtuch	to(b)alla
tub[4a]	cuve[6a], (baquet)	Wanne	cuba, tonel
vigil[6]	veille[1b]	Nachtwache	vigilia[5a]
(make) void[4a]	annuler	annullieren	anular[6b]
waterfall[5a], (cascade[6]), (cataract[6])	cascade[5b]	Wasserfall	cascada[5b], (catarata[7a])
whirlwind[5a]	tourbillon[6a]	Wirbelsturm	torbellino[4a]
wizard[5a]	sorcier(-ère)[4b]	Hexer	hechicero[6a], mago[6b], adivino[6b]
yawn[4b] (n.)	bâillement	Gähnen	bostezo[6a]

SECTION 6.3. CONCEPTS 5349 THROUGH 5394

E F G S	E F G S	E F G S	E F G S	E F G S
4–8*–8*–7	5–6 –8*–5	6–3 –8*–4	7–5–6–6	9–5 –5–2
5–3 –8*–8*	5–8*–8*–3	6–4 –8*–3	7–6–6–5	9–8*–3–7
5–4 –8*–7	6–1 –8*–6	6–5 –8*–2	8–4–6–3	10–4 –4–3
5–5 –8*–6	6–2 –8*–5	6–8*–6 –7	8–6–5–5	11–4 –3–3

English	French	German	Spanish
acquisition[7]	acquisition[5b]	Beschaffung[6a], Erlangung[6b], Erwerbung[6b]	adquisición[6a]
admiral[5a]	amiral[4b]	Admiral	almirante[7a]
admonish[6], (exhort[8])	exhorter	ermahnen[6a]	amonestar[7a], exhortar[7a]

English	French	German	Spanish
(in) anguish[5b], agonizing (agonize[12])	angoissant[6a]	(in) Todesangst	(en) agonía[5a]
ark[5a]	arche	Arche	arca[3b]
attic[5b]	mansarde[3b], (grenier[5a])	Estrich	ático, desván
bet[6] (vb.)	parier[4b]	wetten	apostar[3b], (apuesta[5b])
bodily[6], corporal[6]	corporel	leiblich[6a]	corporal[7a], corpóreo[7b]
Christendom[9]	chrétienté	Christentum[3a]	cristiandad[7a]
congeal[9]	figer[5b]	erstarren[5b]	helar[2a], (congelar)
counter[5a] (in a shop)	comptoir[5a]	Tresen	mostrador[6a]
embassy[7]	ambassade[6a]	Gesandtschaft[6b]	embajada[5b]
exaltation[11]	exaltation[4a]	Erhebung[3a]	exaltación[3b]
eyebrow[6]	sourcil[3b]	Braue	ceja[4b]
fearless[5b]	intrépide[6b]	furchtlos	intrépido[5a]
flax[4b]	lin	Flachs	lino[7a]
fry[5a]	frire	braten	freír[3a]
heretic[7]	hérétique[6b]	Ketzer[6b]	hereje[5b]
hoe[4b] (n.)	houe	Hacke	azadón[7a]
index[6] finger[1b]	index	Zeigefinger[6b]	índice[7a]
interruption[8]	interruption[6b]	Unterbrechung[5b]	interrupción[5a]
lavish[5b] (vb.)	prodiguer[5b]	verschwenden	prodigar[6a]
legislator[8]	législateur[6a]	Gesetzgeber[5b]	legislador[5a]
mason[5a]	maçon[5b]	Maurer	albañil[6a]
militia[6]	milice	Landwehr[6a]	milicia[7a]
(have) misgiving[8], (forebode[10])	pressentir[4b]	voraussehen[6a]	presentir[3b]
mole[5a] (on body)	grain[3a] de[1a] beauté[2a]	Leberfleck	lunar
nineteen[4a]	dix-neuf	neunzehn	diez y nueve[7*], (diecinueve)
nun[5b]	nonne	Nonne	monja (monje[3a])
pamphlet[7]	brochure[6a]	Broschüre[6b], Prospekt[6b]	folleto[5a]
picnic[4b]	pique-nique	Picknick	merienda[7a] campestre[5b]
productive[7], (creative[11])	producteur[5a]	schöpferisch[6a]	productivo[6a]
profane[5b] (adj.)	profane[6b]	profan	profano[5b]
protector[6]	protecteur[5a]	Beschützer	protector[2b]
retail[6] (vb.)	vendre[1b] (au) détail[1b], (débiter[5a])	verhökern	vender[1b] (al, por) menor[6a]
selfishness[8]	égoïsme[4b]	Selbstsucht[6b]	egoísmo[3b]
suburb[5b]	faubourg[4a]	Vorort	arrabal[7a]
superiority[10]	supériorité[4a]	Überlegenheit[4b], (Übermacht[5a] [military])	superioridad[3b]
superstition[5a]	superstition[5b]	Aberglaube	superstición[6b]
tributary[4a]	tributaire	Zufluß	afluente[7b]
twelfth[4b]	douzième	zwölfte	duodécimo[7*], (décimo segundo)
upset[5a] (n.)	bouleversement[6a]	Umsturz	trastorno[5b]
valve[6]	clapet	Klappe[6a]	válvula[7b]
vinegar[5a]	vinaigre	Essig	vinagre[3b]
waft[6] (n.)	souffle[2a]	Wehen	emanación[5a]
walnut[5b]	noix[6a]	Walnuß	nuez[5b]

SECTION 6.4. CONCEPTS 5395 THROUGH 5477

E F G S	E F G S	E F G S	E F G S	E F G S
4–8*–8*–8*	5–8*–8*–4	6–6 –8*–2	7–5 –6–7	8–8*–4–8*
5–4 –8*–8*	6–3 –8*–5	6–8*–6 –8*	7–8*–5–8*	9–4 –5–4
5–5 –8*–7	6–4 –8*–4	7–3 –8*–1	8–4 –5–8*	
5–6 –8*–6	6–5 –8*–3	7–4 –6 –8*	8–4 –6–4	

English	French	German	Spanish
agency[5b] (place and office)	agence[6b]	Agentur	agencia[6b]
ally[7] (n.)	allié (n.)[4a]	Verbündete[6a]	aliado
astronomer[7]	astronome	Astronom[5b]	astrónomo
babble[4b], chatter[4a] (vb.)	babiller	babbeln	parlotear
balm[5a]	baume	Balsam	bálsamo[4b]
beating[6] (n.) (pommeling)	volée (n.)[4a] (de coups)	Prügel	paliza[4a]
bicycle[4a]	bicyclette	Fahrrad	bicicleta
birch[4b]	bouleau	Birke	abedul
bowel[4b]	intestin	Eingeweide	intestino
breeches[6]	culotte[4b]	Kniehose(n)	calzón[4b]
builder[4a]	constructeur	Erbauer	constructor
camel[4b]	chameau	Kamel	camello
cement[4a] (n.)	ciment	Zement	cemento
chemist[7]	chimiste	Chemiker[6a]	químico[4a]
clover[4b]	trèfle	Klee	trébol
cluck[4b] (vb.)	glousser	glucken	cacarear
complexion[5b]	teint	Gesichtsfarbe	tez[4a]
conscientious[8]	consciencieux	gewissenhaft[4a]	meticuloso
crouch[5b]	accroupir[4a]	hocken	agachar, agazapar
deign[6]	daigner[4b]	geruhen	dignarse[4a]
dial[6] (clock)	cadran[6b]	Zifferblatt	esfera[2b]
dismay[4a] (vb.)	consterner	bestürzen	consternar
dizzy[6] (feel –)	(avoir) vertige[4a], (vertigineux[5b])	schwindlig	tener[1a] vértigo[4a], (mareado [marear[6a]])
drip[4a]	dégoutter	tröpfeln	gotear
ebb[6] (tide)	marée descendante, reflux	Ebbe[6b]	bajamar, reflujo
eloquent[6]	éloquent[5a]	beredt	elocuente[3a]
engrave[6]	graver[5a]	gravieren	grabar[3b]
fermentation[7]	fermentation	Gärung[5a]	fermentación
fern[4b]	fougère	Farn	helecho
fifteenth[5b]	quinzième[6b]	fünfzehnte	décimo quinto[6*]
fig[4b]	figue	Feige	higo
flank[5b] (vb.)	flanquer[4b]	flankieren	flanquear
fleece[4b]	toison	Vlies	vellocino, vellón
flexible[6]	souple[4b]	biegsam	flexible[4b]
ford[4a] (n.)	gué	Furt	vado
frying (fry[5a]) pan[2b]	poêle (f.)[6a]	Pfanne	sartén[6a]
gall[5a] (n.) (anatomical)	fiel	Galle	hiel[4b]
generosity[6]	générosité[5b]	Weitherzigkeit	generosidad[3b]
ghastly[6]	hagard[6b]	grausig	espantoso[2b], pálido[2b]

THE SIXTH THOUSAND CONCEPTS — Sec. 6.4

English	French	German	Spanish
glacier[6]	glacier	Gletscher[6a]	glaciar
grocer[4a]	épicier	Kolonialwarenhändler	bodegonero, especiero
hideous[6]	hideux[6a]	greulich	horrible[2a], espantoso[2b], (horrendo[3b])
hip[4a]	hanche	Hüfte(n)	cadera
honesty[6]	honnêteté[4b]	Ehrlichkeit	honradez[4a], (honestidad[6b])
incomparable[9], unique[9]	incomparable[4a]	unvergleichlich[5b]	incomparable[4a]
linden[6]	tilleul	Linde[6a]	tilo
(of) lowly[6] (birth)	(de) basse (bas[1a]) extraction[5b]	(von) niederer (nieder[1b]) Herkunft	(de) humilde[1b] cuna[3b]
mane[5a]	crinière	Mähne	melena[4a]
maple[4b]	érable	Ahorn	arce
masterpiece[7]	chef-d'œuvre[3b]	Meisterstück	obra[1a] maestra (maestro[1b])
mew[4a]	miauler	miauen	maullar, mayar
necklace[6]	collier[3b]	Halsband	collar[5b]
necktie[6]	cravate[4a]	Krawatte, Schlips	corbata[4a]
nymph[5a]	nymphe	Nymphe	ninfa[4b]
pavilion[6]	pavillon[4a]	Pavillon	pabellón[4b]
peacock[5a]	paon	Pfau	pavo[4b] real[1a]
prune[4b]	pruneau	Zwetsch(g)e	ciruela pasa
raisin[5b]	raisin[4a] sec[1b]	Rosine	pasa
rampart[8]	rempart[4a]	Wall[5b]	baluarte
ration[6]	ration	Quotisierung[6a]	racionamiento
realization[8]	réalisation[4a]	Verwirklichung[6b]	realización[4b]
rebellious[6]	rebelle[5a]	aufrührerisch	rebelde[3b]
recruit[6] (n.)	recrue	Rekrut[6b]	recluta
regent[8]	régente	Regentin[4b]	regente
romance (R)[6] (adj.)	roman (adj.)[5a]	romanisch	romance[3a]
seam[4b]	couture	Naht	costura
sergeant[7]	sergent[5a]	Wachtmeister[6b], (Feldwebel)	sargento[7b]
stool[4a]	tabouret	Schemel	banqueta, poyo, taburete
submission[6], (resignation[7])	résignation[5b]	Ergebung	resignación[3b]
Swiss[5a]	suisse[6a]	schweizerisch	suizo[6b]
tar[4b]	goudron	Teer	brea
temperance[5a]	sobriété[5a]	Mäßigkeit	sobriedad[7a], (temperanza)
thistle[4b]	chardon	Distel	cardo
tomato[5a]	tomate	Tomate	tomate[4a]
tongs[5a]	tenailles (tenaille[6b])	Zange	tenazas (tenaza[6b])
tunnel[5b]	tunnel[6a]	Tunnel	túnel[6b]
tufted (tuft[6]), (bushy[11])	touffu[6b]	buschig	espeso[2a], (frondoso[4b])
turtle[4b]	tortue	Schildkröte	tortuga
unfit[5a]	impropre[6b]	unpassend	impropio[6b]
wanton[4b] (adj.)	déréglé	leichtfertig	desenfrenado
watchful[4b]	(en) éveil, vigilant	wachsam	alerto
wigwam[4b]	wigwam	Wigwam	jacal (del) Indio
zero[5a]	zéro[6b]	Null	cero[6b]

SECTION 6.5. CONCEPTS 5478 THROUGH 5538

E F G S	E F G S	E F G S	E F G S	E F G S
5–5 –8*–8*	6–2–8*–7	6–6 –8*–3	7–8*–6–5	9–8*–4–5
5–6 –8*–7	6–3–8*–6	6–8*–8*–1	8–5 –6–4	10–1 –5–4
5–8*–8*–5	6–4–8*–5	7–3 –8*–2	8–8*–5–5	11–5 –3–4
6–1 –8*–8*	6–5–8*–4	7–5 –6 –8*	9–4 –5–5	

English	French	German	Spanish
abbot[6]	abbé[2b]	Abt	abate[7a]
abstract[7] (adj.)	abstrait	abstrakt[6a]	abstracto[5b]
analyze[6]	analyser[5a]	analysieren	analizar[4b]
bang[6] (a door)	claquer[4a]	schletzen	golpear[5a]
(regulations [regulation[6]] for) bankruptcy[9]	(lois concernant la) banqueroute	Konkursordnung[4b]	leyes (ley[1a]) (de) quiebra[5a]
benign[9]	bienfaisant[4b]	wohltätig[5a]	benigno[5a]
bracelet[5a]	bracelet[6a]	Armband	pulsera[7b]
constitutional[7]	constitutionnel	konstitutionell[6a]	constitucional[5b]
coral[5a]	corail	Koralle	coral[5a]
cork[5b] (stopper)	bouchon[5b]	Kork	tapón
crackle[5b] (vb.)	pétiller	knistern	crujir[5a]
crisp[5b]	croustillant	knusperig	crespo[5b]
crumbling (crumble[5a]) (caving in)	effondrement[5b]	Einsturz	derrumbe
crutch[5b]	béquille	Krücke	muleta[5b]
defile[6] (vb.)	défiler[3b]	defilieren, vorbeimarschieren	desfilar[6a]
dialog(ue)[6]	dialogue[6a]	Dialog	diálogo[3a]
embroidery[5b]	broderie	Stickerei	bordado[5b]
executive[5b] (adj.)	exécutif	Exekutiv-	ejecutivo[5a]
federal[5b]	fédéral	Bundes-	federal[5b]
fickle[6]	capricieux[6a]	unbeständig	caprichoso[3b]
flint[5b]	silex	Feuerstein	pedernal[5a]
flute[5b]	flûte	Flöte	flauta[5b]
foreground[10]	premier[1a] plan (n.)[1b], (devant [n.][2b])	Vordergrund[5a]	primer[1a] plano[4a]
forgetfulness[7], (oblivion[8])	oubli[3b]	Vergessen	olvido[2b]
geographical[8]	géographique	geographisch[5a]	geográfico[5a]
glade[6]	clairière	Lichtung	claro[1a], (raso[4b])
grope[6]	tâtonner[6b]	tasten	tentar[3a], andar[1a] (a) tientas[3b]
hinge[5b] (n.)	gond[5b]	Angel	gozne
hoarse[6]	rauque[6b]	heiser	ronco[3b]
horizontal[6]	horizontal[4b]	wagerecht	horizontal[5b]
idleness[5a]	oisivité	Müßiggang	ocio[5a]
impious[6]	impie[6b]	ruchlos	impío[3b]
lawless[6]	illégal	gesetzlos	fuera[1a] (de) ley[1a], (ilegal)
liable[6] (to something)	susceptible[3b]	imstande	susceptible[6a] (de)
lyric[8] (adj.), (lyrical[11])	lyrique[5b]	lyrisch[6a]	lírico[4a]
manual[7] (textbook)	manuel	Lehrbuch[6a]	manual[5b]

English	French	German	Spanish
matron[6]	femme[1a] (d'un certain âge)	Matrone	matrona
miser[6]	avare[4a]	Geizhals	avaro[5a]
parrot[5b]	perroquet	Papagei	loro[5a]
patriotism[6]	patriotisme[6b]	Vaterlandsliebe	patriotismo[3b]
plaster[5b]	plâtre[5b]	Gips	yeso
plunder[5a] (vb.)	piller[5b], (saccager[6b])	plündern	saquear
pretense(ce)[5b], (dissimulation[13])	dissimulation	Verstellung	disímulo[5b]
profane[5b] (vb.)	profaner	herabziehen	profanar[5b]
quell[6]	rabattre[5a]	stillen	reprimir[4a]
rebellion[5b] (state)	rébellion	Widerspenstigkeit	rebeldía[5b]
restoration[7]	restauration[5b]	wiederherstellen[6a], (Wiederherstellung)	retraso
ruinous[8]	ruineux	verderblich[5a]	ruinoso[5b]
scissors[5a]	ciseaux	Scheere	tijera[5b]
sling[5b] (n.)	fronde	Schleuder	honda[5b]
southwest[5a]	sud-ouest[5b]	Südwesten	suroeste
stab[5a] (n.)	(coup de) poignard	Dolchstoß	puñalada[5b], (estocada[6b])
stricken[5a] (with an illness)	atteint (adj.)[5b]	befallen	atacado
tenant[5a] (n.)	occupant[5b], (locataire[6a])	Pächter	inquilino
uncertainty[8]	incertitude	Unsicherheit[5b]	incertidumbre[5b]
unquestionable[11]	incontestable[5a]	zweifellos[3b]	indiscutible[4a]
verb[6]	verbe	Zeitwort	verbo[1b]
vicious[5b]	vicieux	lasterhaft	vicioso[5b]
windy[6]	(de) vent[1b], (venteux)	windig	avendavalado, ventoso
winner[6]	gagnant (gagner[1a])	Gewinner	ganador
wintry[6]	(d')hiver[1b]	wintrig	invernal

SECTION 6.6. CONCEPTS 5539 THROUGH 5600

```
E F G S      E F G S      E F G S      E F G S
5-6 -8*-8*   6-4 -8*-6    7-2-8*-4     8-6-5-8*
5-8*-8*-6    6-5 -8*-5    7-4-8*-2     9-6-4-8*
6-2 -8*-8*   6-6 -8*-4    7-6-6 -8*    13-1-3-1
6-3 -8*-7    6-8*-8*-2    8-4-6 -6     13-6-1-4
```

English	French	German	Spanish
airy[5a]	aéré	luftig	airoso[6a]
amber[5b]	ambre[6b]	Bernstein	ámbar
anecdote[6]	anecdote[4b]	Anekdote	anécdota[6b]
annex[7] (n.)	annexe[6b]	Anbau[6b]	anexo
apprentice[8]	apprenti[6b]	Lehrling[5a]	aprendiz
approval[6]	approbation[6b]	Beistimmung	aprobación[4b]
chaos[6]	chaos[4b]	Chaos	caos[6b]
civilize[6]	civiliser[5a]	kultivieren	civilizar[5a], (civilizador[6b])
clause[5a]	clause	Klausel	cláusula[6b]
confidential[8]	confidentiel[6b]	vertraulich[5b]	confidencial

English	French	German	Spanish
contractor[9]	entrepreneur[6b]	Unternehmer[4a], Kontrahent[4b]	contratista
cork[5b] (material)	liège[6a]	Kork	corcho
delegate[5b] (vb.)	déléguer[6a]	beordern	delegar
denial[8]	dénégation[6a]	Ablehnung[5a]	denegación
desolation[5b]	désolation	Öde	desolación[6a]
druggist[7], (apothecary[10])	pharmacien[6b]	Apotheker[6b]	droguero
eaves[6]	(bord du) toit[2a]	Traufe	alero
elastic[5b] (adj.)	élastique	elastisch	elástico[6b]
flattery[5b]	flatterie	Schmeichelei	lisonja[6b], (adulación[7a])
fretful[6]	irritable	reizbar	inquieto[2a], (irritado [irritar[3b]])
frolic[5a] (vb.)	gambader	ausgelassen (sein)	retozar[6b]
gallows[5a]	potence	Galgen	horca[6a]
gossip[6] (tales)	racontar[5b], (commérage)	Klatsch	murmuración[5b]
headache[6]	migraine[5b]	Kopfweh	jaqueca[5a]
hermit[5b]	ermite	Einsiedler	ermitaño[6a]
holiness[6]	sainteté[6b]	Heiligkeit	santidad[4a]
Hungarian[8]	hongrois[6a]	ungarisch[5b]	húngaro
integral[13]	intégral[6b]	wesentlich[1a]	íntegro[4b], (integral)
interpreter[6]	interprète[6a]	Ausleger	intérprete[4a]
leafy[7]	couvert[2a] (de) feuilles (feuille[1b])	belaubt	frondoso[4b]
leak[6] (n.)	fuite[2a]	Leck	gotera
lighthouse[6]	phare[6b]	Leuchtturm	faro[4b]
luxurious[6]	luxueux[6b]	prunkvoll	lujoso[4b]
mercury (M)[5b]	mercure	Quecksilber	mercurio[6a]
penetrate[13]	pénétrer[1b]	durchdringen[3a], eindringen[3a]	penetrar[1b]
pitiful[6]	pitoyable[5a], (piteux[6b])	bemitleidenswert	lastimoso[5b], (lastimero[6b])
posterity[5b]	postérité	Nachwelt	posteridad[6a]
prophecy[5a]	prophétie	Prophezeiung	profecía[6b]
prostrate[6] (vb.)	prosterner[6b]	sich hinwerfen	postrar[4a] (se), (prosternar [se])
rave[5a], ([be] delirious[11])	délirer	phantasieren	delirar[6b]
reaction[8]	réaction[4a]	Reaktion[6b]	reacción[6b]
recoil[6]	reculer[2a]	zurückfahren	recular
refinement[6]	raffinement[5b]	Verfeinerung	refinamiento[5b]
refrain[5a] (n.)	refrain[6b]	Kehrreim	estribillo
rusty[5b]	rouillé (rouiller[6a])	rostig	enmohecido
secondary[6]	secondaire[5a]	sekundär	secundario[5b]
sentimental[7]	sentimental[4b]	empfindsam	sentimental[2b]
sheaf[6] (grain)	gerbe[6b]	Garbe	haz[4a]
shroud[5b] (n.)	linceul	Leilach	mortaja[6b]
snowy[6]	couvert[2a] (de) neige[2b]	schneebedeckt	nevado
spindle[5b]	broche[6a]	Spindel	carretel, huso
splash[5b] (vb.)	éclabousser	spritzen	salpicar[6a]
sponge[5a] (n.)	éponge[6b]	Schwamm	esponja

English	French	German	Spanish
stroll[6] (vb.)	flâner	schlendern	pasear[2a] (se)
technique[9]	technique (n.)[6b]	Technik[4b]	técnica
thermometer[5b]	thermomètre	Thermometer	termómetro[6a]
toad[5a]	crapaud	Kröte	sapo[6a]
tray[6]	plateau[3b]	Tablett	bandeja[7a]
truck[5a]	camion[6b]	Lastwagen	camión
underground[5a]	souterrain[6a]	unterirdisch	subterráneo
vassal[6] (e.g., feudal)	vassal[6b]	Vasall	vasallo[4a]
warble[5a] (n.)	gazouillement	Triller	gorjeo[6b]

SECTION 6.7. CONCEPTS 5601 THROUGH 5635

```
E F G S      E F G S      E F G S
5-8*-8*-7    6-6 -8*-5    7-6-8*-1
6-3 -8*-8*   6-8*-8*-3    8-2-8*-1
6-4 -8*-7    7-4 -8*-3    8-3-6 -8*
6-5 -8*-6    7-5 -8*-2    10-5-5 -2
                          11-3-4 -4
```

English	French	German	Spanish
afloat[6]	(à) flot[3a]	flott	a flote
anniversary[5b]	anniversaire	Jahrestag	aniversario[7a]
Argentine[6]	argentin	argentinisch	argentino[3a]
badge[6] (metal)	insigne[6b]	Plakette	placa[5b]
biscuit[6], cracker[6] (Amer.)	biscuit[6a]	Keks	bizcocho[5b]
blackbird[5b]	merle	Amsel	mirlo[7b]
clove[5b]	girofle	Nelke	clavo[3b] (de) especia[7a]
communion[6]	communion[5b]	Abendmahl, Kommunion	comunión[6a]
cooperative[8] (n.)	association[3a], (coopérative)	Konsumverein[6b]	cooperativa
dessert[7]	dessert[4b]	Nachtisch	postre[3b]
encouragement[7]	encouragement[5b]	Ermutigung	aliento[2a]
eyelid[6]	paupière[4a]	Lid	párpado[7a]
fitness[7] (appropriateness)	à-propos (n.)[6a]	Eignung	(a) propósito[1a]
Gothic[6]	gothique[6a]	gotisch	gótico[5b]
incomprehensible[11]	incompréhensible[3b]	unbegreiflich[4b], (unverständlich[6b])	incomprehensible[4b]
infernal[6]	infernal	höllisch	infernal[3b]
ivy[5a]	lierre	Efeu	hiedra[7a]
magnet[6]	aimant (n.)[5b]	Magnet	imán[6b]
mathematics[6]	mathématiques (mathématique[6a])	Mathematik	matemáticas[5b]
mattress[6]	matelas[6b]	Matratze	colchón[5b]
mountainous[5a]	montagneux	gebirgig	montañoso[7b]
outrage[6]	attentat[6b], (outrage)	Beschimpfung	atropello[5b]
pilgrimage[6]	pélerinage[6a]	Pilgerzug	peregrinación[5b]
plus[8]	plus[2a]	plus	más[1a]
Portuguese[6]	portugais	portugiesisch	portugués[3a]
progressive[6]	progressif[5b] (progressivement[6b])	fortschrittlich	progresivo[6a]

English	French	German	Spanish
sanction[7], penalty[7]	sanction[6a]	Sanktion	pena[1a], (sanción)
skeleton[6]	squelette[6b]	Knochengerüst	esqueleto[5b]
snore[6]	ronfler[5b]	schnarchen	roncar[6a]
terrace[6]	terrasse[3a]	Terrasse	terraza
Teutonic[10], (Germanic[17])	germanique[5b]	germanisch[5b]	alemán[2b]
turnip[5b]	navet	Runkelrübe	nabo[7a]
unload[7]	décharger[4a]	entladen	descargar[3a]
unspeakable[6]	indicible[5b]	unsäglich	indecible[6a]
volcano[6]	volcan	Vulkan	volcán[3a]

SECTION 6.8. CONCEPTS 5636 THROUGH 5752

```
  E  F   G   S        E  F   G   S        E  F   G   S        E   F   G   S
  5-8*-8*-8*          6-8*-8*-4           8-8*-5-8*           10-4 -4-8*
  6-4 -8*-8*          7-3 -8*-5           8-8*-6-4            10-5 -5-3
  6-5 -8*-7           7-4 -8*-4           9-4 -5-8*           10-8*-3-8*
  6-6 -8*-6           7-8*-6 -8*          10-2 -6-2           10-8*-4-4
                                                              11-2 -5-2
```

English	French	German	Spanish
accommodations (accommodation[6])	installation[4a]	Einstellung	acomodo, alojamiento
acorn[5b]	gland	Eichel	bellota
anticipate[6]	anticiper	vorwegnehmen	anticipar[4a]
arctic[5b]	arctique	arktisch	ártico
aristocratic[6]	aristocratique[6a]	aristokratisch	aristocrático[6a]
asset[10]	actif (n.)[5a]	Haben[5a]	activo[3a]
athletic[5b]	athlétique	turnerisch	atlético
bait[5a]	appât	Köder	cebo
beet[5b]	betterave	Rübe	remolacha
beetle[5b]	scarabée	Käfer	escarabajo
betroth[6]	fiancer	verloben	desposar[4a]
blasphemy[6]	blasphème	Lästerung	blasfemia[4b]
bleat[5a] (vb.)	bêler	blöken	balar
blindness[5b]	aveuglement	Blindheit	ceguera
blouse[6]	blouse[4a]	Bluse	blusa
buckle[6] (n.)	boucle[4a]	Schnalle	hebilla
burr[5b] (vegetal)	bouton de pompier	Klette	cadillo, erizo
carbon[7] dioxide[8]	acide carbonique	Kohlensäure[5b]	dióxido de carbono
chew[6], (ruminate[9])	ruminer[6a], mâcher[6b]	kauen	mascar[6a]
chirp[5a] (vb.)	pépier	piepen	gorjear
croak[5a] (vb.)	coasser	quaken	graznar
currant[6]	groseille[4b]	Johannisbeere	grosella
Danish[8]	danois	dänisch[5a]	danés
defender[10]	défenseur	Verteidiger[4b]	defensor[4b]
dipper[6]	cuiller(-ère)[4a] (à) pot[3a]	Kochlöffel	cucharón
dissemble[11]	dissimuler[2b]	verhehlen[5b]	disimular[2b]
dukedom[8]	duché	Herzogtum[6a]	ducado[4b]
embody[6]	incarner	verkörpern	encarnar[4b]

English	French	German	Spanish
enamel[6]	émail[6b]	Emaille	esmalte[6a]
ennoble[6]	ennoblir[6a]	adeln	ennoblecer[6a]
enumerate[7]	énumérer[4b]	aufzählen	enumerar[4a]
fellowship[5a]	camaraderie	Kameradschaft	camaradería
ferry[5a]	bac	Fähre	barca de transbordo
fertilize[6]	féconder	düngen	fecundar[4a]
(bull[3a]) fighter[6]	toréador	Stierkämpfer	torero[4b]
film[5b]	pellicule	Film, Häutchen	película
flake[5a] (n.)	écaille	Flocke	escama
football[5b]	football	Fußball	fútbol
gasoline(ene)[5b] (for car)	essence	Benzin	gasolina
ginger[5b]	gingembre	Ingwer	jengibre
godmother[6]	marraine	Patin	comadre[4b], (madrina[6b])
gossip[6] (person)	bavard[6a]	Schwatzbase	hablador[6a]
granite[5b]	granit	Granit	granito
gravel[5b]	gravier	Kies	arenillas
gum[5b] (of teeth)	gencive	Gaumen	encía
hardware[5b]	quincaillerie	Metallwaren	ferretería, quincallería
harlot[6]	prostituée	Dirne	zorra (zorro[4b])
hatch[5a] (vb.)	couver	brüten	empollar
herring[7]	hareng	Hering[6b]	arenque
hostess[7]	hôtesse	Wirtin[6a]	anfitriona
hypocrite[6]	hypocrite	Heuchler	hipócrita[4a]
illustration[6]	illustration[5b]	Illustration	ilustración[7a]
inert[7]	inerte[3b]	träg	inerte[5b]
inseparable[6]	inséparable[5b]	unzertrennlich	inseparable[7a]
intimacy[7], (familiarity[9])	intimité[4a]	Vertrautheit	familiaridad[4b], intimidad[4b]
Japanese[5a]	japonais	japanisch	japonés
languish[5a]	languir	schmachten	languidecer
latch[5a] (n.)	loquet	Bolzen	aldab(ill)a, picaporte
ledge[5b] (rock)	rebord	Riff	reborde
lemonade[5a]	limonade	Limonade	limonada
lining[5a]	doublure	Futter	forro
locust[6]	cigale[6a]	Lokust	langosta[6b]
manger[5b]	mangeoire	Krippe	pesebre
manhood[5a]	virilité	Männlichkeit	hombría, virilidad
Mexican[6]	mexicain	mexikanisch	mejicano[4a]
moisten[6]	humecter	anfeuchten	humedecer[4b]
monotonous[7]	monotone[3b]	eintönig	monótono[5a]
moth[5b]	mite	Motte	polilla
neigh[5b] (vb.)	hennir	wiehern	relinchar
northwest[5a]	nord-ouest	Nordwesten	noroeste
offender[6]	délinquant	Missetäter	delincuente[4b]
oracle[5a]	oracle	Orakel	oráculo
originality[9]	originalité[4a]	Eigenart[5b], (Originalität)	originalidad
patriarch[8]	patriarche	Patriarch[5a]	patriarca

188 Sec. 6.8 — SEMANTIC FREQUENCY LIST

English	French	German	Spanish
pickle[5b] (n.)	cornichon	Essiggurke	encurtido
pill[5a]	pilule	Pille	píldora
pilot[6]	pilote[6b]	Lotse	piloto[6b]
pioneer[5b]	pionnier	Pionier	explorador
polar[6]	polaire[6b]	Polar-	polar[6b]
pronoun[6]	pronom	Pronomen	pronombre[4b]
pulpit[6]	chaire[4b], tribune[4b]	Kanzel	púlpito
quilt[5a], comforter[5b] (Amer.)	édredon	Steppdecke	colcha, edredón
ransom[5b]	rançon	Lösegeld	rescate
rectangle[5b]	rectangle	Rechteck	rectángulo
refreshment[5b]	rafraîchissement	Erfrischung	refresco, refrigerio
reindeer[5b]	renne	Rentier	reno
revision[10]	révision	Revision[3b]	revisión
sandwich[5b]	sandwich	Butterbrot	emparedado
scalp[5b] (n.)	cuir[3b] chevelu	Kopfhaut, Skalp	cuero[3a] cabelludo
sculpture[6]	sculpture[6a]	Skulptur	escultura[6a]
slate[5a]	ardoise	Schiefer	pizarra
sled[5b]	luge	Schlitten	trineo
sledge[5a], sleigh[5a]	traîneau	Schlitten	trineo
snail[6]	escargot, limaçon	Schnecke	caracol[4a]
sock[5b]	chaussette	Socken	calcetín
soluble[7]	soluble	löslich[6b]	soluble
spangle[5a]	paillette	Flitter	lentejuela
steak[5b]	bifteck	Beefsteak	bifteque, loncha (de carne)
stork[5b]	cigogne	Storch	cigüeña
Swedish[8]	suédois	schwedisch[5a]	sueco
tennis[6]	tennis[4b]	Tennis	tenis
thwart[6]	contrarier[4b]	durchkreuzen	frustrar
tickle[5a] (vb.)	chatouiller	kitzeln	cosquillear, (hacer) cosquillas
tortoise[5a]	tortue	Schildkröte	carey, tortuga
treble[7]	aigu[3a]	Violin-	tiple[5a]
trophy[5b]	trophée	Trophäe	trofeo
trough[6]	auge	Trog	pila[4a]
trout[5a]	truite	Forelle	trucha
tuft[6]	touffe[4b]	Büschel	mechón
varnish[6] (vb.)	vernir[4a]	lackieren	barnizar
violation[10]	violation[4a]	Verletzung[4a]	violación
wardrobe[6]	armoire[4a]	Schrank	armario, ropero
waterproof[7]	imperméable	wasserdicht[6b]	impermeable
wig[5a]	perruque	Perücke	peluca
wren[5a]	roitelet	Zaunkönig	abadejo, reyezuelo
wrench[5a] (n.) (sprain)	foulure	Verrenkung	torcedura
zest[10]	élan[2b]	Schwung[6b]	entusiasmo[2a], (deleite[3b])

SECTION 6.9. CONCEPTS 5753 THROUGH 5801

E F G S	E F G S	E F G S	E F G S
6–5 –8*–8*	7–4–8*–5	8–5–6–8*	10–5 –4–8*
6–6 –8*–7	7–5–8*–4	8–6–6–7	12–8*–2–5
6–8*–8*–5	7–6–8*–3	9–3–6–6	
7–3 –8*–6	8–3–8*–2	9–5–5–8*	

English	French	German	Spanish
abbey[6]	abbaye[5b]	Abtei	abadía
accessible[10]	accessible[5a]	zugänglich[4a]	accesible
adverse[6]	adverse	widrig	adverso[5b]
almond[6]	amande	Mandel	almendra[5b]
avarice[6]	avarice	Geiz	avaricia[5b]
bristle[6] (vb.)	se hérisser	sträuben	erizar[5b]
brotherly[6], fraternal[6]	fraternel	brüderlich	fraternal[5b]
carter[6]	charretier	Kärrner	carretero[5b]
clergy[8]	clergé[5b]	Geistlichkeit[6b]	clero
coo[6] (vb.) (n.)	roucouler, roucoulement	girren, Girren	arrullar[5b], arrullo[5b]
dancer[6]	danseuse[6b]	Tänzerin	bailarina (bailarín[7a])
democracy[6]	démocratie[5b]	Demokratie	democracia
disarm[7]	désarmer[4b]	entwaffnen	desarmar[5b]
distil[6]	distiller	destillieren	destilar[5b]
emerald[6]	émeraude	Smaragd	esmeralda[5a]
feverish[7] (literally)	fiévreux[5a]	fieberhaft	febril[4a]
garage[6]	garage	Garage	cochera (cochero[5a])
grocery[6]	épicerie	Kolonialwarenhandlung	bodega[5a]
hopeful[6], (optimistic[16])	optimiste[5b]	hoffnungsvoll	optimista
hypocrisy[6]	hypocrisie	Heuchelei	hipocresía[5a]
inspector[6]	inspecteur[5a]	Inspektor	inspector
insufficient[9]	insuffisant[3b]	ungenügend[6a]	insuficiente[6a]
itch[6] (n.), (irritation[8])	démangeaison	Jucken	pique[5b]
kerosene[6]	pétrole[5a]	Petroleum	petróleo
lyre[6]	lyre	Leier	lira[5b]
marquis[8]	marquis[3a], (marquise[6a])	Marquis	marqués[2b]
melon[6]	melon	Melone	melón[5a]
millionaire[6]	millionnaire	Millionär	millonario[5b]
mystic[7]	mystique[5b]	mystisch	místico[4a]
partridge[6]	perdrix	Rebhuhn	perdiz[5a]
petroleum[6]	pétrole[5a]	Petroleum	petróleo
pirate[6]	pirate	Seeräuber	pirata[5b]
prism[6]	prisme	Prisma	prisma[5a]
privy[6] councilor[12]	conseiller	Geheimrat[2a]	consejero[5a]
ranch[6]	ranche	Ranch	rancho[5b]
renewal[8]	renouvellement[6a]	Erneuerung[6a]	renovación[7a]
reproduction[6]	reproduction	Wiedergabe	reproducción[5b]
righteousness[6]	droiture[6b]	Rechtlichkeit	rectitud[7a]
satire[6]	satire	Satire	sátira[5a]

English	French	German	Spanish
savory[7] (adj.)	savoureux[6a]	schmackhaft	sabroso[3a]
shipwreck[6] (n.), (vb.), shipwrecked (shipwreck[6]) man	naufrage, faire naufrage, naufragé	Schiffbruch, stranden, Gestrandete	naufragio[5a], (naufragar[7a]), náufrago[5a]
sickle[6]	faucille	Sichel	hoz[5a]
sloth[7], (indolence[12])	paresse[5a]	Faulheit	pereza[4a], (indolencia[6a])
susceptible[7]	susceptible[3b]	empfänglich	susceptible[6a]
systematic[9]	méthodique[5b], (systématique[6a])	systematisch[5b]	metódico, sistemático
tourist[8]	touriste[5b]	Wanderer[6a], (Tourist)	turista
tropic[6] (n.), (adj.)	tropique, tropical	Tropen, tropisch	trópico[5b], tropical[5b]
unfinished[7], (incomplete[9])	incomplet[3b]	unvollständig	incompleto[6a]
unhealthy[8]	malsain[5a]	ungesund[6b]	malsano

SECTION 7. CONCEPTS 5802 THROUGH 5861

```
 E  F   G  S       E  F  G  S       E  F  G  S
 6-6 -8*-8*       7-5-8*-5        8-6 -6-8*
 6-8*-8*-6        7-6-8*-4        8-8*-6-6
 7-4 -8*-6        8-4-8*-2        9-8*-5-6
                                  11-2 -4-8*
```

English	French	German	Spanish
admirer[6]	admirateur	Bewunderer	admirador[6a]
adversity[6]	adversité	Widrigkeit	adversidad[6b]
anoint[6]	oindre	salben	untar[6a], (ungir[7a])
atonement[9]	expiation	Buße[5b]	expiación[6b]
atrocity[8]	atrocité	Greuel[6b]	atrocidad[6b]
beech[6]	hêtre[6a]	Buche	haya
brew[6] (vb.)	brasser	brauen	elaborar[6b]
caravan[6]	caravane[6b]	Karawane	caravana
chancellor[6] (university)	recteur	Rektor	rector[6a]
cider[6]	cidre	Most	sidra[6a]
cocoanut (coco)[6]	noix de coco	Kokusnuß	coco[6a]
consumer[8]	consommateur[6b]	Konsument[6a]	consumidor
crêpe[6], (crape[10])	crêpe (crape)[6b]	Krepp	crespón
cypress[6]	cyprès	Zypresse	ciprés[6b]
dean[6]	doyen[6a]	Dekan	deán, decano
definition[7]	définition[5b]	Definition	definición[5a]
discord[6]	discorde	Zwietracht	discordia[6b]
duel[8]	duel[4b]	Duell, Zweikampf	duelo[2b], (desafío[3a])
eclipse[6] (vb.)	éclipser	verfinstern	eclipsar[6a]
ethereal[6]	éthéré	ätherisch	etéreo[6b]
falcon[6]	faucon	Falke	halcón[6b]
fathom[6] (vb.)	approfondir[6b]	ergründen	sondear
flirt[6] (n.)	coquette	Flirt	coqueta[6a]
garter[6]	jarretière	Strumpfband	liga[6a]
hack[6], (nag[13])	rosse	Gaul	rocín[6b]
hemisphere[6]	hémisphère	Halbkugel	hemisferio[6b]

English	French	German	Spanish
honeycomb[6]	gâteau de miel	Wabe	panal[6b]
hygiene[7]	hygiène[5b]	Hygiene	higiene[5b]
ingratitude[7]	ingratitude[6b]	Undankbarkeit	ingratitud[4a]
iris[6] (of eye)	iris	Iris	iris[6b]
jostle[6]	bousculer[6a]	herumwerfen	empellar, rempujar
manure[6], muck[6]	fumier	Dünger, Dung	estiércol[6b]
maze[6]	labyrinthe	Irrgarten	laberinto[6b]
memorable[7]	mémorable[5a]	denkwürdig	memorable[5b]
multiplication[6]	multiplication	Vervielfältigung	multiplicación[6b]
nestle[6]	se nicher	einnisten	anidar[6b]
oasis[6]	oasis	Oase	oasis[6b]
ointment[6]	onguent	Salbung	ungüento[6a]
omission[6]	omission	Auslassung	omisión[6b]
pancake[6]	crêpe	Pfannkuchen	tortilla[6b]
parliamentary[11]	parlementaire[2b]	parlamentarisch[4a]	parlamentario
particle[6]	particule	Partikel	partícula[6b]
peddler[6]	forain[6a]	Hausierer	buhonero
prize[2b] fighter[6], (boxer[13])	boxeur[6b]	Boxer	boxeador
pronunciation[6]	prononciation	Aussprache	pronunciación[6b]
propagate[6]	propager	fortpflanzen	propagar[6b]
ruffian[6]	scélérat[6a], (malotru)	Raufbold	rufián
saucer[6]	soucoupe[6a]	Untertasse	platillo
servile[6]	servile[6b]	diensteifrig	servil
siren[7]	sirène[5b]	Sirene	sirena[5a]
spine[7], (backbone[8])	épine[4b] (dorsale)	Rückgrat	espinazo[6a]
stirrup[6]	étrier	Steigbügel	estribo[6b]
subordinate[8], (subaltern[16])	subordonné	Untergebene[6b]	subordinado (subordinar[6b])
tassel[6]	gland	Quaste	borla[6b]
(fortune[2a]) teller[6]	bohémienne, diseuse de bonne aventure, tireuse de cartes	Wahrsager	adivino[6b]
triangle[6]	triangle	Dreieck	triángulo[6a]
turret[6]	tourelle[6a]	Türmchen	torrecilla
twitter[6] (*n.*)	gazouillement	Zwitschern	gorjeo[6b]
unmoved[7]	impassible[5a]	ungerührt	impasible[5b]
viper[6]	vipère	Viper	víbora[6a]

SECTION 7.1. CONCEPTS 5862 THROUGH 5881

E F G S	*E F G S*	*E F G S*
6–8*–8*–7	7–4–8*–7	8–1–8*–6
6–7 –8*–8*	7–5–8*–6	10–4–5 –7
7–8*–8*–3	7–6–8*–5	

English	French	German	Spanish
adjective[7]	adjectif	Adjektiv	adjetivo[3a]
analysis[7]	analyse[4b]	Analyse	análisis[7a]
articulate[7] (*vb.*)	articuler[5b]	artikulieren	articular[6b]
bastard[6]	bâtard, (enfant naturel)	Bastard	bastardo[7a]

English	French	German	Spanish
celery[6]	céleri	Sellerie	apio[7b]
clam[6]	palourde	Miesmuschel	almeja[7a]
concentration[7]	concentration[6b]	Konzentration	recogimiento[5a]
constancy[7]	constance	Beständigkeit	constancia[3a]
fabulous[7]	fabuleux[6a]	fabelhaft	fabuloso[5a]
horseshoe[8]	fer[1b] (à) cheval[1b]	Hufeisen	herradura[6b]
impossibility[10]	impossibilité[4b]	Unmöglichkeit[5a]	imposibilidad[7a]
lettuce[6]	laitue	Salat	lechuga[7a]
ostrich[6]	autruche	Strauß	avestruz[7a]
pore[6]	pore	Pore	poro[7b]
(joint[3a]) responsibility[7]	solidarité[5a]	Solidarität, Zusammengehörigkeit	solidaridad[6a]
scaffold[7]	échafaud[5b]	Gerüst	horca[6a], (cadalso[7a])
thrush[6]	grive	Drossel	tordo[7a]
twentieth[6]	vingtième	zwanzigste	vigésimo[7*]
wade[6]	patauger[7a]	waten	vadear
whale[6]	baleine	Wal(fisch)	ballena[7a]

SECTION 7.2. CONCEPTS 5882 THROUGH 5986

E F G S   E F G S   E F G S   E F G S
6-8*-8*-8*   7-4 -8*-8*   8-4 -8*-4   10-8*-5-4
7-8*-8*-4   8-5 -8*-3   9-4 -6- 8*   10-8*-4-8*
7-6 -8*-6   8-8*-6 -8*   9-8*-5- 8*

English	French	German	Spanish
alderman[6]	alderman	Ratsherr	concejal
anvil[6]	enclume	Amboß	yunque
applicant[9]	candidat[4a]	Antragsteller[6a]	candidato
arrogance[7]	arrogance	Arroganz	arrogancia[4b]
ascent[7], (ascension[11])	ascension[6a]	Aufstieg	ascensión[6a], (ascenso)
assimilate[7]	assimiler[6b]	assimilieren	asimilar[6b]
atom[7]	atome	Atom	átomo[4b]
bamboo[6]	bambou	Bambus	bambú
barefoot[7]	nu-pied	barfuß	descalzo[4b]
blacken[7]	noircir[4a]	schwärzen	ennegrecer
blister[6]	ampoule	Blase	ampolla
bramble[6]	ronce	Brombeere	zarza
bran[6]	son	Kleie	afrecho, salvado
buffalo[6]	bison	Büffel	búfalo
canary[7]	serin	Kanarienvogel	canario[4b]
cashier[6]	caissier	Kassierer	cajero
caterpillar[6]	chenille	Raupe	oruga
caw[6]	croasser	krächzen	graznar
chisel[6] (n.)	burin (metal), ciseau (wood)	Meißel, Stemmeisen	escoplo, formón, gubia, (wood); cincel (art)
chivalry[6]	chevalerie	Ritterlichkeit	caballerosidad
coincide[10]	coincider	zusammentreffen[5a]	coincidir[4b]
complication[9]	complication[4b]	Verwick(e)lung[6b]	complicación

English	French	German	Spanish
cone[6]	cône	Kegel	cono
consonant[7]	consonne	Mitlaut	consonante[4b]
consumption[6] (using)	consomption, consummation	Verbrauch	consumación
coping[10] stone[1a]	corniche	Schlußstein[4b]	(piedra de) albardilla
(engineer[4a]) corps[8]	génie[5b]	Pioniere	(cuerpo de) ingenieros (ingeniero[3a])
deliverer[7], (liberator[16])	libérateur	Befreier	libertador[4b]
delta[6]	delta	Delta	delta
dimple[6]	fossette	Grübchen	hoyuelo
elementary[7]	élémentaire	elementar	elemental[4a]
eleventh[6]	onzième	elfte	onceno, undécimo
equator[6]	équateur	Gleicher	ecuador
feeder[6]	mangeur	Esser	alimentador
fervent[7]	fervent[6b]	inbrünstig	ferviente[6b]
flannel[6]	flanelle	Flanell	franela
frankness[8]	franchise[5b]	Offenheit	candor[3b]
gingerbread[6]	pain d'épice	Honigkuchen	pan de especias
giver[6]	donateur	Geber, Stifter	dador
groove[6]	rainure	Rinne	ranura
gymnasium[6]	gymnase	Turnhalle	gimnasio
hedgehog[6]	hérisson	Igel	erizo
heroism[8]	héroïsme[5a]	Heldentum	heroísmo[3b]
holly[6]	houx	Stechpalme	acebo
hospitable[6]	hospitalier	gastlich	hospitalario
improper[7]	impropre[6b]	ungehörig	impropio[6b]
indescribable[8]	indescriptible	unbeschreiblich[6b]	indescriptible
instructive[9]	instructif	lehrreich[5a]	instructivo
justification[8]	justification	Rechtfertigung[6b]	justificación
lisp[6]	zézayer	lispeln	cecear
lute[6]	luth	Laute	laúd
mahogany[6]	acajou	Mahagonie	caoba
mechanism[7]	mécanisme[6b]	Mechanismus	mecanismo[6b]
meridian[6]	méridien	Längengrad	meridiano
meteor[6]	météore	Meteor	meteoro
milky[6]	lacté, laiteux	milchig	lácteo, lechoso
minstrel[6]	troubadour	Spielmann	juglar, trovador
mint[6] (plant)	menthe	Minze	menta
missionary[6]	missionnaire	Missionar	misionero
miter(re)[6]	mitre	Mitra	mitra
momentary[7]	momentané[6b]	Augenblicks-, momentan	momentáneo[6b]
mortgage[6]	hypothèque	Hypothek	hipoteca
mosquito[7]	moustique	Mücke	mosquito[4b]
mower[6] (man)	faucheur	Mäher	guadañador
muff[6] (n.)	manchon	Muff	manguito
myrtle[6]	myrte	Myrte	mirto

English	French	German	Spanish
navigable[6]	navigable	schiffbar	navegable
obstinacy[7]	entêtement	Hartnäckigkeit	porfía[4a], (obstinación[6a])
paddle[6] (*vb.*)	pagayer	paddeln	remar
petal[6]	pétale	Blütenblatt	pétalo
piper[6]	(joueur de) cornemuse	Pfeifer	flautista
planter[6]	planteur	Pflanzer	sembrador
poppy[6]	pavot	Mohn	adormidera, amapola
postscript[6]	post-scriptum	Nachschrift	pos(t)data
qualify[8]	qualifier[4a]	qualifizieren	calificar[4a]
radiator[6]	radiateur	Heizkörper	radiador
razor[6]	rasoir	Rasierapparat, Rasiermesser	navaja
retort[8] (chemical)	cornue	Retorte[6a]	retorta
rhetoric[7]	rhétorique	Rhetorik	retórica[4b]
rheumatism[7]	rhumatisme[4a]	Rheumatismus	reuma, reumatismo
saber(re)[9]	sabre[4b]	Säbel[6b]	sable
salmon[6]	saumon	Salm	salmón
sieve[6]	crible, tamis	Sieb	cedazo, cernedera, criba, tamiz
stave[6] (on barrel)	douve	Daube	duela
sweater[6]	chandail	Sweater	zamarreta (tejida de lana)
theological[8]	théologique	theologisch[6b]	teológico
thimble[6]	dé	Fingerhut	dedal
tick[3b] tock[6]	tic-tac	Ticktack	tic-tac
tire (*n.*)[6]	pneu	Reifen	(p)neumático
tonnage[6]	tonnage	Tonnage	tonelaje
treasurer[6]	trésorier	Schatzmeister	tesorero
unreasonable[6]	déraisonnable	unvernünftig	irrazonable
untiring[9], (indefatigable[15])	infatigable	unermüdlich[5b]	incansable, infatigable
unwelcome[6]	indésirable	unwillkommen	malvenido
valentine[6]	lettre de valentin	....	San Valentín
vegetation[7]	végétation	Vegetation	vegetación[4b]
veteran[6]	vétéran	Veteran	veterano
wasp[6]	guêpe	Wespe	avispa
watery[6]	aqueux	wässerig	acuoso
weaver[6]	tisserand	Weber	tejedor
woodman[6]	bûcheron	Holzhacker	leñador
woodpecker[6]	pivert	Specht	picamaderos, picaposte
yew[6]	if	Eibe	tejo
zigzag[6]	zigzag	Zickzack	zigzag
zoological[6]	zoologique	zoologisch	zoológico

PART VII

THE FIRST HALF OF THE SEVENTH THOUSAND CONCEPTS

SECTION 7.3. CONCEPTS 5987 THROUGH 6018

E F G S	E F G S	E F G S
7–5 –8*–8*	8–4 –8*–5	9–8*–6–5
7–6 –8*–7	8–5 –8*–4	10–4 –6–5
7–8*–8*–5	8–6 –8*–3	10–5 –6–4
8–3 –8*–6	9–1 –8*–4	10–6 –6–3

English	French	German	Spanish
bankruptcy[9]	banqueroute	Zahlungseinstellung[6a]	quiebra[5a]
(procedure[8] in) bankruptcy[9]	(procédure pour la) banqueroute	Konkursverfahren[6b]	proceso[4b] (de) quiebra[5a]
Bohemian[7] (in taste)	bohème	Bohème	bohemio[5a]
(become) breathless[7] (from emotion)	(devenir) oppressé	benommen (werden)	embargar[5a]
caste[8]	caste[6a]	Kaste	casta[3a]
conjunction[7] (literal and grammatical)	conjonction	Konjunktion	conjunción[5a]
drunkenness[8]	ivresse[3a]	Trunkenheit	embriaguez[6a]
emigrant[8]	émigré (n.)[5a]	Auswanderer	emigrante[4b]
extravagant[7] (fantastic)	extravagant[5b]	extravagant	extravagante
flatten[10]	aplatir[5b]	ebnen[6b]	aplastar[4b], (aplanar)
hangman[10]	bourreau[6a]	Henker[6b]	verdugo[3a]
hereditary[7]	héréditaire[5a]	erblich	hereditario
hesitation[8]	hésitation[3a]	Zögern	vacilación[6b]
insistence[10]	insistance[5b]	Bestehen[6a]	insistencia[4b]
intact[10]	intact[4a]	unberührt[6b]	intacto[5b]
invincible[8]	invincible[5a]	unbesiegbar	invencible[4b]
irrigation[7]	irrigation	Bewässerung	riego[5a]
kidney[7]	rein, rognon	Niere	riñón[5a]
manual[7] (adj.)	manuel	Hand-	manual[5b]
martyrdom[8]	martyre[6a]	Marter, Märtyrertum	martirio[3a]
monopoly[7]	monopole[5a]	Monopol	monopolio
noun[9]	nom[1a]	Hauptwort	substantivo[4a]
panic[7]	panique (adj. and n.)[6a]	Panik	pánico[7a]
passive[7]	passif	passiv	pasivo[5a]
pedestal[7]	piédestal	Fuß(gestell)	pedestal[5a]
populous[7]	populeux	bevölkert	populoso[5b]
preface[7], (prolog[ue][8])	préface	Vorwort	preámbulo[5b], (prólogo[6b])
prevention[7]	prévention	Vermeidung	prevención[5a]
resignation[7] (act)	démission[5b]	Abdankung	dimisión, renuncia
scythe[7]	faux (n.)[5a]	Sense	guadaña
subsist[8]	subsister[4a]	fortbestehen	subsistir[5a]
usher[7] (n.)	huissier[5a]	Türsteher	accomodador, ujier

SECTION 7.4. CONCEPTS 6019 THROUGH 6055

```
E  F   G   S        E   F   G   S       E   F   G   S
7- 6  -8* -8*       8- 8* -8* -2        9- 4 -8* -2
7- 8* -8* -6        8- 5  -8* -5        9- 3 -8* -3
8- 6  -8* -4        8- 4  -8* -6       10- 6  -6  -4
                                        11- 2  -6  -4
```

English	French	German	Spanish
annex[7] (vb.)	annexer[6b]	(sich) einverleiben	anexionar
balcony[9]	balcon[4a]	Balkon	balcón[2a]
bayonet[7]	baïonnette[6a]	Seitengewehr	bayoneta
confessor[8]	confesseur[6b]	Beichtvater	confesor[4b]
contraction[7] (shrinking)	contraction, rétrécissement	Einlaufen	contracción[6b]
cucumber[7]	concombre	Gurke	pepino[6b]
degenerate[7]	dégénérer[6b]	ausarten	degenerar
devilish[7]	diabolique	teuflisch	diabólico[6a], endiablado[6a], satánico[6a]
dictionary[7]	dictionnaire[6a]	Wörterbuch	diccionario
digestion[7]	digestion[6a]	Verdauung	digestión
eliminate[7]	éliminer[6b]	ausmerzen	eliminar
gypsy[8]	bohémien	Zigeuner	gitano[2a]
heresy[7]	hérésie[6b]	Häresie, Ketzerei	herejía
(in a) huddle[7]	pêle-mêle[6b]	Durcheinander	apelotonado
incurable[7]	incurable	unheilbar	incurable[6a]
inequality[10]	inégalité[6a]	Ungleichheit[6a]	desigualidad[4b]
insolence[8]	insolence[6a]	Frechheit	insolencia[4b]
intruder[7]	intrus	Eindringling	intruso[6b]
languid[7]	languide	sehnlich	lánguido[6b]
logical[11]	logique[2b]	logisch[6a]	lógico[4a]
magnetic[7]	magnétique	magnetisch	magnético[6a]
maximum[8]	maximum[5a]	Höchstmaß	máximo[5a]
minimum[8]	minimum[6b]	Mindestmaß	mínimo[4a]
misgiving[8], (presentiment[12])	pressentiment[4a]	Vorahnung	presentimiento[6b]
mustache[9]	moustache[3a]	Schnurrbart	bigote[3b]
naturalist[7]	naturaliste	Naturwissenschaftler	naturalista[6a]
opportune[8]	opportun	gelegen	oportuno[2b]
parchment[7]	parchemin[6a]	Pergament	pergamino
playful[8]	joueur[4b]	spielerisch	juguetón[6a]
popularity[7]	popularité	Beliebtheit	popularidad[6a]
proclamation[7]	proclamation[6b]	Ausruf(en)	proclama, proclamación
reef[7]	écueil[6b]	Klippe	escollo
reptile[7]	reptile	Reptil	reptil[6a], lagarto[6a]
sculptor[7]	sculpteur	Bildhauer	escultor[6a]
shawl[7]	châle[6a]	Schal	chal
superstitious[7]	superstitieux	abergläubisch	supersticioso[6b]
unruly[7]	indomptable	widerspenstig	indómito[6b]

SECTION 7.5. CONCEPTS 6056 THROUGH 6062

```
E F G S        E F G S         E F G S
8–6–8*–5       10–6–6–5        11–3–6–4
8–5–8*–6       10–5–6–6        11–5–5–6
                               12–4–5–3
```

English	French	German	Spanish
anarchy[8]	anarchie[6a]	Anarchie	anarquía[5a]
distort[8]	fausser[5a]	verzerren	falsear[6b]
elegance[11]	élégance[3b]	Feinheit[6a]	elegancia[4a]
identity[11]	identité[5a]	Gleichheit[5a]	identidad[6b]
impure[10]	impur[6a]	unrein[6a]	impuro[5b]
lightness[12]	légèreté[4a]	Leichtigkeit[5a]	ligereza[3b]
propaganda[10]	propagande[5b]	Agitation[6a]	propaganda[6b]

SECTION 7.6. CONCEPTS 6063 THROUGH 6079

```
E F G S         E F G S         E F G S
8–6 –8*–6       8–4–8*–8*       9–8*–6–8*
8–5 –8*–7       9–4–8*–4        11–8*–4–8*
8–8*–8*–4       9–6–8*–2        12–4 –5–4
```

English	French	German	Spanish
analogy[8]	analogie[6b]	Entsprechung	analogía[6b]
diplomatic[12]	diplomatique[4a]	diplomatisch[5a]	diplomático[4a]
dowry[9]	dot[4a]	Mitgift	dote[4a]
emigrate[8]	émigrer[6a]	auswandern	emigrar[6b]
gout[9]	goutte[6b]	Gicht	gota[2a]
hundredth[8]	centième[5a]	hundertste	centésimo[7*]
infamy[8]	infamie	Gemeinheit	infamia[4a], (oprobio[6a])
morbid[9]	morbide	krankhaft[6b]	morboso
navigator[8]	navigateur	Seefahrer	navegante[4b]
neutral[8]	neutre[4b]	neutral	neutral
plastic[9]	plastique	plastisch[6a]	plástico
public[1b] trustee[8]	notaire[4a]	Notar	notario
reinforcement[11]	renforcement	Verstärkung[4b]	refuerzo
spiral[8] (n.)	spirale[6b]	Spirale	espiral[6a]
strategy[11]	stratégie	Strategie[4a]	estrategia
vibration[8]	vibration	Vibration	vibración[4a]
walker[8]	promeneur[4a]	Spaziergänger	caminante, paseante

SECTION 7.7. CONCEPTS 6080 THROUGH 6103

```
E F G S         E F G S         E F G S
8–8*–8*–5       9–5–8*–4        11–8*–6–1
8–5 –8*–8*      9–6–8*–3        13–5 –3–8*
8–6 –8*–7       10–5–6 –8*
```

English	French	German	Spanish
aggressive[8]	agressif	agressiv	agresivo[5b]
alcoholic[8]	alcoolique[5b]	alkoholisch	alcohólico
(half[1a]) caste[8]	métis, mulâtre	Mestize, Mulatte	mestizo[5b], (mulato[6a])

English	French	German	Spanish
chastity[8]	chasteté	Keuschheit	castidad[5a]
cigarette[9]	cigarette[5a]	Zigarette	cigarro[4a], (cigarrillo)
conspirator[8]	conspirateur[5b], (conjuré [n.][6a])	Verschworene	conjurado, conspirador
emigration[9]	émigration[6a]	Auswanderung	emigración[3b]
entrails[8]	entrailles	Eingeweide	tripa[5a]
evacuate[13]	évacuer[5a]	räumen[3b]	evacuar
exaggeration[10]	exagération[5b]	Übertreibung[6a]	exageración
executor[8]	exécuteur[5b]	-vollstrecker (e.g., Testamentsvollstrecker)	ejecutor
experimental[8]	expérimental[6a]	experimental, experimentell	experimental[7a]
ferment[8] (vb.)	fermenter[5b]	gären	fermentar
imaginative[8]	imaginatif	phantasiereich	imaginativo[5a]
implacable[9]	implacable[5b]	unerbittlich	implacable[4a]
infallible[8]	infaillible	unfehlbar	infalible[5b]
miniature[8]	miniature[5a]	Miniatur	miniatura
minority[8]	minorité[5b]	Minderheit	minoría
reliability[11]	confiance	Zuverlässigkeit[6b]	confianza[1b]
routine[8]	routine[6a]	Routine	rutina[7a]
sixteenth[8]	seizième[6a]	sechzehnte	décimo sexto[7*]
suppliant[8]	suppliant[5a]	bittfällig	suplicante
symptom[8]	symptome[6b]	Symptom	síntoma[7a]
toleration[8]	tolérance	Duldung	tolerancia[5b]

SECTION 7.8. CONCEPTS 6104 THROUGH 6136

```
E F G S        E F G S        E F G S
8-6 -8*-8*     9-4-8*-6       12-6-4-8*
8-8*-8*-6      10-6-6 -8*     15-6-1-8*
9-6 -8*-4      11-6-6 -4
```

English	French	German	Spanish
adventurer[9]	aventurier[6b]	Abenteurer	aventurero[4a]
aggression[15]	agression[6a]	Angriff[1b]	agresión
chemistry[8]	chimie[6b]	Chemie	química
coincidence[8]	coïncidence[6a]	Zusammentreffen	coincidencia
conciliation[10]	conciliation[6b]	Versöhnung[6b]	conciliación
daze[8] (n.)	étourdissement[6b]	Betäubung	alelamiento, atontamiento, aturdimiento
density[8]	densité	Dichte	densidad[6b]
dishonest[8]	malhonnête[6b]	unredlich	deshonesto
dreg[8]	lie[6a]	Hefe	heces
dynasty[8]	dynastie	Dynastie	dinastía[6b]
exemption[12]	exemption[6a]	Befreiung[4a], (Erlassung)	exención
feudal[8]	féodal[6b]	feudal, Leh(e)ns-	feudal
fierceness[8], (ferocity[9])	férocité	Grimmigkeit	ferocidad[6a]
flea[8]	puce	Floh	pulga[6b]

English	French	German	Spanish
geranium[8]	géranium[6b]	Geranie	geranio
hairy[8]	velu[6a]	behaart	peludo, velludo
harshness[9]	âpreté[6b]	Rauheit	aspereza[4b]
imperceptible[9]	imperceptible[4a], (insaisissable[6b])	unmerklich	imperceptible[6a]
maturity[8]	maturité[6a]	Reife	madurez
monumental[8]	monumental[6a]	monumental	monumental
nightmare[9]	cauchemar[4a]	Albdruck	pesadilla[6a]
opaque[8]	opaque	undurchsichtig	opaco[6b]
optic[8]	optique	optisch	óptico[6b]
papal[8] bull[3a]	bulle	Bulle	bula[6b]
participation[8] (e.g., in crime)	complicité[6a]	Mitverantwortlichkeit	complicidad
pastry[8]	pâtisserie[6b]	Gebäck	pastelería
premature[8]	prématuré[6b]	vorschnell	prematuro
publicity[8]	publicité[6b]	Reklame	publicidad
rivalry[8]	rivalité	Nebenbuhlerschaft	rivalidad[6b]
smallpox[8]	petite vérole	Blattern	viruela[6a]
snowflake[8]	flocon	Schneeflocke	copo[6a]
stepmother[8]	belle-mère[6a]	Stiefmutter	madrastra
traditional[11]	traditionnel[6a]	überliefert[6a]	tradicional[4b]

SECTION 7.9. CONCEPTS 6137 THROUGH 6148

```
E F G S          E F G S
9-3-8*-8*        9-4-8*-7
9-6-8*-5         10-3-8*-4
9-5-8*-6         11-5-6 -6
```

English	French	German	Spanish
accessory[9]	accessoire[3b]	zugehörig	accesorio
album[9]	album[6b]	Album	álbum[5b]
barrack(s)[10]	caserne[3b]	Kaserne	cuarteles (cuartel[4a])
formality[9]	formalité[5a]	Formsache	formalidad[6b]
humiliation[9]	humiliation[5b]	Demütigung	humillación[6a]
improbable[11]	invraisemblable[5b]	unwahrscheinlich[6a]	inverosímil[6a]
novelist[9]	romancier[6a]	Romanschriftsteller	novelista[5b]
precocious[9]	précoce[5b]	frühreif	precoz[6b]
preferable[9]	préférable[6a]	vorzuziehen	preferente[5b], preferible[5b]
provincial[9]	provincial[5a]	Provinzler	provinciano[6b]
react[9]	réagir[4a]	reagieren	reaccionar[7a]
rhythm[9]	rythme[6a]	Rhythmus	ritmo[5a]

SECTION 8. CONCEPTS 6149 THROUGH 6159

```
E  F   G  S        E   F   G  S        E   F  G  S
9-5 -8*-8*-7       9-4  -8*-8*         12-2  -6-6
9-8*-8*-4          10-8*-6  -8*        13-8*-3-8*
9-6 -8*-6          12-5  -6  -3
```

English	French	German	Spanish
abstraction[9]	abstraction[5b]	Abstraktion	abstracción[7a]
cinnamon[9]	cannelle	Zimt	canela[4a]
guitar[9]	guitare	Guitarre	guitarra[4a]
paleness[9]	pâleur[6a]	Blässe	palidez[6b]
Pharisee[10]	pharisien	Pharisäer[6a]	fariseo
physics[12]	physique[2b]	physikalisch[6b], (Physik)	física[6b]
regularity[9]	régularité[5a]	Regelmäßigkeit	regularidad[7a]
sardine[9]	sardine	Sardine	sardina[4b]
strategic[13]	stratégique	strategisch[3a]	estratégico
tenacious[12]	tenace[5b]	zäh[6a]	tenaz[3b]
underline[9]	souligner[4a]	unterstreichen	subrayar

SECTION 8.1. CONCEPTS 6160 THROUGH 6175

```
E  F  G  S
9-5 -8*-8*
9-8*-8*-5
13-3 -5 -6
```

English	French	German	Spanish
aeroplane (air)[9]	avion[5b]	Flugzeug	aeroplano, avión
bagpipe[9]	cornemuse	Dudelsack	gaita[5b]
bus[9], (omnibus[12])	omnibus[5b]	Omnibus	ómnibus
citadel[9]	citadelle[5b]	Zitadelle	ciudadela
detour[13]	détour[3a]	Umweg[5b]	rodeo[6a]
enslave[9]	(réduire à) l'esclavage	knechten	esclavizar[5b], (avasallar[7a])
indulgent[9]	indulgent[5a]	nachgiebig	indulgente
inestimable[9]	inestimable	unschätzbar	inestimable[5a]
irresolute[9]	irrésolu[5a]	unentschlossen	irresoluto
monotony[9]	monotonie[5b]	Eintönigkeit	monotonía
palate[9] (of mouth)	palais	Gaumen	paladar[5a]
parsley[9]	persil	Petersilie	perejil[5a]
preposition[9]	préposition	Präposition	preposición[5a]
revival[9], (renaissance [R])[11]	renaissance[5a]	Renaissance, Wiederherstellung	renacimiento
sexton[9]	sacristain	Küster	sacristán[5b]
submarine[9]	sous-marin[5b]	Unterseeboot, unterseeisch	submarino

SECTION 8.2. CONCEPTS 6176 THROUGH 6194

```
  E   F   G   S           E   F   G   S
  9-6 -8*-8*             11-4 -8*-2
  9-8*-8*-6              11-6 -6 -8*
 11-3 -8*-3              11-8*-6 -6
```

English	French	German	Spanish
apostolic[9]	apostolique	apostolisch	apostólico[6a]
atheist[9]	athée	Atheist	ateo[6b]
athlete[9]	athlète[6a]	Athlet	atleta
Celtic[9]	celtique[6a]	keltisch	celta, céltico
chess[9]	échecs[6a]	Schach	ajedrez
contagion[9]	contagion	Ansteckung	contagio[6b]
distaff[9]	quenouille	Rocken	rueca[6b]
dupe[11] (*n.*)	dupe[4a]	Dumme	tonto[2a], (incauto[7a])
governess[9]	gouvernante[6a]	Gouvernante	aya, institutriz
hostage[9]	otage[6b]	Geisel	rehén
imposition[9]	imposition	Zumutung	imposición[6a]
influential[11]	influent[6b]	einflußreich[6b]	influyente
irony[11]	ironie[3a]	Ironie	ironía[3a]
isolation[9]	isolement	Abgeschlossenheit	aislamiento[6a]
laudable[11]	louable	löblich[6b]	laudable[6b], meritorio[6b]
slang[9]	argot[6b]	Mundart	caló, jerga
stretcher[9]	brancard[6b]	Bahre	angarilla, camilla
stupidity[11]	stupidité	Dummheit[6b]	estupidez[6a]
trinket[9]	bibelot[6a]	Nippsache(n)	chuchería, fruslería

SECTION 8.3. CONCEPTS 6195 THROUGH 6200

```
  E   F   G   S
 10-8*-8*-3
 10-5 -8*-6
 10-6 -8*-5
 14-6 -4 -5
```

English	French	German	Spanish
antecedent[10]	antécédent	Vorausgehende	antecedente[3b]
disappearance[10]	disparition[5b]	Verschwinden	desaparición[6a]
dogma[10]	dogme[5a]	Dogma	dogma[6b]
indiscreet[10]	indiscret[5a]	taktlos	indiscreto[6b]
mathematical[10]	mathématique[6a]	mathematisch	matemático[5b]
solidity[14]	solidité[6a]	Festigkeit[4b]	solidez[5b]

SECTION 8.4. CONCEPTS 6201 THROUGH 6216

```
  E   F   G   S        E   F   G   S        E   F   G   S
 10-8*-8*-4           10-5 -8*-7          11-4 -8*-4
 10-6 -8*-6           11-8*-6 -8*         12-8*-5 -8*
 10-4 -8*-8*          11-3 -8*-5          12-6 -6 -6
                                          13-8*-4 -8*
```

English	French	German	Spanish
carnation[10]	œillet	Nelke	clavel[4b]
distillation[11]	distillation	Destillation[6a]	destilación
distillery[12]	distillerie	Brennerei[5b]	destilería

202   Sec. 8.4   SEMANTIC FREQUENCY LIST

English	French	German	Spanish
dressmaker[10]	couturière[6b]	Schneiderin	modista[6b]
electoral[10]	électoral[6b]	Wahl-	electoral[6b]
intervention[11]	intervention[3a]	Dazwischenkunft	intervención[5a]
phase[10]	phase[4b]	Phase	fase
plaintiff[12]	plaignant	Kläger[5b], (Klägerin[6b])	demandante
rabbi[13]	rabbin	Rabbiner[4b]	rabino
reëlection[12]	réélection	Neuwahl[5b]	reelección
suicide[12]	suicide[6b]	Selbstmord[6b]	suicidio[6a]
supernatural[10]	surnaturel[4b]	übernatürlich	sobrenatural
suppression[10]	suppression[4a]	Unterdrückung	supresión
timidity[11]	timidité[4a]	Schüchternheit	timidez[4b]
trumpeter[11]	trompette (m.)	Trompeter[6b]	trompetero
viscount[10]	vicomte[5b]	Vicomte	vizconde[7b]

SECTION 8.5.   CONCEPTS 6217 THROUGH 6224

   E F   G   S
   10–8*–8*–5
   10–5 –8*–8*
   11–4 –8*–5
   12–6 –6 –7

English	French	German	Spanish
affirmative[10]	affirmatif	beipflichtend	afirmativo[5b]
boarder[10]	pensionnaire[5b]	Kostgänger	pensionado
curly[10] (kinky)	crépu	kraus	crespo[5b]
delegation[10]	délégation[5a]	Abordnung	delegación
fad[12]	engouement[6b]	Grille[6b]	boga[7a]
ironical[11]	ironique[4a]	ironisch	irónico[5a]
psychology[10]	psychologie	Psychologie	psicología[5a]
tournament[10]	tournoi[5a]	Turnier	torneo

SECTION 8.6.   CONCEPTS 6225 THROUGH 6244

   E F   G   S   E F   G   S   E F   G   S
   10–8*–8*–6   11–5–8*–5   14–8*–4–6
   10–6 –8*–8*   11–4–8*–6   16–1 –5–1
   11–6 –8*–4   12–6–6 –8*

English	French	German	Spanish
aberration[14]	aberration	Abweichung[4a]	aberración[6b]
biography[10]	biographie	Biographie	biografía[6b]
cardboard[10]	carton	Pappe	cartón[6a]
dragoon[12]	dragon[6a]	Dragoner[6a]	dragón
fairness[16]	justice[1b]	Billigkeit[5b]	justicia[1b]
godfather[11]	parrain[6a]	Pate	padrino[4a], (compadre[5a])
greediness[11], (greed[16])	avidité[6b]	Geiz	codicia[4b]
hysterical[10]	hystérique	hysterisch	histérico[6b]
installation[12] (e.g., collection of machinery, etc.)	outillage[6b]	Ausrüstung[6a]	instalación

English	French	German	Spanish
languor[10]	langueur[6b]	Mattigkeit	languidez
moralist[11]	moraliste[5b]	Moralist	moralista[5b]
nickname[10]	surnom	Spitzname	apodo[6b], mote[6b]
oratory[10]	art oratoire	Redekunst	oratoria[6b]
subsidy[12]	subvention[6b]	Zuschuß[6b]	subvención
synthetic[10]	synthétique	synthetisch	sintético[6b]
thyme[10]	thym	Thymian	tomillo[6a]
unconquered[10]	invaincu	unbesiegt	invicto[6b]
unselfish[11]	désintéressé[4b]	uneigennützig	desinteresado[6b]
viceroy[10]	vice-roi	Vizekönig	virrey[6a]
voluptuous[11]	voluptueux[5b]	wollüstig	voluptuoso[5a]

SECTION 8.7. CONCEPTS 6245 THROUGH 6248

```
 E  F  G   S
11–5–8*–6
11–4–8*–7
13–6–6 –5
```

English	French	German	Spanish
impotence[11], (inability[12]), (incapacity[12])	impuissance[5b], (incapacité[6b])	Impotenz, Unfähigkeit	impotencia[6a]
inexhaustible[13]	inépuisable[6a]	unerschöpflich[6b]	inagotable[5a]
inexplicable[11]	inexplicable[4b]	unerklärlich	inexplicable[7a]
profile[11]	profil[6b]	Profil	perfil[5b]

SECTION 8.8. CONCEPTS 6249 THROUGH 6257

```
 E   F   G   S        E   F   G   S
11–6 –8*–6           13–6 –6–6
12–4 –8*–4           14–8*–4–8*
12–8*–6 –8*
```

English	French	German	Spanish
aesthetic[11]	esthétique[6b]	ästhetisch	estética[6b]
chlorine[14]	chlore	Chlor[4a]	cloro
impregnate[12]	imprégner[4b]	imprägnieren	impregnar[4a]
judicial[13] (pertaining to court)	judiciaire[6b]	richterlich[6b]	judicial[6a]
millennium[14]	millénaire	Jahrtausend[4b]	milenario
sarcasm[11]	sarcasme[6a]	Sarkasmus	sarcasmo[6a]
semicircle[12]	demi-cercle	Halbkreis[6b]	semicírculo
specialty[11]	spécialité[6b]	Spezialität	especialidad[6b]
validity[12]	validité	Gültigkeit[6a]	validez

SECTION 8.9. CONCEPTS 6258 THROUGH 6265

```
E  F  G  S
11-8*-8*-5
11-5 -8*-8*
12-5 -8*-4
17-4 -4 -1
```

English	French	German	Spanish
avenger[11]	vengeur	Rächer	vengador[5a]
customhouse[11] officer[1b]	douanier[5a]	Zollbeamte, Zöllner	aduanero
improvise[12]	improviser[5a]	improvisieren	improvisar[4b]
inkwell[11]	encrier	Tintenfaß	tintero[5a]
setting[17] (n.) (of sun, etc.)	coucher (n.)[4b]	Untergang[4a]	fondo[1a]
specify[11]	spécifier	spezifizieren	especificar[5b]
unchangeable[11], (immutable[12])	immuable, inaltérable	unveränderlich	inmutable[5a]
woodwork[11]	boiserie[5b]	Täfelung	entablado, maderamen

SECTION 9. CONCEPTS 6266 THROUGH 6284

```
E  F  G  S       E  F  G  S
11-8*-8*-6      12-4 -8*-6
11-6 -8*-8*     13-8*-6 -6
12-6 -8*-4      14-8*-5 -6
                16-6 -3 -8*
```

English	French	German	Spanish
accusative[11]	accusatif	Akkusativ	acusativo[6b]
adverb[11]	adverbe	Adverb	adverbio[6b]
Belgian[12] (adj.)	belge[4b], (flamand[6b])	belgisch	belga[6b]
bookseller[13]	libraire	Buchhändler[6b]	librero[6b]
brutality[11]	brutalité[6b]	Roheit	brutalidad
cartridge[11]	cartouche[6b]	Patrone	cartucho
expulsion[11]	expulsion	Austreibung	expulsión[6a]
idealism[11]	idéalisme	Idealismus	idealismo[6b]
indiscretion[12], (imprudence[15])	imprudence[6a], indiscrétion[6a]	Taktlosigkeit	imprudencia[4b]
innate[14]	inné	eingeboren[5a]	innato[6b]
insurgent[11] (n.)	insurgé (n.)[6b]	Ausfständische	insurgente, insurrecto
islander[11]	insulaire[6a]	Insulaner	insular, isleño
Jesuit[11]	jésuite	Jesuit	jesuíta[6a]
multiplicity[14]	multiplicité	Mannigfaltigkeit[5a]	multiplicidad[6b]
obelisk[11]	obélisque	Obelisk	obelisco[6b]
ostentation[11]	ostentation	Gepränge	ostentación[6a]
pigeonhole[16]	casier[6b]	Fach[3b]	encasillado
realist[11]	réaliste	Realist	realista[6b]
upstart[11]	parvenu(-e) (n.)[6b]	Emporkömmling	advenedizo

SECTION 9.1. CONCEPTS 6285 THROUGH 6287

```
E  F   G  S
12–8*–8*–3
12–5 –8*–6
13–2 –8*–5
```

English	French	German	Spanish
affected[13]	affecté (affecter[2b]), (maniéré[4b])	affektiert	artificioso[5b]
garlic[12]	ail	Knoblauch	ajo[3b]
table-cloth[12]	nappe[5a]	Tischtuch	mantel[6a]

SECTION 9.2. CONCEPTS 6288 THROUGH 6296

```
E  F   G  S        E  F   G  S
12–4 –8*–8*       13–4 –8*–4
12–6 –8*–6        17–8*–2 –8*
13–8*–6 –8*       18–2 –4 –2
```

English	French	German	Spanish
administrative[12]	administratif[6a]	Verwaltungs-	administrativo[6a]
aggressor[13]	agresseur	Angreifer[6b]	agresor
billion[12]	milliard[4a]	Milliarde	mil millones
neatness[13]	netteté[4b]	Sauberkeit	esmero[4a], limpieza[4a]
sceptic[12] (adj.)	sceptique[4b]	skeptisch, ungläubig	escéptico
shorthand[17], stenography[17]	sténographie	Stenographie[2b]	taquigrafía
sortie[18] (military)	sortie[2a]	Ausfall[4a]	salida[2a]
stupor[12]	stupeur[4a]	Betäubung	estupefacción, estupor
undecided[12]	(être dans l')indécision[6b]	unentschieden	indeciso[6b]

SECTION 9.3. CONCEPTS 6297 THROUGH 6308

```
E  F   G  S        E  F   G  S
12–8*–8*–5        13–6–8*–3
12–5 –8*–8*       15–1–6 –8*
12–6 –8*–7
```

English	French	German	Spanish
cipher[12] (vb.)	chiffrer	chiffrieren	cifrar[5a]
ermine[12]	hermine	Hermelin	armiño[5b]
expansive[12]	expansif[5b]	expansiv	expansivo
frivolity[13]	frivolité[6a]	Leichtsinnigkeit	ligereza[3b], (devaneo[5a]), (liviandad[6a])
generalize[12]	généraliser[6b]	verallgemeinern	generalizar[7a]
geometric[12]	géométrique[6a]	geometrisch	geométrico[7a]
inexpressible[12], ineffable[12]	indicible	unsäglich	inefable[5a], (indecible[6a])
penetration[12]	pénétration	Durchdringung	penetración[5a]
predisposed (predispose[15])	disposer[1a] (d')avance[1b], (prédisposer)	veranlagt[6b]	predispuesto
psychological[12]	psychologique	psychologisch	psicológico[5b]
stiffness[12], (rigidity[14])	raideur	Starre	rigidez[5b]
syndicate[12]	syndicat[5a]	Syndikat	sindicado

SECTION 9.4. CONCEPTS 6309 THROUGH 6323

```
 E   F   G   S
12–6 –8*–8*
12–8*–8*–6
14–6 –6 –8*
15–6 –5 –8*
```

English	French	German	Spanish
arcade[14]	arcade[6a]	Laube[6b], (Laubengang)	arcada
armpit[12]	aisselle[6a]	Achselhöhle	axila
barrenness[12], (sterility[17])	stérilité	Unfruchtbarkeit	esterilidad[6b]
candidacy[12]	candidature[6a]	Kandidatur	candidatura
crater[12]	cratère	Krater	cráter[6b]
diplomacy[12]	diplomatie	Diplomatie	diplomacia[6b]
estuary[12]	estuaire	Förde	ría[6b]
hussar[15]	hussard[6a]	Husar[5a]	húsar
impertinence[12]	impertinence[6b]	Frechheit, Unverfrorenheit	impertinencia
intuition[12]	intuition[6a]	Eingebung	intuición
mobility[14]	mobilité[6b]	Beweglichkeit[6b]	flexibilidad
phoenix[12]	phénix	Phönix	fénix[6b]
superhuman[12]	surhumain	übermenschlich	sobrehumano[6b]
trellis[12]	espalier[6b]	Spalier	enrejado
volt[12]	volt[6b]	Volt	voltio

SECTION 9.5. CONCEPT 6324

```
 E   F  G S
14–8*–6–7
```

English	French	German	Spanish
attorney-general[14]	procureur général	Staatsanwalt[6a]	procurador[7a] general[1a]

SECTION 9.6. CONCEPTS 6325 THROUGH 6336

```
 E   F   G   S        E   F   G   S
13–8*–8*–4          14–8*–6–8*
13–6 –8*–6          15–8*–6–4
13–5 –8*–7          17–4 –4–8*
                     17–8*–3–8*
```

English	French	German	Spanish
anonymous[13]	anonyme	anonym	anónimo[4b]
archipelago[13]	archipel	Archipel	archipielgo[4b]
bodice[13]	corsage[6b]	Mieder	jubón[6b]
collective[13]	collectif[5b]	kollektiv	colectivo[7a]
composer[14]	compositeur	Komponist[6b]	compositor
conjugal[14]	conjugal	ehelich[6a]	conyugal
infinity[13]	infinité	Endlosigkeit	infinidad[4a]
jurisprudence[14]	jurisprudence	Rechtspflege[6b]	jurisprudencia

English	French	German	Spanish
pedant[13]	pédant[6a]	Pedant	pedante[6a]
setting[17] (adj.)	couchant[4b]	untergehend (untergehen[4b])	poniente
(in) shorthand[17] (stenographically)	sténographique	stenographisch[3b]	taquigráficamente
thinker[15]	penseur	Denker[6b]	pensador[4b]

SECTION 9.7. CONCEPTS 6337 THROUGH 6343

E F G S
13–5 –8*–8*
13–8*–8*–5
14–4 –8*–5
15–8*–6 –5
19–5 –2 –8*

English	French	German	Spanish
biblical[13]	biblique	biblisch	bíblico[5b]
contradictory[15]	contradictoire	widersprechend[6b]	contradictorio[5a]
dreamer[14]	rêveur[4a]	Träumer	soñador[5b]
flexibility[13]	souplesse[5b]	Schmiegsamkeit	flexibilidad
optimism[13]	optimisme[5a]	Optimismus	optimismo
proscribe[13]	proscrire	ächten	proscribir[5b]
reconstitute[19]	reconstituer[5a]	erneue(r)n[2b]	reconstituir, reconstruir

SECTION 9.8. CONCEPTS 6344 THROUGH 6351

E F G S   *E F G S*
13–8*–8*–6   16–8*–5–6
13–6 –8*–8*   17–8*–4–6
14–5 –8*–5

English	French	German	Spanish
applicable[13]	applicable	anwendbar	aplicable[6a], extensivo[6b]
brushwood[14]	broussaille[5a]	Unterholz	maleza[5a]
idyll[13]	idylle	Idyll	idilio[6a]
Mussulman[13]	musulman[6b]	Muselman	musulmán
Peruvian[13] (adj.)	péruvien	peruanisch	peruano[6b]
refractory[13]	réfractaire[6b]	widerspenstig	reacio, refractario
urgency[17]	urgence	Eile[4b]	urgencia[6b]
vice-president[16]	vice-président	Vizepräsident[5b]	vicepresidente[6a]

SECTION 9.9. CONCEPTS 6352 THROUGH 6354

E F G S
14–8*–8*–3
14–6 –8*–5
14–5 –8*–6

English	French	German	Spanish
impetuosity[14]	impétuosité	Ungestüm	ímpetu[3a]
incompatible[14]	incompatible[6b]	unvereinbar	incompatible[5b]
irreparable[14]	irréparable[5a]	unheilbar	irremediable[6a]

SECTION 10. CONCEPTS 6355 THROUGH 6364

```
E   F   G   S
14–6  –8*–6
14–8*–8*–4
15–4  –8*–4
15–8*–6  –8*
```

English	French	German	Spanish
buttock[14]	fesse[6b]	Hinterbacke	anca[6a], (nalga)
confessional[15]	confessionnel	konfessionell[6a]	confesionario
fanaticism[14]	fanatisme[6a]	Fanatismus	fanatismo[6b]
generality[14]	généralité[6b]	Allgemeine	generalidad[6a]
imprudent[15]	imprudent[4a]	unvorsichtig	imprudente[4a]
jessamine[14], (jasmine[15])	jasmin	Jasmin	jazmín[4b]
participant[15], (participator)	participant	Teilnehmer[6a]	participante, participe
promptitude[15]	promptitude[4b]	Promptheit	prontitud[4b]
royalist[14]	royaliste[6a]	Königstreue, Royalist	realista[6b]
talkative[14], loquacious[14]	bavard[6a]	redselig	parlero[6a]

SECTION 10.1. CONCEPTS 6365 THROUGH 6372

```
E   F   G   S
14–5  –8*–8*
14–8*–8*–5
15–4  –8*–5
```

English	French	German	Spanish
estimable[14]	estimable[5b]	schätzbar	estimable
flagrant[14]	flagrant[5b]	offenkundig	flagrante
halo[14]	auréole	Heiligenschein	aureola[5b]
insufficiency[14]	insuffisance[5b]	Mangelhaftigkeit	insuficiencia
insuperable[14]	insurmontable	unübersteigbar	insuperable[5b]
irruption[14]	irruption[5b]	Einbruch	irrupción
patriarchal[14]	patriarcal	patriarchisch	patriarcal[5b]
sulk[15]	bouder[4b]	schmollen	(estar) mohino[5b]

SECTION 10.2. CONCEPTS 6373 THROUGH 6384

```
E   F   G   S
14  –6  –8*–8*
14  –8*–8*–6
15  –4  –8*–6
21*–8*–1  –6
```

English	French	German	Spanish
explanatory[14]	explicatif	erklärend	explicativo[6a]
guillotine[14]	guillotine[6b]	Guillotine	guillotina
inertia[14]	inertie	Trägheit	inercia[6a]
intimidate[14]	intimider[6a]	einschüchtern	intimidar

English	French	German	Spanish
intonation[14]	intonation[6a]	Anstimmen	entonación
parishioner[14]	paroissien[6b]	Gemeindemitglied	feligrés
participle[14]	participe	Partizip	participio[6b]
roguish[15], knavish[15]	coquin[4b]	boshaft	picaresco[6b]
snuffle[14], (snivel[17]) (vb.)	renifler[6a]	schnüffeln	gimotear, lloriquear
spontaneity[14]	spontanéité	Spontaneität	espontaneidad[6a]
ugliness[14]	laideur[6a]	Häßlichkeit	fealdad
undefinable	indéfinissable	(nicht zu) bestimmen[1b]	indefinible[6b]

SECTION 10.3. CONCEPT 6385

E F G S
16–5–8*–2

English	French	German	Spanish
widower[16]	veuf[5b]	Witwer	viudo[2a]

SECTION 10.4. CONCEPTS 6386 THROUGH 6389

E F G S
15–4 –8*–8*
16–4 –8*–4
18–8*–5 –4

English	French	German	Spanish
crossroads (crossroad[15])	carrefour[4a]	Scheideweg	encrucijada
decanter[15]	carafe[4b]	Karaffe	garrafa
journalist[16]	journaliste[4a]	Journalist	periodista[4a]
romanticism[18]	romantisme	Romantik[5a]	romanticismo[4b]

SECTION 10.5. CONCEPTS 6390 THROUGH 6397

E F G S
15–5 –8*–8*
15–8*–8*–5
15–6 –8*–7
16–3 –8*–6

English	French	German	Spanish
cohesion[15]	cohésion[5b]	Kohäsion	cohesión
crossroad[15]	(rue de) traverse[5b]	Querstraße	(calle) transversal
discouragement[15]	découragement	Entmutigung	desaliento[5b]
mediocrity[15]	médiocrité[5a]	Mittelmässigkeit	medianía, mediocridad
monosyllable[15]	monosyllabe	einsilbig	monosilabo[5b]
prosaic[15]	prosaïque	prosaisch	prosaico[5a]
slowness[16]	lenteur[3b]	Langsamkeit	lentitud[6b]
substitution[15]	substitution[6b]	Ersetzung	substitución[7a]

SECTION 10.6. CONCEPTS 6398 THROUGH 6402

$$\begin{array}{cccc} E & F & G & S \\ 15 & -8* & -8* & -6 \\ 15 & -6 & -8* & -8* \\ 21* & -6 & -2 & -8* \end{array}$$

English	French	German	Spanish
centennial[15] (adj.)	centenaire	hundertjährig	centenario[6a]
embargo[15]	embargo	Sperre	embargo[6b]
milkman[15]	laitier[6a]	Milchmann	lechero
nonentity[15]	nullité[6a]	Null	nulidad
set-up (n.)	mise en scène[6b]	Szene[2b], (Szenerie)	montaje

SECTION 10.8. CONCEPTS 6403 THROUGH 6406

$$\begin{array}{cccc} E & F & G & S \\ 17 & -8* & -6 & -8* \\ 18 & -8* & -5 & -8* \\ 21* & -4 & -3 & -8* \end{array}$$

English	French	German	Spanish
bimetallism[18]	bimétalisme	Doppelwährung[5b]	bimetalismo
coat-tail	pan[4b]	Schoß[3b]	faldón
debatable[17]	discutable	streitig[6b]	discutible
(self) starter[17]	démarreur	Selbsteintritt[6b]	arranque[3b] automático

SECTION 10.9. CONCEPTS 6407 THROUGH 6410

$$\begin{array}{cccc} E & F & G & S \\ 16 & -5 & -8* & -8* \\ 16 & -8* & -8* & -5 \\ 17 & -3 & -8* & -6 \\ 19 & -8* & -5 & -5 \end{array}$$

English	French	German	Spanish
abnegation[19]	abnégation	Ablehnung[5a]	abnegación[5a]
optimistic[16], (optimist[17])	optimiste[5b]	Optimist, optimistisch	optimista
passerby[17]	passant (n.)[3b]	Passant, Vorbeigehende	transeunte[6b]
unforgettable[16]	inoubliable	unvergeßlich	inolvidable[5a]

SECTION 11. CONCEPTS 6411 THROUGH 6418

$$\begin{array}{cccc} E & F & G & S \\ 16 & -6 & -8* & -8* \\ 16 & -8* & -8* & -6 \\ 17 & -6 & -8* & -4 \\ 19 & -5 & -6 & -5 \\ 21* & -8* & -3 & -6 \end{array}$$

English	French	German	Spanish
brother-in-law[19]	beau-frère[5b]	Schwager[6a]	cuñado[5a]
father-in-law[17]	beau-père[6b]	Schwiegervater	suegro[4b]
hindquarters (horse)	croupe	Kreuz[3a]	ancas (anca[6a])

THE FIRST HALF OF THE SEVENTH THOUSAND CONCEPTS Sec. 11.5

English	French	German	Spanish
mawkish[16]	doucereux[6b], mielleux[6b]	empfindsam	almibarado, meloso
monolog(ue)[16]	monologue	Monolog	monólogo[6b]
organizer[16]	organisateur	Organisator	organizador[6b]
phosphorus	phosphore	Phosphor[3a]	fósforo[6a]
protégé[16]	protégé (n.)[6a]	Schützling	protegido

SECTION 11.2 CONCEPTS 6419 THROUGH 6420

E F G S
18–8*–6–8*

English	French	German	Spanish
autonomy[18]	autonomie	Selbstverwaltung[6b]	autonomía
indorsement[18]	endos(sement)	Indossament[6a]	endoso

SECTION 11.3 CONCEPTS 6421 THROUGH 6423

E F G S
17–5–8*–8*
18–3–8*–6

English	French	German	Spanish
cinema[17]	cinéma[5b]	Kinematograph, Kino	cine, cinematógrafo
epicure[17]	gourmet[5a]	Feinschmecker	epicúreo, sibarita
mediocre[18]	médiocre[3a]	mittelmäßig	mediocre[6b]

SECTION 11.4. CONCEPTS 6424 THROUGH 6430

E F G S
17–6 –8*–8*
17–8*–8*–6

English	French	German	Spanish
(hen[2a]) coop[17]	poulailler[6b]	Hühnerstall	gallinero
enviable[17]	enviable	beneidenswert	envidiable[6a]
fatherhood[17], (paternity[18])	paternité	Vaterschaft	paternidad[6b]
idealist[17]	idéaliste	Idealist	idealista[6b]
immorality[17]	immoralité	Unsittlichkeit	inmoralidad[6a]
mobilize[17]	mobiliser[6a]	mobilisieren	movilizar
sheepish[17]	penaud[6a]	beschämt	avergonzado, cortado

SECTION 11.5. CONCEPTS 6431 THROUGH 6433

E F G S
18 –5–8*–6
18 –6–8*–5
21*–4–6 –3

English	French	German	Spanish
dryness[18]	sécheresse[5b]	Trockenheit	sequedad[6b]
egoism	égoïsme[4b]	Selbstsucht[6b]	egoísmo[3b]
poacher[18]	braconnier[6b]	Wilddieb, Wilderer	cazador[3b] furtivo[5b]

SECTION 11.7. CONCEPTS 6434 THROUGH 6436

E F G S
18 –5–8*–8*
19 –5–8*–4
21*–5–5 –8*

English	French	German	Spanish
banister[18] (railing)	rampe[5a]	Geländer	baranda, barandilla
son-in-law[19]	gendre[5a]	Schwiegersohn	yerno[4a]
tactical	tactique[5a]	taktisch[5b]	táctico

SECTION 12. CONCEPTS 6437 THROUGH 6439

E F G S
21*–4 –6–8*
21*–8*–5–8*

English	French	German	Spanish
county-head	préfet[4b]	Regierungspräsident[6a]	prefecto
insurer	assureur	Versicherer[5a]	asegurador
mobilization	mobilisation	Mobilmachung[5b]	movilización

SECTION 12.1. CONCEPT 6440

E F G S
21*–1–8*–4

English	French	German	Spanish
naturalness	naturel[1a]	Natürlichkeit	naturalidad[4a]

SECTION 12.2. CONCEPTS 6441 THROUGH 6445

E F G S
19 –6 –8*–8*
19 –8*–8*–6
21*–8*–6 –6
21*–4 –8*–2

English	French	German	Spanish
conciseness	concision	Genauigkeit[6a]	concisión[6b]
gesticulate[19]	gesticuler[6b]	gestikulieren	gesticular
immoral[19]	immoral	unsittlich	inmoral[6a]
unbutton[19]	déboutonner	aufknöpfen	desabrochar[6a]
work-yard	chantier[4b]	Bauplatz	patio[2b] (de) trabajo[1a]

SECTION 12.4. CONCEPTS 6446 THOUGH 6449

$E\ \ F\ \ G\ \ S$
20 –6 –8*–6
21*–8*–6 –8*

English	French	German	Spanish
accepter, drawee	accepteur, tiré	Akzeptant[6a]	(el) girado, (el) librado
arbitrariness	arbitraire	Willkür[6b]	arbitrariedad
Calvary[20]	calvaire[6b]	Kalvarienberg	calvario[6b]
nationalization	nationalisation	Verstaatlichung[6a]	nacionalización

SECTION 12.5. CONCEPT 6450

$E\ \ F\ \ G\ \ S$
20–8*–8*–5

English	French	German	Spanish
muleteer[20]	muletier	Mauleseltreiber	arriero[5a]

SECTION 12.6. CONCEPT 6451

$E\ \ F\ \ G\ \ S$
21*–4–8*–6

English	French	German	Spanish
journalistic	(de) journaliste[4a]	journalistisch	periodístico[6b]

SECTION 12.7. CONCEPT 6452

$E\ \ F\ \ G\ \ S$
21*–8*–8*–3

English	French	German	Spanish
mother-of-pearl	nacre	Perlmutter	nácar[3b]

SECTION 12.8. CONCEPT 6453

$E\ \ F\ \ G\ \ S$
21*–4–8*–8*

English	French	German	Spanish
unpublished	inédit[4b]	unveröffentlicht	inédito

SECTION 12.9. CONCEPTS 6454 THROUGH 6459

E F G S
21*-5 -8*-8*
21*-8*-8*-5

English	French	German	Spanish
cross-examination	interrogatoire[5a]	Kreuzverhör	interrogatorio
immobility	immobilité[5a]	Reglosigkeit	inmovilidad
interlocutor	interlocuteur	Gesprächspartner	interlocutor[5b]
seduction	séduction[5b]	Verführung	seducción
spoonful	cuillerée	Löffel	cucharada[5b]
wet-nurse	nourrice	Amme	nodriza[5b]

SECTION 13. CONCEPTS 6460 THROUGH 6473

E F G S
21*-8*-8*-6
21*-6 -8*-8*

English	French	German	Spanish
bondsman	caution	Bürge	fiador[6a]
catholicism	catholicisme[6a]	Katholizismus	catolicismo
communicative	communicatif	mitteilsam	comunicativo[6b]
echelon (vb.) (military)	échelonner[6b]	staffeln	escalonar
flower-bed	parterre[6b]	Beet	cuadro de flores
greengrocer	fruitier[6b]	Gemüsehändler, Kohlhöker	frutero
late-comer, (belated[11])	retardataire[6b]	Nachzügler	retrasado
riding-school	manège[6a]	Reitschule	escuela[1b] de equitación, picadero
shirt-front	plastron[6b]	Hemd(en)brust	pechera
(use) thou-form	tutoyer[6a]	duzen	tutear
three-colored, tricolor	tricolore[6b]	dreifarbig, Trikolore	tricolor
vituperation	vitupération	Schmähung	vituperio[6a]
watercolor	aquarelle[6a]	Aquarell	acuarela
zouave	zouave[6a]	Zuawe	zuavo

INDEXES

INDEX TO ENGLISH WORDS IN THE LIST

After an indexed word, everything inclosed in parentheses or italicized is explanatory material; everything neither inclosed in parentheses nor italicized, and followed by a section number on the same line, indicates the word in the text under which the indexed word is to be found. For example: "bad[1a]" is to be found in Section 1.; as a synonym of "evil," in Section 1.2; in the phrase "bad luck," listed under "luck" in Section 2.7; in the phrase "too bad," listed under "bad" in Section 2.9.

A

	Section
a[1a]	1.
abandon[4a]	
vb. leave	1.
n.	5.4
abate[6]	
decline	3.3
abbey[6]	6.9
abbot[6]	6.5
aberration[14]	8.6
abhor[4b]	
hate	2.5
abide[4a]	
remain	1.
ability[4b]	3.2
able[1b]	
(be –)	1.
adj.	1.4
abnegation[19]	10.9
aboard[4b]	
board	3.
abode[4a]	
dwelling	2.3
abolish[5b]	3.9
abolition[7]	5.3
abominable[5b]	5.1
abound[5b]	5.2
about[1a]	
(approximately)	1.
(concerning)	1.
around	1.1
(be – to)	1.
above[1a]	
adv.	1.
prep.	1.
– all	1.
(mentioned)	2.2
abroad[3b]	2.2
absence[3b]	3.2
absent[3a]	5.
(mind)	2.9
stay away	3.4
absolute[2b]	1.8
absolve[6]	
pardon	2.2
absorb[5b]	5.7
-ed (in work)	3.
abstain[7]	
keep from	1.7
abstract[7]	6.5
abstraction[9]	8.
absurd[5b]	3.7
abundance[3b]	
plenty	2.2
abundant[3b]	4.2

	Section
abuse[3b]	
n.	3.5
vb.	4.3
abyss[5b]	4.1
academy[5b]	4.3
accent[4b]	
n. (stress)	2.4
vb.	3.9
accept[1b]	1.
acceptance[5b]	3.8
accepter	12.4
access[5b]	4.9
accessible[10]	6.9
accessory[9]	7.9
accident[3a]	2.3
accidental[6]	4.7
accommodate[5b]	3.8
help	1.
accommodation[6]	6.8
accompany[2b]	
go with	1.
accomplish[2b]	
carry out	1.
accomplishment[6]	5.3
accord[4a]	
grant	1.
harmony	3.1
(of own –)	3.4
accordance[6]	
by	1.
according[2a] (to)	
by	1.
accordingly[3b]	
so	1.
therefore	1.
account[1b]	
because	1.
n.	1.
vb. – for	1.
n. (report)	1.5
n. (reckoning)	1.8
accuracy[7]	5.3
accursed[5a]	
curse	4.6
accusation[5b]	4.6
accusative[11]	9.
accuse[3b]	4.
-d (n.)	3.1
accustom[3a]	
(make) used (to)	1.6
ache[3b]	
n. pain	1.
hurt	1.8
achieve[4b]	
carry out	1.
acid[5b]	
n.	3.7
adj.	5.3

	Section
acknowledge[4a]	
admit	1.4
acorn[5b]	6.8
acquaint[3b]	
(let) know	1.
know	1.
acquaintance[3a]	
knowledge	1.5
(person)	2.7
acquire[3b]	
get	1.
acquisition[7]	6.3
acre[2b]	4.4
across[1a]	
(be –)	1.
go	1.
cross (vb.)	1.
(athwart)	3.4
act[1b]	
n.	1.
vb. (behave)	1.
vb. (take action)	1.
n. (document)	2.3
action[2b]	
act	1.
active[3a]	2.6
(agile)	2.5
activity[6]	3.3
actor[4b]	3.9
actual[2b]	2.1
actually[6]*	
really	1.4
adapt[7]	
fit (vb.)	2.9
add[1a]	1.8
– up	4.6
addition[2b]	
(in –)	1.4
(not mathematical)	3.1
additional[5b]	
extra	4.1
address[2a]	
vb. turn to	1.1
speech	1.6
(on letter)	2.3
adequate[7]	6.
adjacent[6]	
near	1.
adjective[7]	7.1
adjoin[5a]	
-ing	3.8
adjust[5b]	4.5
administration[5a]	
direction	1.8
administrative[12]	9.2
admirable[5b]	3.1
admiral[5a]	6.3

	Section
admiration[3b]	2.8
admire[2b]	2.2
admirer[6]	7.
admission[5b]	
confession	4.3
(concession)	5.4
admit[2b]	1.8
(confess)	1.4
admonish[6]	6.3
warn	2.2
adopt[3b] (general)	2.1
adoption[5b]	3.8
adore[4b]	
worship	3.6
adorn[4a]	
trim	2.4
advance[2a]	
come	1.4
go	1.4
n.	2.2
(in –)	2.2
see in –	3.8
tell in –	4.9
advancement[6]	
advance	2.2
advantage[2a]	1.5
(have the –)	3.
adventure[3b]	3.6
adventurer[9]	7.8
adverb[11]	9.
adversary[5b]	2.9
adverse[6]	6.9
adversity[6]	7.
advertise[5a]	
(give) notice	1.4
advertisement[6]	4.5
advice[2b]	1.4
advise[2b]	2.
aeroplane (air)[9]	8.1
aesthetic[11]	8.8
afar[5b]	
far	1.
affair[2b]	
matter	1.
affect[3a]	3.2
affected[13]	9.1
affection[3b]	3.5
affectionate[5b]	4.3
affirm[4b]	
state	1.
(assert)	2.7
maintain	3.5
affirmative[10]	8.5
afflict[4b]	
grieve	3.4

217

	Section		Section		Section		Section
affliction[5b]		album[9]	7.9	amber[5b]	6.6	another[1a]	1.
misfortune	2.2	alcoholic[8]	7.7	ambition[3b]	3.7	one –	
afford[3b]		alderman[6]	7.2	ambitious[4b]		each other	1.
grant	1.	ale[6]		(be – for)	5.8	–'s	1.
affright(ed)[5a]		beer	3.9	amen[5b]	4.3	answer[1a]	
afraid	1.	alight[5b]		amend[4b]	4.9	vb.	1.
frighten	1.9	settle	3.1	make -s for		n.	1.2
afloat[6]	6.7	(person)	5.7	make up for	2.9	ant[4a]	6.
afraid[1b]		alike[2b]		-s	4.1	antecedent[10]	8.3
(be –)	1.	like (adj.)	1.	amendment[4b]	4.5	anticipate[6]	6.8
African[2b]	4.4	alive[2a]		American[1b]		antique[5b]	
after[1a]	1.	be –		English	1.	ancient	2.6
one – the other	3.3	live	1.	amiable[6]		antiquity[5b]	3.8
day – tomorrow	4.3	(having life)	1.9	pleasant	1.1	anvil[6]	7.2
afternoon[1b]	1.9	all[1a]		amid[5a]		anxious[2b]	2.3
afterwards[2a]	1.8	adv.	1.	among	1.	any[1a]	1.
again[1a]		above –	1.	ammunition[6]	5.6	(whatever)	1.
begin –	1.	(not at all)	1.	among[1a]	1.	in – case	
– (and again)		– right	1.	amongst[6]		case	1.
several times	1.2	– the more		among	1.	anybody[3b]	1.8
say –	1.	much	3.6	amount[1b]		anyhow[6]	4.2
against[1a]	1.	allege[5b]		n.	1.	case	1.
age[1b]		maintain	3.5	– to	2.9	anyone[3b]	
(years old)	1.	-d	4.4	ample[3b]	3.6	anybody	1.8
old –	1.3	allegiance[5b]		amuse[4a]	3.5	anything[1b]	1.
vb.	1.6	loyalty	3.6	amusement[5b]		anyway[4b]	
(epoch)	1.8	alley[5a]	4.6	pastime	4.8	case	1.
middle -s	2.2	allied[6]	5.2	an[1a]		anywhere[4b]	4.1
aged[6]		join	1.9	a	1.	somewhere	3.
old	1.	allow[1b]	1.	analogy[8]	7.6	apart[2a]	
agency[5b]	6.4	-ed	2.2	analysis[7]	7.1	separate	1.
agent[4b]	2.9	allude[7]		analyze[6]	6.5	apartment[5a]	
representative	2.3	refer	3.1	anarchy[8]	7.5	flat	2.1
aggravate[6]	4.9	allure[5b]		ancestor[4a]	4.5	ape[6]	
(make) worse	3.	attract	3.1	anchor[3b]	5.2	copy	3.2
aggression[15]	7.8	alluring		ancient[2a]	2.6	monkey	5.6
aggressive[8]	7.7	attractive	4.	and[1a]	1.	apiece[5a]	
aggressor[13]	9.2	ally[7]		now – then		each	1.
ago[1b]	1.	n.	6.4	(at) time(s)	1.	apostle[8]	5.4
long –	1.3	vb. join	1.9	anecdote[6]	6.6	apostolic[9]	8.2
agony[3b]	2.	almighty[5a]	5.1	angel[2a]	2.	apparatus[6]	3.7
agree[2a]	2.2	almond[6]	6.9	anger[2a]		apparel[5b]	
-d	2.8	almost[1a]	1.	n.	1.9	clothes	1.4
agreeable[3b]		alms[5a]	6.	vb.	2.7	apparent[4b]	3.
pleasant	1.1	aloft[6]		(fit of –)	3.	appeal[3a]	
agreement[4b]		above (adv.)	1.	angle[4b]	3.4	vb.	2.8
contract	2.3	alone[1a]	1.	angry[2a]	2.4	n.	3.8
settlement	2.7	along[1a]		(get –)	2.4	appear[1b]	
(state)	3.1	– the river	2.2	make –		(come into view)	1.
agriculture[3a]	2.8	draw –	2.6	anger	2.7	(seem)	1.
agricultural[4b]	3.3	go –	4.1	anguish[5b]		appearance[2b]	
ah[2a]		aloof[6]		agony	2.	looks	1.
O	1.2	separate	1.	(in –)	6.3	(make one's first –)	2.3
ahead[3b]		aloud[3a]		animal[1b]		(coming into view)	3.
forward	1.4	(out) loud	1.	n.	1.1	(first)	3.3
front	1.4	already[1b]	1.	adj.	2.7	appease[6]	
(be – of)	2.7	also[1a]	1.	animate[5b]	3.5	quiet	1.6
aid[2a]		altar[3b]	3.5	ankle[4a]	4.6	appendix[7]	
vb. help	1.	alter[3b]		annex[7]		(book)	6.2
n. help	1.1	tr. vb. change	1.4	n.	6.6	appetite[3b]	5.
ail[6]		alternate[5b]		vb.	7.4	applaud[5b]	
matter	1.	-ly	4.8	anniversary[5b]	6.7	clap	2.8
aim[2b]		vb.	5.4	announce[5b]		applause[5a]	3.7
n. purpose	1.	although[1b]	1.	(give) notice	1.4	apple[1a]	3.5
(point gun)	3.2	altitude[6]		proclaim	3.5	– tree	5.
air[1a]		height	1.1	annoy[5b]		applicable[13]	9.8
n. (to breathe)	1.	altogether[3b]		-ing		applicant[9]	7.2
n. (tune)	3.	all	1.	vexing	3.8	application[3b]	2.2
adj.	3.	always[1a]	1.	vex	4.1	industry	2.6
airy[5a]	6.6	am[1a]		annual[3a]	2.7	apply[2a]	
aisle[5b]	3.4	be	1.	anoint[6]	7.	– to	
alarm[2b]		amaze[3b]		anon[5b]		turn to	1.1
vb.	3.5	astonish	2.7	soon	1.	(put on)	2.6
n.	4.9	amazement[5b]		anonymous[13]	9.6	appoint[2a]	
alas[3a]	2.	surprise	2.4			name	1.
		ambassador[4b]	3.9				

INDEX TO ENGLISH WORDS IN THE LIST

	Section
appointment[4b]	
(to meet)	4.5
(to something)	4.5
appreciate[4b]	3.6
apprehend[6]	
understand	1.
apprentice[8]	6.6
apprenticeship[10]	5.8
—approach[2a]	
towards	1.
n.	3.6
approval[6]	6.6
—approve[2b]	2.5
—April[2a]	2.1
apron[3b]	5.4
apt[5a]	
able	1.4
probable	1.7
Arab[6]	4.7
Arabia(n)[4b]	4.3
arbiter[10]	5.9
arbitrariness	12.4
arbitrary[7]	5.4
arbor[6]	
bower	5.2
arcade[14]	9.4
—arch[2b]	
bow	2.4
bent	5.
archbishop[7]	6.2
archipelago[13]	9.6
architect[6]	5.7
architecture[6]	5.9
arctic[5b]	6.8
—are[1a]	
be	1.
there *are*	1.
there are	1.
area[3a]	
part	1.
compass	2.5
Argentine[6]	6.7
argue[5b]	
debate	2.9
argument[3b]	4.2
debate	3.
arid[10]	5.9
arise[3a]	
come from	1.
aristocratic[6]	6.8
ark[5a]	6.3
—arm[1a]	
(part of body)	1.
(weapon)	1.
vb.	2.4
armor[3a]	4.4
armpit[12]	9.4
army[1b]	1.2
arose[3a]	
come from	1.
—around[1a]	
prep.	1.1
adv.	1.6
arouse[5b]	
stir	1.9
arrange[2b]	
fix up	1.5
arrangement[4b]	2.4
array[4a]	
clothe	1.9
arrest[4a]	
(under -)	6.1
arrival[3b]	2.8
arrive[1b]	1.4

	Section
arrogance[7]	7.2
arrow[2b]	3.2
art[1b]	1.
work of -	1.8
article[1b]	1.2
articulate[7]	7.1
artificial[4b]	3.2
artillery[6]	3.8
artisan[8]	5.3
artist[3b]	2.
artistic[5b]	3.4
—as[1a]	
(since)	1.
(like)	1.
- (e.g., I was walking)	1.
- for, - to	1.
- soon -	1.
- per	
by	1.
so -	
(in) order (to)	1.
- long -	1.1
- well -	1.2
- (good) -	1.4
- it were	1.4
- much	1.8
- much -	
much	1.9
- little -	2.6
ascend[3a]	
go up	1.
ascent[7]	7.2
ascertain[7]	
(make) sure	2.2
ash(es)[3b]	3.3
ashamed[2b]	3.
ashore[4a]	
land	1.
aside[3a]	3.1
ask[1a]	
(a favor)	1.
(a question)	1.
asleep[2a]	
be -	
sleep	1.4
aspect[5b]	
looks	1.
aspiration[7]	4.8
aspire[5b]	4.2
ass[3b]	3.9
assail[5b]	
attack	2.1
assault[4b]	
n. attack (general)	1.7
n. attack (individual)	2.3
assemble[3b]	2.8
gather	1.5
assembly[3a]	2.6
assert[4b]	
state	1.
affirm	2.7
asset[10]	6.8
assign[3b]	2.5
assimilate[7]	7.2
assist[2b]	
help	1.
assistance[4a]	3.9
assistant[6]	
helper	4.3
associate[3b]	
fellow	2.9
vb.	3.
(e.g., professor)	5.4

	Section
association[4b]	
company (business)	1.
company (social)	1.
connection	2.9
assume[3b]	
suppose	1.
(take over)	2.8
assumption[7]	6.2
asunder[6]	
separate	1.
assurance[5b]	5.
insurance	3.3
(certainty)	4.4
assure[2b]	1.4
astonish[3b]	2.7
astonishing[5b]*	5.
astonishment[5b]	
surprise	2.4
astound[8]	
-ed	5.6
astronomer[7]	6.4
—at[1a]	1.
ate[2b]	
eat	1.4
atheist[9]	8.2
athlete[9]	8.2
athletic[5b]	6.8
atmosphere[5b]	4.1
atom[7]	7.2
atonement[9]	7.
atrocity[8]	7.
attach[3b]	
join	1.
fasten	2.9
attack[2b]	
n. (general)	1.7
vb.	2.1
n. (individual)	2.3
attain[3b]	
reach	1.
attempt[2a]	
try	1.
n.	1.8
attend[1b]	
(take) care (of)	1.
serve	1.
present	2.3
attendance[5a]	
presence	1.8
attendant[5a]	
follower	3.2
attention[2b]	1.8
attentive[4b]	2.8
attest[6]	
affirm	2.7
testify	4.1
attic[5b]	6.3
attire[4b]	
clothes	1.4
clothe	1.9
attitude[5b]	3.6
attorney[5a]	4.7
attorney-general[14]	9.5
attract[3b]	2.7
(allure)	3.1
attraction[5b]	6.
attractive[4a]	4.
attribute[5b]	
characteristic	3.
vb.	3.7
audience[3b]	
assembly	2.6
(spectator)	3.
(hearer)	4.3
(have - with)	5.2

	Section
Aug.[6]	
August	1.7
aught[6]	
anything	1.
August[2a]	1.7
aunt[2a]	2.
Austria(n)[5b]	4.1
author[2b]	
(originator)	1.5
(writer)	1.9
authority[2b]	2.3
(without -)	4.8
authorize[6]	3.7
auto[5a]	
automobile	2.2
automobile[2b]	2.2
autonomy[18]	11.2
autumn[2b]	
fall	2.3
avail[5b]	
(of no) use	1.8
avarice[6]	6.9
avenge[5b]	3.8
avenger[11]	8.9
avenue[2b]	3.1
average[3a]	
adj.	1.8
(on the -)	3.2
avoid[2b]	1.8
await[2b]	
wait for	1.
awake[2a]	
stay -	
sit up	1.8
tr. vb. wake	1.9
intr. vb. wake	1.9
awaken[4b]	
tr. vb. wake	1.9
intr. vb. wake	1.9
award[6]	
confer	5.9
aware[5b]	
be - of	
know	1.
- of	
conscious	3.3
(knowingly)	5.4
—away[1a]	1.
go -	1.
take - (separate)	1.
take - (remove)	1.
run -	1.5
drive -	2.3
take - (take back)	2.6
turn -	3.
carry -	3.4
stay -	3.4
awe[4a]	
reverence	4.1
awful[2b]	
terrible	1.8
awhile[3b]	
while	1.8
awkward[5b]	4.9
awoke[5a]	
tr. vb. wake	1.9
intr. vb. wake	1.9
ax (axe)[2b]	5.
axis[5b]	4.9
axle[6]	
axis	4.9
ay[5a]	
always	1.
azure[6]	
blue	1.4

B

	Section
babble[4b]	6.4
babe[4a]	
baby	4.4
baby[1b]	4.4
bachelor[6]	6.2
back[1a]	
(in – of)	1.
(be –)	1.
n.	1.4
go –	1.4
draw –	1.5
drive –	1.5
fall – again	1.5
come –	1.8
give –	1.9
send –	
return	1.9
take – (person)	1.9
go – (retreat)	2.1
call –	2.6
take – (thing)	2.6
adj.	2.8
drive – (repel)	3.1
carry –	3.2
background[7]	4.2
backward[3b]	
(backwards)	2.8
adj.	5.4
backwards[6]*	
backward	2.8
bacon[4a]	6.1
bad[1a]	1.
(evil)	1.2
– luck	
luck	2.7
(too –)	2.9
bade[3a]	
ask	1.
command	1.5
badge[6]	
sign	1.1
(metal)	6.7
bag[1b]	3.
(suitcase)	4.5
bagpipe[9]	8.1
bait[5a]	6.8
bake[2a]	
cook	2.5
baker[4a]	6.
balance[2b]	
(equilibrium)	2.6
vb.	3.2
balcony[9]	7.4
bald[6]	6.2
ball[1a]	2.1
(bullet)	2.3
(dance)	3.
ballad[6]	5.9
balloon[7]	6.1
balm[5a]	6.4
bamboo[6]	7.2
banana[4b]	6.2
band[1b]	
(of people)	2.1
(strip of cloth)	2.5
bandage[7]	5.3
bang[6]	6.5
banish[3b]	4.1
banishment[5b]	
exile	6.
banister[18]	11.7
bank[1a]	
(of river)	1.5
(for money)	1.8
banker[5b]	5.

	Section
bankrupt[7] n.	5.3
bankruptcy[9]	7.3
(regulations for –)	6.5
(procedure in –)	7.3
banner[3b]	
flag	2.6
banquet[3b]	
feast	3.5
baptism[6]	5.5
baptize[7]	6.
bar[2a]	
court (law)	1.4
vb. shut out	1.6
(obstacle)	2.1
(metal or wood)	3.5
-s (grating)	4.6
barbarous[5b]	5.7
wild	1.6
savage	2.
barber[5a]	6.1
bard[5a]	
poet	1.5
bare[2a]	2.4
barefoot[7]	7.2
bargain[3b]	1.9
barge[6]	6.
bark[2a]	
(of tree)	4.9
vb.	5.1
barley[4a]	6.1
barn[2a]	5.5
baron[5b]	4.
barrack(s)[10]	7.9
barrel[3a]	3.6
barren[3b]	5.3
barrenness[12]	9.4
barrier[5b]	
bar	2.1
base[2a]	
n.	1.7
adj. low	1.8
baseball[6]	
ball	2.1
bashful[5b]	
shy	4.2
basin[3b]	3.
basis[4b]	
base	1.7
(hypothesis)	3.4
basket[1b]	2.8
bastard[6]	7.1
bat[3b]	
stick	2.
bath[3a]	3.9
bathe[3a]	3.7
battalion[8]	5.
battery[4b]	3.1
battle[1b]	1.2
-field	
field	2.4
bay[1b]	4.5
bayonet[7]	7.4
be[1a]	1.
beach[2b]	3.9
bead[3b]	3.2
-s	5.4
beak[5a]	5.9
beam[2a]	
(rafter)	2.3
ray	2.3
-ing	2.4
bean[2b]	5.4

	Section
bear[1a]	
vb. (stand)	1.
(children)	1.3
n.	4.5
beard[2b]	3.2
bearer[5b]	
porter	3.3
beast[1b]	1.1
beat[1b]	
(in a game)	1.
(pound)	1.1
(pulsate)	1.3
beaten[6]	
beat	1.1
beating[6]*	
(heart)	4.6
n.	6.4
beau[6]	
lover	2.
beauteous[6]	
beautiful	1.
beautiful[1a]	1.
beauty[1b]	1.5
(belle)	1.8
became[2a]	
become	1.
because[1a]*	
– of	1.
beckon[5b]	4.3
become[1a]	1.
– white	
white	1.9
– dumb	
dumb	4.
bed[1a]	1.4
(go to –)	1.6
bedroom[4a]	4.4
bee[1b]	4.1
beech[6]	7.
beef[3b]	4.1
been[1a]	
be	1.
beer[4b]	3.9
beet[5b]	6.8
beetle[5b]	6.8
befall[4a]	
happen	1.
before[1a]	
(place)	1.
(time)	1.
conj.	1.1
day –	1.4
bring –	2.2
(come –, go –)	2.3
day – yesterday	4.
coming –	2.8
beforehand[5b]	
advance	2.2
beg[2a]	
ask	1.
(beseech)	2.7
(literally)	4.6
began[1b]	
begin	1.
beget[5b]	3.4
beggar[3a]	4.
begin[1a]	1.
– again	1.
beginning[5b]*	2.7
begin	1.
(from the –)	3.9
beguile[5a]	
deceive	1.9
begun[2b]	
begin	1.

	Section
behalf[4a]	
in – of	
for	1.
behave[4a]	
act	1.
behead[6]	6.2
beheld[3b]	
observe	1.4
behind[1a]	
back	1.
adv.	2.
leave –	2.2
behold[2a]	
observe	1.4
being[1a]	
n.	1.
be	1.
Belgian[12]	9.
belief[3b]	2.3
believe[1a]	1.
make –	4.2
bell[1b]	2.5
bellow[4b]	
vb. roar	4.7
n. howl	5.7
belly[6]	6.2
belong[1b]	1.
beloved[3b]	
darling	2.2
below[2a]	
adv. beneath	1.6
belt[2b]	4.7
beneath[2a]	
prep. under	1.
adv.	1.6
bench[2b]	2.4
bend[2a]	
vb.	1.9
vb. (curve)	2.4
benefit[2b]	
vb. profit	1.4
advantage	1.5
n.	3.4
tr. vb.	3.6
benign[9]	6.5
bent[2b]	
bend	1.9
bend (curve)	2.4
adj.	5.
berry[2b]	4.9
beseech[5b]	
beg	2.7
beset[6]	
attack	2.1
beside[1b]	1.
besides[4b]	
addition	1.4
prep.	2.3
besiege[5a]	5.6
attack	2.1
best[1a]	1.
bestow[3b]	
grant	1.
-ing	3.8
bet[6]	6.3
betray[3b]	2.5
betroth[6]	6.8
-ed	
engage	2.5
better[1a]	1.
between[1a]	1.
(go –)	2.3
bewail[6]	
mourn	1.9
beware[4b]	
look out	1.4

INDEX TO ENGLISH WORDS IN THE LIST

	Section
beyond[2b]	
prep.	1.5
adv.	1.8
bias[6]	
prejudice	4.2
bible (B)[4b]	4.6
biblical[13]	9.7
bicycle[4a]	6.4
bid[2a]	
ask	1.
bide[6]	
wait	1.
big[1a]	1.
bill (B)[1b]	
account	1.
(government –)	1.9
– of fare	2.1
(poster)	3.5
post –	3.5
billion[12]	9.2
billow[5a]	
wave	2.9
bimetallism[18]	10.8
bind[2a]	
tie	1.6
(a book)	2.7
-ing (of book)	5.4
biography[10]	8.6
birch[4b]	6.4
bird[1a]	2.3
birdie[6]	
bird	2.3
birth[2a]	2.5
birthday[2b]	2.8
biscuit[6]	6.7
bishop[4b]	3.3
bit[1b]	
little (n.)	1.
-s (fragment)	2.3
bite[2a]	3.7
bitter[2a]	2.
(make –)	3.9
bitterness[5b]	5.7
black[1a]	1.
blackbird[5b]	6.7
blackboard[4a]	5.8
blacken[7]	7.2
blacksmith[3a]	5.6
blade[2b]	4.5
(grass)	5.3
blame[2a]	
(be to –)	1.8
vb.	2.8
n.	3.2
blameless[6]	
innocent	2.8
blank[3a]	
(void)	3.8
– book	4.
blanket[4b]	4.
blasphemy[6]	6.8
blast[3a]	5.7
blaze[2b]	4.3
bleach[6]	
white	1.9
bleak[6]	4.8
bleat[5a]	6.8
bleed[4a]	5.
-ing (adj.)	5.
blend[4b]	
mix	2.2
bless[1b]	2.
-ed	2.1

	Section
blessing[2b]	
bless	2.
n.	2.3
blest[4b]	
bless	2.
blessed	2.1
blew[3a]	
blow	2.9
blind[1b]	
adj.	2.
vb.	2.7
(shutter)	3.1
blindness[5b]	6.8
bliss[4a]	3.7
blister[6]	7.2
block[2a]	
– up	4.
n.	5.2
blood[1b]	1.
bloody[3b]	2.9
bloom[2b]	3.
blossom[2a]	
n.	2.2
bloom	3.
orange –	4.9
blot[4a] (n.)	
spot	2.2
blouse[6]	6.8
blow[1a]	
n.	1.4
vb.	2.9
– nose	4.2
blue[1a] adj.	1.4
bluff[5a]	
cliff	4.6
blunt[4b]	
adj. dull	5.2
vb.	6.2
blush[3b]	
vb.	4.
n.	5.5
board[1b]	
(plank)	1.7
(food)	2.7
(on –)	3.
boarder[10]	8.5
boast[2b] (vb.)	2.2
boat[1b]	2.6
bob (B)[3b] (mane, etc.)	5.8
bodice[13]	9.6
bodily[6]	6.3
body[1a]	1.
(dead –)	2.1
bog[5a]	
swamp	4.
Bohemian[7] (in taste)	7.3
boil[2a]	
vb.	3.1
-ing (n.)	5.3
boiler[6]	5.8
boisterous[6]	
noisy	5.8
bold[2a]	2.1
boldness[5b]	4.7
bolt[3a]	5.5
bond[3a]	
tie	1.6
(commercial)	5.8
bondage[6]	
captivity	5.7
bondsman	13.
bone[1b]	2.6
bonnet[4a]	
hat	1.5

	Section
book[1a]	1.
blank –	4.
– shop	4.2
note –	4.9
bookseller[13]	9.
boon[5b]	
favor	1.4
boot[2b]	3.8
booth[5a]	
stall	5.2
booty[7]	
spoils	3.5
border[2a]	
edge	1.5
(frontier)	1.7
– on	2.1
(put a – on)	5.1
bore[2b]	
n.	4.
(tire)	4.6
vb. (drill)	5.
born[1b]	
(be –)	1.
– of	1.4
borne[3b]	
bear	1.
(can be –)	5.2
borough[6]	
district	2.1
borrow[3a]	3.3
bosom[2b]	
chest	1.9
boss[6]	
vb. direct	1.
director	2.8
both[1a]	1.
bother[4a]	
trouble (vb.)	1.5
vex	4.1
bottle[2a]	2.1
bottom[1b]	1.
bough[3b]	
branch	1.6
bought[2a]	
buy	1.4
bound[2a]	
tie	1.6
– for	1.9
boundary[3b]	
border	1.7
boundless[4b]	4.9
bounty[4b]	
present	1.7
bouquet[6]	
bunch	4.8
bourgeois[11]	5.9
bow[1b]	
vb.	1.4
(greeting)	1.8
(e.g., and arrow)	2.4
(arch)	2.4
(prow)	4.3
bowel[4b]	6.4
bower[3b]	5.2
bowl[2a] n.	4.2
box[1a]	
n.	2.3
(theatre)	4.6
(tree)	4.9
boy[1a]	1.4
brace[4b]	
two	1.
bracelet[5a]	6.5
braid[4b]	6.
brain[3a]	3.3
brake[3b]	5.6

	Section
bramble[6]	7.2
bran[6]	7.2
branch[1b]	1.6
brand[3b]	4.2
brass[2b]	4.5
brave[1b]	
(be –)	1.
vb.	4.6
bravery[5a]	
courage	1.4
brawl[6]	
quarrel	2.5
brazen[6]	
bold	2.1
breach[6]	
gap	4.5
bread[1a]	1.4
breadth[3b]	
width	3.4
break[1b]	
vb.	1.1
– out (crying, etc.)	2.2
vb. (in pieces)	2.3
– out (war)	2.3
-ing up	2.7
n.	3.8
breakfast[1b]	
n.	3.
vb.	4.3
breast[2a]	
chest	1.9
breath[2a]	2.8
(breathing)	3.6
breathe[2a]	2.7
breathing	
breath	3.6
breathless[7]	7.3
bred[4a]	
breed	4.7
breeches[6]	6.4
breed[3b]	4.7
breeze[3a]	5.2
brethren[4a]	
brother	1.
brew[6]	7.
briar[4a]	
thorn	4.3
bribe[5b]	6.
brick[2a]	5.
bridal[6]	6.2
bride	1.6
bride[2b]	1.6
bridegroom[6]	
groom	4.6
bridge[1b]	1.7
bridle[3b]	3.4
brief[2b]	
short	1.
brigade[10]	6.2
bright[1b]	1.4
brighten[4b]	4.1
brightness[5a]	
cheer	1.9
glow	3.
brilliant[4a]	2.9
bright	1.4
brim[4a]	
edge	1.5
(hat)	2.6
bring[1a]	1.
-ing up (n.)	1.6
– up	1.9
– before (e.g., judge)	2.2
– together	2.6
brink[5b]	
edge	1.5

	Section
brisk[5a]	
fast	1.
bristle[6]	6.9
British[2b]	4.2
English	1.
Briton[6]	
English	1.
broad[1b]	1.4
broke[2b]	
break	1.1
broken[1b]	
break	1.1
bronze[6]	6.2
brood[4a]	
(meditate)	3.9
n.	5.8
brook[1b]	2.1
broom[3b]	5.5
brother[1a]	1.
brotherhood[6]	
group	1.8
brother-in-law[19]	11.
brotherly[6]	6.9
brought[1a]	
bring	1.
brow[2b]	
forehead	1.8
brown (B)[1b]	2.5
bruise[4a] vb.	5.7
brush[2a]	
(paint)	4.6
n.	5.6
brushwood[14]	9.8
brutal[5b]	
savage	2.
brutality[11]	9.
brute[4b]	5.7
bu.[6]	
bushel	6.
bubble[3a]	5.6
bucket[4a]	
pail	5.6
buckle[6]	6.8
buckwheat[6]	
wheat	2.5
bud[2b] n.	4.8
budget[7]	4.8
buff[6]	
yellow	2.
buffalo[6]	7.2
buffet[5b]	5.3
bug[5a]	
insect	4.4
buggy[6]	
cart	2.7
bugle[4b]	
horn	3.6
build[1a]	1.2
builder[4a]	6.4
building[1b]	
build	1.2
(edifice)	1.6
(construction)	2.5
built[1b]	
build	1.2
bulb[5b]	6.
bulk[4a]	
size	1.3
majority	2.6
bull[3a]	5.4
– fighter	
fighter	6.8
papal –	7.8

	Section
bullet[5b]	
ball	2.3
bump[6]	
run into	1.6
bunch[3a]	4.8
bundle[3b]	4.
burden[3a]	
n. load	1.4
vb. load	1.8
vb.	3.5
bureau[3b]	
office	2.9
burial[4a]	5.7
burn[1a]	1.6
-ing (n.)	2.3
burr[5b]	6.8
burst[2a]	
(explode)	1.4
(of laughter)	2.9
-ing	2.9
(out laughing)	3.
(into tears)	3.5
bury[2a]	3.1
bus[9]	8.1
bush[2a]	4.9
rose –	5.2
bushel[3a]	6.
busily[6]	
busy	1.
business[1b]	1.
– man	1.4
printing –	4.4
bust[5a]	6.1
busy[1b]	1.
but[1a]	1.
except	1.1
butcher[3a]	5.6
– shop	5.8
butt[6]	4.9
butter[1b]	3.5
butterfly[3b]	5.2
buttock[14]	10.
button[2b]	3.7
buy[1a]	1.4
buyer[5b]	3.8
buzz[3b]	
vb.	5.2
n.	5.4
by[1a]	
(instrument-agent)	1.
(according to)	1.
– and –	1.1
bye[5b]	
by	1.1

C

	Section
cab[6]	3.9
cabbage[4b]	5.9
cabin[3b]	
shed	3.2
cabinet[4b]	3.5
cable[4b]	5.8
rope	3.3
cage[3b]	5.5
cake[1b]	4.7
– of soap	4.8
calamity[6]	
disaster	3.9
calendar[5b]	5.8
calf[4a]	5.8

	Section
call[1a]	
vb.	1.
-ed (so called)	1.2
n.	1.4
– out	1.4
– upon (invoke)	1.5
– forth	1.6
– together	2.1
– back	2.6
calm[2b]	
adj. quiet	1.
n. quiet	1.
vb. quiet	1.6
Calvary[20]	12.4
calves[6]	
calf	5.8
came[1a]	
come	1.
camel[4b]	6.4
camp[2a]	
n.	2.8
vb.	3.3
campaign[4b]	
expedition	3.1
can[1a]	
able	1.
canal[3a]	2.3
canary[7]	7.2
candidacy[12]	9.4
candidate[4a]	4.1
candle[2b]	2.2
candy[2b]	4.5
cane[3b]	
stick	2.
cannon[3b]	
gun	1.7
cannot[1b]	
able	1.
canoe[4b]	
boat	2.6
canst[3a]	
able	1.
can't[2b]	
able	1.
canvas[3b]	
linen	3.6
cap[1b]	3.8
capable[3b]	
able	1.4
capacious[6]	
spacious	4.8
capacity[3b]	3.
cape[3a]	
cloak	4.8
(headland)	5.
capital[2b]	
(finance)	1.9
(city)	2.3
captain[1b]	1.6
captive[4a]	
prisoner	2.4
captivity[5b]	5.7
capture[3b]	
n.	4.5
vb.	6.
car[1b]	
(carriage)	1.5
(railroad)	2.
(tram)	2.1
caravan[6]	7.
carbon[7]	
– dioxide	6.8
card[2a]	2.1
cardboard[10]	8.6
cardinal[5b] n.	5.1

	Section
care[1a]	
n. (solicitude)	1.
(take – of)	1.
– for	
like	1.
not –	
(all the) same	1.
-s	1.3
take –!	
look out!	1.4
take –	
look out	1.4
– about	1.8
(charge)	3.2
career[4b]	4.
careful[1b]	1.7
careless[3b]	5.2
caress[6]	
stroke	4.4
n.	6.2
cargo[4b]	
load	1.7
carnation[10]	8.4
carpenter[3a]	5.5
carpet[3b]	4.2
carriage[2a]	
car (railroad)	2.
(bearing)	3.
carrier[5a]	
porter	3.3
carry[1a]	1.
– out, – through	1.
-ing out (execution)	2.2
– back	3.2
– away	3.4
cart[3a]	
(buggy)	2.7
wagon	4.7
carter[6]	6.9
cartridge[11]	9.
carve[3b]	
(general)	3.3
(art)	5.6
cascade[6]	
waterfall	6.2
case[1a]	1.
(in any –)	1.
(letter –, note –)	2.5
(spectacle, etc.)	3.6
casement[6]	
window	1.4
cash[3b]	2.8
cashier[6]	7.2
cask[7]	5.3
cast[2a]	
throw	1.
caste[8]	7.3
(half –)	7.7
castle[2a]	2.
casual[5b]	3.8
cat[2a]	4.1
catalog(ue)[5b]	
list	2.9
cataract[6]	
waterfall	6.2
catch[1b]	
– sight of	
sight	1.1
vb.	1.3
– up	2.3
– fire	
fire	2.5
-ing	4.
caterpillar[6]	7.2
cathedral[4b]	4.6
catholic (C)[4b]	2.9
catholicism	13.

INDEX TO ENGLISH WORDS IN THE LIST

	Section
cattle[2a]	3.7
caught[2a]	
catch	1.3
cause[1a]	
n.	1.
vb.	1.
give – for	
(give) rise (to)	2.3
caution[6]	
prudence	3.7
cautious[6]	
prudent	3.3
cavalier[6]	6.
cavalry[9]	5.3
cave[2b]	3.
cavern[6]	
cave	3.
caw[6]	7.2
cease[2b]	
tr. vb. stop	1.
intr. vb. stop	1.4
cedar[3b]	5.8
ceiling[4b]	3.7
celebrate[2b]	2.
celebration[5b]	
party	1.
festival	3.4
celery[6]	7.1
celestial[4b]	3.5
cell[3a]	4.6
cellar[3a]	3.8
Celtic[9]	8.2
cement[4a]	6.4
cemetery[5b]	6.
censure[5b]	
reproach	2.7
blame	2.8
cent[1b]	1.7
centennial[15]	10.6
center[1b]	1.
central[2b]	4.5
century[2b]	1.4
ceremony[3b]	
(formality)	2.
(rite)	3.5
certain[1a]	
sure	1.
certainly[5a]*	
sure	1.
certainty[7]	
assurance	4.4
certificate[5b]	5.8
chafe[6]	
rub	3.2
chaff[5a]	
(make) fun (of)	2.8
fun	3.1
chain[1b]	
n.	2.1
vb.	2.7
chair[1b]	1.8
(university)	2.5
(in the –)	3.8
chairman[5b]	
chair	3.8
chalk[4b]	6.2
challenge[6]	
defy	3.2
chamber[2a]	
room	1.
– of commerce	3.2
champion[3b] n.	2.5

	Section
chance[1b]	1.
(random)	1.4
(take -s)	1.4
(by –)	1.6
(take –)	2.
-s	3.3
chancellor[6]	5.6
(university)	7.
change[1a]	
tr. vb.	1.4
n.	1.5
n. (conversion)	2.9
changing	4.6
channel[3b]	
canal	2.3
chant[5a] vb.	3.2
chaos[6]	6.6
chap[7]	
fellow	2.3
chapel[3a]	3.9
chapter[3b]	2.5
character[1b]	1.
nature	1.
characteristic[5b]	
n.	3.
adj.	3.8
charge[1b]	
give in –	1.9
vb. (commission)	2.2
– a price	3.
care	3.2
chariot[3b]	2.6
charitable[6]	5.4
charity[3a]	2.9
– societies	4.6
charm[2a]	
n.	1.9
vb.	2.4
charming[2a] adj.	2.3
chart[5b]	
map	1.9
charter[4b]	2.9
chase[2a]	
drive	1.1
chaste[5b]	6.2
chastity[8]	7.7
chat[5b]	4.9
chatter[4a]	
(teeth)	6.
babble	6.4
cheap[2b]	2.1
cheat[4a]	3.1
check[2a]	
n.	3.2
vb. (control)	3.2
vb. (verify)	3.8
(cheque)	4.8
cheek[2a]	2.5
cheer[2a]	
n.	1.9
– up	4.6
cheerful[2a]	1.9
cheery[6]	
cheerful	1.9
cheese[2b]	4.7
chemical[7] adj.	4.9
chemist[7]	6.4
chemistry[8]	7.8
cherish[5a]	3.3
cherry[2b]	5.6
chess[9]	8.2
chest[2b]	
(body)	1.9
(box)	3.7
– of drawers	
drawer	6.1

	Section
chestnut[3b]	5.5
chew[6]	6.8
chick[3b]	
chicken	4.8
chicken[2a]	4.8
chief[1b]	
adj.	1.
n.	1.5
chiefly[6]*	
above	1.
(for the most) part	1.8
child[1a]	1.
childhood[4a]	3.3
childish[5b]	4.6
children[1a]	
child	1.
chill[3a]	
cool	4.3
chime[4a]	
agree	2.2
n.	5.6
chimney[2b]	3.3
chin[4a]	5.4
china (C)[2b]	3.7
Chinese[5a]	4.5
chip[4b]	
piece	1.
chirp[5a]	6.8
chisel[6]	7.2
chivalry[6]	7.2
chlorine[14]	8.8
chocolate[4a]	5.4
choice[2a]	
n.	1.6
adj.	5.3
choir[4b]	
(loft)	3.7
(people)	4.
choke[4a]	
(stifle)	3.7
(strangle)	5.3
choose[1b]	1.
chop[3a]	4.2
chose[2a]	
choose	1.
Christ[3b]	3.3
Christendom[9]	6.3
Christian[2b]	
n.	1.9
adj.	1.9
Christianity[10]	6.2
Christmas[1b]	4.2
chronicle[5a]	
story	1.
chuck[6]	
throw	1.
chuckle[6]	
vb. laugh	1.
church[1a]	
n.	1.
adj.	2.6
churchyard[6]	
cemetery	6.
cider[6]	7.
cigar[5b]	5.1
cigarette[9]	7.7
cinema[17]	11.3
cinnamon[9]	8.
cipher[12]	9.3
circle[1b]	
(set of people)	1.1
(ring)	1.2
vb. go round	1.8
circuit[4b]	3.9

	Section
circular[4a]	3.3
circulation[6]	5.4
circumstance[3a]	
event	1.4
circus[5a]	6.2
cistern[6]	
tank	6.1
citadel[9]	8.1
cite[6]	
quote	4.
citizen[2b]	2.2
city[1a]	
n.	1.
adj.	2.3
– hall	
hall	3.4
civil[3a]	
(pertaining to citizen)	2.4
(polite)	3.2
civilization[6]	
culture	3.7
civilize[6]	6.6
clad[4a]	
clothe	1.9
claim[2a]	
n.	1.7
vb.	2.3
clam[6]	7.1
clamor[4b]	
noise	2.6
n.	4.4
clang[5b]	
noise	2.6
clap[3a]	2.8
clash[5b]	
n. fight	1.1
n. (physical)	5.1
clasp[3a]	3.1
class[1b]	
n.	1.
vb. (classify)	2.1
(group)	3.
classic[4b]	3.8
clatter[5b]	
noise	2.6
clause[5a]	6.6
claw[5a] n.	6.1
clay[2b]	3.4
clean[1b]	
adj.	1.
vb.	2.2
-ing (n.)	3.
cleanliness[6]	5.3
cleanse[4b]	
clean	2.2
clear[1a]	1.
(lucid)	2.
– up (get lighter)	2.9
-ly	2.9
(table)	4.3
cleave[4a]	
vb. crack	2.6
cleft[6]	
vb. crack	2.6
clergy[8]	6.9
clergyman[7]	
minister	2.
clerk[2b]	2.7
(who writes)	3.8
clever[3b]	2.6
cliff[3a]	4.6
climate[3a]	4.
climb[2a]	2.7
clime[5a]	
climate	4.

SEMANTIC FREQUENCY LIST

	Section
cling[5a]	5.
clip[4b]	
cut	1.8
cloak[2b]	4.8
clock[1b]	1.3
close[1a]	
vb.	1.
adj. near	1.
closet[3b]	5.6
cloth[1b]	1.3
clothe[1b]	1.9
clothes[1b]	1.4
take off –	3.3
clothing[6]*	
clothes	1.4
cloud[1b]	1.9
cloudy[3b]	5.8
dim	4.1
clove[5b]	6.7
clover[4b]	6.4
club[2b] (association)	1.6
cluck[4b]	6.4
clump[8] (trees, etc.)	4.8
clung[6]	
cling	5.
cluster[3b]	
bunch	4.8
clutch[5a]	
seize	1.1
coach[2b]	
car (railroad)	2.
– (e.g., and four)	4.9
coal[1b]	1.9
(live coals)	2.1
coarse[3a]	2.9
coast[1b] n.	1.4
coat[1b]	2.
(overcoat)	2.2
– (of suit)	4.3
frock –	6.1
coat-tail	10.8
cobbler[5a]	
shoemaker	6.2
cock[2a]	3.8
cocoanut (coco)[6]	7.
cod[4b]	6.1
code[7]	4.8
coffee[2a]	2.3
coffin[5b]	5.3
cohesion[15]	10.5
coil[5b]	
vb. twist	4.
coin[2b]	1.9
coincide[10]	7.2
coincidence[8]	7.8
cold[1a]	
adj.	1.
n.	1.9
coldness[10]	6.2
collar[2b]	4.4
collect[2b]	
– money due	1.4
gather	1.5
collection[3b]	2.7
collective[13]	9.6
college[2a]	3.8
colonel[6]	3.9
colonial[5b]	6.2
colonist	6.1
colonist[4b]	6.1
colony[2b]	2.9

	Section
color[1a]	
n.	1.
tr. vb.	2.5
colored adj.[4a]*	4.2
colt[3a]	5.4
column[3a]	3.3
(military)	2.9
comb[4a]	
vb.	6.
(on bird)	6.2
combat[4a]	
n. fight	1.1
combination[3b]	4.3
combine[3a]	2.3
combustion[6]	6.
come[1a]	1.
– from	1.
– to	
end in	1.1
– forward	1.4
– now! (look here!)	1.4
– back	1.8
– before	
before	2.3
– now!	
well	2.3
– out	2.6
coming before	2.8
comedy[4b]	3.7
comely[6]	
pretty	1.
comet[6]	4.8
comfort[2a]	
n.	2.3
vb.	2.3
ease	3.2
comfortable[2b]	2.1
comforter[5b]	
quilt	6.8
coming[1b]	
come	1.
command[1b]	
n. order	1.
vb.	1.5
-ing (imperious)	1.9
n. (military,	
over forces)	2.3
commander[4b]	4.4
commandment[6]	
order	1.
commence[3b]	
begin	1.
commend[3b]	
praise	2.1
comment[6]	
vb. remark	2.3
n. remark	2.4
commerce[2b]	
trade	1.2
chamber of –	3.2
commercial[3b]	2.8
– law	
law	3.2
commission[3b]	
n.	2.2
vb. charge	2.2
commissioner[4b]	5.
commit[3b]	2.3
committee[3b]	3.
common[1b]	1.4
– (person)	1.4
commonwealth[5b]	
state	1.
commune[6]	
consult	3.
communicate[5b]	2.7

	Section
communication[4b]	2.5
message	3.
communicative	13.
communion[6]	6.7
community[4b]	
(of individuals)	2.9
(e.g., of interests)	3.8
adj.	4.8
compact[5a]	
contract	2.3
solid	3.2
companion[2a]	2.3
company[1a]	
(business)	1.
(social)	1.
(military)	1.5
(guest)	1.7
comparative[5b]	
relative	3.7
compare[2a]	1.6
(be -d)	2.2
comparison[3b]	2.7
compass[2b] (area)	2.5
compassion[5b]	
pity	2.4
compel[3a]	
force	1.
competition[5b]	3.8
complain[2b]	2.
complaint[3b]	2.4
complement[6]	5.2
complete[1b]	
adj.	1.
tr. vb.	1.
completely[6]*	
all	1.
complex[7]	5.3
complexion[5b]	6.4
complicate[7]	6.2
complication[9]	7.2
compliment[5b]	4.1
comply[5b]	
consent	2.4
compose[3b]	2.6
composer[14]	9.6
composition[4b]	3.8
compound[5b]	
mix	2.2
comprehend[4b]	
understand	1.
compromise[6]	
n.	5.7
vb.	5.3
comrade[4a]	3.4
companion	2.3
conceal[3b]	
hide	1.
conceit[5b]	5.3
conceive[3b]	
imagine	1.4
(literal)	2.
concentrate[6]	4.8
concentration[7]	7.1
conception[6]	4.
concern[2b]	
matter	1.
interest	1.
vb. have to do with	1.
be -ed about	
care	1.8
person -ed	
interested	3.
concerning[4a]	
about	1.
as for	1.

	Section
concert[4a]	4.1
conciliation[10]	7.8
conciseness	12.2
conclude[3a]	
complete	1.
conclusion[4b]	3.
end	1.
in –	
finally	2.2
concrete[6]	
definite	3.5
adj.	6.1
condemn[3b]	2.7
sentence	2.3
condense[5b]	4.3
condition[1b]	1.
state	1.
conduct[2b]	
lead	1.
n.	2.3
conductor[5a]	
leader	2.3
cone[6]	7.2
confederacy[6]	5.1
union	1.6
confederate[6]	
party	2.
confer[4a]	
grant	1.
consult	3.
(award)	5.9
conference[4b]	3.
confess[3a]	
admit	1.4
confession[5b]	4.3
confessional[15]	10.
confessor[8]	7.4
confidence[3b]	
trust	1.
(disclosure)	3.5
confident[5a]	5.1
confidential[8]	6.6
confine[4a]	
vb. limit	1.6
vb. limit (in meaning)	5.1
confirm[3b]	
(verify)	2.5
confirmation[5b]	5.1
conflict[4a]	
n. fight	1.1
n. struggle	1.9
confound[4b]	3.1
confuse[4b]	
confound	3.1
-d	3.2
confusion[3b]	3.2
congeal[9]	6.3
congratulate[5b]	6.2
congratulation[6]	5.3
congregation[5b]	
assembly	2.6
congress[2b]	2.9
conjecture[6]	4.7
conjugal[14]	9.6
conjunction[7]	7.3
connect[2a]	
join	1.
connection[3b]	2.9
conquer[2b]	2.9
conqueror[4a]	4.1
conquest[3b]	3.3
conscience[2b]	1.8
conscientious[8]	6.4

INDEX TO ENGLISH WORDS IN THE LIST

	Section
conscious[4b]	4.
be – of know	1.
– of	3.3
consecrate[4b] dedicate	2.7
consecration[6]	5.8
consent[2a]	
vb.	2.4
n.	2.8
consequence[3b] result	1.5
consequent[5a]	
following	1.1
-ly	4.1
conservation[7]	5.
conservative[6]	4.4
consider[2a]	1.8
considerable[4a]	3.3
consideration[3b]	
(thought)	2.4
(reference)	2.5
consign[7]	5.
consist[2b]	1.4
consistent[8]	6.1
consolation[6] comfort	2.3
consonant[7]	7.2
consort[6]	
husband	1.
wife	1.
conspicuous[6]	
be – stand out	1.9
conspiracy[5b] plot	3.9
conspirator[8]	7.7
conspire[6] plot	5.4
constable[6] policeman	6.2 / 5.8
constancy[7]	7.1
constant[2a]	2.4
firm (character)	1.1
constitute[5a] make up	1.8
constitution[3b]	2.7
constitutional[7]	6.5
constrain[6] force	1.
construct[3b] build	1.2
construction[4a] building	2.5
consul[6]	4.9
consult[3b]	3.
consume[4a] use	2.9
consumer[8]	7.
consumption[6]	7.2
contact[7] touch	2.2
contagion[9]	8.2
contain[1b]	1.
contemplate[6] observe	1.4
contemplation[5b]	3.8
contemporary[6]	
adj.	3.6
n.	4.8
contempt[4b] scorn	3.3
contemptuous[6] scornful	5.1

	Section
contend[4a] state	5.7 / 1.
content[2a]	
glad	1.
vb. satisfy	1.9
n.	2.
contention[6]	
fight	1.1
statement	2.1
contest[3b]	
n. fight	1.1
n. struggle	1.9
vb.	3.2
continent[3a] n.	4.4
continual[3b]	2.5
continuance[6]	5.9
continuation[7] continuance	4.7 / 5.9
continue[1b]	1.
continuous[4b] continual	2.5
contract[3a]	
n.	2.3
vb. (literal)	4.3
contraction[7]	7.4
contractor[9]	6.6
contradict[7]	5.3
contradiction[7]	4.3
contradictory[15]	9.7
contrary[2b]	
n.	1.8
(on the –)	1.8
– to	3.5
contrast[4b]	
n.	3.1
vb.	5.1
contribute[5b]	3.2
contribution[6]	4.4
contrive[6] organize	3.7
control[2b]	
vb.	1.4
check	3.2
controversy[6] dispute	4.3
convenience[5a]	5.9
convenient[3b]	2.5
convent[5a]	3.8
convention[4a]	2.8
contract	2.3
conversation[3a] talk	2.6 / 1.
converse[4b]	
n. talk	1.
vb. talk	1.
vb.	3.4
convert[4b]	
transform	2.8
vb.	5.2
convey[4b]	
carry	1.
transport	3.9
convict[6]	
prisoner	2.4
condemn	2.7
conviction[8]	4.2
convince[3b]	2.
coo[6]	6.9
cook[1b]	
vb.	2.5
n.	4.3
cool[1b]	
adj.	1.9
n.	3.2
vb.	4.3
vb. (refresh)	4.9
coop[17] hen –	11.4

	Section
cooperative[8] n.	6.7
coping[10] – stone	7.2
copper[2b]	3.
copy[2a]	
n. (e.g., of a book)	2.7
n. (reproduction)	3.2
vb.	3.2
n.	3.3
(make a –)	4.
coral[5a]	6.5
cord[3b] rope	3.3
cordial[3b]	2.3
cork[5b]	
(stopper)	6.5
(material)	6.6
corn[1a]	
(Amer.)	4.8
(on toe)	5.
corner[1b]	1.9
(nook)	2.3
corporal[6] bodily	4.2 / 6.3
corporation[5b]	3.5
corps[8]	3.8
(engineer –)	7.2
corpse[5b] body	2.1
correct[2a]	
right	1.
vb.	2.7
correction[5b]	3.7
correspond[4b]	
– to	2.4
-ing (adj.) (like)	2.7
(writing)	4.
correspondence[4b]	
(similarity)	3.5
(writing)	3.9
correspondent[7]	6.2
corridor[7] passage	4.8
corrupt[4b]	
vb.	4.7
spoil	2.6
corruption[6]	5.6
cost[1b]	
n. price	1.
vb.	1.4
costly[3a] dear	1.1
costume[5b] dress	4.3 / 1.4
cot[4a]	
bed	1.4
cottage	3.4
cottage[2b]	3.4
cotton[2a]	3.8
couch[3a] bed	4.1 / 1.4
cough[4a]	
vb.	5.7
n.	6.2
could[1a] able	1.
couldn't[3b] able	1.
couldst[3a] able	1.
council[2b]	2.1
councilor[12] privy –	6.9
counsel[3a]	
advice	1.4
advise	2.

	Section
count[1b]	
– on	1.
vb.	1.
(title)	1.2
countenance[4a]	4.1
counter[5a] (in a shop)	6.3
countess[10]	5.4
countless[5b]	3.9
country[1a]	
(geographical)	1.
(not town)	1.
(fatherland)	1.1
adj.	2.6
– house	3.3
countryman[6]	5.2
(fellow –)	4.7
county[3a] territory	2.1
county-head	12.
couple[2b] pair	1.9
courage[2b]	1.4
(lose –)	2.
courageous[6] brave	1.
course[1a]	
n.	1.1
(of –)	1.
court[1b]	
vb.	1.
(royal)	1.
– yard	1.1
(of law)	1.4
supreme –	4.3
courteous[5a]	4.3
courtesy[5a]	4.7
courtier[4b]	5.7
cousin[2a]	2.4
covenant[6] contract	2.3
cover[1a]	
vb.	1.
n.	2.9
covet[5b]	4.1
cow[1b]	3.4
coward[3b]	5.
cowardly[5b]	4.6
crab[4b]	6.2
crack[2b]	
vb.	2.6
n.	3.4
cracker[6] biscuit	6.7
crackle[5b]	6.5
cradle[3b]	4.3
craft[5a]	
boat	2.6
skill	3.
cunning	4.
crag[6] cliff	4.6
cram[6] stuff	4.1
crash[4a]	5.6
crater[12]	9.4
crave[4a] long for	1.4
crawl[3b] creep	3.
craze[5b] (make) mad	2.9
crazy[5a]	
mad	2.7
(make) mad	2.9
creak[7] grate	5.8

225

	Section		Section		Section		Section
—cream[2a]	5.1	crutch[5b]	6.5	damage[3b]		decade[6]	5.6
— of crop	2.8	cry[1b]		tr. vb. hurt	1.8	decanter[15]	10.4
—create[2b]	1.5	vb. (shout)	1.	n.	2.4	decay[3a]	
creation[4b]	3.4	n. call	1.4	dame[3b]		ruin	2.4
creator[5b]	4.4	vb. (weep)	1.4	lady	1.	spoil	2.6
—creature[2a]	2.5	n.	2.6	damn[5a]	4.2	n.	4.3
+credit[3a] n.	2.9	crystal[4a] n.	4.6	damp[3b]	3.4	decease[5b]	
creditor[5b]	4.1	Cuba(n)[4a] adj.	6.2	damsel[5a]		die	1.
creek[4a]	5.9	cube[5a]	5.	girl	1.	dead	1.4
—creep[2b]	3.	cuckoo[4b]	6.2	dance[1b]		deceit[5b]	3.9
crêpe[6]	7.	cucumber[7]	7.4	vb.	2.4	—deceive[2b]	1.9
crept[3b]		cuff[4a]	6.	n.	3.1	—December[2a]	2.3
creep	3.	+cultivate[3a]		dancer[6]	6.9	decent[5b]	4.
crest[4b]		till	2.5	danger[2a]	1.5	—decide[1b]	1.
top	1.3	culture[5b]	3.7	—dangerous[2b]	2.	decidedly[7]	4.3
—crew[2b]	3.2	+cunning[3a]	4.	dangle[6]		decision[4a]	2.5
crib[6]		(quality)	5.1	hang	1.1	decisive[6]	3.6
cradle	4.3	cup[1b]	4.3	Danish[8]	6.8	deck[2b]	
cricket[4b]	5.3	cupboard[5a]		dare[1b]	1.	vb. trim	2.4
cried[1b]		closet	5.6	daring[6]		n. (ship)	3.7
cry	1.	curb[4b]		dare	1.	declaration[6]	4.5
cry (weep)	1.4	check	3.2	boldness	4.7	—declare[2a]	
cries[4a]		cure[2b]		dark[1a]		state	1.
cry	1.	vb.	2.9	adj.	1.	decline[3b]	
cry	1.4	n.	3.9	(grow —)	4.5	ruin	2.4
+crime[3a]	2.4	curiosity[5a]	4.8	darken[4b]		(lessen)	3.3
criminal[5b]		+curious[3a]	2.7	dark	4.5	n. decay	4.3
adj.	4.1	(make —)	2.9	darkness[2a]	2.9	(person)	4.4
n.	4.5	curl[2b]		darling[3b]	2.2	decorate[6]	
crimson[4b]		vb.	4.8	darn[6]		trim	2.4
red	1.	n.	4.9	repair	3.7	decoration[4b]	
cripple[4b]		curly[10]	8.5	dart[3a]		trimming	3.8
lame	4.6	currant[6]	6.8	vb. dash	1.8	decrease[4a]	
crisis[7]	5.8	currency[6]	4.9	—dash[2a] vb.	1.8	reduce	3.5
crisp[5b]	6.5	current[2b]		date[1b]		n.	4.7
critic[5a]	5.1	present	1.1	n. (day)	2.	decree[3b]	
critical[7]	5.	n.	2.6	vb.	3.3	n.	2.6
criticism[6]	3.8	curse[2b]		daughter[1b]	1.	vb.	3.
croak[5a]	6.8	n.	3.5	—dawn[2a]	3.5	dedicate[4b]	2.7
crooked[4b]	3.7	vb.	4.6	day[1a]	1.	deed[2a]	
crop[2a]	2.7	curtain[2a]	3.8	(the — after)	1.	act	1.
cream of —	2.8	curve[3b]		good —	1.1	act (document)	2.3
cross[1a]		vb. bend	2.4	— before	1.4	deem[3b]	
vb.	1.	n.	4.6	— before yesterday	4.	decide	1.
-ing (passage)	1.6	cushion[3b]	5.6	— after tomorrow	4.3	deep[1a]	1.
n.	2.	—custom[2a]	1.9	daylight[3b]	4.6	deepen[5b]	5.
tr. vb. (put crossways)	2.7	practice	3.4	daytime[5b]		deer[3a]	5.8
— out	4.7	customary[6]		day	1.	defeat[3b]	
cross-examination	12.9	usual	1.	daze[8]	7.8	vb.	2.7
crossroad[15]	10.5	customer[3b]	3.6	dazzle[4b]	3.9	n.	3.6
-s	10.4	customhouse[11]		dead[1a]	1.4	defect[5a]	
crouch[5b]	6.4	— officer	8.9	— body		fault	1.8
—crow[2b] n.	5.3	—cut[1a]		body	2.1	defective[6]	
crowd[1b]		vb. (shear)	1.8	deadly[4a]		imperfect	3.9
n.	1.	— off (curtail)	2.8	mortal	2.9	—defend[2b]	1.4
vb.	2.2	— off (isolated)	2.9	deaf[3b]	4.8	defender[10]	6.8
crowded adj.[7*]	5.4	— off (vb.)	3.1	deal[1b]		defense[3a]	2.8
crown[1b]		vb. (mow)	4.7	a great —		defiance[4b]	4.
n.	1.7	cutter[5b]		much	1.	defile[6]	6.5
— prince		boat	2.6	dealer[4b]	4.8	definite[5b]	3.5
prince	2.3	cylinder[5b]	4.9	dealing[5a] n.	3.	definition[7]	7.
vb.	2.9	cypress[6]	7.	dean[6]	7.	deform[6]	
crude[6]		czar[6]		—dear[1a]		mar	5.2
rude	4.3	emperor	2.1	(in affection)	1.	defy[3b]	3.2
cruel[2a]	2.3			(costly)	1.1	degenerate[7]	7.4
cruelty[4b]	4.8	**D**		death[1a]	1.	degrade[6]	
crumb[4b]	5.8			debatable[17]	10.8	disgrace	5.6
crumble[5a]		dagger[6]	5.6	debate[3b]		degree[2a]	
fall	2.6	—daily[2b]	1.6	vb.	2.9	by -s	
crumbling (caving in)	6.5	dainty[4b]	2.7	n.	3.	little by little	1.
crusade[8]		dairy[3b]	5.7	—debt[2a]	1.7	(grade)	1.4
expedition	3.1	dale[5a]		(in —)	4.	deign[6]	6.4
—crush[2b]	3.	valley	1.7	debtor[6]	4.8	deity (D)[6]	5.4
crust[4a]	5.8	dam[4a]	4.7				

INDEX TO ENGLISH WORDS IN THE LIST

	Section
delay[2a]	
intr. vb.	2.
tr. vb.	2.7
n.	3.8
delegate[5b]	
deputy	4.9
vb.	6.6
delegation[10]	8.5
deliberate[5b]	
express	2.6
vb.	4.1
delicacy[6]	5.4
delicate[3a]	2.3
delicious[3b]	2.8
delight[1b]	
n.	1.
vb.	2.
delightful[3b]	
pleasant	1.1
deliver[2a]	1.4
(make a) speech	1.6
free	1.7
deliverance[5a]	5.2
deliverer[7]	7.2
delivery[4b]	4.4
(of goods)	4.8
dell[6]	
valley	1.7
delta[6]	7.2
demand[1b]	
vb.	1.
n.	1.3
(supply and –)	2.9
(requisite)	3.
democracy[6]	6.9
social –	5.3
democrat[5b]	5.
demonstrate[5b]	2.8
show	1.
demonstration[6]	3.6
(public – against something)	6.2
den[3a]	3.1
denial[8]	6.6
denounce[5b]	4.1
dense[3b]	2.6
density[8]	7.8
deny[2b]	2.4
(disown)	3.7
depart[2a]	
go away	1.
department[3a]	
section	1.9
police –	4.6
departure[5b]	3.1
depend[2b]	2.4
count on	1.
dependence[7]	6.
dependent[7]	5.2
deplore[7]	4.2
depose[6]	4.9
deposit[3b] n.	2.7
depot[5b]	
station	2.4
deposit	2.7
depress[6]	4.9
deprive[5b]	3.2
depth[3a]	2.6
deputy[5b]	4.9
derive[4a]	
come from	1.
descend[2b]	
go down	2.2
descendant[6]	5.3
descent[5a]	5.1

	Section
describe[2a]	2.
description[3b]	3.1
descry[6]	
make out	1.4
desert[2a]	
leave	1.
n. waste	2.4
deserve[2b]	1.5
(be) worth	1.
design[3a]	
draw	1.4
n.	3.1
desirable[4b]	3.5
desire[1b]	
n.	1.
vb.	1.
desirous[5b]	5.2
desk[2a]	3.6
desolate[4b]	5.6
desolation[5b]	6.6
despair[3a]	
vb.	2.8
n.	3.
despatch[6]	
send	1.
shipment	3.9
n.	5.1
desperate[3b]	2.8
despise[3a]	
scorn	2.9
despite[4b]	
(in) spite (of)	1.4
dessert[7]	6.7
destine[4b]	2.4
destiny[5a]	
fate	1.5
destroy[1b]	1.5
destruction[3a]	4.2
detachment[8]	
(troops)	4.8
(unconcern)	5.5
detail[4a]	
particular	2.3
(in –)	3.6
detain[4b]	2.6
detect[6]	
discover	1.4
determination[6]	6.
determine[2b]	
fix	1.1
detour[13]	8.1
develop[3a]	2.
development[3b]	2.1
device[4b]	
plan	1.1
(technical)	3.7
(motto)	4.2
devil[2b]	1.9
the –!	
Heavens	1.
devilish[7]	7.4
devote[3a]	2.2
devotion[5a]	5.
devour[4a]	3.8
devout[6]	
pious	2.9
dew[2b]	3.9
dial[6]	6.4
dialog(ue)[6]	6.5
diameter[7]	6.2
diamond[2a]	3.6
dictate[5a]	5.
dictionary[7]	7.4

	Section
did[1a]	
do	1.
didn't[3a]	
do	1.
die[1a]	1.
diet[5b]	6.2
differ[3b]	2.5
difference[1b]	1.4
different[1b]	1.
difficult[2a]	
hard	1.
difficulty[3b]	1.9
diffuse[5b]	3.5
dig[2b]	4.8
digest[6]	6.2
digestion[7]	7.4
dignify(ied)[5b]	
stately	3.6
dignity[3b]	2.6
dilate[6]	
increase	1.1
enlarge	3.3
diligence[7]	
industry	2.6
diligent[4b]	
industrious	3.2
dim[3a]	4.1
dime[4b]	
cent	1.7
dimension[6]	5.6
diminish[5a]	
reduce	3.5
dimple[6]	7.2
din[5a]	
noise	2.6
clamor	4.4
vb.	6.2
dine[2b]	3.1
dining room	4.9
dinner[1b]	2.7
dioxide[8]	
carbon –	6.8
dip[3a]	3.2
diplomacy[12]	9.4
diplomatic[12]	7.6
dipper[6]	6.8
dire[6]	
terrible	1.8
direct[1b]	
vb.	1.
adj.	1.
adv.	1.1
direction[1b]	
(toward)	1.
rule	1.1
(management)	1.8
director[4b]	2.8
dirt[3b]	6.
dirty[3b]	4.2
vb. soil	4.9
disadvantage[6]	4.8
disagreeable[5b]	
unpleasant	3.8
disappear[2b]	1.4
disappearance[10]	8.3
disappoint[3b]	2.9
disappointment[4b]	4.4
disarm[7]	6.9
disaster[5b]	3.9
disastrous[6]	4.3
discern[4a]	
make out	1.4

	Section
discharge[3b]	
dismiss	2.7
n. (of gun)	2.7
n. (dismissal)	3.8
(volley)	5.8
discipline[5a]	4.8
disclose[5a]	
reveal	2.4
discontent(ed)[4a]	4.6
unhappy	1.8
n.	4.8
discord[6]	7.
fight	1.1
discourage[4a]	5.8
discouragement[15]	10.5
discourse[5a]	
talk	1.2
discover[1b]	1.4
discovery[3b]	3.
discreet[5b]	5.7
discretion[6]	3.9
discuss[4a]	3.3
debate	2.9
discussion[5b]	2.9
disdain[4b]	
scorn	3.3
disease[2b]	1.6
disgrace[3b]	
n.	3.4
vb.	5.6
disguise[3b]	
hide	2.8
n.	5.8
disgust[5b]	
n.	4.6
vb.	6.
-ing	6.2
dish[2a]	
(of food)	1.8
(container)	4.5
(side –)	4.6
dishonest[8]	7.8
dishonor[5a]	
n. disgrace	3.4
vb. disgrace	5.6
disk[8]	5.4
dislike[5b]	5.
dismal[4b]	3.9
dismay[4a]	6.4
dismiss[3b]	2.7
disobey[5a]	4.8
disorder[5b]	
(put in –)	4.8
n.	5.
dispense[5a]	
do without	2.1
(give out)	5.9
disperse[4b]	
scatter	2.4
display[3a]	
n.	2.6
vb.	3.
displease[4b]	5.5
disposal[6]	
arrangement	2.4
dispose[2b]	1.8
-d	3.
disposition[5a]	
arrangement	2.4
temper	4.2
dispute[3a]	
vb.	2.8
n.	4.3
dissemble[11]	6.8
dissolution[7]	
breaking up	2.7

SEMANTIC FREQUENCY LIST

	Section		Section		Section		Section
dissolve[3b]	3.9	don't[1b]		dreadful[2b]		dug[3b]	
distaff[9]	8.2	do	1.	terrible	1.8	dig	4.8
distance[1b]	1.1	doom[3b]		dream[1b]		duke[3b]	2.3
distant[2a]		fate	1.5	n.	1.4	dukedom[8]	6.8
far	1.	door[1a]	1.	vb.	1.8	dull[3a]	
distil[6]	6.9	dost[4a]		dreamer[14]	9.7	(stupid)	3.5
distillation[11]	8.4	do	1.	dreary[5b]		(unpolished)	3.9
distillery[12]	8.4	dot[2b]		dismal	3.9	adj. (blunt)	5.2
distinct[3a]		point	1.	dreg[8]	7.8	vb. (numb)	5.3
clear	1.	doth[3a]		dress[1a]		vb. (tarnish)	5.3
distinction[5b]	3.9	do	1.	n.	1.4	duly[6]	4.5
difference	1.4	double[1b]	1.6	clothe	1.9	dumb[3a]	2.9
distinguish[3b]	2.2	vb.	4.2	head –	4.2	(become –)	4.
distort[8]	7.5	vb. (effort)	4.3	dresser[6]		dunce[6]	
distract[5b]	3.6	doubt[1b]		buffet	5.3	fool	2.4
-ed	5.5	n.	1.	hair –		dungeon[4b]	6.1
distress[3a]		(without –)	1.	barber	6.1	dupe[11] n.	8.2
trouble	1.	vb.	1.5	dressmaker[10]	8.4	durable[6]	
distribute[5a]	3.3	doubtful[3b]	2.6	drew[2b]		last	4.1
distribution[4b]	3.7	doubtless[4a]		pull	1.	during[1a]	1.
district[2b]	2.1	doubt	1.	dried[4a]		dusk[6]	
disturb[3a]		dough[6]	6.2	dry	2.1	twilight	4.3
trouble	1.5	dove[3a]	4.4	drift[4a]		dusky[6]	
disturbance[5b]	4.4	down[1a]		course	1.1	dim	4.1
ditch[3a]		adv.	1.	float	2.9	dust[1b]	1.9
(irrigation)	3.6	sit –	1.	drill[2b]		dusty[4b]	6.1
(trench)	3.9	go –	2.2	exercise	1.6	Dutch[3a]	4.
dive[4b]	4.2	put –	2.2	bore	5.	duty[1b]	
divide[1b]	1.1	run –	2.6	drink[1a]		(obligation)	1.
dividend[6]	5.6	pull –	2.8	vb.	1.4	(custom)	2.9
divine[2b]	2.	take –	2.8	n.	2.7	dwarf[4b]	6.1
– service		knock –		-ing	3.	dwell[2b]	
service	2.3	fell	2.8	drip[4a]	6.4	live	1.1
divinity[5b]	4.9	settle –	3.1	drive[1a]		dwelling[3b] n.	2.3
division[3a]		slow –	4.4	intr. vb.	1.	dwelt[4a]	
(general and military)	2.2	downward(s)[3b]	3.4	(car, etc.)	1.	live	1.1
(act of dividing)	3.8	dowry[9]	7.6	(horse)	1.	dwindle[6]	
divorce[4b] vb.	4.	dozen[2a]	3.4	(force)	1.	decline	3.3
dizzy[6]		Dr.[5b]		– out	1.1	dye[4a]	
(make –)	4.4	doctor	1.	– back	1.5	tr. vb. color	2.5
(feel –)	6.4	draft[3a]		– away (tr. vb.)	2.3	n.	5.4
do[1a]	1.	(of liquid)	2.2	– back (repel)	3.1	dying[3b]	4.5
(auxiliary)	1.	(of a bill)	2.3	driver[4a]	4.4	dynasty[8]	7.8
have to – with	1.	n. (sketch)	3.	droop[3b]	4.4		
– over again	1.8	(draw up)	3.6	drop[1a]		**E**	
– without	2.1	(on a bank)	3.8	tr. vb.	1.		
– hair		(military)	5.2	n.	2.4	each[1a]	
hair	4.	drag[2b]		drove[2b]		adj.	1.
dock[4a]	5.4	pull	1.	drive intr. vb.	1.	pron.	1.
doctor[1b]	1.	vb.	2.7	drive (car)	1.	– other	1.
doctrine[4b]	2.6	dragon[3b]	5.	drive (horse)	1.	eager[2b]	2.4
document[5b]	5.1	dragoon[12]	8.6	n.	3.9	eagle[2b]	4.1
does[1a]		drain[2b]	3.7	drown[2a]	4.3	ear[1a]	1.5
do	1.	drama[5b]	3.7	drowsy[4a]	6.2	(hearing)	3.3
doesn't[3b]		(musical –)	6.2	drug[3b]	5.8	earl[4b]	
do	1.	dramatic[7]	4.6	– store	5.6	count	1.2
dog[1b]	1.9	drank[4b]		druggist[7]	6.6	early[1a]	1.1
dogma[10]	8.3	drink	1.4	drum[2b]	4.3	get up –	3.
doings[3b]		draught[4a]		drunk[4b]		earn[2a]	
act	1.	draft (of liquid)	2.2	drink	1.4	gain	1.
doll[2b]	4.9	draft (of a bill)	2.3	(make –)	4.8	deserve	1.5
dollar[2a]		draft (sketch)	3.	adj.	5.5	earnest[2b]	
pound	1.	draw[1a]		(get –)	5.8	grave	1.4
dolly (D)[5a]		pull	1.	drunken[5b]		earth[1a]	1.
doll	4.9	vb. (design)	1.4	– revel	5.8	earthly[3b]	3.1
dome[4b]	6.2	– back	1.5	(person)	5.9	earthquake[4b]	6.
domestic[3a]	2.9	– up (water)	1.7	drunkenness[8]	7.3	ease[2b]	
dominion[4b]		– up (formulate)	2.	dry[1b]		n. (comfort)	3.2
rule	2.	– along	2.6	adj.	1.4	(facility)	3.3
(possession, title)	3.1	– up (e.g., document)	3.2	vb.	2.1	easier[4b]	
done[1a]		drawer[4a]	6.1	dryness[18]	11.5	easy	1.
do	1.	-s (chest of -s)	6.1	duchess[6]	4.7	(make) easy	1.8
donkey[4a]		-s (clothing)	6.2	duck[2b]	5.	easily[2b]	1.6
ass	3.9	drawn[4b]		due[2a]	2.2	east[1a]	2.
		pull	1.	falling –	5.2	Easter[4a]	4.8
		dread[2b]		duel[8]	7.		
		afraid	1.				
		n. fear	1.4				
		-ed	2.4				

	Section		Section		Section		Section
eastern[3a]	2.7	element[3b]	2.3	encourage[3a]	4.8	enterprise[5a]	
eastward[6]		elementary[7]	7.2	encouragement[7]	6.7	undertaking	2.4
east	2.	elephant[4a]	5.	end[1a]		entertain[3a]	2.4
easy[1b]	1.	elevate[4b]		n.	1.	entertainment[5a]	
(make –)	1.8	lift	1.	tr. vb.	1.	(treat)	4.6
eat[1a]	1.4	elevation[5b]	4.2	– (in)	1.1	pastime	4.8
eaves[6]	6.6	lifting	2.2	endeavor[4a]		enthusiasm[5b]	3.6
ebb[6]		eleven[2b]	2.9	try	1.	enthusiastic[5b]	5.4
decline	3.3	eleventh[6]	7.2	try hard	1.5	entice[4b]	
(tide)	6.4	elf[5a]	6.	ending[4b]		attract	3.1
echelon vb.	13.	eliminate[7]	7.4	end (conclusion)	1.	enticing	
echo[2b]		elm[3b]	5.7	tr. vb. end	1.	attractive	4.
vb. ring	2.9	eloquence[5a]	5.1	(e.g., of a session)	3.9	entire[1b]	
n.	4.5	eloquent[6]	6.4	endless[3b]	3.	complete	1.
eclipse[6] vb.	7.	else[1b]	1.1	endow[5b]	4.3	entitle[4a]	
economic[8]	6.2	somewhere –	3.4	endue[6]		name	1.
economy[6]	6.2	elsewhere[4a]		grant	1.	-d	
ecstasy[6]		somewhere else	3.4	endurance[7]		deserve	1.5
bliss	3.7	'em[6]		resistance	5.4	entrails[8]	7.7
edge[1b]		they	1.	endure[3a]		entrance[2b]	
n.	1.5	embargo[15]	10.6	bear	1.	(place)	1.8
n. (of knife)	2.6	embark[6]		enemy[1b]	1.	(act)	2.2
edifice[5b]		– on		energy[4b]	3.6	– hall	5.3
building	1.6	take up	1.7	(full of –)	3.3	entreat[5b]	
edition[5b]	3.6	sail	3.	enforce[5b]	4.4	beg	2.7
editor[8]	6.1	embarrass[5b]	3.2	force	1.	entry[4a]	
editorial[7]		embassy[7]	6.3	engage[2b]	1.9	entrance	1.8
– staff		embody[6]	6.8	(be -d in)	1.9	entrance (act)	2.2
staff	5.3	embrace[3a]		-d (betrothed)	2.5	(item)	5.1
educate[6]		vb.	3.	engagement[4b]		enumerate[7]	6.8
bring up	1.9	n.	5.2	appointment	4.5	envelope[4a]	
education[2b]	1.6	embroider[5b]	5.9	(to do something)	4.7	wrapping	3.4
bringing up	1.6	embroidery[5b]	6.5	engine[2b]		(for letter)	5.6
e'er[4a]		emerald[6]	6.9	machine	2.	enviable[7]	11.4
always	1.	emerge[5b]	4.1	engineer[4a]	4.8	envious[5a]	5.7
ever	1.	emigrant[8]	7.3	– corps		envy[3a]	
effect[2a]		English	1.	corps	7.2	n.	3.1
n.	1.4	emigrate[8]	7.6	Englander[4a]		(not –)	3.5
vb.	2.2	emigration[9]	7.7	English	1.	vb.	3.9
effective[7]		eminence[7]	5.3	English[1b]	1.	epicure[17]	11.3
working	2.	eminent[6]		Englishman[4a]		episode[8]	5.7
efficacy[7]	5.4	famous	1.1	English	1.	equal[1b]	
effort[2b]	1.8	-ly	4.1	engrave[6]	6.4	adj.	1.
make an –		emotion[5b]	4.3	enjoin[6]		vb.	2.3
try hard	1.5	feeling	1.	command	1.5	equality[5b]	4.6
egg[1a]	2.	(e.g., speak with –)	3.2	enjoy[1b]		equator[6]	7.2
egoism	11.5	emperor[3a]	2.1	tr. vb.	1.1	equip[5a]	
Egyptian[5b]	5.4	emphasis[6]	5.1	– oneself	1.7	fit up	1.8
eight[1b]	1.4	emphasize[7]	4.4	enjoyment[6]	3.8	equipment[5b]	5.3
eighteen[2b]	4.3	empire[2b]	1.7	enlarge[4a]	3.3	equity[6]	5.7
eighteenth[6]	6.	employ[2a]		increase	1.1	justice	1.8
eighth[3a]	4.1	use	1.	enlist[6]		equivalent[7]	
eighty[3b]	5.3	employee[4b]	3.1	engage	1.9	value	1.8
either[1b]		employer[6]	3.7	enmity[6]	5.8	ere[2a]	
conj.	1.	employment[5b]	3.7	ennoble[6]	6.8	before	1.
– one	1.	use	1.1	enormous[3a]		erect[2b]	
elastic[5b] adj.	6.6	empress[6]	4.6	great	1.	build	1.2
elate[2b]	1.9	empty[2a]		enough[1a]		adj. straight	1.8
elbow[3b]	5.1	adj.	2.	(be –)	1.	ermine[12]	9.3
elder[3b]		drain	3.7	enquire[5b]		err[3b]	
old	1.	intr. vb.	3.9	ask	1.	mistake	2.2
eldest[4a]		enable[4b]		enrage[6]		errand[4a]	3.
old	1.	possible	1.8	anger	2.7	error[2b]	1.8
elect[2a]	3.	enamel[6]	6.8	enrich[5a]	5.	escape[1b]	
election[3a]	2.1	encamp[6]		enroll[6]		vb.	1.8
elector[7]	5.6	camp	3.3	register	3.	vb. (the memory)	2.6
electoral[10]	8.4	enchant[5a]		ensign[6]		escort[6]	
electric[3a]	3.	charm	2.4	flag	2.6	following	2.3
electrical[6]		enclose[3b]		enslave[9]	8.1	especial[2a]	
electric	3.	shut in	1.9	ensue[5a]		-ly	
electricity[6]	5.6	-d (in letter)	5.1	follow	1.	above	1.
elegance[11]	7.5	encounter[3b]		result	1.5	essay[6]	
elegant[4b]	3.6	(friendly)	3.1	entangle[6]	4.4	try	1.
		(military)	3.9	enter[1b]	1.	essence[5b]	5.7
				(writing)	2.6	essential[5b]	2.9

	Section
establish[2a]	
settle	1.
– a point	
prove	1.4
establishment[5b]	
(act of establishing)	3.8
foundation	4.2
estate[3a]	
property	1.5
(real –)	3.2
esteem[3b]	
n. regard	2.5
estimable[14]	10.1
estimate[3b]	
rate	2.3
n.	3.8
estuary[12]	9.4
etc.[4b]	3.1
eternal[2b]	1.5
eternity[4b]	3.9
ether[6]	6.
ethereal[6]	7.
European[3b] adj.	2.5
evacuate[13]	7.7
eve (E)[3a]	
day	1.4
(New Year's –)	3.8
even[1a]	
adv.	1.
adj. (number)	1.7
adj. (smooth)	2.4
– off	4.2
evening[1b]	1.
good –	1.1
event[2a]	
(circumstance)	1.4
(incident)	2.
ever[1a]	1.
always	1.
everlasting[4a]	
eternal	1.5
permanent	4.2
evermore[5b]	
always	1.
every[1a]	1.
– time	
time	2.2
everybody[2b]	2.2
everyone[4a]	
everybody	2.2
everything[1b]	1.2
everywhere[2b]	1.4
evidence[3b]	2.3
evident[3b]	2.5
evil[2a]	
bad	1.2
n.	2.
evolution[8]	4.5
ewe[4b]	
sheep	3.
exact[2a]	
vb. demand	1.
adj.	1.4
exaggerate[6]	4.5
exaggeration[10]	7.7
exalt[4b]	2.7
-ed	2.9
exaltation[11]	6.3
examination[3b]	
test	1.9
examine[2b]	1.5
example[2a]	1.4
(for –)	1.4
exceed[3a]	2.3
exceeding[5a]	
very	1.

	Section
excel[4b]	3.5
excellence[6]	5.6
(superiority)	5.1
excellent[2a]	1.8
except[1b]	1.1
vb.	1.7
exception[3b]	2.5
exceptional[5b]	5.4
-ly	4.8
excess[4a]	3.3
excessive[5b]	4.6
extreme	1.5
exchange[2b]	
n.	2.
(stock)	2.6
vb.	3.5
excite[3a]	
stir	1.9
excitement[5b]	4.2
exclaim[2b]	
call (out)	1.4
exclamation[6]	5.3
exclusive[4b]	4.2
-ly	3.
excursion[5b]	4.1
excuse[2b]	
vb. pardon	2.2
n.	2.9
execute[4a]	
carry out	1.
execution[5b]	
carrying out	2.2
executive[5b] adj.	6.5
executor[8]	7.7
exempt[6]	
free	1.
exemption[12]	7.8
exercise[1b]	
vb.	1.6
n.	1.7
exhaust[3b]	2.4
-ed	
spent	2.
exhibit[4b]	
display	3.
exhibition[5b]	
display	2.6
exile[4b]	
banish	4.1
(person)	5.6
(banishment)	6.
exist[3b]	1.8
existence[4b]	2.6
expand[6]	
extend	1.
increase	1.1
spread	1.4
enlarge	3.3
expansion[6]	4.1
expansive[12]	9.3
expect[1b]	1.
– of a person	2.6
expectation[4b]	3.3
expedition[4a]	3.1
expel[5b]	4.3
expense[2b]	3.3
expensive[4a]	
dear	1.1
experience[2a]	
n.	1.6
vb.	1.8
experiment[4b]	
vb.	2.4
n.	2.6
experimental[8]	7.7

	Section
expert[4b]	
n.	4.2
adj.	5.6
expire[4b]	
die	1.
(e.g., a certain time)	4.3
explain[2a]	
account for	1.
explanation[5b]	2.9
explanatory[14]	10.2
exploit[5b]	
vb.	5.8
n.	5.9
exploration[5b]	4.6
explore[4b]	3.8
export[5b] (n.)	5.1
expose[3b]	2.2
express[1b]	
vb.	1.
adj.	2.6
expression[4b]	2.2
expulsion[11]	9.
exquisite[5b]	3.6
extend[1b]	1.
extension[5a]	4.4
extensive[5a]	4.9
vast	2.8
extent[4a]	
range	3.6
extinguish[6]	
put out	1.9
extol[5b]	3.
extra[4a]	4.1
excess	3.3
extract[5b]	
vb.	5.
n.	5.4
extraordinary[4b]	
unusual	2.
extravagant[7]	7.3
extreme[2b]	1.5
extremely[3b]*	
very	1.
extremity[5b]	5.1
eye[1a] n.	1.
eyebrow[6]	6.3
eyelid[6]	6.7

F

	Section
fable[4a]	4.4
fairy tale	3.4
fabric[6]	
cloth	1.3
fabulous[7]	7.1
face[1a]	
n.	1.
(grimace)	1.8
vb.	3.8
fact[1b]	1.
(in –)	1.
faction[6]	
party	1.1
factory[3a]	2.6
faculty[5a]	
ability	3.2
fad[12]	8.5
fade[2b]	4.9
fail[2a]	2.6
failure[5a]	3.1
(bankruptcy)	5.3

	Section
fain[6]	
willing	2.9
accord	3.4
faint[2a]	
vb.	3.3
n.	4.1
fair[1a]	
(blond)	1.2
(just)	1.4
fairness[16]	8.6
fairy[2b]	5.
– tale	3.4
fairyland[5b]	6.2
faith[2a]	1.4
faithful[2a]	2.7
(the –)	2.7
faithless[6]	
false	2.4
treacherous	6.
falcon[6]	7.
fall[1a]	
vb.	1.
n. (tumble)	1.2
– back again	1.5
vb. (e.g., hair)	2.2
n. (autumn)	2.3
– to pieces	2.6
-ing due	5.2
fallen[3b]	
fall	1.
false[2b]	1.4
(faithless)	2.4
falsehood[4b]	
lie	2.
falter[6]	
waver	3.4
fame[2b]	2.3
familiar[2b]	3.3
family[1a]	1.
famine[3b]	5.1
famous[1b]	1.1
fan[2b]	
n.	3.9
– up (e.g., fire)	5.
fanaticism[14]	10.
fancy[2a]	
imagine	1.4
n. (idle)	2.
(whim)	3.7
fancied	3.8
fantastic[5b]	4.7
far[1a]	1.
farce[6]	5.8
fare[2a]	
food	1.9
bill of –	2.1
(rates)	3.6
farewell[2b]	3.4
farm[1b]	3.2
-ing	2.6
farmer[1b]	1.8
far-off[6]	
far	1.
farther[2a]	
far	1.
farthest[5a]	
far	1.
fashion[2a]	2.8
fashionable[6]	6.
fast[1a]	
adj.	1.
n.	4.4
vb.	4.9
fasten[2b]	2.9
join	1.

INDEX TO ENGLISH WORDS IN THE LIST

231

	Section
fat[1b]	
adj.	1.9
n.	2.6
(grow –)	2.7
fatal[3b]	
mortal	2.9
fate[2b]	1.5
father[1a]	1.
fatherhood[17]	11.4
father-in-law[17]	11.
fathom[6]	7.
fatigue[6]	
vb. tire	2.4
weariness	5.6
fault[2a]	1.4
be at –	
blame	1.8
(defect)	1.8
find –	
complain	2.
favor[1b]	
in – of	
for	1.
n.	1.4
vb.	2.1
favorable[3b]	2.2
favorite[2b]	3.4
fear[1a]	
vb. afraid	1.
n.	1.4
fearful[3a]	
afraid	1.
terrible	1.8
fearless[5b]	6.3
brave	1.
feast[2a]	3.5
feat[5a]	
exploit	5.9
feather[2a]	1.9
feature[2b] (face)	1.5
February[2b]	2.4
fed[2b]	
feed	1.4
federal[5b]	6.5
fee[4a]	
price	1.
tip	5.2
feeble[3b]	
weak	1.1
feed[1b]	1.4
-ing	4.2
feeder[6]	7.2
feel[1a]	1.
(with fingers)	1.6
feeling[1b]	
(sentiment)	1.
vb. feel	1.
(sensitiveness)	1.5
(sensation)	1.6
feet[1a]	
foot	1.
feign[4a]	
make believe	4.2
fell[1b]	
fall	1.
vb. infin.	2.8
fellow[1b]	2.3
– worker	2.9
– countryman	
countryman	4.7
fellowship[5a]	6.8
felt[1b]	
vb. feel	1.
(material)	5.
female[3a] adj.	3.3
feminine[5b]	4.1
fence[2a]	4.8

	Section
ferment[8]	7.7
fermentation[7]	6.4
fern[4b]	6.4
ferry[5a]	6.8
fertile[4a]	3.8
fertilize[6]	6.8
fertilizer[6]	5.7
fervent[7]	7.2
fervor[7]	4.8
festival[4b]	3.4
party	1.
fetch[2b]	
get	1.4
fetter[5b]	
chain	2.1
feudal[8]	7.8
fever[2b]	3.3
feverish[7] (literally)	6.9
few[1a] n.	1.
fiber[5a]	5.5
fickle[6]	6.5
fiction[6]	3.9
fiddle[6]	
violin	6.1
field[1a]	1.
(battle –)	2.4
fiend[5a]	
devil	1.9
fierce[2a]	
wild	1.6
fierceness[8]	7.8
fiery[3b]	3.6
fife[6]	6.
fifteen[2a]	3.2
fifteenth[5b]	6.4
fifth[2a]	2.7
fifty[2a]	2.3
fig[4b]	6.4
fight[1b]	
n.	1.1
vb.	1.6
fighter[6]	
warrior	3.5
(bull –)	6.8
prize –	7.
figure[1b]	
n.	1.
(number)	1.1
file[3a]	
row	1.2
filial[7]	5.8
fill[1a]	1.4
– up	1.8
film[5b]	6.8
filthy[6]	5.7
dirty	4.2
final[2a]	2.9
finally[2a]	2.2
(at) last	1.
finance[6]	5.3
financial[5b]	4.1
find[1a]	
vb.	1.
– fault	
complain	2.
-ing	4.9
fine[1a]	
adj. (not coarse)	1.
(magnificent)	1.1
(person)	1.4
n.	2.5
finger[1b]	1.4
index	6.3
finish[1b]	
tr. vb. end	1.

	Section
fir[4b]	5.9
fire[1a]	
n.	1.
(catch on –)	2.5
set on –	2.7
fireplace[6]	
hearth	3.2
firm[1b]	
company	1.
adj. (fixed)	1.1
adj. (character)	1.1
firmament[5b]	
heaven	1.
firmness[7]	
(of character)	5.4
(physical)	5.5
first[1a]	1.
(at –)	1.
make one's – appearance	
appearance	2.3
(for the – time)	2.6
– appearance	
appearance	3.3
(in the – place)	3.7
-ly	3.7
fish[1b]	
n.	2.
vb.	2.5
fisher[6]	
fisherman	4.7
fisherman[4b]	4.7
fist[3b]	3.4
fit[1b]	
vb. (suit)	1.
adj. sound	1.2
able	1.4
– up, – out	1.8
vb. (adapt)	2.9
– of anger	
anger	3.
fitness[7]	6.7
five[1a]	1.
twenty –	4.2
fix[1b]	
(make fast)	1.
(determine)	1.1
– up (arrange)	1.5
flag[2a]	2.6
flagrant[14]	10.1
flake[5a]	6.8
flame[2a] n.	2.
flank[5b]	
side	1.
vb.	6.4
flannel[6]	7.2
flap[5a]	4.9
flash[2a] (lightning)	3.3
flat[2a]	
(apartment)	2.1
adj.	2.7
adj. (taste)	5.3
flatten[10]	7.3
flatter[3a]	3.
flattery[5b]	6.6
flavor[4b]	
n. taste	1.4
season	4.5
flax[4b]	6.3
flea[8]	7.8
fled[3a]	
run away	1.5
flee[3b]	
run away	1.5
fleece[4b]	6.4
fleet[2b]	
fast	1.
n.	3.

	Section
flesh[2a]	2.
flew[2b]	
fly	1.6
flexibility[13]	9.7
flexible[6]	6.4
flies[3a]	
fly	1.6
flight[2b]	
(in air)	2.5
(rout)	2.5
fling[4b]	
throw	1.
flint[5b]	6.5
flirt[6] n.	7.
flit[5a]	
flutter	5.7
float[2b]	
wave	1.7
(in water)	2.9
flock[2b]	
drove	3.9
flood[2b]	
n.	3.2
vb.	4.7
floor[1a]	1.2
(story)	2.5
ground –	4.4
flour[2a]	3.2
flourish[3b]	
vb.	4.1
n.	5.8
flow[1b]	
vb.	1.5
n. (tide)	2.6
– into	3.
flower[1a] n.	1.4
flower-bed	13.
flowery[4b]	5.5
fluid[4b]	
n.	3.4
adj. liquid	3.4
flung[4b]	
throw	1.
flute[5b]	6.5
flutter[3a]	5.7
fly[1a]	
vb.	1.6
n.	4.2
foam[3b]	
n.	5.3
vb.	5.7
focus[6] n.	6.1
fodder[6]	
food	1.9
foe[2b]	
enemy	1.
fog[4a]	
mist	3.1
foil[5b]	
keep from	1.4
fold[2a]	
vb.	4.
n.	4.4
foliage[5b]	5.2
folk[2a]	
people (persons)	1.
follow[1a]	1.
(succeed)	2.3
follower[4b]	3.2
following[1b]	
follow	1.
adj. next	1.
adj. (consequent)	1.1
n.	2.3
folly[3a]	3.2

	Section		Section		Section		Section
fond[2b]		formation[5b]	4.	free[1a]		fugitive[5a]	
be – of		former[1b]		adj.	1.	adj.	3.5
like..............	1.	(opposite of latter) ...	1.	(deliver)	1.7	n.	5.6
be – of		(e.g., times)	2.	(rid)	2.2	fulfil(l)[4a]	
(have a) taste for..	2.4	formerly[4b]*	2.2	(of charge)	2.6	carry out...........	1.
food[1a]	1.9	formula[7]	5.3	-ing (n.)	3.4	full[1a]	1.
fool[2a]	2.4	forsake[3b]		freedom[2a]		– of life	
foolish[2b]	2.8	leave	1.	liberty	1.4	life	1.
foot[1a] (part of body) ...	1.	fort[2b]	2.6	freeman[5b]		– of energy	
football[5b]	6.8	forth[1b]		free	1.	energy	3.3
footman[6]		call –	1.6	freeze[2b]	3.3	(river, carrying much	
servant.............	1.9	send –	3.4	freight[3a]	3.8	water)	4.4
footstep[4b]		forthwith[5b]		French[1b]		fully[3a]	2.2
step (stride)	1.	(at) once	1.	French	1.	all	1.
step (footprint)	2.	fortify[6]		Frenchman[6]		fulness (full)[5a]	
for[1a]		strengthen	3.4	French	1.	plenty	2.2
as –	1.	fortress[4b]		frenzy[6]		fume[6]	
conj. because	1.	fort	2.6	fury	2.8	rage	3.7
care –	1.	fortunate[3b]	2.	madness	4.1	fun[2a]	3.1
prep. (in behalf of) ...	1.	-ly	3.7	frequent[2a]		(make – of)	2.8
prep. (in favor of)	1.	fortune[2a]		-ly		(have –)	2.9
wait –	1.	(luck)	1.4	often	1.	function[4b]	
forbear[5b]		– teller		adj.	1.7	vb.	2.8
keep from	1.7	teller	7.	vb.	4.7	n.	3.6
forbid[2b]	2.	forty[2a]	2.9	fresh[1a]	1.1	fund[4b]	4.6
forbidden[4b]		forward[1b]		fret[3a]		fundamental[6]	5.2
forbid	2.	come –	1.4	worry	3.2	funeral[3a]	5.4
force[1b]		adv.	1.4	fretful[6]	6.6	funny[3a]	2.9
vb.	1.	go –	1.4	friar[5b]		fur[2a]	5.
n.	1.	foster[5b]		monk	4.7	furious[3b]	1.9
-d	1.1	further	1.8	friction[6]	6.1	angry	2.4
ford (F)[4a]	6.4	vb.	3.8	Friday[2a]	3.6	furnace[3b]	2.7
fore[5a]		-ing (n.)	3.9	friend[1a]	1.	furnish[2a]	
front	1.5	fought[2a]		friendly[2a]	3.5	supply	1.1
forefather[6]		fight	1.6	friendship[3a]	2.3	(room, house)	3.3
ancestor	4.5	foul[3a]		fright[2b]		furniture[2b]	4.4
foreground[10]	6.5	dirty	4.2	fear	1.4	furrow[5a]	6.
forehead[2b]	1.8	found[1a]		frighten[2b]	1.9	further[2a] vb.	1.8
foreign[2a]	2.2	find	1.	-ing (adj.)	2.4	furthermore[6]	
foreigner[4a]	2.6	vb. infin.	1.5	frightful[6]		addition	1.4
foremost[4b]		foundation[3a]	4.2	terrible	1.8	fury[3b]	2.8
chief	1.	(of a building)	4.4	fringe[4b]	5.8	future[2a]	
first	1.	founder[4b]		frivolity[13]	9.3	n.	1.5
forenoon[4a]		sink	3.2	frivolous[7]	5.8	adj.	2.
morning	1.	n.	6.1	fro[4b]			
foresee[5b]		fountain[2b]	2.8	from	1.	**G**	
see	3.8	four[1a]	1.	frock[5a]			
forest[1b]	1.	twenty –	4.7	dress	1.4	gain[1b]	
foretold[6]		fourteen[3b]	3.4	– coat	6.1	vb.	1.
tell	4.9	fourth[1b]	1.6	frog[3a]	5.6	n.	1.9
forever[3b]		fowl[3a]	5.1	frolic[5a]	6.6	gait[5b]	
always	1.	fox[2a]	4.9	from[1a]	1.	walk	1.6
forfeit[5a]		fraction[5a]	4.9	come –	1.	pace	1.8
loss	1.2	fragment[5b]		– now on		gale[4a]	
forge[4b]		piece	1.	now	1.1	storm	1.6
vb. (metal)	5.7	bit	2.3	front[1a]		gall[5a]	
n.	5.9	fragrance[5b]		in – of		vex	4.1
(falsify)	6.2	perfume	4.	before	1.	n. (anatomical)	6.4
forget[1b]	1.	fragrant[4b]	5.5	(in –) (adv.)	1.4	gallant[4a]	
forgetfulness[7]	6.5	frail[3b]	5.1	n. (e.g., of building) ..	1.5	(be) brave	1.
forgive[3a]		weak	1.1	adj.	2.2	civil	3.2
pardon	2.2	frailty[6]		frontier[6]		gallery[4a]	4.2
forgiveness[5b]		weakness	2.9	border	1.7	gallon[5b]	
pardon	3.6	frame[2a]		frost[2a]	5.	quart	4.7
forgot[2b]		n.	2.4	frosty[5a]		gallop[3b] n.	4.7
forget	1.	vb.	5.1	icy	6.	gallows[5a]	6.6
forgotten[2b]		frank (F)[2b]		frown[3b]	5.5	game[1b]	
forget	1.	adj. open	1.3	frozen[2b]		(play)	1.5
fork[2b]	4.2	frankness[8]	7.2	freeze	3.3	(to shoot)	2.7
forlorn[5b]		frantic[7]		fruit[1b]	1.5	gang[5b]	
lonely	3.3	distracted	5.5	fruitful[4b]		band	2.1
form[1a]		fraternal[6]		fertile	3.8	gap[4a]	4.5
figure	1.	brotherly	6.9	fry[5a]		gape[6]	
vb.	1.	fraud[5b]		-ing pan	6.4	yawn	5.8
formal[6]	5.1	deceit	3.9	ft.[4a]		garage[6]	6.9
formality[9]	7.9	fray[6]		yard	1.3	garden[1a]	1.4
		fight	1.1	fuel[3b]	5.2		

INDEX TO ENGLISH WORDS IN THE LIST

	Section
gardener[4a]	5.8
garland[4a]	
wreath	3.7
garlic[12]	9.1
garment[2b]	
dress	1.4
garrison[6]	4.9
garter[6]	7.
gas[3a]	2.8
gasoline(ene)[5b]	6.8
gasp[6]	
pant	5.7
gate[1b]	
(city –)	1.4
gateway[6]	
entrance	1.8
gather[1b]	
(collect)	1.5
(glean)	1.5
(sewing)	4.7
gaunt[6]	
thin	2.
gave[1a]	
give	1.
gay[2a]	
cheerful	1.9
gaze[2b]	
– at	
observe	1.4
geese[4b]	
goose	5.3
gem[2b]	3.6
general[1a]	
adj.	1.
(in –)	1.
n.	1.1
generality[14]	10.
generalize[12]	9.3
generally[6]*	
(in) general	1.
generation[3b]	3.4
generosity[6]	6.4
generous[3a]	4.7
genial[4b]	
pleasant	1.1
genius[3b]	2.8
(man of –)	4.
(of –)	4.3
gentle[1b]	1.4
gentleman[1b]	1.
gentleness[6]	5.5
gently[3b]	
gentle	1.4
gentry[7]	6.2
genuine[4b]	3.7
true	1.
geographical[8]	6.5
geography[4b]	6.2
geometric[12]	9.3
geranium[8]	7.8
germ[5b]	5.2
German[2a]	
French	1.
gesticulate[19]	12.2
gesture[5b]	4.3
get[1a]	
become	1.
(receive)	1.
(obtain)	1.
(fetch)	1.4
– ready (tr. vb.)	
prepare	1.4
– ready (intr. vb.)	
prepare	1.6

	Section
get[1a]—continued	
– fat	
fat	2.7
– rid of	
rid	2.9
– ill	
ill	3.
– up early	3.
– ripe	
ripe	3.4
ghastly[6]	6.4
pale	2.7
ghost[2b]	3.2
giant[2a]	4.
gift[1b]	
present	1.7
gild[4a]	4.5
gin[6]	
liquor	4.3
ginger[5b]	6.8
gingerbread[6]	7.2
gingham[6]	
cotton	3.8
gird[5a]	
tie	1.6
surround	1.8
girdle[4b]	
belt	4.7
girl[1a]	1.
girt[6]	
tie	1.6
surround	1.8
give[1a]	1.
– up	1.4
– oneself up to	1.7
– back	1.9
– in charge	1.9
– rise to, – cause for	
rise	2.3
– the lie to	
lie	3.4
given[1a]	
give	1.
giver[6]	7.2
glacier[6]	6.4
glad[1a]	1.
glade[6]	6.5
gladness[6]	
delight	1.
glance[2b]	
look (n.)	1.
vb.	2.3
glare[4a]	
peer	3.5
glass[1b]	
(drinking)	1.
(material)	1.7
-es	4.2
gleam[3b]	
shine	1.6
n.	2.5
glean[6]	
gather	1.5
glee[5a]	
mirth	5.5
glen[5a]	
valley	1.7
glide[3b]	
slip	2.8
glimmer[6]	
gleam	2.5
glimpse[5a]	
look (n.)	1.
glisten[5a]	
shine	1.6
glitter	3.6

	Section
glitter[3a]	3.6
globe[3a]	3.3
(earth)	3.3
gloom[4a]	
grief	1.8
darkness	2.9
gloomy[4b]	
sad	1.4
dismal	3.9
glorify[5b]	
exalt	2.7
glorious[2b]	3.8
glory[2a]	2.3
glove[2b]	3.9
glow[2b]	
vb. shine	1.6
n.	3.
glue[5b]	
intr. vb. stick	2.1
tr. vb. stick	2.2
gnaw[5a]	6.1
go[1a]	1.
– across	
cross	1.
– away	1.
– up	1.
– with	1.
– back	1.4
– forward, – onward	1.4
– out	1.4
– past	
pass	1.4
– to bed	
bed	1.6
– round (encircle)	1.8
– back (retreat)	2.1
– down	2.2
– before	
before	2.3
– to meet	
meet	2.3
– to sleep	
sleep	3.9
– along	4.1
goal[4b]	
purpose	1.
goat[2a]	4.9
gobble[6]	
devour	3.8
goblet[6]	4.1
God (g)[1a]	1.
– grant	1.
goddess[4a]	4.8
godfather[11]	8.6
godmother[6]	6.8
goes[2b]	
go	1.
going[1b]	
go	1.
gold[1a]	1.
– standard	
standard	3.1
golden[1b]	1.4
gone[1b]	
go	1.
good[1a]	
adj.	1.
– morning, etc.	1.1
-s	1.5
good-by[3b]	
farewell	3.4
goodly[3b]	
pretty	1.
goodness[2b]	1.5
goodwill[6]	5.3
goody[6]	
candy	4.5

	Section
goose[2a]	5.3
gore[5b]	
blood	1.
gorge[6]	
n.	5.9
vb.	6.
gorgeous[4b]	
magnificent	3.5
gospel[4b]	3.4
gossip[6]	6.6
(person)	6.8
got[1a]	
become	1.
get (receive)	1.
get (obtain)	1.
Gothic[6]	6.7
gout[9]	7.6
govern[3a]	
rule	1.
governess[9]	8.2
government[1b]	1.1
– bill	
bill	1.9
governor[2a]	3.1
gown[2b]	
dress	1.4
grace (G)[1b] n.	1.4
graceful[4a]	3.3
gracious[3a]	
pleasant	1.1
grade[2b]	
degree	1.4
even	4.2
gradual[3a]	
little	1.
graduate[4a]	
vb.	5.9
n.	6.1
grain[1b]	2.1
grammar[5a]	6.1
grand[2a]	2.3
grandfather[3a]	3.2
grandma[4a]	
grandmother	2.4
grandmother[2b]	2.4
grandpa[4b]	
grandfather	3.2
grandson[6]	4.7
grange[6]	
farm	3.2
granite[5b]	6.8
grant[1b]	
God –	1.
vb.	1.
n.	3.4
grape[2a]	
-s	4.1
grasp[4a]	
seize	1.1
n. hold	2.5
(convulsively)	5.2
grass[1b]	2.9
grasshopper[4a]	6.2
grate[4a]	
grating	
bar	4.6
vb. (squeak)	5.7
vb. (creak) (e.g., door)	5.8
grateful[3a]	2.5
gratitude[4a]	3.3
grave[2a]	
adj.	1.4
n.	2.2
gravel[5b]	6.8
gravity[6]	3.8

234 SEMANTIC FREQUENCY LIST

	Section
gravy[6]	
sauce	5.5
gray (G)[1b]	2.2
graze[3b]	
(just touch)	3.4
(e.g., flock)	5.
grease[5b]	
n. fat	2.6
n.	4.8
great[1a]	1.
(a – man)	1.
Great Power	
Power	3.
greatness[3b]	2.
greediness[11]	8.6
greedy[4a]	4.8
(pejorative)	6.
Greek[3b]	2.6
green (G)[1a]	
adj.	1.5
n.	4.
greengrocer	13.
greet[2a]	
bow	1.4
greeting[4b]	
bow	1.8
grew[1b]	
become	1.
grey (G)[3b]	
gray	2.2
grief[2b]	1.8
grieve[3a] tr. vb.	3.4
grievous[5a]	4.
painful	3.2
grim[5a]	
severe	1.6
grin[4b]	5.9
grind[2b]	5.1
(teeth)	5.
grip[4b]	
seize	1.1
groan[3a]	
vb.	5.
n.	5.3
grocer[4a]	6.4
grocery[6]	6.9
groom[5b]	4.6
groove[6]	7.2
grope[6]	6.5
gross[4a] (measure)	5.2
ground[1a]	
n.	1.
-s	2.4
– floor	4.4
group[2b]	
n.	1.8
class	3.
vb.	3.6
-ing	3.6
grove[2b]	
forest	1.
grow[1a]	
become	1.
(increase in size)	1.1
(e.g., leaves)	1.3
-ing	
rising	1.3
– old	
age	1.6
– fat	
fat	2.7
– dark	
dark	4.5
growl[5a]	
howl	4.5
growth[3a] (amount)	4.2

	Section
grudge[5b]	4.6
(bear –)	5.6
gruff[5a]	3.7
grumble[5a]	4.9
guarantee[5b]	
vb. pledge	2.7
n. pledge	2.9
guard[1b]	
vb.	1.
n. (watchman)	2.
n. (military)	2.
guardian[5b]	
guard	2.
(of a child)	5.5
guess[1b]	1.5
– right	1.4
guest[2a]	
company	1.7
guide[1b]	
vb.	1.3
n.	1.9
guillotine[14]	10.2
guilt[4a]	2.2
guiltless[5b]	
innocent	2.8
guilty[3a]	
blame	1.8
be – of	
commit	2.3
guinea[6]	
pound	1.
guitar[9]	8.
gulf[2b]	5.
gum[5b]	6.8
gun[2a]	1.7
gunpowder[6]	
powder	2.8
gush[4b]	
n.	3.6
vb.	4.5
gust[6]	
blast	5.7
gutter[5b]	5.7
gymnasium[6]	7.2
gypsy[8]	7.4

H

	Section
ha[3a]	
O	1.2
habit[2b]	2.2
habitation[6]	
dwelling	2.3
hack[6]	
cab	3.9
(nag)	7.
had[1a]	
have	1.
hadst[4a]	
have	1.
hail[2b]	5.3
hair[1a]	1.
(do –)	4.
– dressing	
head	4.2
– dresser	
barber	6.1
hairy[8]	7.8
hale[6]	
sound	1.2
half[1a]	
n.	1.
adj.	1.
– hour	1.5
– open	1.5

	Section
half[1a]—continued	
– caste	
caste	7.7
hall[1b]	1.5
(city –)	3.4
entrance	5.3
halloo[6]	
call	1.4
hallow[5a]	3.6
halo[14]	10.1
halt[4a]	
tr. vb. stop	1.
intr. vb. stop	1.4
ham[4a]	5.7
hamlet (H)[4b]	
village	1.2
hammer[2b]	4.8
hand[1a]	
n.	1.
(on the other –)	1.4
vb.	1.8
(on the one –)	2.2
(with one's own –)	3.
handful[4b]	5.6
handkerchief[2b]	4.5
handle[2a]	
vb. treat	1.4
n.	3.1
vb. (wield)	3.9
handsome[2b]	
beautiful	1.
hang[1b] tr. vb.	1.1
hangman[10]	7.3
haply[6]	
perhaps	1.
happen[1b]	1.
– to	
chance	1.6
happily[4a]	
fortunate	3.7
happiness[2b]	1.4
happy[1a]	
glad	1.
harbor[2b]	2.
hard[1a]	
(difficult)	1.
(not soft)	1.
try –	1.5
harden[4b]	6.1
hardly[2a]	1.4
hardness[7]	5.4
hardship[4b]	
misfortune	2.2
hardware[5b]	6.8
hardy[3b]	2.6
hare[3b]	5.6
hark[3b]	
listen	1.8
harlot[6]	6.8
harm[2a]	
tr. vb. hurt	1.8
harmless[5a]	5.8
harmonious[6]	5.3
harmony[3b]	3.1
harness[3a]	
vb.	5.3
n.	5.9
harp[4a]	6.1
harrow[6]	
torment	3.1
harry (H)[2a]	1.4
harsh[4a]	
severe	1.6
(to touch)	3.9
harshness[9]	7.8

	Section
hart[5a]	
deer	5.8
harvest[2a]	
crop	2.7
vb.	4.8
has[1a]	
have	1.
hasn't[6]	
have	1.
hast[3b]	
have	1.
haste[2a]	
hurry	2.4
hasten[2b]	
intr. vb. hurry	1.2
tr. vb. hurry	2.5
hastily[5a]	
fast	1.
hasty[4b]	2.7
fast	1.
hat[1b]	1.5
(put on –)	2.8
hatch[5a]	6.8
hatchet[5a]	
ax	5.
hate[2a]	
n.	2.4
vb.	2.5
hateful[5b]	4.7
hath[4a]	
have	1.
hatred[4a]	
hate	2.4
haughty[4a]	4.7
haul[5a]	
pull	1.
haunt[3b]	5.7
have[1a]	1.
– to	
must	1.
– to do with	1.
haven[5b]	
refuge	3.9
hawk[3b]	5.8
hay[2a]	4.8
he[1a]	1.
head[1a]	
(part of body)	1.
adj. chief	1.
n. chief	1.5
– dress	4.2
(of bed)	4.7
headache[6]	6.6
headlong[5a]	4.2
headquarters[5b]	3.4
heal[3a]	
cure	2.9
health[1b]	1.5
(state of –)	3.1
healthful[6]	
wholesome	4.6
healthy[4a]	
sound	1.2
heap[2b]	
mass	1.6
– up	3.2
hear[1a]	1.
heard[1b]	
hear	1.
hearer[6]	
audience	4.3
hearken[5a]	
listen	1.8
heart[1a]	1.
(learn by –)	3.

INDEX TO ENGLISH WORDS IN THE LIST

	Section
hearted[6]	
stout –	
brave............	1.
hearth[3b]............	3.2
heartily[6]	
cordial............	2.3
hearty[4a]	
cordial............	2.3
(fellow)..........	3.4
heat[1b]	
n.	1.5
vb.	2.2
-ing.............	5.
heath[5a]............	5.3
heathen[4a]..........	4.8
heave[3b]	
lift..............	1.
heaven[1b]..........	1.
-s!..............	1.
heavenly[4a]	
celestial.........	3.5
heavily[4b]	
heavy............	1.
heavy[1a]............	1.
Hebrew[6] adj.......	4.3
hedge[3a]............	5.4
hedgehog[6]..........	7.2
heed[3b]	
attention.........	1.8
heel[2a]	
(on shoe).........	2.4
(on foot).........	4.9
heifer[5b]	
cow..............	3.4
height[1b]...........	1.1
(e.g., of career)....	1.6
heir[3b].............	2.9
held[1b]	
hold.............	1.
hell[3b].............	3.
hello[5b]............	6.
good morning.....	1.1
helm[5a]............	5.6
helmet[4b]..........	4.9
help[1a]	
vb.	1.
n.	1.1
helper[5b]...........	4.3
helpful[5b]..........	5.6
helpless[4a].........	5.
hem[4a]	
turn up...........	4.9
vb. border........	5.1
hemisphere[6].......	7.
hen[2a].............	4.7
– coop	
coop............	11.4
hence[2a]	
therefore.........	1.
henceforth[3a].......	3.
now..............	1.1
her[1a]	
adj.	1.
pron. she........	1.
on – side	
side............	2.2
herald[5a]	
messenger........	2.5
herb[4a]............	4.7
herd[2b]	
drove............	3.9
here[1a]............	1.
(of –)...........	1.4
come now! (look –)...	1.4
–!..............	1.6

	Section
hereafter[4b]	
after.............	1.
hereditary[7].........	7.3
herein[6]	
in...............	1.
heresy[7]............	7.4
heretic[7]............	6.3
heretofore[6]	
before............	1.
hermit[5b]..........	6.6
hero[2b].............	2.1
heroic[4b]...........	5.2
brave............	1.
heroine[6]...........	5.8
heroism[8]..........	7.2
herring[7]...........	6.8
hers[5a]............	2.9
herself[1b]	
self.............	1.
(intensive)........	1.7
he's[6]	
be...............	1.
hesitate[4b]	
waver............	3.4
hesitation[8].........	7.3
hew[4b]	
cut..............	1.8
hid[2b]	
hide.............	1.
hidden[4b]	
hide.............	1.
hide[1b]	
tr. and intr. vb.	1.
(fact)............	2.8
hideous[6]..........	6.4
high[1a]............	1.
-er..............	1.
highland[4b].........	5.
highness...........	4.8
highway[4a]	
road.............	1.
hill[1a].............	2.6
hillside[4a]	
hill..............	2.6
him[1a]	
he...............	1.
himself[1a]	
self.............	1.
(intensive)........	1.4
hind[3a]	
back.............	2.8
hinder[4a]..........	3.7
keep from........	1.4
hindquarters........	11.
hinge[5b]...........	6.5
hint[4b]	
vb.	3.7
n.	4.1
hip[4a].............	6.4
hire[2b]............	4.4
his[1a]	
adj.	1.
poss. pron.	1.1
on – side	
side............	2.2
hiss[4a]............	5.4
historian[6].........	5.6
historic[5b].........	3.3
history[2a].........	1.4
hit[2b]	
strike............	1.1
hither[3a]	
here.............	1.

	Section
hitherto[5a]	
till now..........	1.
hive[4a]............	3.9
ho[6]	
O................	1.2
hoard[6]	
save.............	2.1
heap.............	3.2
hoarse[6]...........	6.5
hoary[6]	
man.............	2.4
hoe[4b] n.	6.3
hog[3b]	
pig..............	3.9
hold[1a]	
vb.	1.
n.	2.5
holder[4b]	
share –..........	4.8
hole[1b]............	2.2
holiday[2b].........	2.6
-s..............	5.2
holiness[6].........	6.6
hollow[2a] adj.	3.
holly[6]............	7.2
holy[2a]............	1.4
homage[5b].........	4.6
(do – to).........	5.
home[1a]	
(at –)...........	1.
– town	
town...........	3.3
homely[5a]	
ugly.............	2.4
homeward[5a]	
home............	1.
honest[2a]..........	1.9
honesty[6]..........	6.4
honey[2a]..........	3.9
honeycomb[6]......	7.
honor[1b]	
n.	1.
vb.	1.7
honorable[3a]......	4.
hood[3b]...........	5.3
hoof[3a]............	5.1
hook[2b]...........	4.2
hoop[5b]	
ring.............	2.
hoot[6]	
cry..............	1.
hop[3a]	
spring...........	1.5
hope[1a]	
n.	1.
vb.	1.
hopeful[6] (optimistic)...	6.9
hopeless[4b]	
desperate........	2.8
-ly.............	6.1
horizon[4b].........	4.
horizontal[6]........	6.5
horn[2a]............	3.7
(trumpet)........	3.6
horrible[3b]	
terrible..........	1.8
horrid[5a]	
terrible..........	1.8
horror[4a]..........	4.4
horse[1a]..........	1.
horseback[4a]......	2.2
horseman[3b]......	2.8
horseshoe[8].......	7.1

	Section
hose[4b]	
stocking.........	4.4
hospitable[6].......	7.2
hospital[3a]........	5.
hospitality[6]......	4.9
host[2b]...........	2.5
hostage[9].........	8.2
hostess[7].........	6.8
hostile[5b]........	3.5
hostility[7]	
enmity..........	5.8
hot[1a]............	1.5
hotel[3a]..........	3.2
hound[4b]	
dog.............	1.9
hour[1a]..........	1.
half –...........	1.5
house[1a].........	1.
man of the –.....	1.8
House of Representatives...........	3.4
country –........	3.3
household[3a].....	2.9
housekeeper[6]...	6.2
housetop[6]	
roof.............	2.
housewife[6]	
housekeeper.....	6.2
hover[5a].........	3.8
how[1a]..........	1.
– much..........	2.2
howe'er[6]	
however.........	1.
however[1b]......	1.
howl[3a]	
vb.	4.5
n.	5.7
huddle[7]	
(in a –)..........	7.4
hue[5a]	
shade...........	2.9
hug[5b]	
clasp............	3.1
embrace........	5.2
huge[2a]	
great............	1.
hum[3b]	
vb. buzz.........	5.2
n. buzz..........	5.4
human[2a] adj. ...	1.4
humane[6]........	5.3
humanity[5b]	
mankind........	2.4
humble[3a]	
adj.	3.5
vb.	5.
humiliation[9].....	7.9
humility[5b]......	5.4
humor[3a]	
(mood)..........	2.4
wit..............	2.7
hundred[1a]......	1.4
hundredth[8].....	7.6
hung[2a]	
hang............	1.1
Hungarian[8].....	6.6
hunger[3a]........	3.2
hungry[2a]	
(be –)...........	2.8
hunt[1b]	
look for..........	1.
vb.	2.3
n.	2.4
hunter[2b]........	2.6

235

	Section		Section		Section		Section
hurl[4a]		imitate[4b]	4.	in.[6]		inertia[14]	10.2
throw	1.	copy	3.2	inch	2.7	inestimable[9]	8.1
hurrah[5a]		immediate[2a]	2.8	inaugurate[8]	4.8	inevitable[5b]	4.4
applause	3.7	-ly		incapable[7]		inexhaustible[13]	8.7
hurry[1b]		once	1.	unable	4.1	inexplicable[11]	8.7
intr. vb.	1.2	immense[3b]		incense[4a]	6.1	inexpressible[12]	9.3
n.	2.4	great	1.	inch[1b]	2.7	infallible[8]	7.7
tr. vb.	2.5	imminent[7]	6.1	incident[5b]		infamous[7]	4.3
hurt[1b]		immobility	12.9	event	2.	infamy[8]	7.6
intr. vb.	1.8	immoral[19]	12.2	-s	4.2	infancy[6]	
tr. vb.	1.8	immorality[17]	11.4	incline[3a]		childhood	3.3
(be −) (offended)	2.3	immortal[3a]	3.8	tend	2.4	infant[3b]	
husband[1b]	1.	immortality[5b]	6.	inclose[4b]		child	1.
hush[3a]		impart[4b]		shut in	1.9	infantry[9]	5.6
quiet (n.)	1.	(let) know	1.	include[2a]	2.1	infer[7]	5.7
vb. silence	1.9	impartial[6]	5.	-d	2.9	inferior[4a]	3.6
husk[6]		impatience[7]	5.3	income[4b]	3.6	infernal[6]	6.7
vb. peel	5.2	impatient[4b]	4.3	incomparable[9]	6.4	infinite[3b]	3.5
n. peel	5.3	imperceptible[9]	7.8	incompatible[14]	9.9	infinity[13]	9.6
hussar[15]	9.4	imperfect[4b]		incomprehensible[11]	6.7	infirmity[6]	
hut[3a]		(defective)	3.9	inconvenience[6]	4.1	weakness	2.9
shed	3.2	(incomplete)	4.2	increase[1b]		inflame[5a]	
hydrogen[6]	6.	imperial[4a]	3.3	vb.	1.1	stir	1.9
hygiene[7]	7.	impertinence[12]	9.4	n.	2.3	inflict[5b]	4.
hymn[4a]	5.8	impetuosity[14]	9.9	incredible[6]	5.4	influence[2b]	
hypocrisy[6]	6.9	impetuous[7]		incur[5b]	3.6	n.	1.6
hypocrite[6]	6.8	headlong	4.2	incurable[7]	7.4	vb.	3.2
hysterical[10]	8.6	impious[6]	6.5	indebted[6]	4.2	influential[11]	8.2
		implacable[9]	7.7	indeed[1b]	1.	inform[2b]	
I		implement[5a]		independence[4a]	3.6	(let) know	1.
		tool	3.	independent[3a]	2.5	(well -ed)	3.
I[1a]	1.	implore[5b]		− person	5.7	information[3a]	2.
ice[1b]	2.4	beg	2.7	indescribable[8]	7.2	legal −	5.3
icy[4b]	6.	import[3b]		index[6]		ingenious[5b]	4.7
I'd[4b]		vb.	1.8	n.	5.3	ingenuity[6]	5.6
should	1.	n. (meaning)	2.2	− finger	6.3	ingratitude[7]	7.
idea[2a]	1.4	(importation)	4.5	Indian[1b]	3.1	ingredient[6]	
ideal[4a] (n. and adj.)	3.2	importance[2b]	1.8	English	1.	element	2.3
idealism[11]	9.	important[1b]	1.	indicate[2b]		inhabit[4b]	3.5
idealist[17]	11.4	impose[4a]	3.	point	1.4	inhabitant[4b]	3.2
identical[6]	3.5	imposing	5.6	indication[8]	5.	inherit[4a]	5.7
identity[11]	7.5	imposition[9]	8.2	indicative[7]	4.6	inheritance[4b]	3.9
idiot[5a]	5.8	impossibility[10]	7.1	indifference[6]	4.7	initial[7]	4.6
idle[2b]	3.7	impossible[2b]	1.4	indifferent[6]		initiative[7]	5.7
idleness[5a]	6.5	impotence[11]	8.7	(all the) same	1.	injure[3a]	
idol[4b]	5.9	impregnate[12]	8.8	indignant[6]		hurt	1.8
idyll[13]	9.8	impress[5a]		angry	2.4	injurious[5b]	4.3
if[1a]	1.	impression	2.2	indignation[4b]	4.2	injury[4a]	
ignoble[6]	4.6	impression[4a]	2.2	anger	1.9	damage	2.4
ignorance[4a]	4.6	(make an −)	2.2	indigo[6]		wrong (n.)	3.1
ignorant[3b]	5.	(imprint)	2.6	blue	1.4	injustice[5b]	4.6
be − of		imprison[4b]	3.6	indirect[6]	5.	ink[3a]	5.1
(not) know	1.	imprisonment[6]	5.	indiscreet[10]	8.3	inkwell[11]	8.9
ill[1b]	1.5	improbable[11]	7.9	indiscretion[12]	9.	inland[5a]	3.9
(get −)	3.	improper[7]	7.2	individual[3a]		inn[3b]	4.2
I'll[2b]		improve[2b]		n.	3.2	innate[14]	9.
shall	1.	intr. vb.	2.4	adj.	3.8	inner[4b]	
illness[5b]		tr. vb.	3.5	indoors[6]	3.1	inside	1.4
disease	1.6	improvement[4b]	3.6	within	1.1	innkeeper[8]	5.8
illusion[6]	4.7	improvise[12]	8.9	indorsement[18]	11.2	innocence[4b]	3.4
illustrate[5a]	5.2	imprudent[15]	10.	induce[4b]		innocent[3a]	2.8
illustration[6]	6.8	impulse[6]		persuade	2.1	innumerable[6]	
illustrious[5b]	3.1	spur	3.6	indulge[6]		countless	3.9
famous	1.1	impure[10]	7.5	− in	4.1	innocent[3a]	2.8
I'm[2b]		impute[6]		tr. vb.	5.3	innumerable[6]	
be	1.	attribute	3.7	indulgence[6]	5.8	countless	3.9
image[3a]	3.5	in[1a]	1.	indulgent[9]	8.1	inquire[3a]	
imaginary[6]		− no way		industrial[8]	5.5	ask (a question)	1.
fancy	3.8	(not at) all	1.	industrious[4a]	3.2	inquiry[5b]	
imagination[3b]	3.9	shut −	1.9	industry[2b]	2.	(investigation)	3.5
imaginative[8]	7.7	− love		(application)	2.6	(interrogation)	4.4
imagine[2a]	1.4	love	2.7	inequality[10]	7.4	inscription[6]	5.2
		− succession		inert[7]	6.8	insect[3a]	4.4
		one	3.3				

INDEX TO ENGLISH WORDS IN THE LIST

	Section
insensible[6]	4.1
inseparable[6]	6.8
insert[5b]	4.4
inside[2a]	
n.	1.4
adj.	1.4
insignificant[5b]	4.
insist[3b]	2.
insistence[10]	7.3
insolence[8]	7.4
inspect[6]	
survey	5.8
inspection[7]	
survey	4.9
inspector[6]	6.9
inspiration[5b]	4.
inspire[4b]	3.1
install[5b]	3.2
installation[12]	8.6
instance[3a]	3.2
for –	
(for) example	1.4
instant[2b]	
-ly	
(at) once	1.
instead[1b]	1.
instinct[4b]	3.2
instinctive[6]	4.9
institute[3b]	
n.	2.6
vb.	3.3
institution[4b]	
institute	2.6
instruct[3a]	
teach	1.
instruction[3a]	2.4
instructive[9]	7.2
instrument[3a]	2.9
document	
act	2.3
insufficiency[14]	10.1
insufficient[9]	6.9
insult[4a]	
vb.	3.4
offense	3.8
insuperable[14]	10.1
insurance[5b]	3.3
insurer	12.
insurgent[11]	9.
intact[10]	7.3
integral[13]	6.6
intellectual[6]	6.1
intelligence[4a]	4.
intelligent[5b]	3.6
intend[2a]	1.4
intense[6]	5.3
intensity[6]	4.
intent[3b]	1.9
intention[4a]	
intent	1.9
interest[1b]	
(concern)	1.
(percent)	1.
(take – in)	1.3
tr. vb.	1.9
(person -ed)	3.
rate of –	3.8
interesting[5b]*	3.2
interfere[6]	
meddle	5.9
interior[4a]	
n. inside	1.4
adj. inside	1.4

	Section
interlocutor	12.9
internal[5b]	
inside	1.4
international[7]	4.8
interpose[6]	5.2
interpret[5b]	4.2
interpretation[6]	5.5
interpreter[6]	6.6
interrogation[5b]	
inquiry	4.4
interrupt[3b]	2.3
interruption[8]	6.3
interval[5a]	4.9
intervention[11]	8.4
interview[5a] n.	4.3
intimacy[7]	6.8
intimate[5b]	
adj.	3.2
familiar	3.3
hint	3.7
intimidate[14]	10.2
into[1a]	1.
intolerable[7]	5.3
intonation[14]	10.2
introduce[3a]	
present (a person)	1.8
(e.g., a subject)	2.7
introduction[5b]	3.7
intruder[7]	7.4
intuition[12]	9.4
invade[4a]	3.8
invalid[7]	
patient	2.5
invasion[6]	5.4
invent[3b]	2.4
invention[3b]	2.6
inventor[5b]	4.8
invert[6]	3.9
invest[5a] (money)	3.
investigate[5b]	4.6
investigation[6]	
inquiry	3.5
investment[7]	4.8
invincible[8]	7.3
invisible[4b]	3.7
invitation[3a]	3.2
invite[2a]	2.3
involuntary[6]	5.4
involve[4b]	3.9
-d	5.
inward[4b]	
inside	1.4
iris[6]	7.
Irish[4b]	
English	1.
iron[1b]	
adj.	1.4
n.	1.8
(old –)	2.3
ironical[11]	8.5
irony[11]	8.2
irregular[4b]	5.
irreparable[14]	9.9
irresistible[7]	5.4
irresolute[9]	8.1
irrigation[7]	7.3
irritate[7]	
anger	2.7
irritation[8] (physical)	5.4
irruption[14]	10.1

	Section
is[1a]	1.
be –	1.
there –	1.
there *is*	1.
island[1b]	1.5
islander[11]	9.
isle[3a]	
island	1.5
isn't[6]	
be	1.
isolate[6]	
-d	
cut off	2.9
cut off	3.1
isolation[9]	8.2
issue[2a]	
result	1.5
isthmus[3b]	5.8
it[1a]	1.
Italian[3a]	2.4
itch[6]	6.9
item[4b]	
entry	5.1
its[1a]	1.
it's[4b]	
be	1.
itself[2a]	
self	1.
(intensive)	1.5
I've[3b]	
have	1.
ivory[3b]	5.6
ivy[5a]	6.7

J

	Section
jacket[5a]	6.1
jail[5b]	
prison	2.
Jan.[5b]	
January	2.2
January[2a]	2.2
Japanese[5a]	6.8
jar[3a]	5.4
jaw[3a]	5.6
jealous[3b]	4.1
jealousy[4a]	4.2
jelly[4a]	6.1
jerk[6] vb.	4.6
jessamine[14]	10.
jest[4b]	
n. joke	2.9
vb. joke	4.3
Jesuit[11]	9.
Jesus[5b]	
Christ	3.3
jet[5a]	
gush	3.6
Jew[4a]	3.5
jewel[3a]	4.2
(jewelry)	3.1
jewelry[4b]	
jewel	3.1
job[3a]	
work	1.1
jocund[6]	
cheerful	1.9
join[1b]	1.
– with	1.9
joint[3a]	
(anatomical)	5.8
– responsibility	
responsibility	7.1

	Section
joke[3b]	
n.	2.9
vb.	4.3
jolly[4b]	
cheerful	1.9
jostle[6]	7.
journal[5b]	4.2
journalist[16]	10.4
journalistic	12.6
journey[1b]	1.
joy[4b]	
delight	1.
joyful[2b]	2.2
joyous[5a]	
joyful	2.2
jubilee[6]	
party	1.
festival	3.4
judge[1b]	
vb.	1.
n.	1.6
judgment(ge)[2b]	
reason	1.4
(decision)	1.5
(insight)	2.6
judicial[13]	8.8
jug[7]	
pitcher	5.6
juice[4a]	4.3
July[2a]	2.2
jump[2a]	
vb. spring	1.5
n. spring	2.6
June[2a]	2.3
junior[5a]	
young	1.
jurisprudence[14]	9.6
jury[5b]	5.
just[1a]	
(past time)	1.
(future time)	1.3
adj. fair	1.4
justice[2a]	1.8
justification[8]	7.2
justify[3b]	2.5
jut[6]	
project	3.7

K

	Section
keen[3b]	2.4
keep[1a]	1.
– from (hinder)	1.4
– quiet	
quiet	1.5
– back	1.7
– from (abstain)	1.7
-ing up	3.4
keeper[4a]	
guard (n.)	2.
kept[1b]	
keep	1.
kernel[6]	4.6
kerosene[6]	6.9
kettle[3a]	4.8
key[2a]	2.8
kick[2b]	3.6
kid[2b]	
goat	4.9
kidney[7]	7.3
kill[1a]	1.4
kin[6]	
relation	2.3

	Section
—kind[1a]	
n.	1.
adj.	1.
(of the same –)	4.
kindle[4b]	
set on fire	2.7
—kindly[2a]	3.3
—kindness[2b]	2.7
kindred[4b]	
relation	2.3
—king[1a]	1.
—kingdom[2a]	1.7
kingly[5b]	
royal	1.5
kinsman[6]	
relation	2.3
—kiss[1b]	
vb.	1.4
n.	1.7
—kitchen[2a]	2.8
kite[4b]	5.2
kitten[5a]	
cat	4.1
kitty (K)[4b]	
cat	4.1
knave[4a]	4.5
—knee[1b]	2.
kneel[4a]	3.9
knell[4a]	
ring	1.4
—knew[1b]	
know	1.
—knife[2a]	2.9
—knight[2a]	2.1
knit[3a]	5.4
knives[6]	
knife	2.9
—knock[2a]	
(on door)	2.6
– down	
fell	2.8
knoll[6]	5.2
hill	2.6
knot[3b]	4.4
(hair)	5.
—know[1a]	
(have knowledge of)	1.
(let –)	1.
(not –)	1.
—knowledge[2a]	1.5
—known[1a]	
know	1.
(e.g., fact)	1.1

L

	Section
label[5b]	5.2
labor[1b]	
n. work	1.
vb. work	1.
laboratory[7]	5.5
laborer[5a]	
workman	2.5
lace[2b]	2.1
—lack[2a] vb.	1.5
lad[2a]	
boy	1.4
ladder[3a]	5.
lade(n)[4a]	
load	1.8
—ladies[2b]	
lady	1.
—lady[1b]	1.
young –	1.1

	Section
lag[5b]	
linger	3.6
–laid[1b]	
lay	1.
lain[6]	
lie	1.
–lake[1b]	2.1
lamb[2a]	4.9
lame[3a]	
vb.	4.6
adj.	5.5
lament[4b]	
mourn	1.9
lamentation[5b]	4.2
–lamp[2a]	2.5
lance[4a]	
spear	3.2
–land[1a]	
n. (not sea)	1.
-ing (stairs)	1.4
vb. (go ashore)	3.2
-ing (from ship)	5.
landscape[4b]	3.2
lane[3a]	
path	2.9
language[2a]	
tongue	1.
(speech)	1.6
languid[7]	7.4
languish[5a]	6.8
languor[10]	8.6
lantern[4b]	3.5
lap[2b] (knees)	2.4
lard[4a]	
fat	2.6
–large[1a]	
big	1.
lark[3a]	5.8
lash[5a]	
vb. whip	4.8
n. whip	4.8
lass[5b]	
girl	1.
–last[1a]	
adj.	1.
(at –)	1.
vb.	1.1
– night	
night	1.2
-ing	4.1
latch[5a] n.	6.8
–late[1a]	1.
-r on	
by and by	1.1
supply -r	3.
late-comer	13.
lately[7]*	5.1
lateral[7]	
side	4.1
Latin[3a]	2.8
–latter[2b]	1.4
laudable[11]	8.2
–laugh[1a]	
vb.	1.
n.	1.8
laughter[3a]	3.8
launch[5a]	
begin	1.
laundry[5b]	
wash	3.3
laurel[4b]	5.1
lavish[5b]	
adj.	3.7
vb.	6.3
–law[1a]	1.
commercial –	3.2

	Section
lawful[5b]	3.
lawless[6]	6.5
–lawn[2b]	
(grass)	4.3
(cloth)	5.2
lawyer[3b]	3.
–lay[1a]	
vb. infin.	1.
lie	1.
– on (top)	
put	3.
(person)	4.2
– waste	
waste	4.9
layer[5a]	3.8
–lazy[2b]	3.8
lb.[4b]	
pound	1.6
lea[6]	
meadow	2.6
–lead[1a]	
vb.	1.
n. (metal)	2.3
leader[2a]	2.3
leadership[6]	4.6
leaf[5b] (of tree)	2.6
leafy[7]	6.6
league[2b]	
mile	1.7
(union)	2.8
leak[6]	6.6
lean[2a]	
-ing	1.8
vb.	2.2
leap[2a]	
vb. spring	1.5
n. spring	2.6
learn[1a]	1.
-ed (adj.)	1.6
-ing (n.)	3.6
least[1b]	1.
(at –)	1.
leather[2a]	3.8
–leave[1a]	
(abandon)	1.
go away	1.
(quit)	1.
(take –)	1.5
– behind	2.2
(bequeath)	2.7
(of absence)	2.9
lecture[4b]	
talk	1.2
–led[1b]	
lead	1.
ledge[5b]	6.8
lee (L)[4b]	
shelter	1.7
–left[1a]	
(adj. and adv.)	1.
vb. leave (quit)	1.
vb. leave (abandon)	1.
leg[1b]	1.9
legal[5b]	
lawful	3.
(juristic)	4.
– tender	
tender	4.8
– information	5.3
legend[5b]	3.9
legion[4b]	5.8
legislation[6]	4.6
legislator[8]	6.3
legislature[5b]	5.2
legitimate[7]	
lawful	3.
(child)	5.8
leisure[5a]	4.8

	Section
lemon[4a]	6.1
lemonade[5a]	6.8
lend[3a]	3.1
–length[1a]	1.7
lengthen[5b]	
prolong	3.6
lent (L)[4b]	
lend	3.1
less[1a]	1.
lessen[5b]	
decline	3.3
lesser[6]	
less	1.
lesson[1b]	1.2
lest[3a]	
that (conj.)	1.
–let[1a]	
allow	1.
let's[6]	
allow	1.
we	1.
–letter[1a]	
(epistle)	1.
(character)	1.4
lettuce[6]	7.1
–level[2a]	
n.	1.9
– off	
even	4.2
levy[6]	
gather	1.5
liable[6]	
subject to	1.7
(– to do something)	5.8
(to something)	6.5
liar[5a]	6.1
liberal[4a]	2.9
liberty[2a]	1.4
library[2b]	3.5
license[4b]	4.6
lick[4a]	6.2
lid[4a]	
cover	2.9
lie[1b]	
vb. (position)	1.
(here -s)	1.7
n.	2.
(tell –)	3.
(give the – to)	3.4
lieutenant[4b]	3.4
life[1a]	1.
(full of –)	1.
(animation)	3.8
lift[1b]	
vb.	1.
-ing (n.) (elevation)	2.2
light[1a]	
n.	1.
adj. (weight)	1.
adj. (in color)	1.4
– up (vb.)	1.4
n. (not artificial)	2.
-ed	2.6
-ing	3.2
lighten[4a]	3.8
lighthouse[6]	6.6
lightness[12]	7.5
lightning[3a]	
flash	3.3
–like[1a]	
as	1.
adj.	1.
vb.	1.
(look –)	1.
in – manner	
manner	1.2
liking (n.)	1.5

INDEX TO ENGLISH WORDS IN THE LIST

	Section
likely[3a]	
probable	1.7
likeness[4b]	3.9
likewise[4b]	
manner	1.2
lily[3a]	4.9
limb[2b]	
branch	1.6
(member)	2.
ime[4a]	4.2
limit[2a]	
vb. (confine)	1.6
n.	2.4
vb. (particularize)	5.1
limp[5b]	
lame	5.5
linden[6]	6.4
line[1a]	1.
– up	3.6
linen[2b]	3.6
linger[4a]	3.6
delay	2.
lining[5a]	6.8
link[3b]	3.3
lion[1b]	2.5
lip[1b]	1.4
liquid[3b] adj.	3.4
liquor[4b]	4.3
lisp[6]	7.2
list[1b]	2.9
listen[1b]	1.8
lit[6]	
light (up)	1.4
literal[7]	
word	2.2
literary[5b]	3.3
literature[4b]	2.9
litter[5b]	
scatter	2.4
little[1a]	
n.	1.
adj.	1.
adv.	1.
– by –	1.
(as – as)	2.6
– rascal	
rascal	4.2
live[1a]	
(be alive)	1.
(dwell)	1.1
– coals	
coals	2.1
(the) living	3.4
lively[3a]	
(full of) life	1.
liver[4b] (anatomical)	6.
livery[5b]	
uniform	4.4
lo[4b]	
see	1.
load[1b]	
n. (burden)	1.4
n. (cargo)	1.7
vb.	1.8
loaf[4b]	3.3
loan[6]	5.3
loathe[6]	
hate	2.5
local[3a]	3.8
(of) here	1.4
locate[3a]	2.
location[4b]	5.5
place	1.

	Section
lock[2a]	
vb.	1.5
n.	2.8
(sluice)	4.8
(of hair)	5.3
locomotive[5b]	5.5
locust[6]	6.8
lodge[2a]	
live	1.1
lodging[6]	
dwelling	2.3
lofty[3b]	
high	1.
log[2b]	4.8
logic[6]	6.2
logical[11]	7.4
loin[4b] (on person)	5.7
loiter[6]	
linger	3.6
lone[3a]	
only (adj.)	1.
lonely[4b]	3.3
lonesome[5a]	
lonely	3.3
long[1a]	
adj.	1.
adv. (time)	1.
no -er	1.
as – as	1.1
– ago	1.3
– for	1.4
-ing	1.9
look[1a]	
n.	1.
appear	1.
– at	1.
– for	1.
-s (n.)	1.
– like	
like	1.
– out	1.4
– out!	1.4
(mien)	1.9
(well, etc.)	1.9
come now!, – here!	1.4
– over	3.1
loom[5a]	
appear	1.
loop[4b]	5.4
loose[2a]	
vb.	1.5
adj.	2.1
loosen[6]	
loose	1.5
lord (L)[1b]	1.1
(title)	2.2
lordship[6]	
lord	2.2
lose[1b]	1.
– courage	
courage	2.
loss[1b]	1.2
lost[1a]	
lose	1.
lot[1b]	
a –	
much	1.
loud[1b]	
(out –)	1.
adj.	1.2
love[1a]	
n.	1.
vb.	1.
(in –)	2.7
lovely[2a]	2.3
lover[2b]	2.

	Section
low[1a]	1.4
mean	1.5
(vile)	1.8
lower[1b]	
low	1.4
vb.	2.3
lowland[5b]	5.4
lowly[6]	
humble	3.5
(of – birth)	6.4
loyal[4a]	3.9
loyalty[5b]	3.6
luck[3a]	
fortune	1.4
(bad –)	2.7
lucky[4a]	
fortunate	2.
luggage[5b]	5.4
lull[4a]	
vb. quiet	1.6
lumber[2b]	
wood	1.5
luminous[7]	4.2
lump[4b]	6.2
lunch[3b]	
vb.	3.
n.	4.5
luncheon[6]	
lunch	4.5
lung[4b]	5.2
lure[5b]	
attract	3.1
lurk[4a]	
intr. vb. hide	1.
lust[4b]	4.8
luster (re)[4b]	
glow	3.
lusty[5b]	
hearty	3.4
lute[6]	7.2
luxurious[6]	6.6
luxury[3a]	3.7
lying[2a]	
lie	1.
lyre[6]	6.9
lyric[8] adj.	6.5

M

	Section
ma[6]	
mother	1.
machine[2a]	2.
machinery[3b]	
machine	2.
mad[2a]	2.7
(make –)	2.9
madam[3b]	
Mrs.	1.
made[1a]	
make	1.
madman[6]	
mad	2.7
madness[4b]	4.1
fury	2.8
magazine[4b]	3.
magic[3a]	3.5
magistrate[4b]	4.
magnet[6]	6.7
magnetic[7]	7.4
magnificence[6]	
splendor	3.6
magnificent[3a]	3.5
fine	1.1
magnify[5a]	4.1

	Section
mahogany[6]	7.2
maid[2a]	
girl	1.
servant	1.5
maiden[2b]	
girl	1.
mail[2a]	
post	2.
main[2a]	
adj. chief	1.
maintain[2b]	
state	1.
(keep up)	1.5
(affirm)	3.5
majestic[4b]	
grand	2.3
majesty[3b]	2.5
major[4a]	
adj. chief	1.
n.	3.2
majority[3a]	2.6
(be in the –)	3.8
make[1a]	1.
cause (vb.)	1.
– out (discern)	1.4
– a point	
prove	1.4
(– a) speech	1.6
(–) easy	1.8
(–) necessary	1.8
(–) possible	1.8
– up (constitute)	1.8
(–) white	1.9
(–) simple	2.1
(– a) mistake	2.2
– out (decipher)	2.2
(–) sure	2.2
– angry	
anger	2.7
– up for	2.9
(–) worse	3.
(–) bitter	3.9
– up for (compensate)	4.1
– believe	4.2
(– a) round (the rounds)	4.3
(–) dizzy	4.4
making (e.g., of clothes)	4.7
(–) drunk	4.8
(–) round	4.9
– stiff	4.9
(–) void	6.2
maker[3a]	4.7
(manufacturer)	3.5
male[3b]	3.1
malice[5a]	4.8
mamma[3a]	2.9
man[1a]	1.
business –	1.4
– of the house	1.8
(old –)	2.4
manage[2b]	2.2
management[5b]	
direction	1.8
manager[6]	5.
director	2.8
mane[5a]	6.4
manger[5b]	6.8
manhood[5a]	6.8
manifest[4a]	
show	1.
vb.	3.1
adj.	4.2
manifold[5b]	4.4
mankind[3a]	2.4
manly[4b]	3.8
manner[1b]	
way	1.
(in like –)	1.2
(good -s)	2.9

	Section
mansion[4a]	3.7
mantle[3b]	
cloak	4.8
manual[7]	
(textbook)	6.5
adj.	7.3
manufacture[2b]	
n.	2.9
vb.	3.
manufacturer[5b]	
maker	3.5
manure[6]	7.
manuscript[6]	5.8
many[1a]	1.
map[2a]	1.9
maple[4b]	6.4
mar[5a]	5.2
marble[2b]	3.8
(game)	4.9
march (M)[1b]	
vb.	1.4
n.	1.5
(March)	1.9
mare[4b]	
horse	1.
margin[5a]	3.9
marine[6]	
sailor	2.9
mariner[5a]	5.8
mark[1a]	
vb.	1.
n. sign	1.1
vb. (characterize)	3.2
market[1b]	1.7
marquis[8]	6.9
marriage[3a]	2.4
married[2b]	
marry	2.3
marry[2a]	2.3
marsh[5a]	
swamp	4.
marshal[5a]	4.2
martial[6]	5.4
martyr[4b]	3.1
martyrdom[8]	7.3
marvel[4a]	
n. wonder	1.7
vb. wonder	1.8
marvelous[3b]	
wonderful	1.2
masculine[5b]	
manly	3.8
mask[4b]	
n.	4.5
vb.	5.4
mason[5a]	6.3
mass[2a]	
n.	1.6
(religious)	2.7
massy[6]	
big	1.
mast[3a]	5.6
master[1b]	
n.	1.
vb.	1.4
masterpiece[7]	6.4
mat[3b]	
(straw)	5.8
match[2a]	
(sport)	2.
(to light)	5.2
mate[2b]	
husband	1.
wife	1.

	Section
material[2a]	
cloth	1.3
adj. real	1.9
n.	2.
adj.	2.
maternal[7]	
mother	4.1
mathematical[10]	8.3
mathematics[6]	6.7
matron[6]	6.5
matter[1a]	
n. (affair)	1.
(what's the –)	1.
(neg.)	1.
n. (substance)	1.1
printed –	2.4
mattress[6]	6.7
mature[4a]	
ripe	2.9
(get) ripe	3.4
(adult)	4.
maturity[8]	7.8
mawkish[16]	11.
maximum[8]	7.4
may (M)[1a]	
vb.	1.
(May)	1.2
maybe[4a]	
perhaps	1.
mayor[3a]	2.5
mayst[6]	
may	1.
maze[6]	7.
me[1a]	
I	1.
mead[5a]	
meadow	2.6
meadow[2a]	2.6
meal[2a] (repast)	3.2
mean[1a]	
-s (n.)	1.
vb.	1.
(low)	1.5
(by -s of)	2.5
meaning[5b]*	
import	2.2
(full of –)	3.3
meant[2b]	
mean	1.
meantime[4b]	
meanwhile	2.8
meanwhile[4b]	2.8
measure[1a]	
n.	1.
vb.	2.
measurement[5b]	
measure	1.
meat[1b]	1.6
mechanic[4a]	3.5
mechanical[6]	
mechanic	3.5
-ly	5.2
mechanism[7]	7.2
medal[5b]	4.4
meddle[5a]	5.9
medical[5b]	5.1
medicine[2b]	3.4
mediocre[18]	11.3
mediocrity[15]	10.5
meditate[5b]	
brood	3.9
meditation[6]	5.1
medium[4b]	
means	1.
meek[4a]	
humble	3.5

	Section
meekness[6]	
humility	5.4
meet[1a]	
vb.	1.
(go to –)	2.3
meeting n.[6]*	
convention	2.8
melancholy[5b]	
sad	1.4
n.	5.
adj.	5.
mellow[5a]	
ripe	2.9
(get) ripe	3.4
melody[4b]	
air	3.
melon[6]	6.9
melt[2a]	2.5
-ing (of metals)	3.3
member[1b]	1.1
memorable[7]	7.
memorial[4b]	4.4
memory[2a]	1.8
men[1a]	
man	1.
mend[3a]	
repair	3.7
mental[6]	3.6
mention[2a]	
vb.	2.2
n.	3.6
merchandise[4a]	
goods	1.5
merchant[2a]	2.2
merciful[6]	4.2
merciless[5]	5.4
mercury (M)[5b]	6.6
mercy[2b]	2.
mere[2a]	
only (adj.)	1.
-ly	
simply	1.
meridian[6]	7.2
merit[3a]	
n. value	1.
vb. (be) worth	1.
vb. deserve	1.5
merry[2a]	
cheerful	1.9
mess[5b]	
disorder	5.
message[2a]	3.
messenger[3a]	2.5
met[1b]	
meet	1.
metal[2b]	
n.	2.1
adj.	4.8
meteor[6]	7.2
meter[4a]	
yard	1.3
methinks[5b]	
think	1.
method[3a]	2.5
methought[6]	
think	1.
metropolis[6]	4.8
mew[4a]	6.4
Mexican[6]	6.8
mice[4a]	
mouse	5.
mid[4a]	
among	1.

	Section
middle[1b]	
center	1.
(time)	1.5
– ages	2.2
midnight[2a]	2.4
midst[3a]	
among	1.
might[1a]	
n. power	1.
vb. may	1.
mighty[2a]	
strong	1.
mild[2b]	
gentle	1.4
mile[1a]	1.7
military[3a]	2.4
militia[6]	6.3
milk[1a]	2.5
milkman[15]	10.6
milky[6]	7.2
mill[1b]	3.
millennium[14]	8.8
miller[4a]	6.1
million[2a]	1.4
millionaire[6]	6.9
mince[6]	
chop	4.2
mind[1a]	
vb. (take) care (of)	1.
n.	1.1
vb. object	1.9
presence of –	4.5
mine[1a]	
pron.	1.1
n.	2.6
miner[5b]	4.7
mineral[4b]	6.1
mingle[3b]	
mix	2.2
miniature[8]	7.7
minimum[8]	7.4
minister[2b]	1.5
(clergyman)	2.
ministry[5b]	3.4
minor[7]	4.4
minority[8]	7.7
minstrel[6]	7.2
mint[6]	7.2
minute[1b]	
n.	1.5
adj.	3.1
miracle[4a]	2.9
wonder	1.7
mire[5a]	
mud	4.8
mirror[3a]	2.8
mirth[3b]	5.5
mischief[3b]	4.5
miser[6]	6.5
miserable[3b]	2.7
misery[3b]	2.7
misfortune[4b]	2.2
misgiving[8]	7.4
(have –)	6.3
mishap[6]	
accident	2.3
miss (M)[1a]	
vb.	1.
(Miss)	1.1
mission[4b]	4.1
missionary[6]	7.2

INDEX TO ENGLISH WORDS IN THE LIST

	Section
mist[3a]	3.1
— mistake[2a]	
error	1.8
(make a –)	2.2
mister (M)[6]	
Mr.	1.
— mistress[2b]	3.5
mistrust[5b]	
n.	4.3
vb.	6.
misty[6]	
dim	4.1
cloudy	5.8
misunderstand[6]	
-ing	6.
miter(re)[6]	7.2
mitten[5a]	
glove	3.9
— mix[2a]	2.2
mixture[4a]	3.9
moan[4a]	
vb. groan	5.
n. groan	5.3
mob[5b]	4.9
mobility[14]	9.4
mobilization	12.
mobilize[17]	11.4
— mock[2b]	
(make) fun (of)	2.8
mockery[6]	4.8
fun	3.1
mode[3b]	2.2
fashion	2.8
— model[2b]	2.
moderate[3a]	
adj.	3.
sober	3.8
vb.	4.2
moderation[6]	
(temperateness)	3.8
(diminution)	5.8
— modern[2b]	1.8
modest[3a]	2.4
modesty[5b]	4.7
moist[4a]	
damp	3.4
moisten[6]	6.8
moisture[4b]	4.4
mole[5a]	6.3
molten[6]	
melt	2.5
— moment[1b]	1.
(in a –)	1.5
momentary[7]	7.2
monarch[3b]	3.3
monarchy[6]	5.6
— Monday[2a]	3.3
— money[1a]	1.
monk[5a]	4.7
monkey[4a]	5.6
monolog(ue)[16]	11.
monopoly[7]	7.3
monosyllable[15]	10.5
monotonous[7]	6.8
monotony[9]	8.1
monster[4b]	4.1
monstrous[4a]	4.7
month[1a]	1.
monthly[5b]*	5.8
monument[3a]	2.5
monumental[8]	7.8

	Section
mood[4a]	
mode	2.2
humor	2.4
moon[1b]	1.6
moonlight[4b]	3.2
moor (M)[4a]	5.8
moral[3a]	2.3
-s	3.6
moralist[11]	8.6
morbid[9]	7.6
— more[1a]	1.
no –	
no longer	1.
(so) much the –	3.6
all the –	
much	3.6
moreover[3b]	
addition	1.4
morn[4a]	
morning	1.
— morning[1a]	1.
good –	1.1
adj.	3.1
morrow[4b]	
(the) day after	1.
morsel[6]	6.2
— mortal[2b]	
(fatal)	2.9
(susceptible to death)	3.7
mortgage[6]	7.2
mosquito[7]	7.2
moss[3b]	5.8
— most[1a]	1.
moth[5b]	6.8
— mother[1a]	
n.	1.
adj.	4.1
mother-of-pearl	12.7
motion[2b]	1.4
motionless[7]	
still	1.3
stable	2.9
motive[3b]	4.
motor[4a]	
machine	2.
motto[7]	
device	4.2
mould[4a]	
n. (form)	3.1
vb.	5.7
-ing (architectural)	6.2
mound[4b]	
mass	1.6
mount[1b]	
go up	1.
mountain[1a]	1.5
mountainous[5a]	6.7
— mourn[2b]	1.9
-ing (n.)	3.1
mournful[5b]	
sad	1.4
mouse[2a]	5.
mouth[1b]	1.
(of river)	2.7
movable (move)[5b]	3.9
— move[1a]	
vb.	1.1
(emotionally)	1.5
(household)	1.5
-ing (adj.) (physical)	2.2
-ing (adj.) (emotional)	2.3
movement[3a]	
motion	1.4
mow[7]	
cut	4.7

	Section
mower[6]	7.2
Mr.[1b]	1.
Mrs.[1b]	1.
— much[1a]	1.
so –, as –	1.
as –	1.8
(as – as)	1.9
how –	2.2
(so – the more)	3.6
muck[6]	
manure	7.
— mud[2b]	4.8
muddy[6]	5.2
muff[6]	7.2
mug[6]	
cup	4.3
mule[4a]	6.
muleteer[20]	12.5
multiple[9] adj.	4.8
multiplication[6]	7.
multiplicity[14]	9.
multiply[3a]	5.1
multitude[3b]	
crowd	1.
murder[3a]	
n.	3.3
vb.	3.5
murderer[4b]	4.1
murmur[2a]	
vb.	2.9
n.	4.8
muscle[6]	5.6
muse[3b]	4.6
museum[4a]	4.
music[1b]	1.5
musical[3a]	
(person)	3.6
(composition)	5.8
– drama	
drama	6.2
musician[4b]	4.8
muslin[6]	
lawn	5.2
Mussulman[13]	9.8
— must[1a]	1.
mustache[9]	7.4
muster[6]	
gather	1.5
mute[4a]	
dumb	2.9
n. (music)	6.2
mutter[4b]	
murmur	2.9
mutton[5b]	5.8
mutual[4b]	3.1
muzzle[5b]	5.2
— my[1a]	1.
myriad[6]	
countless	3.9
myrtle[6]	7.2
— myself[1b]	
self	1.
(intensive)	1.3
mysterious[4b]	3.5
mystery[3a]	2.4
mystic[7]	6.9

N

	Section
— nail[2a]	
n. (tack)	3.
(finger)	3.1
vb.	4.6
naked[3a]	
bare	2.4

	Section
— name[1a]	
n.	1.
vb. (give – to)	1.
(appoint)	1.
(what is your –)	1.
nameless[6]	5.8
namely[5b]	2.6
nap[4b]	
vb. sleep	1.4
n. sleep	1.5
(sleep)	6.
napkin[3b]	5.5
narrow[1b]	1.
nation[1b]	1.1
— national[2b]	2.
nationalization	12.4
nationality[7]	5.5
— native[2a]	
adj.	3.2
n.	3.7
– town	
town	3.3
natural[1b]	1.
naturalist[7]	7.4
naturalness	12.1
nature[1b]	1.
(soul)	1.
naught[6]	
nothing	1.
naughty[4b]	2.3
naval[6]	5.2
navigable[6]	7.2
navigator[8]	7.6
navy[3a]	3.6
nay[4a]	
no	1.
— near[1a]	
adj. and adv.	1.
prep.	1.
(go) towards, –	1.
nearly[3b]*	
almost	1.
neat[3a]	2.6
neatness[13]	9.2
— necessary[1b]	1.
(make –)	1.8
necessity[3a]	2.3
(of –) (necessarily)	2.3
neck[1b]	1.5
necklace[6]	6.4
necktie[6]	6.4
— need[1a]	
n.	1.
vb.	1.
needful[5b]	
necessary	1.
— needle[2b]	3.8
needless[5b]	
unnecessary	4.2
needy[7]	6.
ne'er[5b]	
never	1.
negative[5b]	4.8
— neglect[2b]	
vb.	2.
n.	4.7
negotiation[7]	
dealing	3.
negro[3a]	3.8
neigh[5b]	6.8
neighbor[1b]	1.8
(fellow-being)	3.4
neighborhood[3a]	2.9

	Section
neither[1b]	
adv.	1.
conj.	1.
– one	1.
nephew[4a]	3.7
nerve[4a]	3.5
nervous[4b]	4.4
nest[1b]	3.3
nestle[6]	7.
net[2b] n.	3.1
nether[6]	
under	1.9
neutral[8]	7.6
never[1a]	1.
nevertheless[4a]	
however	1.
new[1a]	1.
(New Year's) Eve	3.8
news[2a]	1.4
newspaper[2b]	
paper	1.
next[1a]	1.
nibble[6]	
bite	3.7
nice[1b] (person)	
fine	1.4
nickel[4b]	
cent	1.7
nickname[10]	8.6
niece[5b]	4.1
nigh[4a]	
adj. and adv. near	1.
prep. near	1.
night[1a]	1.
(last –)	1.2
(at –)	2.2
(spend –)	2.7
adj.	3.3
nightingale[4b]	6.1
nightly[6]	3.
nightmare[9]	7.8
nimble[5b]	
active	2.5
nine[1b]	2.4
nineteen[4a]	6.3
ninety[3b]	5.8
ninth[3a]	4.7
nip[6]	
bite	3.7
no[1a]	
adv.	1.
adj.	1.
– longer, – more	1.
– one	1.
in – way	
(not at) all	1.
nobility[5b]	3.7
noble[2a] adj.	1.4
nobleman[5b]	
peer	2.6
nobody[2b]	
no one	1.
nod[2b]	3.2
noise[2a]	2.6
noiseless[6]	
silent	1.5
noisy[5b]	5.8
nomination[5b]	4.9
none[1b]	1.
nonenity[15]	10.6
nonsense[5a]	5.

	Section
nook[5b]	
corner	2.3
noon[1b]	2.1
noonday[5b]	
noon	2.1
nor[1b]	
neither .... nor	1.
adv. neither	1.
normal[4b]	3.9
north[1a]	1.6
northern[2b]	2.
northwest[5a]	6.8
nose[1b]	1.7
blow –	4.2
nostril[4a]	5.7
not[1a]	1.
notable[5a]	
remarkable	2.4
note[1b]	
n. (written)	1.9
vb.	1.9
(bank –)	3.6
– book	4.9
nothing[1a]	1.
notice[1b]	
vb.	1.4
(give – of)	1.4
n. – of something	1.7
(give – to)	2.8
notify[5b]	
(let) know	1.
(give) notice (of)	1.4
notion[3b]	
idea	1.4
notwithstanding[5b]	
however	1.
nought[5a]	3.
nothing	1.
noun[9]	7.3
nourish[4b]	3.2
nourishment[6]	5.6
novel[4b]	2.9
novelist[9]	7.9
novelty[4b]	4.3
November[2a]	2.3
now[1a]	
adv.	1.
conj.	1.
till –	1.
– and then	
(at) times	1.
(from – on)	1.1
now .... now	1.5
now .... then	1.5
– then	
so	1.5
come –!, look here!	1.4
– and then	2.2
come –!	
well	2.3
nowhere[6]	3.4
nucleus[6]	4.9
of[1a]	1.
number[1a]	
n. (quantity)	1.
figure	1.1
(digit)	2.4
numerous[2b]	1.5
nun[5b]	6.3
nurse[2a]	
(take) care (of)	1.
nursery[6]	5.8
nut[2a]	5.1
nymph[5a]	6.4

O

	Section
O[1b]	1.2
oak[1b]	3.1
oar[4b]	4.8
oasis[6]	7.
oat[3a]	6.
oath[6]	
(take an –)	4.6
(blasphemy)	4.8
obedience[4a]	6.
obedient[4b]	3.2
obelisk[11]	9.
obey[2a]	2.2
object[1b]	
thing	1.
vb.	1.9
(grammatical)	3.
objection[5b]	4.4
obligation[5b]	4.
oblige[2b]	
force (vb.)	1.
oblique[8]	6.2
obscure[5a]	
dim (adj.)	4.1
vb.	6.
observation[3b]	2.4
remark	2.4
observe[2a]	1.4
notice	1.4
watch	1.
observing	2.6
observer[7]	5.4
obstacle[5b]	3.4
bar	2.1
obstinacy[7]	7.2
obstinate[5b]	
stubborn	4.1
obtain[2a]	
get	1.
occasion[2a]	
chance	1.
occasional[4b]	3.7
occupation[3b]	2.4
occupy[2a]	
occupied with	
engaged	1.9
occur[2b]	
happen	1.
ocean[1b]	3.6
o'clock[2a]	
(what) time (is it)	1.
October[2a]	2.4
odd[2b]	
strange	1.
odious[6]	
hateful	4.7
odor[3b]	
smell	2.8
o'er[3a]	
prep. above	1.
of[1a]	1.
off[1a]	
away	1.
right –	
(at) once	1.
take – (coat, etc.)	1.8
put – (postpone)	2.6
cut – (curtail)	2.8
cut – (isolated)	2.9
vb. cut	3.1
take – clothes	3.3
(take –) shoes	4.1
even –, level –	4.2
pay –	4.9

	Section
offend[3a]	2.8
-ed	
hurt	2.3
offender[6]	6.8
offense[3a]	3.8
offensive[6]	5.7
offer[1b]	
vb.	1.
n.	3.6
-ing	3.8
office[1b]	
(position)	1.4
(place)	2.9
printing –	4.4
officer[1b]	1.2
customhouse –	8.9
official[3a]	
adj.	2.8
n.	2.8
offspring[5b]	
child	1.
oft[3b]	
often	1.
often[1a]	1.
oh[1b]	
O	1.2
oil[2a] n.	2.5
ointment[6]	7.
old[1a]	1.
– age	1.3
grow –	
age	1.6
– iron	
iron	2.3
– man	
man	2.4
olive[3a]	5.8
– tree	5.7
omission[6]	7.
omit[4b]	4.4
on[1a]	1.
– the way	
way	2.2
put – (e.g., hat)	2.6
– board	
board	3.
lay – (top)	
put	3.
urge –	4.8
once[1a]	
(one time + once	
upon a time)	1.
(at –) (immediately)	1.
(at –) (at one stroke)	1.8
one[1a]	
indef. pron.	1.
(numeral)	1.
each other	1.
no –	1.
that (pron.)	1.
this (pron.)	1.
– after the other	3.3
onion[4a]	5.6
only[1a]	
adv.	1.
adj.	1.
onward[3b]	
go forward	1.4
opaque[8]	7.8
open[1a]	
vb.	1.
adj.	1.3
(to) half –	1.5
intr. vb.	2.2
-ing (n.) (vent)	2.3
-ing (first perform-	
ance)	4.4
-ing (n.) (e.g., of a	
meeting)	4.7

INDEX TO ENGLISH WORDS IN THE LIST

	Section
opera[4a]	4.5
operate[5b]	3.6
—operation[2b]	
(general)	2.4
(surgical –)	3.6
opinion[2a]	1.4
opportune[8]	7.4
—opportunity[2b]	
chance	1.
oppose[3a]	2.3
—opposite[2b] adv.	1.4
opposition[4b]	3.
oppress[4a]	5.8
oppression[4b]	3.5
optic[8]	7.8
optimism[13]	9.7
optimistic[16]	10.9
—or[1a]	1.
oracle[5a]	6.8
oral[7]	5.4
—orange[2a]	5.2
– blossom	4.9
– tree	5.
oration[6]	3.5
orator[6]	
speaker	3.1
oratory[10]	8.6
orb[5a]	
globe	3.3
—orchard[2b]	5.2
orchestra[5b]	5.5
ordain[4b]	
command	1.5
—order[1a]	
(in – to)	1.
n.	1.
(put in –)	1.4
vb. command	1.5
vb. (something to be delivered)	1.5
ordinance[4b]	
rule	1.1
ordinary[3a]	
usual	1.
common	1.4
(trite)	2.2
organ[2b] (anatomical)	2.2
organic[6]	4.5
organism[6]	4.8
organization[5b]	3.5
constitution	2.7
organize[4b]	3.7
organizer[16]	11.
Orient (o)[5a]	
east	2.
vb.	4.9
Oriental (o)[6]	
eastern	2.7
origin[4b]	
source	2.7
original[3a]	2.3
(an – idea)	4.1
originality[9]	6.8
ornament[3a]	
vb. trim	2.4
n. trimming	3.8
orphan[4a]	5.6
ostentation[11]	9.
ostrich[6]	7.1
—other[1a]	1.
each –	1.1
one after the –	3.3

	Section
otherwise[3a]	
else	1.1
—ought[1b]	1.
ounce[3b]	4.7
—our[1a]	1.
ours[3a]	3.9
ourself[3b]	
self	1.
ourselves[3a]	
self	1.
—out[1a]	1.
carry –	1.
drive –	1.1
call –	1.4
go –	1.4
put –	1.9
stand –	1.9
way –	2.
break – (crying, etc.)	2.2
carrying –	2.2
make – (decipher)	2.2
break – (war)	2.3
come –	2.6
wear –	2.8
take –	4.1
– of reach	
reach	4.1
rub –	4.4
cross –	4.7
working –	4.9
outdoor(s)[6]	
outside	1.4
outer[6]	
outward	3.4
outfit[6]	
equipment	5.3
outlet[4b]	3.
outline[5a]	
vb.	4.5
n.	4.8
output[7]	5.8
outrage[6]	6.7
horror	4.4
outrageous[7]	5.8
outrun[6]	
exceed	2.3
outside[1b]	
out	1.
adv.	1.4
outstretch[6]	
-ed (arms)	3.
outward(s)[4a]	3.4
oven[3b]	2.7
—over[1a]	
prep. above	1.
across	1.
past	1.4
do –	1.8
put –	3.
look –	3.1
tip –	3.5
overcoat[4b]	3.6
coat	2.2
overcome[3b]	4.5
(difficulties)	2.4
(emotionally)	2.7
(be –)	3.3
overflow[4a] vb.	5.5
overhead[4b]	
above	1.
overlook[4b]	
neglect	2.
overpower[7]	
overcome	4.5
oversight[8]	6.1
overtake[4a]	3.9
catch	2.3
overthrow[4a]	3.1

	Section
overtook[6]	
catch	2.3
overtake	3.9
overturn[5a]	
tip	3.5
overwhelm[5b]	4.8
burden	3.5
owe[2a]	1.8
—owl[2b]	5.6
—own[1a]	
adj.	1.
vb.	1.
owner[2b]	2.
ox(en)[2a]	3.8
oxygen[7]	5.6
oyster[4a]	6.2
oz.[4b]	
ounce	4.7

P

	Section
pa[6]	
papa	3.4
pace[2b] n. (gait)	1.8
pacific (P)[3b]	
peaceful	2.9
pack[2a]	3.5
package[3a]	
bundle	4.
pad[5a]	
stuff	4.1
paddle[6]	7.2
page[1b] (of book)	1.2
paid[2a]	
pay	1.
pail[3a]	5.6
pain[1b]	
n.	1.
take -s	1.4
painful[4b]	3.2
paint[1b] vb.	1.5
painter[3b]	3.
painting[5b]*	3.2
pair[1b]	1.9
palace[2a]	2.3
palate[9] (of mouth)	8.1
pale[2b]	
adj.	2.7
vb.	3.3
paleness[9]	8.
palm[3a]	5.1
– tree	5.5
pamphlet[7]	6.3
pan (P)[2b]	4.9
frying –	6.4
pancake[6]	7.
pane[4b]	3.3
pang[4a]	
pain	1.
panic[7]	7.3
pansy (P)[5a]	6.1
pant[3a]	5.7
pantry[5a]	6.2
papa[3a]	3.4
papal[8]	
– bull	7.8
paper[1a]	1.
(newspaper)	1.
parade[5a]	5.4
procession	4.1
paradise[3a]	3.8
paragraph[5b]	3.3

	Section
parallel[4b]	4.9
paralyze(se)[7]	5.7
parcel[3a]	
bundle	4.
parch[6]	
dry	2.1
parchment[7]	7.4
pardon[2b]	
vb.	2.2
n.	3.6
pare[6]	
peel	5.2
parent[2a]	1.8
parish[5b]	3.4
parishioner[14]	10.2
Parisian[8] adj.	5.8
park[2a]	2.3
parliament[3b]	2.8
parliamentary[11]	7.
parlor[3a]	
room	2.3
parrot[5b]	6.5
parsley[9]	8.1
parson[4b]	
minister	2.
part[1a]	
n.	1.
(in –)	1.
(of country)	1.
(rôle)	1.4
(on the – of)	1.4
(take –)	1.4
(for the most –)	1.8
(for my –)	2.6
partake[5b]	
(take) part	1.4
partial[5b]	
partly	
(in) part	1.
(biassed)	4.5
participant[15]	10.
participation[8]	7.8
participle[14]	10.2
particle[6]	7.
particular[2a]	
adj.	1.4
special	1.8
n.	2.3
parting[6]*	
separation	3.4
partly[2b]	
(in) part	1.
partner[3b]	3.4
partridge[6]	6.9
party[1b]	
(celebration)	1.
(sect)	1.1
(be a – to)	2.
pass[1a]	
vb.	1.4
vb. hand	1.8
-ing (transient)	1.9
(e.g., time)	2.6
(permit)	4.4
passage[3a]	4.8
crossing	1.6
passenger[3a]	3.2
traveller	2.4
passerby[17]	10.9
passion[3a]	2.3
passionate[5b]	3.7
passive[7]	7.3
past[1b]	
go –	
pass	1.4
adj. (over)	1.4

	Section		Section		Section		Section
past[1b]—*continued*		peer[2b]		persuade[3b]		pioneer[5b]	6.8
n.	1.9	n.	2.6	convince	2.	pious[4b]	2.9
(tense)	2.2	vb.	3.5	(induce)	2.1	pipe[2a]	3.2
paste[5b] n.	6.1	peg[5a]	6.	pertain[6]		(to smoke)	3.6
pastime[4b]	4.8	pen[1b] (for writing)	1.5	belong	1.	piper[6]	7.2
pastor[5a]	4.9	penalty[7]		-ing	5.9	pirate[6]	6.9
minister	2.	sanction	6.7	Peruvian[13]	9.8	pistol[4a]	5.9
pastry[8]	7.8	penance[6]	5.7	pestilence[6]	5.8	pit[3a]	
pasture[2b]	3.5	(do –)	5.8	plague	4.6	ditch	3.9
pat[3b]		pencil[2b]	4.2	pet[4a]		pitch[3a]	
tap	4.6	penetrate[13]	6.6	stroke	4.4	vb. throw	1.
patch[3a]		penetration[12]	9.3	petal[6]	7.2	pitcher[4a]	5.6
repair	3.7	peninsula[4b]	4.5	petition[4b]	4.	pitiful[6]	6.6
patent[5a]		penny[2b]		petroleum[6]	6.9	pitiless[6]	
evident	2.5	cent	1.7	petticoat[5b]		merciless	5.4
n.	5.2	pension[5b]	4.3	skirt	2.6	pity[2a]	
paternal[6]	4.8	pensive[4b]	3.9	petty[5a]	4.5	mercy	2.
path[1b]	2.9	people[1a]		phantom[6]		n. (compassion)	2.4
pathetic[7]	5.	(race)	1.	ghost	3.2	vb.	4.6
pathway[6]		(persons)	1.	Pharisee[10]	8.	place[1a]	
path	2.9	(common)	1.	phase[10]	8.4	n.	1.
patience[3a]	2.8	vb.	4.3	phenomenon[6]	3.2	vb.	1.
patient[2b]		pepper[4a]	5.9	philosopher[4b]	3.3	(take –)	1.
n.	2.5	per[2b]		philosophical[8]	5.2	placing	4.
(be –)	3.8	by (as –)	1.	philosophy[4a]	3.3	in the second –	
patriarch[8]	6.8	perceive[3a]		phoenix[12]	9.4	second	2.3
patriarchal[14]	10.1	understand	1.	phone[5a]		plague[3b]	4.6
patriot[5b]	5.2	catch sight	1.1	telephone	5.3	plain[1a]	
patriotic[5b]	4.8	percent (per cent)[7]		phosphorus	11.	clear	1.
patriotism[6]	6.5	interest	1.	photograph[5b]	3.7	simple	1.
patron[4a]	4.	perch[3b]	5.6	phrase[4a]		n.	1.6
pattern[2b]		perchance[5b]		sentence	1.4	plaintiff[12]	8.4
model	2.	perhaps	1.	physical[5b]	4.	plan[1b]	
pause[3b]	2.9	perfect[1b] adj.	1.	physician[3a]		n.	1.1
pave[4b]	6.2	perfection[4b]	3.4	doctor	1.	vb.	2.3
pavement[4b]		perform[2b]		physics[12]	8.	plane[4b]	3.7
sidewalk (Amer.)	5.5	carry out	1.	piano[4a]	4.7	– tree	6.
(Amer.)	5.7	performance[4b]		pick[1b]		planet[4b]	3.9
pavilion[6]	6.4	play	2.	choose	1.	plank[5a]	
paw[3b] n.	5.1	(fulfilment)	3.	– up (e.g., from floor)	1.5	board	1.7
pay[1a]	1.	(theatre)	3.1	pickle[5b]	6.8	plant[1a]	
– off	4.9	perfume[4a]		picnic[4b]	6.3	n.	1.5
payment[3b]	2.5	n.	4.	picture[1a] n.	1.1	vb.	2.4
pea[3a]	5.4	vb.	5.4	picturesque[5b]	4.6	plantation[5a]	
peace[1b]	1.	perhaps[1b]	1.	pie[2a] (meat)	5.1	farm	3.2
peaceable[6]		peril[4b]		piece[1a]		planter[6]	7.2
peaceful	2.9	danger	1.5	n.	1.	plaster[5b]	6.5
peaceful[3b]	2.9	perilous[5a]		– of work		plastic[9]	7.6
peach[3a]	5.8	dangerous	2.	work	1.1	plate[2a]	
peacock[5a]	6.4	period[2b]		fall to -s	2.6	n.	2.5
peak[4b]		term	1.8	pier[6]		vb.	5.1
top	1.3	(of time)	2.2	dock	5.4	plateau[5a]	6.
peal[4b]		periodical[6] (n. and adj.)	3.9	pierce[3b]	3.1	platform[4a]	5.8
ring	1.4	perish[3a]	2.7	piety[5b]	4.9	(dais)	6.2
pear[3a]	5.5	permanent[4a]	4.2	pig[2a]	3.9	platter[6]	4.
pearl[2b]	2.9	permission[4b]	3.3	pigeon[4b]	4.8	play[1a]	
peasant[3b]	2.4	permit[2a]		dove	4.4	vb.	1.
pebble[5a]		allow	1.	pigeonhole[16]	9.	(theatre)	2.
stone	1.4	pass	4.4	pile[2a]		player[5b]	6.
peck[3b]		perpetual[4a]		mass	1.6	playful[8]	7.4
bushel	6.	permanent	4.2	pilgrim[4a]	5.8	playground[6]	6.
peculiar[3a]		perplex[4b]	3.6	pilgrimage[6]	6.7	playmate[4b]	
strange	1.	persecute[5b]	3.2	pill[5a]	6.8	companion	2.3
(be –)	3.6	persecution[5b]	4.2	pillar[4a]		plaything[5a]	
pedant[13]	9.6	perseverance[6]	5.2	column	3.3	toy	5.1
peddler[6]	7.	Persia(n)[5a]	5.6	pillow[3a]	5.2	plea[6]	5.3
pedestal[7]	7.3	persist[5b]	3.8	pilot[6]	6.8	plead[3b]	5.1
peel[5a]		person[1a]	1.	pin[2a]	4.	pleasant[1b]	1.1
vb.	5.2	queer –	3.3	pinch[4a] vb.	6.	please[1a]	1.
n.	5.3	independent –	5.7	pine[2b]	4.9	pleasure[1b]	1.4
peep[2b]		personage[5]	3.6	pink[2b]	4.6	pledge[3b]	
look (n.)	1.	personal[3b]	1.9	pint[4a]		vb.	2.7
vb. glance	2.3	personality[6]	3.9	quart	4.7	n.	2.9
						plentiful[5a]	
						abundant	4.2

INDEX TO ENGLISH WORDS IN THE LIST 245

	Section
plenty²ᵃ	2.2
plight⁵ᵇ	
position	1.5
plot³ᵃ	
n.	3.9
vb.	5.4
plough⁴ᵇ	
n. plow	5.3
vb. (agricultural)	5.7
plow³ᵃ	
n.	5.3
vb. (e.g., ship -s through waves)	5.4
vb. (agricultural)	5.7
pluck²ᵇ	
gather	1.5
plum³ᵃ	6.
plume⁴ᵃ	3.7
plump⁵ᵃ	
fat	1.9
plunder⁵ᵃ	6.5
plunge³ᵃ	
dip	3.2
plus⁸	6.7
ply⁵ᵃ	
engaged in	1.9
(go to and fro)	3.4
poacher¹⁸	11.5
pocket²ᵃ	2.3
poem³ᵃ	2.5
poet²ᵃ	1.5
poetic⁵ᵇ	3.9
poetry³ᵇ	2.4
point¹ᵃ	
n. (dot)	1.
- of view	1.
n.	1.2
- out	1.4
-ed	3.3
poise⁶	4.5
poison³ᵃ	
n.	3.1
vb.	5.1
-ing	5.8
poisonous⁶	6.
polar⁶	6.8
pole²ᵃ	
post	3.
(N. and S.)	4.6
police⁴ᵃ	
n.	3.7
- department	4.6
adj.	5.
policeman⁵ᵇ	5.8
policy³ᵇ	2.4
(life insurance)	4.6
polish (P)³ᵇ	
(Polish)	4.1
vb.	4.4
polite³ᵇ	
civil	3.2
politic⁴ᵃ	
wise	1.5
political³ᵇ	1.9
politician⁷	5.5
politic(s)⁸	4.4
poll⁴ᵇ	
vb. vote	1.8
pomp⁴ᵃ	4.4
pond²ᵇ	2.7
ponder⁶	
consider	1.8
pony³ᵃ	
horse	1.
pool³ᵇ (water)	3.4

	Section
poor¹ᵃ (not rich)	1.
pop⁵ᵇ	
burst	1.4
pope (P)³ᵇ	3.3
poppy⁶	7.2
popular³ᵇ	4.1
popularity⁷	7.4
population³ᵃ	2.5
populous⁷	7.3
porch²ᵇ	2.7
pore⁶	7.1
pork⁴ᵃ	
pig	3.9
port²ᵃ	
harbor	2.
portal⁶	
porch	2.7
porter⁴ᵇ	3.3
(of building)	5.6
portion²ᵇ	
n. share	2.
Portuguese⁶	6.7
position²ᵇ	
place	1.
(situation)	1.4
(in a difficult -)	1.5
positive⁴ᵇ	3.8
possess²ᵃ	
own	1.
possession²ᵇ	1.6
(take - of)	1.8
possibility⁴ᵇ	2.7
possible¹ᵇ	1.
(make -)	1.8
possibly⁶*	
perhaps	1.
post¹ᵇ	
(mail)	2.
adj.	3.
n.	3.
- bill	3.5
postage⁴ᵇ	5.7
postal⁵ᵇ	
post	3.
posterity⁵ᵇ	6.6
post-office⁵ᵇ	3.3
postscript⁶	7.2
pot²ᵃ	2.3
potato²ᵃ	2.7
potent⁶	
strong	1.
pouch⁶	
bag	3.
poultry⁴ᵃ	
fowl	5.1
pound¹ᵇ	
(money)	1.
vb. beat	1.1
n. (weight)	1.6
pour²ᵃ	2.3
poverty³ᵇ	4.
powder³ᵃ	2.8
power¹ᵃ	1.
(Great Power)	3.
powerful³ᵇ	
strong	1.
practical³ᵃ	2.2
practice(se)¹ᵇ	
vb. exercise	1.6
n. exercise	1.7
n.	3.4
prairie⁵ᵇ	6.2

	Section
praise²ᵃ	
vb.	2.1
n.	2.7
prank⁶	5.7
pray²ᵃ	2.2
ask	1.
prayer²ᵃ	2.3
preach²ᵇ	3.
preacher⁵ᵃ	
minister	2.
precede⁶	
before	2.3
preceding	4.9
preceding year	4.9
precept⁶	3.7
precious²ᵇ	2.4
- stone gem	3.6
precipice⁷	5.5
precise⁶	
exact	1.4
precision⁷	5.8
precocious⁹	7.9
predecessor⁶	6.
predict⁷	
tell	4.9
predispose¹⁵	
-d	9.3
preface⁷	7.3
prefer²ᵃ	
rather	1.1
preferable⁹	7.9
preference⁶	3.3
prejudice⁵ᵇ	4.2
prelate⁷	
minister	2.
preliminary⁶	4.6
premature⁸	7.8
preparation³ᵇ	3.
prepare¹ᵇ	
tr. vb.	1.4
intr. vb.	1.6
preposition⁹	8.1
prescribe⁴ᵃ	3.5
presence²ᵃ	1.8
- of mind	4.5
present¹ᵃ	
now (at -)	1.
adj.	1.1
(for the -)	1.4
vb. (give)	1.4
n. (time)	1.5
n. (gift)	1.7
vb. (a person)	1.8
(be -)	2.3
presentation⁷	4.5
presently⁷*	
by and by	1.1
preserve²ᵃ	3.
preside⁵ᵇ	5.9
president²ᵃ	1.9
press¹ᵇ	
vb.	1.1
-ing (urgent)	1.7
n.	1.9
pressure⁴ᵇ	3.4
prestige¹¹	5.9
presume⁴ᵃ (pre-suppose)	4.
presumptuous⁶	
bold	2.1
pretend³ᵇ	
(to something)	1.8
make believe	4.2

	Section
pretense(ce)⁵ᵇ	
(pretext)	4.
(dissimulation)	6.5
pretty¹ᵃ	
adj.	1.
(moderately)	1.
- soon by and by	1.1
prevail³ᵃ	3.2
prevent²ᵃ	
keep from	1.4
prevention⁷	7.3
previous³ᵇ	2.
prey³ᵃ	3.4
price¹ᵇ	1.
prick³ᵇ	3.6
pride²ᵃ	2.4
priest³ᵃ	
minister	2.
primary⁵ᵇ	
first	1.
original	2.3
prime⁴ᵃ	
adj. chief	1.
primitive⁷	
original	2.3
prince¹ᵇ	1.1
(crown -)	2.3
princess³ᵃ	2.9
principal²ᵇ	
adj. chief	1.
principle³ᵇ	1.9
(on -)	2.7
print²ᵃ	
vb.	2.4
-ed matter matter	2.4
n.	2.7
-ing office	4.4
prism⁶	6.9
prison²ᵇ	2.
prisoner²ᵃ	2.4
private²ᵃ	3.
privilege³ᵇ	3.7
privy²ᵇ	
private	3.
- councilor	6.9
prize²ᵇ	1.5
- fighter	7.
probability⁷	
chances	3.3
probable²ᵇ	1.7
problem³ᵃ	3.3
procedure⁸	5.1
- in bankruptcy bankruptcy	7.3
proceed²ᵃ	2.
come from	1.
process²ᵇ	1.7
procession⁴ᵇ	4.1
proclaim³ᵃ	3.5
proclamation⁷	7.4
procure⁴ᵃ	
get	1.
produce²ᵃ	
vb.	1.8
(the field yields ...)	3.4
product²ᵇ	2.1
production⁴ᵇ	3.9
productive⁷	6.3
profane⁵ᵇ	
adj.	6.3
vb.	6.5
profess⁵ᵃ	
maintain	3.5
profession⁴ᵇ	2.9

	Section
professional[6]	4.5
professor[3a]	2.6
profile[11]	8.7
profit[2b]	
vb.	1.4
n.	2.
n. (earned)	2.1
profitable[5a]	4.1
profound[5a]	
deep	1.
program[5b]	4.2
progress[3a]	
n.	2.4
vb.	2.6
progressive[6]	6.7
prohibit[3a]	
forbid	2.
prohibition[6]	5.
project[4b]	
n.	3.5
vb.	3.7
-ing	4.3
prolong[4a]	3.6
prominent[4a]	
famous	1.1
promise[1b]	
vb.	1.
n.	2.7
promote[6]	
further	1.8
promotion[6] (fostering)	5.6
prompt[2b]	2.5
promptitude[15]	10.
pronoun[6]	6.8
pronounce[2b]	1.4
pronunciation[6]	7.
proof[2b]	1.4
prop[6]	
n. support	2.1
propaganda[10]	7.5
propagate[6]	7.
proper[1b]	1.4
property[2b]	1.5
(landed)	1.9
prophecy[5a]	6.6
prophesy[5a]	
tell	4.9
prophet[3a]	3.1
proportion[3a]	2.1
(in -)	2.6
propose[2b]	1.4
proposition[5b]	3.1
prosaic[15]	10.5
proscribe[13]	9.7
prose[5b]	5.3
prospect[3a]	2.4
prosper[4a]	
flourish	4.1
prosperity[4b]	4.4
prosperous[3b]	4.7
prostrate[6]	6.6
protect[2a]	2.1
protection[3b]	2.1
protector[6]	6.3
patron	4.
protégé[16]	11.
protest[4b]	
n.	4.1
vb.	4.4
Protestant (p)[6]	4.4
proud[1b]	1.6
prove[1b]	1.
- a point	1.4

	Section
proverb[5b]	4.9
provide[2a]	
supply	1.1
-d that	2.9
providence[4a]	4.3
province[2b]	1.5
provincial[9]	7.9
provision[3b]	4.1
provoke[3b]	2.4
prowess[6]	
skill	3.
proximity[10]	5.6
prudence[5b]	3.7
prudent[4b]	3.3
prune[4b]	6.4
Prussia(n)[7]	4.5
psalm[5b]	5.6
psychological[12]	9.3
psychology[10]	8.5
pt.[6]	
quart	4.7
public[1b]	
adj.	1.
n.	1.4
- trustee	7.6
publication[5b]	4.6
- of the general staff	5.1
publicity[8]	7.8
publish[3a]	2.8
publisher[6]	5.8
pudding[3b]	6.
puff[3a]	5.8
pull[1b]	
vb.	1.
- down	2.8
pulpit[6]	6.8
pulsate[6]	
beat	1.3
pulse[4a]	6.
pump[3a]	5.3
pumpkin[4b]	6.1
punch (P)[5b]	
strike	1.1
punctual[6]	
prompt	2.5
punish[2b]	2.1
punishment[3a]	2.6
pupil[2a]	1.7
(eye)	5.3
puppy[5b]	
dog	1.9
purchase[2a]	
buy	1.4
n.	3.2
pure[1b]	1.
(blooded, etc.)	1.5
purge[5b]	
clean	2.2
purify[5b]	4.4
purity[5a]	4.7
purple[2b]	4.9
purpose[1b]	1.
purse[2b]	3.8
pursue[2b]	1.5
pursuit[4b]	3.4
push[2a]	
vb.	2.3
drive	3.1
puss[6]	
cat	4.1
pussy[3b]	
cat	4.1

	Section
put[1a]	
place	1.
- out (extinguish)	1.9
- down (suppress)	2.2
- off (postpone)	2.6
- on (e.g., hat)	2.6
- on hat	
hat	2.8
- over	3.
- on shoes	
shoes	3.5
- to sleep	4.
puzzle[4b]	
perplex	3.6
pyramid[6]	5.7

Q

	Section
qt.[5a]	
quart	4.7
quack[5a]	
vb. (duck)	6.1
quail[6]	
(lose) courage	2.
quaint[5a]	3.5
quake[5b]	
tremble	1.8
qualify[8]	7.2
quality[2a]	2.7
quantity[2a]	
amount	1.
quarrel[2b] n.	2.5
quarry[5a]	
prey	3.4
quart[3b]	4.7
quarter[1b]	
(of town)	2.5
(fractional)	2.6
queen[1b]	1.6
queer[3b]	
strange	1.
(person)	3.3
quell[6]	6.5
subdue	4.3
quench[3b]	5.4
quest[5b]	
search	4.4
question[1b]	
matter	1.
(be a - of)	1.
n. (something asked)	1.1
vb.	2.9
-ing (formal)	3.7
quick[1a]	
fast	1.
quicken[4a]	
tr. vb. hurry	2.5
quiet[1b]	
adj.	1.
n.	1.
(keep -)	1.5
vb.	1.6
quilt[5a]	6.8
quit[2b]	4.6
vb. leave	1.
quite[1b]	
all (adv.)	1.
pretty (moderately)	1.
quiver[4b]	
tremble	1.8
quote[4b]	4.
quoth[5b]	
say	1.

R

	Section
rabbi[13]	8.4
rabbit[2b]	4.8

	Section
race[1b]	
n. (speed)	1.2
(ethnic)	3.2
rack[3a]	
extend	1.
radiance[8]	4.9
radiant[5a]	
beaming	2.4
radiator[6]	7.2
radical[6]	5.
rafter[6]	
beam	2.3
rag[3a]	5.3
rage[3a]	
fury	2.8
vb. (war, disease, etc.)	3.2
(rave)	3.7
ragged[4b]	6.
rail[2b]	5.3
railroad[2a]	2.
railway[3b]	
railroad	2.
rain[1a]	
n.	2.
vb.	4.2
rainbow[3b]	5.8
rainfall[6]	
rain	2.
rainy[4a]	5.7
raise[1a]	
lift	1.
raisin[5b]	6.4
rake[4b] n.	6.2
rally[7] vb.	4.7
ram[4a]	
sheep	3.
rampart[8]	6.4
ran[1b]	
run	1.
ranch[6]	6.9
random[5a]	
chance	1.4
rang[4a]	
ring	1.4
range[2a]	3.6
rank[2a]	
row	1.2
n.	2.6
ransom[5b]	6.8
rap[5a]	
knock (on door)	2.6
rapid[1b]	
fast	1.
rapt[6]	4.3
rapture[4b]	
bliss	3.7
rare[2b]	1.4
-ly	
seldom	1.5
rascal[5a]	
(little -)	4.2
knave	4.5
rash[4b]	4.9
rat[2b]	5.2
rate[2a]	
vb.	2.3
(of speed)	3.4
-s	
fare	3.6
- of interest	3.8
tax -	4.
rather[1b]	1.
pretty	1.
(prefer)	1.1
ration[6]	6.4

INDEX TO ENGLISH WORDS IN THE LIST

Word	Section
rattle[3b]	6.
rave[5a]	
rage	3.7
raving (*n.*)	6.1
(be delirious)	6.6
raven[3b]	
crow	5.3
raw[3a]	2.7
ray[2b]	2.3
razor[6]	7.2
reach[1a]	
vb.	1.
(out of –)	4.1
react[9]	7.9
reaction[8]	6.6
read[1a]	1.
(the paragraph -s well)	1.4
-ing (*n.*)	1.6
reader[4b] (person)	3.
readily[4b]	
easily	1.6
ready[1a]	1.2
get – (*tr. vb.*)	
prepare	1.4
get – (*intr. vb.*)	
prepare	1.6
real[1b]	
(veritable)	1.
(material)	1.9
– estate	
estate	3.2
realist[11]	9.
reality[5b]	3.1
realization[8]	6.4
realize[3b]	
(be cognisant of)	2.6
(literally)	3.5
really[2b]	1.4
realm[3a]	
kingdom	1.7
reap[3b]	
harvest	4.8
rear[2b]	
vb. lift	1.
n. back	1.4
reason[1a]	
n. (for something)	1.
(judgment)	1.4
vb.	3.
-ing	4.6
reasonable[4a]	3.4
rebel[3b]	
vb.	3.6
n.	4.
rebellion[5b]	
revolt	4.4
(state)	6.5
rebellious[6]	6.4
rebuke[5b]	
n. reproach	2.7
vb. reproach	2.8
recall[3b]	
vb.	1.8
n.	5.8
receipt[3b]	
(recipe)	2.6
(receiving)	3.3
-s (e. g., for expenditures)	3.3
(for payment)	4.9
receive[1a]	
get	1.
receiver[6]	6.
recent[3a]	2.7
-ly	2.8
reception[4b]	3.2

Word	Section
recess[3b]	4.7
(have –)	5.8
recite[4b]	3.9
reckless[7]	
rash	4.9
reckon[3b]	
-ing	
account	1.8
(calculate)	2.6
recognize[2b]	1.4
(not –)	2.6
recoil[6]	6.6
recollect[6]	
remember	1.
recommend[3b]	2.1
recommendation[5b]	4.5
recompense[4b]	
reward	3.8
reconcile[4a]	
(things)	4.6
(persons)	4.7
reconstitute[19]	9.7
record[2a]	3.8
recount[6]	
tell	1.
recover[2b]	
(get back again)	1.9
(health)	2.7
recruit[6]	6.4
rectangle[5b]	6.8
red[1a]	1.
redeem[4b]	4.7
redress[6]	
make up for	2.9
reduce[3a]	3.5
reduction[5b]	5.3
decrease	4.7
reed[3b]	3.4
reef[7]	7.4
reel[3b]	3.1
reëlection[12]	8.4
refer[3b]	3.1
referring	2.6
reference[5a]	4.8
consideration	2.5
refine[3b]	5.5
refinement[6]	6.6
excellence	5.6
reflect[4a]	
consider	1.8
(e.g., in a glass)	4.3
reflection[4b]	
consideration	2.4
(in glass, etc.)	5.4
reform[4b]	
n.	3.2
vb.	5.
refractory[13]	9.8
refrain[5a]	
keep from	1.7
(from doing)	4.1
n.	6.6
refresh[5a]	5.2
refreshment[5b]	6.8
refuge[3b]	3.9
(take –)	3.9
refusal[7]	5.7
refuse[2a]	
vb.	2.3
n.	4.4
refute[7]	
lie	3.4

Word	Section
regain[4b]	
recover	1.9
regal[5b]	
royal	1.5
regard[2a]	
with – to	
as for	1.
n. (consideration)	1.5
n. (esteem)	2.5
regent[8]	6.4
regiment[6]	3.6
region[2a]	
part	1.
register[3a]	3.
record	3.8
-ing	4.2
regret[3b]	
sorry	1.8
n.	3.4
regular[2a]	2.
regularity[9]	8.
regulate[5a]	4.4
(put in) order	1.4
regulation[6]	
rule	1.1
-s for bankruptcy	
bankruptcy	6.5
rehearse[6]	6.1
reign[2b]	
vb.	2.
n.	2.1
rein[3b]	
bridle	3.4
reindeer[5b]	6.8
reinforcement[11]	7.6
reject[4b]	3.2
rejoice[2a]	3.2
relate[3a]	
tell	1.
(put in relationship)	2.1
relation[2b]	
(relationship)	1.6
(relative)	2.3
(family relationship)	4.2
relative[3a]	
relation	2.3
adj.	3.7
-ly	
(in) proportion	2.6
release[3b]	
free	1.7
reliability[11]	7.7
reliable[6]	3.8
relic[5b] (religious)	6.1
relief[3a]	3.3
(raised)	5.2
relieve[3a]	2.7
(someone of a duty)	3.9
religion[2b]	1.6
religious[3a]	2.3
relish[6]	4.
rely[6]	
count on	1.
remain[1a]	1.
(be left over)	1.
remainder[3b]	
rest	1.1
remark[3b]	
vb.	2.3
n.	2.4
remarkable[3b]	2.4
remedy[3a]	
n.	3.6
vb.	4.
remember[1a]	1.

Word	Section
remembrance[4b]	
memory	1.8
remind[4a]	
recall	1.8
remit[5b]	3.6
pardon	2.2
remnant[4b]	
rest	1.1
remorse[5b]	4.1
remote[4b]	
far	1.
removal[7]	4.6
remove[2a]	
take	1.
rend[4b]	
tear	1.8
render[2b]	
cause (*vb.*)	1.
renew[3a]	2.5
renewal[8]	6.9
renounce[4b]	3.1
give up	1.4
renown[3b]	
fame	2.3
rent[2a]	
n. (to pay)	2.5
hire	4.4
repair[2a]	3.7
repay[4b]	5.
give back	1.9
repeat[2a]	
say again	1.
repel[7]	
drive back	3.1
repent[3b]	4.3
repentance[6]	
remorse	4.1
repetition[6]	5.3
replace[5b]	
substitute	2.3
reply[1b]	
vb. answer	1.
n. answer	1.2
report[1b]	
n.	1.
vb.	1.5
n. account	1.5
repose[3b]	
vb. rest	1.
n. rest	1.2
represent[2a]	1.4
representation[5b]	3.5
representative[3a]	2.3
House of Representatives	3.4
reproach[3b]	
n.	2.7
vb. blame	2.8
vb.	2.8
reproduce[6]	4.3
reproduction[6]	6.9
reproof[6]	
reproach	2.7
reprove[6]	
blame	2.8
reproach	2.8
reptile[7]	7.4
republic[3b]	2.8
republican (R)[4b]	4.4
reputation[4b]	3.2
repute[6]	
reputation	3.2
request[2b]	
ask	1.
n.	2.1

247

SEMANTIC FREQUENCY LIST

	Section
require[1b]	
need	1.
-d	3.1
requirement[6]	
demand	3.
requisite[6]	
demand	3.
rescue[3b]	
save	1.
resemble[4a]	
(look) like	1.
reserve[3a]	
vb.	2.7
n. (character)	3.2
reside[4a]	
live	1.1
residence[3b]	
dwelling	2.3
(general and special)	4.1
(place of –)	4.3
resident[5b]	
inhabitant	3.2
resign[3b] (oneself)	2.2
resignation[7]	
submission	6.4
(act)	7.3
resist[2b]	2.8
oppose	2.3
resistance[6]	5.4
resolute[4b]	4.
resolution[4b]	3.2
resolve[3a]	
decide	1.
resort[3b]	5.3
resound[5a]	
ring	2.9
resource[5b]	3.6
respect[2a]	
n.	1.9
vb.	2.
respectable[6]	
decent	4.
respectful[5b]	3.9
respective[4b]	3.7
respite[7]	4.5
respond[5a]	
answer	1.
response[5b]	
answer	1.2
responsibility[7]	5.1
(joint –)	7.1
responsible[5b]	4.3
rest[1a]	
vb.	1.
n. (remainder)	1.1
n. (repose)	1.2
– on (be based on)	1.9
restaurant[4b]	4.7
restless[3b]	2.7
restoration[7]	6.5
restore[2b]	2.7
(to youth)	4.4
restrain[3b]	
check	3.2
restraint[4b]	4.1
result[2a]	
n.	1.5
vb.	1.5
resume[4a]	
begin again	1.
retail[6]	6.3
retain[3b]	
keep back	1.7
retire[2b]	3.
retort[8] (chemical)	7.2

	Section
retreat[3b]	
go back	2.1
n.	2.6
return[1b]	
(in –)	1.1
n.	1.4
go back	1.4
come back	1.8
give back	1.9
(send back)	1.9
reveal[3a]	2.4
revel[5a]	
– in	
enjoy	1.1
drunken –	5.8
revelation[6]	5.5
revenge[3a]	2.8
revenue[5b]	
income	3.6
reverence[3b]	
vb.	2.7
n.	4.1
reverend[4b]	4.9
reverse[4b]	
(wrong) side	1.7
review[2b]	
n.	2.6
look over	3.1
revision[10]	6.8
revival[9]	8.1
revive[4b]	5.2
revolt[4b]	4.4
rebel	3.6
revolution[4a]	3.2
turn	3.
revolutionary[6]	5.
revolve[5a]	5.5
turn	1.
reward[3a]	
n.	2.5
vb.	3.8
rhetoric[7]	7.2
rheumatism[7]	7.2
rhyme[3b]	6.
rhythm[9]	7.9
rib[3a]	5.
ribbon[2b]	3.1
rice[3a]	4.7
rich[1a]	1.
riches[4a]	
wealth	1.5
rid[3a]	
(get – of)	2.9
tr. vb. free	2.2
riddle[4a]	4.6
ride[1a]	
drive	1.
(horse)	1.5
rider[4a]	
horseman	2.8
ridge[3a]	
hill	2.6
ridiculous[5b]	3.6
riding-school	13.
rifle[5b]	
gun	1.7
rig[6]	
fit up	1.8
right[1a]	
all –	1.
(correct)	1.
– hand	1.
(be –)	1.
– off	
(at) once	1.
guess –	1.4
n. (title)	1.8

	Section
righteous[5a]	
upright	3.8
righteousness[6]	6.9
rigor[5b]	4.2
rill[4b]	
brook	2.1
rim[5b]	
edge	1.5
ring[1b]	
circle	1.2
vb. (sound)	1.4
-ing (adj.) (sonorous)	1.7
n. (hoop)	2.
vb. (echo)	2.9
-ing (n.)	4.9
riot[4b]	4.6
rip[3b]	
tear	1.8
ripe[2b]	2.9
(get –)	3.4
ripen[4a]	
ripe	3.4
ripple[5a]	
n. wave	2.9
vb.	5.
rise[1b]	
rising (adj.)	1.3
(give – to)	2.3
– early	
get up	3.
risk[3b]	
vb. (take) chances	1.4
danger	1.5
run –	
chance	2.
n.	3.4
rite[5b]	
ceremony	3.5
rival[3b] n.	5.
rivalry[8]	7.8
river[1a]	1.5
road[1a]	1.
roam[3b]	
wander	2.7
roar[2a]	
vb.	4.7
n.	5.3
roast[2b]	
vb. cook	2.5
n.	5.4
rob[2b]	
vb.	2.3
robber[3a]	3.7
robbery[5b]	4.8
robe[3a]	
dress	1.4
(e.g., hermit's)	3.3
(priest's –)	3.9
robin[2b]	5.6
rock[1a]	
n.	1.7
vb. roll	2.2
vb.	2.9
-ing	4.
rocky[4a]	5.9
rod[2a]	
stick	2.
rode[2b]	
drive	1.
ride (horse)	1.5
roe[6]	
egg	2.
rogue[5a]	
knave	4.5
roguish[15]	10.2

	Section
roll[1a]	
vb. (rock)	2.2
tr. vb.	2.3
n.	2.6
(of carriage, thunder, etc.)	4.3
roller[5a]	
wave	2.9
Roman[2a]	1.8
romance (R)[6]	6.4
romantic[5b]	4.3
romanticism[18]	10.4
roof[1b]	2.
room[1a]	
(in a house)	1.
(space)	1.
living –, drawing –	2.3
dining –	4.9
rooster[5b]	
cock	3.8
root[2a]	2.6
(have -s in)	4.2
rope[2b]	3.3
rose (R)[1b]	
n.	1.5
– bush	5.2
rosy[4a]	
pink	4.6
rot[5b]	
spoil	2.6
rotten[5a]	
spoil	2.6
rough[2a]	
(to touch)	3.
rude	4.3
round[1a]	
intr. vb. turn –	1.4
adj.	1.6
go –	
(make -s) (military)	4.2
(make a –) (the rounds)	4.3
– off (e.g., edge)	4.9
rouse[4a]	
stir	1.9
rout[6]	
flight	2.5
defeat	3.6
route[3a]	
road	1.
routine[8]	7.7
rove[4a]	
wander	2.7
rover[5a]	
tramp	4.9
row[1b]	
n.	1.2
vb.	5.
royal[2a]	1.5
royalist[14]	10.
rub[2b]	3.2
– out	4.4
rubber[3a]	5.
ruby[5b]	
red	1.
ruddy[6]	
red	1.
(healthy complexion)	5.3
rude[2b]	
(unpolished) (person)	4.3
(impolite)	5.2
rue[6]	
(be) sorry	1.8
ruffian[6]	7.
ruffle[5a]	
trouble	1.5
n.	6.1
(hair)	5.8

INDEX TO ENGLISH WORDS IN THE LIST

	Section
rug[3a]	
carpet	4.2
rugged[5a]	
hardy	2.6
ruin[2a]	
destroy	1.5
n.	2.4
ruinous[8]	6.5
rule[1b]	
vb. (govern)	1.
n. (ordinance)	1.1
n. (dominion)	2.
vb. (draw lines)	4.2
ruler[3a]	
governor	3.1
rumor[4b]	3.8
run[1a]	1.
– away	1.5
– into (bump)	1.6
– risk	
chance	2.
– down	2.6
– through	3.1
– into (a street into another)	4.6
rung[6]	
ring	1.4
runner[5a]	
scout	5.7
rural[3b]	3.3
rush[1b]	
intr. vb. hurry	1.2
n. hurry	2.4
tr. vb. hurry	2.5
Russia(n)[3a]	3.
rust[3b]	
n.	5.2
vb.	5.8
rustic[4b]	
rural	3.3
rustle[4b]	4.6
rusty[5b]	6.6
rye[4b]	5.6

S

	Section
Sabbath[4a]	
Sunday	1.9
saber(re)[9]	7.2
sable[6]	
black	1.
sack[2b]	
bag	3.
sacred[2b]	1.6
sacrifice[2b]	
n.	2.
vb.	2.6
sad[1b]	1.4
saddle[2b]	3.8
sadness[4b]	3.5
safe[1b] adj.	1.
safety[2b]	1.7
sage[4b]	
wise	1.5
said[1a]	
say	1.
sail[1a]	
vb.	3.
n.	3.5
sailor[2b]	2.9
saint[2b]	2.6
sake[2b]	1.8
salad[5b]	6.
salary[3a]	2.7
sale[2b]	2.4

	Section
salesman[6]	
clerk	2.7
salmon[6]	7.2
salt[1b]	
n.	2.1
vb.	4.7
salute[4a]	
vb. bow	1.4
salvation[5b]	3.9
same[1a]	1.
(all the –)	1.
(at the – time)	1.9
sample[3b]	2.7
sanctify[6]	
hallow	3.6
sanction[7]	6.7
sanctuary[5a]	5.3
sand[1b]	2.
sandwich[5b]	6.8
sandy[3b]	6.
sang[2b]	
sing	1.4
sanitary[6]	
wholesome	4.6
sank[4a]	
sink	3.2
sap[4a]	4.2
sarcasm[11]	8.8
sardine[9]	8.
sash[4a]	
belt	4.7
sat[1b]	
sit	1.
sit down	1.
Satan[4b]	
devil	1.9
satin[4b] n.	5.8
satire[6]	6.9
satisfaction[3b]	2.4
satisfactory[5b]	3.7
satisfy[2a]	1.9
satisfied	4.1
Saturday[2b]	3.5
sauce[4a]	5.5
saucer[6]	7.
saucy[6]	5.1
sausage[5b]	5.8
savage[2b]	
wild	1.6
adj. (brutal)	2.
save[1a]	
(rescue)	1.
keep	1.
saving (thrifty)	1.8
– up	2.1
savings	3.7
savior (S)[5a]	4.8
savor[6]	
n. taste	1.4
vb. relish	4.
savory[7]	6.9
saw[1a]	
see	1.
saying	2.9
say[1a]	1.
– again	1.
-ing	2.9
scaffold[7]	7.1
scale[2a]	
n.	1.8
-s (for weighing)	2.1
vb.	5.2
scalp[5b] n.	6.8

	Section
scan[6]	
look (at)	1.
examine	1.5
scandal[5b]	5.8
scant[6]	
scanty	4.5
scanty[5b]	4.5
scar[4b]	6.2
scarce[2a]	
rare	1.4
scare[3a]	
frighten	1.9
scarf[4a]	6.1
scarlet[3b]	
red	1.
scatter[2a]	2.4
scene[2b]	1.8
(part of a play)	2.2
(behind the -s)	5.4
scent[4b]	
smell	3.5
n. perfume	4.
vb. perfume	5.4
scepter(re)[4b]	5.9
sceptic[12]	9.2
schedule[6]	
plan	1.1
scheme[4a]	
plan	1.1
scholar[3b]	2.3
school[1a]	
n.	1.
– system	4.2
adj.	4.6
schoolhouse[3b]	
school	1.
schoolmaster[6]	
teacher	1.
schoolroom[5a]	3.3
science[2b]	1.4
scientific[6]	3.9
scientist[6]	4.2
scissors[5a]	6.5
scoff[5b]	
(make) fun (of)	2.8
scold[3b]	4.
scoop[6]	
draw up	1.7
dig	4.8
scorch[5b]	
burn	1.6
score[2b]	
twenty	1.9
scorn[3a]	
vb.	2.9
n.	3.3
scornful[6]	5.1
Scot[5a]	
English	1.
Scotch[4b]	
English	1.
scour[5a]	
clean	2.2
scourge[4b]	
punish	2.1
scout[4b]	5.7
scramble[6]	
fight	1.6
scrap[4b]	
– iron	
iron	2.3
(paper, cloth, etc.)	5.5
scrape[3b]	5.6
scratch[3a] vb.	5.3

	Section
scream[3a]	
cry	1.
screen[4a]	
vb. shelter	2.6
n.	5.5
screw[5a] n.	5.8
scripture[5b]	
bible	4.6
scroll[6]	4.6
scrub[5a]	
clean	2.2
scruple[5b]	5.9
sculptor[7]	7.4
sculpture[6]	6.8
scythe[7]	7.3
sea[1a]	
n.	1.
adj.	3.
seal[2b]	
n.	4.
vb.	5.2
seam[4b]	6.4
seamen[5b]	
sailor	2.9
seaport[6]	
harbor	2.
search[2a]	
look for	1.
n.	4.4
season[1b]	
n. (of year)	2.4
vb.	4.5
seat[1b]	
n.	1.
vb.	1.
second[1a]	
adj.	1.
n.	2.3
(in the – place)	2.3
secondary[6]	6.6
secret[2a]	
n.	1.8
adj. and adv.	2.1
secretary[3b]	3.6
– of state	3.9
sect[6]	
party	1.1
section[2b]	1.9
secular[7]	5.6
secure[2a]	
safe	1.
security[5b]	
safety	1.7
assurance	5.
seduce[5b]	4.8
seduction	12.9
see[1a]	1.
– in advance	3.8
seed[1b]	2.7
seek[1b]	
look for	1.
seem[1a]	
appear	1.
seen[1a]	
see	1.
seize[1b]	1.1
seldom[2b]	1.5
select[2b]	
choose	1.
(people)	4.9
selection[6]	
choice	1.6
self[1b]	
person	1.
(reflexive)	1.
selfish[4a]	5.7

	Section		Section		Section		Section
selfishness[8]	6.3	several[1a]	1.	ship[1a]		shy[4b]	4.2
selfsame[5a]		– times	1.2	n.	1.3	sick[1b]	
same	1.	severe[2b]	1.6	shipping	3.	ill	1.5
sell[1b]	1.4	severity[6]	4.7	shipment[4b]	3.9	sicken[6]	
semicircle[12]	8.8	rigor	4.2	shipwreck[6]		disgust	6.
senate[3a]	3.4	sew[2a]	4.7	n. and vb.	6.9	sickle[6]	6.9
senator[4b]	5.2	sex[4b]	3.3	-ed man	6.9	sickly[6]	
send[1a]	1.	sexton[9]	8.1	shirt[2b]	3.8	weak	1.1
– back		shade[1b]		shirt-front	13.	sickness[3a]	
return	1.9	n.	1.4	shiver[3b]		disease	1.6
-ing (n.)	2.6	n. (shadow)	1.8	tremble	1.8	(sea –)	4.9
– forth	3.4	n. (hue)	2.9	n.	4.7	side[1a]	
senior[6]	4.8	vb.	4.9	shock[2b]		n.	1.
old	1.	shadow[2a]		(sensibilities)	3.2	on the other –	
sense[2a]	1.4	shade	1.8	n.	3.5	hand	1.4
sensible[4b]		shadowy[6]		shoe[1b]		(wrong –)	1.7
– of		shady	6.1	n.	3.2	– by –	2.2
conscious (of)	3.3	shady[4b]	6.1	(put on -s)	3.5	(on her –)	2.2
reasonable	3.4	shaft[4a]		(take off -s)	4.1	(on his –)	2.2
sensitive[6]	4.4	arrow	3.2	shoemaker[4a]	6.2	(on their –)	2.2
sensual[8]	5.6	shake[1b]		shone[3a]		on my –	
sent[1a]		(hands)	1.1	shine	1.6	part	2.6
send	1.	tr. vb.	1.9	shook[2b]		adj.	4.1
sentence[2b]		(e.g., head)	2.2	shake	1.9	under –	4.4
(phrase)	1.4	shall[1a]	1.	shoot[2a]	1.8	– dish	
vb.	2.3	shallow[3b]	4.5	-ing (n.)	3.4	dish	4.6
n. (court)	2.	shalt[3a]		n.	5.4	sidewalk[4a]	5.5
sentiment[5b]		shall	1.	shop[1b]		siege[5b]	4.8
feeling	1.	shame[2a]		n.	2.5	sieve[6]	7.2
sentimental[7]	6.6	n.	3.3	book -	4.2	sift[4b]	
separate[1b]		vb.	3.4	butcher –	5.8	strain	4.9
vb.	1.	shameful[5b]	4.7	shore[1b]		sigh[2a]	
adj.	1.	shape[1b]		coast	1.4	n.	2.8
take away	1.	figure	1.	short[1a]	1.	vb.	2.6
separation[4b]	3.4	shapeless[6]	6.2	(in –)	1.	sight[1a]	
September[2a]	2.1	share[2a]		shorten[5b]	4.8	n. (view)	1.
serene[5a]	6.	n.	2.	shorthand[17]	9.2	(catch – of)	1.1
quiet	1.	– holder	4.8	(in –)	9.6	sign[1b]	
sergeant[7]	6.4	sharp[2a]		shot[2a]		n.	1.1
series[4b]	2.5	(shrewd)	1.7	shoot	1.8	vb.	2.4
serious[2b]		(taste)	4.	should[1a]	1.	(over shop)	3.4
grave	1.4	sharpen[4a]	4.7	shoulder[1b] n.	1.5	signal[4a] n.	4.5
sermon[4b]	3.7	shatter[4b]	4.2	shout[1b]		signature[5b]	4.1
serpent[4a]		shave[4b]	5.6	cry	1.	significant[7]	
snake	3.8	shawl[7]	7.4	shove[5a]		(full of) meaning	3.3
servant[2a]	1.5	she[1a]	1.	vb. push	2.3	signify[5b]	
(man)	1.9	sheaf[6]	6.6	shovel[4b]		mean	1.
serve[1a]	1.	shear[4a]		spade	5.8	silence[2a]	
service[1b]	1.	cut	1.8	show[1a]		vb. quiet	1.6
(divine –)	2.3	sheath[5b]	4.4	tr. vb.	1.	vb.	1.9
servile[6]	7.	shed[2a]		– through	3.4	n.	2.2
session[5b]	5.3	(hut)	3.2	shower[2b]		silent[2a]	1.5
set[1a]		vb. (e.g., tree)	3.3	n.	2.5	silk[1b]	
vb. place	1.	sheep[1b]	3.	shrewd[5a]		n.	2.9
circle (of people)	1.1	sheepish[17]	11.4	sharp	1.7	adj.	3.3
– table	1.1	sheet[2a]		shriek[3b]		silken[6]	
– on fire	2.7	(of paper)	2.2	cry	1.	silk	3.3
setting[17]		(bed)	4.9	shrill[4a]	4.7	silly[4a]	
n.	8.9	shelf[4b]	4.5	shrine[4b]		foolish	2.8
adj.	9.6	shell[2a]		altar	3.5	silver[1a]	
settle[1b]		n.	3.7	shrink[5a]	5.2	n.	1.4
(establish)	1.	(explosive)	3.4	shroud[5b]	6.6	silvery[6]	5.6
(a dispute)	1.8	shelter[2a]		shrub[4a]	6.1	similar[3b]	4.4
– down	3.1	n.	1.7	shudder[6]		simple[1b]	
– up		vb.	2.6	tremble	1.8	(plain)	1.
pay	4.9	shepherd[2b]	3.7	n. shiver	4.7	simply (merely)	1.
settlement[3a]	2.7	sheriff[6]		thrill	5.6	(make –)	2.1
settler[4a]		policeman	5.8	shun[3b]		(ingenuous)	2.2
colonist	6.1	shield[3a]	3.5	avoid	1.8	simplicity[4b]	5.4
set-up n.	10.6	shift[3b]		shut[1b]		sin[2b]	
seven[1b]	1.4	move	1.1	close	1.	n.	2.2
seventeen[4b]	6.	(of workmen)	3.5	– out	1.6	vb.	2.4
seventh[3a]	4.5	(change of place)	5.7	– in (enclose)	1.9	since[1a]	
seventy[2a]	5.1	shine[1b]	1.6	shutter[6]		as	1.
sever[5b]				blind	3.1	(time)	1.
separate	1.					sincere[3a]	2.5
						sincerity[5b]	5.9

INDEX TO ENGLISH WORDS IN THE LIST 251

	Section
sinew[5a]	6.
sinful[6]	
bad	1.2
sing[1a]	1.4
singer[4a]	4.3
single[1b]	
only (*adj.*)	1.
singular[5b]	
strange	1.
sinister[8]	5.
sink[2a]	
vb.	3.2
(under a burden)	4.9
sinner[5a]	5.1
sip[5a] *vb.*	6.1
sir (S)[1b]	
Mr.	1.
sire (S)[3b]	
father	1.
siren[7]	7.
sister[1a]	1.
sit[1a]	
(be sitting)	1.
– down	1.
– up (stay awake)	1.8
site[4b]	
place	1.
situate[3b]	
locate	2.
situation[4a]	
position	1.4
six[1a]	1.4
twenty –	4.7
sixteen[3b]	5.2
sixteenth[8]	7.7
sixth[2b]	3.7
sixty[3a]	4.
size[1b]	1.3
skate[3b]	6.
skeleton[6]	6.7
sketch[5b]	
n.	3.9
vb. outline	4.5
skilful[4a]	4.2
clever	2.6
skill[3a]	3.
skim[4b]	
graze	3.4
skin[1b]	
n.	2.
vb. (flay)	4.9
vb. (scrape)	5.
skip[3b]	
spring	1.5
skirt[2a]	2.6
skull[5a]	6.
sky[1b]	
heaven	1.
slab[6]	4.1
slack[6]	
slow	1.2
slacken[7]	
slow	4.4
slain[3b]	
kill	1.4
slander[5b]	
vb.	4.4
n.	4.8
slang[9]	8.2
slant[4b]	2.8
slap[5b]	
strike	1.1
n.	3.8
slate[5a]	6.8

	Section
slaughter[4b]	
kill	1.4
n.	5.9
slave[2a]	2.2
slavery[5a]	6.2
slay[4b]	
kill	1.4
sled[5b]	6.8
sledge[5a]	6.8
sleek[6]	
even	2.4
sleep[1a]	
vb.	1.4
n.	1.5
(go to –)	3.9
put to –	4.
sleepy[3b] (be –)	2.3
sleeve[3b]	5.1
sleigh[5a]	
sledge	6.8
slender[3b]	
slight	3.3
slept[3a]	
sleep	1.4
slew[5a]	
kill	1.4
slice[4b]	
vb. cut	1.8
n.	4.
slide[3a]	
slip	2.8
slight[2a]	
little	1.
(slender)	3.3
sling[5b]	6.5
slip[2a]	
vb.	2.8
(of paper)	3.5
slipper[3b]	5.7
slippery[4a]	6.1
slope[2b]	3.6
sloth[7]	6.9
slow[1b]	1.2
(be –) (e.g., watch)	3.6
– down	4.4
slowness[16]	10.5
slumber[3a]	4.5
sly[4a]	4.2
(furtive)	3.9
smack[6]	
strike	1.1
n. slap	3.8
small[1a]	
little	1.
smallpox[8]	7.8
smart[3a]	4.6
smell[2a]	
n.	2.8
vb.	3.5
smelt[6]	
smell	3.5
smile[1b]	
vb.	1.4
n.	1.9
smite[4b]	
strike	1.1
smitten[6]	
strike	1.1
smoke[1b]	
n.	2.4
vb.	2.6
smooth[2a]	
even	2.4
smote[4b]	
strike	1.1
snail[6]	6.8

	Section
snake[3b]	3.8
snap[3a]	5.9
snare[4b]	
trap	5.1
snarl[6]	
entangle	4.4
snatch[3b]	2.6
snore[6]	6.7
snow[1b]	
n.	2.
vb.	4.9
snowflake[8]	7.8
snowy[6]	6.6
snuff[5a]	
breathe	2.7
snuffle[14]	10.2
snug[4b]	
tight	1.7
so[1a]	
(thus)	1.
(then)	1.
– much	1.
– that	
(in) order	1.
– then	1.5
– much the more	
much	3.6
soak[5b]	5.9
soap[3a]	4.6
cake of –	4.8
soar[5a]	5.6
sob[5a]	
n.	5.9
vb.	6.1
sober[3a]	3.8
social[3b]	2.3
– democracy	5.3
socialist[8]	6.1
society[2b]	
company (social)	1.
company (business)	1.
charity societies	4.6
sock[5b]	6.8
socket[6]	5.5
sod[5a]	
turf	5.8
soda[6]	5.6
sofa[5b]	
couch	4.1
soft[1a]	
(not hard)	1.4
(in texture)	1.5
soften[4b]	3.1
(a blow)	5.4
soil[1b]	
earth	1.
vb.	4.9
sojourn[5b]	
n. stay	1.7
vb.	3.4
solace[6]	
comfort	2.3
sold[1b]	
sell	1.4
soldier[1a]	1.
sole[2b]	
only (*adj.*)	1.
(on foot)	4.3
(on shoe)	5.2
vb.	5.4
solemn[3b]	2.8
solemnity[6]	5.3
solicit[4b]	3.4
ask	1.
solid[3a]	3.2

	Section
solidity[14]	8.3
solitary[4a]	
lonely	3.3
solitude[4a]	3.6
soluble[7]	6.8
solution[5b]	3.5
solve[3b]	1.9
some[1a]	
any	1.
somebody[2b]	1.4
someone[3b]	
somebody	1.4
something[1a]	
anything	1.
sometime[1a]	1.
-s	1.4
somewhat[2b]	
little	1.
somewhere[3b]	3.
– else	3.4
son[1a]	1.
song[1b]	1.6
son-in-law[19]	11.7
soon[1a]	1.
as – as	1.
(no -er than)	1.
pretty –	
by and by	1.1
sooth[6]	
truth	1.
soothe[5b]	4.3
quiet	1.6
sore[2b]	
be –	
hurt	1.8
n.	3.3
(be –)	3.7
sorrow[2a]	
grief	1.8
sorrowful[5b]	
sad	1.4
sorry[2a]	
(be –)	1.8
sort[1b]	
kind	1.
sortie[18]	9.2
sought[2b]	
look for	1.
soul[1b]	
nature	1.
sound[1a]	
n.	1.2
adj.	1.2
vb. ring	1.4
(the paragraph –s well)	
read	1.4
soup[3a]	5.
sour[4b]	4.4
source[3a]	2.7
south[1a]	2.2
southern[2b]	2.3
southward[5b]	
south	2.2
southwest[5a]	6.5
sovereign[4b]	3.7
sovereignty[6]	
rule	2.
sow[2b]	3.6
-ing (*n.*)	4.5
space[1b]	
room	1.
spacious[5a]	4.8
spade[3b]	5.8
spake[3b]	
speak	1.

	Section
span[5a]	
extend	1.
range	3.6
spangle[5a]	6.8
Spaniard[4b]	
French	1.
Spanish[2a]	
French	1.
spank[5a]	
strike	1.1
spare[2a]	
(in reserve)	3.
vb.	3.4
spark[3b]	4.4
sparkle[3a]	
shine	1.6
glitter	3.6
sparrow[3a]	6.
speak[1a]	1.
speaker[3b]	3.1
spear[3a]	3.2
special[2a]	1.8
specially[6]	
above all	1.
specialty[11]	8.8
specific[6]	5.8
specify[11]	8.9
specimen[6]	
example	1.4
speck[6]	
spot	2.2
speckle[5b]	
spot	2.2
spectacle[4a]	
(great sight)	5.6
-s	
glasses	4.2
spectator[6]	
audience	3.
speculation[7]	5.3
sped[5a]	
hurry	1.2
speech[2a]	
talk	1.2
language	1.6
(make a –)	1.6
speed[2a]	
intr. vb. hurry	1.2
n. hurry	2.4
n.	2.5
speedy[4b]	
fast	1.
spell[2b]	4.4
-ing (n.)	5.3
spend[1b]	1.6
– time	2.2
– night	
night	2.7
spent[2a]	
spend	1.6
adj. (exhausted)	2.
sphere[3b]	4.4
globe	3.3
spice[3b]	6.
spider[4a]	6.
spill[5b]	
tip	3.5
spin[3a]	3.9
spindle[5b]	6.6
spine[7]	7.
spiral[8] n.	7.6
spire[4b]	
steeple	5.8
spirit[1b]	1.
spiritual[4b]	3.3
spit[4b] vb.	5.9

	Section
spite[2a]	
(in – of)	1.4
n.	3.
splash[5b]	6.6
spleen[6]	
anger	1.9
splendid[2a]	2.6
splendor[3b]	
(brilliance)	2.8
(magnificence)	3.6
split[3b]	
vb. crack	2.6
spoil[2a]	2.6
-s (booty)	3.5
(a child)	4.6
spoke[1b]	
speak	1.
spoken[4a]	
speak	1.
sponge[5a] n.	6.6
spontaneity[14]	10.2
spontaneous[7]	6.
spoon[2b]	4.8
spoonful	12.9
sport[2a]	
n.	5.1
adj.	5.3
spot[1b]	
n.	2.2
vb.	4.4
spouse[5a]	
husband	1.
wife	1.
spout[6]	
gush	4.5
sprang[3a]	
spring	1.5
spray[3b]	
sprinkle	3.7
spread[1b]	
vb. (expand)	1.4
n. (diffusion)	4.1
vb. (butter)	4.5
sprightly[6]	
active	2.5
spring[1a]	
vb.	1.5
n. (water)	1.7
n. (of machine)	1.8
n. (season)	2.1
n. (jump)	2.6
adj.	4.9
springtime[6]	
spring	2.1
sprinkle[3b]	3.7
sprite[6]	
elf	6.
sprout[6]	
n. shoot	5.4
vb.	6.2
sprung[4a]	
– from	
born	1.4
spring	1.5
spun[5a]	
spin	3.9
spur[4a]	
(impulse)	3.6
(on boot)	5.8
spurn[5b]	
reject	3.2
spy[2b]	
vb.	5.1
n.	5.4
sq.[6]	
adj. square	3.4
square (geometrical)	4.4
squadron[6]	4.9

	Section
square[1b]	
n. (in town)	1.
adj.	3.4
(geometrical)	4.4
squeak[5a]	
vb. grate	5.7
squeeze[5a]	
press	1.1
(e.g., water out of something)	3.6
squire[4a]	6.
squirrel[3a]	6.
St.[3a]	
street	1.
stab[5a]	6.5
stability[7]	
firmness	5.4
stable[2b]	
firm	1.1
adj.	2.9
n.	3.8
stack[6]	
mass	1.6
heap up	3.2
staff[3b]	
(military)	3.1
(of people)	3.4
(university)	4.2
publication of the general –	5.1
(editorial –)	5.3
stag[6]	
deer	5.8
stage[3a]	
(theatre)	3.
(e.g., in a journey)	3.6
stagger[4a]	
reel	3.1
stain[3a]	
n. spot	2.2
(with blood)	5.6
stair[2a]	
-s	2.5
stake[3b]	
stick	2.
stale[4b] (e.g., bread)	2.9
stalk[4a]	
walk	1.
stem	2.7
stall[3b]	5.2
stammer[5b]	6.
stamp[2a]	
n.	3.1
vb.	3.9
stand[1a]	
bear	1.
intr. vb.	1.
– out	1.9
standard[2b]	
n. (norm)	2.2
flag	2.6
adj.	3.
(gold –)	3.1
star[1b]	1.5
stare[3b]	
peer	3.5
start[1a]	
begin	1.
n. (of surprise)	1.7
– on a journey	1.8
– towards	4.3
starter[17]	
self –	10.8
startle[4b]	
alarm	3.5
starve[3a]	5.3
state[1a]	
n. (condition)	1.

	Section
state[1a]—continued	
n. (nation)	1.
vb. (declare)	1.
adj.	1.8
vb. (pronounce)	2.2
– of health	
health	3.1
secretary of –	3.9
stately[4b]	3.6
statement[3b]	2.1
statesman[3b]	3.
station[1b] (railroad)	2.4
statistics[8]	6.1
statue[3a]	3.6
stature[5a]	2.9
statute[5b]	4.1
law	1.
stave[6]	7.2
stay[1a]	
remain	1.
n. (sojourn)	1.7
– awake	
sit up	1.8
– away	3.4
stead[5a]	
place (n.)	1.
steadfast[5b]	
firm	1.1
steady[3a]	
firm (fixed)	1.1
firm (character)	1.1
steak[5b]	6.8
steal[2a]	
rob	2.3
steam[2a] n.	2.5
steamboat[6]	
steamer	3.7
steamer[3b]	3.7
steamship[6]	
steamer	3.7
steed[4b]	
horse	1.
steel[2a]	3.1
steep[2b] adj.	2.8
steeple[4b]	5.8
steer[3b]	3.9
stem[3a] n.	2.7
step[1a]	
n. (stride)	1.
vb.	1.1
(of stair)	1.7
(footprint)	2.
stepmother[8]	7.8
stern[3a]	
severe	1.6
stick[1b]	
n.	2.
intr. vb.	2.1
tr. vb.	2.2
stiff[2b]	3.2
make –	4.9
stiffness[12]	9.3
stifle[6]	
choke	3.7
still[1a]	
however	1.
adj. quiet	1.
(time)	1.
(stand –)	1.3
stillness[5a]	
quiet	1.
stimulus[7]	5.
sting[3a]	3.5
stir[2a]	
vb.	1.9
vb. (a mixture)	2.1
stirrup[6]	7.

INDEX TO ENGLISH WORDS IN THE LIST

	Section
stitch[4a]	6.1
stock[1b] (finance)	1.8
stocking[2b]	4.4
stole[3a]	
rob	2.3
stolen[4a]	
rob	2.3
stomach[4a]	3.7
stone[1a]	
n.	1.4
(of –)	3.
precious –	
gem	3.6
coping –	7.2
stony[5a]	6.
stood[1b]	
stand	1.
stool[4a]	6.4
stoop[3a]	
-ed	
bent	5.
stop[1a]	
tr. vb.	1.
intr. vb.	1.4
vb. keep from	1.4
(of tram, etc.)	2.6
– up	3.1
(stopping of) work	5.
store[1b]	
n.	2.6
drug store	5.6
stork[5b]	6.8
storm[1b] n.	1.6
stormy[3a]	4.
story[1a]	
(tale)	1.
(floor)	2.5
stout[3a]	
– hearted	
brave	1.
fat	1.9
stove[3a]	3.3
straight[1b]	
adj. direct	1.
adv. direct	1.1
(erect)	1.8
straighten[5b]	4.6
straightway[5b]	
(at) once	1.
strain[3a]	
n.	4.1
vb.	4.9
strait[3b]	5.3
strand[5a]	
beach	3.9
strange[1b]	1.
stranger[2b]	1.8
strangle[6]	
choke (intr. vb.)	3.7
choke (tr. vb.)	5.3
strap[4b] n.	6.2
strategic[13]	8.
strategy[11]	7.6
straw[2a]	3.7
strawberry[3b]	5.8
stray[3b]	3.1
streak[6]	
stripe	3.6
stream[1b]	
n.	1.4
vb. flow	1.5
street[1a]	1.
strength[1b]	
force	1.
strengthen[4b]	3.4

	Section
stretch[2a]	
extend	1.
stretcher[9]	8.2
strew[6]	
scatter	2.4
stricken[5a]	6.5
strict[4a]	
severe	1.6
stride[4b]	
n. step	1.
vb.	3.3
strife[3b]	
fight	1.1
strike[1b]	
vb.	1.1
striking (adj.)	2.5
n.	3.
string[2b]	
rope	3.3
strip[2a]	
n.	2.9
tr. vb.	3.7
stripe[4a]	3.6
strive[3b]	
try	1.5
stroke[2b]	
at one –	
(at) once	1.8
vb.	4.4
stroll[6]	
wander	2.7
vb.	6.6
strong[1a]	1.
strove[5b]	
try	1.5
struck[2b]	
strike	1.1
structure[6]	5.1
struggle[2a]	
n. fight	1.1
vb. fight	1.6
n.	1.9
strut[6]	
support	2.1
stubborn[4a]	4.1
stuck[3b]	
intr. vb. stick	2.1
tr. vb. stick	2.2
student[2b]	3.1
studious[6]	4.8
study[1b]	
vb.	1.4
n. (act)	1.5
stuff[2b]	
cloth	1.3
vb.	4.1
stumble[4b]	5.5
stump[3a]	5.7
stung[6]	
sting	3.5
stupid[4b]	
dull	3.5
stupidity[11]	8.2
stupor[12]	9.2
sturdy[5b]	
hardy	2.6
style[2a]	2.5
fashion	2.8
subdue[3b]	4.3
subject[1b]	
n. (topic)	1.
adj. (– to)	1.7
vb.	2.
n. (national)	2.3
sublime[4b]	
exalted	2.9
submarine[9]	8.1

	Section
submission[6]	6.
(resignation)	6.4
submit[3a] (oneself)	2.4
subordinate[8]	7.
subsequent[5b]	4.1
next	1.
subsidy[12]	8.6
subsist[8]	7.3
substance[3b]	3.5
substantial[4b]	3.6
substitute[3b]	
vb.	2.3
n.	3.7
substitution[15]	10.5
subtle[5b]	3.
subtract[5b]	4.5
suburb[5b]	6.3
succeed[2a]	1.5
follow	2.3
success[2a]	1.5
successful[3a]	3.4
succession[5b]	3.1
in –	
one	3.3
successive[5b]	3.
successor[5b]	3.8
such[1a]	1.
suck[4b]	6.
sudden[1b]	1.
-ly	1.
suffer[1b]	1.
suffering n.[5b]*	4.5
suffice[3b]	
enough	1.
sufficient[3a]	2.5
suffrage[6]	5.1
sugar[1b]	2.1
suggest[3a]	
propose	1.4
suggestion[5b]	5.1
suicide[12]	8.4
suit[1b]	
fit	1.
(law)	1.8
(clothes)	2.7
suitable[4b]	
fit	1.
proper	1.4
sulk[15]	10.1
sullen[4a]	5.8
sulphur[6]	5.2
sultan[7]	5.7
sum[2a]	
amount	1.
– up	2.
summing up (n.)	3.1
summer[1a]	1.6
summit[4b]	3.4
top	1.3
summon[3a]	2.7
call forth	1.6
call together	2.1
sumptuous[5b]	5.
sun[1a]	1.
sunbeam[4b]	4.3
Sunday[2a]	1.9
sung[5b]	
sing	1.4
sunk[4a]	
sink	3.2
sunlight[4b]	
sunshine	3.2
sunny[3b]	6.

	Section
sunrise[5b]	5.8
sunset[3b]	5.3
sunshine[2b]	3.2
sup[6]	
supper	2.4
superfluous[5b]	4.1
superhuman[12]	9.4
superintendent[5b]	5.
superior[2b]	2.2
superiority[10]	6.3
supernatural[10]	8.4
superstition[5a]	6.3
superstitious[7]	7.4
supper[2a]	
(have –)	2.4
n.	4.6
suppliant[8]	7.7
supply[1b]	
vb.	1.1
– later	3.
n. (and demand)	3.7
support[2a]	
vb.	1.8
n.	2.1
suppose[1b]	1.
suppress[5b]	3.7
put down	2.2
take out	4.1
suppression[10]	8.4
supreme[3b]	2.
– court	4.3
sure[1a]	1.
(make –)	2.2
surface[2b]	2.8
surge[6]	
wave	2.9
surpass[4b]	4.6
exceed	2.3
ahead	2.7
-ing	6.2
surprise[1b]	
vb.	1.4
n.	2.4
-d	2.5
surrender[4a]	
vb. yield	1.9
delivery	4.4
surround[2b]	1.8
survey[4a]	
vb.	5.8
n.	4.9
survive[5a]	5.8
susceptible[7]	6.9
suspect[3b]	
(have suspicion)	2.8
(have a presentiment)	2.9
adj.	4.3
suspend[5a]	
hang	1.1
suspense[8] (in –)	6.
suspension[8] (tension)	5.8
suspicion[5b]	4.
have –	
suspect	2.8
suspicious[6]	
suspect	4.3
sustain[4a]	
support	1.8
swain[5a]	
lover	2.
swallow[2a]	
vb.	3.5
(bird)	5.
swam[6]	
swim	3.6

	Section
swamp[4a]	4.
swan[3b]	5.8
swarm[3b]	
drove	3.9
vb.	5.
sway[3a]	
rule	2.
swing	3.
influence	3.2
(the body)	5.6
swear[3b] vb. (take oath)	2.7
sweat[4a]	
n.	4.7
vb.	5.8
sweater[6]	7.2
Swedish[8]	6.8
sweep[2b]	1.9
sweet[1a] adj.	1.4
sweetheart[6]	
darling	2.2
sweetness[4b]	5.2
swell[2b]	3.9
swept[3b]	
sweep	1.9
swift[2a]	
fast	1.
swim[2a]	3.6
swine[5a]	
pig	3.9
swing[2b]	
vb.	3.
n.	4.8
Swiss[5a]	6.4
switch[5b]	5.9
swollen[6]	
swell	3.9
sword[2a]	2.
swore[5b]	
swear	2.7
sworn[4a]	
swear	2.7
syllable[5a]	4.9
symbol[4b]	5.6
sympathy[3b]	2.8
symptom[8]	7.7
syndicate[12]	9.3
synthetic[10]	8.6
syrup[6]	5.3
system[2a]	1.6
school –	4.2
systematic[9]	6.9

T

	Section
tabernacle[6]	
temple	2.1
table[1a]	1.
set –	1.1
table-cloth[12]	9.1
tablet[4b]	6.2
tack[6]	
nail	3.
tactical	11.7
tag[6]	
label	5.2
tail[1b] (animal)	4.1
tailor[2b]	3.5
taint[5b]	
spoil	2.6
take[1a]	1.
– care of	
care	1.
– away (remove)	1.
– away (separate)	1.

	Section
take[1a]—continued	
– place	
place	1.
– care	
look out	1.4
– care!	
look out!	1.4
– leave	
leave	1.5
– up (a subject)	1.7
– off (coat, etc.)	1.8
– back	1.9
– away (withdraw)	2.6
– down	
down	2.8
– off clothes	3.3
– off shoes	
shoes	4.1
– refuge	
refuge	3.9
– out	4.1
tale[2a]	
story	1.
fairy –	3.4
talent[3b]	2.4
talk[1a]	
vb.	1.
n. (conversation)	1.
n. (lecture)	1.2
talkative[14]	10.
tall[1b]	1.
tame[3a]	5.6
tan[5a]	
brown	2.5
tangle[7]	5.6
tank[4b]	6.1
tap[3a]	4.6
tape[6]	
ribbon	3.1
taper[4b]	
candle	2.2
tapestry[6]	5.8
tar[4b]	6.4
tardy[4b]	
late	1.
tarry[5a]	
delay	2.
linger	3.6
tart[6]	
sharp	4.
task[2b]	
work	1.1
tassel[6]	7.
taste[1b]	
n.	1.4
tr. vb.	1.5
(have a – for)	2.4
tatter[6]	
rag	5.3
taught[2a]	
teach	1.
tavern[4b]	4.1
tax[2a]	
n.	1.6
vb.	3.5
– rate	4.
tea[2a]	4.1
teach[1b]	1.
teacher[1b]	1.
team[2b]	3.9
tear[1b]	
n. (from eyes)	1.
vb.	1.8
tease[5b]	5.9
teaspoon[6]	
spoon	4.8
technical[6]	4.7
technique[9]	6.6

	Section
tedious[5a]	5.2
teeth[2b]	
tooth	2.3
telegram[4b]	
wire	3.5
telegraph[4a]	
n.	4.9
adj.	5.3
telephone[3a]	5.3
telescope[7]	5.4
tell[1a]	1.
– in advance	4.9
teller[6]	
fortune –	7.
temper[3a]	
n.	4.2
vb. (steel)	4.9
temperance[5a]	6.4
temperate[3b]	
sober	3.8
temperature[3b]	3.
tempest[4a]	
storm	1.6
tempestuous[6]	
stormy	4.
temple[2b]	2.1
(head)	4.8
temporary[4b]	3.2
tempt[3a]	4.
temptation[4b]	4.4
ten[1a]	1.4
tenacious[12]	8.
tenant[5a]	
inhabitant	3.2
n.	6.5
tend[3a] (incline)	2.4
tendency[5b]	3.2
leaning	1.8
have –	
tend	2.4
tender[2a]	
adj.	2.3
(legal –)	4.8
tenderness[5b]	4.4
tennis[6]	6.8
tenor[6]	
course	1.1
tent[2a]	3.4
tenth[3a]	4.1
term[2a]	
(period)	1.8
(end of period)	2.2
terrace[6]	6.7
terrible[2a]	1.8
terrify[6]	
frighten	1.9
territory[3a]	2.1
terror[2b]	
fear	1.4
test[2b]	1.9
testament (T)[7]	
will	3.1
testify[5b]	4.1
state	1.
testimony[4b]	3.1
Teutonic[10]	6.7
text[3b]	3.1
than[1a]	1.
thank[1a]	
vb.	1.
-s	1.1
thankful[4a]	
grateful	2.5

	Section
that[1a]	
adj.	1.
pron.	1.
conj.	1.
conj. (in) order	1.
provided –	2.9
thatch[7]	6.
thaw[5b]	
melt	2.5
the[1a]	1.
– (more, etc.) –	
(more, etc.)	1.
theatre(er)[2b]	
n.	1.9
adj.	4.6
thee[1b]	
thou	1.
their[1a]	1.
on – side	
side	2.2
theirs[4b]*	3.6
them[1a]	
they	1.
theme[4b]	
(paper)	3.2
(topic)	4.
themselves[1b]	
self	1.
(intensive)	1.4
then[1a]	
(time)	1.
conj. therefore	1.
now and –	
(at) times	1.
– (e.g., the – reign-	
ing ....)	1.4
now .... –	1.5
so –	1.5
now and –	2.2
thence[3a]	
there	1.
theological[8]	7.2
theoretical[9]	5.9
theory[5b]	3.3
there[1a]	
(place)	1.
there is	1.
there is	1.
across	1.
thereby[4a]	
through	1.
therefor[6]	
for	1.
therefore[1b]	1.
therein[6]	
in	1.
thereof[3b]	
of	1.
thereon[4b]	
on	1.
there's[5a]	
there is	1.
thereupon[4a]	
upon which	1.6
thermometer[5b]	6.6
these[1a]	
adj. this	1.
pron. this	1.
thesis[11]	6.1
they[1a]	
pers. pron.	1.
indef. pron. one	1.
they'll[6]	
shall	1.
thick[1b]	1.2
thicket[4b]	6.
thickness[4b]	5.1

INDEX TO ENGLISH WORDS IN THE LIST

	Section
thief[3a]	3.7
thieve(s)[5a]	
thief	3.7
thigh[4a]	5.2
thimble[6]	7.2
thin[1b]	2.
thine[3a]	2.3
thing[1a]	
(object)	1.
matter	1.
think[1a]	1.
thinker[15]	9.6
third[1a]	1.
thirst[3a]	3.3
thirsty[4b] (be –)	3.7
thirteen[3a]	5.2
thirty[2a]	2.3
this[1a]	
adj.	1.
pron.	1.
thistle[4b]	6.4
thither[4b]	
there	1.
tho (tho')[5a]	
although	1.
thorn[3a]	4.3
thorough[2b]	2.
those[1a]	
that (adj.)	1.
that (pron.)	1.
thou[1b]	1.
thou-form (use) –	13.
though[1a]	
although	1.
thought[1a]	
vb. think	1.
n.	1.
thoughtful[4b]	
kind	1.
pensive	3.9
thoughtless[5b]	4.8
careless	5.2
thousand[1a]	1.4
thrash[5a]	
beat	1.1
(agricultural)	5.9
thread[2a]	2.4
threat[5a]	4.6
threaten[2b]	1.8
three[1a]	1.
– times	2.6
three-colored	13.
threshold[5b]	4.2
threw[2a]	
throw	1.
thrice[4a]	
three times	2.6
thrifty[6]	
saving	1.8
thrill[4a]	
vb.	4.4
n.	5.6
thrive[4a]	
flourish	4.1
thro (thro')[5a]	
through (motion)	1.
through (agent)	1.
throat[2b]	2.
throne[2b]	2.3
throng[3b]	
crowd	1.
through[1a]	
(motion)	1.
(agent)	1.
run –	3.1

	Section
throughout[2b]	2.8
throw[1b]	1.
thrown[6]* throw	1.
thrush[6]	7.1
thrust[3a]	
blow	1.4
vb. push	2.3
thumb[3b]	
n.	4.3
(turn over pages)	5.6
thump[5a]	
beat	1.1
thunder[2b]	
n.	3.6
vb.	4.2
thunderbolt[5b]	4.1
Thursday[2b]	2.7
thus[1b]	
so	1.
thwart[6]	6.8
keep from	1.4
thy[2a]	1.6
thyme[10]	8.6
thyself[3b]	
self	1.
tick[3b]	
sign	1.1
– tock	7.2
ticket[3a]	4.2
– window	5.3
tickle[5a]	6.8
tide[2b]	3.4
flow	2.6
tidings[5a]	
news	1.4
tie[1b]	
vb.	1.6
n.	1.6
tiger[4b]	5.8
tight[2b]	1.7
-s	5.1
tile[4a]	5.8
till[1a]	1.
– now	1.
vb.	2.5
tilt[6]	
slant	2.8
timber[4a]	
wood	1.5
time[1a]	
n. (general)	1.
n. (how many -s)	1.
(what – is it)	1.
(at the same –)	1.
(at -s)	1.
several -s	1.2
two -s	1.8
(at the) same – (simultaneous)	1.9
(every –)	2.2
(for the) first –	2.6
three -s	2.6
(music)	3.2
timid[4a]	4.6
timidity[11]	8.4
tin[3a]	4.
tinkle[5b]	4.1
tint[6]	
shade	2.9
tiny[2b]	
little	1.
tip[2a]	
n. (end)	1.4
– over	3.5
n. (fee)	5.2

	Section
tire vb.[1b]	
-d (adj.)	1.9
vb.	2.4
tire n.[6]	7.2
tiresome[6]	
tedious	5.2
'tis[3a]	
be	1.
title[2a]	1.8
right	1.8
to[1a]	1.
toad[5a]	6.6
toast[4b]	
vb. and n.	5.6
tobacco[3a]	3.9
tock[6]	
tick –	7.2
today(-)[1a]	1.
toe[3a]	4.6
together[1a]	1.
call –	2.1
bring –	2.6
work –	3.6
toil[2b]	
vb. work	1.
n. work	1.
toilet[5b]	
dress	1.4
token[4b]	
sign	1.1
told[1b]	
tell	1.
toleration[8]	7.7
tomato[5a]	6.4
tomb[3b]	
grave	2.2
tomorrow(-)[1b]	1.4
day after –	4.3
ton[3a]	3.7
tone[2b] n.	1.4
tongs[5a]	6.4
tongue[1b]	
(language)	1.
(part of mouth)	1.8
tonight(-)[2b]	1.4
tonnage[6]	7.2
too[1a]	
(excess)	1.
also	1.
– bad bad	2.9
took[1a]	
take	1.
tool[2b]	3.
tooth[2b]	2.3
top[1a]	1.3
(side)	2.5
topic[5b]	
subject	1.
torch[4b]	5.
tore[4b]	
tear	1.8
torment[3b]	
vb.	3.1
n.	3.5
torn[3a]	
tear	1.8
torrent[4b]	3.
tortoise[5a]	6.8
torture[4a]	
vb.	3.5
n.	3.9
toss[2b]	
throw	1.

	Section
total[2a]	
n. whole	1.5
totter[6]	
reel	3.1
touch[1b]	
vb.	1.
move (emotionally)	1.5
(act of touching)	2.1
n. (contact)	2.2
tough[6]	5.
tourist[8]	6.9
tournament[10]	8.5
tow[6]	
pull	1.
toward(s)[1b]	1.
(bring –)	1.
(go, come, move –)	1.
start –	4.3
towel[4b]	6.2
tower[2a]	2.3
town[1a]	
city	1.
(home –)	3.3
– hall hall	3.4
toy[2a] (plaything)	5.1
trace[2a]	
– out (vb.)	1.7
n. (vestige)	2.1
track[2a]	
n. (trail)	2.1
tract[4b]	
compass	2.5
range	3.6
trade[1b]	
n.	1.2
vb.	2.4
practice	3.4
adj.	4.6
trader[5a]	
merchant	2.2
tradesman[6]	5.7
tradition[4a]	3.7
traditional[11]	7.8
traffic[3b]	2.6
tragedy[4b]	4.4
tragic[6]	4.9
trail[3b]	
n. track	2.1
train[1a]	
(railroad)	1.1
(military)	3.1
traitor[4a]	4.9
tramp[4a]	4.9
trample[4a]	5.9
tranquil[6]	
quiet	1.
tranquillity[6]	
quiet	1.
transfer[3b]	
vb.	2.4
n. (money)	4.
transform[4b]	2.8
transgress[6]	
sin	2.4
transient[6]	
passing	1.9
transition[6]	4.4
translate[4b]	3.8
translation[7]	5.
transparent[7]	5.7
be – show	3.4
transport[3b]	
(transportation)	3.2
vb.	3.9

255

	Section		Section		Section		Section
transportation[4b]		trot[3b]		twelve[1b]	1.9	undertake[3b]	2.5
transport	3.2	n.	4.6	twentieth[6]	7.1	undertaking	2.4
trap[2b] n.	5.1	vb.	5.5	twenty[1b]	1.9	undisturbed[6]	
travel[1b] vb.	1.8	trouble[1b]		– five	4.2	quiet	1.
traveler(ll)[2a]	2.4	n.	1.	– two	4.6	undo[5a]	5.5
traverse[5b]		vb. (bother)	1.5	– four	4.7	undone[6]	
cross	1.	troublesome[5b]	4.4	– six	4.7	(figurative)	3.5
tray[6]	6.6	vexing	3.8	'twere[4b]		undo	5.5
treacherous[5a]	6.	trough[6]	6.8	be	1.	undress[7]	
treachery[6]		trousers[4a]	5.6	twice[2a]		take off clothes	3.3
treason	4.3	trout[5a]	6.8	two	1.8	uneasiness[7]	5.
tread[2b]		truck[5a]	6.6	twig[3b]		uneasy[5a]	5.5
step	1.1	true[1a]	1.	branch	1.6	unequal[5b]	3.9
treason[4b]	4.3	truly[5b]*		twilight[3b]	4.3	uneven[6]	
treasure[2a]	2.	really	1.4	'twill[4b]		unequal	3.9
treasurer[6]	7.2	trumpet[3a]		shall	1.	unexpected[4b]	3.5
treasury[4b]	5.6	horn	3.6	twin[3a]	5.8	unfavorable[9]	6.
treat[2a]		trumpeter[11]	8.4	twine[4a]		unfinished[7]	6.9
vb. (handle)	1.4	trunk[2a]		vb. twist	4.	unfit[5a]	6.4
(give a treat to)	4.9	(of tree)	2.3	twinkle[3b]		unfold[4b]	3.4
treatment[3b]	2.8	(to pack)	5.	glitter	3.6	unforgettable[16]	10.9
treaty[4b]	2.6	trust[1b]		twist[3b]		unfortunate[3b]	2.2
treble[7]	6.8	n.	1.	(wring)	2.6	-ly	1.9
tree[1a]	1.	vb.	1.4	vb. (twine)	4.	ungrateful[5b]	4.9
apple –	5.	trustee[8]		twitter[6] n.	7.	unhappy[2b]	1.8
orange –	5.	public –	7.6	two[1a]	1.	unhealthy[8]	6.9
palm –	5.5	trusty[5b]		– times	1.8	unheard[6]	
olive –	5.7	faithful	2.7	twenty –	4.6	– of	5.3
plane –	6.	truth[1b]	1.	type[3a] n.	4.8	uniform[3a]	
trellis[12]	9.4	try[1a]	1.	typewriter[5b]	5.6	adj.	3.1
tremble[2b]	1.8	– hard	1.5	tyranny[4b]	5.6	n.	4.4
trembling (n.)	4.	tub[4a]	6.2	tyrant[4a]	4.2	union[2a]	
tremendous[5a]		tube[4a]				(confederacy)	1.6
great	1.	pipe	3.2			(bringing together)	3.5
trench[5a]		tuck[4b]		**U**		unit[6]	4.2
ditch	3.9	(sewing)	4.1			(military)	5.9
trespass[6]		– up		ugliness[14]	10.2	unite[1b]	1.
crime	2.4	turn	4.9	ugly[2b]	2.4	-d	1.5
trial[2b]		Tuesday[2b]	3.7	umbrella[4b]	5.4	unity[5b]	3.8
attempt	1.8	tuft[6]	6.8	unable[4b]	4.1	universal[3a]	3.8
(law)	2.	-ed	6.4	unanimous[6]	5.	universe[6]	5.4
triangle[6]	7.	tug[4b]		unaware[5b]	6.	university[3a]	
tribe[2a]	2.5	pull	1.	unbound[6]		n.	3.3
tributary[4a]	6.3	tumble[3a]		free	1.	adj.	4.2
tribute[4a]		vb. fall	1.	unbutton[19]	12.2	unjust[3b]	3.3
tax	1.6	n. fall	1.2	uncertain[4b]	4.	unkind[5b]	6.1
(pay – to)	3.2	tumult[5a]		doubtful	2.6	unknown[2b]	1.8
trick[2b] n.	3.2	noise	2.6	uncertainty[8]	6.5	– to	2.2
tried[2a]		tune[3a]		unchangeable[11]	8.9	unless[2a]	1.4
try	1.	air	3.	uncle[1b]	1.9	unlike[4b]	
trifle[3b]	3.9	(put in – with)	3.4	unclean[6]		different	1.
trim[2a]		tunnel[5b]	6.4	dirty	4.2	unload[7]	6.7
vb.	2.4	turf[5a]	5.8	uncomfortable[5b]	4.6	unlock[6]	
trimming (n.)	3.8	Turk[5b]		unconquered[10]	8.6	open	1.
trinket[9]	8.2	Turkish	5.	unconscious[4b]	4.4	unmoved[7]	7.
trip[1b]		turkey (T)[3a]	5.6	uncover[5a]		unnecessary[5b]	4.2
journey	1.	Turkish[5a]	5.	open	1.	unpleasant[5b]	3.8
triple[7]	5.8	turn[1a]		undecided[12]	9.2	unpublished	12.8
triumph[3b]		vb.	1.	undefinable	10.2	unquestionable[11]	6.5
n.	3.1	(in –)	1.	under[1a]		unreasonable[6]	7.2
vb.	4.2	– to	1.1	prep.	1.	unruly[7]	7.4
triumphant[5b]	4.6	– round (intr. vb.)	1.4	adj.	1.9	unseen[4a]	4.8
trivial[6]	5.	n. (revolution)	3.	– side	4.4	unselfish[11]	8.6
petty	4.5	– away	3.	undergo[5b]	3.8	unsettle(d)[6]	
trod[4a]		– up	4.9	bear	1.	trouble (vb.)	1.5
step	1.1	turnip[5b]	6.7	underground[5a]	6.6	changing	4.6
troll[6]		turret[6]	7.	underline[9]	8.	unspeakable[6]	6.7
vb. fish	2.5	turtle[4b]	6.4	underneath[3b]		unsteady[8]	5.6
trolley[5b]		tutor[5b]		prep. under	1.	until[1a]	
car	2.1	teacher	1.	adv. beneath	1.6	till	1.
troop[2b]	1.6	twain[6]		understand[1b]	1.	untiring[9]	7.2
trophy[5b]	6.8	two	1.	-ing	1.7	unto[2b]	
tropic[6]	6.9	'twas[3b]		understood[3a]		to	1.
		be	1.	understand	1.		
		twelfth[4b]	6.3				

INDEX TO ENGLISH WORDS IN THE LIST

	Section
unusual[3b]	
(extraordinary)	2.
(uncommon)	2.6
unwelcome[6]	7.2
unwilling[5b]	
-ly	4.6
unworthy[5b]	4.7
up[1a]	
go –	1.
give –	1.4
bringing –	1.6
sit –	1.8
bring – (a child)	1.9
sum –	2.
catch –	2.3
make – for (redress)	2.9
use –	2.9
get – early	3.
summing –	3.1
keeping –	3.4
line –	3.6
make – for (compensate)	4.1
uphold[5b]	
support	1.8
uplift[6]	
lift	1.
upon[1a]	
on	1.
call –	1.5
– which	1.6
upper[2a]	1.4
upright[3a]	
straight (erect)	1.8
(righteous)	3.8
(vertical)	4.1
uproar[5b]	
noise	2.6
upset[5a]	
trouble (vb.)	1.5
overcome	2.7
tip	3.5
n.	6.3
upstairs[5b]	3.
upstart[11]	9.
upward(s)[3a]	
go up	1.
urge[2b]	
vb.	2.5
– on	4.8
urgency[17]	9.8
urgent[6]	
pressing	1.7
urn[4b]	
jar	5.4
us[1a]	
we	1.
use[1a]	
vb.	1.
n.	1.1
(be -d to)	1.4
(make -d to)	1.6
(of no –)	1.8
– up	2.9
– thou-form thou-form	13.
useful[2a]	2.
useless[3b]	
(of no) use	1.8
usher[7] n.	7.3
usual[1b]	
adj.	1.
-ly	
(in) general	1.
usurp[6]	4.5
utmost[4a]	
extreme	1.5
utter[2b]	
speak	1.
utterance[5a]	
expression	2.2

V

	Section
vacancy[6]	
void	5.2
vacant[3b]	2.8
vacation[3b]	
holidays	5.2
vague[5b]	4.
vain[2a]	
(in –)	1.9
adj.	2.3
vale[3b]	
valley	1.7
valentine[6]	7.2
valiant[4b]	
brave	1.
validity[12]	8.8
valley[1b]	1.7
valor[5a]	
courage	1.4
valuable[2b]	2.7
value[1b]	
n.	1.
(of same –)	1.8
valve[6]	6.3
van[4b]	4.4
vanish[3a]	
disappear	1.4
vanity[3b]	3.3
vanquish[6]	
defeat	2.7
vapor[3a]	
steam	2.5
variety[3a]	3.8
various[2a]	2.6
different	1.
varnish[6]	6.8
vary[3a]	3.6
vase[6]	
jar	5.4
vassal[6]	6.6
vast[2b]	2.8
vault[4a]	4.7
vegetable[2b]	
n.	4.8
adj.	5.
vegetation[7]	7.2
vehement[6]	4.8
vehicle[6]	5.
veil[3b]	3.4
vein[3a]	3.6
velvet[3a]	5.2
venerable[6]	5.1
vengeance[4a]	
revenge	2.8
vent[6]	
opening	2.3
venture[3b] (chance)	2.
verb[6]	6.5
verge[6]	
edge	1.5
verily[6]	
really	1.4
verse[3a]	2.7
vertical[6]	
upright	4.1
very[1a]	
adj. same	1.
adv.	1.
vessel[2a]	
ship	1.3
vest[3a] (Amer.)	5.7
veteran[6]	7.2

	Section
vex[3a]	4.1
anger	2.7
-ing (adj.)	3.8
vexation[6]	5.8
vibrate[7]	4.4
vibration[8]	7.6
vice[3a]	3.2
vice-president[16]	9.8
viceroy[10]	8.6
vicinity[6]	
neighborhood	2.9
vicious[5b]	6.5
bad	1.2
victim[3b]	2.2
victor[4a]	3.8
victorious[4a]	3.9
victory[2b]	2.
view[1b]	
point of –	1.
sight	1.
vigil[6]	6.2
vigor[3b]	4.
force	1.
vigorous[6]	
hardy	2.6
vile[4a]	
low	1.8
village[1b]	1.2
villain[5a]	5.
knave	4.5
vine[2b]	4.
vinegar[5a]	6.3
vineyard[5b]	5.1
violate[4b]	
sin	2.4
violation[10]	6.8
violence[3b]	3.6
violent[3b]	
furious	1.9
violet (V)[3a]	
n.	5.2
(color)	5.5
violin[5a]	6.1
viper[6]	7.
virgin[3b]	
n.	2.9
adj. (e.g., ground)	4.1
adj. (virginal)	5.3
virtue[2b]	1.9
virtuous[4a]	4.8
viscount[10]	8.4
visible[4b]	2.9
vision[3b]	
sight	1.
visit[1a]	
n. (visitation)	1.4
vb.	1.4
n. stay (sojourn)	1.7
visitation[6]	
visit	1.4
visitor[4a]	5.1
vital[5b]	
essential	2.9
vituperation[6]	13.
vivid[5b]	3.8
clear	1.
keen	2.4
voice[1a]	1.
void[4a]	
n.	5.2
adj.	5.4
(make –)	6.2
volcano[6]	6.7

	Section
volt[12]	9.4
volume[3a]	2.9
voluntary[6]	
(of own) accord	3.4
voluptuous[11]	8.6
vomit[7] vb.	5.
vote[2b]	
vb.	1.8
n.	2.8
voter[5b]	4.6
vouchsafe[6]	
allow	1.
vow[3a]	
n.	4.9
vb.	5.2
voyage[3a]	
journey	1.
vulgar[5b]	2.9
coarse	2.9

W

	Section
wade[6]	7.1
waft[6]	6.3
wag[4b]	
shake	1.9
wage[2b] n.	2.2
wagon[2a]	4.7
wail[4a]	
mourn	1.9
waist[2b]	4.4
wait[1a]	
vb.	1.
– for	1.
n.	4.5
wake[2a]	
tr. vb.	1.9
intr. vb.	1.9
waking (n.)	4.4
waken[4b]	
tr. vb. wake	1.9
intr. vb. wake	1.9
walk[1a]	
vb.	1.
n. (gait)	1.6
n. (take a –)	2.4
walker[8]	7.6
wall[1a]	
(in a room)	1.4
(of city, garden, etc.)	1.7
wallet[6]	
case (letter-, note-)	2.5
walnut[5b]	6.3
wan[6]	
pale	2.7
wand[3b]	3.2
wander[2a]	2.7
-ing	4.9
want[1a]	
vb.	1.
vb. desire	1.
n. need	1.
(for – of)	3.
n. (scarcity)	3.
n. (privation)	3.9
wanton[4b]	6.4
war[1a]	1.
warble[5a]	6.6
ward (W)[3b]	
district	2.1
(person)	5.2
wardrobe[6]	6.8
clothes	1.4
ware[4a]	
-s	
goods	1.5

257

	Section
warfare[6]	
war	1.
warlike[6]	
martial	5.4
warm[1a]	
adj.	1.7
vb. heat	2.2
warmth[4b]	
heat	1.5
warn[2b]	2.2
-ing	3.4
warp[5b]	3.5
warrant[4a]	
vb. justify	2.5
vb. pledge	2.7
warrior[3a]	3.5
was[1a]	
be	1.
wash[1b]	
vb.	2.6
n.	3.3
wasn't[5a]	
be	1.
wasp[6]	7.2
wast[4b]	
be	1.
waste[1b]	
(desert)	2.4
vb.	4.2
(lay –)	4.9
watch[1a]	
vb.	1.
n. (to tell time)	1.3
watchful[4b]	6.4
watchman[6]	
guard	2.
water[1a]	
n.	1.
vb.	2.4
adj.	5.
watercolor	13.
waterfall[5a]	6.2
waterproof[7]	6.8
watery[6]	7.2
wave[1b]	
vb.	1.7
n. (surge)	2.9
n. (undulation)	3.8
waver[4a]	3.4
wax[3a]	3.6
way[1a]	
(manner)	1.
in no –	
(not at) all	1.
road	1.
(be in –)	1.7
– out	2.
(on the –)	2.2
we[1a]	1.
weak[1b]	1.1
(grow –)	2.4
weaken[5b]	4.8
weakness[3a]	2.9
wealth[2a]	
(riches)	1.5
wealthy[3b]	
rich	1.
weapon[3a]	
arm	1.
wear[1b]	
vb.	1.
– out	2.8
weariness[5b]	5.6
weary[2b]	
adj. tired	1.9
vb. tire	2.4
weather[1b]	1.4

	Section
weave[3a]	4.6
weaver[6]	7.2
web[3b]	3.4
wed[3b]	
marry	2.3
wedding[4b]	3.4
wedge[5a]	6.1
Wednesday[2b]	4.3
wee[3a]	
little	1.
weed[2b] *n.*	5.3
week[1a]	1.1
weekly[5b]	5.7
weep[2a]	
cry	1.4
weigh[2a]	2.7
weight[1b]	1.5
welcome[2a] *adj.*	3.3
welfare[4a]	3.5
well[1a]	
adv.	1.
(be –) (health)	1.
(as – as)	1.2
n.	1.9
–!	2.3
– informed	
informed	3.
we'll[3b]	
shall	1.
went[1a]	
go	1.
wept[3b]	
cry	1.4
were[1a]	
be	1.
as it –	1.4
wert[4b]	
be	1.
west[1b]	1.9
western[2a]	2.4
westward[4a]	
west	1.9
wet[2a]	
adj.	2.9
vb.	2.9
wet-nurse	12.9
whale[6]	7.1
what[1a]	
rel. and *inter. pron.*	1.
– (?!)	2.4
whate'er[5a]	
whatever	1.5
whatever[2a]	1.5
whatsoever[3b]	
whatever	1.5
wheat[1b]	2.5
wheel[1b] *n.*	2.5
when[1a]	1.
whence[2b]	
where	1.
whene'er[4b]	
whenever	1.4
whenever[2b]	1.4
where[1a]	1.
whereat[5a]	
upon which	1.6
whereby[4b]	
by	1.
wherefore[4a]	
why	1.
wherein[4a]	
in	1.
whereof[6]	
of	1.

	Section
whereon[6]	
on	1.
whereupon[7]	
upon which	1.6
wherever[3a]	
where	1.
whether[1b]	1.
which[1a]	
rel. and *inter. pron.*	1.
upon –	1.6
while[1a]	
conj.	1.
n.	1.8
whip[2b]	
n.	4.8
vb.	4.8
– up	
urge	4.8
whirl[3b]	4.
whirlwind[5a]	6.2
whisk[6]	
move	1.1
whisper[2a] *vb.*	3.1
whistle[2a]	
n.	3.9
vb.	4.6
white[1a]	
adj.	1.
(become –, make –)	1.9
n.	3.7
whiten[7]	
white	1.9
whither[3b]	
where	1.
who[1a] *rel.* and *inter. pron.*	1.
whoever[3b]	2.2
whole[1a]	
complete	1.
n.	1.5
wholesome[4a]	4.6
wholly[4b]	
all	1.
whom[1b]	
who	1.
whose[1b]	1.
why[1a]	1.
wicked[2b]	
bad	1.2
wickedness[5a]	
evil	2.
wide[1a]	
broad	1.4
widow[3b]	3.
widower[16]	10.3
width[3a]	3.4
wield[6]	
handle	3.9
wife[1b]	1.
wig[5a]	6.8
wigwam[4b]	6.4
wild[1b]	
(savage)	1.6
(uncultivated)	1.7
wilderness[3a]	
waste	2.4
wilful[6]	
stubborn	4.1
will (W)[1a]	
shall	1.
n. (e.g., free will)	1.
n. (testament)	3.1
willing[2b]	
be –	
want	1.
-ly	1.6
(be –)	2.9

	Section
willow[3b]	5.6
wilt[4a]	
shall	1.
fade	4.9
win[1b]	
beat	1.
gain	1.
wind[1a]	
n.	1.4
vb.	3.3
windmill[4b]	5.4
window[1a]	1.4
(church –)	2.4
ticket –	5.3
windy[6]	6.5
wine[2a]	1.4
wing[1b]	1.1
-s (in theatre)	4.9
wink[3b] *vb.*	5.8
winner[6]	6.5
winter[1a]	1.4
wintry[6]	6.5
wipe[2b]	4.7
wire[2b]	
(telegram)	3.5
(metal)	4.2
wireless	6.
wisdom[2a]	2.3
wise[1b]	1.5
wish[1a]	
n. desire	1.
vb. desire	1.
wit[2a]	2.7
witch[3a]	5.2
with[1a]	1.
withal[5a]	
addition	1.4
withdraw[3a]	
take away	2.6
retire	3.
withdrew[5b]	
take away	2.6
wither[3b]	
fade	4.9
withhold[6]	
keep back	1.7
within[1b]	1.1
without[1a]	1.
– doubt	
doubt	1.
do –	2.1
withstand[5a]	
resist	2.8
witness[2b] *n.*	2.4
witty[5b]	4.1
wives[3b]	
wife	1.
wizard[5a]	6.2
woe[3a]	
grief	1.8
woeful[6]	
sad	1.4
woke[4a]	
tr. vb. wake	1.9
intr. vb. wake	1.9
wolf[2a]	4.7
wolves[5b]	
wolf	4.7
woman[1a]	1.
womb[6]	4.9
women[2a]	
woman	1.
won[2a]	
gain	1.

INDEX TO ENGLISH WORDS IN THE LIST

	Section
wonder[1b]	
vb. (e.g., I – whether)	1.
n. (miracle)	1.7
vb. (marvel)	1.8
wonderful[1b]	1.2
wondrous[4a]	
wonderful	1.2
wont[3b]	
used	1.4
custom	1.9
won't[2b]	
shall	1.
woo[4a]	
court	1.
wood[1a]	
forest	1.
(lumber)	1.5
adj.	1.5
wooden[2b]	
(made of) wood	1.5
woodland[4b]	
forest	1.
woodman[6]	7.2
woodpecker[6]	7.2
woodwork[11]	8.9
wool[2a]	2.8
(of –)	2.8
woolen[4b]	
wool	2.8
word[1a]	1.
– for –	2.2
wore[3a]	
wear	1.
work[1a]	
n.	1.
vb.	1.
(a work)	1.
(piece of –) (task)	1.1
– of art	1.8
-ing (effective)	2.
– together	3.6
-ing (action)	4.7
-ing out	4.9
(stopping –)	5.
-ing (*n.*) (functioning)	5.
worker[3b]	2.2
fellow –	2.9
workman(men)[4a]	2.5
workmanship[6]	3.
workshop[8]	5.5
work-yard	12.2
world[1a]	
n.	1.
adj.	4.9
worldly[5a]	4.6

	Section
worm[2b]	4.7
worn[2b]	
wear (clothes)	1.
wear out (e.g., clothes)	2.8
worry[3b]	
n.	2.8
vb.	3.2
worse[2a]	1.5
(make –)	3.
worship[3a]	
n.	3.6
vb.	3.6
worst[2b]	
worse	1.5
worth[1b]	
(be –)	1.
value	1.
worthless[4a]	4.2
worthy[2a]	1.8
(be) worth	1.
would[1a]	
should	1.
wouldn't[4b]	
should	1.
wound[2a]	
vb. infin.	2.2
n.	2.8
wounded[2a]	3.3
wove[5b]	
weave	4.6
woven[4b]	
weave	4.6
wrap[2b]	
vb.	2.3
wrapping (*n.*)	3.4
wrath[3b]	
anger	1.9
wreath[3a]	3.7
wreathe[6]	
twist	4.
wreck[3a]	
destroy	1.5
wren[5a]	6.8
wrench[1a]	6.8
wrestle[5b]	4.
fight	1.6
wretch[5a]	
knave	4.5
wretched[3b]	
miserable	2.7
(disconsolate)	4.4
(deplorable)	5.8
wring[5b]	
twist	2.6
– (out)	6.1

	Section
wrinkle[4a]	
n.	5.4
vb.	5.7
wrist[5b]	6.1
writ[4b]	5.9
write[1a]	1.
writing(s)	1.4
written (in black and white)	1.4
writing (*n.*)	1.8
writer[3b]	
author	1.9
written[2a]	
write	1.
wrong[1b]	
adj. (mistaken)	1.
(be –)	1.4
– side	
side	1.7
n. (injury)	3.1
n. (misdeed)	3.2
wrote[2b]	
write	1.
wroth[6]	
angry	2.4
wrought[3a]	
work (*vb.*)	1.

Y

	Section
yard[1b]	
court	1.1
(measure)	1.3
yarn[5b]	
wool	2.8
yawn[4b]	
vb.	5.8
n.	6.2
yd.[5c]	
yard	1.3
ye[2b]	
you	1.
yea[3b]	
yes	1.
year[1a]	1.
(New Year's) Eve	3.8
preceding –	4.9
yearly[5b]	
annual	2.7
yearn[5a]	
long for	1.4
-ing longing	1.9
yell[4a]	
vb. cry	1.
yellow[1b]	2.

	Section
yes[1b]	1.
yesterday[1b]	1.
day before –	4.
yet[1a]	
however	1.
still (time)	1.
yew[6]	7.2
yield[2a]	
vb.	1.9
vb. produce	3.4
yoke[3b]	
n.	4.4
vb. harness	5.3
yon[4a]	
adj. that	1.
yonder[3a]	
there	1.
you[1a]	1.
one (*indef. pron.*)	1.
you'd[5b]	
should	1.
you'll[4a]	
shall	1.
young[1a]	1.
– lady	1.1
your[1a]	1.
you're[4b]	
be	1.
yours[3b]	2.1
yourself[2a]	
self	1.
(intensive)	2.1
yourselves[4b]*	
self	1.
youth[2a]	
(time of life)	1.4
boy	1.4
youthful[4b]	3.3

Z

	Section
zeal[3b]	2.4
zealous[5b]	
eager	2.4
zero[5a]	6.4
zest[10]	6.8
zigzag[6]	7.2
zinc[6]	6.
zone[3a]	
district	2.1
zoological[6]	7.2
zouave	13.

INDEX TO FRENCH WORDS IN THE LIST

After a French word or phrase the first English word not inclosed in parentheses and followed by a section number indicates the position of the entry in which the French word will be found.

A

	Section
à, au, aux, à l'[1a]	
at	1.
to	1.
abaisser[2b]	
lower	2.3
abandon[3b]	
abandon	5.4
abandonner[1b]	
leave (desert)	1.
abandonner (s')[4b]	
give up	1.7
resign oneself	2.2
abasourdir[4b]	
din	6.2
abattre[2a]	
reduce	3.5
depress	4.9
abbaye[5b]	
abbey	6.9
abbé[2b]	
abbot	6.5
abdiquer[7a]	
renounce	3.1
abeille[6b]	
bee	4.1
aberration	
aberration	8.6
abîme[3b]	
abyss	4.1
abîmer[5a]	
spoil	2.6
abject[5b]	
low	1.8
abnégation	
abnegation	10.9
abolir[3b]	
abolish	3.9
abolition[5b]	
abolition	5.3
abominable[5a]	
abominable	5.1
abondamment[4b]	
fully	2.2
abondance[4a]	
plenty	2.2
abondant[4a]	
abundant	4.2
full	4.4
peu –, scanty	4.5
abonder[5a]	
abound	5.2
abord[2a]	
approach	3.6
abord (d')[1a]	
(at) first	1.
aborder[2b]	
take up	1.7
aboutir[2a]	
end (in)	1.1
aboyer[6a]	
bark	5.1

	Section
abréger[5a]	
shorten	4.8
abreuver[6b]	
water	2.4
abri[2a]	
shelter	1.7
abriter[3b]	
shelter	2.6
abrupt[5a]	
steep	2.8
absence[2b]	
absence	3.2
absent[3b]	
absent (mind)	2.9
absent (physical)	5.
rester –, stay away	3.4
absenter (s')[6b]	
go away	1.
absinthe[5a]	
liquor	4.3
absolu (adj.)[2a]	
absolute	1.8
absolument[1a]	
absolute	1.8
absorber[2b]	
(be) absorbed	3.
absorb	5.7
abstenir (s')[4a]	
keep from	1.7
refrain (from doing)	4.1
abstraction[5b]	
abstraction	8.
abstrait	
abstract	6.5
absurde[3b]	
absurd	3.7
abus[3b]	
abuse	3.5
abuser[3b]	
abuse	4.3
académie[4a]	
academy	4.3
acajou	
mahogany	7.2
accabler[3a]	
burden	3.5
overwhelm	4.8
accaparer[6a]	
get (obtain)	1.
accélérer[4b]	
hurry	2.5
accent[2b]	
accent	2.4
accentuer[4b]	
accent	3.9
emphasize	4.4
acceptation[6b]	
acceptance	3.8
accepter[1a]	
accept	1.
admit	1.8
accepteur	
accepter	12.4

	Section
accès[3a]	
– de colère	
(fit of) anger	3.
approach	3.6
access	4.9
accessible[5a]	
accessible	6.9
accessoire[3b]	
accessory	7.9
accident[1b]	
accident	2.3
acclamer[5b]	
clap	2.8
accommoder[4b]	
accommodate	3.8
accompagner[1a]	
go with	1.
accompli[3b]	
carry out	1.
complete	1.
perfect	1.
accomplir[2a]	
carry out	1.
accord[1b]	
settlement	2.7
agreement	3.1
harmony	3.1
accorder[1b]	
grant	1.
agree	2.2
s'–, agree	2.2
accouder (s')[4b]	
lean	2.2
accourir[2a]	
run	1.
accoutumer[3b]	
accoutumé, (be) used	1.4
(make) used (to)	1.6
accrocher[2b]	
join	1.
s'–, cling	5.
accroissement[6a]	
addition	3.1
growth	4.2
accroître[2b]	
increase	1.1
accroupir[4a]	
crouch	6.4
accueil[3a]	
reception	3.2
accueillir[2a]	
get (receive)	1.
accumuler[5a]	
heap up	3.2
accusatif	
accusative	9.
accusation[4b]	
accusation	4.6
accusé[5b]	
accused	3.1
accuser[2b]	
accuse	4.
acharner[5b]	
acharné, eager	2.4

	Section
achat[4b]	
purchase	3.2
acheminer[5b]	
start toward(s)	4.3
acheter[1b]	
buy	1.4
bribe	6.
acheteur[4b]	
buyer	3.8
achever[1b]	
complete	1.
acide[4b]	
acid (n.)	3.7
sharp (taste)	4.
acid (adj.)	5.3
acide carbonique	
carbon dioxide	6.8
acier[4b]	
steel	3.1
acquérir[2a]	
get (obtain)	1.
acquiescer[6a]	
consent	2.4
acquisition[5b]	
purchase	3.2
acquisition	6.3
âcre[6a]	
sharp (taste)	4.
acte[1b]	
act	1.
act (deed)	2.2
acteur[4b]	
actor	3.9
actif (n.)[5a]	
asset	6.8
actif (adj.)[3a]	
active	2.6
action (action)[1b]	
act	1.
actionnaire	
share holder	4.8
activer[5b]	
hurry	2.5
fan	5.
activité[3a]	
activity	3.3
actrice[6a]	
actor	3.9
actuel[2b]	
present	1.1
actuellement[2b]	
now (at present)	1.
adapter[3b]	
fit	2.9
adjust	4.5
addition (addition)[5b]	
addition	3.1
additionner[6b]	
add up	4.6
adhérent[4b]	
follower	3.2
adieu[2b]	
faire ses -x, leave	1.5
farewell	3.4

260

INDEX TO FRENCH WORDS IN THE LIST

	Section
adjectif	
adjective	7.1
adjoint[6b]	
fellow worker	2.9
helper	4.3
associate (e.g., professor)	5.4
adjuger[6b]	
grant	1.
admettre[1b]	
admit (confess)	1.4
admit (receive)	1.8
administrateur[5a]	
director	2.8
manager	5.
administratif[6a]	
administrative	9.2
administration[2a]	
direction	1.8
administrer[3b]	
manage	2.2
admirable[1b]	
admirable	3.1
admirablement[4b]	
admirable	3.1
admirateur	
admirer	7.
admiration[2a]	
admiration	2.8
admirer[1b]	
admire	2.2
admission[6b]	
confession	4.3
admission	5.4
adolescent[4b]	
boy	1.4
adonner (s')	
indulge in	4.1
adopter[2a]	
adopt	2.1
adoption[6b]	
adoption	3.8
assumption	6.2
adoration[5b]	
worship (n.)	3.6
adorer[3a]	
worship (vb.)	3.6
adosser[5a]	
lean	2.2
adoucir[4a]	
soothe	4.3
adresse[2a]	
address (on letter)	2.3
skill	3.
ability	3.2
cunning	5.1
adresser[2a]	
turn to	1.1
adresser à (s')[2b]	
turn to	1.1
adroit[4b]	
clever	2.6
skilful	4.2
adroitement[6b]	
clever	2.6
adulte	
mature	4.
adverbe	
adverb	9.
adversaire[2b]	
adversary	2.9
adverse	
adverse	6.9
adversité	
adversity	7.
aéré	
airy	6.6

	Section
aérien[4a]	
air	3.
affaiblir[4a]	
s'-, (grow) weak	2.4
weaken	4.8
affaire[1a]	
business	1.
matter	1.
homme d'-s business man	1.4
ministre des -s étrangères secretary of state	3.9
affairé[4b]	
busy	1.
affaisser (s')[5a]	
sink	3.2
affamer[5a]	
starve	5.3
affecter[2b]	
affect	3.2
affecté, affected	9.1
affection[2b]	
affection	3.5
affectueux[5a]	
affectionate	4.3
affermir[6a]	
strengthen	3.4
affiche[5b]	
bill (poster)	3.5
afficher[5b]	
post bill	3.5
affirmatif	
affirmative	8.5
affirmation[5a]	
statement	2.1
affirmer[2a]	
state	1.
affirm	2.7
maintain	3.5
affliger[4a]	
grieve	3.4
affluer	
flow into	3.
affoler[3a]	
(make) mad	2.9
affranchir[4b]	
free	1.7
affreusement[7a]	
terrible	1.8
affreux[2a]	
terrible	1.8
affront[6b]	
offense	3.8
affronter[7a]	
face	3.8
brave	4.6
afin de[2a]	
(in) order (to)	1.
afin que[3a]	
(in) order (to)	1.
africain	
African	4.4
agacer[4a]	
vex	4.1
âge[1b]	
age	1.
age (epoch)	1.8
moyen - middle ages	2.2
femme d'un certain - matron	6.5
âgé[3a]	
old	1.
agence[6b]	
agency	6.4
agenouiller (s')[3b]	
kneel	3.9

	Section
agent[2a]	
agent	2.9
aggraver[5a]	
(make) worse	3.
aggravate	4.9
agir[1b]	
act (take action)	1.
agir de (s')[1b]	
(be a) question of	1.
agitation[3b]	
excitement	4.2
disturbance	4.4
agiter[1b]	
shake	1.9
stir (excite)	1.9
stir (a mixture)	2.1
agonie[4b]	
agony	2.
agrandir[3b]	
increase	1.1
agréable[2a]	
pleasant	1.1
agréablement[6b]	
pleasant	1.1
agréer[5b]	
accept	1.
consent	2.4
agrément[4a]	
pleasure	1.4
agresseur	
aggressor	9.2
agressif	
aggressive	7.7
agression[6a]	
aggression	7.8
agricole[4b]	
agricultural	3.3
agriculture[4a]	
agriculture	2.8
ah![3a]	
O	1.2
ahurir[5a]	
trouble	1.5
aide[1b]	
help	1.1
aider[1b]	
help	1.
aïeul[4b]	
-e, grandmother	2.4
grandfather	3.2
ancestor	4.5
aigle[6b]	
eagle	4.1
aigre[4a]	
sour	4.4
acid	5.3
aigu[3a]	
pointed	3.3
treble	6.8
aiguille[3b]	
needle	3.8
aiguiser[6b]	
sharpen	4.7
ail	
garlic	9.1
aile[2a]	
wing	1.1
ailleurs[1a]	
somewhere else	3.4
ailleurs (d')[1a]	
(in) addition	1.4
aimable[2a]	
pleasant	1.1
kindly	3.3
aimant (n.)[5b]	
magnet	6.7
aimer[1a]	
like	1.
love	1.

	Section
aîné[3a]	
old	1.
senior	4.8
ainsi[1a]	
so (thus)	1.
so (then)	1.
pour - dire, as it were	1.4
so then	1.5
- soit il, amen	4.3
air[1a]	
air	1.
looks	1.
air (tune)	3.
aisance[4b]	
ease (comfort)	3.2
ease (facility)	3.3
aise[2a]	
à l'-, comfortable	2.1
ease	3.2
aisé[3b]	
easy	1.
aisément[4a]	
easy	1.
easily	1.6
aisselle[6a]	
armpit	9.4
ajourner[6b]	
put off	2.6
ajouter[1a]	
add	1.8
ajuster[4b]	
fix	1.5
fit	2.9
adjust	4.5
alarmer[6a]	
alarm	3.5
album[6b]	
album	7.9
alcool[4a]	
liquor	4.3
alcoolique[5b]	
alcoholic	7.7
alderman	
alderman	7.2
alentours (les)[5a]	
part (of country)	1.
neighborhood	2.9
alerte[5a]	
active	2.5
alarm	4.9
aligner[4a]	
line up	3.6
aliment[5a]	
food	1.9
alimenter[5b]	
feed	1.4
alimentation[6b]	
feeding	4.2
allée[2b]	
path	2.9
avenue	3.1
aisle	3.4
alléger[6b]	
lighten	3.8
soothe	4.3
allégresse[6a]	
delight	1.
mirth	5.5
allégué	
alleged	4.4
allemand[2a]	
French	1.
aller (vb.)[1a]	
- en voiture drive (intr. vb.)	1.
go	1.
- à pied, walk	1.
- bien, (be) well	1.
- chercher, get	1.4
- à rencontre, meet	2.3

SEMANTIC FREQUENCY LIST

	Section
aller (s'en)[2a]	
go away	1.
allez![5a]	
indeed	1.
alliance[5b]	
union	1.6
allié (n.)[4a]	
relation	2.3
ally	6.4
allier[4a]	
s'—, join with	1.9
allié, allied	5.2
allonger[3b]	
prolong	3.6
allons![3b]	
well, come now!	2.3
allouer[6b]	
grant	1.
allumer[2a]	
set (on) fire	2.7
allumette[6a]	
match	5.2
allure[2b]	
pace	1.8
allusion[3a]	
faire —, refer to	3.1
hint	4.1
alors[1a]	
then	1.
d'—, (the) then(....)	1.4
alors que[3a]	
when	1.
alouette[6b]	
lark	5.8
altérer[4a]	
change	1.4
alternativement[5b]	
alternately	4.8
alterner	
alternate	5.4
amabilité[5b]	
kindness	2.7
amande	
almond	6.9
amant[3b]	
lover	2.
amas[5a]	
mass	1.6
amasser[7a]	
gather (collect)	1.5
heap up	3.2
amateur[3a]	
être — de	
(have a) taste for	2.4
ambassade[6a]	
embassy	6.3
ambassadeur[3b]	
ambassador	3.9
ambitieux[4b]	
ambitious	5.8
ambition[2b]	
ambition	3.7
ambre[6b]	
amber	6.6
âme[1a]	
nature (character)	1.
soul	1.
améliorer[5a]	
improve	3.5
aménager[6a]	
fit up	1.8
amende[6b]	
fine	2.5
amendement	
amendment	4.5
amender	
amend	4.9

	Section
amener[1b]	
bring	1.
lead	1.
bring before	2.2
amer[2a]	
bitter	2.
rendre —, (make) bitter	3.9
américain[2b]	
French	1.
amertume[3b]	
bitterness	5.7
ameublement[6b]	
furniture	4.4
ami[1a]	
friend	1.
amical[5a]	
friendly	3.5
amicalement[6a]	
friendly	3.5
amiral[4b]	
admiral	6.3
amitié[2a]	
friendship	2.3
amoindrir[7a]	
decline	3.3
reduce	3.5
amortir[6a]	
soften	5.4
amour[1a]	
love	1.
darling	2.2
amoureux[2b]	
(in) love	2.7
amour-propre[3b]	
pride	2.4
vanity	3.3
conceit	5.3
ample[5a]	
ample	3.6
spacious	4.8
ampleur[5b]	
plenty	2.2
compass	2.5
amplifier[5b]	
increase	1.1
develop	2.
enlarge	3.3
ampoule	
blister	7.2
amusant[3a]	
amuse	3.5
amusement[6a]	
pastime	4.8
amuser[2a]	
entertain	2.4
amuse	3.5
amuser (s')[3a]	
enjoy oneself	1.7
(have) fun	2.9
an[1a]	
year	1.
veille du jour de l'—	
(New Year's) Eve	3.8
analogie[6b]	
analogy	7.6
analogue[4b]	
similar	4.4
analyse[4b]	
analysis	7.1
analyser[5a]	
analyse	6.5
anarchie[6a]	
anarchy	7.5
ancêtre[4a]	
ancestor	4.5
ancien[1a]	
old	1.
former	2.
ancient	2.6

	Section
ancre	
anchor	5.2
âne[4a]	
ass	3.9
anéantir[4b]	
destroy	1.5
anecdote[4b]	
anecdote	6.6
ange[3a]	
angel	2.
anglais[1b]	
French	1.
angle[3a]	
corner	1.9
angle	3.4
angoissant[6a]	
(in) anguish	6.3
angoisse[2a]	
agony	2.
animal[2b]	
animal	1.1
animal (adj.)	2.7
animer[2b]	
animé, (full of) life	1.
animate	3.5
anneau[4a]	
circle	1.2
ring	2.
année[1a]	
year	1.
— précédente	
preceding year	4.9
annexe[6b]	
annex	6.6
annexer[6b]	
annex	7.4
anniversaire	
birthday	2.8
anniversary	6.7
annonce[5b]	
advertisement	4.5
annoncer[1b]	
(give) notice of	1.4
annuel[4b]	
annual	2.7
annuler	
void	6.2
ânonner[6a]	
stammer	6.
anonyme	
anonymous	9.6
anormal[5a]	
irregular	5.
anse[6b]	
handle	3.1
bay (water)	4.5
antécédent	
antecedent	8.3
antérieur[3b]	
previous	2.
antichambre[5b]	
entrance hall	5.3
anticiper	
anticipate	6.8
antique[3a]	
ancient	2.6
antiquité[5b]	
antiquity	3.8
anxiété[4a]	
worry	2.8
anxieux[3b]	
anxious	2.3
août[3b]	
August	1.7
apaiser[3a]	
quiet	1.6
apercevoir[1a]	
(catch) sight of	1.1

	Section
apitoyer[6a]	
move	1.5
aplanir[6b]	
even off	4.2
aplatir[5b]	
flatten	7.3
aplomb[5a]	
balance	2.6
boldness	4.7
apostolique	
apostolic	8.2
apôtre[6b]	
apostle	5.4
apparaître[1a]	
appear (loom)	1.
appareil[2b]	
apparatus	3.7
device (technical)	3.7
apparence[2a]	
looks	1.
apparent[3b]	
apparent	3.
apparition[3b]	
appearance	3.
ghost	3.2
appartement[2b]	
flat (apartment)	2.1
appartenir[1b]	
belong	1.
appartenant	
pertaining	5.9
appât	
bait	6.8
appel[2a]	
appeal	3.8
appeler[1a]	
call	1.
s'—, (what is your)	
name	1.
appendice	
appendix	6.2
appétit[3a]	
appetite	5.
applaudir[2b]	
clap	2.8
applaudissement[5b]	
applause	3.7
applicable	
applicable	9.8
application[4a]	
application	2.2
industry	2.6
appliquer[1b]	
s'—, (take) pains	1.4
stick (tr. vb.)	2.2
apply	2.6
appliqué, industrious	3.2
apporter[1a]	
bring	1.
appréciation[6a]	
estimate	3.8
apprécier[2b]	
value	1.4
appreciate	3.6
appréhension[6b]	
fear	1.4
apprendre[1a]	
learn	1.
— à, teach	1.
apprenti[6b]	
apprentice	6.6
apprentissage[6a]	
apprenticeship	5.8
apprêt[6b]	
preparation	3.
apprêter (s')[3a]	
prepare	1.6
approbation[6b]	
approval	6.6

INDEX TO FRENCH WORDS IN THE LIST

	Section
approche[3b]	
approach	3.6
lunette d'–, telescope	5.4
approcher[1b]	
(bring) toward	1.
(go) toward	1.
approcher (s')[2a]	
(go) toward	1.
approfondir[6b]	
investigate	4.6
deepen	5.
fathom	7.
approprier[4b]	
s'–, (take) possession	1.8
accommodate	3.8
approuver[2b]	
approve	2.5
appui[3b]	
support (n.)	2.1
appuyer[1b]	
support	1.8
lean	2.2
– sur, emphasize	4.4
âpre[3a]	
harsh	3.9
après[1a]	
after	1.
afterwards	1.8
après (d')[2a]	
by (according to)	1.
après que[5a]	
after	1.
après-demain[6a]	
day after tomorrow	4.3
après-midi[2a]	
afternoon	1.9
âpreté[6b]	
bitterness	5.7
harshness	7.8
à-propos (n.)[6a]	
fitness	6.7
aptitude[4b]	
talent	2.4
ability	3.2
aquarelle[6a]	
watercolor	13.
aquatique	
water	5.
aqueux	
watery	7.2
arabe[5a]	
Arabian	4.3
Arab	4.7
araignée	
spider	6.
arbitraire	
arbitrary	5.4
arbitrariness	12.4
arbitre[5b]	
arbiter	5.9
arbre[1b]	
tree	1.
arc[5b]	
bow (arch)	2.4
bow (and arrow)	2.4
arcade[6a]	
arcade	9.4
arc-en-ciel	
rainbow	5.8
arche	
ark	6.3
archevêque[5b]	
archbishop	6.2
archipel	
archipelago	9.6
architecte[4b]	
architect	5.7
architecture[6a]	
architecture	5.9

	Section
arctique	
arctic	6.8
ardemment[5b]	
eager	2.4
ardent[2b]	
eager	2.4
fiery	3.6
ardeur[2b]	
zeal	2.4
ardoise	
slate	6.8
argent[1a]	
money	1.
silver	1.4
argentin	
silvery	5.6
Argentine	6.7
argile[6b]	
clay	3.4
argot[6b]	
slang	8.2
argument[3a]	
debate	3.
argument	4.2
aride[6b]	
arid	5.9
aristocratie[4b]	
nobility	3.7
aristocratique[6a]	
aristocratic	6.8
arme[1b]	
arm (weapon)	1.
armée[2a]	
army	1.2
armer[2a]	
arm	2.4
armoire[4a]	
closet	5.6
wardrobe	6.8
armure	
armor	4.4
arracher[1b]	
snatch	2.6
arrangement[4a]	
arrangement	2.4
settlement	2.7
arranger[2a]	
fix	1.5
arrestation[5b]	
en état d'– (under) arrest	6.1
arrêt[3a]	
stop (of tram, etc.)	2.6
pause	2.9
arrêté (n.)[4a]	
decree	2.6
arrêter[1a]	
stop	1.
decree	3.
arrêter (s')[1a]	
stop	1.4
arrière[3b]	
behind	2.
back (adj.)	2.8
arrière (en)[3a]	
behind	2.
backward	2.8
arriéré[5b]	
backward	5.4
arrivée[2a]	
arrival	2.8
arriver[1a]	
happen	1.
reach	1.
arrive	1.4
arrogance	
arrogance	7.2

	Section
arrondir[5a]	
round off	4.9
arrondissement[4a]	
district	2.1
arroser[4a]	
water	2.4
sprinkle	3.7
art[1b]	
art	1.
objet d'–, œuvre d'– work of art	1.8
– de travailler workmanship	3.
art oratoire	
oratory	8.6
article[2a]	
article	1.2
entry	5.1
articulation	
joint	5.8
articuler[5b]	
articulate	7.1
artificiel[4b]	
artificial	3.2
artillerie[4b]	
artillery	3.8
artisan	
artisan	5.3
artiste[2a]	
artist	2.
artistique[4b]	
artistic	3.4
ascension[6a]	
ascent	7.2
asile[3b]	
refuge	3.9
aspect[2a]	
looks	1.
aspiration[5a]	
longing	1.9
aspiration	4.8
aspirer[6b]	
breathe	2.7
aspirer à[5b]	
aspire	4.2
assaillir[5b]	
attack	2.1
assaisonner[6b]	
season	4.5
assassin[4a]	
murderer	4.1
assassinat[5b]	
murder	3.3
assassiner[4a]	
murder	3.5
assaut[3a]	
attack	1.7
assemblage[5b]	
collection	2.7
assemblée[3a]	
assembly	2.6
assembler[4a]	
gather (collect)	1.5
assemble	2.8
asseoir[1b]	
faire –, seat	1.
être assis sit (be sitting)	1.
asseoir (s')[1b]	
sit down	1.
assez[1a]	
enough	1.
pretty (moderately)	1.
assidu[7a]	
industrious	3.2
assiduité[7a]	
industry	2.6

	Section
assiéger[4a]	
attack	2.1
besiege	5.6
assiette[3a]	
plate	2.5
assigner[4b]	
assign	2.5
assimiler[6b]	
assimilate	7.2
assise (n.)[4b]	
cour d'–s, court	1.4
layer	3.8
assistance[4a]	
assembly	2.6
assister[4b]	
help	1.
assister à (be present at)[2a]	
(be) present	2.3
association[3a]	
company (business)	1.
connection	2.9
cooperative	6.7
associer[2a]	
s'–, associate	3.
associé, partner	3.4
assombrir (s')[6a]	
(grow) dark	4.5
assommer[6a]	
kill	1.4
murder	3.5
assortir	
tune	3.4
assoupir (s')[6b]	
(go to) sleep	3.9
(become) drowsy	6.2
assujettir[6a]	
subject	2.
assumer[4a]	
assume	2.8
assurance[4a]	
insurance	3.3
assurance (certainty)	4.4
assurance (security)	5.
assuré[4a]	
sure	1.
assurément[3b]	
sure	1.
assurer[1a]	
assure	1.4
s'–, (make) sure	2.2
assureur	
insurer	12.
astre[5b]	
star	1.5
astronome	
astronomer	6.4
atelier[4a]	
workshop	5.5
athée	
atheist	8.2
athlète[6a]	
athlete	8.2
athlétique	
athletic	6.8
atmosphère[3a]	
atmosphere	4.1
atome	
atom	7.2
atroce[5a]	
outrageous	5.8
atrocité	
atrocity	7.
attache[6b]	
tie	1.6
attachement[6b]	
affection	3.5

SEMANTIC FREQUENCY LIST

	Section
attacher[1b]	
join	1.
fasten	2.9
attaque[2b]	
attack	1.7
attaquer[2a]	
attack	2.1
attarder[6a]	
delay	2.7
attarder (s')[6b]	
linger	3.6
atteindre[1b]	
reach	1.
atteint[5b]	
stricken	6.5
atteinte[3a]	
hors d'–,	
(out of) reach	4.1
accomplishment	5.3
attelage	
team	3.9
atteler[4a]	
harness	5.3
attendant (en)[3b]	
meanwhile	2.8
attendre[1a]	
expect	1.
wait	1.
wait for	1.
– de, expect	2.6
attendre (s')[4b]	
count on	1.
attendre à (s')[3a]	
expect	1.
attendrir[3a]	
move	1.5
soften	3.1
attendrissement[5a]	
feeling	1.
emotion	4.3
attentat[6b]	
attack	2.3
crime	2.4
outrage	6.7
attente[4a]	
wait	4.5
attentif[2b]	
attentive	2.8
attention[1a]	
faire –, look out	1.4
–!, look out!	1.4
attention	1.8
attentivement[6a]	
attentive	2.8
atténuer[4b]	
decline	3.3
attester[3b]	
testify	4.1
attirer[1b]	
pull	1.
attract	2.7
attract (entice)	3.1
attitude[2a]	
attitude	3.6
attraction[5a]	
attraction	6.
attrait[4a]	
charm	1.9
attraper[4a]	
catch	1.3
attribuer[3a]	
attribute	3.7
attribut[6a]	
characteristic	3.
attrister[4a]	
grieve	3.4
aube[4a]	
dawn	3.5

	Section
auberge[3a]	
inn	4.2
aubergiste	
innkeeper	5.8
aucun[1a]	
no (adj.)	1.
none	1.
aucunement[5a]	
(not at) all	1.
audace[3b]	
boldness	4.7
audacieux[3b]	
bold	2.1
au-dessous[4b]	
beneath	1.6
au-dessous de[3a]	
under	1.
au-dessus[5a]	
above (adv.)	1.
au-dessus de[1b]	
above (prep.)	1.
audience[4b]	
audience	5.2
auditeur[5a]	
audience	4.3
auditoire[5a]	
assembly	2.6
auge	
trough	6.8
augmentation[5a]	
increase	2.3
augmenter[2a]	
increase	1.1
aujourd'hui[1a]	
today	1.
aumône[5b]	
alms	6.
auparavant[2b]	
before (time)	1.
auprès[2b]	
near (adv.)	1.
auprès de[1b]	
beside	1.
near (prep.)	1.
auréole	
halo	10.1
aurore[3b]	
dawn	3.5
aussi (also)[1a]	
also	1.
aussi (therefore)[2a]	
therefore	1.
aussi (as)[5a]	
as (good) as	1.4
aussi bien (= car)[6a]	
because	1.
aussi bien que (= de même que)[3b]	
(as) well as	1.2
aussi peu que[5b]	
(as) little as	2.6
aussi .... que (as .... as)[5a]	
as (good) as	1.4
aussitôt[1b]	
(at) once	1.
(no) sooner	1.
aussitôt que[5a]	
as soon as	1.
austère[4a]	
severe	1.6
autant[1a]	
so much, as much	1.
autant que[2b]	
(as) much as	1.9
autant (d')[3a]	
so much	1.
autant que (d')[5a]	
as (since)	1.

	Section
autant plus (d')[3a]	
(so) much the more	3.6
autel[5a]	
altar	3.5
auteur[2a]	
author (originator)	1.5
author (writer)	1.9
authentique[4b]	
true	1.
genuine	3.7
auto(mobile)[3a]	
automobile	2.2
automne[3b]	
fall	2.3
autonomie	
autonomy	11.2
autorisation[5b]	
license	4.6
autoriser[2b]	
authorize	3.7
autorité[2a]	
authority	2.3
autour[2b]	
around (adv.)	1.6
autour de[1a]	
around	1.1
autre[1a]	
de l'– côté, (be) across	1.
un –, another	1.
d'un –, another's	1.
l'un et l'–, both	1.
different	1.
l'un l'–, each other	1.
other	1.
l'un ou l'–, either (one)	1.
ni l'un ni l'–	
neither (one)	1.
de temps à –, (at) times	1.
d'– part	
(on the other) hand	1.4
de temps à –	
now and then	2.2
autrefois[1b]	
long ago	1.3
d'–, former	2.
formerly	2.2
autrement[2a]	
else	1.1
autrichien[5b]	
Austrian	4.1
autruche	
ostrich	7.1
autrui[6a]	
d'–, another's	1.
other	1.
neighbor	3.4
auxiliaire[4b]	
helper	4.3
avaler[4b]	
swallow	3.5
avance[1b]	
advance	2.2
d'–, par –	
(in) advance	2.2
disposer d'–	
predisposed	9.3
avancement	
promotion	5.6
avancer[1a]	
come forward	1.4
go forward	1.4
further	1.8
avant[1a]	
– tout, above all	1.
before (time)	1.
en –, forth	1.
en –, forward	1.4
en –, (in) front	1.4
bow	4.3

	Section
avant de[1b]	
before (time)	1.
avant que[2b]	
before	1.1
avantageux[3b]	
favorable	2.2
profitable	4.1
avantage[1b]	
advantage	1.5
avant-garde	
van	4.4
avant-hier[4a]	
day before yesterday	4.
avare[4a]	
miser	6.5
avarice	
avarice	6.9
avec[1a]	
with	1.
avenir[1b]	
future	1.5
aventure[2a]	
adventure	3.6
aventurer (s')	
(take) chance	2.
aventurier[6b]	
adventurer	7.8
avenue[3a]	
avenue	3.1
averse[3b]	
shower	2.5
aversion[5a]	
dislike	5.
avertir[2a]	
(let) know	1.
warn	2.2
avertissement[3b]	
warning	3.4
aveu[3b]	
confession	4.3
aveugle[3a]	
blind	2.
aveuglement	
blindness	6.8
aveugler[4a]	
blind	2.7
avide[4a]	
eager	2.4
greedy	4.8
avidité[6b]	
greediness	8.6
avilir[6a]	
disgrace	5.6
avion[5b]	
aeroplane	8.1
avis	
advice	1.4
opinion	1.4
notice	1.7
aviser[2a]	
(let) know	1.
aviser de (s')[5a]	
decide	1.
avocat[3a]	
lawyer	3.
avoine	
oat	6.
avoir[1a]	
il y a, ago	1.
have	1.
(what's the) matter	1.
il y a, there is	1.
avoué (n.)[6b]	
lawyer	3.
avouer[1b]	
admit	1.4
avril[3a]	
April	2.1

INDEX TO FRENCH WORDS IN THE LIST

	Section
axe[5b]	
axis	4.9
azur[6b]	
blue	1.4

B

	Section
babiller	
babble	6.4
bac	
ferry	6.8
bachelier	
graduate	6.1
badaud[5b]	
foolish	2.8
bagage(s)[5a]	
luggage	5.4
bague[6a]	
ring	2.
baguette[5b]	
stick	2.
wand	3.2
bah![3b]	
Heavens!	1.
baie[4a]	
bay (water)	4.5
berry	4.9
creek	5.9
baigner[3a]	
bathe	3.7
baîllement	
yawn	6.2
baîller[5a]	
yawn	5.8
bain[4a]	
bath	3.9
baïonnette[6a]	
bayonet	7.4
baiser (n.)[3a]	
kiss	1.7
baiser (vb.)[3a]	
kiss	1.4
baisser[2a]	
lower	2.3
bal[4a]	
ball	3.
balai[6b]	
broom	5.5
balance[4b]	
scales	2.1
balancement	
rocking	4.
swing	4.8
balancer[2b]	
roll	2.2
swing	3.
balance	3.2
balancer (se)[5b]	
roll	2.2
hover	3.8
balayer[4b]	
sweep	1.9
balbutier[4a]	
stammer	6.
balcon[4a]	
balcony	7.4
baleine	
whale	7.1
ballade	
ballad	5.9
balle[3a]	
ball	2.1
ball (bullet)	2.3
ballon (balloon)[6b]	
balloon	6.1
ballot[4b]	
bundle	4.
ballotter[7a]	
shake	1.9

	Section
bambou	
bamboo	7.2
banal[4a]	
ordinary	2.2
banane	
banana	6.2
banc[2a]	
bench	2.4
bande[2a]	
band (gang)	2.1
band (of cloth)	2.5
strip	2.9
stripe	3.6
bandit[4a]	
robber	3.7
knave	4.5
bannir[6a]	
banish	4.1
banque[4a]	
bank	1.8
billet de –	
(bank) note	3.6
banqueroute	
failure	5.3
(regulations for)	
bankruptcy	6.5
bankruptcy	7.3
(procedure in) bankruptcy	7.3
banqueroutier	
bankrupt	5.3
banquet[4a]	
feast	3.5
banquier[4b]	
banker	5.
baptême[5a]	
baptism	5.5
baptiser[5b]	
baptize	6.
baraque[5b]	
stall	5.2
barbare[3b]	
wild	1.6
barbarous	5.7
barbarie[5a]	
cruelty	4.8
barbe[2b]	
beard	3.2
baron[4b]	
baron	4.
barque[3b]	
boat	2.6
barrage	
dam	4.7
barre[4a]	
bar	3.5
barreau[5a]	
bar	3.5
barrer[5b]	
shut out	1.6
barrière[3a]	
bar (obstacle)	2.1
fence	4.8
barrique[6a]	
barrel	3.6
bas (n.)[1b]	
bottom	1.
stocking	4.4
bas (adj.)[1a]	
en –, down	1.
low	1.4
soft	1.4
de haut en –	
downward	3.4
terre -se, lowland	5.4
de -se extraction	
(of) lowly birth	6.4
base[3a]	
base	1.7
basse-cour[5b]	
court	1.1

	Section
basque[5b]	
English	1.
bassin[5a]	
basin (of river)	3.
bastille[6b]	
castle	2.
bataille[2a]	
battle	1.2
champ de –	
(battle) field	2.4
bataillon[4b]	
battalion	5.
bâtard	
bastard	7.1
bateau[3a]	
boat	2.6
bâtiment[2b]	
building	1.6
bâtir[2b]	
build	1.2
bâton[2b]	
stick	2.
battant (n.)[4b]	
flap	4.9
battement	
beating	4.6
batterie[6a]	
battery	3.1
battre[1a]	
beat (in a game)	1.
beat (pound)	1.1
strike	1.1
beat (pulsate)	1.3
thrash (agricultural)	5.9
battre (se)[3a]	
fight	1.6
baume	
balm	6.4
bavard[6a]	
gossip	6.8
talkative	10.
bavarder[5b]	
chat	4.9
beau, bel, belle, beaux, belles[1a]	
beautiful	1.
belle, (a) beauty	1.8
beaucoup[1a]	
many	1.
much	1.
beau-frère[5b]	
brother-in-law	11.
beau-père[6b]	
father-in-law	11.
beauté[2a]	
beauty	1.5
grain de –, mole	6.3
bébé[6b]	
baby	4.4
bec[5b]	
beak	5.9
bégayer[5b]	
stammer	6.
bêler	
bleat	6.8
belge[4b]	
Belgian	9.
belle-mère[6a]	
stepmother	7.8
bénédiction[5b]	
blessing	2.3
bénéfice[3a]	
advantage	1.5
profit	2.
bénéficier[6b]	
profit	1.4
benefit	3.6
bénir[3b]	
bless	2.

	Section
béquille	
crutch	6.5
berceau[4a]	
cradle	4.3
bercer[5a]	
rock	2.9
berge[5a]	
bank	1.5
berger[6a]	
shepherd	3.7
bergère[7a]	
shepherd	3.7
besogne[2b]	
(piece of) work	1.1
besoin[1a]	
need (n.)	1.
avoir –, need (vb)	1.
bétail[6b]	
cattle	3.7
bête (n.)[1b]	
beast	1.1
bête (adj.)[2b]	
foolish	2.8
dull	3.5
bêtise[3b]	
nonsense	5.
betterave	
beet	6.8
beurre[4b]	
butter	3.5
bibelot[6a]	
trinket	8.2
bible[6a]	
bible (B)	4.6
bibliothèque[3a]	
library	3.5
biblique	
biblical	9.7
bicyclette	
bicycle	6.4
bien (adv.)[1a]	
all	1.
all right	1.
– sûr, –entendu	
(of) course	1.
very	1.
well	1.
aller –, (be) well	1.
– deviner, guess right	1.4
vouloir –, (be) willing	2.9
bien (n.)[2a]	
property	1.5
faire du –, benefit	†3.6
bien-aimé (n.)[6a]	
darling	2.2
bien-être[4a]	
welfare	3.5
bienfaisance[6a]	
sociétés de –	
charity societies	4.6
bienfaisant[4b]	
kind	1.
humane	5.3
benign	6.5
bienfait[4b]	
benefit	3.4
bienheureux	
blessed	2.1
bien que[1b]	
although	1.
biens (property)[3a]	
wealth	1.5
bientôt[1a]	
soon	1.
bienveillance[5b]	
kindness	2.7
goodwill	5.3
bienveillant[6a]	
kindly	3.3
charitable	5.4
bienvenu[5a]	
welcome	3.3

	Section		Section		Section		Section
bière[3b]		boisson[5a]		bouger[2b]		brasserie[6a]	
beer	3.9	drink	2.7	move	1.1	tavern	4.1
bifteck		boîte[2b]		bougie[4b]		brave[1b]	
steak	6.8	box	2.3	candle	2.2	(be) brave	1.
bijou[4a]		boiteux		bouillir[5a]		good	1.
jewel (jewelry)	3.1	lame	5.5	boil	3.1	fine	1.4
jewel	4.2	bombe[5b]		bouillotte		bravement[5a]	
bile[6a]		shell (explosive)	3.4	kettle	4.8	(be) brave	1.
se faire de la –, worry	3.2	bon[1a]		boulanger[4b]		braver[5b]	
bille[6b]		good	1.	baker	6.	face	3.8
marble	4.9	kind	1.	boule[2b]		brave	4.6
billet[2b]		– cœur, kind	1.	ball	2.1	bravo[3b]	
note (written)	1.9	de -ne heure, early	1.1	bouleau		applause	3.7
– de banque		– marché, cheap	2.1	birch	6.4	bravoure[5a]	
(bank) note	3.6	se lever de -ne heure		boulevard[3b]		courage	1.4
ticket	4.2	get up early	3.	avenue	3.1	brebis[6a]	
bimétalisme		bon (n.)		bouleversement[6a]		lamb	4.9
bimetallism	10.8	bond	5.8	upset	6.3	brèche[6a]	
biographie		bonbon[4a]		bouleverser[2b]		gap	4.5
biography	8.6	candy	4.5	overcome	2.7	bref (adj.)[3a]	
biscuit[6a]		bond[4b]		bouquet[2b]		short	1.
biscuit	6.7	spring	2.6	bunch	4.8	bref (adv.)[4a]	
bison		bondir[3a]		bourdonnement[5a]		(in) short	1.
buffalo	7.2	spring	1.5	buzz	5.4	breton[6a]	
bizarre[2b]		bonheur[1b]		bourdonner[4b]		English	1.
strange	1.	happiness	1.4	buzz	5.2	brevet	
quaint	3.5	bonhomme[2b]		bourg[5b]		patent	5.2
blâmer[4a]		fellow	2.3	village	1.2	bribe[6b]	
blame	2.8	bonjour[2a]		bourgeois[2a]		piece	1.
blanc[1a]		good morning	1.1	bourgeois	5.9	bride[6b]	
white	1.	bonne (n.)[3b]		bourgeoisie		bridle	3.4
en –, blank	3.8	servant	1.5	gentry	6.2	brigade[6a]	
blancheur[5a]		bonnement[6a]		bourreau[6a]		brigade	6.2
white	3.7	simply	1.	brute	5.7	brigadier[5b]	
blanchir[6a]		bonnet[3b]		hangman	7.3	corporal	4.2
(become) white	1.9	hood	5.3	bourrer[3b]		brigand[4a]	
blasphème		bonsoir[4b]		stuff	4.1	robber	3.7
blasphemy	6.8	good morning	1.1	bourse[3b]		knave	4.5
blé[3a]		bonté[2b]		exchange (stock)	2.6	brillant[2a]	
wheat	2.5	goodness	1.5	bag	3.	bright	1.4
blême[5b]		kindness	2.7	purse	3.8	glow	3.
pale	2.7	bord[1a]		bousculer[6a]		briller[2b]	
blessé[4a]		edge	1.5	jostle	7.	shine	1.6
wounded	3.3	bank	1.5	bout[1a]		glitter	3.6
blesser[1b]		brim	2.6	end	1.	brin[5b]	
hurt (tr. vb.)	1.8	à –, (on) board	3.	tip	1.4	blade	5.3
wound	2.2	– du toit, eaves	6.6	butt	4.9	brique[4b]	
blessure[2b]		border[3b]		bouteille[2b]		brick	5.
wound	2.8	border	5.1	bottle	2.1	brise[4b]	
bleu[1a]		borne[3b]		boutique[3b]		breeze	5.2
blue	1.4	limit	2.4	shop	2.5	briser[2a]	
bloc[4a]		borner[2a]		bouton[3b]		break (in pieces)	2.3
block	5.2	limit	1.6	button	3.7	britannique[6a]	
blond[2a]		botte[3a]		bud	4.8	British	4.2
fair	1.2	boot	3.8	bouton de pompier		broche[6a]	
blouse[4a]		bottine[6b]		burr	6.8	spindle	6.6
blouse	6.8	boot	3.8	boxeur[6b]		brochure[6a]	
bœuf[3a]		bouche[1b]		prize fighter	7.	pamphlet	6.3
ox	3.8	mouth	1.	bracelet[2b]		broder[3b]	
beef	4.1	boucher (n.)[6a]		bracelet	6.5	embroider	5.9
bohème		butcher	5.6	braconnier[6b]		broderie	
Bohemian	7.3	boucher (vb.)[6b]		poacher	11.5	embroidery	6.5
bohémien		stop up	3.1	braise[5a]		bronze[3b]	
gypsy	7.4	boucherie[5a]		coals	2.1	bronze	6.2
-ne, (fortune) teller	7.	butcher shop	5.8	brancard[6b]		brosse	
boire[1b]		bouchon[5b]		stretcher	8.2	brush (paint)	4.6
drink	1.4	cork	6.5	branche[2a]		brush	5.6
drinking	3.	boucle[4a]		branch	1.6	brouhaha[7a]	
– à petits coups, sip	6.1	curl	4.9	branler[6a]		noise	2.6
bois[1a]		loop	5.4	waver	3.4	brouillard[3b]	
forest	1.	buckle	6.8	braquer[6a]		mist	3.1
wood (lumber)	1.5	boucler[4b]		aim	3.2	brouiller[5b]	
de, en –, wood (adj.)	1.5	curl	4.8	bras[1a]		involve	3.9
boiserie[5b]		bouder[4b]		arm (part of body)	1.	brouillon[6b]	
woodwork	8.9	sulk	10.1	à – ouverts		draft	3.
boisseau		boue[4b]		outstretched	3.	broussaille[5a]	
bushel	6.	mud	4.8	brasser		brushwood	9.8
		boueux		brew	7.		
		muddy	5.2				

INDEX TO FRENCH WORDS IN THE LIST

	Section
broyer[4b]	
crush	3.
bruire	
rustle	4.6
bruit[1a]	
noise	2.6
brûlant (*adj.*)[4b]	
hot	1.5
fiery	3.6
brûler[2a]	
burn	1.6
brume[3b]	
mist	3.1
brun[2b]	
brown	2.5
brusque[2b]	
gruff	3.7
brusquement[1b]	
suddenly	1.
brutal[2b]	
savage	2.
brutalement[6a]	
brutal	2.
brutalité[6b]	
brutality	9.
brute[6b]	
brute	5.7
bruyant[3b]	
noisy	5.8
bruyère[6a]	
heath	5.3
bûche[5a]	
log	4.8
bûcheron	
woodman	7.2
budget[4b]	
budget	4.8
buffet[5a]	
buffet	5.3
buis[5b]	
box (tree)	4.9
buisson[5a]	
bush	4.9
thicket	6.
shrub	6.1
bulle	
bubble	5.6
papal bull	7.8
bulletin[6a]	
ticket	4.2
bureau[2a]	
office	2.9
desk	3.6
burin	
chisel	7.2
burlesque[6a]	
ridiculous	3.6
buste[4a]	
bust	6.1
but[1b]	
purpose	1.
buter[5b]	
run into	1.6
butin	
spoils	3.5
butte[6b]	
hill	2.6
knoll	5.2

C

	Section
ça (*pron.*) (= cela)[1b]	
that (*pron.*)	1.
çà (*adv.*)[3a]	
here	1.
cabane[6b]	
shed	3.2
cabaret[4b]	
tavern	4.1
cabinet[2a]	
office	2.9
cabinet	3.5
câble[5b]	
rope	3.3
cable	5.8
cabriolet[5b]	
cart	2.7
cacher[1b]	
hide	1.
cachet[6b]	
seal	4.
cachette[5b]	
en –, secret	2.1
cachot[5b]	
dungeon	6.1
cadavre[3a]	
(dead) body	2.1
cadeau[3b]	
present	1.7
cadran[6b]	
dial	6.4
cadre[3a]	
frame	2.4
café[2a]	
coffee	2.3
tavern	4.1
cage[5a]	
cage	5.5
cahier[4a]	
blank book	4.
caillou[5a]	
stone	1.4
caisse[2b]	
box	2.3
caissier	
cashier	7.2
calcul[3a]	
account	1.8
calculer[3a]	
reckon	2.6
calendrier[6a]	
calendar	5.8
câlin[6a]	
affectionate	4.3
calme[1a]	
quiet (*adj.*)	1.
quiet (*n.*)	1.
calmer[2a]	
quiet	1.6
calomnie[5a]	
slander	4.8
calomnier	
slander	4.4
calvaire[6b]	
Calvary	12.4
camarade[2a]	
companion	2.3
comrade	3.4
camaraderie	
fellowship	6.8
cambrioler[6b]	
rob	2.3
camion[6b]	
truck	6.6
camp[5a]	
camp	2.8
campagnard[5b]	
peasant	2.4
countryman	5.2
campagne[1a]	
country (not town)	1.
expedition	3.1
maison de –	
country house	3.3

	Section
camper[5a]	
camp	3.3
canaille[4a]	
knave	4.5
mob	4.9
canal[4a]	
canal	2.3
canapé[4b]	
couch	4.1
canard[5b]	
duck	5.
candeur[5a]	
purity	4.7
candidat[4a]	
candidate	4.1
applicant	7.2
candidature[6a]	
candidacy	9.4
candide[5a]	
open	1.3
canne[3a]	
stick	2.
cannelle	
cinnamon	8.
canon[3a]	
gun	1.7
canot[6b]	
boat	2.6
cantique[5a]	
hymn	5.8
canton[4b]	
district	2.1
cantonade[6a]	
à la –	
(behind) scenes	5.4
caoutchouc[6a]	
rubber	5.
cap[5b]	
cape	5.
capable[1b]	
able	1.4
liable (to do)	5.8
capacité[3b]	
capacity	3.
capitaine[2a]	
captain	1.6
capital (*adj.*)[2a]	
chief	1.
capital (*n.*)[6b]	
capital (finance)	1.9
capitale (*n.*)[2b]	
capital (city)	2.3
caprice[3b]	
fancy	3.7
capricieux[6a]	
fickle	6.5
captiver[7a]	
charm	2.4
attract	3.1
captivité	
captivity	5.7
capturer	
capture	6.
capucin[5a]	
monk	4.7
car[1a]	
because	1.
caractère[1a]	
character	1.
nature (character)	1.
caractériser[4a]	
distinguish	2.2
mark	3.2
caractéristique[4b]	
characteristic (*n.*)	3.
characteristic (*adj.*)	3.8
carafe[4b]	
decanter	10.4

	Section
caravane[6b]	
caravan	7.
cardinal (*n.*)[5a]	
cardinal	5.1
caresse[4b]	
caress	6.2
caresser[2b]	
stroke	4.4
carillon[6b]	
chime	5.6
carnet[5b]	
note book	4.9
carré (*n.*)[5a]	
square	4.4
carré (*adj.*)[3b]	
square	3.4
carreau[4a]	
pane	3.3
tile	5.8
carrefour[4a]	
crossroads	10.4
carrière[2b]	
career	4.
carriole[6b]	
cart	2.7
carrosse[5b]	
coach	4.9
carte[2a]	
map	1.9
card	2.1
carton[4a]	
box	2.3
cardboard	8.6
cartouche[6b]	
cartridge	9.
cas[1a]	
case	1.
en tout –	
(in any) case	1.
cascade[5b]	
waterfall	6.2
case[5a]	
shed	3.2
caserne[3b]	
barrack(s)	7.9
casier[6b]	
pigeonhole	9.
casque[5a]	
helmet	4.9
casquette[4b]	
cap	3.8
casser[2a]	
break	1.1
casserole[5b]	
pan	4.9
caste[6a]	
caste	7.3
catastrophe[3a]	
disaster	3.9
catégorie[3b]	
class	3.
catégorique[4b]	
absolute	1.8
cathédrale[3b]	
cathedral	4.6
catholicisme[6a]	
catholicism	13.
catholique[3a]	
catholic	2.9
cauchemar[4a]	
dream	1.4
bore	4.
nightmare	7.8
cause[1a]	
à – de, because	1.
cause	1.

SEMANTIC FREQUENCY LIST

	Section
causer (*cause*)[1b]	
cause	1.
causer (*chat*)[1b]	
talk	1.
causerie[5b]	
talk	1.2
caution	
bondsman	13.
cavalerie[6b]	
cavalry	5.3
cavalier[3a]	
horseman	2.8
cavalier	6.
cave[3a]	
cave	3.
cellar	3.8
ce, cet, cette, ces[1a]	
that (*adj.*)	1.
this (*adj.*)	1.
ceci[1b]	
this (*pron.*)	1.
céder[2a]	
yield	1.9
cèdre	
cedar	5.8
ceinture[3a]	
belt	4.7
cela[1a]	
that (*pron.*)	1.
célèbre[2b]	
famous	1.1
célébrer[3a]	
celebrate	2.
céleri	
celery	7.1
céleste[4a]	
celestial	3.5
celle(-ci, -là)[1a]	
former	1.
that (*pron.*)	1.
this (*pron.*)	1.
latter	1.4
celles(-ci, -là)[1b]	
former	1.
that (*pron.*)	1.
this (*pron.*)	1.
latter	1.4
celui(-ci, -là)[1a]	
former	1.
that (*pron.*)	1.
this (*pron.*)	1.
latter	1.4
cellule[3b]	
cell	4.6
celtique[6a]	
Celtic	8.2
cendre[3b]	
ash(es)	3.3
cent[1a]	
pour –	
interest (percent)	1.
hundred	1.4
centaine[2a]	
hundred	1.4
centenaire	
centennial	10.6
centième[5a]	
hundredth	7.6
centime[3b]	
cent	1.7
centimètre[4b]	
inch	2.7
central[2b]	
central	4.5
centre[2a]	
center	1.
cependant[1a]	
however	1.

	Section
cercle[2a]	
circle (set of people)	1.1
circle (ring)	1.2
club	1.6
cercueil[6b]	
coffin	5.3
cérémonie[3a]	
ceremony	2.
ceremony (rite)	3.5
cérémonieux	
formal	5.1
cerf	
deer	5.8
cerf-volant	
kite	5.2
cerise	
cherry	5.6
certes[2a]	
indeed	1.
certain[1a]	
sure	1.
femme d'un – âge	
matron	6.5
certainement[1b]	
sure	1.
certificat	
certificate	5.8
certitude[2b]	
assurance	4.4
cerveau[3a]	
brain	3.3
cervelle[3a]	
brain	3.3
cesse[2b]	
pause	2.9
cesser[1a]	
stop (*tr. vb.*)	1.
stop (*intr. vb.*)	1.4
ceux(-ci, -là)[1a]	
former	1.
that (*pron.*)	1.
this (*pron.*)	1.
latter	1.4
chacun[1a]	
each (*pron.*)	1.
chagrin (*n.*)[2a]	
grief	1.8
vexation	5.8
chagrin (*adj.*)[5b]	
sad	1.4
chaîne[3a]	
chain	2.1
chaînon	
link	3.3
chair[3a]	
flesh	2.
chaire[4b]	
chair (university)	2.5
pulpit	6.8
chaise[1b]	
chair	1.8
chaland	
barge	6.
châle[6a]	
shawl	7.4
chaleur[2a]	
heat	1.5
chambre[1a]	
room (chamber)	1.
– de commerce	
chamber of commerce	3.2
Chambre des Députés	
House of Representatives	3.4
– à coucher, bedroom	4.4
– d'enfants, nursery	5.8
chameau	
camel	6.4

	Section
champ[1b]	
field	1.
– de bataille	
(battle) field	2.4
champagne (*wine*)[4b]	
wine	1.4
champêtre	
garde –, constable	6.2
champion[4b]	
champion	2.5
chance[1b]	
chance	1.
fortune	1.4
chanceler[4b]	
reel	3.1
chancelier	
chancellor	5.6
chandail	
sweater	7.2
chandelle[5b]	
candle	2.2
change[4a]	
change	1.5
change (conversion)	2.9
changement[2a]	
change	1.5
changer[1a]	
change	1.4
chanson[3a]	
song	1.6
chant[2b]	
song	1.6
chanter[1b]	
sing	1.4
chant	3.2
chanteur[4b]	
singer	4.3
chantier[4b]	
work-yard	12.2
chaos[4b]	
chaos	6.6
chapeau[1b]	
hat	1.5
chapelet[6a]	
beads	5.4
chapelle[3a]	
chapel	3.9
chapitre[3a]	
chapter	2.5
chaque[1a]	
each (*adj.*)	1.
every	1.
– fois, (every) time	2.2
char[4b]	
chariot	2.6
charbon[4a]	
coal	1.9
chardon	
thistle	6.4
charge[2a]	
load	1.7
chargement	
freight	3.8
charger[1a]	
load	1.8
charge	2.2
burden	3.5
chariot[6b]	
wagon	4.7
charitable[6b]	
charitable	5.4
peu –, unkind	6.1
charité[3b]	
charity	2.9
charmant[1b]	
charming	2.3
lovely	2.3
charme[2a]	
charm	1.9

	Section
charmer[2b]	
charm	2.4
charmille	
bower	5.2
charpentier[7a]	
carpenter	5.5
charretier	
carter	6.9
charrette[5a]	
wagon	4.7
charrue[5b]	
plow	5.3
charte	
charter	2.9
chasse[2b]	
hunt	2.4
chasser[2a]	
drive out	1.1
drive away	2.3
hunt	2.3
chasseur[3a]	
hunter	2.6
chaste[5b]	
chaste	6.2
chasteté	
chastity	7.7
chat(-te)[3a]	
cat	4.1
château[2a]	
castle	2.
mansion	3.7
châtelain(-e)[4b]	
lady	1.
lord	1.1
châtier[6b]	
punish	2.1
chatouiller	
tickle	6.8
chaud[1b]	
hot	1.5
warm	1.7
chaudière[6b]	
boiler	5.8
chauffage[6b]	
heating	5.
chauffer[3a]	
heat	2.2
chauffeur[5b]	
driver	4.4
chaume[5b]	
thatch	6.
chaumière[5b]	
cottage	3.4
chausse[6b]	
drawers (clothing)	6.2
chaussée[5b]	
road	1.
chausser[4b]	
se –, (put on) shoes	3.5
chaussette	
sock	6.8
chaussure[4b]	
shoe	3.2
chauve	
bald	6.2
chaux[6a]	
lime	4.2
chef[1b]	
chief (*adj.*)	1.
chief (*n.*)	1.5
– de famille	
man of the house	1.8
chef-d'œuvre[3b]	
masterpiece	6.4
chemin[1a]	
road	1.
– de fer, railroad	2.
– faisant, (on the) way	2.2

INDEX TO FRENCH WORDS IN THE LIST

	Section
cheminée[2a]	
hearth	3.2
chimney	3.3
cheminer[5a]	
walk	1.
chemise[3a]	
shirt	3.8
chêne[3b]	
oak	3.1
chenille	
caterpillar	7.2
chèque	
check	4.8
cher[1a]	
dear (in affection)	1.
dear (costly)	1.1
chercher[1a]	
look for	1.
aller –, get	1.4
chéri[5b]	
darling	2.2
chérir	
cherish	3.3
cheval[1b]	
horse	1.
monter à –, ride	1.5
à –, (on) horseback	2.2
fer à –, horseshoe	7.1
chevalerie	
chivalry	7.2
chevalier[4b]	
knight	2.1
chevelure[4a]	
hair	1.
chevet[6a]	
head	4.7
cheveu(x)[1b]	
hair	1.
faux –, switch	5.9
cheville[6a]	
ankle	4.6
chèvre[6b]	
goat	4.9
chez[1a]	
(at) home	1.
chic[5a]	
smart	4.6
fashionable	6.
chien[2a]	
dog	1.9
chiffon[5b]	
scrap	5.5
chiffre[2a]	
figure	1.1
chiffrer	
cipher	9.3
chignon	
knot	5.
chimère[3b]	
fancy	2.
chimie[6b]	
chemistry	7.8
chimique[5a]	
chemical	4.9
chimiste	
chemist	6.4
chinois[5b]	
Chinese	4.5
chirurgien[6a]	
doctor	1.
chlore	
chlorine	8.8
choc[3a]	
shock	3.5
clash	5.1
chocolat[4a]	
chocolate	5.4

	Section
chœur[3b]	
choir	3.7
choisir[1b]	
choose	1.
choix[2a]	
choice	1.6
chômage[6b]	
(stopping of) work	5.
choquer[4b]	
run into	1.6
chose[1a]	
quelque –, anything	1.
matter	1.
thing	1.
chou[6a]	
cabbage	5.9
chrétien[2b]	
Christian (n.)	1.9
Christian (adj.)	1.9
chrétienté	
Christendom	6.3
Christ[5a]	
Christ	3.3
christianisme[4b]	
Christianity	6.2
chronique[3b]	
story	1.
chuchoter[5b]	
whisper	3.1
chut[5a]	
silence (vb.)	1.9
chute[2a]	
fall	1.2
cicatrice	
scar	6.2
cidre	
cider	7.
ciel[1a]	
heaven	1.
cierge[5a]	
candle	2.2
cigale[6a]	
locust	6.8
cigare[3b]	
cigar	5.1
cigarette[5a]	
cigarette	7.7
cigogne	
stork	6.8
ci-inclus	
enclosed	5.1
ci-joint	
enclosed	5.1
cime[4b]	
top	1.3
summit	3.4
ciment	
cement	6.4
cimetière[3b]	
cemetery	6.
cinéma[5b]	
cinema	11.3
cinq[1a]	
five	1.
cinquantaine[4b]	
fifty	2.3
cinquante[1b]	
fifty	2.3
cinquième[4b]	
fifth	2.7
circonstance[1b]	
event	1.4
circuit[6a]	
circuit	3.9
circulaire[6b]	
circular	3.3

	Section
circulation[5a]	
traffic	2.6
circulation	5.4
circuler[4a]	
turn	1.
revolve	5.5
cire[5a]	
wax	3.6
cirer[4b]	
polish	4.4
cirque[4b]	
circus	6.2
ciseau	
chisel	7.2
-x, scissors	6.5
citadelle[5b]	
citadel	8.1
citation[5b]	
faire une –, quote	4.
cité (n.)[2a]	
city	1.
citer[2b]	
quote	4.
citoyen[3b]	
citizen	2.2
citron	
lemon	6.1
citrouille	
pumpkin	6.1
civil[2b]	
civil	2.4
civilisation[2b]	
culture	3.7
civiliser[5a]	
civilize	6.6
clair[1a]	
clear	1.
bright	1.4
light	1.4
– de lune, moonlight	3.2
clairement[4b]	
clear	1.
clearly	2.9
clairière	
glade	6.5
clameur[5b]	
noise	2.6
clamor	4.4
clapet	
valve	6.3
claquer[4a]	
chatter (teeth)	6.
bang	6.5
clarté[2b]	
light (not artificial)	2.
– du soleil, sunshine	3.2
classe[1b]	
class	1.
salle de –, schoolroom	3.3
classer[3a]	
order	1.4
class (vb.)	2.1
classique[3b]	
classic	3.8
clause	
clause	6.6
clef[2b]	
key	2.8
clément[6a]	
merciful	4.2
clerc[6b]	
clerk	3.8
clergé[5b]	
minister	2.
clergy	6.9
client[3a]	
customer	3.6

	Section
clientèle[5b]	
practice	3.4
cligner[6b]	
– de l'œil, wink	5.8
climat[6b]	
climate	4.
clin d'œil[6b]	
en un –, moment	1.5
cloche[3a]	
bell	2.5
clocher[4a]	
steeple	5.8
cloître[4b]	
convent	3.8
clos[3a]	
close	1.
clôture[5a]	
fence	4.8
clou[3b]	
nail	3.
clouer[4b]	
nail	4.6
club[4a]	
club	1.6
coasser	
croak	6.8
cocher[3b]	
driver	4.4
cochon[4a]	
pig	3.9
code[3b]	
law	1.
code	4.8
cœur[1a]	
heart	1.
avoir bon –, kind	1.
par –, (learn by) heart	3.
coffre[6b]	
chest	3.7
cogner[6b]	
strike	1.1
run into	1.6
knock (on door)	2.6
cohésion[5b]	
cohesion	10.5
coiffer[3b]	
put on	2.6
(put on) hat	2.8
(do) hair	4.
coiffeur[6b]	
barber	6.1
coiffure[5b]	
head dress	4.2
coin[1b]	
corner	1.9
wedge	6.1
coïncidence[6a]	
coincidence	7.8
coïncider	
coincide	7.2
col[3a]	
collar	4.4
colère[1b]	
anger	1.9
en –, angry	2.4
se mettre en – (get) angry	2.4
mettre en –, anger	2.7
accès de – (fit of) anger	3.
collaborateur[4b]	
fellow worker	2.9
collaboration[5a]	
assistance	3.9
collaborer	
work	3.6
collectif[5b]	
collective	9.6

	Section
collection[3a]	
collection	2.7
collège[3a]	
college	3.8
collègue[3a]	
fellow worker	2.9
coller[3a]	
stick (*intr. vb.*)	2.1
stick (*tr. vb.*)	2.2
collet[4b]	
collar	4.4
collier[3b]	
collar	4.4
necklace	6.4
colline[3b]	
hill	2.6
colombe[7a]	
dove	4.4
colon	
colonist	6.1
colonel[3b]	
colonel	3.9
colonial[4a]	
colonial	6.2
colonie[2b]	
colony	2.9
colonne[3a]	
column (military)	2.9
column (pillar)	3.3
coloré[4a]	
colored	4.2
colorer[6a]	
color	2.5
colossal[5b]	
great (huge)	1.
colosse[6b]	
giant	4.
combat[2b]	
fight	1.1
battle	1.2
combattant[4b]	
warrior	3.5
combattre[2a]	
fight	1.6
combien[1b]	
how much	2.2
combinaison[3a]	
combination	4.3
combiner[3b]	
combine	2.3
comble[3b]	
top	1.3
combler[2b]	
fill	1.8
combustible	
fuel	5.2
combustion	
combustion	6.
comédie[3a]	
comedy	3.7
comédien[5b]	
actor	3.9
comète	
comet	4.8
comique[3b]	
funny	2.9
opéra –	
(musical) drama	6.2
comité[3a]	
committee	3.
commandant[3b]	
major	3.2
commander	4.4
commande[4b]	
order	1.
commandement[4a]	
order	1.
command	2.3

	Section
commander[2a]	
– à, control	1.4
command	1.5
order	1.5
comme[1a]	
as (*prep.*)	1.
as (*conj.*)	1.
– il faut, proper	1.4
– il faut, decent	4.
commémoratif	
memorial	4.4
commencement[2a]	
beginning	2.7
dès le –	
(from the) beginning	3.9
commencer[1a]	
begin	1.
comment[1a]	
how	1.
n'importe –, anyhow	4.2
commerçant[4a]	
business	1.4
commercial	2.8
commerce[2a]	
trade	1.2
faire le –, trade	2.4
chambre de –	
chamber of commerce	3.2
commercial[4a]	
commercial	2.8
loi -e	
(commercial) law	3.2
commettre[2a]	
commit	2.3
commis (*n.*)[6b]	
clerk	2.7
commissaire[4a]	
commissioner	5.
commission[3a]	
commission	2.2
errand	3.
commissionnaire[4b]	
messenger	2.5
porter	3.3
commode (*n.*)[5a]	
(chest of) drawers	6.1
commode (*adj.*)[3a]	
convenient	2.5
commun[1b]	
common	1.4
common (person)	1.4
peu –, unusual	2.6
rude	4.3
communal	
community	4.8
communauté[4b]	
convent	3.8
community	3.8
commune (*n.*)[3a]	
district	2.1
community	2.9
communicatif	
communicative	13.
communication[3a]	
communication	2.5
message	3.
communion[5b]	
communion	6.7
communiquer[2a]	
communicate	2.7
compagne[2b]	
companion	2.3
compagnie[2a]	
company (business)	1.
company (military)	1.5
compagnon[2a]	
companion	2.3

	Section
comparable[5a]	
(to be) compared	2.2
comparaison[4b]	
comparison	2.7
comparaître[7a]	
appear (loom)	1.
comparer[2b]	
compare	1.6
compatriote[3b]	
(fellow) countryman	4.7
compensation[6a]	
faire –, make up for	4.1
amends	4.1
complaire[6b]	
please	1.
complaisance[5a]	
kindness	2.7
complaisant[6b]	
kind	1.
complément[6b]	
object	3.
complet (*n.*)[5a]	
suit	2.7
complet (*adj.*)[1b]	
complete	1.
complet	
complement	5.2
complètement[2a]	
all	1.
throughout	2.8
compléter[3a]	
complete	1.
complexe[5a]	
complex	5.3
complication[4b]	
complication	7.2
complice[4b]	
party to	2.
complicité[6a]	
participation	7.8
compliment[3a]	
compliment	4.1
compliqué[4b]	
involved	5.
complicate	6.2
compliquer[2b]	
complicate	6.2
complot[5b]	
plot	3.9
comporter[3a]	
se –, act (behave)	1.
composer[1b]	
compose	2.6
compositeur	
composer	9.6
composition[3a]	
theme (paper)	3.2
composition	3.8
comprendre[1a]	
understand	1.
realize	2.6
compris (*including*)[4a]	
included	2.9
compromettre[3a]	
compromise	5.3
compromis[5a]	
compromise	5.7
compte[1a]	
account	1.
account (reckoning)	1.8
(in) cash	2.8
compter[1a]	
count	1.
– sur, count on	1.
intend	1.4
comptant, (in) cash	2.8
comptoir[5a]	
counter	6.3

	Section
comte[2b]	
count	1.2
comtesse[4a]	
countess	5.4
concéder[6a]	
grant	1.
concentration[6b]	
concentration	7.1
concentrer[4b]	
condense	4.3
concentrate	4.8
conception[3b]	
idea	1.4
conception	4.
concerner[2b]	
have (to do with)	1.
concert[3a]	
concert	4.1
concession[4b]	
grant	3.4
license	4.6
admission	5.4
concevoir[2a]	
imagine	1.4
conceive	2.
concierge[3a]	
porter	5.6
concile[6b]	
council	2.1
conciliation[6b]	
conciliation	7.8
concilier[4a]	
reconcile	4.6
concision	
conciseness	12.2
conclure[2a]	
complete	1.
infer	5.7
conclusion[3b]	
end	1.
conclusion	3.
concombre	
cucumber	7.4
concourir[5b]	
contribute	3.2
contend	5.7
concours[3a]	
test	1.9
concret	
concrete	6.1
concurrence[3b]	
competition	3.8
concurrent[5b]	
rival	5.
condamnation[5b]	
sentence	2.
condamner[2a]	
sentence	2.3
condemn	2.7
condenser[6a]	
condense	4.3
condition[1b]	
condition	1.
conducteur[3b]	
leader	2.3
driver	4.4
conduire[1a]	
se –, act (behave)	1.
drive (car)	1.
drive (horse)	1.
lead	1.
conduite[2b]	
conduct	2.3
leadership	4.6
cône	
cone	7.2
confection[6a]	
making (e.g., of clothes)	4.7

INDEX TO FRENCH WORDS IN THE LIST

271

	Section
conférence[3a]	
talk	1.2
conference	3.
conférer[5b]	
grant	1.
confer	5.9
confesser[5b]	
admit	1.4
confesseur[6b]	
confessor	7.4
confession[4b]	
confession	4.3
confessionnnel	
confessional	10.
confiance[1b]	
avoir –, count on	1.
trust	1.
avoir –, trust	1.4
digne de –, reliable	3.8
confiance	
reliability	7.7
confidence[3b]	
confidence	3.5
confident[6b]	
confident	5.1
confidentiel[6b]	
confidential	6.6
confier[1b]	
trust	1.4
give in charge	1.9
confiner[6b]	
limit	1.6
limit (particularize)	5.1
confirmation	
confirmation	5.1
confirmer[3a]	
confirm	2.5
confiture[5b]	
jelly	6.1
conflit[4a]	
fight	1.1
struggle	1.9
confondre[2a]	
confound	3.1
conforme[4b]	
similar	4.4
confortable[4b]	
comfortable	2.1
peu –, uncomfortable	4.6
confortablement[7a]	
comfortable	2.1
confrère[3b]	
fellow worker	2.9
confus[2a]	
rendre –, confound	3.1
confused	3.2
confusion[6a]	
confusion	3.2
congé[3b]	
prendre –, leave	1.5
donner –, dismiss	2.7
donner –	
(give) notice (to)	2.8
leave (of absence)	2.9
discharge	3.8
congédier[6a]	
dismiss	2.7
congrès[3a]	
assembly	2.6
congress	2.9
conjonction	
conjunction	7.3
conjugal	
conjugal	9.6
conjuré (n.)[6a]	
conspirator	7.7
conjurer[4a]	
plot	5.4

	Section
connaissance[2a]	
knowledge	1.5
acquaintance	2.7
en – de cause, aware	5.4
connaître[1a]	
know (be acquainted)	1.
s'y –, (well) informed	3.
connu (adj.)[2b]	
famous	1.1
known	1.1
conquérant[5b]	
conqueror	4.1
conquérir[3a]	
conquer	2.9
conquête[3a]	
conquest	3.3
consacrer[2b]	
dedicate	2.7
hallow	3.6
conscience[1b]	
conscience	1.8
consciencieux	
conscientious	6.4
conscient	
conscious	4.
consécration	
consecration	5.8
conseil[1a]	
advice	1.4
(university) staff	4.2
conseiller[2a]	
advise	2.
conseiller	
privy councilor	6.9
consentement[6b]	
consent	2.8
consentir[2a]	
consent	2.4
conséquence[2a]	
result	1.5
conséquent[3a]	
par –, consequently	4.1
consistent	6.1
conservateur	
conservative	4.4
conservation[6b]	
conservation	5.
conserver[1b]	
keep	1.
preserve	3.
considérable[2a]	
considerable	3.3
considération[3a]	
consideration (thought)	2.4
consideration (reference)	2.5
considérer[1b]	
consider	1.8
consigner[6b]	
consign	5.
consister[2b]	
consist	1.4
consolation[5a]	
comfort	2.3
consoler[2a]	
comfort	2.3
consolider[6b]	
strengthen	3.4
consommateur[6b]	
consumer	7.
consommation[4b]	
end	1.
consommer[3a]	
complete	1.
use up	2.9
consomption	
consumption	7.2

	Section
consonne	
consonant	7.2
conspirateur[5b]	
conspirator	7.7
constamment[4a]	
continual	2.5
constance	
constancy	7.1
constant[2b]	
firm (character)	1.1
constant	2.4
constater[1b]	
prove	1.4
consterner	
dismay	6.4
constituer[1b]	
make up	1.8
constitution[3b]	
constitution	2.7
constitutionnel	
constitutional	6.5
constructeur	
builder	6.4
construction[3a]	
building	2.5
construire[2a]	
build	1.2
consul[6b]	
consul	4.9
consulter[3a]	
consult	3.
consummation	
consumption	7.2
contact[3a]	
touch	2.2
contagieux[5b]	
catching	4.
contagion	
contagion	8.2
conte[3b]	
story	1.
account	1.5
– de fée, fairy tale	3.4
contemplation[6a]	
contemplation	3.8
contempler[3a]	
observe	1.4
contemporain[3a]	
contemporary (adj.)	3.6
contemporary (n.)	4.8
contenance[6b]	
compass	2.5
capacity	3.
contenir[1b]	
contain	1.
content[1b]	
glad	1.
contentement[6b]	
satisfaction	2.4
contenter	
satisfy	1.9
contenu[4a]	
content	2.
conter[3a]	
tell	1.
contester[6a]	
object	1.9
contest	3.2
continent[6b]	
continent	4.4
contingent	
unit	5.9
continuation	
continuation	4.7
continuance	5.9
continuel[4a]	
continual	2.5

	Section
continuellement[5b]	
continual	2.5
continuer[1a]	
continue	1.
contour[5a]	
outline	4.8
contourner[6b]	
go round	1.8
contracter[4a]	
contract	4.3
contraction	
contraction	7.4
contradiction[3b]	
contradiction	4.3
contradictoire	
contradictory	9.7
contraindre[3b]	
force	1.
contrainte[3a]	
restraint	4.1
contraire[1b]	
contrary	1.8
au –, (on the) contrary	1.8
contrairement[6a]	
contrary (to)	3.5
contrarier[4b]	
keep from	1.4
oppose	2.3
vex	4.1
thwart	6.8
contre[1a]	
against	1.
contraste[3b]	
contrast	3.1
contraster[5b]	
contrast	5.1
contrat[4b]	
contract	2.3
contre-cœur (à)	
unwillingly	4.6
contredire[5b]	
contradict	5.3
contrée[4b]	
province	1.5
contrefaire	
forge	6.2
contribuer[2b]	
contribute	3.2
contribution[4b]	
tax	1.6
share	2.
contribution	4.4
contrôle[4b]	
check	3.2
contrôler[5a]	
check	3.8
convaincre[2a]	
convince	2.
convenable[3b]	
proper	1.4
decent	4.
convenance[4b]	
convenience	5.9
convenir[1a]	
fit	1.
agree	2.2
convention[3a]	
contract	2.3
conversation[1b]	
talk	1.
conversation	2.6
converser[6a]	
talk	1.
converse	3.4
conversion[7a]	
change	2.9
convertir[3b]	
transform	2.8
convert	5.2

	Section
conviction[2b]	
être de la –, convince	2.
conviction	4.2
convive[3b]	
company	1.7
convoi[3b]	
funeral (procession)	5.4
convoiter[5a]	
covet	4.1
convoquer[4b]	
call together	2.1
copie[4a]	
copy	3.2
copier[5a]	
copy	4.
coq[4a]	
cock	3.8
coquette	
flirt	7.
coquille[6b]	
shell	3.7
coquin[4b]	
roguish	10.2
cor	
corn	5.
corail	
coral	6.5
corbeau	
crow	5.3
corbeille[5b]	
basket	2.8
corde[3a]	
rope	3.3
cordial[4b]	
cordial	2.3
cordon[4a]	
rope	3.3
cordonnier	
shoemaker	6.2
corne[5a]	
horn	3.7
cornemuse	
joueur de –, piper	7.2
bagpipe	8.1
cornichon	
pickle	6.8
corniche	
coping stone	7.2
cornue	
retort	7.2
corporation[5a]	
corporation	3.5
corporel	
bodily	6.3
corps[1a]	
body	1.
corps	3.8
correct[5a]	
right (correct)	1.
correctement[6a]	
right (correct)	1.
correction[5b]	
correction	3.7
correspondance[4a]	
correspondence (similarity)	3.5
correspondence	3.9
correspondant[4b]	
corresponding	2.7
similar	4.4
correspondent	6.2
correspondre[3b]	
correspond to	2.4
correspond	4.
corridor[3b]	
passage	4.8
corriger[4a]	
correct	2.7

	Section
corrompre	
corrupt	4.7
corruption[6b]	
corruption	5.6
corsage[6b]	
bodice	9.6
cortège[3a]	
procession	4.1
costume[2a]	
dress	1.4
suit	2.7
costume	4.3
cote[3b]	
share	2.
côte[1b]	
coast	1.4
rib	5.
– à –, side by side	2.2
côté[1a]	
de l'autre –, across	1.
à – de, beside	1.
side	1.
de l'autre – (on the other) hand	1.4
d'un – (on the one) hand	2.2
de son –, (on her) side	2.2
de son –, (on his) side	2.2
de leur – (on their) side	2.2
de mon – (for my) part	2.6
de –, side (adj.)	4.1
laisser de –, omit	4.4
coteau[5b]	
hill	2.6
coton[6b]	
cotton	3.8
cou[2a]	
neck	1.5
couchant[4b]	
setting	9.6
couche[3b]	
bed	1.4
coucher (n.)[4b]	
– du soleil, sunset	5.3
setting	8.9
coucher (vb.)[1b]	
lay	1.
être couché, lie	1.
chambre à –, bedroom	4.4
coucher (se)[2b]	
(go to) bed	1.6
coucou	
cuckoo	6.2
coude[3a]	
elbow	5.1
coudre[4b]	
sew	4.7
couler[2a]	
flow	1.5
couleur[1b]	
color	1.
coulisse[5b]	
wing	4.9
couloir[3a]	
passage	4.8
coup[1a]	
– d'œil, look	1.
blow	1.4
d'un seul –, (at) once	1.8
– de feu discharge (of gun)	2.7
– de pied, kick	3.6
boire à petits -s, sip	6.1
volée de -s, beating	6.4
– de poignard, stab	6.5
coupable[2a]	
(be to) blame	1.8

	Section
coupe[3b]	
goblet	4.1
couper[1a]	
cut	1.8
– la tête, behead	6.2
couple[2b]	
pair	1.9
couplet[5b]	
verse	2.7
cour[1a]	
court (royal)	1.
faire –, court	1.
court (yard)	1.1
– d'assises, court	1.4
cour de cassation	
supreme court	4.3
courage[1b]	
avoir du –, (be) brave	1.
courage	1.4
perdre –, (lose) courage	2.
courageusement[5b]	
(be) brave	1.
courageux[4a]	
(be) brave	1.
courant[1b]	
stream	1.4
peu –, unusual	2.6
current	2.6
au –, (well) informed	3.
courbe[5b]	
curve	4.6
courber[4a]	
bend	2.4
coureur[6a]	
scout	5.7
courir[1a]	
run	1.
couronne[3a]	
crown	1.7
wreath	3.7
couronner[3b]	
crown	2.9
courrier[5a]	
post	2.
messenger	2.5
courroie	
strap	6.2
cours[1b]	
course	1.1
course[2b]	
race	1.2
court[1b]	
short	1.
courtisan[5b]	
courtier	5.7
courtiser[6b]	
court	1.
courtois[6b]	
courteous	4.3
courtoisie[4b]	
courtesy	4.7
cousin[2a]	
cousin	2.4
cousin germain[5b]	
cousin	2.4
coussin[4a]	
cushion	5.6
couteau[2b]	
knife	2.9
coûter[1a]	
cost	1.4
coûteux[5a]	
dear	1.1
coutume[2b]	
custom	1.9
couture	
seam	6.4

	Section
couturière[6b]	
dressmaker	8.4
couvée	
brood	5.8
couvent[3b]	
convent	3.8
couver	
hatch	6.8
couvercle[6a]	
cover	2.9
couvert[2a]	
set	1.1
protection	2.1
– de rochers, rocky	5.9
– de feuilles, leafy	6.6
– de neige, snowy	6.6
couverture[3a]	
– (de lit), blanket	4.
couvrir[1b]	
cover	1.
crabe	
crab	6.2
cracher[5a]	
spit	5.9
craie[6b]	
chalk	6.2
craindre[1a]	
afraid	1.
crainte[1b]	
fear	1.4
cramponner (se)	
cling	5.
crâne (n.)[4a]	
skull	6.
crapaud	
toad	6.6
craquer[4b]	
crack	2.6
cratère	
crater	9.4
cravate[4a]	
necktie	6.4
crayon[4b]	
pencil	4.2
créance[5b]	
belief	2.3
créancier[5a]	
creditor	4.1
créateur[5a]	
creator	4.4
création[3b]	
creation	3.4
créature[3a]	
creature	2.5
crédit[3b]	
credit	2.9
créer[1b]	
create	1.5
crème[5b]	
cream	5.1
crêpe (crape)[6b]	
crêpe	7.
crêpe	
pancake	7.
crépu	
curly	8.5
crépuscule[4b]	
twilight	4.3
crête	
comb	6.2
creuser[2b]	
dig	4.8
deepen	5.

INDEX TO FRENCH WORDS IN THE LIST

	Section
creux[3a]	
hole	2.2
hollow	3.
crever[3a]	
burst	1.4
cri[1b]	
call	1.4
cry	2.6
criard[5a]	
shrill	4.7
crible	
sieve	7.2
crier[1b]	
cry	1.
quack	6.1
crime[2a]	
guilt	2.2
crime	2.4
criminel[3b]	
criminal (*adj.*)	4.1
criminal (*n.*)	4.5
crinière	
mane	6.4
crise[2b]	
crisis	5.8
crisper[4a]	
grasp	5.2
cristal[4a]	
crystal	4.6
critique (*m.*)[5a]	
critic	5.1
critique (*f.*)[3b]	
blame	3.2
criticism	3.8
critique (*adj.*)	
critical	5.
croasser	
caw	7.2
crochet[4b]	
hook	4.2
croire[1a]	
believe	1.
croiser[2a]	
cross (*tr. vb.*)	2.7
croître[2b]	
grow	1.1
rising	1.3
croix[2b]	
cross	2.
crouler[5a]	
fall to pieces	2.6
croupe	
hindquarters	11.
croustillant	
crisp	6.5
croûte[6b]	
crust	5.8
croyance[4a]	
belief	2.3
croyant (*n.*)[6a]	
(the) faithful	2.7
cru (*n.*)[4b]	
growth	4.2
cru (*adj.*)[5a]	
raw	2.7
cruauté	
cruelty	4.8
cruel[2b]	
cruel	2.3
cruellement[6a]	
cruel	2.3
cubain	
Cuban	6.2
cube[6a]	
cube	5.
cueillir[2b]	
gather (glean)	1.5

	Section
cuiller(-ère)[4a]	
spoon	4.8
– à pot, dipper	6.8
cuillerée	
spoonful	12.9
cuir[3b]	
leather	3.8
cuir chevelu	
scalp	6.8
cuire[3a]	
cook	2.5
cuisine[2b]	
kitchen	2.8
cuisinière[4a]	
cook	4.3
cuisse[4b]	
thigh	5.2
cuivre[2b]	
copper	3.
fil de –, wire	4.2
brass	4.5
culotte[4b]	
breeches	6.4
culte[3a]	
(divine) service	2.3
cultivateur[6a]	
farmer	1.8
cultiver[3a]	
till	2.5
culture[3a]	
farming	2.6
culture	3.7
cupidité	
lust	4.8
cure[5a]	
cure	3.9
curé[3b]	
minister	2.
curieux[1b]	
strange	1.
curious	2.7
curiosité[2a]	
curiosity	4.8
cuve[6a]	
tub	6.2
cygne	
swan	5.8
cylindre	
cylinder	4.9
cyprès	
cypress	7.

D

	Section
dague	
dagger	5.6
daigner[4b]	
deign	6.4
dalle[5a]	
slab	4.1
dame[1a]	
lady	1.
damner[5b]	
damn	4.2
dandiner (se)[6b]	
sway	5.6
danger[2a]	
danger	1.5
dangereux[2a]	
dangerous	2.
danois	
Danish	6.8
dans[1a]	
in	1.
into	1.
danse[5a]	
dance	3.1

	Section
danser[2a]	
dance	2.4
danseuse[6b]	
dancer	6.9
date[2b]	
date	2.
dater[3b]	
date	3.3
dauphin	
(crown) prince	2.3
davantage[1a]	
more	1.
de, du, de l', de la, des[1a]	
about (concerning)	1.
by (agent)	1.
from	1.
of	1.
through (agent)	1.
dé	
thimble	7.2
débarquement[6b]	
landing	5.
débarquer[4a]	
land	3.2
débarrasser[4b]	
free	2.2
débarrasser (se)[3a]	
(get) rid of	2.9
débat[6a]	
debate	3.
débattre[4a]	
debate	2.9
débauche[5b]	
drunken revel	5.8
débit[6a]	
sale	2.4
débiter[5a]	
retail	6.3
débiteur[6a]	
être –, (in) debt	4.
debtor	4.8
déborder[3b]	
overflow	5.5
débouché	
outlet	3.
déboucher[4b]	
run into	4.6
debout[1b]	
être –, stand	1.
déboutonner	
unbutton	12.2
débris[3b]	
bit	2.3
début[2a]	
beginning	2.7
(first) appearance	3.3
opening	4.4
débuter[4b]	
begin	1.
(make one's first) appearance	2.3
décadence[6b]	
decay	4.3
décéder[5a]	
die	1.
décembre[3a]	
December	2.3
décennie	
decade	5.6
déception[5b]	
deceit	3.9
disappointment	4.4
décès[6b]	
death	1.
décevoir[4a]	
deceive	1.9
disappoint	2.9

	Section
décharge	
discharge	5.8
décharger[4a]	
relieve	2.7
unload	6.7
déchausser	
(take off) shoes	4.1
déchéance[6a]	
decline	4.4
déchiffrer[6b]	
make out	2.2
déchirer[2a]	
tear	1.8
décidément[3a]	
decidedly	4.3
décider[1b]	
decide	1.
settle	1.8
décider (se)[4a]	
decide	1.
décisif[3a]	
final	2.9
decisive	3.6
décision[2a]	
decision	2.5
déclamer[5b]	
recite	3.9
déclaration[3a]	
statement	2.1
declaration (customs)	4.5
déclarer[1b]	
state	1.
déclin[6b]	
decay	4.3
décomposer[5a]	
spoil	2.6
déconcerter[3b]	
confound	3.1
embarrass	3.2
décor[3b]	
trimming	3.8
décoration[5b]	
trimming	3.8
décorer[5b]	
trim	2.4
découper[3a]	
carve	3.3
découragement	
discouragement	10.5
décourager[3b]	
discourage	5.8
découverte[3b]	
discovery	3.
découvrir[1a]	
discover	1.4
décret[5a]	
decree	2.6
décrire[2b]	
describe	2.
décrocher[6b]	
(take) down	2.8
dédaigner[5a]	
scorn	2.9
dédaigneux[4b]	
scornful	5.1
dédain[5a]	
scorn	3.3
dedans[2b]	
within	1.1
inside	1.4
indoors	3.1
déesse	
goddess	4.8
défaire[2b]	
undo	5.5

273

	Section
défaite (n.)[4a]	
defeat	3.6
défaut[1b]	
fault	1.8
à – de, (for) want of	3.
want (scarcity)	3.
défectueux[6b]	
imperfect	3.9
défendre[1b]	
defend	1.4
forbid	2.
défense[2b]	
forbid	2.
defense	2.8
prohibition	5.
défenseur	
defender	6.8
défi[5a]	
defiance	4.
défiance[6a]	
mistrust	4.3
défier[3a]	
defy	3.2
défilé	
gorge	5.9
défiler[3b]	
defile	6.5
défini (adj.)[6a]	
definite	3.5
définir[3b]	
name (appoint)	1.
définitif[3a]	
final	2.9
définition[5b]	
definition	7.
définitivement[4b]	
finally	2.2
défunt[4b]	
dead	1.4
dégager[2a]	
loose	1.5
dégât[4a]	
damage	2.4
dégénérer[6b]	
degenerate	7.4
dégoût[4b]	
disgust	4.6
dégoûtant[6a]	
disgusting	6.2
dégoûter[4a]	
disgust	6.
dégoutter	
drip	6.4
degré[1b]	
degree	1.4
dégringoler[6a]	
fall	1.
fall to pieces	2.6
déguisement[6b]	
disguise	5.8
déguiser[4a]	
hide	2.8
dehors[1a]	
out	1.
outside	1.4
déité	
deity (D)	5.4
déjà[1a]	
already	1.
– nommé, above	2.2
déjeuner (n.)[2a]	
breakfast	3.
lunch	4.5
déjeuner (vb.)[3b]	
lunch	3.
breakfast	4.3

	Section
delà[2a]	
au – de, beyond (prep.)	1.5
au –, beyond (adv.)	1.8
délai[3b]	
delay	3.8
délaisser[4a]	
leave (desert)	1.
délégation[5a]	
delegation	8.5
déléguer[6a]	
delegate	6.6
délibérer[4b]	
deliberate	4.1
délicat[2a]	
delicate	2.3
dainty	2.7
délicatesse[3a]	
delicacy	5.4
délicieux[2b]	
lovely	2.3
delicious	2.8
délier[5b]	
loose	1.5
délinquant	
offender	6.8
délire[3b]	
fury	2.8
bliss	3.7
madness	4.1
raving	6.1
délirer	
rave	6.6
délit[5b]	
crime	2.4
délivrance	
deliverance	5.2
délivrer[4b]	
free	1.7
delta	
delta	7.2
déluge[6a]	
flood	3.2
demain[1b]	
tomorrow	1.4
après –	
day after tomorrow	4.3
demande[2b]	
demand	1.3
request	2.1
demand (supply and demand)	2.9
inquiry	4.4
demander[1a]	
ask	1.
se –, wonder	1.
charge	3.
démangeaison	
itch	6.9
démarche[3a]	
walk	1.6
démarreur	
(self) starter	10.8
déménager[5a]	
move	1.5
démentir[5b]	
(give the) lie	3.4
demeure[2a]	
dwelling	2.3
demeurer[1b]	
live	1.1
demi[1a]	
half	1.
demi-cercle	
semicircle	8.8
demi-heure[6b]	
half-hour	1.5

	Section
démission[5b]	
resignation	7.3
démocratie[5b]	
– sociale	
social democracy	5.3
democracy	6.9
démocratique[5b]	
democrat	5.
demoiselle[2b]	
young lady	1.1
démolir[4b]	
pull down	2.8
démonstration[5b]	
demonstration	3.6
démontrer[3a]	
demonstrate	2.8
dénégation[6a]	
denial	6.6
dénoncer[3b]	
denounce	4.1
dénouement[4b]	
result	1.5
dénouer[5a]	
loose	1.5
denrée[5a]	
food	1.9
dense[6a]	
dense	2.6
densité	
density	7.8
dent[2a]	
tooth	2.3
dentelle[4a]	
lace	2.1
départ[1b]	
departure	3.1
département[3a]	
territory	2.1
départir[6a]	
grant	1.
dépasser[1b]	
pass	1.4
exceed	2.3
(have the) advantage	3.
project	3.7
dépêche[4a]	
wire	3.5
despatch	5.1
dépêcher (se)[4a]	
hurry	1.2
dépendance[5a]	
dependence	6.
dépendant	
dependent	5.2
dépendre[2b]	
depend	2.4
dépens[5b]	
expense	3.3
dépense[2a]	
expense	3.3
dépenser[2b]	
spend (money)	1.6
dépit[3b]	
spite	1.4
déplacement[5b]	
shift	5.7
déplacer[3b]	
move	1.1
déplaire[3a]	
displease	5.5
déplier[6a]	
unfold	3.4
déplorable[6a]	
wretched	5.8
déplorer[4b]	
deplore	4.2

	Section
déployer[4a]	
unfold	3.4
déposer[1b]	
place	1.
depose	4.9
dépôt[3a]	
deposit	2.7
dépouiller[3a]	
se –, shed	3.3
strip	3.7
dépourvu[6b]	
needy	6.
au –, unaware	6.
depuis[1a]	
since	1.
depuis que[3a]	
since	1.
député[2b]	
Chambre des Députés	
House of Representatives	3.4
deputy	4.9
déraisonnable	
unreasonable	7.2
déranger[2a]	
trouble	1.5
déréglé	
wanton	6.4
dernier[1a]	
last	1.
ce –, latter	1.4
dernièrement[6b]	
lately	5.1
dérober[2a]	
rob	2.3
dérouler[3b]	
unfold	3.4
déroute[6a]	
defeat	3.6
derrière (n.)[3b]	
back	1.4
(wrong) side	1.7
derrière (prep.)[1a]	
back	1.
dès[1a]	
since	1.
– maintenant	
henceforth	3.
– le commencement	
(from the) beginning	3.9
dès que[1b]	
as soon as	1.
désagréable[4b]	
unpleasant	3.8
désarmer[4b]	
disarm	6.9
désarroi[6b]	
disorder	5.
désastre[3b]	
disaster	3.9
désavantage	
disadvantage	4.8
descendant[5a]	
en –, downward	3.4
descendant	5.3
descendre[1a]	
go down	2.2
alight	5.7
descente[4b]	
descent	5.1
description[4a]	
description	3.1
désert[2b]	
waste	2.4
déserter[4b]	
leave (desert)	1.
désespérément[5b]	
hopelessly	6.1

INDEX TO FRENCH WORDS IN THE LIST

	Section
désespérer[2b]	
despair	2.8
désespéré, desperate	2.8
désespoir[3a]	
despair	3.
déshabiller[6a]	
take off clothes	3.3
déshonneur[6b]	
disgrace	3.4
déshonorer	
disgrace	5.6
désigner[2a]	
name (appoint)	1.
point out	1.4
désintéressé[4b]	
unselfish	8.6
désir[1b]	
desire	1.
désirable[6a]	
desirable	3.5
désirer[1b]	
desire	1.
désireux[5a]	
desirous	5.2
désobéir	
disobey	4.8
désolation	
desolation	6.6
désoler[3a]	
désolé, wretched	4.4
desolate	5.6
désordre[3a]	
disturbance	4.4
riot	4.6
mettre en – (put in) disorder	4.8
disorder	5.
désormais[2a]	
now	1.1
dessécher[4b]	
dry	2.1
drain	3.7
dessein[3b]	
plan	1.1
dessert[4b]	
dessert	6.7
desservir[6a]	
clear (table)	4.3
dessin[3a]	
design	3.1
sketch	3.9
dessiner[3a]	
draw	1.4
dessous (adv.)[3a]	
beneath	1.6
dessous (n.)[6b]	
de –, under (adj.)	1.9
under side	4.4
dessus (adv.)[2b]	
above (adv.)	1.
dessus (n.)[4b]	
top	2.5
destin[3b]	
fate	1.5
destination[5b]	
à – de, bound for	1.9
destinée[2a]	
fate	1.5
destiner[2b]	
destine	2.4
destruction[5b]	
destruction	4.2
détachement[4b]	
detachment (troops)	4.8
detachment (unconcern)	5.5
détacher[2a]	
loose	1.5
se –, stand out	1.9

	Section
détail[1b]	
particular	2.3
en –, (in) detail	3.6
vendre au –, retail	6.3
détendre[5b]	
loose	1.5
détermination	
determination	6.
déterminer[2b]	
fix	1.1
détestable[5a]	
hateful	4.7
détester[3a]	
hate	2.5
détour[3a]	
detour	8.1
détourner[2a]	
turn away	3.
distract	3.6
détresse[3b]	
trouble	1.
détriment[6a]	
damage	2.4
détroit	
strait	5.3
détruire[2a]	
destroy	1.5
dette[3a]	
debt	1.7
deuil[3a]	
grief	1.8
mourning	3.1
deux[1a]	
tous les –, both	1.
two	1.
– fois, two times	1.8
deuxième[2b]	
second	1.
en – lieu (in the) second place	2.3
devancer[4a]	
(be) ahead (of)	2.7
devant (n.)[2b]	
front	1.5
de –, front (adj.)	2.2
foreground	6.5
devant (prep.)[1a]	
before (in front of)	1.
(in) front	1.4
devanture[6a]	
front	1.5
dévaster[6a]	
destroy	1.5
développement[2b]	
development	2.1
développer[2a]	
develop	2.
devenir[1a]	
become	1.
dévier[5a]	
turn away	3.
deviner[1b]	
bien –, guess right	1.4
guess	1.5
devinette	
riddle	4.6
devise[4a]	
device	4.2
dévoiler[7a]	
reveal	2.4
devoir (n.)[1b]	
duty	1.
work	1.1
devoir (vb.)[1a]	
must	1.
ought	1.
owe	1.8
dû, due	2.2

	Section
dévorer[3b]	
devour	3.8
dévot[4b]	
pious	2.9
dévoué[7a]	
devote	2.2
dévouement[3b]	
devotion	5.
dévouer[5b]	
se –, devote	2.2
dedicate	2.7
diable[2a]	
le –!, Heavens!	1.
devil	1.9
diabolique	
devilish	7.4
dialogue[6a]	
dialog(ue)	6.5
diamant[4a]	
diamond	3.6
diamètre	
diameter	6.2
dicter[4b]	
dictate	5.
dictionnaire[6a]	
dictionary	7.4
dieu[1a]	
God	1.
plaise à –, God grant	1.
mon –!, Heavens!	1.
différence[1b]	
difference	1.4
différend[5b]	
debate	3.
différent[1b]	
different	1.
différer[4b]	
differ	2.5
put off	2.6
vary	3.6
difficile[1b]	
hard (difficult)	1.
difficilement[5a]	
hard (difficult)	1.
difficulté[1b]	
trouble	1.
difficulty	1.9
diffusion	
spread	4.1
digérer[6b]	
digest	6.2
digestion[6a]	
digestion	7.4
digne[1b]	
être –, (be) worth	1.
worthy	1.8
– de confiance, reliable	3.8
dignité[3a]	
dignity	2.6
plein de –, stately	3.6
dimanche[1b]	
Sunday	1.9
dimension[4b]	
dimension	5.6
diminuer[2b]	
reduce	3.5
dindon	
turkey	5.6
dîner (n.)[1b]	
dinner	2.7
dîner (vb.)[2a]	
dine	3.1
diocèse[5a]	
province	1.5
diplomatie	
diplomacy	9.4

	Section
diplomatique[4a]	
diplomatic	7.6
dire[1a]	
vouloir –, mean	1.
say	1.
tell	1.
pour ainsi –, as it were	1.4
c'est à –, namely	2.6
direct[3a]	
direct	1.
directement[2b]	
direct	1.1
directeur[2b]	
director	2.8
direction[2a]	
direction	1.
rule	1.1
direction (administration)	1.8
leadership	4.6
diriger[1a]	
direct	1.
steer	3.9
discerner[4a]	
make out	1.4
disciple[5b]	
follower	3.2
discipline	
discipline	4.8
discorde	
discord	7.
discours[2a]	
talk	1.2
speech	1.6
discret[3b]	
discreet	5.7
discrètement[5b]	
discreet	5.7
discrétion[3b]	
discretion	3.9
discussion[2a]	
discussion	2.9
discutable	
debatable	10.8
discuter[2a]	
debate	2.9
discuss	3.3
disparaître[1a]	
disappear	1.4
disparition[5b]	
disappearance	8.3
dispenser[4a]	
dispense	5.9
disperser[4b]	
scatter	2.4
disposer[1b]	
settle	1.
dispose	1.8
disposé, disposed	3.
– d'avance, predisposed	9.3
disposition[2a]	
arrangement	2.4
temper	4.2
dispute[3b]	
dispute	4.3
disputer[2a]	
dispute	2.8
disque[6b]	
disk	5.4
dissimulation	
pretense	6.5
dissimuler[2b]	
hide (fact)	2.8
dissemble	6.8
dissiper[3a]	
waste	4.2
dissolution[6a]	
breaking (up)	2.7
ending	3.9

	Section
dissoudre[3b]	
dissolve	3.9
distance[2a]	
distance	1.1
distant[5a]	
far	1.
distillation	
distillation	8.4
distiller	
distil	6.9
distillerie	
distillery	8.4
distinct[3a]	
clear	1.
distinction[5b]	
difference	1.4
distinction	3.9
distinguer[1b]	
make out	1.4
distinguish	2.2
distraction[4a]	
pastime	4.8
distraire[3b]	
se –, (have) fun	2.9
amuse	3.5
distract	3.6
distrait[6a]	
absent (mind)	2.9
thoughtless	4.8
distraitement[6a]	
absent (mind)	2.9
distribuer[3b]	
distribute	3.3
distribution[5a]	
distribution	3.7
district[5a]	
district	2.1
dit (adj.)[6a]	
say	1.
divan[6b]	
couch	4.1
divergence[6b]	
difference	1.4
divers[1b]	
different	1.
various	2.6
divertir[5b]	
se –, enjoy	1.7
entertain	2.4
se –, (have) fun	2.9
dividende	
dividend	5.6
divin[3a]	
divine	2.
divinité	
divinity	4.9
diviser[2b]	
divide	1.1
division[3b]	
division (general and military)	2.2
division (act of dividing)	3.8
divorcer	
divorce	4.
dix[1a]	
ten	1.4
dix-huit[3b]	
eighteen	4.3
dix-huitième[6a]	
eighteenth	6.
dixième[5b]	
tenth	4.1
dix-neuf	
nineteen	6.3
dix-sept[6a]	
seventeen	6.
dizaine[4a]	
ten	1.4

	Section
docile[4b]	
obedient	3.2
docilement[6b]	
obedient	3.2
docteur[2b]	
doctor	1.
doctrine[3a]	
doctrine	2.6
document[4a]	
document	5.1
dogme[5a]	
dogma	8.3
doigt[1b]	
finger	1.4
– de pied, toe	4.6
domaine[2a]	
property	1.5
property (landed)	1.9
dôme	
dome	6.2
domestique (n.)[2a]	
servant (maid)	1.5
servant (man)	1.9
domestique (adj.)	
domestic (pertaining to house)	†2.9
domicile[4b]	
dwelling	2.3
domination[5a]	
rule	2.
dominer[1b]	
rule	1.
master	1.4
dommage[3a]	
damage	2.4
(too) bad	2.9
dompter[6b]	
subdue	4.3
tame	5.6
don[3a]	
present	1.7
bestowing	3.8
donateur	
giver	7.2
donc[1a]	
so	1.
therefore	1.
donner[1a]	
give	1.
shake	1.1
– à manger, feed	1.4
se – la peine (take) pains	1.4
– congé, dismiss	2.7
– congé (give) notice (to)	2.8
– une secousse, – des coups saccadés jerk	4.6
dont[1a]	
whose	1.
dorer[2b]	
gild	4.5
dormir[1b]	
sleep	1.4
dos[1b]	
back	1.4
dossier[4b]	
record	3.8
dot[4a]	
dowry	7.6
doter[3b]	
endow	4.3
douane[5b]	
duty	2.9
douanier[5a]	
custom house officer	8.9
double[2a]	
double	1.6

	Section
doubler[4a]	
double	4.2
doublure	
lining	6.8
doucement[1b]	
slow	1.2
doucereux[6b]	
mawkish	11.
douceur[2a]	
sweetness	5.2
gentleness	5.5
douer[4b]	
endow	4.3
douleur[1b]	
pain	1.
grief	1.8
douloureusement[5a]	
painful	3.2
douloureux[3a]	
painful	3.2
doute[1a]	
doubt	1.
sans – (without) doubt	1.
douter[2b]	
doubt	1.5
douter (se)[3a]	
– de, suspect	2.9
douteux[3b]	
doubtful	2.6
douve	
stave	7.2
doux[1a]	
gentle	1.4
soft	1.4
sweet	1.4
douzaine[3a]	
dozen	3.4
douze[1b]	
twelve	1.9
douzième	
twelfth	6.3
doyen[6a]	
dean	7.
dragon[6a]	
dragon	5.
dragoon	8.6
dramatique[3b]	
l'art –, drama	3.7
dramatic	4.6
drame[3a]	
drama	3.7
drap[3b]	
sheet	4.9
drapeau[3b]	
flag	2.6
draper[6b]	
cover	1.
dresser[1b]	
lift	1.
draw up (formulate)	2.
drogue[6b]	
drug	5.8
droit (n.)[1a]	
right	1.8
droit (adj.)[1a]	
direct	1.
right (correct)	1.
right (hand)	1.
fair	1.4
straight	1.8
droit (adv.)[6b]	
direct	1.1
droiture[6b]	
righteousness	6.9
drôle (adj.)[2b]	
strange	1.
funny	2.9

	Section
drôle (n.)[4a]	
knave	4.5
duc[4b]	
duke	2.3
duché	
dukedom	6.8
duchesse[4b]	
duchess	4.7
duel[4b]	
duel	7.
dûment	
duly	4.5
dupe[4a]	
dupe	8.2
dur[1b]	
hard (not soft)	1.
tough	5.
durable[6b]	
lasting	4.1
durant (prep.)[2a]	
during	1.
durée[4a]	
term	1.8
durement[4a]	
severe	1.6
durer[2a]	
last	1.1
dureté[6b]	
hardness	5.4
dynastie	
dynasty	7.8

E

	Section
eau[1b]	
water	1.
eau-de-vie[5a]	
liquor	4.3
ébaucher[5b]	
outline	4.5
éblouir[3b]	
dazzle	3.9
éblouissant[4b]	
dazzle	3.9
éblouissement[6b]	
surprise	2.4
ébouriffer[6b]	
ruffle	5.8
ébranler[3b]	
shake	1.9
ébullition[5b]	
boiling	5.3
écaille	
flake	6.8
écart[2b]	
à l' –, aside	3.1
écarter[2a]	
take away	1.
ecclésiastique[5b]	
church	2.6
échafaud[5b]	
scaffold	7.1
échange[3a]	
exchange	2.
échanger[2a]	
exchange	3.5
échantillon[5a]	
sample	2.7
échapper[1b]	
escape	1.8
escape (the memory)	2.6
écharpe[5a]	
scarf	6.1
échauffer[4b]	
heat	2.2

INDEX TO FRENCH WORDS IN THE LIST

	Section
échéance[6b]	
falling due	5.2
échec[3b]	
failure	3.1
échecs (*chess*)[6a]	
chess	8.2
échelle[3b]	
scale	1.8
ladder	5.
échelonner[6b]	
echelon	13.
écho[3a]	
echo	4.5
échoir[6b]	
happen	1.
échouer[5b]	
fail	2.6
éclabousser	
splash	6.6
éclair[3b]	
flash	3.3
éclairage[6a]	
lighting	3.2
éclaircir[5a]	
clear up	2.9
s'–, brighten	4.1
éclairé[4b]	
lighted	2.6
éclairer[1b]	
light	1.4
éclat[1b]	
burst (of laughter)	2.9
bursting (explosion)	2.9
splendor	3.6
éclatant[3a]	
brilliant	2.9
éclater[1b]	
burst	1.4
break out	2.2
break out (e.g., war)	2.3
burst (out laughing)	3.
éclipser	
eclipse	7.
écluse	
lock	4.8
écœurer[7a]	
disgust	6.
école[1b]	
school	1.
écolier[5b]	
pupil	1.7
économie[2b]	
faire des -s, save up	2.1
economy	6.2
économique[3a]	
saving	1.8
economic	6.2
écorce[5a]	
bark (of a tree)	4.9
écorcher	
skin (flay)	4.9
skin (scrape)	5.
écouler (s')[3a]	
pass (e.g., time)	2.6
écouter[1a]	
listen	1.8
écran[5b]	
screen	5.5
écraser[2b]	
crush	3.
écrier (s')[1b]	
call out	1.4
écrire[1a]	
write	1.
écrit, written	1.4
– des vers, compose	2.6
machine à –	
typewriter	5.6

	Section
écrit (*n.*)[4a]	
writing	1.4
écriture[3a]	
writing	1.8
écrivain[3b]	
author	1.9
écrouler (s')[4a]	
fall to pieces	2.6
écu[4b]	
shield	3.5
écueil[6b]	
reef	7.4
écuelle[6b]	
bowl	4.2
dish	4.5
écume[6a]	
foam	5.3
écumer[6a]	
foam	5.7
écureuil	
squirrel	6.
écurie[5a]	
stable	3.8
écuyer	
squire	6.
édifice[3b]	
building	1.6
édifier[5b]	
build	1.2
édit[5b]	
decree	2.6
éditeur	
publisher	5.8
édition[4b]	
edition	3.6
édredon	
quilt	6.8
éducation[2a]	
bringing up	1.6
education	1.6
effacer[2a]	
rub out	4.4
effarer[3b]	
frighten	1.9
effaroucher[5a]	
frighten	1.9
effectif[4b]	
actual	2.1
effectivement[4b]	
actual	2.1
effectuer[3b]	
effect	2.2
effet[1a]	
en –, (in) fact	1.
en –, indeed	1.
effect	1.4
efficace[5a]	
working (effective)	2.
efficacité	
efficacy	5.4
effleurer[5a]	
graze	3.4
effondrement[5b]	
crumbling	6.5
effondrer[5b]	
fall to pieces	2.6
sink	3.2
efforcer (s')[2a]	
try hard	1.5
effort[1a]	
faire des -s, try hard	1.5
effort	1.8
effrayant[6a]	
frightening	2.4
effrayer[1b]	
frighten	1.9

	Section
effroi[3a]	
fear	1.4
effroyable[3b]	
terrible	1.8
effusion[6a]	
gush	3.6
égal[1b]	
equal	1.
same	1.
également[1b]	
also	1.
equal	1.
(in like) manner	1.2
égaler[5b]	
equal	2.3
égalité[3b]	
equality	4.6
égard[2a]	
à l'–, as for	1.
regard (consideration)	1.5
regard (esteem)	2.5
égarer[3b]	
stray	3.1
égayer[5a]	
cheer (up)	4.6
église[1b]	
church	1.
égoïsme[4b]	
par, avec –, selfish	5.7
selfishness	6.3
egoism	11.5
égoïste[4a]	
selfish	5.7
égorger[6a]	
kill	1.4
égyptien	
Egyptian	5.4
eh bien![2a]	
well	2.3
élaboration[5b]	
working out	4.9
élaborer	
draft	3.6
élan[2b]	
zest	6.8
élancé[6a]	
slight	3.3
élancer (s')[2b]	
dash	1.8
élargir[3a]	
increase	1.1
enlarge	3.3
élastique	
elastic	6.6
électeur[5a]	
voter	4.6
électeur	
elector	5.6
élection[3b]	
election	2.1
électoral[6b]	
electoral	8.4
électricité[4a]	
electricity	5.6
électrique[3b]	
electric	3.
élégance[3b]	
elegance	7.5
élégant[3b]	
elegant	3.6
élément[2a]	
element	2.3
élémentaire	
elementary	7.2
éléphant	
elephant	5.

	Section
élévation[5b]	
lifting	2.2
elevation	4.2
élève[2b]	
pupil	1.7
élever[1a]	
lift	1.
bring up (child)	1.9
breed	4.7
s'–, soar	5.6
éliminer[6b]	
eliminate	7.4
élire[4a]	
elect	3.
élite[5a]	
select	4.9
elle, elles[1a]	
she	1.
they	1.
elle-même	
herself	1.7
éloge[4a]	
praise	2.7
éloigné[4a]	
far	1.
éloignement[6b]	
distance	1.1
éloigner[1b]	
take away (remove)	1.
take away (separate)	1.
éloquence[3b]	
eloquence	5.1
éloquent[5a]	
eloquent	6.4
élu (*n.*)[6a]	
elect	3.
émail[6b]	
enamel	6.8
émancipation	
freeing	3.4
émaner[5a]	
come from	1.
embargo	
embargo	10.6
embarquer[3a]	
sail	3.
embarras[2b]	
trouble	1.
bar (obstacle)	2.1
embarrasser[2a]	
embarrass	3.2
embaumer[5b]	
perfume	5.4
embellir[5b]	
trim	2.4
embêtant[6b]	
tedious	5.2
embêter[4a]	
bore	4.6
embouchure[5b]	
mouth (of river)	2.7
embraser[5a]	
set (on) fire	2.7
embrasser[1b]	
kiss	1.4
embrace	3.
embrouillement	
tangle	5.6
embrouiller[5a]	
perplex	3.6
entangle	4.4
émeraude	
emerald	6.9
émerveillé[5b]	
astonish	2.7
émettre[4b]	
send forth	3.4

	Section		Section		Section		Section
émeute[6b]		en (prep.)[1a]		enflammer[6b]		enrouler (s')[6a]	
riot	4.6	in	1.	stir	1.9	wind	3.3
émigration[6a]		en (pron.)[1a]		set (on) fire	2.7	twist	4.
emigration	7.7	any (some)	1.	enfler[6a]		enseigne[6b]	
émigré (n.)[5a]		of	1.	swell	3.9	sign	3.4
emigrant	7.3	encadrer[3b]		enfoncer[2a]		enseignement[2b]	
émigrer[6a]		frame	5.1	sink	3.2	instruction	2.4
emigrate	7.6	enceinte (n.)[5b]		enfouir[7a]		enseigner[2b]	
éminemment[6b]		wall	1.7	bury	3.1	teach	1.
eminently	4.1	encens		enfuir (s')[2b]		ensemble[1a]	
éminence		incense	6.1	run away	1.5	together	1.
eminence	5.3	enchaîner[6a]		engagement[3b]		whole	1.5
éminent[4a]		chain	2.7	engagement	4.7	ensoleillé	
famous	1.1	enchantement[6a]		engager[1b]		sunny	6.
emmener[2b]		spell	4.4	engage	1.9	ensuite[1a]	
bring	1.	enchanter[2a]		engeance[6a]		then	1.
take away	1.	delight	2.	brood	5.8	afterwards	1.8
émoi[6a]		charm	2.4	engendrer[4b]		ensuivre (s')[7a]	
worry	2.8	enclos[5a]		beget	3.4	follow	1.
emotion	3.2	shut in, up	1.9	engloutir[7a]		result	1.5
émotion[1b]		enclume		devour	3.8	entamer[4a]	
feeling	1.	anvil	7.2	engouement[6b]		take up	1.7
emotion	4.3	encombrer[4b]		fad	8.5	entasser[4b]	
émousser		crowd (vb.)	2.2	engourdir[5b]		heap up	3.2
blunt	6.2	block up	4.	dull	5.3	entendre[1a]	
émoussé		encore[1a]		engrais		hear	1.
dull	5.2	again	1.	fertilizer	5.7	entendu (adj.)[2a]	
émouvoir[2b]		still	1.	engraisser[6b]		bien –, (of) course	1.
move	1.5	encouragement[5b]		(get, grow) fat	2.7	agreed	2.8
emparer de (s')[3a]		encouragement	6.7	enivrer[6b]		entente[4b]	
(take) possession (of)	1.8	encourager[3a]		(make) drunk	4.8	understanding	1.7
empêcher[1a]		urge	2.5	enivrer (s')[6a]		agreement	3.1
keep from	1.4	encourage	4.8	(get) drunk	5.8	enterrement[5a]	
hinder	3.7	encourir		enjamber[5b]		burial	5.7
empereur[3a]		incur	3.6	stride	3.3	enterrer[4a]	
emperor	2.1	encre[4a]		enlevé (adj.)[7a]		bury	3.1
emphase[6b]		ink	5.1	choice	5.3	entêtement	
emphasis	5.1	encrier		enlèvement[6b]		obstinacy	7.2
empire[3a]		inkwell	8.9	removal	4.6	enthousiasme[2a]	
empire	1.7	en dessous[6a]		enlever[1b]		enthusiasm	3.6
dominion	3.1	beneath	1.6	take away	1.	enthousiaste[6a]	
emplir[3b]		endormir[3a]		take off	1.8	enthusiastic	5.4
fill	1.4	put to sleep	4.	ennemi[3a]		entier[1a]	
emploi[3b]		endormir (s')[2b]		enemy	1.	complete	1.
use	1.1	(go to) sleep	3.9	ennoblir[6a]		entièrement[2b]	
employment	3.7	endos(sement)		ennoble	6.8	all	1.
employé(-e) (n.)[3a]		indorsement	11.2	ennui[2b]		entourage[5b]	
clerk	2.7	endroit[1b]		care	1.3	circle	1.1
employee	3.1	place	1.	bore	4.	entourer[1b]	
employer[1b]		endurcir[6b]		vexation	5.8	surround	1.8
use	1.	harden	6.1	ennuyer[3a]		entrailles	
empoisonnement[6b]		énergie[2a]		trouble	1.5	entrails	7.7
poisoning	5.8	energy	3.6	vex	4.1	entraîner[1b]	
empoisonner[3b]		énergique[3b]		bore	4.6	draw along	2.6
poison	5.1	(full of) energy	3.3	ennuyeux[4a]		entre[1a]	
emporter[1a]		énergiquement[5b]		troublesome	4.4	among	1.
take away	1.	(full of) energy	3.3	tedious	5.2	between	1.
emporter (s')[4b]		énerver[3b]		énoncer[5b]		entrée[1b]	
(get) angry	2.4	énervé, nervous	4.4	state	2.2	entrance (place)	1.8
rage	3.7	enfance[2b]		enorgueillir (s')[7a]		entrance (act)	2.2
empreinte[5b]		childhood	3.3	(be) proud (of)	1.6	entremets[6a]	
impression	2.6	enfant[1a]		énorme[1b]		(side) dish	4.6
empressement[7a]		child	1.	great (huge)	1.	entreprendre[3a]	
hurry	2.4	chambre d'-s, nursery	5.8	enquête[3a]		undertake	2.5
empresser (s')[2b]		enfantillage[6a]		inquiry	3.5	entrepreneur[6b]	
hurry	1.2	childish	4.6	enraciné		contractor	6.6
emprisonnement		enfantin[3b]		– dans, (have) roots in	4.2	entreprise[2b]	
imprisonment	5.	childish	4.6	enrager[5a]		undertaking	2.4
emprisonner[6a]		enfer[4a]		(make) mad	2.9	entrer[1a]	
imprison	3.6	hell	3.	enregistration		enter	1.
emprunt[4b]		enfermer[2a]		registering	4.2	entretenir (s')[3b]	
loan	5.3	shut in, up	1.9	enregistrer[3b]		talk	1.
emprunter[4b]		enfin[1a]		register	3.	entretien[2b]	
borrow	3.3	(at) last	1.	enrichir[3b]		talk	1.
ému (adj.)[2a]				enrich	5.	conversation	2.6
nervous	4.4			enrôlement		keeping up	3.4
				draft	5.2	interview	4.3

	Section
entrevoir[2b]	
glance	2.3
entr'ouvrir[3a]	
open	1.
half open	1.5
énumérer[4b]	
enumerate	6.8
envahir[3a]	
invade	3.8
enveloppe[3a]	
wrapping	3.4
envelop	5.6
envelopper[2a]	
wrap	2.3
envers (*prep.*)[3a]	
toward	1.
envers (*n.*)	
(wrong) side	1.7
enviable[4a]	
enviable	11.4
envie[1b]	
desire	1.
envy	3.1
envier[5b]	
ne pas –, (not) envy	3.5
envy	3.9
environ[1b]	
about (approximately)	1.
–s, part (of country)	1.
environner[5a]	
surround	1.8
envisager[2b]	
consider	1.8
envoi[7a]	
sending	2.6
shipment	3.9
envoler (s')[3b]	
fly	1.6
envoyer[1a]	
send	1.
épais[2b]	
thick	1.2
épaisseur[5a]	
thickness	5.1
épanouir[3b]	
s'–, bloom	3.
épargne[4b]	
savings	3.7
épargner[3b]	
save up	2.1
spare	3.4
éparpiller[6a]	
scatter	2.4
épars[4b]	
scatter	2.4
épaule[1b]	
shoulder	1.5
épée[3b]	
sword	2.
éperdu[6a]	
distracted	5.5
éperon[6a]	
spur	5.8
épervier	
hawk	5.8
épice	
spice	6.
épicerie	
grocery	6.9
épicier	
grocer	6.4
épier[5a]	
spy	5.1
épine[4b]	
thorn	4.3
spine	7.

	Section
épingle[4a]	
pin	4.
épisode[3a]	
episode	5.7
éponge[6b]	
sponge	6.6
époque[1b]	
age	1.8
épouse[4b]	
wife	1.
épouser[2a]	
marry	2.3
épouvantable[4a]	
terrible	1.8
épouvante[5a]	
fear	1.4
épouvanter[3a]	
frighten	1.9
époux[4a]	
husband	1.
épreuve[2a]	
test	1.9
épris[5b]	
(in) love	2.7
éprouver[1b]	
feel	1.
experience	1.8
épuiser[2b]	
épuisé, spent	2.
exhaust	2.4
s'–, run down	2.6
équateur	
equator	7.2
équilibre[3b]	
balance	2.6
équilibrer[5a]	
balance	3.2
équipage[4b]	
following	2.3
crew	3.2
équipe[5a]	
band (gang)	2.1
shift (of workmen)	3.5
équipement[6b]	
equipment	5.3
équiper[7a]	
fit up	1.8
équité[5b]	
justice	1.8
equity	5.7
équivalent[4a]	
(of same) value	1.8
équivoque[5a]	
doubtful	2.6
érable	
maple	6.4
ère[4a]	
age	1.8
ermite	
hermit	6.6
errant[5a]	
wandering	4.9
errer[4a]	
wander	2.7
erreur[1b]	
error	1.8
érudit[6b]	
learned	1.6
scholar	2.3
érudition[5b]	
learning	3.6
escadron	
squadron	4.9
escalader[6b]	
scale	5.2
escalier[2a]	
stairs	2.5

	Section
escargot	
snail	6.8
esclavage	
réduire à l'–, enslave	8.1
esclave[4b]	
slave	2.2
espace[2a]	
room (space)	1.
espagnol[3a]	
French	1.
espalier[6b]	
trellis	9.4
espèce[1b]	
kind	1.
espérance[2a]	
hope	1.
espérer[1a]	
hope	1.
espièglerie	
mischief	4.5
prank	5.7
espion[6a]	
spy	5.4
espoir[1b]	
hope	1.
esprit[1a]	
spirit	1.
mind	1.1
wit	2.7
ghost	3.2
esquisse[6a]	
sketch	3.9
esquiver[6b]	
escape	1.8
essai[3b]	
attempt	1.8
experiment	2.6
essaim[6a]	
drove	3.9
essayer[1a]	
try	1.
essence (*essence*)[3b]	
essence	5.7
essence	
gasoline	6.8
essentiel[3a]	
essential	2.9
essentiellement[5b]	
essential	2.9
essuyer[2b]	
wipe	4.7
est (*n.*)[5a]	
east	2.
esthétique[6b]	
artistic	3.4
aesthetic	8.8
estimable[5b]	
estimable	10.1
estime[3a]	
regard	2.5
estimer[1b]	
value	1.4
estomac[3a]	
stomach	3.7
estrade	
platform	6.2
estropier	
lame	4.6
estuaire	
estuary	9.4
et[1a]	
and	1.
établir[1b]	
settle	1.
prove	1.4
établissement[3a]	
establishment	3.8

	Section
étage[2a]	
floor	2.5
étain[6b]	
tin	4.
étalage[6a]	
display	2.6
étaler[3b]	
display	3.
spread (butter)	4.5
étalon	
d'–, standard (*adj.*)	3.
– or, (gold) standard	3.1
étancher	
quench	5.4
étang[3b]	
pond	2.7
étape[5a]	
stage	3.6
état[1a]	
state (condition)	1.
state (nation)	1.
d'–, state	1.8
homme d'–, statesman	3.
– de santé (state of) health	3.1
en – d'arrestation (under) arrest	6.1
état-major[6a]	
staff	3.1
Revue de l'– publication of the general staff	5.1
etc.	
etc.	3.1
été (*n.*)[2a]	
summer	1.6
éteindre[1a]	
put out (extinguish)	1.9
étendre[1b]	
extend	1.
spread	1.4
étendue (*n.*)[3a]	
range	3.6
éternel[2a]	
eternal	1.5
éternellement[4a]	
eternal	1.5
éterniser[6a]	
prolong	3.6
éternité[5a]	
eternity	3.9
éther	
ether	6.
éthéré	
ethereal	7.
étincelle	
spark	4.4
étiquette	
label	5.2
étoffe[3b]	
cloth	1.3
étoile[2a]	
star	1.5
étonnant (*adj.*)[3b]	
astonishing	5.
étonnement[3a]	
surprise	2.4
étonner[1a]	
s'–, wonder	1.8
astonish	2.7
étouffer[2b]	
choke	3.7
étourdi (*adj.*)[5b]	
thoughtless	4.8
étourdir[5b]	
(make) dizzy	4.4
din	6.2

	Section		Section		Section		Section
étourdissement[6b]		évoquer[3a]		exemplaire (n.)[4b]		exposer[1b]	
daze	7.8	call forth	1.6	copy	2.7	expose	2.2
étrange[1b]		exact[2b]		exemple[1a]		exposition[3b]	
strange	1.	exact	1.4	example	1.4	display	2.6
étranger[1a]		exactement[2a]		par –, (for) example	1.4	exprès (adj.)[3a]	
stranger	1.8	exact	1.4	exemption[6a]		express	2.6
à l'–, abroad	2.2	exactitude[5a]		exemption	7.8	expressif[5a]	
foreign	2.2	precision	5.8	exercer[2a]		(full of) meaning	3.3
foreigner	2.6	exagération[5b]		exercise	1.6	expression[1b]	
étrangler[4a]		exaggeration	7.7	exercice[2b]		expression	2.2
choke	5.3	exagérer[2b]		exercise	1.7	exprimer[1b]	
être (vb.)[1a]		exaggerate	4.5	exhaler[5a]		express	1.
be	1.	exaltation[4a]		breathe	2.7	expulser[3b]	
être (n.)[1b]		exaltation	6.3	exhibition[5b]		expel	4.3
being	1.	exalter[4a]		display	2.6	expulsion	
étreindre[4a]		elate	1.9	exhorter		expulsion	9.
clasp	3.1	exalt	2.7	admonish	6.3	exquis[2b]	
étreinte[6a]		examen[2a]		exigence[5b]		exquisite	3.6
embrace	5.2	test	1.9	demand	3.	extension[6a]	
étrier		examiner[1b]		exiger[2a]		extension	4.4
stirrup	7.	examine	1.5	demand	1.	exténuer[5b]	
étroit[1b]		exaspérer[4b]		exil[4a]		exhaust	2.4
narrow	1.	exaspéré, angry	2.4	exile	6.	extérieur[2a]	
étroitement[4b]		excellence[3a]		exiler[5a]		outside	1.4
narrow	1.	highness	4.8	banish	4.1	outward(s)	3.4
étude[2a]		excellence		existence[1b]		extraction[5b]	
study	1.5	(superiority)	5.1	existence	2.6	de basse –	
étudiant[4a]		excellence (refine-		exister[1a]		(of) lowly birth	6.4
student	3.1	ment)	5.6	exist	1.8	extraire[5b]	
étudier[1b]		excellent[1b]		exotique[6b]		extract	5.
study	1.4	excellent	1.8	foreign	2.2	extrait (n.)[6a]	
étui[6b]		exceller[6a]		expansif[5b]		extract	5.4
case	3.6	excel	3.5	expansive	9.3	extraordinaire[2a]	
européen[3b]		excepté (prep.)[5b]		expansion[5b]		unusual	2.
European	2.5	except	1.1	expansion	4.1	extravagant[5b]	
eux[1a]		excepter[6a]		expédier[3b]		extravagant	7.3
they	1.	except	1.7	send	1.	extrême[2a]	
eux-mêmes[5b]		exception[3a]		expédition[3a]		extreme	1.5
themselves	1.4	exception	2.5	sending	2.6	extrêmement[2b]	
évacuer[5a]		exceptionnel[4a]		expedition	3.1	very	1.
evacuate	7.7	exceptional	5.4	shipment	3.9	extrémité[2b]	
évader[5b]		exceptionnellement[6b]		expérience[2a]		extremity	5.1
escape	1.8	exceptionally	4.8	experience	1.6		
évaluer[4a]		excès[2b]		faire l'–, experience	1.8	**F**	
rate	2.3	excess	3.3	faire des -s, experiment	2.4		
évangile[6a]		excessif[4a]		experiment	2.6	fable[5a]	
gospel	3.4	extreme	1.5	expérimental[6a]		fairy tale	3.4
évanouir (s')[3b]		excessive	4.6	experimental	7.7	fable	4.4
faint	3.3	excitation[6a]		expert[5a]		fabricant[6b]	
évanouissement[6b]		excitement	4.2	expert (n.)	4.2	maker (manufactur-	
faint	4.1	exciter[2b]		expiation		er)	3.5
éveil		stir	1.9	atonement	7.	maker	4.7
en –, watchful	6.4	urge on	4.8	expirer[4b]		fabrication[4b]	
éveiller[2a]		exclamation[4b]		expire	4.3	manufacture	2.9
wake (tr. vb.)	1.9	exclamation	5.3	explicatif		fabrique[5a]	
s'–, wake (intr. vb.)	1.9	exclure[4a]		explanatory	10.2	factory	2.6
événement[1b]		shut out	1.6	explication[3b]		fabriquer[3b]	
event	†2.	exclusif[4b]		explanation	2.9	manufacture	3.
éventail[6b]		exclusive	4.2	expliquer[1a]		fabuleux[6a]	
fan	3.9	exclusivement[4a]		account for	1.	fabulous	7.1
éventuel[6a]		exclusively	3.	exploit[4b]		façade[4a]	
casual	3.8	excursion[6b]		exploit	5.9	front	1.5
évêque[3a]		excursion	4.1	exploitation[4b]		face[1a]	
bishop	3.3	excuse[2b]		working	4.7	en –, across	1.
évidemment[2a]		excuse	2.9	exploiter[3a]		face	1.
evident	2.5	excuser[2a]		exploit	5.8	en –, opposite	1.4
évidence[3a]		pardon	2.2	exploration[6b]		fâché[3a]	
evidence	2.3	exécuter[2a]		exploration	4.6	angry	2.4
évident[3a]		carry out	1.	explorer[6a]		fâcher[5a]	
evident	2.5	faire –, enforce	4.4	explore	3.8	offend	2.8
éviter[1b]		exécuteur[5b]		explosion[5a]		grieve	3.4
avoid	1.8	executor	7.7	bursting	2.9	fâcher (se)[4b]	
évoluer[6a]		exécutif		exportation[5a]		(be) hurt	2.3
change	1.4	executive	6.5	export	5.1	(get) angry	2.4
évolution[4a]		exécution[3a]		exposé (n.)[6a]		fâcheux[3a]	
development	2.1	carrying out	2.2	statement	2.1	unpleasant	3.8
evolution	4.5	performance	3.			facile[1b]	
						easy	1.

INDEX TO FRENCH WORDS IN THE LIST

	Section
facilement[3a]	
easily	1.6
facilité[3b]	
ease	3.3
faciliter[4a]	
(make) easy	1.8
façon[1a]	
way	1.
facteur[3b]	
element	2.3
agent	2.9
porter	3.3
factice[6b]	
artificial	3.2
faction[6a]	
party	1.1
facture[7a]	
account	1.
faculté[2b]	
ability	3.2
staff (university)	4.2
fade[5b]	
flat	5.3
fagot[6a]	
bundle	4.
faible[1b]	
weak	1.1
faiblement[5a]	
weak	1.1
faiblesse[2b]	
weakness	2.9
faiblir[5a]	
weaken	4.8
faillir[3a]	
fail	2.6
faim[3a]	
avoir –, (be) hungry	2.8
hunger	3.2
faire[1a]	
cause	1.
do	1.
– part, (let) know	1.
make	1.
ne rien –, matter (neg.)	1.
– asseoir, seat	1.
– voir, show	1.
– des efforts, try hard	1.5
– mal à, hurt (tr. vb.)	1.8
– mal, hurt (intr. vb.)	1.8
– le commerce, trade	2.4
– une promenade, walk	2.4
– la pêche, fish	2.5
– serment, swear	2.7
– allusion, refer to	3.1
se – de la bile, worry	3.2
– le service, ply	3.4
– honte à, shame	3.4
– grâce, spare	3.4
– la malle, pack	3.5
– du bien, benefit	3.6
– semblant make believe	4.2
– signe, beckon	4.3
– exécuter, enforce	4.4
– naufrage, shipwreck	6.9
fait (n.)[1a]	
fact	1.
de –, en –, (in) fact	1.
falaise[5b]	
cliff	4.6
falloir[1a]	
must	1.
comme il faut, proper	1.4
comme il faut, decent	4.
fameux[2a]	
famous	1.1
familier[2b]	
familiar	3.3

	Section
familièrement[6b]	
familiar	3.3
famille[1a]	
family	1.
famine[6b]	
famine	5.1
fanatisme[6a]	
fanaticism	10.
faner[5b]	
se –, droop	4.4
fade	4.9
fanfare[6b]	
flourish (trumpets)	5.8
fantaisie[2b]	
fancy	2.
fantasque[6b]	
strange	1.
fantastique[4a]	
fantastic	4.7
fantôme[4a]	
ghost	3.2
farce (n.)[6b]	
farce	5.8
fardeau[4a]	
load	1.4
farine[5b]	
flour	3.2
farouche[3a]	
shy	4.2
fatal[3a]	
mortal	2.9
fatalement[6a]	
mortal	2.9
fatalité[6a]	
misfortune	2.2
(bad) luck	2.7
fatigant[5b]	
tire	2.4
fatigue[1b]	
weariness	5.6
fatigué (adj.)[2b]	
tired	1.9
fatiguer[3a]	
tire	2.4
faubourg[4a]	
suburb	6.3
faucher[6b]	
cut	4.7
faucheur	
mower	7.2
faucille	
sickle	6.9
faucon	
hawk	5.8
falcon	7.
fausser[5a]	
distort	7.5
faute[1b]	
fault	1.4
error	1.8
guilt	2.2
faute de[3b]	
(for) want of	3.
fauteuil[1b]	
chair	1.8
fauve[5a]	
wild	1.6
faux (adj.)[1b]	
wrong	1.
false	1.4
– cheveux, switch	5.9
faux (n.)[5a]	
scythe	7.3
faveur[1b]	
en – de, for (in favor)	1.
favor	1.4

	Section
favorable[2a]	
favorable	2.2
favori (adj.)[6a]	
favorite	3.4
favori(-te) (n.)[6b]	
favorite	3.4
favoriser[2b]	
favor	2.1
fécond[4a]	
fertile	3.8
féconder	
fertilize	6.8
fédéral	
federal	6.5
fédération[4b]	
confederacy	5.1
fée[4b]	
conte de –, fairy tale	3.4
fairy	5.
pays de –s, fairy land	6.2
féerie[6b]	
spectacle	5.6
feindre[3b]	
hide (fact)	2.8
félicitation[6a]	
congratulation	5.3
félicité[5b]	
happiness	1.4
bliss	3.7
féliciter[4b]	
congratulate	6.2
féminin[6a]	
female	3.3
feminine	4.1
femme[1a]	
wife	1.
woman	1.
– d'un certain âge matron	6.5
fendre[4b]	
crack	2.6
plow (e.g., ship plows through waves)	5.4
fenêtre[1a]	
window	1.4
fente[5a]	
crack	3.4
féodal[6b]	
feudal	7.8
fer[1b]	
de –, iron	1.4
iron	1.8
chemin de –, railroad	2.
fil de –, wire	4.2
– à cheval, horseshoe	7.1
ferme (n.)[2a]	
farm	3.2
ferme (adj.)[2b]	
firm (fixed)	1.1
firm (character)	1.1
fermentation	
fermentation	6.4
fermenter[5b]	
ferment	7.7
fermer[1a]	
close	1.
– à clef, lock	1.5
fermeté[5b]	
vigor	4.
firmness (of character)	5.4
fermier[4a]	
farmer	1.8
féroce[3b]	
wild	1.6
férocité	
fierceness	7.8
ferraille[6b]	
(old) iron	2.3

	Section
ferré[3b]	
expert	5.6
fertile[5b]	
fertile	3.8
fervent[6b]	
religious	2.3
fervent	7.2
ferveur[6b]	
fervor	4.8
fesse[6b]	
buttock	10.
festin[5a]	
feast	3.5
fête[1b]	
party	1.
jour de –, holiday	2.6
festival	3.4
entertainment	4.6
feu[1a]	
fire	1.
prendre – (catch on) fire	2.5
coup de – discharge (of gun)	2.7
feuillage[3b]	
foliage	5.2
feuille[1b]	
sheet	2.2
leaf (of tree)	2.6
couvert de –s, leafy	6.6
feuilleter[4b]	
thumb	5.6
feutre[6a]	
felt	5.
février[4b]	
February	2.4
fiacre[5a]	
cab	3.9
fiancé[4b]	
engaged	2.5
fiancer	
betroth	6.8
fibre[6a]	
fiber	5.5
fiche (n.)[5b]	
slip (of paper)	3.5
ficher (se)[6b]	
(make) fun of	2.8
fichu (adj.)[6b]	
bad	1.
undone (figurative)	3.5
fidèle[2a]	
faithful	2.7
fidèlement[5a]	
faithful	2.7
fidélité[6a]	
loyalty	3.6
fiel	
gall	6.4
fier (adj.)[1b]	
proud	1.6
fier (vb.)[6b]	
trust	1.4
fier (se)[6b]	
count on	1.
trust	1.4
fièrement[5b]	
proud	1.6
fierté[4b]	
pride	2.4
fièvre[2b]	
fever	3.3
fiévreux[5a]	
feverish	6.9
fifre	
fife	6.
figer[5b]	
congeal	6.3

282   SEMANTIC FREQUENCY LIST

	Section
figue	
fig	6.4
figure[1a]	
face	1.
figurer[6b]	
be	1.
figurer (se)[2b]	
imagine	1.4
fil[2b]	
thread	2.4
edge (of knife)	2.6
– de fer, cuivre, etc.	
wire	4.2
sans –, wireless	6.
file[3a]	
row	1.2
filer[2b]	
spin	3.9
filet[4a]	
net	3.1
filial	
filial	5.8
fille[1a]	
daughter	1.
jeune –, girl	1.
fillette[5b]	
girl	1.
fils[1a]	
son	1.
fin (n.)[1a]	
end	1.
tirer à sa –, run down	2.6
fin (adj.)[1b]	
fine	1.
final[3a]	
final	2.9
finalement[4b]	
(at) last	1.
finally	2.2
finance[3a]	
finance	5.3
financier[3b]	
financial	4.1
finesse[3b]	
delicacy	5.4
fini (adj.)[3b]	
end	1.
finir[1a]	
end	1.
fixe (adj.)[3a]	
fix	1.
firm (fixed)	1.1
fixer[1b]	
fix	1.
peer	3.5
fixité[6b]	
firmness (physical)	5.5
flacon[4a]	
bottle	2.1
flairer[5a]	
smell	3.5
flagrant[5b]	
flagrant	10.1
flamand[6b]	
Belgian	9.
flambeau[5a]	
torch	5.
flamber[3b]	
blaze	4.3
flamme[2b]	
flame	2.
flanc[3a]	
side	1.
flanelle	
flannel	7.2
flâner	
stroll	6.6
flanquer[4b]	
flank	6.4

	Section
flatter[3a]	
flatter	3.
flatterie	
flattery	6.6
flèche[4a]	
arrow	3.2
fléchir[6a]	
bend	2.4
flétrir[4b]	
se –, droop	4.4
fade	4.9
fleur[1b]	
flower	1.4
blossom	2.2
– d'oranger	
orange blossom	4.9
fleurir[3a]	
blossom	3.
fleuri, flowery	5.5
fleuve[3b]	
river	1.5
flocon	
snowflake	7.8
flot[3a]	
wave	2.9
à –, afloat	6.7
flottant[6a]	
float	2.9
flotte[6b]	
fleet	3.
flotter[2b]	
wave	1.7
float	2.9
fluide[5b]	
fluid	3.4
liquid	3.4
flûte	
flute	6.5
flux[6a]	
flow	2.6
foi[1b]	
faith	1.4
foie[4b]	
liver	6.
foin[5b]	
hay	4.8
foire[5a]	
market	1.7
fois[1a]	
encore une –, again	1.
une –, once	1.
time (how many)	1.
à la –, (at same) time	1.
deux –, two times	1.8
chaque –, every time	2.2
pour la première –	
(for the) first time	2.6
folie[2a]	
folly	3.2
madness	4.1
folle (n.)[5a]	
mad	2.7
foncer[4a]	
deepen	5.
fonction[2b]	
function	3.6
fonctionnaire[3b]	
official	2.8
fonctionnement[6b]	
working	5.
fonctionner[4a]	
function	2.8
fond[1a]	
bottom	1.
à –, thorough	2.
background	4.2
fondamental[4a]	
fundamental	5.2
fondateur[5b]	
founder	6.1

	Section
fondation[5b]	
establishment	3.8
foundation	4.2
foundation (of a	
building)	4.4
fonder[2a]	
found	1.5
– sur, rest on	1.9
fondre[2b]	
melt	2.5
– en larmes	
burst into tears	3.5
fonds[5b]	
funds	4.6
fontaine[3a]	
fountain	2.8
fonte[5b]	
melting	3.3
football	
football	6.8
forain[6a]	
peddler	7.
force (n.)[1a]	
force	1.
forcé (adj.)[2b]	
forced	1.1
forcément[5a]	
(of) necessity	2.3
forcer[1b]	
force	1.
forêt[2a]	
forest	1.
forge[5a]	
forge	5.9
forger[5a]	
forge	5.7
forgeron[4b]	
blacksmith	5.6
formalité[5a]	
ceremony	2.
formality	7.9
formation[4b]	
formation	4.
forme[1a]	
figure	1.
former[1a]	
form	1.
formidable[2b]	
terrible	1.8
formule[3a]	
formula	5.3
formuler[4b]	
draw up	2.
fort (adj.)[1a]	
strong	1.
fat	1.9
fort (adv.)[4a]	
very	1.
fortement[2b]	
strong	1.
forteresse[5a]	
fort	2.6
fortifier[5a]	
strengthen	3.4
fortuit	
accidental	4.7
fortune[1b]	
fortune	1.4
fossé[3b]	
ditch (irrigation)	3.6
ditch	3.9
fossette	
dimple	7.2
fou (n.)[3a]	
mad	2.7
fou, folle (adj.)[2a]	
mad	2.7
rendre –, (make) mad	2.9

	Section
foudre[4a]	
thunderbolt	4.1
fouet[5a]	
whip	4.8
fouetter[4b]	
whip	4.8
fougère	
fern	6.4
fouiller[2b]	
dig	4.8
foule[1b]	
crowd	1.
fouler[4b]	
step	1.1
foulure	
wrench	6.8
four[4a]	
furnace	2.7
oven	2.7
fourchette[5a]	
fork	4.2
fourmi	
ant	6.
fourneau[5a]	
stove	3.3
fournir[1b]	
supply	1.1
– plus tard	
supply later	3.
fourreau[4b]	
sheath	4.4
fourrer[4b]	
place	1.
fourrure	
fur	5.
foyer[2a]	
hearth	3.2
focus	6.1
fracas[5b]	
noise	2.6
crash	5.6
fracasser[6a]	
shatter	4.2
fraction[6b]	
fraction	4.9
fragile[4b]	
delicate	2.3
frail	5.1
fraîcheur[3a]	
cool	3.2
frais (adj.)[2a]	
fresh	1.1
frais (n.)[2a]	
price	1.
cool	1.9
expense	3.3
fraise[6a]	
strawberry	5.8
franc (n.)[1b]	
pound	1.
franc (adj.)[3a]	
open	1.3
français (adj.)[1a]	
English	1.
Français (n.)[5a]	
English	1.
franchement[3b]	
open	1.3
franchir[2a]	
cross	1.
franchise[5b]	
frankness	7.2
frange	
fringe	5.8
frappant (adj.)[6b]	
striking	2.5

INDEX TO FRENCH WORDS IN THE LIST

frapper[1a]
  beat 1.1
  strike 1.1
  (make an) impression 2.2
  knock (on door) 2.6
fraternel
  brotherly 6.9
frein
  brake 5.6
frêle[5a]
  weak 1.1
  frail 5.1
frémir[3a]
  tremble 1.8
frémissement[5b]
  shiver 4.7
fréquemment[5a]
  often .... 1.
fréquent[3b]
  frequent 1.7
fréquenter[4b]
  associate .... 3.
  frequent 4.7
frère[1b]
  brother .... 1.
friction
  friction 6.1
frire
  fry 6.3
friser[6a]
  curl 4.8
frisson[3b]
  shiver 4.7
frissonner[3a]
  tremble 1.8
frivole[6a]
  frivolous 5.8
frivolité[6a]
  fancy 3.7
  frivolity 9.3
froid[1b]
  cold .... 1.
froid (n.)[2b]
  cold 1.9
froidement[3b]
  cold .... 1.
froideur[5a]
  cold 1.9
  coldness 6.2
froisser[4a]
  hurt (tr. vb.) 1.8
  bruise 5.7
  wrinkle 5.7
frôler[5b]
  graze 3.4
fromage[4b]
  cheese 4.7
froncer[6b]
  gather 4.7
  frown 5.5
fronde
  sling 6.5
front[1b]
  forehead 1.8
frontière[3a]
  border 1.7
frotter[3a]
  rub 3.2
fruit[2a]
  fruit 1.5
fruitier[6b]
  greengrocer .... 13.
fugitif
  fugitive 5.6
fuir[2a]
  run away 1.5
fuite[2a]
  flight (rout) 2.5
  leak 6.6

fumée[2b]
  smoke 2.4
fumer[3a]
  smoke 2.6
fumier
  manure .... 7.
funèbre[4a]
  dismal 3.9
  funeral (procession) . 5.4
funeste[4a]
  terrible 1.8
  disastrous 4.3
fureur[3b]
  fury 2.8
furie[5b]
  fury 2.8
furieux[2a]
  furious 1.9
furtif[6a]
  sly 3.9
fusil[2b]
  gun 1.7
futur[2b]
  future 1.5
  future (adj.) ..... 2.
fuyant[6b]
  passing 1.9
  fugitive 3.5

G

gage[4b]
  wage 2.2
  pledge 2.9
gagner[1a]
  beat (in game) .... 1.
  gain .... 1.
  gagnant, winner 6.5
gai[2b]
  cheerful 1.9
gaieté[2b]
  cheer 1.9
gaillard (adj.)[3b]
  sound 1.2
  hearty 3.4
gaîment (gaiement)[3a]
  cheerful 1.9
gain[4b]
  gain 1.9
  profit 2.1
galant[4b]
  civil 3.2
  courteous 4.3
galanterie[5a]
  compliment 4.1
galère[6a]
  ship 1.3
galerie[2b]
  gallery 4.2
galon[5b]
  stripe 3.6
galop[3b]
  gallop 4.7
gambader
  frolic 6.6
gamin[3a]
  boy 1.4
gant[4b]
  glove 3.9
garage
  garage 6.9
garantie (n.)[4a]
  pledge 2.9
garantir[4a]
  pledge 2.7
garçon[1b]
  boy 1.4
  bachelor 6.2

garde[1b]
  prendre –, look out ... 1.4
  guard (keeper) ..... 2.
  guard (military) ... 2.
  avant –, van 4.4
  constable 6.2
garder[1a]
  guard .... 1.
  keep .... 1.
gardien(-ne)[4a]
  guard (keeper) .... 2.
gare (n.)[2a]
  station 2.4
gare![6b]
  look out! 1.4
garni[4b]
  furnish 3.3
garnir[4b]
  trim 2.4
garnison[4b]
  garrison 4.9
gâteau[6b]
  cake 4.7
gâteau de miel
  honeycomb .... 7.
gâter[3a]
  spoil (decay) 2.6
  spoil (child) 4.6
gauche (à)[2b]
  left .... 1.
gauche (left)[1b]
  left .... 1.
gauche (awkward)[5a]
  awkward 4.9
gaulois[5b]
  English .... 1.
gaz[4a]
  gas 2.8
gazon[6a]
  lawn 4.3
  turf 5.8
gazouillement
  warble 6.6
  twitter .... 7.
géant[6b]
  giant .... 4.
gelée
  jelly 6.1
geler[4b]
  freeze 3.3
gémir[3b]
  groan .... 5.
gémissement[5a]
  groan 5.3
gencive
  gum 6.8
gendarme[3b]
  policeman 5.8
gendarmerie[6a]
  police department .. 4.6
gendre[5a]
  son-in-law 11.7
gêne[3b]
  être à la –, uneasy ... 5.5
gêner[2a]
  (be in) way 1.7
  embarrass 3.2
  hinder 3.7
gêné, uneasy 5.5
général (adj.)[1b]
  general .... 1.
  en –, (in) general .... 1.
  quartier –
    headquarters 3.4
général (n.)[2a]
  general 1.1

généralement[4a]
  (in) general ...... 1.
généraliser[6b]
  generalize 9.3
généralité[6b]
  generality .... 10.
génération[3a]
  generation 3.4
généreux[2b]
  generous 4.7
générosité[5b]
  generosity 6.4
génial[6a]
  unusual .... 2.
  (of) genius 4.3
génie (genius)[2b]
  genius 2.8
  homme de –
    (man of) genius .. 4.
génie (engineer corps)[5b]
  (engineer) corps 7.2
genou[2a]
  knee .... 2.
  -x, lap 2.4
genre[1b]
  kind .... 1.
gens[1a]
  people (persons) ... 1.
gentil[2b]
  pleasant 1.1
  fine 1.4
gentilhomme[3b]
  peer 2.6
gentiment[4a]
  pleasant 1.1
gentry
  gentry 6.2
géographie
  geography 6.2
géographique
  geographical 6.5
géometrique[6a]
  geometric 9.3
géranium[6b]
  geranium 7.8
gérant[6a]
  director 2.8
  superintendent ..... 5.
gerbe[6b]
  sheaf 6.6
germanique[5b]
  Teutonic 6.7
germe
  germ 5.2
germer[4a]
  sprout 6.2
gésir[6a]
  lie 1.7
geste (m.)[1b]
  gesture 4.3
gesticuler[6b]
  gesticulate 12.2
gibier[5a]
  game 2.7
gigantesque[4a]
  great (huge) ...... 1.
gilet[5b]
  vest 5.7
gingembre
  ginger 6.8
girofle
  clove 6.7
gîte[4b]
  dwelling 2.3
givre
  frost .... 5.

283

	Section
glace[2a]	
ice	2.4
– de beauté, mole	2.8
glacer[3a]	
freeze	3.3
glacial[6b]	
icy	6.
glacier	
glacier	6.4
gland	
acorn	6.8
tassel	7.
glissant (adj.)[5b]	
slippery	6.1
glisser[2a]	
slip	2.8
globe[6b]	
ball	2.1
globe	3.3
globe (earth)	3.3
gloire[2a]	
glory	2.3
glorieux[4a]	
glorious	3.8
glousser	
cluck	6.4
golfe[6b]	
gulf	5.
gond[5b]	
hinge	6.5
gonfler[3b]	
swell	3.9
gorge[2b]	
throat	2.
gorger (se)	
gorge	6.
gosse[6b]	
boy	1.4
gothique[6a]	
Gothic	6.7
goudron	
tar	6.4
gouffre[4b]	
abyss	4.1
gourmand[6a]	
greedy	6.
gourmet[5a]	
epicure	11.3
goût[1b]	
taste	1.4
goûter[2b]	
taste	1.5
goutte (drop)[2b]	
drop	2.4
goutte (gout)[6b]	
gout	7.6
gouvernail	
helm	5.6
gouvernante[6a]	
governess	8.2
gouvernement[2a]	
government	1.1
gouverner[4b]	
rule	1.
steer	3.9
gouverneur[4a]	
governor	3.1
grâce[1a]	
grace	1.4
faire –, spare	3.4
gracieux[3b]	
graceful	3.3
grade[5b]	
rank	2.6
grain[3a]	
grain	2.1
seed	2.7

	Section
grain[3a]—continued	
berry	4.9
– de beauté, mole	6.3
graine[5b]	
seed	2.7
berry	4.9
graisse[6a]	
fat	2.6
grease	4.8
grammaire[6b]	
grammar	6.1
grand[1a]	
big	1.
great (huge)	1.
great (a great man)	1.
tall	1.
-e envie, longing	1.9
de -e valeur, valuable	2.7
marcher à -s pas, stride	3.3
grand'chose[6a]	
much	1.
grandeur[2b]	
height	1.1
size	1.3
greatness	2.
grandiose[4b]	
grand	2.3
grandir[2b]	
grow	1.1
grand'mère[3a]	
grandmother	2.4
grand-père[3b]	
grandfather	3.2
grange[1a]	
barn	5.5
granit	
granite	6.8
gras[3a]	
fat (stout)	1.9
fat	2.6
gratitude[4b]	
gratitude	3.3
gratter[4b]	
scratch	5.3
scrape	5.6
gratuit[5a]	
free (of charge)	2.6
grave[5a]	
grave	1.4
gravement[2b]	
grave	1.4
graver[5a]	
engrave	6.4
gravier	
gravel	6.8
gravir[4a]	
climb	2.7
gravité[3a]	
gravity	3.8
gravure[4b]	
print	2.7
gré[2b]	
pleasure	1.4
grec[4a]	
Greek	2.6
greffier[6a]	
clerk (who writes)	3.8
grêle (n.)[5b]	
hail	5.3
grêle (adj.)[6a]	
weak	1.1
slight	3.3
grelotter[5b]	
tremble	1.8
grenier[5a]	
attic	6.3
grenouille	
frog	5.6

	Section
grève[4a]	
strike	3.
beach	3.9
grièvement[6b]	
grave	1.4
griffe[6a]	
claw	6.1
grille[3b]	
bar	4.6
griller[5a]	
toast	5.6
grillon	
cricket	5.3
grimace[4a]	
face	1.8
grimper[3b]	
climb	2.7
grincer[5a]	
grind (teeth)	5.
grate (squeak)	5.7
grate (creak) (e.g., door)	5.8
gris (gray)[2a]	
gray	2.2
griser[4a]	
(make) drunk	4.8
grive	
thrush	7.1
grogner[5a]	
murmur	2.9
grumble	4.9
gronder[2b]	
scold	4.
gros[1a]	
big	1.
fat	1.9
groseille[4b]	
currant	6.8
grosse	
gross	5.2
grossier[4b]	
coarse	2.9
grossir[4a]	
grow	1.1
magnify	4.1
grotesque[4b]	
ridiculous	3.6
grouiller[6b]	
swarm	5.
groupe[1b]	
group	1.8
groupement[6a]	
party	1.1
grouping	3.6
grouper[3b]	
group	3.6
gué	
ford	6.4
guêpe	
wasp	7.2
guère[1a]	
hardly	1.4
guérir[3a]	
cure	2.9
guerre[1b]	
war	1.
guerrier[5a]	
warrior	3.5
guetter[3b]	
watch	1.
gueule[6a]	
mouth	1.
gueux[5a]	
beggar	4.
tramp	4.9
guichet[6b]	
ticket window	5.3

	Section
guide[4b]	
guide	1.9
guider[3a]	
guide	1.3
guillotine[6b]	
guillotine	10.2
guise[4b]	
way	1.
guitare	
guitar	8.
gymnase	
gymnasium	7.2

H

	Section
habile[3a]	
clever	2.6
skilful	4.2
habilement[5b]	
clever	2.6
habileté[4a]	
ability	3.2
habiller[2a]	
clothe	1.9
habit[2a]	
suit	2.7
habitant[2b]	
inhabitant	3.2
habitation[5a]	
dwelling	2.3
habiter[1b]	
live	1.1
inhabit	3.5
habitude[1b]	
d'–, (in) general	1.
avoir l'–, (be) used	1.4
habit	2.2
habitué (adj.)[3a]	
(be) used	1.4
habituel[2b]	
usual	1.
habituellement[5a]	
(in) general	1.
habituer[3a]	
(make) used (to)	1.6
hache[5a]	
ax(e)	5.
hacher[5b]	
chop	4.2
hagard[6b]	
ghastly	6.4
haie[2b]	
hedge	5.4
haillon[6b]	
rag	5.3
en -s, ragged	6.
haine[2b]	
hate	2.4
haïr[3a]	
hate	2.5
haleine[4a]	
breath	2.8
haleter[5a]	
pant	5.7
hanche	
hip	6.4
hanter[5b]	
haunt	5.7
happer[7a]	
snap	5.9
harangue[6a]	
talk	1.2
harasser[6b]	
torment	3.1
harry	4.1

INDEX TO FRENCH WORDS IN THE LIST

French	English	Section
hardi[2b]		
	bold	2.1
hardiesse[6a]		
	boldness	4.7
hardiment[6a]		
	(be) brave	1.
hareng		
	herring	6.8
haricot		
	bean	5.4
harmonie[4b]		
	harmony	3.1
harmonieux[5a]		
	harmonious	5.3
harmoniser		
	(put in) tune	3.4
harnais		
	harness	5.9
harpe		
	harp	6.1
hasard[1b]		
	chance	1.4
	par –, (by) chance	1.6
hasarder[7a]		
	(take) chances	1.4
hasardeux[6a]		
	uncertain	4.
hâte[2b]		
	hurry	2.4
hâter[3b]		
	hurry	2.5
hâter (se)[3a]		
	hurry	1.2
hausser[2b]		
	lift	1.
haut (adj.)[1a]		
	high	1.
	à -e voix, (out) loud	1.
	loud	1.2
	terre -e, highland	5.
haut (adv.)[2a]		
	(out) loud	1.
	mentionner plus – above (mentioned)	2.2
haut (n.)[5b]		
	top	1.3
	en –, upstairs	3.
	summit	3.4
	de – en bas, downward	3.4
hautain[5a]		
	haughty	4.7
hautement[5b]		
	open	1.3
hauteur[2a]		
	height (altitude)	1.1
	height (of career)	1.6
hé![5b]		
	hello	6.
hebdomadaire[5b]		
	weekly	5.7
hébété[5b]		
	dull	3.5
hectare[4b]		
	acre	4.4
hein[3a]		
	what (?!)	2.4
hélas[2a]		
	alas	2.
hémisphère		
	hemisphere	7.
hennir		
	neigh	6.8
herbage[6a]		
	pasture	3.5
herbe[2a]		
	grass	2.9
	herb	4.7
héréditaire[5a]		
	hereditary	7.3
hérésie[6b]		
	heresy	7.4
hérétique[6b]		
	heretic	6.3
hérisser (se)		
	bristle	6.9
hérisson		
	hedgehog	7.2
héritage[4a]		
	inheritance	3.9
hériter[6a]		
	inherit	5.7
héritier[3b]		
	– du trône (crown) prince	2.3
	heir	2.9
hermine		
	ermine	9.3
heroïne		
	heroine	5.8
heroïque[2b]		
	heroic	5.2
heroïsme[5a]		
	heroism	7.2
héros[3a]		
	hero	2.1
hésitation[3a]		
	hesitation	7.3
hésiter[1b]		
	waver	3.4
hêtre[6a]		
	beech	7.
heure[1a]		
	hour	1.
	(what) time	1.
	de bonne –, early	1.1
	se lever de bonne – get up early	3.
heureusement[2a]		
	fortunately	3.7
heureux[1a]		
	glad	1.
	fortunate	2.
	successful	3.4
heurter[2a]		
	run into	1.6
hibou		
	owl	5.6
hideux[6a]		
	terrible	1.8
	hideous	6.4
hier[1b]		
	yesterday	1.
	– soir, (last) night	1.2
hindou		
	Indian	3.1
hirondelle[4b]		
	swallow	5.
hisser[5a]		
	lift	1.
histoire[1a]		
	story	1.
	history	1.4
historien[4a]		
	historian	5.6
historique[2b]		
	historic	3.3
hiver[1b]		
	winter	1.4
	d'–, wintry	6.5
hobereau[4b]		
	peer	2.6
hocher[4a]		
	shake	2.2
	nod	3.2
hochet		
	rattle	6.
holà[6a]		
	hello	6.
hollandais		
	Dutch	4.
hommage[3b]		
	homage	4.6
	rendre – à (do) homage (to)	5.
homme[1a]		
	man	1.
	– d'affaires business man	1.4
	– d'État, statesman	3.
	– de génie, genius	4.
	– de science, scientist	4.
homogène[6b]		
	(of the same) kind	4.
hongrois[6a]		
	Hungarian	6.6
honnête[2a]		
	honest	1.9
honnêtement[6a]		
	honest	1.9
honnêteté[4b]		
	honesty	6.4
honneur[1a]		
	honor	1.
honorable[4b]		
	honorable	4.
honorer[4a]		
	honor	1.7
	(pay) tribute (to)	3.2
honte[3a]		
	avoir –, (be) ashamed	3.
	shame	3.3
	faire – à, shame	3.4
honteux[3a]		
	être –, (be) ashamed	3.
	shameful	4.7
hôpital[3a]		
	hospital	5.
horizon[2a]		
	horizon	4.
horizontal[4b]		
	horizontal	6.5
horloge[3a]		
	clock	1.3
horreur[2a]		
	horror	4.4
horrible[2a]		
	terrible	1.8
horriblement[5a]		
	terrible	1.8
hors[1b]		
	outside	1.4
	– de portée, d'atteinte (out of) reach	4.1
hospitalier		
	hospitable	7.2
hospitalité[5b]		
	hospitality	4.9
hostile[5a]		
	hostile	3.5
hostilité[4b]		
	enmity	5.8
hôte[3b]		
	company (guest)	1.7
	host	2.5
hôtel[1b]		
	house	1.
	hotel	3.2
	– de ville, (city) hall	3.4
	– particulier, mansion	3.7
hôtesse		
	hostess	6.8
houe		
	hoe	6.3
houx		
	holly	7.2
huile[3b]		
	oil	2.5
huissier[5a]		
	usher	7.3
huit[1a]		
	eight	1.4
huitième[5a]		
	eighth	4.1
huître		
	oyster	6.2
humain[1b]		
	human	1.4
	humane	5.3
humanité[2a]		
	mankind	2.4
humble[2b]		
	humble	3.5
humblement[5b]		
	humble	3.5
humecter		
	moisten	6.8
humer[6b]		
	breathe	2.7
humeur[2a]		
	humor	2.4
humide[3b]		
	damp	3.4
humidité[4a]		
	moisture	4.4
humiliation[5b]		
	humiliation	7.9
humilier[3b]		
	humble	5.
humilité[6b]		
	humility	5.4
hurlement		
	howl	5.7
hurler[4a]		
	howl	4.5
	roar	4.7
hussard[6a]		
	hussar	9.4
hutte[5a]		
	shed	3.2
hydrogène		
	hydrogen	6.
hygiène[5b]		
	hygiene	7.
hymne[5a]		
	hymn	5.8
hypocrisie		
	hypocrisy	6.9
hypocrite		
	hypocrite	6.8
hypothèque		
	mortgage	7.2
hypothèse[5a]		
	basis	3.4
hystérique		
	hysterical	8.6

I

French	English	Section
ici[1a]		
	here	1.
	d'–, (of) here	1.4
idéal[2b]		
	ideal	3.2
idéalisme		
	idealism	9.
idéaliste		
	idealist	11.4

	Section
idée[1a]	
idea	1.4
identique[4b]	
identical	3.5
identité[5a]	
identity	7.5
idiot[5b]	
dull	3.5
idiot	5.8
idole	
idol	5.9
idylle	
idyll	9.8
if	
yew	7.2
ignoble[6a]	
ignoble	4.6
ignorance[4a]	
ignorance	4.6
ignorant[3a]	
ignorant	5.
ignorer[1b]	
(not) know	1.
il(s)[1a]	
he	1.
it	1.
they	1.
ainsi soit-il, amen	4.3
île[2b]	
island	1.5
illégal	
lawless	6.5
illicite	
(without) authority	4.8
illimité[6b]	
boundless	4.9
illuminer[4b]	
light	1.4
illusion[2b]	
illusion	4.7
illustration[5b]	
illustration	6.8
illustre[2b]	
famous	1.1
illustrious	3.1
illustrer[5a]	
illustrate	5.2
image[2b]	
picture	1.1
image	3.5
imagé[4a]	
vivid	3.8
imaginaire[4a]	
fancied	3.8
imaginatif	
imaginative	7.7
imagination[2a]	
imagination	3.9
imaginer[3a]	
imagine	1.4
imaginer (s')[1b]	
imagine	1.4
imbécile[2b]	
fool	2.4
idiot	5.8
imitation[6b]	
copy	3.3
imiter[2a]	
copy	3.2
imitate	4.
immédiat[3a]	
immediate	2.8
immédiatement[2a]	
(at) once	1.
immediate	2.8
immense[1b]	
great (huge)	1.

	Section
immeuble[4a]	
(real) estate	3.2
imminent[5a]	
imminent	6.1
immobile[2a]	
still	1.3
stable	2.9
immobilité[5a]	
immobility	12.9
immoral	
immoral	12.2
immoralité	
immorality	11.4
immortalité	
immortality	6.
immortel[3b]	
immortal	3.8
immuable	
unchangeable	8.9
impartial[6b]	
impartial	5.
impassible[5a]	
unmoved	7.
impatience[2b]	
impatience	5.3
impatient[4a]	
impatient	4.3
impatienter[4a]	
vex	4.1
impératrice	
empress	4.6
imperceptible[4a]	
invisible	3.7
imperceptible	7.8
impérial[6b]	
imperial	3.3
impérieux[4a]	
commanding	1.9
imperméable	
waterproof	6.8
impertinence[6b]	
impertinence	9.4
impétueux[5b]	
headlong	4.2
impétuosité	
impetuosity	9.9
impie[6b]	
impious	6.5
impitoyable[4b]	
merciless	5.4
implacable[5b]	
implacable	7.7
impliquer[4b]	
involve	3.9
implorer[4b]	
beg	2.7
impoli[5a]	
rude	5.2
importance[1b]	
importance	1.8
important[1b]	
important	1.
importation[5b]	
import	4.5
importer[1b]	
n'importe	
any (whatever)	1.
matter (neg.)	1.
n'importe quand	
whenever	1.4
n'importe qui	
anybody	1.8
import	1.8
n'importe où	
anywhere	4.1
n'importe comment	
anyhow	4.2

	Section
importun[6a]	
vexing	3.8
troublesome	4.4
imposant (adj.)[4b]	
imposing	5.6
imposer[1b]	
impose	3.
imposition	
imposition	8.2
impossible[1b]	
impossible	1.4
impossibilité[4b]	
impossibility	7.1
impôt[3a]	
tax	1.6
tarif d'—, tax rate	4.
imprégner[4b]	
impregnate	8.8
impression[1b]	
impression	2.2
impressionner[4b]	
affect	3.2
imprévu[4a]	
accident	2.3
unexpected	3.5
imprimer[2b]	
print	2.4
imprimé	
printed matter	2.4
imprimerie	
printing office	4.4
impropre[6b]	
unfit	6.4
improper	7.2
improviser[5a]	
improvise	8.9
imprudence[6a]	
indiscretion	9.
imprudent[4a]	
imprudent	10.
impuissance[5b]	
impotence	8.7
impuissant[5a]	
helpless	5.
impulsion[6b]	
spur	3.6
impur[6a]	
impure	7.5
inaperçu[5a]	
unseen	4.8
inattendu[3a]	
unexpected	3.5
inaugurer[3b]	
inaugurate	4.8
incapable[2a]	
unable	4.1
incapacité[6b]	
impotence	8.7
incarner	
embody	6.8
incendie[4b]	
fire	1.
burning	2.3
incendier[6b]	
set (on) fire	2.7
incertain[4a]	
uncertain	4.
incertitude	
uncertainty	6.5
incessant[5a]	
continual	2.5
incident[2a]	
event	2.
incident	4.2
inclinaison[6b]	
slope	3.6

	Section
inclination[6b]	
liking	1.5
leaning	1.8
incliner[3b]	
slant	2.8
nod	3.2
incliner (s')[3b]	
lean	2.2
incommode[6a]	
uncomfortable	4.6
incomparable[4a]	
incomparable	6.4
incompatible[6b]	
incompatible	9.9
incomplet[3b]	
imperfect	4.2
unfinished	6.9
incompréhensible[3b]	
incomprehensible	6.7
inconnu[1b]	
stranger	1.8
unknown	1.8
inconscient[4a]	
unconscious	4.4
incontestable[5a]	
unquestionable	6.5
inconvénient[3a]	
inconvenience	4.1
incroyable[5a]	
incredible	5.4
inculpé[6a]	
accused	3.1
inculte[6b]	
wild	1.7
terre —, prairie	6.2
incurable	
incurable	7.4
indécis[3b]	
doubtful	2.6
vague	4.
dim	4.1
indécision[6b]	
être dans l' —	
undecided	9.2
indéfinissable	
undefinable	10.2
indépendance[2b]	
independence	3.6
indépendant[3b]	
independent	2.5
indescriptible	
indescribable	7.2
indésirable	
unwelcome	7.2
index	
index finger	6.3
indicatif	
indicative	4.6
indication[3b]	
indication	5.
indice[5a]	
sign	1.1
proof	1.4
indication	5.
indicible[5b]	
unspeakable	6.7
inexpressible	9.3
indien	
Indian	3.1
indifférence[4a]	
indifference	4.7
indifférent[2b]	
(all the) same	1.
indigène[4a]	
native (adj.)	3.2
native (n.)	3.7
indignation[4b]	
anger	1.9
indignation	4.2

INDEX TO FRENCH WORDS IN THE LIST

	Section
indigne[4b]	
unworthy	4.7
indigner[3a]	
anger	2.7
indiquer[1b]	
point out	1.4
indirect[6a]	
indirect	5.
indiscret[5a]	
indiscreet	8.3
indiscrétion[6a]	
indiscretion	9.
indispensable[2b]	
essential	2.9
individu[2a]	
person	1.
individual	3.2
individuel[5a]	
individual	3.8
indomptable	
unruly	7.4
indulgence[4a]	
avoir de l' – pour	
indulge	†5.3
indulgence	5.8
indulgent[5a]	
indulgent	8.1
industrie[2b]	
industry	2.
industriel[2b]	
maker	3.5
industrial	5.5
inédit[4b]	
unpublished	12.8
inégal[4a]	
unequal	3.9
inégalité[6a]	
inequality	7.4
inépuisable[6a]	
inexhaustible	8.7
inerte[3b]	
inert	6.8
inertie	
inertia	10.2
inestimable	
inestimable	8.1
inévitable[4a]	
inevitable	4.4
inexplicable[4b]	
inexplicable	8.7
infaillible	
infallible	7.7
infâme[4b]	
infamous	4.3
infamie	
infamy	7.6
infanterie	
infantry	5.6
infatigable	
untiring	7.2
inférieur[2a]	
low	1.4
inferior	3.6
infernal	
infernal	6.7
infidèle[6a]	
false	2.4
infini[2a]	
infinite	3.5
infiniment[3a]	
infinite	3.5
infinité	
infinity	9.6
infliger[5a]	
inflict	4.
influence[2b]	
influence	1.6

	Section
influencer[5a]	
influence	3.2
influent[6b]	
influential	8.2
information[5a]	
information	2.
informe[4b]	
shapeless	6.2
informer[2b]	
(let) know	1.
ingénieur[5b]	
engineer	4.8
ingénieux[4b]	
ingenious	4.7
ingéniosité[6a]	
ingenuity	5.6
ingrat[3b]	
ungrateful	4.9
ingratitude[6b]	
ingratitude	7.
initial[6b]	
initial	4.6
initiative[5a]	
initiative	5.7
injure[3b]	
offense	3.8
injurier[6a]	
insult	3.4
injurieux[6a]	
offensive	5.7
injuste[3b]	
unjust	3.3
injustice[3b]	
injustice	4.6
inné	
innate	9.
innocence[4a]	
innocence	3.4
innocent[2b]	
innocent	2.8
innombrable[4b]	
countless	3.9
inoffensif[6a]	
harmless	5.8
inondation[6b]	
flood	3.2
inonder[4a]	
flood	4.7
inoubliable	
unforgettable	10.9
inouï[3b]	
wonderful	1.2
unusual	2.
unheard of	5.3
inquiet[1b]	
anxious	2.3
restless	2.7
uneasy	5.5
inquiéter[2a]	
worry	3.2
inquiétude[2a]	
worry	2.8
insaisissable[6b]	
imperceptible	7.8
inscription[5a]	
inscription	5.2
inscrire[2b]	
enter	2.6
insecte[4b]	
insect	4.4
insensé[3b]	
mad	2.7
insensible[4a]	
insensible	4.1
inséparable[5b]	
inseparable	6.8

	Section
insigne[6b]	
sign	1.1
badge	6.7
insignifiant[5a]	
insignificant	4.
insinuer[5b]	
hint	3.7
insistance[5b]	
insistence	7.3
insister[2a]	
insist	2.
insolence[6a]	
insolence	7.4
insolent[4b]	
saucy	5.1
inspecter[4b]	
examine	1.5
survey	5.8
inspecteur[5a]	
inspector	6.9
inspection[5a]	
survey	4.9
inspiration[5a]	
inspiration	4.
inspirer[2a]	
inspire	3.1
instable[6a]	
unsteady	5.6
installation[4a]	
accommodation	6.8
installer[1b]	
install	3.2
instance[4b]	
instance	3.2
instant[1a]	
à l'–, just	1.
à l'–, (at) once	1.
(a) while	1.8
instantanément[6a]	
immediate	2.8
instinct[2a]	
instinct	3.2
instinctif[4b]	
instinctive	4.9
instinctivement[5a]	
instinctive	4.9
instituer[5a]	
institute	3.3
institut[3b]	
institute	2.6
instituteur[5a]	
teacher	1.
institution[2b]	
institute	2.6
instructif	
instructive	7.2
instruction[2a]	
instruction	2.4
instruire[2b]	
teach	1.
instrument[3a]	
instrument	2.9
insu (à l' – de) (à mon –)[5b]	
unknown to	2.2
insuffisance[5b]	
insufficiency	10.1
insuffisant[3b]	
insufficient	6.9
insulaire[6a]	
islander	9.
insulte[7a]	
offense	3.8
insulter[4b]	
insult	3.4
insupportable[4a]	
intolerable	5.3

	Section
insurgé (n.)[6b]	
insurgent	9.
insurmontable	
insuperable	10.1
intact[4a]	
complete	1.
intact	7.3
intégral[6b]	
integral	6.6
intellectuel[3a]	
intellectual	6.1
intelligence[2a]	
intelligence	4.
intelligent[2b]	
intelligent	3.6
intendant[6b]	
director	2.8
intense[3b]	
intense	5.3
intensité[5a]	
intensity	4.
intention[2a]	
avoir l'–, intend	1.4
intent	1.9
interdire[2a]	
forbid	2.
intéressant[2a]	
interesting	3.2
intéressé (n.)[4a]	
(person) interested	3.
intéresser[1b]	
interest (tr. vb.)	1.9
intéresser (s')[3b]	
(take an) interest	1.3
intérêt[1a]	
interest (concern)	1.
interest (per cent)	1.
intérieur[1a]	
inside (n.)	1.4
inside (adj.)	1.4
inland	3.9
interlocuteur	
interlocutor	12.9
intermédiaire[3a]	
être l'–	
(go) between	2.3
interminable[6b]	
endless	3.
international[3b]	
international	4.8
interpellation[5a]	
questioning (formal)	3.7
interpeller[6a]	
ask (a favor)	1.
interposer	
interpose	5.2
interprétation[5a]	
interpretation	5.5
interprète[6a]	
interpreter	6.6
interpréter[6a]	
interpret	4.2
interrogation[5b]	
inquiry	4.4
interrogatoire[5a]	
cross-examination	12.9
interroger[2a]	
question	2.9
interrompre[2a]	
interrupt	2.3
interruption[6b]	
interruption	6.3
intervalle[3a]	
interval	4.9
intervenir[3a]	
(go) between	2.3
meddle	5.9

	Section		Section		Section		Section
intervention[3a]		irréparable[5a]		jaune[2b]		joyau[6a]	
intervention	8.4	irreparable	9.9	yellow	2.	jewel (jewelry)	3.1
interview[5b]		irrésistible[3b]		jaunir[5a]		jewel	4.2
interview	4.3	irresistible	5.4	yellow	2.	joyeusement[3b]	
intestin		irrésolu[5a]		je[1a]		joyful	2.2
bowel	6.4	irresolute	8.1	I	1.	joyeux[2a]	
intime[2a]		irrigation		jésuite		joyful	2.2
intimate	3.2	irrigation	7.3	Jesuit	9.	judiciaire[6b]	
intimider[6a]		irritable		jet[3b]		legal	4.
intimidate	10.2	fretful	6.6	gush	3.6	judicial	8.8
intimité[4a]		irritation[6a]		jeter[1a]		judicieux[6b]	
intimacy	6.8	irritation (physical)	5.4	throw	1.	reasonable	3.4
intituler[4b]		irrité[6b]		se –, empty	3.9	juge[2a]	
(give) name to	1.	angry	2.4	jeu[1b]		judge	1.6
intolérable[4a]		irriter[3b]		game	1.5	jugement[2b]	
intolerable	5.3	anger	2.7	jeudi[2b]		reason	1.4
intonation[6a]		irruption[5b]		Thursday	2.7	judgment (decision)	1.5
intonation	10.2	irruption	10.1	jeune[1a]		judgment (insight)	2.6
intrépide[6b]		isolé[2b]		– fille, girl	1.	juger[1b]	
(be) brave	1.	cut off	2.9	young	1.	judge	1.
fearless	6.3	isolément[4b]		youthful	3.3	juif[6a]	
intriguer[5a]		cut off	2.9	jeûne[3a]		Jew	3.5
(make) curious	2.9	isolement		fast	4.4	-s, Jew	3.5
introduction[5b]		isolation	8.2	jeûner		Hebrew	4.3
introduction (book, etc.)	3.7	isoler[4a]		fast	4.9	juillet[3a]	
introduire[2a]		cut off	3.1	jeunesse[1b]		July	2.2
introduce	2.7	issu (adj.)[5a]		youth	1.4	juin[3a]	
insert	4.4	born (of)	1.4	joie[1b]		June	2.3
intrus		issue (n.)[4a]		delight	1.	jumeau(-elle)	
intruder	7.4	result	1.5	joindre[2a]		twin	5.8
intuition[6a]		way out	2.	join	1.	jument[5a]	
intuition	9.4	isthme		joint		horse	1.
inutile[1b]		isthmus	5.8	joint	5.8	jupe[4b]	
(of no) use	1.8	italien[2b]		jointure		skirt	2.6
unnecessary	4.2	Italian	2.4	joint	5.8	jurer[2a]	
inutilement[4a]		ivoire		joli[1a]		swear	2.7
(in) vain	1.9	ivory	5.6	pretty (comely)	1.	jurisprudence	
invaincu		ivre[4a]		joliment[4b]		jurisprudence	9.6
unconquered	8.6	drunk	5.5	pretty (comely)	1.	juron[5b]	
invasion[5b]		ivresse[3a]		joncher[5b]		oath	4.8
faire une –, invade	3.8	bliss	3.7	scatter	2.4	jury[6b]	
invasion	5.4	drunkenness	7.3	joue[2a]		jury	5.
inventer[2b]		ivrogne[4b]		cheek	2.5	jus	
invent	2.4	drunken (person)	5.9	jouer[1a]		juice	4.3
inventeur[5a]				play	1.	jusqu'à[1a]	
inventor	4.8			warp	3.5	till	1.
invention[3a]		**J**		jouet		– présent, till now	1.
invention	2.6	jadis[1b]		toy	5.1	jusqu'à ce que[3b]	
inverse[5b]		once	1.	joueur[4b]		till	1.
(wrong) side	1.7	long ago	1.3	player	6.	jusque[1a]	
investigation[6b]		formerly	2.2	– de cornemuse, piper	7.2	till	1.
inquiry	3.5	jaillir[3a]		playful	7.4	juste[1a]	
invincible[5a]		gush	4.5	joug		right (correct)	1.
invincible	7.3	jalousie[4a]		yoke	4.4	fair	1.4
invisible[2b]		jealousy	4.2	jouir[2a]		upright	3.8
invisible	3.7	jaloux[2b]		enjoy	1.1	justement[2a]	
invitation[4b]		jealous	4.1	jouissance[4b]		just	1.
invitation	3.2	envious	5.7	enjoyment	3.8	justesse[5b]	
invité (n.)[4b]		jamais[1a]		jour[1a]		accuracy	5.3
company	1.7	ever	1.	day	1.	precision	5.8
inviter[1b]		never	1.	un –, sometime	1.	justice[1b]	
invite	2.3	jambe[1a]		– de fête, holiday	2.6	justice	1.8
involontaire[6b]		leg	1.9	point du –, dawn	3.5	fairness	8.6
involuntary	5.3	jambon[6b]		la veille du – de l'an (New Year's) Eve	3.8	justification	
involontairement[5b]		ham	5.7	daylight	4.6	justification	7.2
involuntary	5.3	janvier[2b]		journal[1b]		justifier[3a]	
invoquer[4b]		January	2.2	paper (newspaper)	1.	justify	2.5
call upon	1.5	japonais		journal (diary)	4.2		
invraisemblable[5b]		Japanese	6.8	journalier[5a]		**K**	
improbable	7.9	jardin[1b]		daily	1.6	képi[5a]	
iris		garden	1.4	journaliste[4a]		cap	3.8
iris	7.	jardinier[3b]		journalist	10.4	kilo(gramme)[3b]	
ironie[3a]		gardener	5.8	de –, journalistic	12.6	pound	1.6
irony	8.2	jarretière		journée[1b]		kilomètre[3a]	
ironique[4a]		garter	7.	day	1.	mile	1.7
ironical	8.5	jasmin					
		jessamine	10.				

L

	Section
là[1a]	
there	1.
là-bas[1b]	
there	1.
laboratoire[6a]	
laboratory	5.5
laborieux[5a]	
industrious	3.2
labourer	
plow	5.7
labyrinthe	
maze	7.
lac[3b]	
lake	2.1
lâche[3a]	
loose	2.1
cowardly	4.6
coward	5.
lâcher[2a]	
loose	1.5
lacté	
milky	7.2
là-dedans[6a]	
within	1.1
là-dessus[3a]	
upon which	1.6
là-haut[3b]	
above (*adv.*)	1.
laid[3b]	
ugly	2.4
laideur[6a]	
ugliness	10.2
laine[2b]	
wool	2.8
de –, (of) wool	2.8
laïque[6b]	
lay (person)	4.2
laisser[1a]	
allow	1.
– tomber, drop	1.
leave (quit)	1.
leave behind	2.2
– de côté, omit	4.4
lait[3a]	
milk	2.5
laiterie[5b]	
dairy	5.7
laitier[6a]	
milkman	10.6
laitue	
lettuce	7.1
lambeau[5a]	
rag	5.3
lame[4a]	
blade	4.5
lamentable[5b]	
sad	1.4
grievous	4.
lamenter (se)[6b]	
mourn	1.9
lampe[2a]	
lamp	2.5
lancer[1b]	
throw	1.
langage[2b]	
language	1.6
langue[1b]	
tongue (language)	1.
tongue (mouth)	1.8
langueur[6b]	
languor	8.6
languide	
languid	7.4
languir	
languish	6.8

	Section
lanterne[3b]	
lantern	3.5
lapin[4b]	
rabbit	4.8
lard fumé	
bacon	6.1
large[1a]	
broad	1.4
large (*n.*)[5b]	
width	3.4
largeur[5a]	
width	3.4
larme[1b]	
tear	1.
las[2b]	
tired	1.9
lasser[4b]	
tire	2.4
lassitude[6a]	
weariness	5.6
latin[2b]	
Latin	2.8
laurier[4b]	
laurel	5.1
laver[4a]	
wash	2.6
le, la, l', les (*art.* and *pron.*)[1a]	
he	1.
it	1.
she	1.
the	1.
lécher[6b]	
lick	6.2
leçon[2a]	
lesson	1.2
lecteur(-trice)[4b]	
reader	3.
lecture[2b]	
reading	1.6
légal[4b]	
legal	4.
renseignements légaux	
legal information	5.3
légende[3a]	
legend	3.9
léger[1b]	
light	1.
légèrement[2b]	
light	1.
légèreté[4a]	
lightness	7.5
légion[5a]	
legion	5.8
législateur[6a]	
legislator	6.3
législation	
legislation	4.6
législature	
legislature	5.2
légitime[3a]	
lawful	3.
legitimate	5.8
léguer[5a]	
leave	2.7
légume[4b]	
vegetable	4.8
lendemain[1b]	
day after tomorrow	1.
lent[2a]	
slow	1.2
lentement[1b]	
slow	1.2
lenteur[3b]	
avec –, slow	1.2
slowness	10.5

	Section
lequel[1a]	
which	1.
lettre[1b]	
letter (epistle)	1.
letter (character)	1.4
au pied de la –, à la – word for word	2.2
lettre de valentin	
valentine	7.2
lettré (*adj.*)[5b]	
learned	1.6
scholar	2.3
lettré (*n.*)[3a]	
scholar	2.3
leur(-s) (*pron.* and *adj.*)[1a]	
their	1.
theirs	3.6
lever (*n.*)[4a]	
– du soleil, sunrise	5.8
lever (*vb.*)[1a]	
lift	1.
lever (se)[6a]	
– de bonne heure get up early	3.
lèvre[1b]	
lip	1.4
liaison[4a]	
connection	2.9
libéral[3b]	
liberal	2.9
libérateur	
deliverer	7.2
libérer[4a]	
free	1.7
liberté[1b]	
liberty	1.4
libraire	
bookseller	9.
librairie	
book shop	4.2
libre[1a]	
free	1.
librement[3b]	
free	1.
lie[6a]	
dreg	7.8
liège[6a]	
cork	6.6
lien[2b]	
tie (*n.*)	1.6
lier[2a]	
tie	1.6
lierre	
ivy	6.7
lieu[1a]	
en premier – (at) first	1.
au – de, instead	1.
place	1.
avoir –, (take) place	1.
en deuxième – (in the) second place	2.3
lieue[3a]	
mile	1.7
lieutenant[2b]	
lieutenant	3.4
lièvre	
hare	5.6
ligne[1b]	
line	1.
ligue[6b]	
league	2.8
limaçon	
snail	6.8
limite[2b]	
border	1.7
limit	2.4

	Section
limiter[4a]	
limit	1.6
limonade	
lemonade	6.8
lin	
flax	6.3
linceul	
shroud	6.6
linge[3a]	
wash	3.3
linen	3.6
lion[3b]	
lion	2.5
liqueur[4a]	
liquor	4.3
liquide[4a]	
fluid	3.4
liquid	3.4
liquider[5b]	
pay off	4.9
lire[1a]	
read	1.
lis	
lily	4.9
lisière[5b]	
edge	1.5
lisse[5b]	
even	2.4
liste[3a]	
list	2.9
lit[1b]	
bed	1.4
litre[4a]	
quart	4.7
littéraire[3a]	
literary	3.3
littérature[3a]	
literature	2.9
livide[5a]	
pale	2.7
livraison	
delivery	4.8
livre (*m.*)[1b]	
book	1.
livre (*f.*)[2a]	
pound	1.6
livrer[1b]	
deliver	1.4
local (*adj.*)[3a]	
local	3.8
localité[5b]	
place	1.
locataire[6a]	
inhabitant	3.2
tenant	6.5
locomotive[5a]	
locomotive	5.5
loge[5b]	
box	4.6
logement[4b]	
dwelling	2.3
loger[3b]	
live	1.1
logique[2b]	
reasonable	3.4
logic	6.2
logical	7.4
logis[3b]	
dwelling	2.3
loi[1b]	
law	1.
projet de –, bill	1.9
projet de –, draft	2.3
– commerciale (commercial) law	3.2

	Section
loin[1a]	
away	1.
far	1.
plus –, beyond	1.8
lointain[2a]	
far	1.
distance	1.1
loisir[3b]	
leisure	4.8
long[1a]	
long (*adj.*)	1.
le – de, along	2.2
longer[4b]	
go along	4.1
longtemps[1a]	
long (time)	1.
longueur[4a]	
length	1.7
loquet	
latch	6.8
lorgnon[6b]	
glasses	4.2
lors[1b]	
then	1.
lorsque[1a]	
when	1.
whenever	1.4
lot[6b]	
fate	1.5
prize	1.5
louable	
laudable	8.2
louer (*praise*)[3a]	
praise	2.1
louer (*rent*)[3b]	
hire	4.4
loup[3b]	
wolf	4.7
lourd[1b]	
heavy	1.
lourdement[5b]	
heavy	1.
loyal[4b]	
loyal	3.9
loyalement[6b]	
loyal	3.9
loyauté[5a]	
loyalty	3.6
loyer[6b]	
rent	2.5
lucide	
clear	2.
lueur[3b]	
gleam	2.5
luge	
sled	6.8
lugubre[4a]	
dismal	3.9
lui (*pron.*)[1a]	
he	1.
she	1.
lui-même[5b]	
himself	1.4
luire[3b]	
shine	1.6
lumière[1b]	
light	1.
– du soleil, sunshine	3.2
lumineux[4a]	
luminous	4.2
lundi[4b]	
Monday	3.3
lune[2b]	
moon	1.6
clair de –, moonlight	3.2
lunette[3b]	
glasses	4.2
– d'approche, telescope	5.4

	Section
luth	
lute	7.2
lutin	
elf	6.
lutte[1b]	
fight	1.1
struggle	1.9
lutter[2b]	
fight	1.6
wrestle	4.
luxe[2b]	
luxury	3.7
luxueux[6b]	
luxurious	6.6
lycée[5a]	
school	1.
lyre	
lyre	6.9
lyrique[5b]	
lyric	6.5

M

	Section
mâcher[6b]	
chew	6.8
machinalement[4a]	
mechanically	5.2
machine[2b]	
machine	2.
– à écrire, typewriter	5.6
mâchoire[4b]	
jaw	5.6
maçon[5b]	
mason	6.3
madame[1b]	
Mrs.	1.
mademoiselle[2b]	
miss	1.1
magasin[4a]	
store	2.6
magique[5a]	
pouvoir –, magic	3.5
magistrat[3b]	
magistrate	4.
magnétique	
magnetic	7.4
magnifique[1b]	
fine	1.1
magnificent	3.5
mai[2b]	
May	1.2
maigre[2b]	
thin	2.
maille[5b]	
stitch	6.1
maillot[6a]	
tights	5.1
main[1a]	
hand	1.
de sa propre – (with one's own) hand	3.
main-d'œuvre[6b]	
work	1.
maintenant[1a]	
now (at present)	1.
dès –, henceforth	3.
maintenir[2a]	
maintain (keep up)	1.5
maintain (affirm)	3.5
maintien[6b]	
keeping up	3.4
maire[3a]	
mayor	2.5
mairie[5a]	
(city) hall	3.4

	Section
mais[1a]	
but	1.
maïs	
corn	4.8
maison[1a]	
à la –, (at) home	1.
house	1.
à la –, indoors	3.1
– de campagne, country house	3.3
maître[1a]	
master	1.
teacher	1.
– de maison man of the house	1.8
maîtresse[2a]	
teacher	1.
mistress (*f.* of master)	3.5
maîtrise[6a]	
choir	4.
maîtriser[6b]	
control	1.4
master	1.4
majesté[4b]	
majesty	2.5
majestueux[6b]	
grand	2.3
majeur[4a]	
chief	1.
majorité[3a]	
majority	2.6
avoir – (be in the) majority	3.8
mal (*adv.*)[1a]	
bad	1.
ill	1.5
mal (*n.*)[1a]	
faire – à, hurt (*tr. vb.*)	1.8
faire –, hurt (*intr. vb.*)	1.8
evil	2.
avoir –, (be) sore	3.7
– de mer, sickness	4.9
malade[1b]	
ill	1.5
patient	2.5
tomber –, (get) ill	3.
maladie[2b]	
disease	1.6
maladresse[6a]	
d'une grande – awkward	4.9
maladroit[3a]	
awkward	4.9
malaise[4a]	
uneasiness	5.
mâle[5a]	
male	3.1
manly	3.8
malédiction	
curse	3.5
malentendu	
misunderstanding	6.
malfaiteur[5a]	
criminal	4.5
malgré[1a]	
(in) spite of	1.4
malheur[1b]	
misfortune	2.2
accident	2.3
malheureusement[2b]	
unfortunately	1.9
malheureux[1b]	
unhappy	1.8
unfortunate	2.2
malhonnête[6b]	
dishonest	7.8
malice[5a]	
malice	4.8

	Section
malin[3b]	
sharp	1.7
sly	4.2
malle[4b]	
faire la –, pack	3.5
trunk	5.
malsain[5a]	
unhealthy	6.9
malveillant[7a]	
bad	1.2
maman[2a]	
mamma	2.9
manche (*m.*)[5a]	
handle	3.1
manche (*f.*)[3b]	
sleeve	5.1
manchette	
cuff	6.
manchon	
muff	7.2
mandat[5a]	
writ	5.9
mander[5a]	
(let) know	1.
manège[6a]	
riding-school	13.
mangeoire	
manger	6.8
manger[1a]	
eat	1.4
donner à –, feed	1.4
food	1.9
mangeur	
feeder	7.2
manier[4b]	
handle	3.9
manière[1a]	
way	1.
maniéré[4b]	
affected	9.1
manifestation[3b]	
demonstration	6.2
manifeste[6a]	
evident	2.5
manifest	4.2
manifestement[6a]	
clearly	2.9
manifester[3a]	
show	1.
manifest	†3.1
manœuvre[5b]	
workman	2.5
manœuvrer[5a]	
handle	3.9
manque[3b]	
want	3.
manqué[5b]	
miss	1.
manquer[1b]	
miss	1.
lack	1.5
fail	2.6
mansarde[3b]	
attic	6.3
manteau[2a]	
coat	2.
manuel	
manual (textbook)	6.5
manual (*adj.*)	7.3
manuscrit	
manuscript	5.8
marais[5a]	
swamp	4.
marbre[3a]	
marble	3.8
marchand[2b]	
merchant	2.2
tradesman	5.7

INDEX TO FRENCH WORDS IN THE LIST

	Section
marchandise[3b]	
goods	1.5
marche[1b]	
march	1.5
step	1.7
marché[2a]	
market	1.7
bargain	1.9
bon –, cheap	2.1
marcher[1a]	
walk	1.
step	1.1
march	1.4
– à grands pas, stride	3.3
mardi[4a]	
Tuesday	3.7
mare[6a]	
pool (water)	3.4
marée	
tide	3.4
– descendante, ebb	6.4
maréchal (*marshal*)[3a]	
marshal	4.2
marge	
margin	3.9
mari[1b]	
husband	1.
mariage[2a]	
marriage	2.4
marier[2a]	
marry	2.3
marié (*n.*)	
-e, bride	†1.6
nouveau –, groom	4.6
marier (se)[3a]	
marry	2.3
marin[3b]	
sailor	2.9
mariner	5.8
marine[3a]	
navy	3.6
maritime[5b]	
sea	3.
marque[2b]	
sign	1.1
brand (of goods)	4.2
marquer[1b]	
mark	1.
marquis[3a]	
marquis	6.9
marquise[6a]	
marquis	6.9
marraine	
godmother	6.8
marron (*n.*)[5b]	
chestnut	5.5
mars[3b]	
March	1.9
marteau[4b]	
hammer	4.8
martial	
martial	5.4
martyr[3b]	
martyr	3.1
martyre (*martyrdom*)[6a]	
martyrdom	7.3
masque[4b]	
mask	4.5
masquer[3a]	
mask	5.4
massacre[5b]	
slaughter	5.9
massacrer[6a]	
kill	1.4
masse[2a]	
mass	1.6
massif (*n.*)[4a]	
clump	4.8

	Section
massif (*adj.*)[4a]	
solid	3.2
mat (*adj.*)[5a]	
dull	3.9
mât[6b]	
mast	5.6
match (*sport*)[6a]	
match	2.
matelas[6b]	
mattress	6.7
matelot[5b]	
sailor	2.9
matériaux[6a]	
material	2.
matériel[2b]	
real	1.9
material	2.
maternel[5b]	
mother	4.1
mathématique[6a]	
-s, mathematics	6.7
mathematical	8.3
matière[2a]	
matter	1.1
material	2.
table des -s, index	5.3
matin[1a]	
morning	1.
matinal[5b]	
early	1.1
morning	3.1
matinée[3b]	
morning	1.
matrice	
womb	4.9
maturité[5b]	
maturity	7.8
maudire[6a]	
curse	4.6
maudit (*adj.*)[4a]	
curse	4.6
mauresque	
Moor	5.8
maussade[5a]	
sullen	5.8
mauvais[1a]	
bad	1.
bad (evil)	1.2
mauvaise herbe	
weed	5.3
mauve[6b]	
violet	5.5
maximum[5a]	
maximum	7.4
me[1a]	
I	1.
mécanique[3a]	
machine	2.
mechanic (*adj.*)	3.5
mécanisme[6b]	
machine	2.
mechanism	7.2
méchanceté[5b]	
evil	2.
méchant[2a]	
bad	1.2
mean	1.5
naughty	2.3
mèche[5b]	
lock of hair	5.3
méconnaître[4b]	
(not) recognize	2.6
deny	3.7
mécontent[4a]	
unhappy	1.8
discontent(ed)	4.6
mécontentement[6a]	
discontent	4.8

	Section
médaille[4a]	
medal	4.4
médecin[1b]	
doctor	1.
médecine[3a]	
medicine	3.4
médical[5b]	
medical	5.1
médiocre[3a]	
mediocre	11.3
médiocrité[5a]	
mediocrity	10.5
méditation[3b]	
meditation	5.1
méditer[4a]	
brood	3.9
méfait[6b]	
wrong	3.2
méfiance[6b]	
mistrust	4.3
méfier (se)[4a]	
suspect	2.8
mistrust	6.
meilleur[1a]	
best	1.
better	1.
mélancolie[3a]	
melancholy (*n.*)	5.
mélancolique[3b]	
sad	1.4
melancholy (*adj.*)	5.
mélange[3a]	
mixture	3.9
mélanger[5a]	
mix	2.2
mêlée[5a]	
struggle	1.9
mêler[1b]	
mix	2.2
mêler (se)[3a]	
mix	2.2
melon	
melon	6.9
membre[1b]	
member	1.1
limb	2.
même (*adj.*)[1a]	
same	1.
en – temps	
(at the same) time	1.
même (*adv.*)[1a]	
even	1.
de –, (in like) manner.	1.2
mémoire (*f.*)[1b]	
memory	1.8
mémoire (*m.*)[4b]	
theme	3.2
mémorable[5a]	
memorable	7.
menace[3b]	
threat	4.6
menacer[1b]	
threaten	1.8
ménage[2b]	
household	2.9
ménager (*vb.*)[2b]	
manage	2.2
ménagère[4b]	
housekeeper	6.8
mendiant[5b]	
beggar	4.
mendier[5b]	
beg	4.6
mener[1a]	
lead	1.
mensonge[3a]	
lie (falsehood)	2.
mensuel	
monthly	5.8

	Section
mental[5b]	
mental	3.6
mentalement[6b]	
mental	3.6
menteur(-se)[5b]	
liar	6.1
menthe	
mint	7.2
mention	
mention	3.6
mentionner[6a]	
mention	2.2
mentir[4a]	
(tell) lie	3.
menton[4a]	
chin	5.4
menu (*n.*)[3a]	
bill of fare	2.1
menu (*adj.*)[6a]	
little	1.
minute	3.1
menuisier[6b]	
carpenter	5.5
mépris[3a]	
scorn	3.3
mépriser[3b]	
scorn	2.9
méprisant, scornful	5.1
mer[1b]	
sea	1.
mal de –, sickness	4.9
merci[2a]	
thank	1.1
mercy	2.
mercredi[3b]	
Wednesday	4.3
mercure	
mercury	6.6
mère[1b]	
mother	1.
méridien	
meridian	7.2
méridional[5a]	
southern	2.3
mérite[3a]	
value	1.
mériter[2a]	
deserve	1.5
merle	
blackbird	6.7
merveille[3a]	
wonder	1.7
merveilleusement[7a]	
wonderful	1.2
merveilleux[2a]	
wonderful	1.2
mesquin[5b]	
mean	1.5
petty	4.5
message[6b]	
message	3.
messe[2b]	
mass	2.7
mesure[1a]	
measure	1.
standard	2.2
time	3.2
mesurer[2b]	
measure	2.
métal[3b]	
metal	2.1
métallique[4b]	
metal	4.8
météore	
meteor	7.2
méthode[2b]	
method	2.5

	Section
méthodique[5b]	
systematic	6.9
métier[2a]	
occupation	2.4
métis	
(half) caste	7.7
mètre[2a]	
yard	1.3
métropole[6a]	
metropolis	4.8
mets[5b]	
dish	1.8
mettre[1a]	
place	1.
– couvert, set (table)	1.1
– au monde, bear	1.3
– en rapport, relate	2.1
se – en colère	
(get) angry	2.4
put on	2.6
– en colère, anger	2.7
– en désordre	
(put in) disorder	4.8
mettre à (se)[1b]	
begin	1.
meuble[2a]	
furniture	4.4
meubler[5a]	
fit up	1.8
furnish	3.3
meunier	
miller	6.1
meurtre[3b]	
murder	3.3
meurtrier (n.)[4b]	
murderer	4.1
meurtrir[5a]	
bruise	5.7
mexicain	
Mexican	6.8
miauler	
mew	6.4
midi (noon)[2a]	
noon	2.1
midi (south)[4a]	
south	2.2
miel[5a]	
honey	3.9
mielleux[6b]	
mawkish	11.
mien (poss. pron. and adj.)[2a]	
mine	1.1
miette[6b]	
crumb	5.8
mieux[1a]	
best	1.
better	1.
mignon[4a]	
little	1.
migraine[5b]	
headache	6.6
mil (numeral)[4b]	
thousand	1.4
milice	
militia	6.3
milieu[2b]	
center	1.
circle (set of people)	1.
middle	1.5
militaire (adj.)[2a]	
military	2.4
militaire (n.)[4b]	
soldier	1.
mille (thousand)[1a]	
thousand	1.4
mille (mile)[5a]	
mile	1.7
millénaire	
millennium	8.8

	Section
milliard[4a]	
billion	9.2
millier[4a]	
thousand	1.4
million[1b]	
million	1.4
millionnaire	
millionaire	6.9
mince[2a]	
thin	2.
slight	3.3
mine (mine)[3a]	
mine (n.)	2.6
mine (bearing, appearance)[2b]	
looks	1.
look (n.)	1.9
avoir . . . . –, look (vb.)	1.9
minéral	
mineral	6.1
mineur (minor)[6a]	
minor	4.4
mineur (miner)[4b]	
miner	4.7
miniature[5a]	
miniature	7.7
minimum[6b]	
minimum	7.4
ministère[2b]	
ministry	3.4
ministre[2a]	
minister	1.5
– des affaires étrangères	
secretary of state	3.9
minorité[5b]	
minority	7.7
minuit[3a]	
midnight	2.4
minuscule[6a]	
little	1.
minute[1b]	
minute	1.5
minutieux[4a]	
minute	3.1
miracle[3a]	
wonder	1.7
miracle	2.9
miraculeux[5a]	
wonderful	1.2
miroir[4a]	
mirror	2.8
mise[3b]	
share	2.
mise en scène[6b]	
set-up	10.6
misérable[2a]	
miserable	2.7
misère[2a]	
misery	2.7
miséricorde[6b]	
mercy	2.
mission[2b]	
mission	4.1
missionnaire	
missionary	7.2
mite	
moth	6.8
mitre	
miter	7.2
mobile[3b]	
movable	3.9
motive	4.
mobilier[4a]	
furniture	4.4
mobilisation	
mobilization	12.

	Section
mobiliser[6a]	
mobilize	11.4
mobilité[6b]	
mobility	9.4
mode (f.)[1b]	
way	1.
fashion	2.8
à la –, fashionable	6.
mode (m.)[5a]	
mode	2.2
modèle[3a]	
model	2.
modération[5a]	
moderation (diminution)	5.8
modérer[3b]	
modéré, moderate	3.
moderate	4.2
moderne[1b]	
modern	1.8
modeste[2b]	
modest	2.4
modestie[4a]	
modesty	4.7
modification[4b]	
change	1.5
modifier[2b]	
change	1.4
moelleux[6a]	
soft	1.5
mœurs[2b]	
custom	1.9
moi[1a]	
I	1.
moi-même[4a]	
myself	1.3
moindre[1b]	
least	1.
moine[4b]	
monk	4.7
moineau	
sparrow	6.
moins[1a]	
le –, least	1.
au –, (at) least	1.
less	1.
– . . . . –, the . . . . the	1.
à – que, unless	1.4
mois[1a]	
month	1.
moisson[4b]	
crop	2.7
moitié[1b]	
half	1.
mollement[6a]	
soft	1.5
moment[1a]	
moment	1.
pour le –	
(for the) present	1.4
(a) while	1.8
momentané[6b]	
immediate	2.8
momentary	7.2
momentanément[7a]	
immediate	2.8
mon, ma, mes[1a]	
my	1.
monarchie	
monarchy	5.6
monarque[6a]	
monarch	3.3
monastère[5a]	
convent	3.8
mondain[4b]	
worldly	4.6
monde (society, people)[1a]	
company (social)	1.
people (persons)	1.
tout le –, everybody	2.2

	Section
monde (world)[1a]	
world	1.
mettre au –, bear	1.3
mondial[5b]	
world	4.9
monnaie[3a]	
– légale, (legal) tender	4.8
– (du pays), currency	4.9
monologue	
monologue	11.
monopole[5a]	
monopoly	7.3
monosyllabe	
monosyllable	10.5
monotone[3b]	
monotonous	6.8
monotonie[5b]	
monotony	8.1
monseigneur[5a]	
lord	2.2
monsieur[1a]	
gentleman	1.
Mr.	1.
monstre[3a]	
monster	4.1
monstrueux[3b]	
monstrous	4.7
mont[3b]	
mountain	1.5
montagne[2a]	
mountain	1.5
montagneux	
mountainous	6.7
montant (n.)[6a]	
amount	1.
monter[1a]	
go up	1.
– à cheval, ride (horse)	1.5
montre[3b]	
watch	1.3
display	2.6
montrer[1a]	
show	1.
monument[3a]	
monument	2.5
monumental[6a]	
monumental	7.8
moquer (se)[2b]	
– de, (make) fun (of)	2.8
moquerie[6b]	
fun	3.1
mockery	4.8
moral (adj.)[2a]	
moral	2.3
morale (n.)[3a]	
morals	3.6
moraliste[5b]	
moralist	8.6
moralité[4a]	
morals	3.6
morbide	
morbid	7.6
morceau[1b]	
piece	1.
morsel	6.2
mordre[3a]	
bite	3.7
morne[3b]	
dismal	3.9
bleak	4.8
mort (n.)[1a]	
death	1.
mort (adj.)[1b]	
dead	1.4
mortel[3b]	
mortal	2.9
mortal (susceptible to death)	3.7

INDEX TO FRENCH WORDS IN THE LIST   293

	Section
morue[6b]	
cod	6.1
morveux[6b]	
(little) rascal	4.2
mot[1a]	
en un –, (in) short	1.
word	1.
– à –, word for word	2.2
moteur[4a]	
machine	2.
motif[3a]	
motive	4.
motiver[6a]	
(give) rise to	2.3
justify	2.5
motte	
lump	6.2
mou, molle[2b]	
soft	1.5
mouche[3b]	
fly	4.2
moucher[5a]	
blow nose	4.2
mouchoir[2b]	
handkerchief	4.5
moudre	
grind	5.1
mouiller[2b]	
wet	2.9
mouillé, wet (*adj.*)	2.9
moule	
mould	3.1
moulin[4a]	
mill	3.
– à vent, windmill	5.4
moulure	
moulding	6.2
mourant (*adj.*)[4a]	
dying	4.5
mourir[1a]	
die	1.
mousse (*f.*)[6a]	
foam	5.3
moss	5.8
mousseline[6a]	
lawn (cloth)	5.2
moustache[3a]	
mustache	7.4
moustique	
mosquito	7.2
mouton[3a]	
sheep	3.
mutton	5.8
mouvant[6a]	
moving	2.2
mouvement[1a]	
motion	1.4
mouvoir[4a]	
move	1.1
moyen[1a]	
means	1.
way	1.
average	1.8
– âge, middle ages	2.2
moyennant[5a]	
(by) means of	2.5
moyenne[3b]	
en –, (on the) average	3.2
muet[3b]	
dumb	2.9
devenir –	
(become) dumb	4.
mule	
mule	6.
muletier	
muleteer	12.5
multiple (*adj.*)[4b]	
manifold	4.4
multiple	4.8

	Section
multiplication	
multiplication	7.
multiplicité	
multiplicity	9.
multiplier[4b]	
multiply	5.1
multitude[4a]	
crowd	1.
municipal[3b]	
city (*adj.*)	2.3
munir[3b]	
supply	1.1
munitions	
ammunition	5.6
mur[1b]	
wall	1.4
mûr[2b]	
ripe	2.9
muraille[2a]	
wall	1.7
mûrir[6a]	
(get) ripe	3.4
murmure[3b]	
murmur	4.8
murmurer[3a]	
murmur	2.9
muscle[4b]	
muscle	5.6
muse[6a]	
muse	4.6
museau[6b]	
muzzle	5.2
musée[4b]	
museum	4.
musical	
musical	5.8
musicien[4a]	
musical (person)	3.6
musician	4.8
musique[2a]	
music	1.5
musulman[6b]	
Mussulman	9.8
mutiler[4a]	
mar	5.2
mutin[6b]	
rebel	4.
myrte	
myrtle	7.2
mystère[2a]	
mystery	2.4
mystérieux[1b]	
mysterious	3.5
mystique[5b]	
mystic	6.9

N

	Section
nacre	
mother-of-pearl	12.7
nager	
swim	3.6
naguère[5b]	
long ago	1.3
formerly	2.2
naïf[2b]	
simple	2.2
nain	
dwarf	6.1
naissance[2b]	
birth	2.5
naître[1a]	
(be) born	1.
naissant, rising	1.3
naïvement[6a]	
simple	2.2

	Section
naïveté[6a]	
simplicity	5.4
nappe[5a]	
table-cloth	9.1
narine[6b]	
nostril	5.7
natal[5b]	
native	3.2
ville -e	
(home) town	3.3
nation[2a]	
nation	1.1
national[2a]	
national	2.
nationaux, native	3.7
nationalisation	
nationalization	12.4
nationalité[5b]	
nationality	5.5
natte	
braid	6.
naturaliste	
naturalist	7.4
nature[1a]	
nature	1.
nature (character)	1.
naturel[1a]	
natural	1.
native (*n.*)	3.7
naturalness	12.1
naturellement[1b]	
(of) course	1.
natural	1.
naufrage	
shipwreck	6.9
faire –, shipwreck	6.9
naufragé	
shipwreck	6.9
naval[6a]	
naval	5.2
navet	
turnip	6.7
navigable	
navigable	7.2
navigateur	
navigator	7.6
navigation[5b]	
shipping	3.
navire[3b]	
ship	1.3
navrer[5a]	
grieve	3.4
ne .... pas[1a]	
not	1.
ne .... que[5b]	
only (*adv.*)	1.
né (*adj.*)[6b]	
(be) born	1.
born of	1.4
néanmoins[2b]	
however	1.
néant[5a]	
nothing	1.
nought	3.
nécessaire[1a]	
necessary	1.
pas, peu –, unnecessary	4.2
nécessité[2a]	
necessity	2.3
nécessiter[5a]	
(make) necessary	1.8
nef[6a]	
ship	1.3
négatif[5b]	
negative	4.8
négligence[5b]	
neglect	4.7

	Section
négligent[6a]	
careless	5.2
négliger[2b]	
neglect	2.
négociant[5a]	
merchant	2.2
négociation[5a]	
dealing	3.
nègre[5b]	
negro	3.8
neige[2b]	
snow	2.
couvert de –, snowy	6.6
neiger	
snow	4.9
nerf[4a]	
nerve	3.5
nerveux[2a]	
nervous	4.4
net[1b]	
clean	1.
clear	1.
neat	2.6
nettement[2b]	
clear	1.
netteté[4b]	
neatness	9.2
nettoyage[6b]	
cleaning	3.
nettoyer[4a]	
clean (*vb.*)	2.2
neuf (*numeral*)[2a]	
nine	2.4
neuf (*adj.*)[2a]	
new	1.
neutre[4b]	
neutral	7.6
neuvième[6a]	
ninth	4.7
neveu[4a]	
nephew	3.7
nez[2a]	
nose	1.7
ni[1a]	
– .... –	
neither .... nor	1.
– l'un – l'autre	
neither (one)	1.
niais[5a]	
foolish	2.8
niche[5a]	
trick	3.2
nicher (se)	
nestle	7.
nid[3b]	
nest	3.3
nièce[4a]	
niece	4.1
nier[3a]	
deny	2.4
niveau[4a]	
level	1.9
noble[1b]	
noble	1.4
peer	2.6
noblesse[2a]	
nobility	3.7
noce (*wedding*)[4a]	
wedding	3.4
de -s, bridal	6.2
nocturne[6b]	
night	3.3
noël	
Christmas	4.2
nœud[5a]	
knot	4.4
noir[1a]	
black	1.
tableau –, blackboard	5.8

	Section
noircir[4a]	
blacken	7.2
noix[6a]	
nut	5.1
walnut	6.3
noix de coco	
cocoanut	7.
nom[1a]	
name	1.
sans –, nameless	5.8
noun	7.3
nombre[1a]	
number	1.
nombreux[1b]	
numerous	1.5
nomination[4b]	
appointment (to ....)	4.5
nomination	4.9
nommé (*adj.*)[5a]	
name (appoint)	1.
déjà –, above	2.2
nommer[1b]	
(give) name (to)	1.
name (appoint)	1.
non[1a]	
– plus, neither (*adv.*)	1.
no	1.
nonne	
nun	6.3
nord[2a]	
north	1.6
du –, au –, northern	2.
nord-ouest	
northwest	6.8
normal[3a]	
normal	3.9
notable[4a]	
remarkable	2.4
notaire[4a]	
public trustee	7.6
notamment[3a]	
above all	1.
note[2b]	
account	1.
noter[2b]	
note (*vb.*)	1.9
notion[4a]	
idea	1.4
notre, nos (*poss. adj.*)[1a]	
our	1.
nôtre (*poss. pron.*)[3a]	
ours	3.9
nouer[4a]	
tie	1.6
nourrice	
wet-nurse	12.9
nourrir[2a]	
nourish	3.2
nourriture[4b]	
food	1.9
nourishment	5.6
nous[1a]	
we	1.
nouveau[1a]	
de –, again	1.
new	1.
nouveauté[5a]	
novelty	4.3
nouvelle(-s) (*n.*)[1b]	
news	1.4
novembre[3a]	
November	2.3
noyau	
kernel	4.6
nucleus	4.9
noyer[2b]	
drown	4.3
nu[2a]	
bare	2.4

	Section
nuage[2b]	
cloud	1.9
nuageux	
cloudy	5.8
nuance[2b]	
shade	2.9
nuée[5b]	
cloud	1.9
drove	3.9
nuire[4b]	
hurt (*tr. vb.*)	1.8
nuisible[5a]	
injurious	4.3
nuit[1a]	
night	1.
la –, (at) night	2.2
passer la – (spend) night	2.7
chaque –, toutes les -s nightly	3.
nul[1b]	
no (*adj.*)	1.
none	1.
nulle part, nowhere	3.4
void	5.4
nullement[2b]	
(not at) all	1.
nullité[6a]	
nonentity	10.6
numéro[3a]	
number	2.4
nu-pied	
barefoot	7.2
nuque[5b]	
neck	1.5
nymphe	
nymph	6.4

O

	Section
oasis	
oasis	7.
obéir[1b]	
obey	2.2
obéissant, obedient	3.2
obéissance	
obedience	6.
obélisque	
obelisk	9.
objecter[5a]	
object	1.9
objectif[4b]	
purpose	1.
impartial	5.
objection[4a]	
objection	4.4
objet[1a]	
thing	1.
– d'art, work of art	1.8
obligation[2b]	
obligation	4.
obligatoire[5b]	
required	3.1
obliger[1a]	
force	1.
oblique[6a]	
oblique	6.2
obscur[2a]	
dark	1.
dim	4.1
obscurcir[1a]	
obscure	6.
obscurité[3a]	
darkness	2.9
observateur[6a]	
observing	2.6
observer	5.4

	Section
observation[2b]	
observation	2.4
remark	2.4
observer[1b]	
watch	1.
observe	1.4
obstacle[3a]	
bar	2.1
obstacle	3.4
obstiné[6a]	
stubborn	4.1
obstiner (s')[6b]	
persist	3.8
obstruer[6b]	
stop up	3.1
obtenir[1b]	
get (obtain)	1.
obus[6b]	
shell (explosive)	3.4
occasion[1a]	
chance	1.
event	1.4
occidental[4b]	
western	2.4
occupant[5b]	
tenant	6.5
occupation[2b]	
occupation	2.4
occuper[1a]	
busy	1.
occuper (s')[2a]	
busy	1.
(be) engaged	1.9
océan[5a]	
ocean	3.6
octobre[3a]	
October	2.4
octroyer[6b]	
grant	1.
odeur[2a]	
smell	2.8
perfume	4.
odieux[3b]	
hateful	4.7
œil (yeux)[1a]	
eye	1.
coup d'œil, look	1.
cligner de l'œil, wink	5.8
œillet	
carnation	8.4
œuf[3a]	
egg	2.
œuvre[1b]	
work	1.
– d'art, work of art	1.8
offenser[3b]	
offend	2.8
office[2b]	
office	1.4
(divine) service	2.3
pantry	6.2
officiel[2b]	
official	2.8
officier[2a]	
officer	1.2
offrande[6b]	
offering	3.8
offre[3b]	
offer	3.6
supply	3.7
offrir[1a]	
offer	1.
present	1.4
oh![3b]	
O	1.2
oie[5a]	
goose	5.3

	Section
oignon[5a]	
onion	5.6
bulb	6.
oindre	
anoint	7.
oiseau[2a]	
bird	2.3
oisif[6b]	
idle	3.7
oisiveté	
idleness	6.5
olive	
olive	5.8
olivier	
olive tree	5.7
ombrage[5a]	
shade	1.8
ombrager[5b]	
shade	4.9
ombragé, shady	6.1
ombre[1b]	
shade	1.4
omission	
omission	7.
omnibus[5b]	
bus	8.1
on[1a]	
one (*indef. pron.*)	1.
once	
ounce	4.7
oncle[2b]	
uncle	1.9
ondulation	
wave	3.8
onduler[5a]	
ripple	5.
ongle[4b]	
nail (finger)	3.1
onguent	
ointment	7.
onze[2b]	
eleven	2.9
onzième	
eleventh	7.2
opaque	
opaque	7.8
opéra[5a]	
opera	4.5
– comique (musical) drama	6.2
opération[2b]	
operation (general)	2.4
operation (surgical)	3.6
opérer[3a]	
operate	3.6
opinion[1b]	
opinion	1.4
opportun	
opportune	7.4
opposé (*adj.*)[3a]	
opposite	1.4
opposer[2a]	
object	1.9
oppose	2.3
opposition[3b]	
opposition	3.
oppressé	
breathless	7.3
oppression[6b]	
oppression	3.5
opprimer	
oppress	5.8
optimisme[5a]	
optimism	9.7
optimiste[5b]	
hopeful	6.9
optimistic	10.9

INDEX TO FRENCH WORDS IN THE LIST

	Section
optique	
optic	7.8
or (*conj.*)[1b]	
now (*conj.*)	1.
or (*n.*)[1b]	
gold	1.
d'–, en –, golden	1.4
étalon –	
(gold) standard	3.1
oracle	
oracle	6.8
orage[2b]	
storm	1.6
d'–, stormy	4.
oraison[6b]	
prayer	2.3
oration	3.5
orange	
orange	5.2
oranger[5b]	
fleur d'–	
orange blossom	4.9
orange tree	5.
orateur[4a]	
speaker	3.1
orbite	
socket	5.5
orchestre[5b]	
orchestra	5.5
ordinaire[1b]	
d'–, (in) general	1.
usual	1.
common (person)	1.4
ordinairement[4b]	
(in) general	1.
ordonnance[3b]	
decree	2.6
ordonner[2a]	
command	1.5
ordre[1a]	
order	1.
ordure[6b]	
refuse	4.4
oreille[2a]	
ear	1.5
oreiller[4b]	
pillow	5.2
organe[3b]	
organ (anatomical)	2.2
organique[5b]	
organic	4.5
organisateur	
organizer	11.
organisation[3b]	
arrangement	2.4
organization	3.5
organiser[2a]	
organize	3.7
organisme[3b]	
organization	3.5
organism	4.8
orge	
barley	6.1
orgueil[2a]	
pride	2.4
orgueilleux[6b]	
proud	1.6
haughty	4.7
orient[5a]	
east	2.
oriental[4b]	
eastern	2.7
orienter (s')[5b]	
orient	4.9
orifice[6a]	
opening	2.3
originaire[6b]	
original	2.3

	Section
original[3a]	
queer person	3.3
original (idea)	4.1
originalité[4a]	
originality	6.8
origine[2a]	
avoir –, come from	1.
source	2.7
orme	
elm	5.7
ornement[5b]	
trimming	3.8
orner[2b]	
trim	2.4
ornière[5b]	
track	2.1
furrow	6.
orphelin[4a]	
orphan	5.6
orthographe[6b]	
spelling	5.3
os[4b]	
bone	2.6
osciller[6a]	
swing	3.
reel	3.1
oser[1a]	
dare	1.
osier[6b]	
willow	5.6
ostentation	
ostentation	9.
otage[6b]	
hostage	8.2
ôter[2a]	
take away	1.
take off	1.8
ou[1a]	
either (*conj.*)	1.
l'un – l'autre	
either (one)	1.
or	1.
où[1a]	
where	1.
n'importe –, anywhere	4.1
oubli[3b]	
oversight	6.1
forgetfulness	6.5
oublier[1a]	
forget	1.
ouest[3a]	
west	1.9
de l'–, western	2.4
oui[1a]	
yes	1.
ouïe	
ear	3.3
ours[6b]	
bear	4.5
outil[4b]	
tool	3.
outillage[6b]	
installation	8.6
outre (*prep.*)[2b]	
en –, (in) addition	1.4
beyond	1.5
besides	2.3
outré (*adj.*)[3b]	
extreme	1.5
excessive	4.6
ouvert[1b]	
open	1.
à bras -s	
(with) out-stretched arms	3.
ouvertement[4b]	
clearly	2.9

	Section
ouverture[3a]	
opening	2.3
opening (e.g., of a meeting)	4.7
ouvrage[1b]	
work	1.
ouvrier(-ère)[2a]	
workman	2.5
ouvrir[1a]	
open	1.
s'–, open (*intr. vb.*)	2.2
oxygène	
oxygen	5.6

P

	Section
pacifique[4b]	
peaceful	2.9
pacte[6a]	
contract	2.3
pagayer	
paddle	7.2
page (*f.*)[2a]	
page	1.2
paiement[6b]	
payment	2.5
païen[5b]	
heathen	4.8
paillasson	
mat	5.8
paille[2b]	
straw	3.7
paillette	
spangle	6.8
pain[1b]	
bread	1.4
loaf	3.3
– de savon	
cake of soap	4.8
pain d'épice	
gingerbread	7.2
pair (*n.*)[6a]	
peer	2.6
pair (*adj.*)	
even	1.7
paire[3a]	
pair	1.9
paisible[3a]	
peaceful	2.9
paisiblement[4a]	
peaceful	2.9
paître	
graze	5.
paix[1b]	
peace	1.
palais (*palace*)[2a]	
palace	2.3
palais	
palate	8.1
pâle[1b]	
pale	2.7
pâleur[6a]	
être d'une –, pale	2.7
paleness	8.
palier[4a]	
landing	1.4
pâlir[3a]	
pale	3.3
palmier[6a]	
palm tree	5.5
palourde	
clam	7.1
palpiter[6a]	
beat	1.3
thrill	4.4
pan (*n.*)[4b]	
coat-tail	10.8

	Section
panache[5a]	
plume	3.7
panier[3b]	
basket	2.8
panique (*adj. and n.*)[6a]	
panic	7.3
pansement	
bandage	5.3
pantalon[4a]	
trousers	5.6
pantoufle[6b]	
slipper	5.7
paon	
peacock	6.4
papa[2b]	
papa	3.4
pape[3b]	
pope	3.3
papier[1b]	
paper	1.
papillon[4b]	
butterfly	5.2
paquebot[6b]	
steamer (ship)	3.7
pâques[6b]	
Easter	4.8
paquet[2b]	
bundle	4.
par	
by (agent)	1.
through (motion)	1.
through (agent)	1.
parade[6a]	
procession	4.1
parade	5.4
paradis[3b]	
paradise	3.8
paragraphe	
paragraph	3.3
paraître[1a]	
appear (loom)	1.
appear (look)	1.
parallèle[5a]	
parallel	4.9
paralyser[4b]	
paralyze	5.7
parapluie[4b]	
umbrella	5.4
parbleu[3b]	
indeed	1.
parc[2b]	
park	2.3
parce que[1a]	
because	1.
parchemin[6a]	
parchment	7.4
parcourir[2a]	
run through	3.1
parcours[6a]	
course	1.1
pardessus (*n.*)[3a]	
coat	2.2
overcoat	3.6
par-dessus[3b]	
above (*prep.*)	1.
above (*adv.*)	1.
pardon[2a]	
pardon	3.6
pardonner[2a]	
pardon	2.2
pareil[1a]	
like	1.
pareillement[5b]	
(in like) manner	1.2
parent[1b]	
-s, parents	1.8
relation	2.3

		Section
parenté	relation	4.2
parer[2b]	trim	2.4
paresse[5a]	sloth	6.9
paresseux[4b]	lazy	3.8
parfait[1b]	perfect	1.
parfaitement[1b]	perfect	1.
parfaitement (*certainly*)[3b]	sure	1.
parfois[1b]	sometimes	1.4
parfum[2b]	perfume	4.
parfumer[3b]	perfume	5.4
	parfumé, fragrant	5.5
parier[4b]	bet	6.3
parisien[2b]	Parisian	5.8
parlement[3b]	parliament	2.8
parlementaire[2b]	parliamentary	7.
parler (*vb.*)[1a]	speak	1.
	talk	1.
parler (*n.*)[5a]	talk	1.2
	language	1.6
parmi[1a]	among	1.
paroi[4b]	wall	1.4
paroisse[6a]	parish	3.4
paroissien[6b]	parishioner	10.2
parole[1a]	word	1.
parquet[3b]	floor	1.2
parrain[6a]	godfather	8.6
part (*f.*)[1a]	faire –, (let) know	1.
	part (*n.*)	1.
	d'autre – (on the other) hand	1.4
	part (rôle)	1.4
	de la – de (on the) part	1.4
	prendre –, (take) part	1.4
	stock	1.8
	share	2.
	d'une – (on the one) hand	2.2
	de sa –, (on her) side	2.2
	de sa –, (on his) side	2.2
	pour ma – (for my) part	2.6
	quelque –, somewhere	3.
	nulle –, nowhere	3.4
partage[4a]	share	2.
partager[2a]	divide	1.1
partenaire[6a]	partner	3.4
parterre[6b]	flower-bed	13.
parti[1b]	part (*n.*)	1.
	party	1.1

		Section
participation[4a]	share	2.
participant	participant	10.
participe	participle	10.2
participer[5a]	(take) part	1.4
particule	particle	7.
particulier[1b]	particular	1.4
	special	1.8
	particular (detail)	2.3
	private	3.
	peculiar (to)	3.6
	hôtel –, mansion	3.7
particulièrement[2a]	particular	1.4
partie[1a]	part (*n.*)	1.
	en –, (in) part	1.
partir (*depart*)[1a]	parti, away	1.
	go away	1.
	start	1.8
partisan[4a]	follower	3.2
partout[1a]	everywhere	1.4
parure[6a]	trimming	3.8
parvenir[1b]	reach	1.
parvenu(-e) (*n.*)[6b]	upstart	9.
pas (*n.*)[1a]	step	1.
	pace	1.8
	marcher à grands – stride	3.3
pas (*neg. adv.*)[1a]	– du tout, (not at) all	1.
	ne .... –, not	1.
	– nécessaire unnecessary	4.2
passage[1b]	crossing	1.6
	aisle	3.4
	alley	4.6
	passage	4.8
passager (*adj.*)[4b]	passing	1.9
	fugitive	3.5
passager (*n.*)[5a]	traveler	2.4
	passenger	3.2
passant (*n.*)[3b]	passerby	10.9
passe[5b]	pass (permit)	4.4
passé (*n.*)[2a]	past	1.9
	past (tense)	2.2
passer[1a]	se –, happen	1.
	pass	1.4
	passé, past	1.4
	hand	1.8
	se – de, do without	2.1
	spend	2.2
	pass (e.g., time)	2.6
	– la nuit, (spend) night	2.7
	strain	4.9
passif	passive	7.3
passion[2a]	passion	2.3
passionné[3b]	passionate	3.7

		Section
passionner[4b]	stir	1.9
	carry away	3.4
pastelle	tablet	6.2
pasteur[6a]	minister	2.
	pastor	4.9
patauger[7a]	wade	7.1
pâte[4a]	paste	6.1
	dough	6.2
pâté[5b]	pie	5.1
patère	peg	6.
paternel[4a]	paternal	4.8
paternité	fatherhood	11.4
pathétique[6b]	pathetic	5.
patience[2b]	patience	2.8
	avoir de la – (be) patient	3.8
patient (*adj.*)[5a]	(be) patient	3.8
patiner	skate	6.
pâtisserie[6b]	pastry	7.8
pâtre[6a]	shepherd	3.7
patriarcal	patriarchal	10.1
patriarche	patriarch	6.8
patrie[2a]	country	1.1
patriote[4a]	patriotic	4.8
	patriot	5.2
patriotisme[6b]	patriotism	6.5
patron[2b]	model	2.
	employer	3.7
	patron	4.
patte[3b]	paw	5.1
paume[5a]	palm	5.1
paupière[4a]	eyelid	6.7
pauvre[1a]	poor	1.
pauvreté[6a]	poverty	4.
pavé (*n.*)[3a]	pavement	5.7
paver[6b]	pave	6.2
pavillon[4a]	flag	2.6
	pavilion	6.4
pavot	poppy	7.2
payer[1a]	pay	1.
pays[1a]	country (geographical)	1.
	– de fées, fairyland	6.2
paysage[2b]	landscape	3.2
paysan[1b]	peasant	2.4

		Section
peau[2b]	skin	2.
pêche (*f.*) (*peach*)[6b]	peach	5.8
pêche (*f.*) (*fishing*)[4b]	faire la –, fish	2.5
péché (*m.*)[5a]	sin	2.2
pécher (*vb.*)[6b]	sin	2.4
pêcher (*vb.*) (*fish*)[4a]	fish	2.5
pêcheur (*fisherman*)[4a]	fisherman	4.7
pécheur	sinner	5.1
pédant[6a]	pedant	9.6
peigner	comb	6.
peindre[2a]	paint	1.5
peine (*n.*)[1a]	pain	1.
	trouble	1.
	se donner la – (take) pains	1.4
	grief	1.8
peine (à)[5b]	hardly	1.4
peiner[7a]	grieve	3.4
peintre[3a]	painter	3.
peinture[3b]	painting	3.2
pêle-mêle[6b]	(in a) huddle	7.4
peler	peel	5.2
pèlerin	pilgrim	5.8
pèlerinage[6a]	pilgrimage	6.7
pèlerine[6a]	cloak	4.8
pelle[6a]	spade	5.8
pellicule	film	6.8
pelote[6b]	ball	2.1
pelouse[3b]	lawn	4.3
pelure	peel	5.3
penaud[6a]	sheepish	11.4
penchant[5b]	liking	1.5
	avoir –, tend	2.4
	tendency	3.2
pencher[2a]	se –, bend	1.9
	lean	2.2
pendant (*prep.*)[1a]	during	1.
pendant que[1b]	while	1.
pendre[2b]	hang	1.1
pendule[4b]	clock	1.3
pénétration	penetration	9.3
pénétrer[1b]	enter	1.
	penetrate	6.6
pénible[2a]	painful	3.2

296 SEMANTIC FREQUENCY LIST

INDEX TO FRENCH WORDS IN THE LIST

	Section
péniblement[4b]	
painful	3.2
péninsule	
peninsula	4.5
pénitence	
penance	5.7
faire –, (do) penance	5.8
pénombre[5b]	
shade	1.8
pensée (*thought*)[1b]	
thought	1.
pensée	
pansy	6.1
penser[1a]	
think	1.
penseur	
thinker	9.6
pensif[5a]	
pensive	3.9
pension[2b]	
board (food)	2.7
pension (money)	4.3
pensionnaire[5b]	
boarder	8.5
pente[2b]	
slope	3.6
pépier	
chirp	6.8
percer[2b]	
pierce	3.1
bore	5.
percevoir[3a]	
understand	1.
percher (se)[6b]	
perch	5.6
perdre[1a]	
lose	1.
– courage	
(lose) courage	2.
perdrix	
partridge	6.9
père[1a]	
father	1.
perfection[4a]	
perfection	3.4
perfectionner[5b]	
improve	3.5
perfide[5a]	
treacherous	6.
péril[3a]	
danger	1.5
périlleux[6a]	
dangerous	2.
période[3a]	
term	1.8
period (of time)	2.2
périodique[5a]	
periodical	3.9
péripétie[6a]	
incidents	4.2
périr[4a]	
perish	2.7
perle[3b]	
pearl	2.9
bead	3.2
permanent[3b]	
permanent	4.2
permettre[1a]	
allow	1.
permis[5b]	
allowed	2.2
permission[3a]	
leave (of absence)	2.9
permission	3.3
perpétuel[4a]	
permanent	4.2
perron[4a]	
stairs	2.5

	Section
perroquet	
parrot	6.5
perruque	
wig	6.8
perse	
Persian	5.6
persécuter[6b]	
persecute	3.2
persécution[6a]	
persecution	4.2
persévérance	
perseverance	5.2
persévérer[5b]	
persist	3.8
persil	
parsley	8.1
persister[3b]	
persist	3.8
personnage[2a]	
personage	3.6
personnalité[3b]	
personality	3.9
personne[1a]	
no one	1.
person	1.
personnel[1b]	
personal	1.9
staff	3.4
personnellement[5b]	
personal	1.9
perspective[4a]	
prospect	2.4
persuader[2b]	
convince	2.
persuade	2.1
perte[2a]	
loss	1.2
péruvien	
Peruvian	9.8
pesant (*adj.*)[4a]	
heavy	1.
peser[2a]	
weigh	2.7
peste[6a]	
plague	4.6
pestilence	5.8
pétale	
petal	7.2
pétiller	
crackle	6.5
petit[1a]	
little (*adj.*)	1.
petty	4.5
boire à -s coups, sip	6.1
petite-fille[6a]	
grandson	4.7
petit-fils[5a]	
grandson	4.7
petite vérole	
smallpox	7.8
petitesse[6a]	
trifle	3.9
pétition	
petition	4.
pétrir[4b]	
mould	5.7
pétrole[5a]	
kerosene	6.9
petroleum	6.9
peu[1a]	
(a) few	1.
little (*n.*)	1.
un –, quelque –
little (*adv.*)	1.
– à –, little by little	1.
– commun, – courant
unusual	2.6

	Section
peu[1a]—*continued*	
– nécessaire
unnecessary	4.2
– abondant, scanty	4.5
– confortable
uncomfortable	4.6
– propice, unfavorable	6.
– charitable, unkind	6.1
peuple[1b]	
people (race)	1.
people (common)	1.
peupler[4b]	
people (populate)	4.3
peu-près (à)[5b]	
about (approximately)	1.
peur[1b]	
avoir –, (be) afraid	1.
fear	1.4
peut-être[1a]	
perhaps	1.
phare[6b]	
lighthouse	6.6
pharisien	
Pharisee	8.
pharmacie[6b]	
drug store	5.6
pharmacien[6b]	
druggist	6.6
phase[4b]	
phase	8.4
phénix	
phoenix	9.4
phénomène[2b]	
phenomenon	3.2
philosophe[3b]	
philosopher	3.3
philosophie[3a]	
philosophy	3.3
philosophique[4a]	
philosophical	5.2
phosphore	
phosphorus	11.
photographie[4a]	
photograph	3.7
phrase[1b]	
sentence	1.4
physionomie[3a]	
countenance	4.1
physique[2b]	
physical	4.
physics	8.
piano[2b]	
piano	4.7
pic[5a]	
top	1.3
pièce (*piece*)[1a]	
piece	1.
coin	1.9
– de théâtre, play	2.
pièce (*room*)[2a]	
room (chamber)	1.
pied[1a]	
foot	1.
aller à –, walk	1.
au – de la lettre
word for word	2.2
coup de –, kick	3.6
doigt de –, toe	4.6
piédestal	
pedestal	7.3
piège[4a]	
trap	5.1
pierre[1b]	
stone	1.4
de, en –, (of) stone	3.
– précieuse, gem	3.6
pierreux	
stony	6.

	Section
piété[3b]	
piety	4.9
piétiner	
trample	5.9
pieux[3a]	
pious	2.9
pigeon[5a]	
dove	4.4
pigeon	4.8
pilier[4b]	
column	3.3
piller[5b]	
plunder	6.5
pilote[6b]	
pilot	6.8
pilule	
pill	6.8
pin[5a]	
pine	4.9
pinceau	
brush	4.6
pincer[4a]	
pinch	6.
pionnier	
pioneer	6.8
pipe[2b]	
pipe (to smoke)	3.6
piquant (*adj.*)[3b]	
sharp (taste)	4.
pique-nique	
picnic	6.3
piquer[2b]	
sting	3.5
piqûre[5b]	
prick	3.6
pirate	
pirate	6.9
pire[2b]	
worse	1.5
pis (*adv.*)[2b]	
worse	1.5
piste[4b]	
track	2.1
pistolet[5a]	
pistol	5.9
piteux[6b]	
pitiful	6.6
pitié[2a]	
mercy	2.
pity	2.4
avoir de la –, pity	4.6
pitoyable[5a]	
miserable	2.7
pitiful	6.6
pittoresque[3b]	
picturesque	4.6
pivert	
woodpecker	7.2
place[1a]	
place	1.
room (space)	1.
seat	1.
square	1.
placement[4b]	
placing	4.
investment	4.8
placer[1b]	
place	1.
invest	3.
plafond[3b]	
ceiling	3.7
plage[5a]	
beach	3.9
plaider[5a]	
plead	5.1
plaie[4a]	
sore	3.3

	Section		Section		Section		Section
plaignant		pleuvoir[3b]		point (n.)[1a]—continued		porcelaine[5b]	
plaintiff	8.4	rain	4.2	– de vue, point of view	1.	china	3.7
plaindre[2b]		pli[3a]		– du jour, dawn	3.5	porche[6b]	
pity	4.6	fold	4.4	point (neg. adv.)[1a]		porch	2.7
plaindre (se)[2a]		envelope	5.6	ne . . . . –, none	1.	pore	
complain	2.	plier[2b]		pointe[2a]		pore	7.1
plaine[2a]		bend	2.4	point	1.2	port[2a]	
plain	1.6	fold	4.	tip	1.4	harbor	2.
plainte[2b]		plisser[5a]		pointer[5a]		– (de lettre), postage	5.7
complaint	2.4	tuck	4.1	aim	3.2	portail[4b]	
lamentation	4.2	plomb[3b]		pointu[4b]		porch	2.7
plaintif[6b]		lead	2.3	pointed	3.3	porte[1a]	
sad	1.4	plonger[2a]		poire[5a]		door	1.
plaire[1a]		dip	3.2	pear	5.5	gate	1.4
plaise à Dieu		dive	4.2	pois[5a]		portée[2b]	
God grant	1.	ployer[6a]		pea	5.4	import	2.2
please	1.	bend	2.4	poison[4b]		range	3.6
plaisant[4b]		pluie[2a]		poison	3.1	hors de –	
pleasant	1.1	rain	2.	poisson[2b]		(out of) reach	4.1
plaisanter[3a]		de –, rainy	5.7	fish	2.	portefeuille[3b]	
joke	4.3	plume[2a]		poitrine[2a]		case	2.5
plaisanterie[3b]		pen	1.5	chest	1.9	porter[1a]	
joke	2.9	feather	1.9	poivre		carry	1.
plaisir[1a]		plupart[1b]		pepper	5.9	wear	1.
faire –, please	1.	most	1.	polaire[6b]		se – bien, (be) well	1.
pleasure	1.4	pour la –, (most) part	1.8	polar	6.8	porteur[3b]	
plan (n.)[1b]		plus (adv.)[1a]		pôle		porter	3.3
plan	1.1	more	1.	pole	4.6	portière[4a]	
plane (mathe-		le –, most	1.	polémique[6b]		curtain	3.8
matical)	3.7	non –, neither (adv.)	1.	dispute	4.3	portion[5b]	
premier –, foreground	6.5	ne –, no longer	1.	poli (adj.)[2b]		share	2.
planche[3a]		– . . . . –, the . . . . the	1.	civil	3.2	portrait[2b]	
board	1.7	– loin, beyond	1.8	police[2b]		painting	3.2
shelf	4.5	en –, extra	4.1	police	3.7	portugais	
plancher[4b]		plus (plus)[2a]		policy	4.6	Portuguese	6.7
floor	1.2	plus	6.7	de –, police	5.	pose[5b]	
planète[4b]		plusieurs[1a]		policer[6a]		carriage	3.
planet	3.9	(a) few	1.	refine	5.5	posément[6a]	
plante[2b]		several	1.	policier[6a]		slow	1.2
plant	1.5	à – reprises		policeman	5.8	poser[1a]	
sole	4.3	several times	1.2	poliment[4a]		place	1.
planter[2b]		plutôt[1b]		civil	3.2	se –, settle down	3.1
plant	2.4	rather	1.	polir[5a]		positif[3a]	
planteur		pneu		polish	4.4	positive	3.8
planter	7.2	tire	7.2	polisson[6b]		position[2a]	
plaque[4b]		poche[1b]		(little) rascal	4.2	place	1.
slab	4.1	pocket	2.3	politesse[2b]		position (situation)	1.4
plaquer[6b]		poêle (m.)[5a]		(good) manners	2.9	position (plight)	1.5
plate	5.1	stove	3.3	politique (n.)[2b]		posséder[1b]	
plastique		poêle (f.)[6a]		policy	2.4	own	1.
plastic	7.6	pan	4.9	politics	4.4	possesseur[6a]	
plastron[6b]		frying pan	6.4	politician	5.5	owner	2.
shirt-front	13.	poème[4a]		politique (adj.)[2a]		possession[2a]	
plat (adj.)[3b]		poem	2.5	political	1.9	possession	1.6
flat	2.7	poésie[2b]		polonais[5a]		possibilité[4a]	
plat (n.)[3a]		poetry	2.4	Polish	4.1	possibility	2.7
dish (of food)	1.8	poem	2.5	pomme[3b]		possible[1a]	
platter	4.	poète[2b]		– de terre, potato	2.7	possible	1.
dish (container)	4.5	poet	1.5	apple	3.5	rendre –	
platane[6b]		poétique[4a]		pommier[6b]		(make) possible	1.8
plane tree	6.	poetic	3.9	apple tree	5.	postal[5b]	
plateau[3b]		poids[2a]		pompe (pomp)[5b]		post	3.
plateau	6.	weight	1.5	pomp	4.4	poste[2a]	
tray	6.6	poignant[6b]		pompe (pump)[4b]		office	1.4
plâtre[5b]		keen	2.4	pump	5.3	post-office	3.3
plaster	6.5	poignard		pont[2b]		postérité	
plein[1a]		coup de –, stab	6.5	bridge	1.7	posterity	6.6
full	1.	poignée[3b]		deck (of a ship)	3.7	post-scriptum	
– de dignité, stately	3.6	handle	3.1	populaire[2a]		postscript	7.2
crowded	5.4	handful	5.6	popular	4.1	pot[3a]	
pleinement[5b]		poignet[5b]		popularité		pot	2.3
all	1.	wrist	6.1	popularity	7.4	pitcher	5.6
fully	2.2	poil[4b]		population[3a]		cuiller à –, dipper	6.8
pleurer[1a]		hair	1.	population	2.5	potager[6a]	
cry	1.4	poing[2b]		populeux		vegetable	5.
mourn	1.9	fist	3.4	populous	7.3	poteau[4b]	
pleurs[6a]		point (n.)[1a]		porc[5b]		post	3.
tear	1.	être sur le – de		pig	3.9		
		(be) about to	1.				
		point (dot)	1.				

INDEX TO FRENCH WORDS IN THE LIST 299

		Section
potence		
	gallows	6.6
pouce[3b]		
	inch	2.7
	thumb	4.3
pouding		
	pudding	6.
poudre[3b]		
	powder	2.8
poulailler[6b]		
	(hen) coop	11.4
poulain[6z]		
	colt	5.4
poule[5b]		
	hen	4.7
	chicken	4.8
poulet[4b]		
	chicken	4.8
pouls		
	pulse	6.
poumon[4b]		
	lung	5.2
poupée[5a]		
	doll	4.9
pour[1a]		
	for (in behalf of)	1.
	for (in favor of)	1.
	– cent	
	interest (percent)	1.
	(in) order	1.
	– (l'amour de), sake	1.8
pourboire[6b]		
	tip	5.2
pourpoint[5b]		
	jacket	6.1
pourpre[4b]		
	purple	4.9
pour que[1b]		
	(in) order	1.
pourquoi[1a]		
	why	1.
pourrir[6a]		
	spoil	2.6
poursuite[2b]		
	pursuit	3.4
poursuivre[1b]		
	pursue	1.5
pourtant[1a]		
	however	1.
pourvoir[3a]		
	supply	1.1
pourvu que[3b]		
	provided that	2.9
pousse (n.)[6b]		
	shoot	5.4
pousser (push)[1a]		
	drive (force)	1.
	push	2.3
	urge	2.5
pousser (grow)[3a]		
	grow	1.3
poussière[2b]		
	dust	1.9
poussiéreux[5b]		
	dusty	6.1
poutre[5a]		
	beam	2.3
pouvoir (n.)[2a]		
	power	1.
	– magique, magic	3.5
pouvoir (vb.)[1a]		
	(be) able	1.
	may	1.
prairie[4a]		
	meadow	2.6
pratiquant (adj.)[5b]		
	pious	2.9

		Section
pratique (adj.)[3a]		
	practical	2.2
pratique (n.)[2b]		
	exercise	1.7
	practice	3.4
pratiquement[5b]		
	practical	2.2
pratiquer[3a]		
	exercise	1.6
pré[3b]		
	meadow	2.6
préalable[6b]		
	preliminary	4.6
précaire[5a]		
	uncertain	4.
précaution[2b]		
	prendre ses -s, careful	1.7
	prudence	3.7
précédent[4a]		
	coming before	2.8
	preceding	4.9
	année -e	
	preceding year	4.9
précéder[1b]		
	(come, go) before	2.3
précepte[6b]		
	precept	3.7
prêcher[4a]		
	preach	3.
précieux[2a]		
	precious	2.4
	valuable	2.7
	pierre précieuse, gem	3.6
précipice[4b]		
	precipice	5.5
précipitamment[5b]		
	fast	1.
précipitation[6b]		
	hurry	2.4
précipiter[1b]		
	se –, dash	1.8
	précipité, hasty	2.7
précis[1b]		
	exact	1.4
précisément[2a]		
	exact	1.4
préciser[2b]		
	state (vb.)	2.2
précision[3a]		
	precision	5.8
précoce[5b]		
	precocious	7.9
préconiser[4b]		
	praise	2.1
	extol	3.
prédécesseur		
	predecessor	6.
prédire[4b]		
	tell in advance	4.9
préface		
	preface	7.3
préfecture[5b]		
	district	2.1
préférable[6a]		
	preferable	7.9
préférence[3b]		
	preference	3.3
préférer[1b]		
	rather	1.1
préfet[4b]		
	county-head	12.
préjugé (n.)[4a]		
	prejudice	4.2
prélat[6a]		
	minister	2.
préliminaire[6b]		
	preliminary	4.6

		Section
prématuré[6b]		
	premature	7.8
prémices		
	cream of crop	2.8
premier[1a]		
	first	1.
	en – lieu, (at) first	1.
	original	2.3
	pour la première fois	
	(for the) first time	2.6
	– plan, foreground	6.5
premièrement		
	(in the) first place	3.7
prendre[1a]		
	take	1.
préoccupation[4a]		
	cares	1.3
préoccupé[3a]		
	anxious	2.3
préoccuper[6a]		
	worry	3.2
préparatifs[4b]		
	preparation	3.
préparation[2a]		
	preparation	3.
préparer[1a]		
	prepare	1.4
préposition		
	preposition	8.1
prérogative[7a]		
	privilege	3.7
près (adv.)[1b]		
	near (adv.)	1.
près de[1a]		
	near (prep.)	1.
prescrire[5b]		
	prescribe	3.5
présence[1a]		
	presence	1.8
présent (n.) (present time)[2b]		
	present	1.5
présent (adj.)[2b]		
	present	1.1
présent (à)[2b]		
	now (at present)	1.
	jusqu'–, till now	1.
présentation[6a]		
	presentation	4.5
présenter[1a]		
	present (give)	1.4
	present (a person)	1.8
	introduce (a subject)	2.7
préserver[5b]		
	preserve	3.
présidence[5b]		
	(in the) chair	3.8
président[2a]		
	president	1.9
présider[3a]		
	preside	5.9
presque[1a]		
	almost	1.
presse[3a]		
	press	1.9
pressé[6b]		
	pressing	1.7
pressentiment[4a]		
	misgiving	7.4
pressentir[4b]		
	(have) misgiving	6.3
presser[2a]		
	se –, hurry	1.2
	pressant, pressing	1.7
	squeeze	3.6
pression[3b]		
	pressure	3.4

		Section
prestige[4a]		
	influence	1.6
	prestige	5.9
présumer[6b]		
	presume	4.
prêt[1b]		
	ready	1.2
prétendre[1b]		
	pretend	1.8
	claim	2.3
prétendu (adj. and n.)[3b]		
	(so) called	1.2
prétention[2b]		
	claim	1.7
prêter[2a]		
	– serment, swear	2.7
	lend	3.1
prétexte[2a]		
	pretense	4.
prêtre[2a]		
	minister	2.
preuve[1b]		
	proof	1.4
prévaloir[4b]		
	prevail	3.2
prévenir[1b]		
	(let) know	1.
	warn	2.2
prévention		
	prevention	7.3
prévenu		
	partial	4.5
prévision[4a]		
	expectation	3.3
prévoir[2a]		
	see in advance	3.8
prier[1b]		
	ask (a question)	1.
	pray	2.2
prière[2b]		
	prayer	2.3
prime[5a]		
	chief	1.
	prize	1.5
primitif[3a]		
	original	2.3
prince[2a]		
	prince	1.1
princesse[4b]		
	princess	2.9
principal[1b]		
	chief	1.
principalement[4b]		
	above all	1.
principe[2a]		
	principle	1.9
	par –, (on) principle	2.7
printanier[5b]		
	spring	4.9
printemps[2b]		
	spring	2.1
prise[2b]		
	hold	2.5
	capture	4.5
prisme		
	prism	6.9
prison[2b]		
	prison	2.
prisonnier[2b]		
	prisoner	2.4
privation[6b]		
	want	3.9
privé (adj.)[3b]		
	private	3.
priver[2b]		
	deprive	3.2
privilège[3a]		
	privilege	3.7

SEMANTIC FREQUENCY LIST

	Section
prix[1a]	
price	1.
prize	1.5
probabilité	
chances	3.3
probable[3a]	
probable	1.7
probablement[2b]	
probable	1.7
problème[2b]	
problem	3.3
procédé[2b]	
process	1.7
procéder[2b]	
proceed	2.
procédure[6a]	
procedure	5.1
– pour la banqueroute (procedure in) bankruptcy	7.3
procès[3b]	
suit	1.8
trial (law)	2.
procession[4b]	
procession	4.1
procès-verbal[6b]	
suit	1.8
prochain (*adj.*)[1b]	
next	1.
prochain (*n.*)[7a]	
neighbor	3.4
prochainement[6b]	
soon	1.
proche[3a]	
near (*adj.*)	1.
proclamation[6b]	
proclamation	7.4
proclamer[4a]	
proclaim	3.5
procurer[3a]	
get (obtain)	1.
procureur[4b]	
attorney	4.7
procureur général	
attorney-general	9.5
prodigieusement[4b]	
wonderful	1.2
prodigieux[3b]	
wonderful	1.2
prodigue[5b]	
lavish	3.7
prodiguer[5b]	
lavish	6.3
producteur[5a]	
productive	6.3
production[4a]	
production	3.9
produire[1a]	
produce	1.8
produce (yield)	3.4
produit (*n.*)[3a]	
product	2.1
profane[6b]	
profane	6.3
profaner	
profane	6.5
professer[3b]	
state	1.
professeur[3a]	
teacher	1.
professor	2.6
profession[3b]	
profession	2.9
professionnel[4b]	
professional	4.5
profil[6b]	
profile	8.7

	Section
profit[2b]	
profit	2.
profit (earned)	2.1
profiter[1b]	
profit	1.4
profond[1a]	
deep	1.
profondément[2b]	
deep	1.
profondeur[2b]	
depth	2.6
programme[2b]	
program	4.2
progrès[2a]	
faire des –, improve	2.4
progress (*n.*)	2.4
faire des –, progress	2.6
progressif[5b]	
progressive	6.7
progressivement[6b]	
progressive	6.7
proie[2b]	
prey	3.4
projet[1b]	
– de loi, bill	1.9
– de loi, draft (of bill)	2.3
project	3.5
projeter[3b]	
plan	2.3
project	3.7
prolonger[2a]	
prolong	3.6
promenade[1b]	
faire une –, walk	1.
walk	2.4
promener[1b]	
se – en voiture drive (*intr. vb.*)	1.
walk	1.
promeneur[4a]	
walker	7.6
promesse[4a]	
promise	2.7
promettre[1b]	
promise	1.
prompt[4b]	
prompt	2.5
promptement[5a]	
prompt	2.5
promptitude[4b]	
promptitude	10.
pronom	
pronoun	6.8
prononcer[1b]	
pronounce	1.4
prononciation	
pronunciation	7.
propagande[5b]	
propaganda	7.5
propager	
propagate	7.
prophète[4b]	
prophet	3.1
prophétie	
prophecy	6.6
propice[4a]	
favorable	2.2
peu –, unfavorable	6.
proportion[3a]	
proportion	2.1
propos[2b]	
remark	2.4
propos de (à)[3a]	
as for	1.
proposer[1b]	
propose	1.4
proposition[3a]	
proposition	3.1

	Section
propre (*own*)[1a]	
own	1.
de sa – main (with own) hand	3.
peculiar	3.6
propre (*clean*)[2b]	
clean	1.
neat	2.6
propre (*n.*)[6a]	
characteristic	3.
proprement[3b]	
proper	1.4
propreté[5a]	
cleanliness	5.3
propriétaire[3a]	
owner	2.
propriété[2a]	
property	1.5
property (landed)	1.9
prosaïque	
prosaic	10.5
proscrire	
proscribe	9.7
proscrit[4b]	
exile	5.6
prose[6a]	
prose	5.3
prospère[6b]	
prosperous	4.7
prospérer	
flourish	4.1
prospérité[4a]	
prosperity	4.4
prosterner[6b]	
prostrate	6.6
prostituée	
harlot	6.8
protecteur[5a]	
patron	4.
protector	6.3
protection[2b]	
protection	2.1
fostering	3.9
protégé (*n.*)[6a]	
protégé	11.
protéger[2a]	
protect	2.1
foster	3.8
protestant[4a]	
Protestant	4.4
protestation[6a]	
protest	4.1
protester[2b]	
protest	4.4
prouver[1b]	
prove	1.
provenir[4a]	
come from	1.
proverbe[6b]	
saying	2.9
proverb	4.9
providence[4b]	
providence	4.3
province[2b]	
province	1.5
provincial[5a]	
country (*adj.*)	2.6
provincial	7.9
provision[4a]	
provision	4.1
provisoire[5b]	
temporary	3.2
provisoirement[6a]	
temporary	3.2
provoquer[2a]	
provoke	2.4
proximité	
proximity	5.6

	Section
prudemment[6a]	
prudent	3.3
prudence[3a]	
prudence	3.7
prudent[3a]	
prudent	3.3
prune	
plum	6.
pruneau	
prune	6.4
prunelle[5a]	
pupil	5.3
prussien[5a]	
Prussian	4.5
psaume	
psalm	5.6
psychologie	
psychology	8.5
psychologique	
psychological	9.3
public[1b]	
public (*adj.*)	1.
public (*n.*)	1.4
publication[5a]	
publication	4.6
publicité[6b]	
publicity	7.8
publier[2b]	
publish	2.8
puce	
flea	7.8
pudeur[5a]	
modesty	4.7
puéril[6b]	
childish	4.6
puis[1a]	
then	1.
puiser[4a]	
draw up	1.7
puisque[1a]	
as (since)	1.
puissance[1b]	
power	1.
(Great) Power	3.
puissant[1b]	
strong	1.
tout –, almighty	5.1
puits[4b]	
well	1.9
punir[3a]	
punish	2.1
punition[6a]	
punishment	2.6
pupille[5b]	
ward	5.2
pupitre[5b]	
desk	3.6
pur[1b]	
pure	1.
pure (blooded, etc.)	1.5
purement[3b]	
simply	1.
pureté[4a]	
purity	4.7
purifier[6a]	
clean	2.2
purify	4.4
pyramide[5b]	
pyramid	5.7

Q

	Section
quai[3a]	
dock	5.4
qualifier[4a]	
qualify	7.2
qualité[2a]	
nature (character)	1.
quality	2.7

INDEX TO FRENCH WORDS IN THE LIST

	Section
quand[1a]	
when	1.
n'importe –, whenever	1.4
quant à[1b]	
as for	1.
quantité[2b]	
amount	1.
quarantaine[6a]	
forty	2.9
quarante[2a]	
forty	2.9
quart[1b]	
quarter	2.6
quartier[2a]	
district	2.1
quarter	2.5
– général, headquarters	3.4
quasi[4b]	
almost	1.
quatorze[3a]	
fourteen	3.4
quatre[1a]	
four	1.
quatre-vingt-dix	
ninety	5.8
quatre-vingts[4a]	
eighty	5.3
quatrième[3a]	
fourth	1.6
que (*rel. pron.*)[1a]	
what	1.
which	1.
que (*inter. pron.*)[1a]	
what	1.
which	1.
que (*conj.*)[1a]	
than	1.
that (*conj.*)	1.
quel[1a]	
which	1.
quelconque[2b]	
whatever	1.5
quelque[1a]	
any (some)	1.
– chose, anything	1.
-s, (a) few	1.
– peu, little (*adv.*)	1.
– part, somewhere	3.
quelquefois[2a]	
sometimes	1.4
quelqu'un[1a]	
somebody	1.4
quenouille	
distaff	8.2
querelle[5a]	
quarrel	2.5
quérir[6a]	
get	1.4
question[1a]	
matter	1.
question	1.1
questionner[4a]	
question	2.9
queue[2b]	
tail	4.1
qui (*rel. pron.*)[1a]	
which	1.
who	1.
n'importe –, anybody	1.8
qui (*inter. pron.*)[1a]	
who	1.
quiconque[5b]	
whoever	2.2
quincaillerie	
hardware	6.8
quinzaine[6a]	
fifteen	3.2
quinze[1a]	
fifteen	3.2

	Section
quinzième[6b]	
fifteenth	6.4
quitte[5a]	
quit	4.6
quitter[1a]	
leave (quit)	1.
quoi	
what	1.
quoi que[3b]	
whatever	1.5
quoique[2b]	
although	1.
quotidien[3a]	
daily	1.6

R

rabattre[5a]	
put down (suppress)	2.2
quell	6.5
rabbin	
rabbi	8.4
raccommoder[6b]	
repair	3.7
race[2a]	
race	3.2
racheter[5b]	
redeem	4.7
racine[4a]	
root	2.6
racontar[5b]	
gossip (tales)	6.6
raconter[1b]	
tell	1.
radiateur	
radiator	7.2
radical[3n]	
radical	5.
radieux[4b]	
beaming	2.4
rafale	
blast	5.7
raffiné[6b]	
refine	5.5
raffinement[5b]	
excellence	5.6
refinement	6.6
rafraîchir	
cool	4.9
rafraîchissement	
refreshment	6.8
rage[2b]	
fury	2.8
raide[3b]	
steep	2.8
stiff	3.2
raideur	
stiffness	9.3
raidir[4a]	
(make) stiff	4.9
rail[5b]	
rail	5.3
railler[6a]	
se –, (make) fun (of)	2.8
raillerie[5a]	
fun	3.1
rainure	
groove	7.2
raisin[4a]	
grapes	4.1
– sec, raisin	6.4
raison[1a]	
reason	1.
avoir –, (be) right	1.
reason (judgment)	1.4
raisonnable[2b]	
reasonable	3.4

	Section
raisonnement[5a]	
reasoning	4.6
raisonner[4b]	
reason	3.
rajeunir[4b]	
restore (to youth)	4.4
ralentir[6a]	
slow down, up	4.4
rallier[5b]	
rally	4.7
ramasser[2b]	
pick up	1.5
rame	
oar	4.8
rameau[6b]	
branch	1.6
ramener[1b]	
take back	1.9
ramer	
row	5.
rampe[5a]	
banister	11.7
ramper[5a]	
creep	3.
ranche	
ranch	6.9
rançon	
ransom	6.8
rancune[3b]	
spite	3.
grudge	4.6
garder de la – (bear) grudge	5.6
rang[1b]	
row	1.2
rangée (*n.*)[5a]	
row	1.2
ranger[1b]	
(put in) order	1.4
rangé, neat	2.6
ranimer[5b]	
refresh	5.2
rapide[1b]	
fast	1.
steep	2.8
rapidement[2a]	
fast	1.
rapidité[4b]	
hurry	2.4
speed	2.5
rappel[6a]	
recall	5.8
rappeler[1a]	
recall	1.8
call back	2.6
rappeler (se)[1b]	
remember	1.
rapport[1b]	
report (*n.*)	1.
relation	1.6
mettre en –, relate	2.1
rapporter[1b]	
report	1.5
se –, relate	2.1
se rapportant referring	2.6
rapprochement[5b]	
union	3.5
rapprocher[1b]	
bring together	2.6
rare[1b]	
rare	1.4
rarement[2b]	
seldom	1.5
ras[4b]	
even	2.4
raser[3b]	
shave	5.6

	Section
rasoir	
razor	7.2
rassasié	
satisfied	4.1
rassembler[3a]	
gather (collect)	1.5
assemble	2.8
rasseoir (se)[3b]	
sit (down)	1.
rassis	
stale	2.9
rassurer[1b]	
comfort	2.3
rat[4a]	
rat	5.2
râteau[6b]	
rake	6.2
rater[5a]	
miss	1.
ration	
ration	6.4
rattacher[4b]	
join	1.
rattraper[4a]	
overtake	3.9
rauque[6b]	
hoarse	6.5
ravager[5a]	
waste	4.9
ravir[2b]	
delight	2.
ravissant[5a]	
charming	2.3
rayer[5a]	
cross out	4.7
rayon[2a]	
ray	2.3
– de soleil, sunbeam	4.3
shelf	4.5
rayonnement[6a]	
radiance	4.9
réaction[4a]	
reaction	6.6
réagir[4a]	
react	7.9
réalisation[4a]	
carrying out	2.2
realization	6.4
réaliser[1b]	
realize (literally)	3.5
réaliste	
realist	9.
réalité[2a]	
reality	3.1
rebattre[6a]	
beat	1.1
rebelle[5a]	
rebel	4.
rebellious	6.4
rébellion	
rebellion	6.5
rebord	
ledge	6.8
rébus	
riddle	4.6
récemment[3a]	
recently	2.8
récent[2b]	
recent	2.7
réception[4b]	
reception	3.2
receipt	3.3
recette[4a]	
receipt (recipe)	2.6
receipt (e.g., for expenditures)	3.3

receveur
  receiver .... 6.
recevoir[1a]
  get (receive) ..... 1.
  admit 1.8
réchauffer[4a]
  heat 2.2
recherche[2b]
  inquiry 3.5
  search 4.4
recherché (*adj.*)[5a]
  choice 5.3
rechercher[2b]
  look for .... 1.
récipient
  receiver .... 6.
réciproque[5a]
  mutual 3.1
récit[2a]
  account 1.5
réciter[3a]
  recite 3.9
réclamation[7a]
  complaint 2.4
réclame[6a]
  puff 5.8
réclamer[1b]
  demand .... 1.
  claim 2.3
recoin[5a]
  corner 2.3
récolte[5b]
  crop 2.7
  faire la –, harvest . 4.8
recommandation[6b]
  recommendation ... 4.5
recommander[2b]
  recommend 2.1
recommencer[1b]
  begin again .... 1.
récompense[3a]
  reward 2.5
récompenser[6b]
  reward 3.8
réconcilier[5a]
  reconcile (things) . 4.6
  reconcile (persons) . 4.7
reconduire[4a]
  take back 1.9
réconforter[5b]
  comfort 2.3
reconnaissance[2b]
  gratitude 3.3
reconnaissant[4a]
  grateful 2.5
reconnaître[1a]
  admit 1.4
  recognize 1.4
  ne pas –
    (not) recognize .. 2.6
reconstituer[5a]
  reconstitute 9.7
reconstruire[6a]
  build 1.2
recourir[5a]
  resort 5.3
recours[4a]
  avoir – à, appeal .. 2.8
  appeal 3.8
recouvrir[2a]
  cover .... 1.
récréation[6a]
  pastime 4.8
récrier (se)[5b]
  call out 1.4
  protest 4.4
recrue
  recruit 6.4

recruter[6a]
  engage 1.9
rectangle
  rectangle 6.8
recteur
  chancellor .... 7.
rectifier[5a]
  correct 2.7
reçu
  receipt 4.9
recueil[5a]
  collection 2.7
recueillir[2a]
  gather (collect) ... 1.5
  gather (glean) 1.5
reculer[2a]
  draw back 1.5
  go back 2.1
  recoil 6.6
rédacteur[5a]
  author 1.9
  editor 6.1
rédaction[4b]
  (editorial) staff 5.3
redescendre[3b]
  go down 2.2
redevable
  indebted 4.2
redevenir[2b]
  become .... 1.
rédiger[4a]
  draw up 3.2
redingote[4b]
  frock coat 6.1
redire[3b]
  say again .... 1.
redoubler[5b]
  double 4.2
  double (effort) 4.3
redoutable[3a]
  dreaded 2.4
redouter[2a]
  (be) afraid .... 1.
redresser[3b]
  straighten (up) 4.6
redresser (se)[4a]
  straighten (up) 4.6
réduction[5b]
  decrease 4.7
  reduction 5.3
réduire[1b]
  reduce 3.5
réel[2a]
  real .... 1.
  actual 2.1
réélection
  reëlection 8.4
réellement[2b]
  really 1.4
refaire[4a]
  do over again 1.8
réfectoire[6b]
  dining room 4.9
référence
  reference 4.8
refermer[3a]
  close .... 1.
réfléchir[1b]
  consider 1.8
  reflect 4.3
reflet[3a]
  reflection 5.4
refléter[4b]
  reflect 4.3
réflexion[2a]
  consideration 2.4

reflux
  ebb 6.4
réforme[4a]
  reform 3.2
  improvement 3.6
réformer[4b]
  reform .... 5.
refouler[5b]
  drive back 1.5
réfractaire[6b]
  refractory 9.8
refrain[6b]
  refrain 6.6
refroidir[3b]
  cool 4.3
refuge[6a]
  refuge 3.9
réfugier (se)[3b]
  (take) refuge 3.9
refus[3b]
  refusal 5.7
refuser[1a]
  refuse 2.3
regagner[3a]
  recover 1.9
régaler[5b]
  entertain 2.4
  treat 4.9
regard[1a]
  look .... 1.
regarder[1a]
  have to do with ... 1.
  look at .... 1.
régente
  regent 6.4
régime[2a]
  government 1.1
  direction 1.8
  diet 6.2
régiment[2b]
  regiment 3.6
région[2a]
  province 1.5
régir[6a]
  rule .... 1.
registration
  registering 4.2
registre[4b]
  record 3.8
règle (*rule*)[2a]
  rule 1.1
règlement[2b]
  rule 1.1
régler[2a]
  settle 1.8
  rule 4.2
  regulate 4.4
règne[3a]
  reign 2.1
régner[2b]
  reign .... 2.
regret[1b]
  regret 3.4
regrettable[6b]
  (too) bad 2.9
  grievous .... 4.
regretter[1b]
  (be) sorry 1.8
régularité[5a]
  regularity .... 8.
régulateur[6b]
  standard 2.2
régulier[2a]
  regular .... 2.
régulièrement[3b]
  regular .... 2.
rein
  kidney 7.3

reine[3a]
  queen 1.6
reins (*pl.*)[4b]
  back 1.4
  loin 5.7
rejeter[5b]
  reject 3.2
rejoindre[2a]
  catch up 2.3
  overtake 3.9
réjouir[2a]
  delight .... 2.
  rejoice 3.2
relâche[6a]
  respite 4.5
relâcher[4b]
  loose 1.5
relatif[3b]
  relative 3.7
relation[3a]
  relation 1.6
relativement[4a]
  (in) proportion ... 2.6
reléguer[6b]
  expel 4.3
relevé[4b]
  exalted 2.9
relever[1a]
  lift .... 1.
  relieve 3.9
relief[3b]
  en –, relief 5.2
relier[3b]
  bind (a book) 2.7
religieux[2a]
  religious 2.3
religion[2b]
  religion 1.6
relique[5a]
  relic 6.1
relire[5a]
  read .... 1.
reliure[6a]
  binding 5.4
remarquable[2b]
  remarkable 2.4
remarque[3a]
  faire une –, remark . 2.3
  remark 2.4
remarquer[1b]
  notice 1.4
rembourser[5a]
  give back 1.9
  repay .... 5.
remède[3b]
  remedy 3.6
remédier[5b]
  remedy .... 4.
remerciement[6a]
  thanks 1.1
remercier[1b]
  thank .... 1.
remettre[1a]
  deliver 1.4
  pardon 2.2
  put off 2.6
  se –, recover 2.7
  restore 2.7
  remit 3.6
remise[4b]
  delivery 4.4
remonter[1a]
  go up .... 1.
remords[2b]
  remorse 4.1
rempart[4a]
  rampart 6.4

INDEX TO FRENCH WORDS IN THE LIST

	Section
remplacer[1b]	
substitute	2.3
remplir[1a]	
carry out	1.
fill	1.4
rempli, crowded	5.4
remporter[5a]	
take away	1.
remuer[2a]	
move	1.1
stir (a mixture)	2.1
renaissance[5a]	
revival	8.1
renaître[4a]	
(be) born	1.
renard[5a]	
fox	4.9
rencontre[1b]	
aller à –, meet	2.3
encounter (friendly)	3.1
encounter (military)	3.9
rencontrer[1a]	
meet	1.
rendement[6a]	
output	5.8
rendez-vous[3a]	
appointment (to meet)	4.5
rendormir (se)[6b]	
(go to) sleep	3.9
rendre[1a]	
– visite, visit	1.4
give back	1.9
– hommage (do) homage	5.
repay	5.
rendre (se)[7a]	
yield	1.9
– compte, realize	2.6
renfermer[2b]	
include	2.1
renforcement	
reinforcement	7.6
renfort[6a]	
help	1.1
renier[5b]	
deny	3.7
renifler[6a]	
snuffle	10.2
renne	
reindeer	6.8
renom[6a]	
fame	2.3
renommée[6b]	
fame	2.3
renoncer[1b]	
give up	1.4
renounce	3.1
renouveler[3a]	
renew	2.5
renouvellement[6a]	
renewal	6.9
renseignement[2b]	
information	2.
-s légaux	
legal information	5.3
renseigner[3a]	
(let) know	1.
rente[2b]	
income	3.6
rentier[5b]	
independent person	5.7
rentrée (n.)[4b]	
return	1.4
rentrer[1a]	
enter	1.
go back	1.4

	Section
renverser[2a]	
overthrow	3.1
tip over	3.5
renvoi[5b]	
discharge	3.8
renvoyer[2b]	
return	1.9
dismiss	2.7
repaire[6b]	
den	3.1
répandre[2a]	
scatter	2.4
diffuse	3.5
répandu (adj.)[6a]	
extensive	4.9
reparaître[3b]	
appear (loom)	1.
réparation[3a]	
amends	4.1
réparer[3a]	
make up for	2.9
repair	3.7
repartir[2b]	
answer	1.
répartir[4a]	
distribute	3.3
repas[2a]	
meal	3.2
repasser[4a]	
pass	1.4
look over	3.1
repentir (se)[5a]	
repent	4.3
répéter[3a]	
say again	1.
rehearse	6.1
répétition	
repetition	5.3
repli[6a]	
fold	4.4
replier (se)[4a]	
retire	3.
réplique[5a]	
answer	1.2
répliquer[3a]	
answer	1.
répondre[1a]	
answer	1.
réponse[2a]	
answer	1.2
reporter[3b]	
carry back	3.2
repos[2a]	
rest	1.2
sans –, restless	2.7
reposer[1b]	
rest	1.
repousser[1b]	
drive back	3.1
reprendre[1a]	
take	1.
take away, back	2.6
représentant[4a]	
representative	2.3
représentation[4a]	
play	2.
performance	3.1
representation	3.5
représenter[1b]	
represent	1.4
réprimer[4a]	
put down	2.2
check	3.2
reprise[3a]	
à plusieurs -s several times	1.2
reproche[2b]	
reproach	2.7

	Section
reprocher[1b]	
reproach	2.8
reproduction	
reproduction	6.9
reproduire[4a]	
reproduce	4.3
reptile	
reptile	7.4
républicain[3b]	
republican	4.4
république[2b]	
republic	2.8
répugnance[5b]	
dislike	5.
réputation[3a]	
reputation	3.2
requérir[5a]	
ask (a question)	1.
demand	1.
requête[6a]	
request	2.1
plea	5.3
réseau[6a]	
net	3.1
réserve[3a]	
en, de –, spare	3.
reserve	3.2
réserver[1b]	
reserve	2.7
réservoir[5a]	
tank	6.1
résidence[5b]	
dwelling	2.3
residence (general and special)	4.1
(place of) residence	4.3
résider[4a]	
live	1.1
résignation[5b]	
submission	6.4
résigner[3a]	
se –, resign	2.2
résistance[3a]	
resistance	5.4
résister[2a]	
oppose	2.3
resist	2.8
résolu (adj.)[3b]	
resolute	4.
résolument[5b]	
resolute	4.
résolution[2b]	
resolution	3.2
résonner[4b]	
ring	2.9
résoudre[2a]	
solve	1.9
respect	
respect	1.9
respectable[4a]	
decent	4.
respecter[2b]	
respect	2.
respectif[6b]	
respective	3.7
respectueux[4b]	
respectful	3.9
respiration[5a]	
breath	3.6
respirer[2a]	
breathe	2.7
responsabilité[3a]	
responsibility	5.1
responsable[3b]	
responsible	4.3
ressaisir[5a]	
seize	1.1

	Section
ressemblance[3b]	
likeness	3.9
ressembler[1b]	
(look) like	1.
ressemeler[6a]	
sole	5.4
ressentiment[5a]	
grudge	4.6
garder du – (bear) grudge	5.6
ressentir[3a]	
se –, (be) hurt	2.3
resserrer[5b]	
clasp	3.1
ressort[3a]	
spring	1.8
ressortir[6a]	
stand out	1.9
ressource[2a]	
resource	3.6
ressusciter[4a]	
revive	5.2
restaurant[4b]	
restaurant	4.7
restauration[5b]	
restoration	6.5
restaurer[4a]	
restore	2.7
reste[1a]	
rest	1.1
rester[1a]	
remain (abide)	1.
remain (be left)	1.
restituer[5b]	
make up for	2.9
restreindre[6b]	
limit	1.6
résultat[1b]	
result	1.5
résulter[2b]	
result	1.5
résumé (n.)[4b]	
summing up	3.1
résumer[4a]	
sum up	2.
rétablir[3b]	
restore	2.7
retard[2a]	
delay	3.8
retardataire[6b]	
late-comer	13.
retarder[3b]	
detain	2.6
delay	2.7
(be) slow	3.6
retenir[1a]	
keep	1.
keep back	1.7
detain	2.6
retentir[2b]	
ring	2.9
retirer[1a]	
take away, back	2.6
se –, retire	3.
retomber[2a]	
fall back	1.5
retour[1b]	
de –, back	1.
return	1.4
retourner[1a]	
go back	1.4
se –, turn round	1.4
return (send back)	1.9
invert	3.9
retracer[6a]	
tell	1.
retraite[2a]	
retreat	2.6

		Section
retrancher[5a]	cut off	2.8
rétrécir[5a]	contract	4.3
	shrink	5.2
retrousser[5a]	turn up	4.9
retrouver[1a]	find	1.
	recover	1.9
réunion[3a]	convention	2.8
réunir[1b]	unite	1.
réussir[1b]	succeed	1.5
revanche[2b]	en −, (in) return	1.1
	revenge	2.8
rêve[1b]	dream	1.4
réveil[3b]	waking	4.4
réveiller[2a]	wake (tr. vb.)	1.9
réveiller (se)[3b]	wake (intr. vb.)	1.9
révélation[3a]	revelation	5.5
révéler[2a]	reveal	2.4
revendiquer[6b]	pretend	1.8
	claim	2.3
revenir[1a]	come back	1.8
	amount to	2.9
revenu (n.)[4a]	income	3.6
rêver[1b]	dream	1.8
révérence[5a]	reverence	4.1
révérend	reverend	4.9
rêverie[3a]	fancy	2.
revers (n.)[4b]	(wrong) side	1.7
revêtir[2b]	clothe	1.9
rêveur[4a]	pensive	3.9
	dreamer	9.7
révision	revision	6.8
revivre[4b]	revive	5.2
revoir[1b]	see	1.
	look over	3.1
	au −, farewell	3.4
révolte[4b]	revolt	4.4
révolter[3a]	rebel	3.6
révolution[2a]	turn	3.
	revolution	3.2
révolutionnaire[3b]	revolutionary	5.
revolver[4b]	pistol	5.9
revue[3b]	review	2.6
	magazine	3.
	Revue de l'état-major publication of the general staff	5.1

		Section
rez-de-chaussée[5b]	ground floor	4.4
rhétorique	rhetoric	7.2
rhum[6a]	liquor	4.3
rhumatisme[4a]	rheumatism	7.2
ricaner[6b]	grin	5.9
riche[1a]	rich	1.
richesse[2b]	wealth	1.5
ride[4a]	wrinkle	5.4
rideau[2a]	curtain	3.8
rider[5a]	wrinkle	5.7
ridicule[2a]	ridiculous	3.6
rien[1a]	nothing	1.
	ne servir à, de − (of no) use	1.8
rigoureusement[5b]	severe	1.6
rigoureux[3b]	severe	1.6
rigueur[4a]	rigor	4.2
rime	rhyme	6.
riposter[6b]	answer	1.
rire[1a]	laugh (vb.)	1.
	laugh (n.)	1.8
	laughter	3.8
risque[4a]	risk	3.4
risquer[2a]	(take) chances	1.4
rivage[4a]	bank	1.5
	beach	3.9
rival[3a]	rival	5.
rivalité	rivalry	7.8
rive[3a]	bank	1.5
rivière[2b]	river	1.5
riz[6b]	rice	4.7
robe[1b]	dress	1.4
	robe (e.g., hermit's)	3.3
robuste[4a]	strong	1.
	hardy	2.6
roc[6b]	rock	1.7
roche[6a]	rock	1.7
rocher[3a]	rock	1.7
	couvert de −s, rocky	5.9
rôder[4a]	wander	2.7
rogner	bob	5.8
rognon	kidney	7.3

		Section
roi[1b]	king	1.
roitelet	wren	6.8
rôle[1b]	part (rôle)	1.4
romain[3b]	Roman	1.8
roman (n.)[3a]	novel	2.9
	fiction	3.9
roman (adj.)[5a]	romance	6.4
romancier[6a]	novelist	7.9
romanesque[5b]	romantic	4.3
romantique[4b]	romantic	4.3
romantisme	romanticism	10.4
rompre[2b]	break (in pieces)	2.3
ronce	bramble	7.2
rond (adj.)[2b]	round	1.6
rond (n.)[4a]	circle	1.2
ronde[2b]	part (of country)	1.
	(make) rounds	4.2
ronfler[5b]	snore	6.7
ronger[5a]	gnaw	6.1
rose[2a]	rose (n.)	1.5
	pink (adj.)	4.6
roseau[5b]	reed	3.4
rosée[5b]	dew	3.9
rosier[6a]	rose bush	5.2
rosse	hack	7.
rossignol	nightingale	6.1
rôti (n.)[6a]	roast	5.4
rôtir[6a]	cook	2.5
roucoulement	coo	6.9
roucouler	coo	6.9
roue[3a]	wheel	2.5
rouge[1a]	red	1.
rouge-gorge	robin	5.6
rougeâtre[6a]	red	1.
rougeur	blush	5.5
rougir[2b]	blush	4.
rouille	rust	5.2
rouiller[6a]	rust	5.8
	rouillé, rusty	6.6
rouleau	roll	2.6
	scroll	4.6

		Section
roulement[5b]	roll	4.3
rouler[1b]	roll	2.3
	wind	3.3
route[1a]	road	1.
	en −, (on the) way	2.2
routine[6a]	routine	7.7
rouvrir[5a]	open	1.
roux[4a]	red	1.
royal[2b]	royal	1.5
royaliste[6a]	royalist	10.
royaume[3b]	kingdom	1.7
ruban[4a]	ribbon	3.1
ruche[6b]	hive	3.9
rude[2a]	rough	3.
	gruff	3.7
rudement[4a]	rough	3.
rue[1b]	street	1.
	− de traverse crossroad	10.5
ruer[6b]	se −, dash	1.8
rugissement	roar	5.3
ruine[2b]	ruin	2.4
ruiner[2b]	destroy	1.5
ruineux	ruinous	6.5
ruisseau[3b]	brook	2.1
	gutter	5.7
ruisseler[4b]	flow	1.5
rumeur[4b]	noise	2.6
	rumor	3.8
ruminer[6a]	chew	6.8
rupture[4b]	break	3.8
ruse[4b]	cunning (craft)	4.
	cunning (quality)	5.1
russe[5b]	Russian	3.
rustique[6a]	rural	3.3
rythme[6a]	rhythm	7.9

S

		Section
sable[2a]	sand	2.
sablonneux	sandy	6.
sabot[3b]	shoe	3.2
	hoof	5.1
sabre[4b]	sword	2.
	saber	7.2

INDEX TO FRENCH WORDS IN THE LIST

	Section
sac[2a]	
bag	3.
saccadé[5a]	
donner des coups -s jerk	4.6
saccager[6b]	
plunder	6.5
sacré (*adj.*)[2a]	
sacred	1.6
sacrifice[2a]	
sacrifice	2.
sacrifier[3a]	
sacrifice	2.6
sacristain	
sexton	8.1
sage[2a]	
good	1.
wise	1.5
sagesse[3a]	
wisdom	2.3
saignant (*adj.*)[6a]	
bleeding	5.
saigner[6a]	
bleed	5.
saillant[6b]	
projecting	4.3
saillir[7a]	
project	3.7
sain[2b]	
sound	1.2
saint[1b]	
holy	1.4
saint	2.6
sainteté[6b]	
holiness	6.6
saisir[1a]	
seize	1.1
saisissant (*adj.*)[6a]	
striking	2.5
saison[2a]	
season	2.4
salade[4a]	
salad	6.
salaire[5b]	
salary	2.7
sale[3b]	
dirty	4.2
filthy	5.7
saler[6a]	
salt	4.7
saleté	
dirt	6.
salir[5b]	
soil	4.9
salle[1b]	
hall	1.5
- de classe, schoolroom	3.3
salle à manger[6b]	
dining room	4.9
salon[1b]	
room	2.3
saluer[1b]	
bow	1.4
salut (*greeting*)[2b]	
bow	1.8
salut (*salvation*)[3b]	
salvation	3.9
salutaire[6b]	
wholesome	4.6
samedi[3a]	
Saturday	3.5
sanction[6a]	
sanction	6.7
sanctuaire	
sanctuary	5.3
sandwich	
sandwich	6.8

	Section
sang[1b]	
blood	1.
sang-froid[4a]	
presence of mind	4.5
sanglant[3b]	
bloody	2.9
sanglier[5b]	
pig	3.9
sanglot[3b]	
sob	5.9
sangloter[4a]	
sob	6.1
sans[1a]	
- doute (without) doubt	1.
without	1.
- repos, restless	2.7
- valeur, worthless	4.2
- nom, nameless	5.8
- fil, wireless	6.
sans que[2b]	
without	1.
santé[2a]	
health	1.5
état de - (state of) health	3.1
sapin[3b]	
fir	5.9
sarcasme[6a]	
sarcasm	8.8
sardine	
sardine	8.
satin[6b]	
satin	5.8
satire	
satire	6.9
satisfaction[2a]	
satisfaction	2.4
satisfaire[2b]	
satisfy	1.9
satisfaisant[4b]	
satisfactory	3.7
satisfait[3a]	
satisfy	1.9
sauce[5a]	
sauce	5.5
saucisse	
sausage	5.8
sauf (*adj.*)[3b]	
safe	1.
sauf (*prep.*)[2b]	
except	1.1
saule[6a]	
willow	5.6
saumon	
salmon	7.2
saut[6a]	
spring	2.6
sauter[1b]	
spring	1.5
sauterelle	
grasshopper	6.2
sauvage[2b]	
wild (savage)	1.6
wild (uncultivated)	1.7
savage	2.
sauver[1b]	
save	1.
sauver (se)[4a]	
run away	1.5
sauveur	
savior (S)	4.8
savant (*adj.*)[3b]	
learned	1.6
savant (*n.*)[2b]	
scholar	2.3
saveur[5b]	
taste	1.4

	Section
savoir (*vb.*)[1a]	
know (have knowledge)	1.
vouloir -, wonder	1.
savoir-faire	
poise	4.5
savon[6a]	
soap	4.6
pain de -, cake of soap	4.8
savourer[6a]	
relish	4.
savoureux[6a]	
savory	6.9
scandale[4b]	
scandal	5.8
scandaleux[6b]	
shameful	4.7
scandaliser[4b]	
shock	3.2
scarabée	
beetle	6.8
sceau[5b]	
seal	4.
scélérat[6a]	
criminal	4.5
knave	4.5
ruffian	7.
sceller	
seal	5.2
scène[1b]	
scene	1.8
scene (of play)	2.2
stage	3.
sceptique[4b]	
sceptic	9.2
sceptre	
scepter	5.9
science[1b]	
science	1.4
homme de -, scientist	4.2
scientifique[4a]	
scientific	3.9
scolaire[5b]	
système - school system	4.2
school	4.6
scrupule[3a]	
scruple	5.9
sculpté[6a]	
carve	5.6
sculpter[4b]	
carve	5.6
sculpteur	
sculptor	7.4
sculpture[6a]	
sculpture	6.8
se[1a]	
each other	1.
self	1.
séance[2b]	
convention	2.8
seau	
pail	5.6
sec[1b]	
dry	1.4
raisin -, raisin	6.4
sèchement[4b]	
dry	1.4
sécher[3b]	
dry (*vb.*)	2.1
sécheresse[5b]	
dryness	11.5
second[1a]	
second	1.
secondaire[5a]	
school	1.
secondary	6.6
seconde (*n.*)[2a]	
second	2.3

	Section
secouer[2a]	
shake	1.9
secourir[5b]	
help	1.
secours[1b]	
help	1.1
secousse[4a]	
donner une -, jerk	4.6
secret (*n.*)[1b]	
secret	1.8
secret (*adj.*)[4b]	
secret	2.1
secrétaire[2b]	
secretary	3.6
secrètement[6b]	
secret	2.1
section[4a]	
section	1.9
sécurité[3b]	
safety	1.7
séduction[5b]	
seduction	12.9
séduire[4b]	
attract	3.1
seduce	4.8
séduisant[5b]	
attractive	4.
seigle	
rye	5.6
seigneur[2a]	
lord (L)	1.1
peer	2.6
sein[3a]	
chest	1.9
seize[3b]	
sixteen	5.2
seizième[6a]	
sixteenth	7.7
séjour[3a]	
stay	1.7
lieu de - (place of) residence	4.3
séjourner[5b]	
sojourn	3.4
sel[4a]	
salt	2.1
selle[5a]	
saddle	3.8
selon[1b]	
by (according to)	1.
semailles	
sowing	4.5
semaine[1a]	
week	1.1
semblable[1b]	
like	1.
semblant[5a]	
faire -, make believe	4.2
sembler[1a]	
appear (look)	1.
semelle[4b]	
sole	5.2
semer[2b]	
sow	3.6
sénat[4b]	
senate	3.4
sénateur[4b]	
senator	5.2
sens[1a]	
direction	1.
sense	1.4
sensation[2b]	
feeling	1.6
sensé[5b]	
reasonable	3.4

305

sensibilité[3b]	**servile**[6b]	**silencieux**[2a]	**soi**[2b]
feeling 1.5	servile .... 7.	silent 1.5	self .... 1.
sensible[2b]	**servir**[1a]	**silex**[5a]	itself 1.5
conscious of 3.3	serve .... 1.	flint 6.5	**soi-disant**[6a]
sensitive 4.4	se – de, use .... 1.	**silhouette**[5a]	(so) called 1.2
sensiblement[5b]	ne – à rien, de rien	outline 4.8	**soie**[3a]
very .... 1.	(of no) use 1.8	**sillon**[3b]	silk 2.9
sensuel[6a]	**serviteur**[2b]	furrow .... 6.	de –, silk 3.3
sensual 5.6	servant 1.9	**simple**[1a]	**soif**[3b]
sentence[6b]	**servitude**[6b]	only (*adj.*) .... 1.	thirst 3.3
sentence .... 2.	slavery 6.2	simple .... 1.	avoir –, (be) thirsty... 3.7
senteur[4a]	**session**[5a]	simple (ingenuous) . 2.2	**soigner**[2a]
smell 2.8	session 5.3	**simplement**[1b]	(take) care .... 1.
sentier[2b]	**seuil**[2b]	simply .... 1.	**soigneusement**[3b]
path 2.9	threshold 4.2	**simplicité**[3a]	careful 1.7
sentiment[1b]	**seul**[1a]	simplicity 5.4	**soin**[1b]
feeling .... 1.	alone .... 1.	**simplifier**[5b]	care .... 1.
-s sympathiques	only (*adj.*) .... 1.	(make) simple 2.1	prendre –, (take) care . 1.
sympathy 2.8	**seulement**[1a]	**simultané**[3a]	**soir**[1a]
sentimental[4b]	only (*adv.*) .... 1.	(at the) same time .. 1.9	evening .... 1.
sentimental 6.6	**sève**[5a]	**simultanément**[6a]	hier –, (last) night ... 1.2
sentir[1a]	sap 4.2	(at the) same time .. 1.9	ce –, tonight 1.4
feel .... 1.	**sévère**[2b]	**sincère**[3a]	le –, (at) night 2.2
smell 3.5	severe 1.6	sincere 2.5	**soirée**[2a]
séparation[3b]	**sévèrement**[4b]	**sincèrement**[6a]	evening .... 1.
separation 3.4	severe 1.6	sincere 2.5	**soit** (*so be it*)[5b]
séparément[6a]	**sévérité**[4b]	**sincérité**[4a]	ainsi – il, amen 4.3
separate .... 1.	rigor 4.2	sincerity 5.9	**soit .... soit** (*whether
séparer[1a]	severity 4.7	**singe**[4a]	.... or*)[3b]
separate .... 1.	**sévir**[6b]	monkey 5.6	whether .... 1.
séparé, separate ..... 1.	punish 2.1	**singulier**[1b]	**soixante**[1b]
sept[1a]	rage 3.2	strange .... 1.	sixty .... 4.
seven 1.4	**sexe**[6a]	**singulièrement**[6a]	**soixante-dix**[6b]
septembre[2b]	sex 3.3	strange .... 1.	seventy 5.1
September 2.1	**si** (*so*)[1a]	**sinistre**[3b]	**sol**[1b]
septième	so much .... 1.	disaster 3.9	earth .... 1.
seventh 4.5	**si** (*if*)[1a]	sinister .... 5.	ground .... 1.
serein (*adj.*)[6a]	if .... 1.	**sinon**[2a]	**soldat**[1b]
quiet .... 1.	whether .... 1.	else 1.1	soldier .... 1.
serene .... 6.	**si** (*yes*)[3a]	**sire**[5a]	**soleil**[1a]
sérénité[6a]	yes .... 1.	lord 2.2	sun .... 1.
quiet .... 1.	**siècle**[1a]	**sirène**[5b]	lumière, clarté du –
sergent[5a]	century 1.4	siren .... 7.	sunshine 3.2
sergeant 6.4	**siège**[1b]	**sirop**[6a]	rayon de –, sunbeam.. 4.3
série[2a]	seat .... 1.	syrup 5.3	coucher du –, sunset.. 5.3
series 2.5	siege 4.8	**site**[4b]	lever du –, sunrise .. 5.8
sérieusement[2b]	**sien** (*poss. pron.*)[2a]	place .... 1.	**solennel**[2b]
grave 1.4	his 1.1	**sitôt**[3a]	solemn 2.8
sérieux[1a]	hers 2.9	– .... –, (no) sooner 1.	**solennellement**[4a]
grave 1.4	**siffler**[3a]	**situation**[1b]	solemn 2.8
gravity 3.8	whistle 4.6	state (condition) ... 1.	**solennité**[4b]
serin	hiss 5.4	office 1.4	solemnity 5.3
canary 7.2	**sifflet**[5a]	position 1.4	**solidarité**[5a]
serment[3b]	whistle 3.9	location 5.5	(joint) responsibility 7.1
faire, prêter –, swear.. 2.7	**siffloter**[5a]	**situer**[2b]	**solide**[2b]
oath 4.6	whistle 4.6	locate .... 2.	solid 3.2
sermon[6a]	**signal**[3a]	**six**[1a]	**solidement**[5b]
sermon 3.7	signal 4.5	six 1.4	solid 3.2
serpent[6b]	**signaler**[3a]	**sixième**	**solidité**[6a]
snake 3.8	point out 1.4	sixth 3.7	force .... 1.
serre[4b]	**signature**[3b]	**sobre**[6b]	solidity 8.3
claw 6.1	signature 4.1	sober 3.8	**solitaire**[3b]
serré[3b]	**signe**[1a]	**sobriété**[5a]	lonely 3.3
tight 1.7	sign 1.1	moderation 3.8	**solitude**[2b]
serrer[1b]	faire –, beckon 4.3	temperance 6.4	solitude 3.6
press 1.1	**signer**[2b]	**social**[2b]	**solliciter**[4a]
shake 1.1	sign 2.4	social 2.3	ask (a question) .... 1.
clasp 3.1	**significatif**[5a]	démocratie -e	solicit 3.4
serrure[4b]	(full of) meaning ... 3.3	social democracy . 5.3	**sollicitude**[6a]
lock 2.8	**signification**[4b]	**socialiste**[3a]	care .... 1.
servante[2b]	import (meaning) .. 2.2	socialist 6.1	**soluble**
servant 1.5	**signifier**[2a]	**société**[1b]	soluble 6.8
service[1a]	mean .... 1.	company (business) . 1.	**solution**[3a]
service .... 1.	**silence**[1a]	company (social) ... 1.	solution 3.5
favor 1.4	silence 2.2	-s de bienfaisance	**sombre**[1b]
faire le –, ply 3.4	**silencieusement**[5a]	charity societies.. 4.6	dark .... 1.
serviette (*napkin*)[4a]	silent 1.5	**sœur**[1a]	dim 4.1
napkin 5.5		sister .... 1.	**sombrer**[6b]
			sink 3.2

INDEX TO FRENCH WORDS IN THE LIST

	Section
sommaire[5b]	
summing up	3.1
somme (f.)[1b]	
amount	1.
somme	
nap	6.
sommeil[2a]	
sleep	1.5
avoir –, (be) sleepy	2.3
sommeiller	
slumber	4.5
sommer[5b]	
summon	2.7
sommet[3b]	
top	1.3
summit	3.4
somptueux[5a]	
sumptuous	5.
son, sa, ses (poss. adj.)[1a]	
her	1.
his	1.
its	1.
son (sound)[2b]	
sound	1.2
son	
bran	7.2
songe[4b]	
dream	1.4
songer[1a]	
think	1.
dream	1.8
sonner[1b]	
read	1.4
ring	1.4
sonnerie[5a]	
ringing	4.9
sonnette[4b]	
bell	2.5
sonore[3b]	
ringing	1.7
sorcier(-ère)[4b]	
witch	5.2
wizard	6.2
sort[2a]	
fate	1.5
sorte[1a]	
kind	1.
sortie[2a]	
way out	2.
sortie	9.2
sortir[1a]	
go out	1.4
come, go out	2.6
sot[4a]	
fool	2.4
foolish	2.8
sottement[6b]	
foolish	2.8
sottise[4b]	
nonsense	5.
sou[2a]	
cent	1.7
souche[5a]	
stump	5.7
souci[2a]	
cares	1.3
soucier (se)[5a]	
care about	1.8
soucieux[5a]	
anxious	2.3
soucoupe[6a]	
saucer	7.
soudain[1b]	
sudden	1.
soude	
soda	5.6
souffle[2a]	
breath	2.8
waft	6.3
souffler[2a]	
blow	2.9
soufflet[5b]	
blow	1.4
slap	3.8
souffrance[2b]	
pain	1.
suffering	4.5
souffrir[1a]	
bear	1.
suffer	1.
souffrant, ill	1.5
soufre	
sulphur	5.2
souhait[6a]	
desire	1.
souhaiter[2a]	
desire	1.
soulagement[6a]	
relief	3.3
soulager[4a]	
relieve	2.7
soulever[1b]	
lift	1.
soulier[2b]	
shoe	3.2
souligner[4a]	
underline	8.
soumettre[2a]	
se –, submit	2.4
subdue	4.3
soumis (adj.)[5b]	
obedient	3.2
soumission	
submission	6.
soupçon[4a]	
suspicion	4.
soupçonner[2b]	
suspect	2.8
soupe[3b]	
soup	5.
souper (vb.)[5b]	
(have) supper	2.4
souper (n.)[4a]	
supper	4.6
soupir[2b]	
sigh	2.8
soupirer[4a]	
sigh	2.6
souple[4b]	
flexible	6.4
souplesse[5b]	
flexibility	9.7
source (source)[2b]	
source	2.7
source (spring)[4b]	
spring	1.7
sourcil[3b]	
eyebrow	6.3
sourd[2b]	
deaf	4.8
sourdine[6b]	
mute	6.2
souriant[2b]	
smile	1.4
sourire (vb.)[1b]	
smile	1.4
sourire (n.)[1b]	
smile	1.9
souris (f.)[6a]	
mouse	5.
sous[1a]	
under	1.
sous-marin[5b]	
submarine	8.1
soustraire[4b]	
subtract	4.5
soutane[5a]	
(priest's) robe	3.9
soutenir[1a]	
support	1.8
souterrain[6a]	
underground	6.6
soutien[4b]	
support	2.1
souvenir (n.)[1a]	
memory	1.8
souvenir (se)[1b]	
remember	1.
souvent[1a]	
often	1.
souverain[3a]	
sovereign	3.7
souveraineté[6a]	
rule (dominion)	2.
spécial[2a]	
special	1.8
spécialement[4a]	
above all	1.
spécialité[6b]	
specialty	8.8
spécifique	
specific	5.8
spécifier	
specify	8.9
spectacle[1b]	
sight	1.
spectateur[3b]	
audience	3.
spéculation[5b]	
speculation	5.3
sphère[6b]	
sphere	4.4
spirale[6b]	
spiral	7.6
spirituel[2b]	
spiritual	3.3
witty	4.1
splendeur[5a]	
splendor (brilliance)	2.8
splendor (magnificence)	3.6
splendide[4b]	
splendid	2.6
spontané[5a]	
(of own) accord	3.4
spontaneous	6.
spontanéité	
spontaneity	10.2
spontanément[6a]	
spontaneous	6.
sport[3b]	
sport	5.1
sportif[5a]	
sport	5.3
squelette[6b]	
skeleton	6.7
station[2b]	
stop (of tram, etc.)	2.6
stationner[6b]	
stop	1.4
statistique[5a]	
statistics	6.1
statue[2a]	
statue	3.6
statuette[5b]	
statue	3.6
statut[5a]	
statute	4.1
sténographie	
shorthand	9.2
sténographique	
(in) shorthand	9.6
stérile[3a]	
barren	5.3
stérilité	
barrenness	9.4
sterling[6b]	
pound	1.
stimulant	
stimulus	5.
stratégie	
strategy	7.6
stratégique	
strategic	8.
strictement[5a]	
severe	1.6
structure[6a]	
structure	5.1
studieux	
studious	4.8
stupéfait[3b]	
astounded	5.6
stupeur[4a]	
stupor	9.2
stupide[3b]	
dull	3.5
stupidité	
stupidity	8.2
style[3a]	
style	2.5
suave[6a]	
gentle	1.4
subir[1b]	
bear	1.
undergo	3.8
subit[3b]	
sudden	1.
subitement[4a]	
suddenly	1.
subjuguer	
subjugué, overcome	3.3
overcome	4.5
sublime[3a]	
exalted	2.9
submerger[6a]	
flood	4.7
subordonné	
subordinate	7.
subordonner[6b]	
subject	2.
subsister[4a]	
subsist	7.3
substance[5a]	
substance	3.5
substantiel	
substantial	3.6
substituer[3b]	
substitute	2.3
substitut[5b]	
substitute	3.7
substitution[6b]	
substitution	10.5
subtil[4a]	
subtle	3.
subvention[6b]	
subsidy	8.6
succéder[2b]	
follow	2.3
succès[1b]	
success	1.5
avoir du –, successful	3.4
successeur[3b]	
successor	3.8
successif[4b]	
successive	3.

	Section
succession[4b]	
succession	3.1
successivement[3b]	
little by little	1.
successive	3.
one after the other	3.3
succomber[5b]	
sink	4.9
sucer[6b]	
suck	6.
sucre[4b]	
sugar	2.1
sucré[4b]	
sweet	1.4
sud[3a]	
south	2.2
du, au –, southern	2.3
sud-ouest[5b]	
southwest	6.5
suédois	
Swedish	6.8
suer[5a]	
sweat	5.8
sueur[4a]	
sweat	4.7
suffire[1a]	
(be) enough	1.
suffisamment[3b]	
sufficient	2.5
suffisant[3a]	
sufficient	2.5
adequate	6.
suffoquer[4b]	
choke	3.7
suffrage	
suffrage	5.1
suggérer[3b]	
propose	1.4
suggestion[5b]	
suggestion	5.1
suicide[6b]	
suicide	8.4
suisse[6a]	
Swiss	6.4
suite[1a]	
following	2.3
suivant[1b]	
by (according to)	1.
next	1.
following	1.1
subsequent	4.1
suivre[1a]	
follow	1.
sujet (n.)[1b]	
subject (topic)	1.
subject (national)	2.3
sujet (adj.)[4b]	
être –, (be) subject	1.7
sultan	
sultan	5.7
superbe[2b]	
magnificent	3.5
superficie[7a]	
surface	2.8
superficiel	
shallow	4.5
superflu[5b]	
superfluous	4.1
supérieur[1b]	
– à, above (prep.)	1.
above (adv.)	1.
higher	1.
upper	1.4
superior	2.2
supériorité[4a]	
superiority	6.3
superposer[5b]	
put over	3.

	Section
superstitieux	
superstitious	7.4
superstition[5b]	
superstition	6.3
suppléer[5b]	
substitute	2.3
supplémentaire[6b]	
extra	4.1
suppliant[5a]	
suppliant	7.7
supplice[4a]	
punishment	2.6
torture	3.9
supplier[2a]	
beg	2.7
supportable	
(can be) borne	5.2
supporter[1a]	
bear	1.
supposer[1b]	
suppose	1.
supposition[6a]	
basis	3.4
conjecture	4.7
suppression[4a]	
suppression	8.4
supprimer[2b]	
put down	2.2
suppress	3.7
take out	4.1
suprême[2b]	
supreme	2.
sur[1a]	
on	1.
sûr[1b]	
bien –, (of) course	1.
safe	1.
sure	1.
sûrement[3b]	
sure	1.
sûreté[4a]	
safety	1.7
surface[2b]	
surface	2.8
surgir[3a]	
emerge	4.1
surhumain	
superhuman	9.4
surmonter[3b]	
overcome	2.4
surnaturel[4b]	
supernatural	8.4
surnom	
nickname	8.6
surpasser[6b]	
(be) ahead (of)	2.7
surpass	4.6
surplus[4a]	
excess	3.3
surprendre[1b]	
surprise	1.4
surpris[4a]	
surprise	1.4
surprised	2.5
surprise[2a]	
surprise	2.4
sursaut[4a]	
start	1.7
surtout (adv.)[1a]	
above all	1.
surtout (n.)[2b]	
overcoat	2.2
surveillance[4a]	
care	3.2
surveiller[2b]	
watch	1.
survenir[4a]	
happen	1.

	Section
survivre[6a]	
survive	5.8
susceptible[3b]	
liable	6.5
susceptible	6.9
suspect[6a]	
suspect	4.3
suspendre[2a]	
hang	1.1
suspens	
en –, (in) suspense	6.
suspension[5b]	
suspension (tension)	5.8
syllabe[5b]	
syllable	4.9
symbole[5a]	
symbol	5.6
sympathie[2b]	
avoir de la – pour, like	1.
sympathy	2.8
sympathique[4a]	
sentiments -s	
sympathy	2.8
symptôme[6b]	
symptom	7.7
syndical[6a]	
trade	4.6
syndicat[5a]	
syndicate	9.3
synthétique	
synthetic	8.6
systématique[6a]	
systematic	6.9
système[2a]	
system	1.6
– scolaire	
school system	4.2

T

	Section
tabac[3b]	
tobacco	3.9
table[1a]	
table	1.
– des matières, index	5.3
tableau[2a]	
picture	1.1
– noir, blackboard	5.8
tablier[4b]	
apron	5.4
tabouret	
stool	6.4
tache (spot)[3b]	
spot	2.2
tâche (task)[2b]	
(piece of) work	1.1
tâcher (try)[2a]	
try	1.
tacher (spot)[6b]	
spot	4.4
stain	5.6
tact[4b]	
touch	2.1
tactique[5a]	
method	2.5
tactical	11.7
taille[1b]	
figure	1.
stature	2.9
waist	4.4
tailler[3a]	
cut	1.8
tailleur[4a]	
tailor	3.5
taire[2a]	
se –, (keep) quiet	1.5
faire –, silence (vb.)	1.9

	Section
talent[2b]	
talent	2.4
talon[4a]	
heel (on shoe)	2.4
heel (on foot)	4.9
talus[4b]	
slope	3.6
tambour[5b]	
drum	4.3
tamis	
sieve	7.2
tandis que[1a]	
while	1.
tant[1a]	
so much	1.
tant que[2b]	
as long as	1.1
tante[3b]	
aunt	2.
tantôt[2a]	
by and by	1.1
– .... –,	
now .... now	1.5
tapage	
noise	2.6
taper[5a]	
knock (on door)	2.6
tap	4.6
tapis[2a]	
carpet	4.2
tapisserie[4b]	
tapestry	5.8
taquiner[6b]	
tease	5.9
tard[1a]	
late	1.
fournir plus –	
supply later	3.
tarder[2a]	
long for	1.4
delay (intr. vb.)	2.
– à, delay (tr. vb.)	2.7
tardif[4a]	
late	1.
tarif[6a]	
fare	3.6
– d'impôt, tax rate	4.
tas[3a]	
mass	1.6
tasse[3a]	
cup	4.3
tâter[5b]	
feel (with fingers)	1.6
tâtonner[6b]	
grope	6.5
taureau	
bull	5.4
taux	
rate	3.8
taxe[6a]	
tax	1.6
taxer[6b]	
tax	3.5
technique (adj.)[4b]	
technical	4.7
technique (n.)[6b]	
technique	6.6
teint	
complexion	6.4
teinte[4a]	
shade	2.9
teinture	
dye	5.4
tel[1a]	
such	1.
télégramme[5a]	
wire	3.5

INDEX TO FRENCH WORDS IN THE LIST 309

	Section
télégraphe[4b]	
telegraph	4.9
télégraphique	
telegraph	5.3
téléphone[4a]	
telephone	5.3
tellement[2a]	
so much	1.
téméraire	
rash	4.9
témoignage[4a]	
testimony	3.1
témoigner[3a]	
testify	4.1
témoin[2b]	
witness	2.4
tempe[4a]	
temple (head)	4.8
tempérament[3b]	
temper	4.2
température[3a]	
temperature	3.
tempête[3b]	
storm	1.6
temple[3b]	
temple	2.1
temporel	
secular	5.6
temps[1a]	
time (general)	1.
en même –	
(at the same) time	1.
de – en –, de – à autre	
(at) times	1.
weather	1.4
while	1.8
de – en –, de – à autre	
now and then	2.2
de – en –, occasional	3.7
tenace[5b]	
tenacious	8.
tenaille[6b]	
-s, tongs	6.4
tendance[4a]	
leaning	1.8
avoir –, tend	2.4
tendency	3.2
tendon	
sinew	6.
tendre (vb.)[1a]	
extend	1.
tendre (adj.)[2a]	
tender	2.3
tendrement[4b]	
tender	2.3
tendresse[2b]	
tenderness	4.4
ténèbres[4b]	
darkness	2.9
ténébreux[6b]	
dismal	3.9
tenez![3b]	
here!	1.6
tenir[1a]	
hold	1.
tenir (se)[6a]	
hold	1.
tennis[4b]	
tennis	6.8
tension[6b]	
strain	4.1
tentation	
temptation	4.4
tentative[3b]	
attempt	1.8
tente[4b]	
tent	3.4

	Section
tenter[1b]	
try	1.
attract	3.1
tempt	4.
tenue (n.)[3a]	
conduct	2.3
terme[1b]	
end	1.
term (period)	1.8
term (end of period)	2.2
terminer[1b]	
end	1.
terne (adj.)[5a]	
dull	3.9
ternir[5a]	
dull	5.4
terrain[2a]	
grounds	2.4
playground	6.
terrasse[3a]	
terrace	6.7
terrasser[6b]	
fell (knock down)	2.8
terre[1a]	
earth	1.
ground	1.
land	1.
property (landed)	1.9
pomme de –, potato	2.7
– haute, highland	5.
– basse, lowland	5.4
tremblement de –	
earthquake	6.
– inculte, prairie	6.2
terrestre[5a]	
earthly	3.1
terreur[2a]	
fear	1.4
terrible[1b]	
terrible	1.8
terriblement[4b]	
terrible	1.8
terrifier[5b]	
frighten	1.9
territoire[3a]	
territory	2.1
testament[6a]	
will (testament)	3.1
tête[1a]	
head	1.
couper la –, behead	6.2
tête-à-tête[5b]	
talk	1.
têtu[6a]	
stubborn	4.1
texte[3a]	
text	3.1
thé	
tea	4.1
théâtre[2a]	
theatre	1.9
pièce de –, play	2.
de –, theatre	4.6
thème[6b]	
theme	4.
théologique	
theological	7.2
théorie[2b]	
theory	3.3
théoriquement[5b]	
theoretical	5.9
thermomètre	
thermometer	6.6
thèse	
thesis	6.1
thym	
thyme	8.6
tic-tac	
tick tock	7.2

	Section
tiède[3b]	
warm	1.7
tiédeur[5b]	
heat	1.5
tien (poss. pron.)[4a]	
yours	2.1
thine	2.3
tiens![3a]	
indeed	1.
tiers[3b]	
third	1.
tige[3b]	
stem	2.7
tigre[6b]	
tiger	5.8
tilleul	
linden	6.4
timbre[4a]	
stamp	3.1
timbrer[6b]	
stamp	3.9
timide[3b]	
shy	4.2
timid	4.6
timidement[4b]	
shy	4.2
timidité[6]	
timidity	8.4
tinter[5a]	
tinkle (vb.)	4.1
tir	
shooting	3.4
tiré	
accepter	12.4
tirer[1a]	
pull	1.
shoot	1.8
– à sa fin, run down	2.6
tiroir[5b]	
drawer	6.1
tisser	
weave	4.6
tisserand	
weaver	7.2
tissu[4b]	
cloth	1.3
web	3.4
titre[1b]	
right	1.8
title	1.8
toile[2a]	
linen	3.6
toilette[2a]	
dress	1.4
toison	
fleece	6.4
toit[2a]	
roof	2.
bord du –, caves	6.6
tolérance	
toleration	7.7
tolérer[4b]	
bear	1.
tomate	
tomato	6.4
tombe[3b]	
grave	2.2
tombeau[4a]	
grave	2.2
tombée (n.)[6a]	
fall	1.2
tomber[1a]	
laisser –, drop	1.
fall	1.
fall (e.g., hair)	2.2
– malade, (get) ill	3.
ton (n.)[1b]	
tone	1.4

	Section
ton (poss. adj.)[3b]	
thy	1.6
tonnage	
tonnage	7.2
tonne[5a]	
barrel	3.6
ton	3.7
tonneau[5a]	
barrel	3.6
ton	3.7
cask	5.3
tonner[5b]	
thunder	4.2
tonnerre[5a]	
thunder	3.6
torche[5b]	
torch	5.
torchon[6b]	
towel	6.2
tordre[3b]	
twist	2.6
wring	6.1
toréador	
(bull) fighter	6.8
torrent[2b]	
torrent	3.
tort[1b]	
avoir –, (be) wrong	1.4
wrong (n.)	3.1
tortue	
turtle	6.4
tortoise	6.8
torture[5a]	
torture	3.9
torturer[4b]	
torture	3.5
tôt[1b]	
early	1.1
se lever –	
get up early	3.
total[2b]	
whole	1.5
totalement[5b]	
all	1.
totalité[5b]	
whole	1.5
touchant[4b]	
about (concerning)	1.
moving	2.3
toucher[1a]	
touch	1.
collect	1.4
move	1.5
border on	2.1
touch (n.)	2.1
touffe[4b]	
tuft	6.8
touffu[6b]	
tufted	6.4
toujours[1a]	
always	1.
still	1.
tour (m.)[1a]	
(in) turn	1.
faire le – de, go round	1.8
turn	3.
trick	3.2
tour (f.)[2b]	
tower	2.3
tourbillon[6a]	
whirl	4.
whirlwind	6.2
tourelle[6a]	
turret	7.
touriste[5b]	
tourist	6.9
tourment[5b]	
torment	3.5
torture	3.9

tourmenter⁴ᵃ	
torment	3.1
tournée³ᵇ	
faire une –	
(make the) rounds	4.3
tourner¹ᵃ	
turn	1.
revolve	5.5
tournoi⁵ᵃ	
tournament	8.5
tournure⁵ᵃ	
carriage	3.
tous (*pron.*)⁵ᵇ	
– les deux, both	1.
everybody	2.2
tousser⁵ᵃ	
cough	5.7
tout (*adj.*)¹ᵃ	
avant –, above all	1.
pas du –, (not at) all	1.
en – cas, (in any) case	1.
every	1.
– le monde, everybody	2.2
-es les nuits, nightly	3.
tout (*adv.*)¹ᵃ	
all	1.
complete	1.
– puissant, almighty	5.1
tout (*n.*)⁶ᵃ	
whole	1.5
tout (*indef. pron.*)³ᵃ	
everything	1.2
tout à coup²ᵃ	
suddenly	1.
tout à fait¹ᵇ	
all	1.
tout à l'heure⁴ᵃ	
by and by	1.1
just	1.3
tout de même⁴ᵇ	
however	1.
tout de suite¹ᵇ	
(at) once	1.
tout d'un coup⁴ᵇ	
(at) once	1.8
toutefois²ᵃ	
however	1.
toux⁶ᵇ	
cough	6.2
trace²ᵃ	
step	2.
trace	2.1
track	2.1
tracer³ᵃ	
trace	1.7
tradition²ᵃ	
tradition	3.7
traditionnel⁶ᵃ	
traditional	7.8
traduction⁵ᵇ	
translation	5.
traduire³ᵃ	
translate	3.8
tragédie⁴ᵇ	
tragedy	4.4
tragique³ᵃ	
tragic	4.9
trahir²ᵇ	
betray	2.5
trahison⁴ᵇ	
treason	4.3
train¹ᵇ	
train	1.1
train (military)	3.1
traîneau	
sledge	6.8
traîner²ᵃ	
drag	2.7

trait (*n.*)¹ᵇ	
feature	1.5
draft	2.2
spear	3.2
traite⁴ᵃ	
stage	3.6
draft	3.8
traité²ᵇ	
treaty	2.6
traitement⁴ᵇ	
treatment	2.8
traiter¹ᵇ	
treat	1.4
traître³ᵇ	
traitor	4.9
treacherous	6.
trajet⁵ᵇ	
crossing	1.6
tramway⁵ᵃ	
car (trolley)	2.1
tranche⁴ᵇ	
slice	4.
trancher³ᵇ	
cut	1.8
tranquille¹ᵇ	
quiet	1.
tranquillement³ᵇ	
quiet	1.
tranquillité⁴ᵃ	
quiet	1.
transcendant(al)	
surpassing	6.2
transfert	
transfer	4.
transformation⁴ᵃ	
change	2.9
transformer²ᵃ	
transform	2.8
transition⁶ᵃ	
transition	4.4
transmettre⁴ᵃ	
send	1.
transparent⁵ᵃ	
être –, show through	3.4
transparent	5.7
transport²ᵇ	
transport	3.2
bliss	3.7
transporter²ᵇ	
transfer	2.4
transport	3.9
transporté, rapt	4.3
trappe⁶ᵇ	
trap	5.1
travail¹ᵃ	
work	1.
(piece of) work	1.1
workmanship	3.
travailler¹ᵃ	
work	1.
art de –, workmanship	3.
travailleur³ᵃ	
worker	2.2
travers (à)¹ᵇ	
through (motion)	1.
travers (*n.*)³ᵇ	
de –, crooked	3.7
travers (en)⁴ᵃ	
across	3.4
traverse⁵ᵇ	
rue de –, crossroad	10.5
traversée⁵ᵃ	
crossing	1.6
traverser¹ᵃ	
cross	1.
trébucher⁵ᵇ	
stumble	5.5
trèfle	
clover	6.4

treize³ᵃ	
thirteen	5.2
tremblement⁴ᵇ	
trembling	4.
– de terre, earthquake	6.
trembler¹ᵇ	
tremble	1.8
tremper³ᵃ	
temper	4.9
soak	5.9
trentaine⁶ᵇ	
thirty	2.3
trente³ᵃ	
thirty	2.3
très¹ᵃ	
very	1.
trésor²ᵇ	
treasure	2.
darling	2.2
trésorerie	
treasury	5.6
trésorier	
treasurer	7.2
tressaillement⁵ᵇ	
thrill	5.6
tressaillir⁵ᵃ	
thrill	4.4
trêve⁶ᵇ	
recess	4.7
triangle	
triangle	7.
tribu⁵ᵇ	
tribe	2.5
tribunal³ᵇ	
court	1.4
tribune⁴ᵇ	
platform	5.8
pulpit	6.8
tributaire	
tributary	6.3
tricher⁶ᵇ	
cheat	3.1
tricolore⁶ᵇ	
three-colored	13.
tricotter	
knit	5.4
triomphant⁵ᵃ	
triumphant	4.6
triomphe²ᵇ	
triumph	3.1
triompher⁴ᵃ	
triumph	4.2
triple⁴ᵇ	
triple	5.8
triste¹ᵇ	
sad	1.4
tristement³ᵃ	
sad	1.4
tristesse²ᵃ	
sadness	3.5
trivial	
trivial	5.
trois¹ᵃ	
three	1.
– fois, three times	2.6
troisième¹ᵇ	
third	1.
trompe³ᵇ	
horn	3.6
tromper²ᵇ	
deceive	1.9
tromper (se)⁴ᵇ	
(be) wrong	1.4
(make a) mistake	2.2
trompette (*m.*)	
trumpeter	8.4
tronc⁴ᵃ	
trunk	2.3

trône⁴ᵇ	
héritier du –	
(crown) prince	2.3
throne	2.3
trop¹ᵃ	
too	1.
trophée	
trophy	6.8
tropical	
tropic	6.9
tropique	
tropic	6.9
trot	
trot	4.6
trotter⁵ᵇ	
trot	5.5
trottoir³ᵇ	
sidewalk	5.5
trou²ᵇ	
hole	2.2
troubadour	
minstrel	7.2
trouble (*n.*)²ᵃ	
confusion	3.2
riot	4.6
troublé⁵ᵇ	
anxious	2.3
troubler¹ᵇ	
trouble	1.5
trouer⁴ᵇ	
pierce	3.1
bore	5.
troupe²ᵇ	
troop	1.6
troupeau³ᵇ	
drove	3.9
trouvaille	
finding	4.9
trouver¹ᵃ	
se –, be	1.
find	1.
truite	
trout	6.8
tu, te, toi¹ᵃ	
thou	1.
tube⁵ᵃ	
pipe	3.2
tuer¹ᵇ	
kill	1.4
tumulte⁵ᵇ	
noise	2.6
tunique⁶ᵃ	
uniform	4.4
tunnel⁶ᵃ	
tunnel	6.4
turc⁴ᵃ	
Turkish	5.
tuteur⁴ᵇ	
guardian (of a child)	5.5
tutoyer⁶ᵃ	
(use) thou-form	13.
tuyau⁴ᵇ	
pipe	3.2
type²ᵃ	
type	4.8
tyran⁴ᵃ	
tyrant	4.2
tyrannie⁵ᵃ	
tyranny	5.6

U

un (*art.*)¹ᵃ	
a	1.
un (*numeral*)¹ᵃ	
l'– et l'autre, both	1.
l'– l'autre, each other	1.
-e fois, once	1.

INDEX TO FRENCH WORDS IN THE LIST

	Section
un (*numeral*)[1a]—*continued*	
l'– ou l'autre	
either (one)	1.
ni l'– ni l'autre	
neither (one)	1.
one (numeral)	1.
unanime[4a]	
unanimous	5.
uni[6b]	
united	1.5
even	2.4
uniforme (*n.*)[4a]	
uniform	4.4
uniforme (*adj.*)[3b]	
uniform	3.1
union[2b]	
union	1.6
unique[1b]	
only (*adj.*)	1.
uniquement[3b]	
only (*adv.*)	1.
unir[2b]	
unite	1.
unité[3b]	
unity	3.8
unit	4.2
univers[3a]	
universe	5.4
universel[3a]	
universal	3.8
universitaire[6a]	
university	4.2
université[6b]	
university	3.3
urgence	
urgency	9.8
urgent[6b]	
pressing	1.7
usage[2a]	
use	1.1
custom	1.9
user[2b]	
wear out	2.8
usine[4a]	
factory	2.6
ustensile[6a]	
instrument	2.9
usuel[6a]	
usual	1.
usure[5b]	
interest (percent)	1.
usurper	
usurp	4.5
utile[2a]	
useful	2.
helpful	5.6
utilement[6a]	
useful	2.
utilisation[4b]	
use	1.1
utiliser[2b]	
use	1.
utilité[5b]	
profit	2.

V

	Section
va![5b]	
indeed	1.
vacances[4a]	
holidays	5.2
vacant[6b]	
vacant	2.8
vache[4a]	
cow	3.4
vaciller[4b]	
reel	3.1
waver	3.4

	Section
vagabond[5a]	
tramp	4.9
vague (*adj.*)[2a]	
vague	4.
vague (*n.*)[3a]	
wave	2.9
vaguement[4b]	
vague	4.
vaillant[4a]	
(be) brave	1.
vain[2a]	
en –, (in) vain	1.9
vain	2.3
vaincre[2b]	
defeat	2.7
vaincu (*n.*)[6a]	
defeat	2.7
vainement[5b]	
(in) vain	1.9
vainqueur[3b]	
victor	3.8
victorious	3.9
vaisseau[3b]	
ship	1.3
vaisselle[6b]	
dish (container)	4.5
valet[4a]	
servant	1.9
valeur[1b]	
value	1.
courage	1.4
de grande –, valuable	2.7
sans –, worthless	4.2
validité	
validity	8.8
valise[5b]	
bag	4.5
vallée[3a]	
valley	1.7
valoir[1a]	
(be) worth	1.
vanité[3a]	
vanity	3.3
vaniteux[6a]	
vain	2.3
vanter[3b]	
boast	2.2
vapeur (*f.*)[3a]	
steam	2.5
vapeur (*m.*)[6a]	
steamer	3.7
vaquer[6b]	
(have) recess	5.8
variable[5b]	
changing	4.6
variation[4a]	
change	1.5
varier[2b]	
varié, various	2.6
vary	3.6
variété[3b]	
variety	3.8
vase (*m.*)[3a]	
pot	2.3
jar	5.4
vassal[6b]	
vassal	6.6
vaste[1b]	
vast	2.8
spacious	4.8
veau[5a]	
calf	5.8
végétal[5a]	
vegetable	4.8
végétation	
vegetation	7.2

	Section
véhémence[4b]	
violence	3.6
véhément	
vehement	4.8
véhicule[5b]	
vehicle	5.
veille[1b]	
day before	1.4
la – du jour de l'an (New Year's) Eve	3.8
vigil	6.2
veiller[2a]	
watch	1.
sit up	1.8
veine (*luck*)[6b]	
fortune	1.4
veine (*vein*)[3b]	
vein	3.6
velours[3a]	
velvet	5.2
velouté[6b]	
soft	1.5
velu[6a]	
hairy	7.8
vendeur[6a]	
clerk	2.7
dealer	4.8
vendre[1b]	
sell	1.4
– au détail, retail	6.3
vendredi[4a]	
Friday	3.6
vénéneux	
poisonous	6.
vénérable[4a]	
venerable	5.1
vénération[6b]	
worship	3.6
vénérer[4a]	
reverence	2.7
vengeance[5b]	
revenge	2.8
venger[4a]	
avenge	3.8
vengeur	
avenger	8.9
venimeux	
poisonous	6.
venin[6b]	
poison	3.1
venir[1a]	
come	1.
– de, come from	1.
– de, just	1.
vent[1b]	
wind	1.4
moulin à –, windmill	5.4
de –, windy	6.5
vente[2b]	
sale	2.4
ventre[3a]	
belly	6.2
venu (*n.*) (premier –)[6a]	
anybody	1.8
venue (*n.*)[3b]	
arrival	2.8
ver[4b]	
worm	4.7
verbal	
oral	5.4
verbe	
verb	6.5
verdure[4b]	
green (*n.*)	4.
verger	
orchard	5.2

	Section
vérifier[4a]	
confirm	2.5
check	3.8
véritable[1b]	
real	1.
véritablement[5b]	
real	1.
vérité[1a]	
truth	1.
en –, really	1.4
vermeil	
ruddy	5.3
vernir[4a]	
varnish	6.8
verre[1b]	
glass (drinking)	1.
glass (material)	1.7
verrou[4a]	
bolt	5.5
vers (*prep.*)[1a]	
toward	1.
vers (*n.*)[2b]	
écrire des –, compose	2.6
verse	2.7
verser[1b]	
pour	2.3
version[4b]	
translation	5.
vert[2a]	
green	1.5
vertical	
upright	4.1
vertige[4a]	
avoir –, dizzy	6.4
vertigineux[5b]	
dizzy	6.4
vertu[2a]	
virtue	1.9
vertueux[5b]	
virtuous	4.8
veste[5b]	
coat (of suit)	4.3
jacket	6.1
veston[5b]	
coat (of suit)	4.3
vêtement[1b]	
clothes	1.4
vétéran	
veteran	7.2
vêtir[2b]	
clothe	1.9
veuf[5b]	
widower	10.3
veuve[4a]	
widow	3.
viande[3a]	
meat	1.6
vibration	
vibration	7.6
vibrer[5b]	
thrill	4.4
vibrate	4.4
vicaire[5b]	
minister	2.
vice (*n.*)[2b]	
vice	3.2
vice-président	
vice-president	9.8
vice-roi	
viceroy	8.6
vicieux	
vicious	6.5
vicomte[5b]	
viscount	8.4
victime[1b]	
victim	2.2

		Section
victoire[2a]	victory	2.
vide (*adj.*)[2a]	empty	2.
	void	5.4
vide (*n.*)[2b]	void	5.2
vider[3a]	drain	3.7
vie[1a]	life	1.
vieil (*adj.*)[2a]	old	1.
vieillard[3a]	(old) man	2.4
vieille (*adj.* and *n.*)[1b]	old	1.
vieillesse[3b]	old age	1.3
vieillir[3b]	age	1.6
vierge[3a]	girl	1.
	virgin (*n.*)	2.9
	virgin (*adj.*) (soil)	4.1
	virgin (*adj.*)	5.3
vieux (*adj.* and *n.*)[1a]	old	1.
vif[1b]	fast	1.
	(full of) life	1.
vigilance[6a]	care	3.2
vigilant	watchful	6.4
vigne[3a]	vine	4.
	vineyard	5.1
vigoureux[4a]	hardy	2.6
vigueur[5a]	force	1.
	vigor	4.
vilain[3b]	bad	1.2
	naughty	2.3
	knave	4.5
	villain	5.
villa[5b]	country house	3.3
village[1b]	village	1.2
ville[1a]	city	1.
	– natale, (home) town	3.3
	hôtel de –, (city) hall	3.4
vin[1b]	wine	1.4
vinaigre	vinegar	6.3
vingt[1a]	twenty	1.9
vingtaine[4a]	twenty	1.9
vingt-cinq[2b]	twenty-five	4.2
vingt-deux[5a]	twenty-two	4.6
vingtième	twentieth	7.1
vingt-quatre[6b]	twenty-four	4.7
vingt-six[5a]	twenty-six	4.7

		Section
violation[4a]	violation	6.8
violemment[3b]	furious	1.9
violence[2a]	violence	3.6
violent[2a]	furious	1.9
violette[3a]	violet	5.2
violon[4b]	violin	6.1
vipère	viper	7.
virilité	manhood	6.8
vis	screw	5.8
visage[1a]	face	1.
vis-à-vis[3b]	(be) across	1.
	opposite	1.4
viser[2b]	aim	3.2
visible[2b]	visible	2.9
visiblement[6a]	visible	2.9
vision[3a]	sight	1.
visite[1b]	visit	1.4
	rendre –, visit (*vb.*)	1.4
visiter[2a]	visit (*vb.*)	1.4
visiteur[4b]	visitor	5.1
vite[1a]	fast	1.
vitesse[2b]	speed	2.5
	rate (of speed)	3.4
vitrail[5a]	(church) window	2.4
vitre[2b]	pane	3.3
vitupération	vituperation	13.
vivacité[5b]	life	3.8
vivant (*adj.*)[2a]	(full of) life	1.
	alive	1.9
	(the) living	3.4
vivement[2b]	fast	1.
vivre[1a]	live	1.
vocation[6a]	occupation	2.4
vœu[3a]	vow	4.9
voici[1a]	here	1.
voie[1b]	road	1.
voilà[1b]	*there* is	1.
voile (*m.*)[3a]	veil	3.4
voile (*f.*)[5a]	sail	3.5

		Section
voiler[5a]	hide	1.
voir[1a]	see	1.
	faire –, show	1.
voire[4b]	even	1.
voisin(-e)[1a]	near (*adj.*)	1.
	neighbor	1.8
	adjoining	3.8
voisinage[3a]	neighborhood	2.9
voiture[1b]	aller à, se promener en – drive (*intr. vb.*)	1.
	car	1.5
voix[1a]	voice	1.
	à haute –, (out) loud	1.
vol (*flight*)[3b]	flight (in air)	2.5
vol (*theft*)[3a]	robbery	4.8
volaille[5b]	fowl	5.1
volant (*n.*)[4b]	ruffle	6.1
volcan	volcano	6.7
volée (*n.*)[4a]	flight (in air)	2.5
	drove	3.9
	– de coups, beating	6.4
voler (*fly*)[4a]	fly	1.6
voler (*steal*)[2b]	rob	2.3
volet[5a]	blind	3.1
voleur[3a]	thief	3.7
volontaire[2a]	(of own) accord	3.4
volontairement[6a]	(of own) accord	3.4
volonté[1b]	will	1.
volontiers[2b]	willingly	1.6
volt[6b]	volt	9.4
voltiger[5b]	fly	1.6
	– au-dessus de, hover	3.8
	flutter	5.7
volume[3a]	volume	2.9
voluptueux[5b]	voluptuous	8.6
vomir	vomit	5.
vote[6a]	vote	2.8
voter[2b]	vote	1.8
votre, vos (*poss. adj.*)[1a]	your	1.
vôtre (*poss. pron.*)[3b]	yours	2.1
vouer[6b]	vow	5.2

		Section
vouloir[1a]	desire	1.
	– dire, mean	1.
	want	1.
	– savoir, wonder	1.
	– bien, (be) willing	2.9
	en – à, (bear) grudge	5.6
vous[1a]	you	1.
vous-même	yourself	2.1
voûte[3a]	vault	4.7
voûté[2b]	bent	5.
voyage[1b]	journey	1.
voyager[3a]	travel	1.8
voyageur[1b]	traveler	2.4
voyons![5b]	come now!	1.4
vrai[1a]	real	1.
	true	1.
vraiment[1b]	really	1.4
vraisemblable[4a]	probable	1.7
vue (*n.*)[1a]	point de – point of view	1.
	sight	1.
vulgaire[3b]	coarse	2.9
	vulgar	2.9
	rude	4.3

W

		Section
wagon[4a]	car	2.
wigwam	wigwam	6.4

Y

		Section
y[1a]	il – a, ago	1.
	there	1.
	il – a, there *is*	1.
	s'– connaitre (well) informed	3.

Z

		Section
zèle[3b]	zeal	2.4
zéro[6b]	zero	6.4
zézayer	lisp	7.2
zigzag	zigzag	7.2
zinc[4b]	zinc	6.
zone[4b]	district	2.1
zoologique	zoological	7.2
zouave[6a]	zouave	13.

INDEX TO GERMAN WORDS IN THE LIST

(Read as directed for Index to French Words)

A

	Section
ab[1a]	
away	1.
undone	3.5
abändern[5a]	
change	1.4
Abänderung[3b]	
change	1.5
abbilden[6b]	
copy	4.
Abbildung[4a]	
copy	3.2
abbrechen[4a]	
interrupt	2.3
Abdankung	
resignation	7.3
Abdruck[5a]	
copy	3.2
abdrucken[6b]	
stamp	3.9
Abend[1a]	
evening	1.
guten –, good morning	1.1
zu – essen (have) supper	2.4
abend[1b]	
gestern –, (last) night	1.2
heute –, tonight	1.4
Abendessen	
supper	4.6
Abendmahl	
communion	6.7
Abenteuer[5a]	
adventure	3.6
Abenteurer	
adventurer	7.8
aber[1a]	
but	1.
Aberglaube	
superstition	6.3
abergläubisch	
superstitious	7.4
abermals[3a]	
again	1.
Abfall[6a]	
slope	3.6
refuse	4.4
abfallen[5b]	
shed	3.3
reduce	3.5
Abgabe[3b]	
tax	1.6
Abgang[6b]	
departure	3.1
abgeben[2a]	
deliver	1.4
abgehen[3a]	
start	1.8
abgeklärt	
serene	6.
Abgeordnete[1a]	
representative	2.3
Abgeordnetenhaus[4b]	
House of Representatives	3.4

	Section
Abgeschlossenheit	
isolation	8.2
abgewinnen[6b]	
gain	1.
Abgott	
idol	5.9
Abgrund[4b]	
abyss	4.1
precipice	5.5
abhalten[3a]	
keep from	1.4
hinder	3.7
Abhandlung[4b]	
discussion	2.9
Abhang[6a]	
slope	3.6
cliff	4.6
abhängen[4a]	
depend	2.4
abhängig[3a]	
– sein, depend	2.4
dependent	5.2
Abhängigkeit[6a]	
dependence	6.
abheben[6b]	
take away	2.6
contrast	5.1
abhelfen[5b]	
remedy	4.
Abhilfe[5b]	
remedy	3.6
abhold[5b]	
– sein, hate	2.5
Abkommen[6a]	
agreement	3.1
Ablauf[3b]	
term	1.8
ablaufen[5a]	
run down	2.6
ablegen[3a]	
take off	1.8
Eid –, swear	2.7
ablehnen[2b]	
refuse	2.3
Ablehnung[5a]	
refusal	5.7
denial	6.6
abnegation	10.9
ableiten[5b]	
come from	1.
ablösen[5b]	
relieve	3.9
Ablösung[5a]	
relief	3.3
Abmarsch[6b]	
departure	3.1
Abnahme[5b]	
decay	4.3
decrease	4.7
abnehmen[3a]	
take away	1.
take off	1.8
(take) down	2.8
Abneigung[5b]	
dislike	5.

	Section
Abordnung	
delegation	8.5
abräumen	
clear (table)	4.3
Abrede[6a]	
agreement	3.1
Abreise[4b]	
departure	3.1
abreisen[5a]	
start	1.8
abrunden	
round off	4.9
Absatz[1b]	
landing	1.4
heel	2.4
outlet	3.
paragraph	3.3
Abscheu[6a]	
disgust	4.6
abscheulich[5a]	
terrible	1.8
abominable	5.1
Abschied[2b]	
– nehmen (take) leave	1.5
departure	3.1
abschließen[2a]	
-d, finally	2.2
Abschluß[2b]	
conclusion	3.
abschneiden[3b]	
cut	1.8
cut off	2.8
Abschnitt[2b]	
paragraph	3.3
abschreiben[6a]	
copy	4.
Abschrift[5b]	
copy (e.g., of a book)	2.7
copy (reproduction)	3.2
absehen[2a]	
(catch) sight (of)	1.1
absetzen[5a]	
stop (intr. vb.)	1.4
depose	4.9
Absicht[1b]	
intent	1.9
absichtlich[4a]	
express	2.6
absolut[2b]	
absolute	1.8
absolvieren	
graduate (vb.)	5.9
absondern[5a]	
separate	1.
cut off	3.1
absprechen[6b]	
refuse	2.3
Abstand[3b]	
distance	1.1
Abstimmung[3b]	
vote	2.8
abstrakt[6a]	
general (adj.)	1.
abstract	6.5

	Section
Abstraktion	
abstraction	8.
abstumpfen	
dull (numb)	5.3
blunt	6.2
Abt	
abbot	6.5
Abtei	
abbey	6.9
Abteilung[1b]	
section	1.9
detachment	4.8
abtreten[5b]	
retire	3.
abtun[6a]	
give up	1.4
abwarten[3b]	
wait for	1.
abwärts[5b]	
downwards	3.4
abwechseln[5a]	
vary	3.6
-d, alternately	4.8
alternate	5.4
Abwehr[6b]	
defense	2.8
abweichen[3a]	
distinguish	2.2
Abweichung[4a]	
exception	2.5
aberration	8.6
abweisen[4a]	
reject	3.2
abwenden[5b]	
turn away	3.
abwesend	
absent	5.
Abwesenheit[4b]	
absence	3.2
abziehen[4a]	
subtract	4.5
Abzug[3a]	
departure	3.1
ach[1b]	
– Gott!, Heavens!	1.
O	1.2
alas	2.
Achse[5b]	
axis	4.9
Achsel[6a]	
shoulder	1.5
Achselhöhle	
armpit	9.4
acht[2a]	
eight	1.4
Acht[4b]	
– geben, look out	1.4
attention	1.8
achte[5b]	
eighth	4.1
achten[2a]	
(take) care	1.
look out	1.4
respect	2.

	Section
ächten	
proscribe	9.7
Achtung[2b]	
-!, look out!	1.4
attention	1.8
respect	1.9
achtungsvoll[6b]	
respectful	3.9
achtzehn[7a]	
eighteen	4.3
achtzehnte[6b]	
eighteenth	6.
achtzig	
eighty	5.3
Acker[5a]	
field	1.
Adel[3a]	
nobility	3.7
adeln	
ennoble	6.8
Ader[5a]	
vein	3.6
Adjektiv	
adjective	7.1
Adjunkt	
associate	5.4
Adjutant[6a]	
helper	4.3
Adler[6a]	
eagle	4.1
Admiral	
admiral	6.3
Adresse[3b]	
address	2.3
Adverb	
adverb	9.
Advokat[5b]	
lawyer	3.
Affe	
monkey	5.6
affektiert	
affected	9.1
afrikanisch[6b]	
African	4.4
Agent[3b]	
agent	2.9
Agentur	
agency	6.4
Agitation[6a]	
propaganda	7.5
agressiv	
aggressive	7.7
ägyptisch[5a]	
Egyptian	5.4
ah[4a]	
O	1.2
Ahne[6a]	
ancestor	4.5
ahnen[2b]	
suspect	2.9
ähnlich[1a]	
like	1.
- sein, (look) like	1.
Ähnlichkeit[4a]	
likeness	3.9
Ahnung[3b]	
idea	1.4
expectation	3.3
Ahorn	
maple	6.4
Akademie[4a]	
academy	4.3
akademisch[5b]	
university	4.2
Akkusativ	
accusative	9.

	Section
Akt[3b]	
act (n.)	1.
Akte[4b]	
act	2.3
Aktie[3b]	
stock	1.8
Aktiengesellschaft[2b]	
corporation	3.5
Aktion[6b]	
encounter	3.9
Aktionär[4a]	
partner	3.4
share holder	4.8
aktiv[5b]	
active	2.6
Akzept[5b]	
acceptance	3.8
Akzeptant[6a]	
accepter	12.4
akzeptieren[4b]	
accept	1.
Alarm	
alarm	4.9
Albdruck	
nightmare	7.8
Album	
album	7.9
Alkohol[5a]	
liquor	4.3
alkoholisch	
alcoholic	7.7
all[1a]	
all	1.
every	1.
everything	1.2
All[6b]	
world	1.
universe	5.4
alledem[5b]	
everything	1.2
allein[1a]	
alone	1.
alleinig[5b]	
exclusive	4.2
allemal[4b]	
always	1.
allenfalls[5a]	
perhaps	1.
allenthalben[5a]	
everywhere	1.4
allerdings[1a]	
indeed	1.
allerhand[6a]	
kind	1.
allerhöchst[6b]	
high	1.
allerlei[3a]	
kind	1.
allerliebst[6b]	
charming	2.3
allezeit[5b]	
always	1.
allgemein[1a]	
general	1.
im -en, (in) general	1.
Allgemeine	
generality	10.
alljährlich[4b]	
annual	2.7
allmächtig[6b]	
almighty	5.1
allmählich[1b]	
little by little	1.
allseitig[5a]	
universal	3.8
alltäglich[6b]	
usual	1.
daily	1.6

	Section
allzu[3a]	
too	1.
Almosen	
alms	6.
als[1a]	
as (e.g., I was walking)	1.
than	1.
when	1.
sowohl — auch (as) well (as)	1.2
- Ergänzung (in) addition	1.4
als(o)bald[3a]	
(at) once	1.
alsdann[2b]	
then	1.
also[1a]	
so (thus)	1.
therefore	1.
alt[1a]	
old	1.
- werden, age	1.6
-es Eisen, (old) iron	2.3
stale	2.9
Altar[4a]	
altar	3.5
Alter[1b]	
age	1.
old age	1.3
Altertum[3a]	
antiquity	3.8
Älteste[5b]	
senior	4.8
Amboß	
anvil	7.2
Ameise	
ant	6.
Amen[3b]	
amen	4.3
amerikanisch[3b]	
French	1.
Amme	
wet-nurse	12.9
Amsel	
blackbird	6.7
Amt[2b]	
office	1.4
amtlich[3a]	
official	2.8
Amtmann[5a]	
magistrate	4.
Amtsgericht[6a]	
court	1.4
Amtsrichter[6a]	
judge	1.6
Amtsvorsteher[6b]	
mayor	2.5
an[1a]	
at	1.
von nun -, (from) now	1.1
analog[6a]	
- sein, correspond	2.4
analysieren	
analyze	6.5
Analyse	
analysis	7.1
Anarchie	
anarchy	7.5
Anbau[6b]	
extension	4.4
annex	6.6
anbelangt[6a]	
was ..., as for	1.
anbeten[5b]	
worship	3.6
anbetrifft[5a]	
was - about (concerning)	1.

	Section
anbieten[3b]	
offer	1.
Anblick[2a]	
sight	1.
anbringen[2b]	
install	3.2
Andacht[5b]	
worship	3.6
Andenken[3b]	
memory	1.8
andere[1a]	
another	1.
eines -n, another's	1.
der eine oder der — either (one)	1.
weder der eine noch der — neither (one)	1.
other	1.
=r Meinung sein, differ	2.5
ander(er)seits[2a]	
(on the other) hand	1.4
(on the) contrary	1.8
ändern[2a]	
change	1.4
anders[1a]	
different	1.
anderswo[6b]	
somewhere else	3.4
Änderung[2a]	
change	1.5
anderwärts[6a]	
somewhere else	3.4
anderweit[5b]	
somewhere else	3.4
anderweitig[5a]	
other	1.
andeuten[3a]	
point out	1.4
hint	3.7
Andeutung[5a]	
hint	4.1
suggestion	5.1
aneignen[5a]	
(take) possession (of)	1.8
aneinander[5a]	
together	1.
Anekdote	
anecdote	6.6
anekeln	
disgust	6.
anerkennen[1b]	
admit	1.4
Anerkennung[2b]	
reward	2.5
anfachen	
fan up	5.
Anfang[1b]	
am -, (at) first	1.
beginning	2.7
anfangen[1a]*	
begin	1.
anfänglich[4b]	
(at) first	1.
anfangs[2b]	
(at) first	1.
anfassen[6b]	
touch	1.
anfechten[6b]	
tempt	4.
Anfechtung[6b]	
temptation	4.4
anfertigen[4a]	
manufacture	3.
anfeuchten	
moisten	6.8
Anforderung[3a]	
demand	1.3

INDEX TO GERMAN WORDS IN THE LIST

	Section
Anfrage[5a]	
questioning	3.7
inquiry	4.4
anführen[2a]	
lead	1.
anfüllen[6b]	
fill	1.4
stuff	4.1
Angabe[2a]	
statement	2.1
angeben[1b]	
state	1.
angeblich[3b]	
– .... sein, say	1.
alleged	4.4
angeboren[6a]	
native	3.2
Angebot[6b]	
offer	3.6
supply	3.7
offering	3.8
angehen[3b]	
have to do with	1.
angehören[2b]	
belong	1.
Angehörige[4b]	
relation	2.3
Angeklagte[3a]	
accused	3.1
Angel	
hinge	6.5
Angelegenheit[1b]	
matter	1.
angemessen[3a]	
proper	1.4
duly	4.5
angenehm[1b]	
pleasant	1.1
Angesicht[3b]	
face	1.
angesichts[4b]	
opposite	1.4
angreifen[2a]	
attack	2.1
Angreifer[6b]	
aggressor	9.2
Angriff[1b]	
in – nehmen, begin	1.
attack (general)	1.7
attack (individual)	2.3
aggression	7.8
Angst[2b]	
– haben, (be) afraid	1.
fear	1.4
ängstlich[3a]	
anxious	2.3
Anhalt[6b]	
support	2.1
anhalten[3a]	
keep from	1.4
Anhang[5b]	
party	1.1
appendix	6.2
Anhänger[3b]	
follower	3.2
Anhänglichkeit[5b]	
affection	3.5
anheim[4b]	
– stellen, allow	1.
anhören[3a]	
listen	1.8
Ankauf[5b]	
purchase	3.2
Anker[6b]	
anchor	5.2
Anklage[4b]	
accusation	4.6
anklagen[6b]	
accuse	4.
Anklang[6b]	
interest (concern)	1.
favor	1.4
anknüpfen[4b]	
fasten	2.9
ankommen[2a]	
reach	1.
arrive	1.4
ankündigen[4b]	
(give) notice (of)	1.4
Ankunft[3a]	
arrival	2.8
Anlage[2a]	
park	2.3
investment	4.8
anlangen[2b]	
-d, as for	1.
Anlaß[2b]	
cause	1.
Anlauf[5b]	
attempt	1.8
anlaufen	
dull (tarnish)	5.3
anlegen[2a]	
spend	1.6
invest	3.
Anleihe[4a]	
– aufnehmen, borrow	3.3
Anleitung[5a]	
rule	1.1
introduction	3.7
anmelden[5a]	
sich –, turn to	1.1
register	3.
Anmeldung[5b]	
registering	4.2
Anmerkung[5a]	
– machen, remark	2.3
remark	2.4
Anmut[5a]	
grace	1.4
anmutig[4a]	
graceful	3.3
annähern[4b]	
(go) toward(s)	1.
Annäherung[5b]	
union	3.5
approach	3.6
Annahme[1b]	
acceptance	3.8
adoption	3.8
annehmen[1a]	
accept	1.
get (receive)	1.
adopt	2.1
Annehmlichkeit	
convenience	5.9
annullieren	
(make) void	6.2
anonym	
anonymous	9.6
anordnen[3a]	
(put in) order	1.4
Anordnung[2a]	
rule	1.1
arrangement	2.4
anpassen[5a]	
sich –, fit (suit)	1.
fit (adapt)	2.9
accommodate	3.8
adjust	4.5
anrechnen[6b]	
rate	2.3
charge	3.
anregen[3a]	
elate	1.9
stir	1.9
Anregung[3a]	
inspiration	4.
anrichten[5a]	
serve	1.
ansammeln[6b]	
gather (collect)	1.5
Ansatz[6b]	
beginning	2.7
anschaffen[6b]	
buy	1.4
anschaulich[6a]	
clear	1.
Anschauung[1b]	
sight	1.
Anschein[5a]	
looks	1.
anscheinend[4b]	
apparent	3.
Anschlag[4b]	
plot	3.9
anschlagen[5b]	
burst out laughing	3.
Zettel –, post bill	3.5
anschließen[2b]	
join	1.
Anschluß[4a]	
addition	3.1
ansehen[1b]	
look at	1.
ansehnlich[4b]	
important	1.
ansetzen[5a]	
begin	1.
Ansicht[1a]	
sight	1.
anspannen	
harness	5.3
anspornen	
urge on	4.8
Anspruch[1b]	
in – nehmen, demand	1.
claim	1.7
– machen, pretend	1.8
in – nehmen (be) absorbed	3.
Anstalt[2a]	
institute	2.6
Anstand[4b]	
grace	1.4
anständig[4b]	
proper	1.4
decent	4.
anstatt[3a]	
instead	1.
anstecken[6a]	
set (on) fire	2.7
-d, catching	4.
Ansteckung	
contagion	8.2
anstellen[2b]	
sich –, act (behave)	1.
Anstellung[4a]	
work (labor)	1.
position	1.4
Anstimmen	
intonation	10.2
Anstoß[5a]	
shock	3.5
spur	3.6
anstreben[5a]	
try hard	1.5
anstrengen[4b]	
sich –, try hard	1.5
Anstrengung[2b]	
effort	1.8
Anteil[2b]	
share	2.
Anteilseigner[6a]	
partner	3.4
share holder	4.8
antik[4b]	
ancient	2.6
Antlitz[4a]	
countenance	4.1
Antrag[1a]	
proposition	3.1
Antragsteller[6a]	
applicant	7.2
antreffen[4b]	
meet	1.
antreiben	
urge on	4.8
antreten[3b]	
(go) toward(s)	1.
Antrieb[6a]	
spur	3.6
aus eignem – spontaneous	6.
antun[5a]	
clothe	1.9
Antwort[1b]	
answer	1.2
antworten[1b]	
answer	1.
anvertrauen[3b]	
give in charge	1.9
Anwalt[2b]	
agent	2.9
anweisen[2b]	
point out	1.4
Anweisung[4a]	
order	1.
anwendbar	
applicable	9.8
anwenden[2a]	
use	1.
Anwendung[1b]	
use	1.1
application	2.2
anwesend[4b]	
– sein, (be) present	2.3
Anwesende[6a]	
audience	3.
Anwesenheit[4b]	
presence	1.8
Anzahl[1b]	
amount	1.
Anzeige[3b]	
decree	2.6
advertisement	4.5
indication	5.
anzeigen[3b]	
(give) notice (of)	1.4
point out	1.4
denounce	4.1
anziehen[3a]	
sich –, clothe	1.9
attract	2.7
Schuhe – (put on) shoes	3.5
Anziehen	
attraction	6.
Anzug[5a]	
suit	2.7
anzünden[5a]	
set (on) fire	2.7
Apfel[6a]	
apple	3.5
Apfelbaum	
apple tree	5.

316 SEMANTIC FREQUENCY LIST

	Section
Apfelsine	
orange	5.2
Apostel[3a]	
apostle	5.4
apostolisch	
apostolic	8.2
Apotheker[6b]	
druggist	6.6
Apparat[2b]	
apparatus	3.7
Appetit	
appetite	5.
April[2a]	
April	2.1
Aquarell	
watercolor	13.
Araber[3b]	
Arab	4.7
arabisch[4b]	
Arabian	4.3
Arbeit[1a]	
work (labor)	1.
(piece of) work	1.1
workmanship	3.
arbeiten[1b]	
work	1.
Arbeiter[1a]	
worker	2.2
workman	2.5
Arbeitgeber[2b]	
director	2.8
employer	3.7
Arbeitskraft[5b]	
energy	3.6
Arbeitsordnung[5a]	
rule	1.1
Arbeitsunterbrechung	
(stopping of) work	5.
Arbeitszeit[6b]	
time (general)	1.
Arche	
ark	6.3
Archipel	
archipelago	9.6
Architekt[6b]	
architect	5.7
Archiv[5a]	
record	3.8
journal	4.2
arg[4a]	
bad	1.
argentinisch	
Argentine	6.7
Ärger[7a]	
anger	1.9
vexation	5.8
ärgerlich[6b]	
angry	2.4
vexing	3.8
ärgern[4a]	
sich –, (get) angry	2.4
anger	2.7
shock	3.2
Argument[6a]	
argument	4.2
aristokratisch	
aristocratic	6.8
arktisch	
arctic	6.8
Arm[1a]	
arm (part of body)	1.
arm[1a]	
poor	1.
Armband	
bracelet	6.5
Armee[1a]	
army	1.2

	Section
Armeekorps[2b]	
battalion	5.
Ärmel	
sleeve	5.1
Armut[5a]	
poverty	4.
Arrest	
in –, (under) arrest	6.1
Arroganz	
arrogance	7.2
Art[1a]	
kind	1.
way	1.
artig[5a]	
good	1.
Artikel[1b]	
article	1.2
artikulieren	
articulate	7.1
Artillerie[1b]	
artillery	3.8
Arznei[6a]	
medicine	3.4
Arzt[2a]	
doctor	1.
ärztlich[6b]	
medical	5.1
Asche[4b]	
ash(es)	3.3
assimilieren	
assimilate	7.2
Ast[5b]	
branch	1.6
ästhetisch[4b]	
artistic	3.4
aesthetic	8.8
Astronom[5b]	
astronomer	6.4
Atem[4b]	
breath	2.8
breathing	3.6
Atheist	
atheist	8.2
Äther[6a]	
air	1.
ether	6.
ätherisch	
ethereal	7.
Athlet	
athlete	8.2
atmen[4a]	
breathe	2.7
Atmosphäre[4b]	
atmosphere	4.1
Atom	
atom	7.2
Au[3b]	
meadow	2.6
auch[1a]	
also	1.
wenn –, although	1.
– nicht, neither (adv.)	1.
sowohl .... als –	
(as) well (as)	1.2
was ...., whatever	1.5
Audienz	
audience	5.2
auf[1a]	
on	1.
– einmal, suddenly	1.
– Wiedersehen	
farewell	3.4
– sich ziehen, incur	3.6
aufbauen[5a]	
build	1.2
aufbewahren[4a]	
preserve	3.

	Section
aufbrechen[5b]	
go away	1.
aufbringen[4a]	
introduce	2.7
Aufenthalt[2b]	
stay	1.7
auferlegen[3b]	
assign	2.5
impose	3.
inflict	4.
auferstehen[7a]	
revive	5.2
auffahren[6b]	
drive (intr. vb.)	1.
auffallen[2b]	
(make an) impression	2.2
-d, striking	2.5
auffällig[6b]	
striking	2.5
auffangen[6a]	
snatch	2.6
auffassen[3b]	
understand	1.
Auffassung[2a]	
understanding	1.7
conception	4.
auffinden[4b]	
find	1.
auffordern[3b]	
invite	2.3
defy	3.2
Aufforderung[3b]	
invitation	3.2
aufführen[2b]	
sich –, act (behave)	1.
Aufführung[4a]	
conduct	2.3
Aufgabe[1b]	
work	1.1
lesson	1.2
aufgeben[2b]	
leave (desert)	1.
give up	1.4
sich –	
give (oneself) up	1.7
aufgehen[4a]	
open	2.2
aufhalten[2b]	
keep from	1.4
sich –, delay	2.
detain	2.6
sich –, sojourn	3.4
sich –, linger	3.6
aufheben[2b]	
pick up	1.5
Aufhebung[3b]	
breaking up	2.7
ending	3.9
aufhören[2b]	
stop	1.4
aufklären[4a]	
clear up	2.9
Aufklärung[4a]	
explanation	2.9
aufknöpfen	
unbutton	12.2
aufkommen[5a]	
succeed	1.5
Auflage[2b]	
edition	3.6
auflegen[4b]	
apply	2.6
put over	3.
auflösen[3a]	
solve	1.9

	Section
Auflösung[3b]	
breaking up	2.7
solution	3.5
aufmachen	
sich –, start	4.3
Aufmarsch[4a]	
procession	4.1
aufmerksam[2a]	
observing	2.6
attentive	2.8
Aufmerksamkeit[2a]	
attention	1.8
aufmuntern	
cheer (up)	4.6
Aufnahme[2b]	
reception	3.2
photograph	3.7
aufnehmen[1b]	
take up	1.7
Anleihe –, borrow	3.3
aufopfern[5b]	
sacrifice	2.6
aufrecht[3a]	
straight	1.8
Aufrechterhaltung[6a]	
keeping up	3.4
aufregen[4b]	
stir	1.9
Aufregung[4b]	
excitement	4.2
aufrichten[4b]	
build	1.2
aufrichtig[2b]	
open	1.3
sincere	2.5
Aufrichtigkeit	
sincerity	5.9
Aufruhr[5a]	
revolt	4.4
riot	4.6
aufrührerisch	
rebellious	6.4
Aufsatz[3a]	
theme	3.2
sketch	3.9
aufsaugen	
absorb	5.7
aufschlagen[5b]	
open	1.
Aufschluß[5b]	
information	2.
aufschwingen	
sich –, soar	5.6
Aufschwung[5a]	
development	2.1
Aufsehen[5b]	
excitement	4.2
aufsetzen[5b]	
put on	2.6
Hut –, (put on) hat	2.8
draw up	3.2
Aufsicht[5a]	
care (solicitude)	1.
care (charge)	3.2
Aufsichtsrat[5b]	
council	2.1
Aufstand[5a]	
riot	4.6
Aufständische	
insurgent	9.
aufstehen[4b]	
früh –, get up early	3.
aufsteigen[3b]	
climb	2.7
aufstellen[1b]	
build	1.2

INDEX TO GERMAN WORDS IN THE LIST

German	English	Section
Aufstellung[2b]	statement	2.1
Aufstieg	ascent	7.2
aufsuchen[3a]	look for	1.
auftauchen[4b]	emerge	4.1
Auftrag[2a]	order	1.
	errand	3.
auftragen[5b]	serve	1.
auftreten[2b]	appear (loom)	1.
	zum ersten Mal – (make one's first) appearance	2.3
Auftreten[4b]	erstes – (first) appearance	3.3
Auftritt[3a]	scene	2.2
auftun[5b]	open	1.
Aufwand[5a]	expense	3.3
aufwärts[4b]	go up	1.
aufweisen[4a]	display	3.
aufwerfen[5b]	take up (subject)	1.7
aufzählen	enumerate	6.8
Aufzeichnung[6a]	note	1.9
aufziehen[6b]	lift	1.
Aufzug[6a]	procession	4.1
Auge[1a]	eye	1.
Augenblick[1a]	moment	1.
	in einem – (in a) moment	1.5
augenblicklich[2b]	(at) once	1.
Augenblicks-	momentary	7.2
augenscheinlich[5b]	evident	2.5
	clearly	2.9
August[1b]	August	1.7
aus[1a]	from	1.
	out	1.
	undone	3.5
ausarbeiten[5a]	complete	1.
Ausarbeitung	working out	4.9
ausarten	degenerate	7.4
Ausbau[6a]	development	2.1
ausbeuten	exploit	5.8
Ausbeutung	working	4.7
ausbezahlen	pay off	4.9
ausbilden[3a]	form	1.
Ausbildung[2b]	education	1.6
ausbleiben[6a]	stay away	3.4
ausbrechen[4a]	break out (crying, etc.)	2.2
	break out (war)	2.3
ausbreiten[3b]	spread	1.4
Ausbreitung[6a]	development	2.1
	expansion	4.1
Ausbruch[4a]	burst	2.9
	– von Wut (fit of) anger	3.
	bursting	2.9
Ausdauer[6a]	perseverance	5.2
	resistance	5.4
ausdehnen[2a]	extend	1.
Ausdehnung[2b]	compass	2.5
	expansion	4.1
Ausdruck[1b]	expression	2.2
ausdrücken[2b]	express	1.
	manifest	3.1
	squeeze	3.6
ausdrücklich[2a]	above all	1.
auseinander[3a]	separate	1.
Auseinandersetzung[6a]	discussion	2.9
	dispute	4.3
Ausfall[4a]	sortie	9.2
ausfallen[4a]	fall	2.2
	shed	3.3
Ausflug	excursion	4.1
Ausfuhr[6a]	export	5.1
ausführbar[6a]	possible	1.
ausführen[1b]	carry out	1.
ausführlich[3a]	(in) detail	3.6
Ausführung[1b]	zur – bringen carry out	1.
ausfüllen[3b]	fill	1.4
Ausgabe[2a]	edition	3.6
Ausgang[3a]	way out	2.
Ausgangspunkt[5b]	base	1.7
ausgeben[3b]	spend	1.6
ausgehen[2a]	go out	1.4
ausgelassen	– sein, frolic	6.6
Ausgleich[5a]	settlement	2.7
ausgleichen[4a]	settle	1.8
	balance	3.2
Ausgleichung[6b]	settlement	2.7
aushalten[4a]	bear	1.
aushungern	starve	5.3
Auskunft[3b]	information	2.
Auslage[5b]	expense	3.3
Ausland[2b]	im –, abroad	2.2
Ausländer[4b]	foreigner	2.6
ausländisch[3b]	foreign	2.2
auslassen[6b]	omit	4.4
Auslassung	omission	7.
auslegen[6a]	account for	1.
	interpret	4.2
Ausleger	interpreter	6.6
Auslegung[5b]	explanation	2.9
	interpretation	5.5
ausmachen[3b]	matter (neg.)	1.
	make up	1.8
	put out	1.9
ausmerzen	take out	4.1
	eliminate	7.4
ausmitteln[6b]	find	1.
Ausnahme[2a]	exception	2.5
ausnahmsweise[4b]	exceptionally	4.8
ausnehmen[3b]	except	1.7
ausnutzen[6a]	wear out	2.8
ausprägen[5b]	stamp	3.9
ausradieren	rub out	4.4
ausreichen[2b]	(be) enough	1.
ausrichten[5b]	carry out	1.
	line up	3.6
	straighten (up)	4.6
ausrufen[6a]	call out	1.4
Ausrufung	proclamation	6.4
ausrüsten[5a]	fit up	1.8
	endow	4.3
Ausrüstung[6a]	equipment	5.3
	installation	8.6
Aussage[5b]	statement	2.1
ausscheiden[4b]	separate	1.
Ausschiffung	landing	5.
ausschließen[1b]	shut out	1.6
	except	1.7
ausschließlich[2a]	exclusively	3.
Ausschuß[4a]	committee	3.
Ausschweifung[7a]	drunken revel	5.8
aussehen[3a]	appear (look)	1.
	look (well, etc.)	1.9
Aussehen[5b]	looks	1.
außen[2b]	outside	1.4
außer[1a]	out	1.
	except	1.1
	– wenn, unless	1.4
	beyond	1.5
	besides	2.3
außerdem[1b]	(in) addition	1.4
äußere[1b]	äußerst, extreme	1.5
außergewöhnlich[6b]	unusual	2.
	exceptional	5.4
außerhalb[2b]	beyond	1.8
äußerlich[3a]	outward(s)	3.4
äußern[1b]	express	1.
außerordentlich[1b]	unusual	2.
Äußerste[6b]	extremity	5.1
Äußerung[2b]	expression	2.2
aussetzen[2a]	expose	2.2
Aussicht[1b]	sight	1.
	prospect	2.4
Aussprache	pronunciation	7.
aussprechen[1b]	pronounce	1.4
Ausspruch[3b]	statement	2.1
Ausstand[6a]	strike	3.
ausstatten[4a]	fit up	1.8
	furnish	3.3
	endow	4.3
Ausstattung[5b]	equipment	5.3
aussteigen	alight	5.7
ausstellen[3b]	display	3.
Aussteller[4a]	author	1.5
Ausstellung[2b]	display	2.6
ausstrecken[6a]	extend	1.
aussuchen[5b]	choose	1.
	ausgesucht, exquisite	3.6
Auster	oyster	6.2
Austreibung	expulsion	9.
ausüben[2a]	exercise	1.6
Ausübung[3b]	exercise	1.7
Auswahl[4b]	choice	1.6
auswählen[6a]	choose	1.
Auswanderer	emigrant	7.3

	Section
auswandern	
emigrate	7.6
Auswanderung	
emigration	7.7
auswärtig[3b]	
foreign	2.2
Ausweg[5b]	
way out	2.
ausweichen[5a]	
avoid	1.8
auswendig[6b]	
(learn by) heart	3.
Auswertung	
working	4.7
auszahlen[6a]	
spend	1.6
auszeichnen[2a]	
ausgezeichnet	
excellent	1.8
distinguish	2.2
Auszeichnung[5b]	
distinction	3.9
ausziehen[5a]	
take off	1.8
take off clothes	3.3
Schuhe –	
(take off) shoes	4.1
extract	5.
Auszug[5b]	
departure	3.1
extract	5.4
Autor[3b]	
author	1.9
Autorität[3b]	
authority	2.3
Avantgarde[3b]	
van	4.4
Axt	
ax	5.

B

	Section
babbeln	
babble	0.4
Bach[3b]	
brook	2.1
Bäcker	
baker	6.
Bad[5a]	
bath	3.9
baden[5b]	
bathe	3.7
Bahn[1b]	
road	1.
bahnen[6b]	
prepare	1.4
Bahnhof[4a]	
station	2.4
Bahre	
stretcher	8.2
Bakkalaurius	
graduate (n.)	6.1
bald[1a]	
soon	1.
– .... –	
now .... now	1.5
baldig[4b]	
near	1.
Balkon	
balcony	7.4
Ball[5a]	
ball (baseball)	2.1
ball (dance)	3.
Ballade[6b]	
ballad	5.9
Ballen[6b]	
bundle	4.

	Section
Ballon[6a]	
bottle	2.1
balloon	6.1
Balsam	
balm	6.4
Bambus	
bamboo	7.2
Banane	
banana	6.2
Band[2b]	
tie	1.6
Band[3a]	
volume	2.9
Band[4a]	
band (strip of cloth)	2.5
ribbon	3.1
Bande[4a]	
band (of people)	2.1
bang[4a]	
anxious	2.3
Bank[2a]	
bank	1.8
Bank[3b]	
bench	2.4
Bankier[5b]	
banker	5.
Banknote[6b]	
(bank) note	3.6
Bann[6b]	
spell	4.4
bannen[6a]	
banish	4.1
bar[3b]	
bare	2.4
(in) cash	2.8
Bär[7a]	
bear	4.5
barbarisch	
barbarous	5.7
barfuß	
barefoot	7.2
Baron[3a]	
baron	4.
Baronin[6b]	
baron	4.
Bart[5b]	
beard	3.2
Basis[4b]	
base	1.7
Bastard	
bastard	7.1
Bataillon[6b]	
battalion	5.
Batterie[1b]	
battery	3.1
Bau[2b]	
building	1.6
den	3.1
Bauch	
belly	6.2
bauen[1b]	
build	1.2
Bauer[2a]	
farmer	1.8
peasant	2.4
Baukunst[6a]	
architecture	5.9
Baum[1b]	
tree	1.
beam	2.3
Baumwolle[5b]	
cotton	3.8
Bauplatz	
work-yard	12.2
Bauten[5a]	
building	1.6

	Section
Bauwerk[4b]	
building	1.6
beabsichtigen[2a]	
intend	1.4
beachten[3b]	
consider	1.8
Beachtung[5a]	
regard	1.5
Beamte[2a]	
official	2.8
employee	3.1
beanspruchen[3b]	
claim	2.3
beantragen[3a]	
propose	1.4
command	1.5
beantworten[3a]	
answer	1.
Beantwortung[4b]	
answer	1.2
bearbeiten[4a]	
till	2.5
Bearbeitung[4a]	
arrangement	2.4
beauftragen[5a]	
charge	2.2
beben[6b]	
tremble	1.8
thrill	4.4
Becher[3b]	
goblet	4.1
Bedacht[6a]	
consideration	2.5
Bedarf[3a]	
need	1.
bedauern[2b]	
(be) sorry	1.8
Bedauern[5b]	
regret	3.4
bedecken[2a]	
cover	1.
bedenken[2a]	
consider	1.8
Bedenken[2a]	
doubt	1.
bedenklich[2b]	
doubtful	2.6
bedeuten[1b]	
mean	1.
bedeutend[1b]	
(full of) meaning	3.3
bedeutsam[5a]	
(full of) meaning	3.3
Bedeutung[1b]	
import	2.2
bedienen[2b]	
serve	1.
Bediente[5a]	
servant	1.9
Bedienung[5b]	
service	1.
bedingen[2b]	
(make) necessary	1.8
Bedingung[1b]	
condition	1.
bedrücken	
oppress	5.8
bedürfen[2a]	
need	1.
Beefsteak	
steak	6.8
beeindrucken	
(make an) impression	2.2
Beerdigung	
burial	5.7

	Section
Beere	
berry	4.9
Beet	
flower-bed	13.
befähigt[5b]	
able	1.4
befallen	
stricken	6.5
befangen[6a]	
involve	3.9
befassen[5b]	
sich – mit	
(be) engaged (in)	1.9
Befehl[1b]	
order	1.
– erlassen, command	1.5
befehlen[2a]	
command	1.5
Befehlshaber[6b]	
commander	4.4
befestigen[2a]	
fix	1.
Befestigung[5a]	
fort	2.6
befinden[1a]	
judge	1.
Befinden[6b]	
(state of) health	3.1
befindlich[2b]	
– sein, exist	1.8
beflecken	
spot	4.4
stain	5.6
befolgen[4a]	
obey	2.2
befördern[3a]	
further	1.8
Beförderung[4a]	
transport	3.2
promotion	5.6
befragen[5b]	
question	2.9
befreien[2b]	
free (deliver)	1.7
free (rid)	2.2
sich –, (get) rid (of)	2.9
Befreier	
deliverer	7.2
Befreiung[4a]	
relief	3.3
freeing	3.4
deliverance	5.2
exemption	7.8
befreundet[5b]	
familiar	3.3
befriedigen[2a]	
satisfy	1.9
-d, satisfactory	3.7
Befriedigung[2b]	
satisfaction	2.4
Befugnis[3a]	
authority	2.3
befugt[4b]	
authorize	3.7
befürchten[3b]	
(be) afraid	1.
zu –, dreaded	2.4
Befürchtung[5a]	
fear	1.4
Begabung[5b]	
talent	2.4
begeben[2a]	
sich –, happen	1.
Begebenheit[4a]	
event	2.
begegnen[1b]	
meet	1.

INDEX TO GERMAN WORDS IN THE LIST

	Section
begehen[2b]	
commit	2.3
begehren[3b]	
desire	1.
covet	4.1
begeistern[3b]	
inspire	3.1
begeistert, rapt	4.3
Begeisterung[3a]	
enthusiasm	3.6
mit –, headlong	4.2
Begierde[5a]	
desire	1.
lust	4.8
begierig[6a]	
eager	2.4
greedy	4.8
desirous	5.2
Beginn[2b]	
beginning	2.7
beginnen[1a]	
begin	1.
begleiten[1b]	
go with	1.
Begleiter[4a]	
companion	2.3
Begleitung[5a]	
following	2.3
beglücken[5a]	
glad	1.
beglückwünschen	
congratulate	6.2
begnügen[3a]	
sich –, satisfy	1.9
begraben[4a]	
bury	3.1
begreifen[1b]	
understand	1.
begreiflich[4a]	
– machen, account for	1.
begrenzen[4b]	
limit	1.6
Begriff[1b]	
idea	1.4
im – sein, (be) about to	1.
begründen[2a]	
found	1.5
(give) rise to	2.3
Begründung[3a]	
establishment	3.8
begrüßen[2b]	
bow	1.4
begünstigen[3b]	
favor	2.1
behaart	
hairy	7.8
Behagen[6b]	
ease	3.2
behaglich[4b]	
comfortable	2.1
behalten[1b]	
keep	1.
Behälter	
tank	6.1
behandeln[1b]	
treat	1.4
mit Liebe –, cherish	3.3
Behandlung[2a]	
treatment	2.8
beharren[6a]	
insist	2.
persist	3.8
behaupten[1b]	
state	1.
Behauptung[2b]	
statement	2.1

	Section
beherrschen[2b]	
rule	1.
control	1.4
master	1.4
Behörde[2a]	
rule	1.1
Behuf[6b]	
right	1.8
behufs[3b]	
sake	1.8
Beichtvater	
confessor	7.4
beide[1a]	
both	1.
beiderseitig[5a]	
mutual	3.1
Beifall[3a]	
– geben, clap	2.8
applause	3.7
beifügen[5b]	
add	1.8
beigeben[6a]	
add	1.8
Beilage[6a]	
addition	3.1
beilegen[4a]	
settle	1.8
Bein[3a]	
leg	1.9
beinah(e)[2b]	
almost	1.
beipflichtend	
affirmative	8.5
beisammen[4b]	
together	1.
Beispiel[1a]	
example	1.4
zum –, (for) example	1.4
beispielsweise[4a]	
(for) example	1.4
beißen[6a]	
bite	3.7
Beistand[4a]	
help	1.1
beistehen[5b]	
help	1.
Beistimmung	
approval	6.6
Beitrag[3a]	
contribution	4.4
beitragen[2b]	
contribute	3.2
beitreten[6b]	
agree	2.2
beiwohnen[4a]	
(be) present	2.3
bejahen[6b]	
maintain	3.5
bekämpfen[3b]	
oppose	2.3
Bekämpfung[6a]	
fight	1.1
bekannt[1a]	
famous	1.1
known	1.1
Bekannte[3b]	
acquaintance	2.7
bei[1a]	
beside	1.
(at) home	1.
near (prep.)	1.
beibehalten[4b]	
keep back	1.7
beibringen[4b]	
teach	1.

	Section
bekanntlich[2b]	
(of) course	1.
known	1.1
Bekanntmachung[4a]	
notice	1.7
Bekanntschaft[3b]	
circle	1.1
acquaintance	2.7
bekehren	
convert	5.2
bekennen[2b]	
admit	1.4
Bekenntnis[4b]	
confession	4.3
beklagen[2b]	
mourn	1.9
sich –, complain	2.
deplore	4.2
bekleiden[4b]	
clothe	1.9
bekommen[1b]	
get (receive)	1.
get (obtain)	1.
bekümmern[5a]	
grieve	3.4
bekunden[5a]	
prove	1.
beladen[6a]	
load	1.8
belagern[6b]	
besiege	5.6
Belagerung[6a]	
siege	4.8
belassen[5b]	
allow	1.
grant	1.
belasten[4b]	
load	1.8
burden	3.5
belästigen[6b]	
vex	4.1
Belastung[4a]	
load	1.4
belaubt	
leafy	6.6
belaufen[5a]	
amount to	2.9
beleben[3a]	
animate	3.5
belegen[3b]	
cover	1.
belehren[3b]	
advise	2.
Belehrung[4b]	
instruction	2.4
beleidigen[3a]	
beleidigt, (be) hurt	2.3
offend	2.8
insult	3.4
slander	4.4
Beleidigung[5a]	
offense	3.8
slander	4.8
beleuchten[4b]	
light (up)	1.4
beleuchtet, lighted	2.6
Beleuchtung[5a]	
lighting	3.2
belgisch	
Belgian	9.
belieben[3a]	
please	1.
Belieben[5b]	
pleasure	1.4
beliebig[3b]	
any (whatever)	1.
Beliebtheit	
popularity	7.4

	Section
bellen	
bark	5.1
belohnen[4b]	
reward	3.8
Belohnung[6a]	
reward	2.5
bemächtigen[3b]	
seize	1.1
sich – (take) possession	1.8
bemerkbar[5b]	
visible	2.9
bemerken[1b]	
(catch) sight (of)	1.1
bemerkenswert[6a]	
remarkable	2.4
Bemerkung[2a]	
– machen, remark	2.3
remark	2.4
bemessen[5a]	
measure	2.
bemitleiden	
pity	4.6
bemitleidenswert	
pitiful	6.6
bemühen[2b]	
sich –, try hard	1.5
Bemühung[3b]	
effort	1.8
benachbart[4a]	
adjoining	3.8
benachrichtigen[5b]	
(let) know	1.
benehmen[5a]	
sich –, act (behave)	1.
Benehmen[5b]	
conduct	2.3
beneiden[5b]	
envy	3.9
beneidenswert	
enviable	11.4
benennen[5a]	
name (appoint)	1.
Benennung[6b]	
name	1.
benommen	
– werden (become) breathless	7.3
benutzen(+ü)[1b]	
use	1.
Benutzung[3b]	
use	1.1
Benzin	
gasoline	6.8
beobachten[1b]	
watch	1.
observe	1.4
remark	2.3
Beobachter[4b]	
observer	5.4
Beobachtung[2a]	
observation	2.4
beordern	
delegate	6.6
bequem[2b]	
comfortable	2.1
convenient	2.5
Bequemlichkeit[5b]	
ease	3.2
beraten[5a]	
advise	2.
Beratung[2a]	
advice	1.4
conference	3.
berauben[4a]	
rob	2.3

	Section		Section		Section		Section
berauschen[6b]		berühren[2a]		beseelen[5a]		bestehen[1a]	
(make) drunk	4.8	touch	1.	animate	3.5	consist	1.4
berechnen[2a]		Berührung[3b]		besehen[6b]		exist	1.8
rate	2.3	touch (act of touching)	2.1	examine	1.5	insist	2.
reckon	2.6	touch (contact)	2.2	beseitigen[2a]		Bestehen[6a]	
Berechnung[3a]		besagen[5a]		take away	1.	existence	2.6
account	1.8	mean	1.	Beseitigung[3b]		insistence	7.3
berechtigen[2a]		Besatzung[4b]		abolition	5.3	besteigen[5a]	
justify	2.5	crew	3.2	Besen		climb	2.7
authorize	3.7	garrison	4.9	broom	5.5	bestellen[2b]	
Berechtigung[3b]		beschädigen[5b]		besetzen[1b]		order	1.5
right	1.8	hurt (tr. vb.)	1.8	(take) possession	1.8	summon	2.7
bereden[5b]		beschaffen[3b]		Besetzung[5a]		Bestellung[5a]	
discuss	3.3	get (obtain)	1.	invasion	5.4	order	1.
Beredsamkeit[6a]		Beschaffenheit[3a]		besiegen[4a]		bestens[6a]	
eloquence	5.1	nature (character)	1.	conquer	2.9	best	1.
beredt		Beschaffung[6a]		besinnen[3b]		besteuern[5b]	
eloquent	6.4	acquisition	6.3	remember	1.	tax	3.5
Bereich[4b]		beschäftigen[1b]		Besitz[1b]		Besteuerung[2b]	
compass	2.5	beschäftigt, busy	1.	property	1.5	tax	1.6
bereichern[6a]		(make) curious	2.9	wealth	1.5	bestimmen[1b]	
enrich	5.	Beschäftigung[3a]		possession	1.6	decide	1.
bereisen		occupation	2.4	besitzen[1b]		name (appoint)	1.
(make the) rounds	4.3	employment	3.7	own	1.	settle	1.
bereit[1b]		beschämen[5b]		Besitzer[2b]		fix	1.1
ready	1.2	shame	3.4	owner	2.	destine	2.4
bereiten[2a]		beschämt		Besitzung[5b]		nicht zu –, undefinable	10.2
prepare	1.4	sheepish	11.4	possession	1.6	bestimmt[1a]	
sich –, prepare	1.6	Bescheid[5a]		besohlen		definite	3.5
bereits[1a]		information	2.	sole	5.4	decisive	3.6
already	1.	bescheiden[2b]		besondere[1a]		Bestimmung[1a]	
Bereitung[6b]		sich –, satisfy	1.9	particular	1.4	fate	1.5
preparation	3.	bescheiden[3b]		besonders[1a]		statement	2.1
bereitwillig[6b]		modest	2.4	above all	1.	bestrafen[2b]	
(be) willing	2.9	Bescheidenheit[6a]		besonnen[6a]		punish	2.1
bereuen[6a]		modesty	4.7	pensive	3.9	Bestrafung[6b]	
repent	4.3	beschießen[6a]		besorgen[2a]		punishment	2.6
Berg[2a]		shoot	1.8	(take) care	1.	Bestreben[3b]	
mountain	1.5	Beschimpfung		Besorgnis[3b]		effort	1.8
Bergarbeiter[6b]		outrage	6.7	care	1.	bestreben[5a]	
miner	4.7	beschlagen		cares	1.3	try hard	1.5
bergen[4a]		dull (tarnish)	5.3	besprechen[3a]		Bestrebung[3a]	
hide	1.	expert	5.6	consult	3.	effort	1.8
Bergmann[4b]		beschleunigen[4b]		discuss	3.3	bestreiten[3a]	
miner	4.7	hurry	2.5	Besprechung[3b]		deny	2.4
Bergwerk[6b]		beschließen[1b]		talk	1.	dispute	2.8
mine	2.6	decide	1.	besser[1a]		contest	3.2
Bericht[1b]		Beschluß[1b]		better	1.	bestürzen	
report	1.	zum –, (at) last	1.	bessern[5b]		dismay	6.4
berichten[2a]		Beschlußfassung[5b]		improve	3.5	bestürzt[6b]	
report	1.5	decision	2.5	Besserung[4a]		distracted	5.5
berichtigen[5a]		decree	2.6	improvement	3.6	Besuch[2a]	
adjust	4.5	beschmutzen		Bestand[3b]		visit	1.4
amend	4.9	soil	4.9	– haben, last	1.1	besuchen[2a]	
Bernstein		beschränken[1b]		beständig[2b]		visit	1.4
amber	6.6	limit	1.6	firm (character)	1.1	Besucher[6b]	
berücksichtigen[3b]		Beschränkung[3a]		continual	2.5	visitor	5.1
consider	1.8	limit	2.4	Beständigkeit		betäuben	
Berücksichtigung[4a]		beschreiben[2b]		constancy	7.1	din	6.2
consideration	2.5	describe	2.	Bestandteil[2b]		Betäubung	
Beruf[2b]		Beschreibung[3b]		element	2.3	daze	7.8
occupation	2.4	description	3.1	bestärken[6a]		stupor	9.2
profession	2.9	beschuldigen[6b]		support	1.8	beteiligen[2b]	
berufen[2a]		accuse	4.	strengthen	3.4	(take) part	1.4
call together	2.1	beschützen[6a]		bestätigen[2a]		beteiligt, (be a) party	2.
sich –, appeal	2.8	protect	2.1	assure	1.4	Beteiligte[4a]	
Berufsgenossenschaft[6b]		Beschützer		confirm	2.5	partner	3.4
company (social)	1.	protector	6.3	affirm	2.7	Beteiligung[4b]	
Berufung[4a]		Beschwerde[3a]		Bestätigung[4b]		share	2.
appeal	3.8	trouble	1.	confirmation	5.1	beten[3a]	
reference	4.8	beschweren[3b]		beste[1a]		pray	2.2
beruhen[2a]		load	1.8	best	1.	betonen[3a]	
rest on	1.9	beschwerlich[6a]		Beste[2b]		accent	3.9
beruhigen[2b]		vexing	3.8	best	1.	Betracht[2a]	
quiet	1.6	troublesome	4.4	das –, cream of crop	2.8	consideration	2.5
berühmt[2a]		beschwören[4b]		bestechen		betrachten[1b]	
famous	1.1	beg	2.7	bribe	6.	watch	1.
illustrious	3.1					observe	1.4
						examine	1.5

INDEX TO GERMAN WORDS IN THE LIST

	Section
beträchtlich[3b]	
considerable	3.3
Betrachtung[2a]	
consideration	2.4
consideration (reference)	2.5
contemplation	3.8
Betrag[1b]	
amount	1.
betragen[2a]	
sich –, act (behave)	1.
Betragen[4a]	
conduct	2.3
betrauen[6a]	
give in charge	1.9
Betreff[4a]	
in –, about (concerning)	1.
betreffen[1b]	
have to do with	1.
question	1.
betreffend[1b]	
about (concerning)	1.
betreffs[5a]	
about (concerning)	1.
betreiben[2b]	
(be) engaged (in)	1.9
operate	3.6
betreten[3a]	
enter	1.
Betrieb[2a]	
organization	3.5
Betriebssteuer[6b]	
tax	1.6
betrinken	
sich –, (get) drunk	5.8
betroffen[4a]	
surprised	2.5
astounded	5.6
betrüben[4a]	
grieve	3.4
Betrug[3b]	
deceit	3.9
betrügen[2b]	
deceive	1.9
cheat	3.1
betrunken	
drunk	5.5
Bett[2a]	
bed	1.4
zu – gehen, (go to) bed	1.6
basin	3.
betteln	
beg	4.6
Bettler[5b]	
beggar	4.
Bettuch	
sheet	4.9
beugen[3b]	
bend	2.4
beunruhigen[4a]	
worry	3.2
alarm	3.5
beurteilen[2b]	
judge	1.
Beurteilung[3b]	
judgment	1.5
Beute[4b]	
prey	3.4
spoils	3.5
Beutel[6b]	
bag	3.
purse	3.8
bevölkern	
people	4.3
bevölkert	
populous	7.3
Bevölkerung[2a]	
population	2.5

	Section
Bevollmächtigte[6a]	
deputy	4.9
bevor[2b]	
before (*prep.* and *adv.*)	1.
before (*conj.*)	1.1
bevorstehen[6b]	
(be) about (to)	1.
bevorstehend[5a]	
near	1.
imminent	6.1
bewachen[5b]	
guard	1.
bewaffnen[4a]	
arm	2.4
bewahren[2a]	
protect	2.1
bewähren[2b]	
prove	1.
bewältigen[6b]	
overcome	2.4
Bewässerung	
irrigation	7.3
bewegen[1b]	
move	1.1
Beweggrund[6b]	
motive	4.
beweglich[3b]	
movable	3.9
Beweglichkeit[6b]	
mobility	9.4
Bewegtheit	
emotion	3.2
Bewegung[1a]	
motion	1.4
in –, moving	2.2
emotion	3.2
Beweis[1b]	
proof	1.4
evidence	2.3
demonstration	3.6
beweisen[1b]	
prove	1.
demonstrate	2.8
bewerben	
contend	5.7
bewilligen[2b]	
grant	1.
Bewilligung[5a]	
permission	3.3
bewirken[2a]	
cause	1.
effect	2.2
bewohnen[4a]	
inhabit	3.5
Bewohner[3a]	
inhabitant	3.2
bewölkt	
cloudy	5.8
Bewunderer	
admirer	7.
bewundern[3a]	
admire	2.2
Bewunderung[3b]	
admiration	2.8
bewußt[2b]	
know (have knowledge)	1.
nicht –, insensible	4.1
Bewußtsein[2a]	
bei –, conscious	4.
bezahlen[1b]	
pay	1.
Bezahlung[5a]	
payment	2.5
bezaubern[6b]	
charm	2.4

	Section
bezeichnen[1a]	
mark	1.
Bezeichnung[2b]	
name	1.
bezeugen[4a]	
testify	4.1
beziehen[1b]	
move	1.5
relate	2.1
Beziehung[1b]	
in – auf, as for	1.
beziehungsweise[2b]	
or	1.
respective	3.7
Bezirk[2b]	
district	2.1
Bezogene[5b]	
debtor	4.8
Bezug[1b]	
in – auf, as for	1.
bezüglich[2a]	
as for	1.
referring	2.6
bezwecken[5a]	
intend	1.4
bezweifeln[5a]	
doubt	1.5
bezwingen[6b]	
subdue	4.3
Bibel[4a]	
bible (B)	4.6
Bibliothek[5a]	
library	3.5
biblisch	
biblical	9.7
biegen[5b]	
bend	2.4
biegsam	
flexible	6.4
Biene[7a]	
bee	4.1
Bier[3b]	
beer	3.9
bieten[1a]	
offer	1.
Bilanz[6b]	
– ziehen, balance	3.2
Bild[1a]	
picture	1.1
bilden[1a]	
form	1.
Bildhauer	
sculptor	7.4
Bildnis[6b]	
painting	3.2
Bildung[1b]	
education	1.6
Billett[6a]	
note	1.9
ticket	4.2
billig[2a]	
cheap	2.1
billigen[3a]	
approve	2.5
Billigkeit[5b]	
equity	5.7
fairness	8.6
binden[2a]	
tie	1.6
bind	2.7
binnen[3b]	
within	1.1
Binnenschiffahrt[6b]	
shipping	3.
Biographie	
biography	8.6

	Section
Birke	
birch	6.4
Birne	
pear	5.5
bis[1a]	
till	1.
Bischof[3b]	
bishop	3.3
bisher[1a]	
till now	1.
bisherig[1b]	
till now	1.
bißchen[5a]	
ein –, little (*n.*)	1.
Bissen	
morsel	6.2
bisweilen[4a]	
sometimes	1.4
Bitte[2a]	
request	2.1
bitten[1a]	
ask (a favor)	1.
bitte, please	1.
bitte!, come now!	1.4
bitter[2b]	
bitter	2.
Bitterkeit	
bitterness	5.7
bittfällig	
suppliant	7.7
Biwak[5b]	
camp	2.8
blank[6b]	
bright	1.4
blank	3.8
Blase	
bubble	5.6
blister	7.2
blasen[5a]	
blow	2.9
blaß[5a]	
pale	2.7
– werden, pale	3.3
Blässe	
paleness	8.
Blatt[1b]	
leaf	2.6
blättern	
thumb	5.6
Blattern	
smallpox	7.8
blau[2b]	
blue	1.4
Blei[3b]	
lead	2.3
bleiben[1a]	
remain (stay)	1.
remain (be left over)	1.
bleich[4b]	
pale	2.7
– werden, pale	3.3
blenden[4b]	
blind	2.7
dazzle	3.9
Blick[1a]	
look	1.
blicken[2a]	
look at	1.
blind[3a]	
blind	2.
Blindheit	
blindness	6.8
Blitz[4b]	
flash	3.3
thunderbolt	4.1
blitzen[5b]	
shine	1.6

322 SEMANTIC FREQUENCY LIST

	Section
Block	
block	5.2
blöken	
bleat	6.8
blond[6a]	
fair	1.2
bloß[1a]	
only	1.
pure	1.
blühen[4a]	
bloom	3.
blühend[4a]	
ruddy	5.3
Blume[2a]	
flower	1.4
blumig	
flowery	5.5
Bluse	
blouse	6.8
Blut[1b]	
blood	1.
Blüte[3a]	
blossom	2.2
bluten[5b]	
bleed	5.
-d, bleeding	5.
blutig[3a]	
bloody	2.9
Blüttenblatt	
petal	7.2
Bö	
blast	5.7
Boden[1a]	
bottom	1.
earth	1.
ground	1.
floor	1.2
Bogen[3a]	
sheet	2.2
bow (arch)	2.4
bow (and arrow)	2.4
Bohème	
Bohemian	7.3
böhmisch[5b]	
English	1.
Bohne	
bean	5.4
bohren	
bore	5.
Bolzen	
latch	6.8
Boot[5a]	
boat	2.6
Bord[5a]	
an –, (on) board	3.
an – gehen, sail	3.
shelf	4.5
Börse[3a]	
exchange	2.6
bös[1b]	
naughty	2.3
boshaft	
roguish	10.2
Bosheit[5b]	
evil	2.
malice	4.8
Bote[4a]	
messenger	2.5
Botschaft[4b]	
message	3.
Boxer	
prize fighter	7.
Brand[3b]	
fire	1.
burning	2.3
Branntwein[5a]	
liquor	4.3

	Section
Braten	
roast	5.4
braten	
fry	6.3
brauchbar[4b]	
useful	2.
brauchen[1a]	
need	1.
Braue	
eyebrow	6.3
brauen	
brew	7.
braun[4a]	
brown	2.5
brausen[6a]	
rage	3.7
Braut[3a]	
bride	1.6
engaged	2.5
Bräutigam[4b]	
engaged	2.5
groom	4.6
bräutlich	
bridal	6.2
brav[2b]	
– sein, (be) brave	1.
fine	1.4
bravo[3a]	
applause	3.7
brechen[1b]	
break	1.1
burst	1.4
breit[2a]	
broad	1.4
Breite[3a]	
width	3.4
breiten[3b]	
spread	1.4
Bremse	
brake	5.6
brennen[2a]	
burn	1.6
Brennerei[5b]	
distillery	8.4
Brennmaterial[6b]	
fuel	5.2
Brennpunkt	
focus	6.1
Brett[6a]	
board	1.7
Brief[1a]	
letter	1.
charter	2.9
Briefwechsel[5a]	
correspondence	3.9
in – stehen	
correspond	4.
Brigade[2a]	
brigade	6.2
Brille	
glasses	4.2
bringen[1a]	
bring	1.
carry	1.
zur Ausführung –, in Erfüllung –	
carry out	1.
in Vorschlag –	
propose	1.
aus der Fassung –	
overcome	2.7
in Unordnung –	
(put in) disorder	4.8
Brise	
breeze	5.2
britisch[6b]	
British	4.2

	Section
Brombeere	
bramble	7.2
Bronze	
bronze	6.2
Broschüre[6b]	
pamphlet	6.3
Brot[2b]	
bread	1.4
loaf	3.3
Bruch[6a]	
break	3.8
Brücke[2b]	
bridge	1.7
Bruder[1a]	
brother	1.
brüderlich	
brotherly	6.9
brüllen	
roar	4.7
Brüllen	
roar	5.3
Brunnen[4b]	
well	1.9
fountain	2.8
Brust[2a]	
chest	1.9
Brut	
brood	5.8
brutal	
-e Mensch, brute	5.7
brüten	
hatch	6.8
Bube[5b]	
boy	1.4
Buch[1a]	
book	1.
Buche	
beech	7.
Buchhändler[6b]	
publisher	5.8
bookseller	9.
Buchhandlung[6b]	
book shop	4.2
Buchs	
box	4.9
Buchstabe[2b]	
letter	1.4
Bucht	
bay	4.5
creek	5.9
Bude	
stall	5.2
Büffel	
buffalo	7.2
Bug	
bow	4.3
Bühne[3a]	
stage	3.
Bulle	
papal bull	7.8
Bund[2a]	
union	1.6
league	2.8
Bundes-	
federal	6.5
Bundesgenosse[5a]	
fellow worker	2.9
Bundesrat[3b]	
council	2.1
Bundesstaat[4b]	
union	1.6
confederacy	5.1
Bündnis[4b]	
union	1.6
bunt[4a]	
colored	4.2

	Section
Bureau[5a]	
office	2.9
Burg[5a]	
castle	2.
Bürge	
bondsman	13.
Bürger[2a]	
citizen	2.2
bourgeois	5.9
bürgerlich[2a]	
civil	2.4
Bürgermeister[4a]	
mayor	2.5
Bürgerschaft[6b]	
House of Representatives	3.4
Bürgersteig	
sidewalk	5.5
Bürgschaft[6a]	
pledge	2.9
Bursche[4a]	
fellow	2.3
Bürste	
brush	5.6
Busch	
shrub	6.1
Büschel	
tuft	6.8
buschig	
tufted	6.4
Busen[3b]	
chest	1.9
Buße[5b]	
amends	4.1
penance	5.7
atonement	7.
büßen[5a]	
make up for	2.9
(do) penance	5.8
Büste	
bust	6.1
Butter[6a]	
butter	3.5
Butterbrot	
sandwich	6.8

C

	Section
Cäsar[5b]	
emperor	2.1
Chaos	
chaos	6.6
Charakter[1b]	
character	1.
charakterisieren[5a]	
describe	2.
Charakteristik[6a]	
description	3.1
charakteristisch[4a]	
characteristic	3.8
Chaußee[4b]	
road	1.
avenue	3.1
Check[6b]	
check	4.8
Chef[3b]	
chief	1.5
Chemie	
chemistry	7.8
Chemiker[6a]	
chemist	6.4
chemisch[3a]	
chemical	4.9
chiffrieren	
cipher	9.3

INDEX TO GERMAN WORDS IN THE LIST

	Section
chinesisch[4b]	
Chinese	4.5
Chlor[4a]	
chlorine	8.8
Chor[4b]	
choir (loft)	3.7
choir (people)	4.
Choral	
hymn	5.8
Christ[2b]	
Christian	1.9
Christentum[3a]	
Christianity	6.2
Christendom	6.3
christlich[2a]	
Christian	1.9
Christus[2a]	
Christ	3.3
Coupon[6b]	
certificate	5.8
Cousine[4b]	
cousin	2.4

D

da[1a]	
as (since)	1.
because	1.
there	1.
– ist, *there is*	1.
– sein, exist	1.8
dabei[1a]	
near (*adj.* and *adv.*)	1.
Dach[3b]	
roof	2.
Dachstroh	
thatch	6.
dadurch[1a]	
through (agent)	1.
dafür[1a]	
for (in behalf of)	1.
for (in favor of)	1.
(in) return	1.1
dagegen[1a]	
against	1.
(in) return	1.1
daheim[5a]	
(at) home	1.
daher[1a]	
therefore	1.
dahin[1a]	
there	1.
dahinter[5a]	
(in) back (of)	1.
damalig[2b]	
then (the then ...)	1.4
damals[1a]	
then	1.
Dame[1b]	
lady	1.
junge –, young lady	1.1
damit (*adv.*)[1a]	
with	1.
damit (*conj.*)[1a]	
(in) order (to)	1.
Damm[6a]	
dam	4.7
Dämmerung[6a]	
dawn	3.5
twilight	4.3
Dampf[3a]	
steam	2.5
dämpfen[6b]	
put down	2.2
suppress	3.7
soften	5.4
Dampfer[4a]	
steamer	3.7

	Section
Dämpfer	
mute	6.2
danach[2b]	
after	1.
afterwards	1.8
dänisch[5a]	
Danish	6.8
Dank[1b]	
thanks	1.1
dankbar[2b]	
grateful	2.5
Dankbarkeit[3b]	
gratitude	3.3
danken[1b]	
thank	1.
dann[1a]	
then	1.
– und wann (at) times	1.
daran[1a]	
at	1.
darauf[1a]	
on	1.
daraus[1b]	
out	1.
darbieten[3a]	
offer	1.
darbringen[6b]	
offer	1.
darein[6b]	
into	1.
darin[1a]	
in	1.
darlegen[3b]	
state	2.2
Darlegung[5b]	
statement	2.1
Darlehen[5b]	
loan	5.3
darnach[3b]	
afterwards	1.8
darstellen[1b]	
express	1.
represent	1.4
Darstellung[1b]	
statement	2.1
dartun[4b]	
prove	1.
darüber[1a]	
above (*prep.*)	1.
darum[1a]	
therefore	1.
darunter[2b]	
under	1.
Dasein[2a]	
life	1.
existence	2.6
daselbst[2b]	
there	1.
daß[1a]	
that	1.
vorausgesetzt – provided that	2.9
dastehen[4b]	
stand	1.
datieren[5b]	
date	3.3
Datum[4b]	
date	2.
Daube	
stave	7.2
Dauer[2a]	
term	1.8
dauerhaft[6a]	
lasting	4.1
dauern[1b]	
continue	1.
last	1.1

	Section
Daumen[5a]	
thumb	4.3
davon[1a]	
of	1.
davor[4a]	
(in) front	1.4
dazu[1a]	
to	1.
dazwischen[4a]	
among	1.
Dazwischenkunft	
intervention	8.4
Debatte[4a]	
debate	3.
Debut	
opening	4.4
Deck[6b]	
deck	3.7
Decke[4b]	
ceiling	3.7
blanket	4.
Deckel[4a]	
cover	2.9
decken[1b]	
cover	1.
Tisch –, set table	1.1
Deckung[2b]	
pledge	2.9
defilieren	
defile	6.5
Definition	
definition	7.
definitiv[4b]	
final	2.9
Degen[4a]	
sword	2.
dehnen[5b]	
extend	1.
dein[1a]	
thy	1.6
thine	2.3
Dekan	
dean	7.
Deklaration[4b]	
declaration	4.5
Delegierte[6a]	
deputy	4.9
Delta	
delta	7.2
demgemäß[3b]	
by (according to)	1.
demnach[2b]	
therefore	1.
demnächst[3a]	
soon	1.
Demokratie	
democracy	6.9
demokratisch[5b]	
democrat	5.
Demut[6a]	
humility	5.4
demütig[5b]	
humble	3.5
demütigen	
humble	5.
Demütigung	
humiliation	7.9
denkbar[4a]	
possible	1.
denken[1a]	
think	1.
sich –, imagine	1.4
Denken[4b]	
thought	1.
Denker[6b]	
philosopher	3.3
thinker	9.6

	Section
Denkmal[2a]	
monument	2.5
denkwürdig	
memorable	7.
denn[1a]	
as (since)	1.
because	1.
dennoch[1b]	
however	1.
Depesche[5b]	
wire	3.5
despatch	5.1
Deputierte[6b]	
deputy	4.9
der (*art.*)[1a]	
that (*adj.*)	1.
the	1.
der (*rel.* and *dem. pron.*)[1a]	
which	1.
who	1.
dessen, whose	1.
derart[3b]	
kind	1.
derartig[1b]	
such	1.
derb[6a]	
solid	3.2
dereinst[6b]	
sometime	1.
dergestalt[5a]	
way	1.
dergleichen[1b]	
such	1.
derjenige[1a]	
that (*pron.*)	1.
derselbe[1a]	
same	1.
derselbige[4a]	
same	1.
deshalb[1a]	
therefore	1.
Destillation[6a]	
distillation	8.4
destillieren	
distil	6.9
desto[1b]	
so much	1.
je .... the .... the	1.
deswegen[2b]	
therefore	1.
Detail[4b]	
particular	2.3
deuten[3a]	
account for	1.
make out	2.2
interpret	4.2
deutlich[1b]	
clear	1.
deutsch[1a]	
English	1.
Deutsche[1b]	
English	1.
Deutung[6a]	
explanation	2.9
Dezember[2a]	
December	2.3
Dialog	
dialog(ue)	6.5
Diamant[5a]	
diamond	3.6
Diät	
diet	6.2
dicht[1b]	
thick	1.2
dense	2.6

	Section		Section		Section		Section
Dichte		Distel		Drehung[6b]		Dünger	
density	7.8	thistle	6.4	turn	3.	manure	7.
dichten[3a]		Distrikt[6b]		drei[1a]		dunkel[1b]	
compose	2.6	district	2.1	three	1.	dark	1.
Dichter[1a]		Disziplin[4b]		Dreieck		Dunkel[4b]	
poet	1.5	discipline	4.8	triangle	7.	darkness	2.9
dichterisch[3b]		Dividende[4b]		dreifach[5a]		Dunkelheit[4a]	
poetic	3.9	interest (percent)	1.	three times	2.6	darkness	2.9
Dichtkunst[5a]			dividend	5.6	triple	5.8	dunkeln
poetry	2.4	Division[1b]		dreifarbig		(grow) dark	4.5
Dichtung[2b]		division	2.2	three-colored	13.	dünken[4a]	
poetry	2.4	doch[1a]		dreimal[5a]		think	1.
fiction	3.9	however	1.	three times	2.6	dünn[3a]	
dick[3b]		Dock		dreißig[3b]		thin	2.
thick	1.2	dock	5.4	thirty	2.3	durch[1a]	
fat	1.9	Doge[4b]		dreizehn		by (agent)	1.
– werden, (get) fat	2.7	chief	1.5	thirteen	5.2	through (motion)	1.
Dicke[7a]		Dogma		dreschen		through (agent)	1.
thickness	5.1	dogma	8.3	thrash	5.9	durchaus[1a]	
Dickicht		Doktor[1a]		dringen[2a]		all	1.
thicket	6.	doctor	1.	press	1.1	durchbohren[6a]	
Dieb[5a]		Dokument[6b]		dringend[2a]		pierce	3.1
thief	3.7	document	5.1	pressing	1.7	durchbrechen[4b]	
Diebstahl[6b]		certificate	5.8	dritte[1a]		pierce	3.1
robbery	4.8	Dolch[5b]		third	1.	durchdringen[3a]	
dienen[1a]		dagger	5.6	Drittel[3b]		penetrate	6.6
serve	1.	Dolchstoß		third	1.	Durchdringung	
Diener[2b]		stab	6.5	Droge		penetration	9.3
servant	1.9	Dollar[5b]		drug	5.8	durcheinander[5a]	
Dienst[1b]		pound	1.	Drogerie		– bringen	
service	1.	Dom[6a]		drug store	5.6	(put in) disorder	4.8
Dienstag[5b]		cathedral	4.6	drohen[2a]		Durcheinander	
Tuesday	3.7	Donner[5b]		threaten	1.8	(in a) huddle	7.4
diensteifrig		thunder	3.6	Drohung[5b]		durchführen[2b]	
servile	7.	donnern[6b]		threat	4.6	carry out	1.
dienstlich[6a]		thunder	4.2	Drossel		Durchführung[3a]	
official	2.8	Donnerstag[3b]		thrush	7.1	carrying out	2.2
Dienstpflicht[4b]		Thursday	2.7	drüben[5a]		performance	3.
service	1.	Doppelbesteuerung[6a]		(be) across	1.	durchgehen[5b]	
Dienstzeit[3b]		tax	1.6	there	1.	-d, passing	1.9
time (general)	1.	doppelt[2a]		Druck[2a]		look over	3.1
dies[1a]		double	1.6	oppression	3.5	durchkreuzen	
this (adj.)	1.	Doppelwährung[5b]		drücken[1b]		thwart	6.8
this (pron.)	1.	bimetallism	10.8	press	1.1	durchlaufen[6a]	
latter	1.4	Dorf[1b]		drucken[3a]		run through	3.1
diesmal[2b]		village	1.2	print	2.4	durchmachen[6a]	
now	1.	Dorn[6b]		Druckerei[6a]		bear	1.
Differenz[4a]		thorn	4.3	printing office	4.4	Durchmesser[5a]	
difference	1.4	dort[1a]		Drucksache[3b]		diameter	6.2
diktieren[6a]		there	1.	printed matter	2.4	durchnässen	
dictate	5.	dorthin[3a]		du[1a]		soak	5.9
Dimension[6a]		there	1.	thou	1.	durchschlagen[6b]	
dimension	5.6	dortig[3a]		you	1.	pierce	3.1
Ding[1a]		there	1.	siehst –!, here!	1.6	durchschneiden[5a]	
thing	1.	Drache[6b]		Dudelsack		cut	1.8
Diplomatie		dragon	5.	bagpipe	8.1	Durchschnitt[4a]	
diplomacy	9.4	kite	5.2	Duell		im –	
diplomatisch[5a]		Dragoner[6a]		duel	7.	(on the) average	3.2
careful	1.7	dragoon	8.6	Duft[5a]		durchschnittlich[4a]	
diplomatic	7.6	Draht[6b]		perfume	4.	(on the) average	3.2
direkt[1b]		wire	4.2	duftig		durchsetzen[4b]	
direct (adj.)	1.	drahtlos		fragrant	5.5	sich –, succeed	1.5
direct (adv.)	1.1	wireless	6.	dulden[3b]		durchsichtig[5a]	
Direktion[5a]		Drama[3b]		bear	1.	– sein, show through	3.4
direction	1.8	drama	3.7	Duldung		transparent	5.7
Direktor[3a]		dramatisch[3b]		toleration	7.7	durchstreichen	
director	2.8	dramatic	4.6	dumm[4a]		cross out	4.7
dirigieren[6a]		Drang[4a]		dull	3.5	durchweg[4b]	
lead	1.	spur	3.6	Dumme		throughout	2.8
Dirne		drängen[2a]		dupe	8.2	durchziehen[5b]	
harlot	6.8	press	1.1	Dummheit[6b]		wander	2.7
diskret		crowd	2.2	nonsense	5.	dürfen[1a]	
discreet	5.7	draußen[3b]		stupidity	8.2	may	1.
Diskussion[3b]		outside	1.4	dumpf[4b]		dürftig[5a]	
discussion	2.9	drehen[2b]		vague	4.	imperfect	3.9
Disposition[4a]		twist	2.6	düngen		needy	6.
arrangement	2.4			fertilize	6.8		

INDEX TO GERMAN WORDS IN THE LIST

	Section
dürr[6b]	
dry	1.4
Durst[4a]	
thirst	3.3
– haben, (be) thirsty	3.7
düster[4a]	
dark	1.
dismal	3.9
Dutzend[5b]	
dozen	3.4
duzen	
(use) thou-form	13.
Dynastie	
dynasty	7.8

E

	Section
Ebbe[6b]	
ebb	6.4
eben[1a]	
just (past time)	1.
just (future time)	1.3
Ebene[4a]	
plain	1.6
plane	3.7
ebenfalls[1b]	
also	1.
equal	1.
ebenso[1a]	
equal	1.
(in like) manner	1.2
ebensowenig[4b]	
– wie, (as) little (as)	2.6
ebnen[6b]	
even off	4.2
flatten	7.3
Echo	
echo	4.5
echt[2a]	
real	1.
Ecke[3b]	
corner	1.9
corner (nook)	2.3
edel[1b]	
noble	1.4
Edelmann[4b]	
peer	2.6
Edelstein[6b]	
gem	3.6
jewel	4.2
Edle[6b]	
knight	2.1
Efeu	
ivy	6.7
Effekt[5a]	
effect	1.4
Effekten[5a]	
stock	1.8
ehe[1a]	
before (time)	1.
rather	1.
before (conj.)	1.1
Ehe[2a]	
marriage	2.4
Ehegatte[6b]	
husband	1.
ehelich[6a]	
legitimate	5.8
conjugal	9.6
ehemalig[3b]	
former	2.
ehemals[5a]	
long ago	1.3
formerly	2.2
Ehemann[6b]	
husband	1.

	Section
Ehre[1b]	
honor	1.
ehren[2a]	
honor	1.7
(pay) tribute (to)	3.2
ehrenvoll[5b]	
honorable	4.
Ehrfurcht[5a]	
reverence	4.1
Ehrgeiz[5a]	
ambition	3.7
ehrgeizig	
ambitious	5.8
ehrlich[2b]	
fair	1.4
honest	1.9
Ehrlichkeit	
honesty	6.4
Ehrung[3b]	
distinction	3.9
ehrwürdig[5b]	
reverend	4.9
venerable	5.1
Ei[3a]	
egg	2.
ei[4a]	
O	1.2
Eibe	
yew	7.2
Eiche[5b]	
oak	3.1
Eichel	
acorn	6.8
Eichhörnchen	
squirrel	6.
Eid[4a]	
– ablegen, swear	2.7
oath	4.6
Eifer[2b]	
zeal	2.4
fervor	4.8
Eifersucht[5a]	
jealousy	4.2
eifersüchtig[6b]	
jealous	4.1
eifrig[3a]	
eager	2.4
eigen[1a]	
own	1.
aus eignem Antrieb spontaneous	6.
Eigenart[5b]	
characteristic	3.
originality	6.8
eigenartig[5a]	
peculiar	3.6
eigenhändig[6b]	
(with one's own) hand	3.
Eigenschaft[1b]	
characteristic	3.
eigentlich[1a]	
real	1.
Eigentum[2b]	
property	1.5
Eigentümer[4a]	
owner	2.
eigentümlich[2a]	
characteristic	3.8
Eigentümlichkeit[4a]	
characteristic	3.
eignen[1b]	
sich –, fit	1.
Eignung	
fitness	6.7
Eile[4b]	
hurry	2.4
urgency	9.8

	Section
eilen[1b]	
sich –, hurry	1.2
eilig[3b]	
fast	1.
Eimer	
pail	5.6
ein (art.)[1a]	
a	1.
-es anderen, another's	1.
– paar, several	1.
-es Tages, sometime	1.
ein (numeral)[1a]	
one	1.
der -e oder der andere either (one)	1.
weder der -e noch der andere neither (one)	1.
irgend -er, anybody	1.8
mit -em Schlag (at) once	1.8
einander[1a]	
each other	1.
– folgend, successive	3.
Einband	
binding	5.4
einbilden[5a]	
imagine	1.4
eingebildet, fancied	3.8
Einbildung[6b]	
imagination	3.9
conceit	5.3
Einblick[5b]	
– verschaffen (let) know	1.
einbringen[3b]	
bring	1.
Einbruch	
irruption	10.1
einbüßen[5b]	
lose	1.
eindringen[3a]	
penetrate	6.6
Eindringling	
intruder	7.4
Eindruck[1b]	
impression	2.2
– machen (make an) impression	2.2
impression (imprint)	2.6
eindrucksvoll	
imposing	5.6
einerlei[5a]	
(all the) same	1.
einerseits[4a]	
(on the one) hand	2.2
einfach[1a]	
simple	1.
simply	1.
– machen (make) simple	2.1
Einfall[4a]	
idea	1.4
einfallen[4a]	
invade	3.8
Einfalt	
simplicity	5.4
einfinden[6b]	
sich –, appear (loom)	1.
einflößen[5b]	
inspire	3.1
Einfluß[1b]	
influence	1.6
einflußreich[6b]	
important	1.
influential	8.2
einfügen[6b]	
insert	4.4

	Section
Einfuhr[5b]	
import	4.5
einführen[1b]	
import	1.8
Einführung[2a]	
introduction	3.7
Eingang[2b]	
entrance	1.8
eingeboren[5a]	
native	3.2
innate	9.
Eingeborene[6a]	
native	3.7
Eingebung	
intuition	9.4
eingehen[1b]	
enter	1.
Eingeweide	
bowel	6.4
entrails	7.7
eingreifen[3a]	
begin	1.
Eingriff[6b]	
operation	3.6
einheimisch[4b]	
native	3.2
Einheit[3a]	
unity	3.8
unit	4.2
einheitlich[3b]	
uniform	3.1
einholen[5b]	
overtake	3.9
einig[4a]	
united	1.5
– sein, agree	2.2
einige[1a]	
any (some)	1.
(a) few	1.
einjährig[6a]	
year	1.
Einkauf[6b]	
purchase	3.2
Einklang[5a]	
harmony	3.1
einkommen[2a]	
enter	1.
Einkommen[4a]	
income	3.6
Einkommensteuer[2b]	
tax	1.6
Einkommensteuergesetz[4b]	
law	1.
einladen[4a]	
invite	2.3
Einladung[4b]	
invitation	3.2
Einlage[6b]	
(side) dish	4.6
einlassen[4a]	
admit	1.8
sich – auf (be) engaged (in)	1.9
einlaufen[6a]	
enter	1.
shrink	5.2
Einlaufen	
contraction	7.4
einlegen[4b]	
insert	4.4
interpose	5.2
einleiten[3b]	
introduce	2.7
Einleitung[4a]	
introduction	3.7
einliegend[6b]	
enclosed	5.1

	Section
einlösen[6b]	
redeem	4.7
einmal[1a]	
once	1.
sometime	1.
auf –, suddenly	1.
einmalig[6a]	
only	1.
einmischen	
meddle	5.9
Einnahme[3a]	
receipt	3.3
einnehmen[2a]	
defeat	2.7
einnisten	
nestle	7.
einräumen[3b]	
admit	1.4
einreichen[4b]	
deliver	1.4
einrichten[2a]	
fix (up)	1.5
fit up	1.8
install	3.2
institute	3.3
Einrichtung[1b]	
arrangement	2.4
einrücken[5b]	
insert	4.4
einsam[3a]	
lonely	3.3
Einsamkeit[4b]	
solitude	3.6
Einschätzung[6a]	
estimate	3.8
einschießen[6a]	
weave	4.6
einschlafen	
(go to) sleep	3.9
einschläfern	
put to sleep	4.
einschlagen[3a]	
wrap	2.3
tuck	4.1
einschließen[3a]	
shut in	1.9
einschließlich[4b]	
included	2.9
einschränken[4a]	
limit	1.6
Einschränkung[4b]	
restraint	4.1
einschüchtern	
intimidate	10.2
einsehen[3a]	
understand	1.
realize	2.6
einseitig[3b]	
partial	4.5
einsetzen[3b]	
begin	1.
Einsicht[3a]	
judgment	2.6
discretion	3.9
Einsiedler	
hermit	6.6
einsilbig	
monosyllable	10.5
einst[1b]	
once	1.
sometime	1.
einstellen[3a]	
interrupt	2.3
accommodate	3.8
Einstellung	
accommodations	6.8
einstimmig[4b]	
unanimous	5.

	Section
Einsturz	
crumbling	6.5
einstweilen[5a]	
(for the) present	1.4
Einteilung[5b]	
arrangement	2.4
eintönig	
monotonous	6.8
Eintönigkeit	
monotony	8.1
Eintrag	
entry	5.1
eintragen[3b]	
enter	2.6
register	3.
Eintragung[4b]	
registering	4.2
eintreffen[2a]	
happen	1.
eintreten[1a]	
enter	1.
Eintritt[3a]	
entrance	2.2
einverleiben	
sich –, annex	7.4
einverstanden[3a]	
– sein, agree	2.2
agreed	2.8
Einverständnis[5b]	
agreement	3.1
Einwand[4b]	
objection	4.4
einwenden[4b]	
object	1.9
Einwendung[5a]	
protest	4.1
Einwilligung[5b]	
consent	2.8
einwirken[4a]	
affect	3.2
influence	3.2
Einwirkung[3a]	
influence	1.6
Einwohner[3a]	
inhabitant	3.2
Einzelheit[3b]	
particular	2.3
einzeln[1a]	
only	1.
einziehen[3b]	
enter	1.
Einziehung[6b]	
draft	5.2
einzig[1a]	
only	1.
Einzug[6a]	
entrance	2.2
Eis[4a]	
ice	2.4
Eisen[3a]	
iron	1.8
altes –, (old) iron	2.3
Eisenbahn[2a]	
railroad	2.
eisern[2b]	
iron	1.4
eisig	
icy	6.
eitel[3b]	
vain	2.3
Eitelkeit[4a]	
vanity	3.3
eklig	
disgusting	6.2
elastisch	
elastic	6.6

	Section
Elefant[5a]	
elephant	5.
elegant[4b]	
elegant	3.6
elektrisch[3b]	
electric	3.
Elektrizität[6a]	
electricity	5.6
Element[2a]	
element	2.3
elementar	
elementary	7.2
Elend[3a]	
misery	2.7
elend[3b]	
miserable	2.7
elf[4b]	
eleven	2.9
Elfenbein	
ivory	5.6
elfte	
eleventh	7.2
Ellbogen	
elbow	5.1
Eltern[2a]	
parents	1.8
Emaille	
enamel	6.8
Empfang[3a]	
reception	3.2
receipt	3.3
empfangen[1b]	
get (receive)	1.
get (obtain)	1.
conceive	2.
Empfänger[5b]	
receiver	6.
empfänglich	
susceptible	6.9
empfehlen[1b]	
recommend	2.1
Empfehlung[4b]	
compliment	4.1
recommendation	4.5
empfinden[1b]	
feel	1.
Empfinden[6b]	
feeling	1.6
empfindlich[3b]	
conscious	3.3
sensitive	4.4
empfindsam	
sentimental	6.6
mawkish	11.
Empfindung[2a]	
feeling	1.6
empor[3a]	
go up	1.
empören[4a]	
stir	1.9
sich –, rebel	3.6
Emporkömmling	
upstart	9.
Empörung[6a]	
anger	1.9
indignation	4.2
Ende[1a]	
end	1.
enden[3a]	
end	1.
endgültig[4b]	
final	2.9
endigen[5a]	
end	1.
endlich[1a]	
(at) last	1.

	Section
endlos[6b]	
endless	3.
Endlosigkeit	
infinity	9.6
Energie[4a]	
energy	3.6
energisch[3a]	
(full of) energy	3.3
vehement	4.8
eng[1b]	
narrow	1.
tight	1.7
Enge	
strait	5.3
Engel[2b]	
angel	2.
Engländer[4b]	
French	1.
englisch[1b]	
English	1.
Enkel[4b]	
ankle	4.6
grandson	4.7
enorm[5a]	
great (huge)	1.
entbehren[2b]	
lack	1.5
entbehrlich[6b]	
unnecessary	4.2
Entbehrung[6b]	
want	3.9
entblößen[6a]	
strip	3.7
entdecken[2a]	
discover	1.4
Entdeckung[3a]	
discovery	3.
Ente	
duck	5.
entehren	
disgrace	5.6
entfallen[5a]	
escape	2.6
slip	2.8
entfalten[3b]	
develop	2.
unfold	3.4
Entfaltung[6a]	
development	2.1
evolution	4.5
entfernen[1b]	
go away	1.
take away	1.
Entfernung[1b]	
distance	1.1
removal	4.6
entfliehen[4b]	
escape	1.8
entgegen[1b]	
against	1.
entgegenkommen[4b]	
(go to) meet	2.3
entgegensehen[5b]	
expect	1.
entgegensetzen[2b]	
oppose	2.3
entgegenstehen[6a]	
oppose	2.3
face	3.8
entgegenstellen[6a]	
oppose	2.3
entgegentreten[3b]	
oppose	2.3
entgegnen[4b]	
answer	1.
entgehen[3a]	
escape	1.8

INDEX TO GERMAN WORDS IN THE LIST

	Section
enthalten[1a]	
contain	1.
sich –, keep back	1.7
enthaupten	
behead	6.2
enthüllen[6a]	
reveal	2.4
entkommen[6b]	
escape	1.8
entladen	
unload	6.7
entlang[4b]	
along	2.2
entlanglaufen	
go along	4.1
entlassen[3b]	
dismiss	2.7
Entlassung[5b]	
discharge	3.8
Entlastung[5a]	
relief	3.3
entledigen[5b]	
free	1.7
entmutigen	
discourage	5.8
Entmutigung	
discouragement	10.5
entnehmen[2b]	
draw up	1.7
entreißen[3b]	
snatch	2.6
entrichten[4a]	
pay	1.
entsagen[4a]	
renounce	3.1
entschädigen[6a]	
make up for	4.1
Entschädigung[3a]	
als –, (in) return	1.1
entscheiden[1a]	
decide	1.
entschieden, decidedly	4.3
Entscheidung[1b]	
decision	2.5
Entschiedenheit[6a]	
mit –, clear	1.
entschließen[2a]	
decide	1.
Entschließung[5b]	
resolution	3.2
entschlossen[5b]	
resolute	4.
Entschlossenheit[6b]	
determination	6.
Entschluß[2a]	
decision	2.5
entschuldigen[3a]	
pardon	2.2
Entschuldigung[4b]	
excuse	2.9
entsenden[5b]	
send	1.
Entsetzen[4b]	
fear	1.4
entsetzen[5a]	
frighten	1.9
entsetzlich[3a]	
terrible	1.8
disastrous	4.3
entsprechen[1a]	
correspond	2.4
entsprechend[1b]	
corresponding	2.7
Entsprechung	
analogy	7.6
entspringen[3a]	
come from	1.

	Section
entstehen[1a]	
come from	1.
entstanden, born of	1.4
Entstehung[3b]	
source	2.7
entstellen[6b]	
mar	5.2
Enttäuschung[6a]	
disappointment	4.4
entwaffnen	
disarm	6.9
entweder[1b]	
either	1.
entweichen[4b]	
escape	1.8
entwerfen[3b]	
draw up	2.
plan	2.3
draft	3.6
outline	4.5
entwickeln[1b]	
develop	2.
Entwick(e)lung[1b]	
development	2.1
evolution	4.5
Entwurf[1b]	
plan	1.1
draft	3.
entziehen[2a]	
take away	1.
sich –, avoid	1.8
deprive	3.2
entzücken[3b]	
delight	2.
charm	2.4
Entzücken[4b]	
delight	1.
entzünden[4a]	
sich –, (catch on) fire	2.5
Epoche[4a]	
age	1.8
er[1a]	
he	1.
– selber, himself	1.4
erachten[2b]	
opinion	1.4
Erachten[3a]	
opinion	1.4
erbarmen[6a]	
move	1.5
Erbarmen[6b]	
pity	2.4
erbauen[3a]	
build	1.2
Erbauer	
builder	6.4
Erbe[3a]	
heir	2.9
erben	
inherit	5.7
erbeuten[6b]	
seize	1.1
erbitten[3b]	
ask (a favor)	1.
solicit	3.4
erbittern[6a]	
anger	2.7
(make) bitter	3.9
Erbitterung[6b]	
anger	1.9
erblich	
hereditary	7.3
erblicken[2a]	
(catch) sight (of)	1.1
make out	1.4
Erbschaft[4b]	
inheritance	3.9
Erbse	
pea	5.4

	Section
Erdbeben	
earthquake	6.
Erdbeere	
strawberry	5.8
Erde[1a]	
earth	1.
ground	1.
Erdgeschoß	
ground floor	4.4
ereignen[5a]	
sich –, happen	1.
Ereignis[2a]	
event	2.
erfahren[1a]	
learn	1.
Erfahrung[1b]	
experience	1.6
erfassen[3a]	
seize	1.1
erfinden[2b]	
invent	2.4
Erfinder[4b]	
inventor	4.8
Erfindung[2a]	
invention	2.6
Erfolg[1b]	
– haben, succeed	1.5
success	1.5
erfolgen[1a]	
result	1.5
erfolgreich[5a]	
successful	3.4
erforderlich[1b]	
necessary	1.
erfordern[2b]	
need	1.
Erfordernis[4a]	
demand	3.
erfreuen[2a]	
enjoy	1.1
erfreulich[3b]	
pleasant	1.1
erfrischen	
cool	4.9
Erfrischung	
refreshment	6.8
erfüllen[1b]	
carry out	1.
Erfüllung[2b]	
in – bringen	
carry out	1.
ergänzen[4a]	
complete	1.
Ergänzung[4a]	
als –, (in) addition	1.4
zur –, extra	4.1
amendment	4.5
complement	5.2
ergeben[1b]	
result	1.5
devote	2.2
sich –, resign oneself	2.2
Ergebnis[2b]	
result	1.5
Ergebung	
submission	6.4
ergehen[2b]	
sich –, indulge	4.1
ergießen[6a]	
burst	3.5
sich –, empty	3.9
gush	4.5
ergötzen[6a]	
please	1.
ergreifen[1b]	
seize	1.1
ergründen	
fathom	7.

	Section
erhaben[2b]	
exalted	2.9
erhalten[1a]	
get (receive)	1.
get (obtain)	1.
keep	1.
maintain	1.5
Erhaltung[3a]	
support	2.1
conservation	5.
erheben[1a]	
lift	1.
collect	1.4
elate	1.9
exalt	2.7
extol	3.
erheblich[1b]	
important	1.
Erhebung[3a]	
elevation	4.2
exaltation	6.3
erheischen[5b]	
claim	2.3
erhellen[4b]	
clear up	2.9
erhitzen[3b]	
heat	2.2
erhöhen[2a]	
lift	1.
Erhöhung[2b]	
lifting	2.2
erholen[4a]	
recover	2.7
Erholung[6a]	
cure	3.9
erinnern[1b]	
remember	1.
recall	1.8
Erinnerung[2a]	
memory	1.8
erkaufen[5b]	
buy	1.4
erkennbar[5a]	
clear	1.
erkennen[1a]	
recognize	1.4
Erkenntnis[2a]	
knowledge	1.5
erklären[1a]	
account for	1.
erklärend	
explanatory	10.2
erklärlich[6b]	
evident	2.5
Erklärung[1b]	
explanation	2.9
erklettern	
scale	5.2
erkranken[5b]	
(get) ill	3.
Erkrankung[6a]	
disease	1.6
erkundigen[4b]	
sich –	
ask (a question)	1.
sich –, orient	4.9
Erkundigung[6b]	
inquiry	4.4
erlangen[2a]	
get (obtain)	1.
wieder –, recover	1.9
Erlangung[6b]	
acquisition	6.3
Erlaß[3a]	
order	1.
decree	2.6
erlassen[2b]	
Befehl –, command	1.5

	Section
Erlassung	
exemption	7.8
erlauben[1b]	
allow	1.
Erlaubnis[3a]	
permission	3.3
erläutern[5b]	
account for	1.
erleben[2b]	
experience	1.8
Erlebnis[5b]	
experience	1.6
erledigen[3b]	
settle	1.8
Erledigung[5a]	
settlement	2.7
erlegen[6a]	
kill	1.4
erleichtern[2b]	
(make) easy	1.8
relieve	2.7
lighten	3.8
Erleichterung[3a]	
relief	3.3
erleiden[2b]	
suffer	1.
erlesen	
select	4.9
choice	5.3
erleuchten[4a]	
light (up)	1.4
brighten	4.1
erlöschen[4a]	
disappear	1.4
erlösen[5a]	
free	1.7
Erlöser[5a]	
savior	4.8
Erlösung[6b]	
deliverance	5.2
ermächtigen[6b]	
justify	2.5
authorize	3.7
ermahnen[6a]	
warn	2.2
admonish	6.3
Ermangelung[6b]	
want	3.
ermäßigen[6b]	
decline	3.3
moderate	4.2
Ermäßigung[5b]	
reduction	5.3
Ermessen[5a]	
judgment	1.5
ermitteln[4a]	
(make) sure	2.2
Ermittelung[5a]	
inquiry	3.5
ermöglichen[3a]	
(make) possible	1.8
ermorden[4a]	
murder	3.5
ermüden[4b]	
tire	2.4
ermutigen	
encourage	4.8
Ermutigung	
encouragement	6.7
ernähren[5b]	
nourish	3.2
Ernährung[6a]	
feeding	4.2
nourishment	5.6
ernennen[2b]	
name (appoint)	1.

	Section
Ernennung[5b]	
appointment (to something)	4.5
nomination	4.9
erneuern[2b]	
renew	2.5
reconstitute	9.7
Erneuerung[6a]	
reform	3.2
renewal	6.9
erniedrigen[6a]	
lower	2.3
ernst[1b]	
grave	1.4
Ernst[2a]	
gravity	3.8
ernsthaft[3b]	
grave	1.4
ernstlich[3a]	
eager	2.4
Ernte[3a]	
crop	2.7
ernten	
harvest	4.8
Eroberer	
conqueror	4.1
erobern[3a]	
defeat	2.7
Eroberung[4b]	
conquest	3.3
eröffnen[2a]	
reveal	2.4
inaugurate	4.8
Eröffnung[3b]	
opening	4.7
confidence	3.5
erörtern[3b]	
debate	2.9
Erörterung[3a]	
debate	3.
erproben[5b]	
try	1.
erquicken[5b]	
refresh	5.2
erraten[4b]	
guess right	1.4
erregen[2a]	
stir	1.9
Erregung[4b]	
excitement	4.2
erreichen[1a]	
reach	1.
Erreichung[5a]	
accomplishment	5.3
errichten[2a]	
build	1.2
Errichtung[4a]	
establishment	3.8
erringen[3a]	
gain	1.
erröten[5b]	
blush	4.
Ersatz[3a]	
als –, (in) return	1.1
substitute	3.7
erschallen[6a]	
ring	1.4
erscheinen[1a]	
appear (loom)	1.
Erscheinen[4b]	
appearance	3.
Erscheinung[1b]	
looks	1.
phenomenon	3.2
erschlagen[5a]	
kill	1.4

	Section
erschließen[5b]	
open	1.
erschöpfen[5b]	
erschöpft, spent	2.
exhaust	2.4
erschrecken[2b]	
frighten	1.9
erschüttern[3a]	
move	1.5
erschweren[3b]	
(make) worse	3.
aggravate	4.9
ersehen[3b]	
(catch) sight (of)	1.1
ersetzen[2b]	
substitute	2.3
Ersetzung	
substitution	10.5
ersichtlich[4b]	
manifest	4.2
ersparen[3b]	
save (up)	2.1
Ersparnis[6a]	
savings	3.7
erstarren[5b]	
freeze	3.3
congeal	6.3
erstatten[4b]	
restore	2.7
erstaunen[3a]	
astonish	2.7
Erstaunen[4a]	
surprise	2.4
erstaunlich[6a]	
astonishing	5.
erst[1a]	
only	1.
erste[1a]	
first	1.
zum -n Mal auftreten (make one's first) appearance	2.3
initial	4.6
erstehen[6b]	
come from	1.
ersteigen[5a]	
climb	2.7
erstenmal[5b]	
zum – (for the) first time	2.6
erstens[5a]	
(at) first	1.
ersticken[4b]	
put down	2.2
choke	3.7
erstlich[6b]	
(in the) first (place)	3.7
erstreben[5b]	
try hard	1.5
erstrecken[3a]	
extend	1.
ersuchen[3a]	
ask (a favor)	1.
erteilen[2a]	
assign	2.5
Erteilung[5b]	
bestowing	3.8
ertönen[5b]	
ring	2.9
Ertrag[2b]	
profit	2.
ertragen[2b]	
suffer	1.
erträglich[6b]	
(can be) borne	5.2
ertränken	
drown	4.3

	Section
ertrinken	
drown	4.3
erwachen[2b]	
wake (*intr. vb.*)	1.9
Erwachen	
waking	4.4
erwachsen[3a]	
mature	4.
erwägen[3b]	
consider	1.8
deliberate	4.1
Erwägung[2b]	
consideration	2.4
consideration (reference)	2.5
erwählen[4b]	
choose	1.
elect	3.
erwähnen[1b]	
mention	2.2
Erwähnung[4b]	
mention	3.6
erwärmen[4a]	
heat	2.2
erwarten[1a]	
expect	1.
wait for	1.
Erwartung[3a]	
expectation	3.3
erwecken[2b]	
wake (*tr. vb.*)	1.9
erweisen[1b]	
prove	1.
erweitern[3a]	
extend	1.
Erweiterung[4a]	
extension	4.4
Erwerb[4a]	
gain	1.9
erwerben[1b]	
gain	1.
Erwerbung[6b]	
acquisition	6.3
erwidern[1b]	
answer	1.
Erwiderung[6b]	
answer	1.2
erwünschen[3b]	
desire	1.
erzählen[1b]	
tell	1.
Erzählung[2a]	
story	1.
account	1.5
Erzbischof[6a]	
archbishop	6.2
erzeugen[2a]	
beget	3.4
Erzeugnis[3a]	
product	2.1
Erzeugung[5b]	
manufacture (*n.*)	2.9
production	3.9
erziehen[2b]	
bring up	1.9
Erziehung[2b]	
bringing up	1.6
erzielen[2a]	
carry out	1.
erzwingen[5b]	
force	1.
enforce	4.4
es[1a]	
it	1.
– gibt, there *is*	1.
Esel[5a]	
ass	3.9

INDEX TO GERMAN WORDS IN THE LIST

	Section
Eskadron[3b]	
squadron	4.9
essen[2b]	
eat	1.4
zu – geben, feed	1.4
zu Abend – (have) supper	2.4
zu Mittag –, lunch	3.
Essen[5a]	
dinner	2.7
feast	3.5
entertainment	4.6
Essenz	
essence	5.7
Esser	
feeder	7.2
Essig	
vinegar	6.3
Essiggurke	
pickle	6.8
Eßzimmer	
dining room	4.9
Estrich	
attic	6.3
Etablissement[5b]	
establishment	3.8
Etat[3a]	
budget	4.8
Etikette	
label	5.2
etliche[4a]	
(a) few	1.
etwa[1a]	
about (approximately)	1.
etwaig[3b]	
possible	1.
etwas[1a]	
any (some)	1.
anything	1.
little	1.
euer[1a]	
your	1.
Eule	
owl	5.6
europäisch[2b]	
European	2.5
evangelisch[2b]	
Protestant	4.4
Evangelium[2b]	
gospel	3.4
eventuell[2b]	
perhaps	1.
ewig[1b]	
eternal	1.5
Ewigkeit[3b]	
eternity	3.9
Examen[4a]	
test	1.9
Exekutiv-	
executive	6.5
Exempel[6b]	
example	1.4
Exemplar[3b]	
copy	2.7
Existenz[2b]	
existence	2.6
existieren[3a]	
exist	1.8
expansiv	
expansive	9.3
Expedition[4a]	
sending	2.6
Experiment[4b]	
experiment	2.6
experimental	
experimental	7.7
experimentell	
experimental	7.7

	Section
Export[5a]	
export	5.1
extravagant	
extravagant	7.3
Exzellenz[5a]	
excellence	5.1

F

	Section
Fabel[5b]	
fable	4.4
fabelhaft	
fabulous	7.1
Fabrik[2b]	
factory	2.6
Fabrikant[4a]	
maker	3.5
Fabrikat[6a]	
product	2.1
Fabrikation[4b]	
manufacture	2.9
Fach[3b]	
subject	1.
pigeonhole	9.
Fächer[5a]	
fan	3.9
Fackel[6b]	
torch	5.
fade	
flat	5.3
Faden[3b]	
thread	2.4
fähig[3a]	
able	1.4
Fähigkeit[3a]	
ability	3.2
Fahne[3a]	
flag	2.6
Fähre	
ferry	6.8
fahren[1a]	
drive (ir tr. vb.)	1.
– mit drive (car, etc.)	1.
go	1.
Fahrende	
wandering	4.9
Fahrrad	
bicycle	6.4
Fahrt[3a]	
journey	1.
excursion	4.1
Fahrzeug[4a]	
vehicle	5.
faktisch[6b]	
actual	2.1
Faktor[3b]	
element	2.3
Falke	
falcon	7.
Fall[1a]	
case	1.
fall	1.2
failure	3.1
Falle	
trap	5.1
fallen[1a]	
– lassen, drop	1.
fall	1.
zurück – fall back again	1.5
in Ohnmacht –, faint	3.3
fällig[5b]	
due	2.2
Fälligkeit	
falling due	5.2

	Section
falls[2a]	
if	1.
falsch[1b]	
wrong	1.
false	1.4
false (faithless)	2.4
-e Zopf, switch	5.9
fälschen	
forge	6.2
Falte[7a]	
fold	4.4
wrinkle	5.4
falten[7a]	
fold	4.
Familie[1b]	
family	1.
Fanatismus	
fanaticism	10.
Fanfare	
flourish	5.8
Fang[7a]	
capture	4.5
fangen[1b]	
seize	1.1
catch	1.3
Fische –, fish	2.5
Farbe[1b]	
color	1.
färben[3b]	
color	2.5
farbig[5a]	
colored	4.2
farblos[6a]	
pale	2.7
Farbstoff[6a]	
dye	5.4
Färbung[5b]	
shade	2.9
Farn	
fern	6.4
Faseln	
raving	6.1
Faser[6b]	
fiber	5.5
Faß[4b]	
barrel	3.6
cask	5.3
fassen[1a]	
hold	1.
seize	1.1
Fassung[2b]	
aus der – bringen overcome	2.7
poise	4.5
fast[1a]	
almost	1.
Fasten	
fast	4.4
fasten	
fast	4.9
faul[6a]	
lazy	3.8
Faulheit	
sloth	6.9
Faust[4b]	
fist	3.4
Februar[2b]	
February	2.4
fechten[4b]	
fight	1.6
Feder[2b]	
pen	1.5
spring	1.8
feather	1.9
plume	3.7
Fee	
fairy	5.
Feerie	
spectacle	5.6

	Section
fehlen[1a]	
miss	1.
lack	1.5
Fehler[2a]	
fault	1.8
Feier[4b]	
holiday	2.6
festival	3.4
ceremony	3.5
feierlich[3a]	
solemn	2.8
feiern[2b]	
celebrate	2.
Feiertag[6a]	
holiday	2.6
feig[5b]	
cowardly	4.6
Feige	
fig	6.4
Feigling	
coward	5.
fein[1b]	
fine	1.
subtle	3.
Feind[1a]	
enemy	1.
feindlich[1b]	
hostile	3.5
Feindschaft[6b]	
enmity	5.8
feindselig[6b]	
hostile	3.5
Feinheit[6a]	
delicacy	5.4
excellence	5.6
elegance	7.5
Feinschmecker	
epicure	11.3
Feld[1b]	
field	1.
Feldherr[3a]	
general	1.1
Feldmarschall[6b]	
marshal	4.2
Feldwache[6b]	
guard (military)	2.
Feldwebel	
sergeant	6.4
Feldzug[3a]	
expedition	3.1
Fels[2b]	
rock	1.7
felsig	
rocky	5.9
Fenster[2a]	
window	1.4
(church) window	2.4
Ferien	
holidays	5.2
– haben, (have) recess	5.8
fern[1a]	
far	1.
Ferne[3a]	
distance	1.1
Fernrohr[4b]	
telescope	5.4
Fernsprecher	
telephone	5.3
Ferse	
heel	4.9
fertig[1b]	
– machen, end	1.
ready	1.2
fertigen[4a]	
end	1.
manufacture	3.

	Section
Fertigkeit[5b]	
skill	3.
Fessel[5a]	
chain	2.1
fesseln[3a]	
charm	2.4
chain	2.7
fest[1a]	
– machen, fix	1.
firm (fixed)	1.1
firm (character)	1.1
still	1.3
Fest[1b]	
party	1.
festhalten[2a]	
hold	1.
Festigkeit[4b]	
firmness	5.4
firmness (physical)	5.5
solidity	8.3
festlich[5b]	
solemn	2.8
festsetzen[2b]	
settle	1.
prove	1.4
Festsetzung[5a]	
establishment	3.8
feststehend[5b]	
firm (fixed)	1.1
feststellen[2a]	
prove	1.4
Feststellung[3a]	
settlement	2.7
Festung[3a]	
fort	2.6
Fett[4b]	
fat	2.6
grease	4.8
fett[5a]	
fat	1.9
Fetzen	
scrap	5.5
feucht[4a]	
damp	3.4
Feuchtigkeit[5b]	
moisture	4.4
feudal	
feudal	7.8
Feuer[1b]	
fire	1.
feuern[6b]	
shoot	1.8
Feuerstein	
flint	6.5
feurig[4a]	
fiery	3.6
passionate	3.7
Fieber[5a]	
fever	3.3
fieberhaft	
feverish	6.9
Figur[1b]	
figure	1.
Film	
film	6.8
Filz	
felt	5.
Finanz[6a]	
finance	5.3
finanziell[3a]	
financial	4.1
Finanzminister[2a]	
minister	1.5
finden[1a]	
find	1.
Finger[2b]	
finger	1.4

	Section
Fingerhut	
thimble	7.2
finster[3a]	
dark	1.
sinister	5.
Finsternis[4a]	
darkness	2.9
Firma[2a]	
company (business)	1.
Fisch[3a]	
fish	2.
-e fangen, fish	2.5
Fischer[6b]	
fisherman	4.7
fixieren[6a]	
fix	1.
flach[3b]	
flat	2.7
Fläche[2b]	
plain	1.6
Flachland	
lowland	5.4
Flachs	
flax	6.3
Flagge[6a]	
flag	2.6
Flamme[2a]	
flame	2.
flammen[6a]	
blaze	4.3
Flanell	
flannel	7.2
Flanke[3b]	
side	1.
flankieren	
flank	6.4
Flasche[2b]	
bottle	2.1
flattern	
flutter	5.7
Fleck[3b]	
spot	2.2
flehen[5a]	
beg	2.7
Fleisch[2b]	
meat	1.6
flesh	2.
Fleiß[3a]	
industry	2.6
fleißig[2a]	
industrious	3.2
studious	4.8
Fliege	
fly	4.2
fliegen[2b]	
fly	1.6
fliehen[2b]	
run away	1.5
Fliese	
tile	5.8
fließen[2b]	
flow	1.5
Flirt	
flirt	7.
Flitter	
spangle	6.8
Flocke	
flake	6.8
Floh	
flea	7.8
Flöte	
flute	6.5
flott	
afloat	6.7
Flotte[3b]	
fleet	3.

	Section
Fluch[4a]	
curse	3.5
oath	4.8
Flucht[3a]	
flight (in air)	2.5
flight (rout)	2.5
flüchten[4b]	
run away	1.5
flüchtig[2b]	
– sehen, glance	2.3
hasty	2.7
fugitive	3.5
Flüchtling[6b]	
fugitive	5.6
Flug[5b]	
flight (in air)	2.5
Flügel[1b]	
wing	1.1
Flugzeug	
aeroplane (air)	8.1
Flur	
passage	4.8
Fluß[2a]	
river	1.5
flow	2.6
flüssig[4a]	
liquid	3.4
Flüssigkeit[3a]	
fluid	3.4
flüstern[4a]	
whisper	3.1
Flut[3b]	
flood	3.2
tide	3.4
Folge[1a]	
result	1.5
succession	3.1
folgen[1a]	
follow	1.
folgend[1a]	
next	1.
following	1.1
einander – successive	3.
Folgende[4b]	
successor	3.8
folgern[6b]	
infer	5.7
folglich[4b]	
consequently	4.1
Fonds[6a]	
funds	4.6
Förde	
estuary	9.4
förderlich[5b]	
useful	2.
fordern[1b]	
demand	1.
fördern[2a]	
further	1.8
Forderung[1b]	
demand	1.3
Förderung[4b]	
help	1.1
Forelle	
trout	6.8
Form[1a]	
figure	1.
mode	2.2
mould	3.1
Formel[5b]	
formula	5.3
formell[4b]	
formal	5.1
formen[5a]	
form	1.
formieren[6a]	
form	1.

	Section
förmlich[4a]	
formal	5.1
formlos	
shapeless	6.2
Formsache	
formality	7.9
Formular[6b]	
formula	5.3
formulieren[6b]	
draw up	2.
forschen[4b]	
investigate	4.6
Forscher[2b]	
scholar	2.3
Forschung[3b]	
inquiry	3.5
exploration	4.6
fort[1a]	
away	1.
Fort[4a]	
fort	2.6
fortan[4b]	
henceforth	3.
fortbestehen	
subsist	7.3
Fortdauer[6a]	
continuance	5.9
fortdauern[4b]	
continue	1.
fortfahren[4a]	
continue	1.
go away	1.
fortführen[5b]	
continue	1.
Fortgang[5a]	
departure	3.1
fortgehen[5b]	
go away	1.
fortpflanzen	
propagate	7.
fortreißen[6b]	
take away	1.
carry away	3.4
fortschreiten[4a]	
progress	2.6
Fortschritt[2b]	
advance	2.2
progress	2.4
– machen, progress	2.6
fortschrittlich	
progressive	6.7
fortsetzen[2a]	
continue	1.
Fortsetzung[2a]	
continuation	4.7
fortwährend[3a]	
continual	2.5
Fracht[4a]	
freight	3.8
Frage[1a]	
question	1.1
fragen[1a]	
ask (a question)	1.
fraglich[4a]	
doubtful	2.6
Fraktion[4b]	
fraction	4.9
Franken[4b]	
pound	1.
Franse	
fringe	5.8
Franzose[2a]	
French	1.
französisch[1a]	
French	1.

INDEX TO GERMAN WORDS IN THE LIST

	Section
Frau[1a]	
Mrs.	1.
wife	1.
woman	1.
junge –, bride	1.6
Frauenzimmer[4a]	
woman	1.
Fräulein[1b]	
Miss	1.1
frech[5b]	
saucy	5.1
Frechheit	
insolence	7.4
impertinence	9.4
frei[1a]	
free	1.
vacant	2.8
Freiheit[1b]	
liberty	1.4
Freiherr[2b]	
baron	4.
freilich[1a]	
sure	1.
freisinnig[5a]	
liberal	2.9
Freitag[5b]	
Friday	3.6
freiwillig[3a]	
(of own) accord	3.4
fremd[1a]	
strange	1.
Fremde[2b]	
stranger	1.8
foreigner	2.6
frequentieren	
frequent	4.7
Fresko[2b]	
painting	3.2
fressen[6a]	
eat	1.4
gorge	6.
Freude[1a]	
delight	1.
freudig[2b]	
joyful	2.2
freuen[1b]	
sich –, glad	1.
Freund[1a]	
friend	1.
Freundin[2a]	
friend	1.
freundlich[1b]	
kind	1.
Freundlichkeit[5b]	
kindness	2.7
Freundschaft[2a]	
friendship	2.3
freundschaftlich[4a]	
friendly	3.5
Friede[1b]	
peace	1.
Friedhof	
cemetery	6.
friedlich[3a]	
peaceful	2.9
frisch[1b]	
fresh	1.1
Frische[6b]	
cool	3.2
frisieren	
(do) hair	4.
Frist[2b]	
period	2.2
respite	4.5
Frisur	
head dress	4.2

	Section
froh[2a]	
glad	1.
cheerful	1.9
fröhlich[2b]	
joyful	2.2
Frohsinn	
mirth	5.5
fromm[2b]	
pious	2.9
Frömmigkeit[6a]	
piety	4.9
Front[2b]	
front	1.5
Frosch	
frog	5.6
Frost	
frost	5.
Frucht[2a]	
fruit	1.5
fruchtbar[4a]	
fertile	3.8
früh[1a]	
early	1.1
-er, long ago	1.3
-er, formerly	2.2
– aufstehen	
get up early	3.
Frühjahr[3b]	
spring	2.1
Frühling[4a]	
spring	2.1
Frühlings-	
spring	4.9
frühreif	
precocious	7.9
Frühstück[5b]	
breakfast	3.
frühstücken	
breakfast	4.3
frühzeitig[4b]	
early	1.1
Fuchs	
fox	4.9
fügen[2a]	
join	1.
sich –, submit	2.4
fühlen[1a]	
feel	1.
feel (with fingers)	1.6
führen[1a]	
sich –, act (behave)	1.
lead	1.
guide	1.3
Führer[2a]	
guide	1.9
leader	2.3
Führung[3a]	
leadership	4.6
Fuhrwerk	
wagon	4.7
Fülle[2b]	
plenty	2.2
füllen[2a]	
fill	1.4
fill (up)	1.8
Füllen	
colt	5.4
Fund	
finding	4.9
Fundament[6b]	
base	1.7
foundation	4.4
fundieren[5a]	
found	1.5
fünf[1b]	
five	1.
fünfte[3b]	
fifth	2.7

	Section
fünfundzwanzig	
twenty-five	4.2
fünfzehn[5a]	
fifteen	3.2
fünfzehnte	
fifteenth	6.4
fünfzig[3b]	
fifty	2.3
Funke[5a]	
spark	4.4
funkeln[6a]	
glitter	3.6
Funktion[4b]	
function	3.6
Funktionieren	
working	5.
für[1a]	
for (in behalf of)	1.
for (in favor of)	1.
Furche	
furrow	6.
Furcht[2a]	
– haben, (be) afraid	1.
fear	1.4
furchtbar[2b]	
terrible	1.8
frightening	2.4
fürchten[1b]	
(be) afraid	1.
fürchterlich[3a]	
terrible	1.8
furchtlos	
fearless	6.3
furchtsam[6b]	
timid	4.6
Fürsorge[4b]	
care	1.
Fürst[1a]	
prince	1.1
Fürstin[3a]	
princess	2.9
fürstlich[3b]	
royal	1.5
Furt	
ford	6.4
fürwahr[6b]	
indeed	1.
Fuß[1a]	
foot	1.
zu – gehen, walk	1.
Fußball	
football	6.8
Fuß(gestell)	
pedestal	7.3
Futter	
lining	6.8
Fütterung	
feeding	4.2

G

	Section
Gabe[2b]	
present	1.7
Gabel[6a]	
fork	4.2
Gabelfrühstück	
lunch	4.5
gähnen	
yawn	5.8
Gähnen	
yawn	6.2
Galerie[5a]	
gallery	4.2
Galgen	
gallows	6.6
Galle	
gall	6.4

	Section
Galopp[6a]	
gallop	4.7
Gang[2a]	
walk	1.6
pace	1.8
aisle	3.4
Gans	
goose	5.3
ganz[1a]	
all	1.
complete	1.
pretty (moderately)	1.
Ganze[2a]	
whole	1.5
gänzlich[2a]	
complete	1.
gar[1a]	
all	1.
Garage	
garage	6.9
Garantie[4a]	
pledge	2.9
garantieren	
pledge	2.7
Garbe	
sheaf	6.6
Garde[3a]	
corps	3.8
Gardekorps[3a]	
corps	3.8
gären	
ferment	7.7
garnicht[3b]	
(not at) all	1.
Garnison[5b]	
garrison	4.9
Garten[2a]	
garden	1.4
Gärtner	
gardener	5.8
Gärung[5a]	
fermentation	6.4
Gas[2b]	
gas	2.8
Gasse[5a]	
alley	4.6
Gast[2a]	
company	1.7
Gastfreundschaft[3a]	
hospitality	4.9
Gasthof[6b]	
inn	4.2
gastlich	
hospitable	7.2
Gatte[3a]	
husband	1.
Gattin[3a]	
wife	1.
Gattung[3b]	
kind	1.
Gaul	
hack	7.
Gaumen	
gum	6.8
palate	8.1
Gebäck	
pastry	7.8
Gebärde[5a]	
gesture	4.3
gebären[1b]	
geboren werden	
(be) born	1.
bear	1.3
Gebäude[2b]	
building	1.6

	Section
Gebäudesteuer[2a]	
tax	1.6
geben[1a]	
give	1.
Gott gebe	
God grant	1.
es gibt, there *is*	1.
shake (hands)	1.1
zu essen –, feed	1.4
sich Mühe –	
(take) pains	1.4
Beifall –, clap	2.8
Geber	
giver	7.2
Gebet[3a]	
prayer	2.3
Gebiet[1a]	
territory	2.1
gebieten[2b]	
command	1.5
-d, commanding	1.9
Gebilde[5a]	
formation	4.
Gebirge[3a]	
mountain	1.5
gebirgig	
mountainous	6.7
Gebot[2b]	
order	1.
Gebrauch[1b]	
use	1.1
gebrauchen[3a]	
use	1.
gebräuchlich[5b]	
usual	1.
gebrechen[4a]	
lack	1.5
Gebühr[4b]	
tax	1.6
gebühren[3b]	
-d, due	2.2
Geburt[3b]	
birth	2.5
Geburtstag[1b]	
birthday	2.8
Gebüsch[2b]	
bush	4.9
Gedächtnis[3a]	
memory	1.8
Gedächtnis-	
memorial	4.4
Gedanke[1a]	
thought	1.
Gedankengang	
reasoning	4.6
gedeihen[4a]	
flourish	4.1
Gedeihen[6a]	
prosperity	4.4
gedenken[2b]	
remember	1.
Gedicht[2a]	
poem	2.5
Geduld[3a]	
patience	2.8
gedulden[6b]	
(be) patient	3.8
geduldig[6a]	
– sein, (be) patient	3.8
Gefahr[1a]	
danger	1.5
– laufen,(take) chances	1.4
gefährden[4a]	
(take) chances	1.4
gefährlich[2a]	
dangerous	2.

	Section
Gefährt	
coach	4.9
Gefährte[5b]	
companion	2.3
gefallen[2a]	
please	1.
Gefallen[4b]	
pleasure	1.4
kindness	2.7
gefällig[2a]	
pleasant	1.1
Gefälligkeit[6a]	
favor	1.4
Gefangene[3a]	
prisoner	2.4
Gefangenschaft[6b]	
captivity	5.7
Gefängnis[2b]	
prison	2.
ins – setzen, imprison	3.6
Gefängnisstrafe[4a]	
imprisonment	5.
Gefäß[2b]	
pot	2.3
Gefecht[2a]	
fight	1.1
Geflügel	
fowl	5.1
Gefolge[4a]	
following	2.3
Gefühl[1a]	
feeling (sentiment)	1.
feeling (sensitiveness)	1.5
gegen[1a]	
against	1.
Gegend[1b]	
part (of country)	1.
Gegensatz[2a]	
contrast	3.1
gegenseitig[2b]	
mutual	3.1
Gegenstand[1a]	
subject	1.
thing	1.
Gegenteil[2a]	
contrary	1.8
im –	
(on the) contrary	1.8
gegenüber[1a]	
(be) across	1.
opposite	1.4
gegenüberstehend[5a]	
opposite	1.4
Gegenwart[2a]	
present	1.5
presence	1.8
gegenwärtig[1b]	
present	1.1
Gegner[1b]	
adversary	2.9
Gehalt[3a]	
capacity	3.
geheim[2a]	
secret	2.1
Geheimnis[2a]	
secret	1.8
mystery	2.4
geheimnisvoll[4b]	
mysterious	3.5
Geheimrat[2a]	
privy councilor	6.9
gehen[1a]	
über . . . . –, cross	1.
hinüber –, cross	1.
go	1.
mit –, go with	1.
zu Fuß –, walk	1.

	Section
gehen[1a]—*continued*	
gut –, (be) well	1.
vorwärts –, go forward	1.4
zu Bett –, (go to) bed	1.6
hinunter –, go down	2.2
function	2.8
an Bord –, sail	3.
Geheul	
howl	5.7
Gehilfe[4a]	
helper	4.3
Gehirn[4a]	
brain	3.3
Gehöft[6a]	
farm	3.2
Gehölz[6b]	
forest	1.
Gehör[5a]	
ear	3.3
gehorchen[3b]	
obey	2.2
nicht –, disobey	4.8
gehören[1b]	
belong	1.
gehörig[2b]	
proper	1.4
gehorsam[3b]	
obedient	3.2
Gehorsam	
obedience	6.
Gehrock	
frock coat	6.1
Geige	
violin	6.1
Geisel	
hostage	8.2
Geist[1a]	
spirit	1.
Geistesgegenwart	
presence of mind	4.5
geistig[1b]	
mental	3.6
geistlich[3a]	
spiritual	3.3
Geistliche[3a]	
minister	2.
Geistlichkeit[6b]	
clergy	6.9
geistreich[4b]	
witty	4.1
geistvoll[6a]	
witty	4.1
Geiz	
avarice	6.9
greediness	8.6
Geizhals	
miser	6.5
Gelächter[6a]	
laughter	3.8
Gelände[4b]	
ground	2.4
Geländer	
banister	11.7
gelangen[1a]	
reach	1.
geläufig[6b]	
– sein, (well) informed	3.
Geläute	
ringing	4.9
gelb[3b]	
yellow	2.
Geld[1a]	
money	1.
Geldstrafe[2b]	
fine	2.5
Gelée	
jelly	6.1

	Section
gelegen	
opportune	7.4
Gelegenheit[1a]	
chance	1.
gelegentlich[3a]	
occasional	3.7
Gelehrsamkeit[6b]	
learning	3.6
gelehrt[2b]	
learned	1.6
Gelehrte[4a]	
scholar	2.3
Gelenk	
joint	5.8
Geliebte[2b]	
lover	2.
gelind[6a]	
gentle	1.4
gelingen[1b]	
succeed	1.5
geloben	
vow	5.2
gelten[1a]	
(be) worth	1.
Geltung[3a]	
value	1.
Gelübde	
vow	4.9
Gemach[4b]	
room (chamber)	1.
Gemahl[4a]	
husband	1.
Gemahlin[4a]	
wife	1.
Gemälde[2b]	
painting	3.2
gemäß[2b]	
by (according to)	1.
gemäßigt[6b]	
moderate	3.
gemein[2b]	
common	1.4
common (person)	1.4
mean	1.5
vulgar	2.9
infamous	4.3
Gemeinde[1a]	
community	2.9
parish	3.4
Gemeindeabgabe[6b]	
tax	1.6
Gemeindemitglied	
parishioner	10.2
Gemeindeversammlung[2b]	
assembly	2.6
Gemeindevertretung[2b]	
representation	3.5
Gemeindevorstand[6a]	
mayor	2.5
Gemeindevorsteher[3b]	
mayor	2.5
Gemeinheit	
infamy	7.6
gemeinsam[2a]	
common	1.4
Gemeinschaft[3b]	
community	3.8
gemeinschaftlich[2b]	
common	1.4
Gemeinschuldner[3b]	
bankrupt	5.3
Gemenge[6a]	
mixture	3.9
Gemisch[6b]	
mixture	3.9
Gemurmel	
murmur	4.8

INDEX TO GERMAN WORDS IN THE LIST

	Section
Gemüse	
vegetable	4.8
Gemüse-	
vegetable	5.
Gemüsehändler	
greengrocer	13.
Gemüt[1b]	
feeling	1.
gemütlich[5b]	
pleasant	1.1
kindly	3.3
genau[1a]	
exact	1.4
Genauigkeit[6a]	
precision	5.8
conciseness	12.2
genehmigen[4b]	
approve	2.5
Genehmigung[3a]	
acceptance	3.8
General[1b]	
general	1.1
Generalstab[3a]	
staff	3.1
Generalstabswerk[4b]	
publication of the general staff	5.1
Generalversammlung[3a]	
assembly	2.6
Generation[4b]	
generation	3.4
genial[5a]	
(of) genius	4.3
ingenious	4.7
Genie[3b]	
genius	2.8
geniert	
uneasy	5.5
genießen[1b]	
enjoy	1.1
relish	4.
Genius[5b]	
genius	2.8
(man of) genius	4.
Genosse[3b]	
companion	2.3
Genossenschaft[2b]	
company (social)	1.
Gentry[6b]	
gentry	6.2
genug[1a]	
enough	1.
Genüge[5a]	
zur –, enough	1.
genügen[1b]	
(be) enough	1.
genugsam[6b]	
enough	1.
Genuß[2a]	
pleasure	1.4
enjoyment	3.8
Geographie	
geography	6.2
geographisch[5a]	
geographical	6.5
geometrisch	
geometric	9.3
Gepäck[6b]	
luggage	5.4
Gepräge[6b]	
stamp	3.1
Gepränge	
ostentation	9.
gerade[1a]	
direct (adj.)	1.
just	1.
direct (adv.)	1.1
even	1.7

	Section
geradeaus[6b]	
direct	1.1
geradezu[2b]	
really	1.4
Geranie	
geranium	7.8
Gerät[5b]	
instrument	2.9
geraten[2a]	
become	1.
geräumig[6b]	
spacious	4.8
Geräusch[5a]	
noise	2.6
gerecht[2a]	
fair	1.4
Gerechtigkeit[2b]	
justice	1.8
gereichen[5a]	
cause	1.
Gericht[1b]	
court	1.4
dish	1.8
gerichtlich[4b]	
lawful	3.
Gerichtshof[2b]	
court	1.4
gering[1a]	
-ste, least	1.
little (small)	1.
germanisch[5b]	
Teutonic	6.7
gern[1a]	
glad	1.
– haben, like	1.
willingly	1.6
Geruch[4a]	
smell	2.8
Gerücht[4a]	
rumor	3.8
geruhen	
deign	6.4
Gerüst	
scaffold	7.1
gesamt[1b]	
complete	1.
Gesamtarmenverbände[6b]	
charity societies	4.6
Gesamtheit[4b]	
whole	1.5
Gesandte[3b]	
ambassador	3.8
Gesandtschaft[6b]	
embassy	6.3
Gesang[3a]	
song	1.6
Geschäft[1a]	
business	1.
geschäftlich[4b]	
commercial	2.8
Geschäftsbetrieb[6b]	
trade	1.2
organization	3.5
Geschäftsmann (-leute)[6a]	
business man	1.4
geschehen[1a]	
happen	1.
gescheit[7a]	
clever	2.6
intelligent	3.6
Geschenk[3a]	
present	1.7
Geschichte[1a]	
story	1.
history	1.4
geschichtlich[3a]	
historic	3.3

	Section
Geschick[3a]	
skill	3.
Geschicklichkeit[4b]	
skill	3.
geschickt[5b]	
skilful	4.2
Geschirr	
dish	4.5
harness	5.9
Geschlecht[2a]	
sex	3.3
Geschmack[2a]	
taste	1.4
Geschöpf[3b]	
creature	2.5
Geschoß[4a]	
floor	2.5
Geschrei[5a]	
cry	2.6
clamor	4.4
exclamation	5.3
Geschütz[1b]	
gun	1.7
geschwind[3b]	
fast	1.
Geschwindigkeit[3b]	
speed	2.5
Geschwister[5a]	
brother	1.
sister	1.
Geschworene[4b]	
jury	5.
Gesell[4a]	
companion	2.3
gesellen[5b]	
join	1.
gesellig[5a]	
social	2.3
Gesellschaft[1a]	
company (business)	1.
company (social)	1.
party	1.
corporation	3.5
Gesellschafter[4a]	
companion	2.3
partner	3.4
gesellschaftlich[4a]	
social	2.3
Gesellschaftsvertrag[6b]	
contract	2.3
Gesetz[1a]	
law	1.
Gesetzbuch[3a]	
code	4.8
Gesetzentwurf[2a]	
draft	2.3
Gesetzgeber[5b]	
legislator	6.3
Gesetzgebung[2a]	
legislation	4.6
gesetzlich[1b]	
lawful	3.
gesetzlos	
lawless	6.5
Gesicht[1b]	
face (part of head)	1.
face (grimace)	1.8
Gesichtsfarbe	
complexion	6.4
Gesichtspunkt[1b]	
point of view	1.
gesinnt[5b]	
disposed	3.
Gesinnung[2a]	
feeling	1.
Gespann	
team	3.9

	Section
Gespenst[5a]	
ghost	3.2
Gespräch[2a]	
talk	1.
Gesprächspartner	
interlocutor	12.9
Gestalt[1b]	
figure	1.
stature	2.9
gestalten[2a]	
form	1.
Gestaltung[3a]	
formation	4.
Geständnis[5b]	
confession	4.3
gestatten[1b]	
allow	1.
grant	1.
gestehen[2b]	
admit	1.4
Gestein[6a]	
rock	1.7
gestern[1b]	
yesterday	1.
– abend, (last) night	1.2
gestikulieren	
gesticulate	12.2
Gestirn[6b]	
star	1.5
Gestrandete	
shipwrecked	6.9
gestrig[4a]	
yesterday	1.
Gesuch[5b]	
petition	4.
plea	5.3
gesund[1b]	
sound	1.2
Gesundheit[2a]	
health	1.5
Getränk[4b]	
drink	2.7
Getreide[3a]	
grain	2.1
getreu[4a]	
faithful	2.7
loyal	3.9
getrost[6a]	
confident	5.1
Getuschel	
murmur	4.8
Gewächs[6b]	
plant	1.5
gewahr[5b]	
know (have knowledge)	1.
Gewähr[6a]	
assurance	5.
gewahren[4b]	
notice	1.4
gewähren[1b]	
grant	1.
Gewährung[5b]	
grant	3.4
Gewalt[1b]	
force	1.
power	1.
gewaltig[2a]	
strong	1.
gewaltsam[3b]	
wild	1.6
Gewand[4b]	
clothes	1.4
robe	3.3
(priest's) robe	3.9
Gewandtheit[6b]	
skill	3.

	Section
Gewässer[6b]	
water	1.
Gewebe[4b]	
cloth	1.3
web	3.4
Gewehr[2b]	
arm (weapon)	1.
gun	1.7
Gewerbe[2b]	
trade	1.2
Gewerbe-	
Handels- und –, trade	4.6
Gewerbebetrieb[4b]	
trade	1.2
Gewerbeordnung[6b]	
rule	1.1
Gewerbesteuer[2a]	
tax	1.6
Gewerbetreibende[6a]	
tradesman	5.7
gewerblich[3b]	
professional	4.5
Gewicht[2a]	
weight	1.5
importance	1.8
gewichtig[6a]	
important	1.
grave	1.4
Gewinn[2a]	
gain	1.9
gewinnen[1a]	
beat	1.
gain	1.
Gewinner	
winner	6.5
Gewinnung[6a]	
production	3.9
gewiß[1a]	
(of) course	1.
sure	1.
Gewissen[2b]	
conscience	1.8
gewissenhaft[4a]	
conscientious	6.4
gewissermaßen[2b]	
as it were	1.4
Gewißheit[4a]	
assurance	4.4
Gewitter[5b]	
storm	1.6
gewöhnen[2a]	
gewöhnt	
(be) used (to)	1.4
(make) used (to)	1.6
Gewohnheit[3a]	
habit	2.2
gewöhnlich[1a]	
(in) general	1.
usual	1.
ordinary	2.2
Gewölbe[5b]	
vault	4.7
gewölbt	
bent	5.
Gewürz	
spice	6.
Gicht	
gout	7.6
gierig	
greedy	6.
gießen[3b]	
pour	2.3
water	2.4
Gift[3b]	
poison	3.1
giftig[5a]	
poisonous	6.

	Section
Gipfel[3b]	
summit	3.4
Gips	
plaster	6.5
girren	
coo	6.9
Girren	
coo	6.9
Gitter	
bar	4.6
Glanz[2b]	
splendor	2.8
radiance	4.9
glänzen[3a]	
shine	1.6
glänzend[2a]	
bright	1.4
beaming	2.4
brilliant	2.9
Glas[1b]	
glass (drinking)	1.
glass (material)	1.7
glatt[3a]	
even	2.4
Glaube[1b]	
faith	1.4
belief	2.3
glauben[1a]	
believe	1.
gläubig[6a]	
religious	2.3
Gläubige[6a]	
(the) faithful	†2.7
Gläubiger[3a]	
creditor	4.1
gleich[1a]	
as (like)	1.
equal	1.
like	1.
matter (neg.)	1.
same	1.
just	1.3
von -em Wert	
(of same) value	1.8
vollkommen –	
identical	3.5
gleichartig[6a]	
(of the same) kind	4.
similar	4.4
gleichen[3b]	
like	1.
equal	2.3
Gleicher	
equator	7.2
gleichfalls[2b]	
also	1.
(in like) manner	1.2
Gleichgewicht[3a]	
balance	2.6
gleichgültig[2b]	
(all the) same	1.
Gleichgültigkeit[4a]	
indifference	4.7
detachment	5.5
Gleichheit[5a]	
equality	4.6
identity	7.5
gleichmäßig[2b]	
equal	1.
Gleichnis[5b]	
image	3.5
gleichsam[2a]	
as it were	1.4
gleichviel[5b]	
(all the) same	1.
gleichwie[6b]	
as (like)	1.
gleichwohl[3b]	
however	1.

	Section
gleichzeitig[1b]	
together	1.
(at the) same time	1.9
contemporary	3.6
gleiten[4b]	
slip	2.8
Gletscher[6a]	
glacier	6.4
Glied[2a]	
member	1.1
limb	2.
link	3.3
Glocke[4a]	
bell	2.5
Glockenspiel	
chime	5.6
glorreich[6b]	
glorious	3.8
Glück[1a]	
fortune	1.4
happiness	1.4
glücken[5b]	
succeed	1.5
glucken	
cluck	6.4
glücklich[1a]	
glad	1.
fortunate	2.
glücklicherweise[5b]	
fortunately	3.7
Glückseligkeit[6a]	
bliss	3.7
Glückwunsch[5a]	
congratulation	5.3
glühen[2b]	
shine	1.6
-de Kohle, (live) coals	2.1
Glut[4b]	
(live) coals	2.1
glow	3.
Gnade[2a]	
favor	1.4
mercy	2.
gnädig[2a]	
kind	1.
merciful	4.2
Gold[1b]	
gold	1.
golden[2a]	
golden	1.4
Goldwährung[3b]	
(gold) standard	3.1
gönnen[4a]	
(not) envy	3.5
Gosse	
gutter	5.7
gothisch	
Gothic	6.7
Gott[1a]	
God	1.
– gebe, God grant	1.
ach –!, Heavens!	1.
Gottesdienst[5a]	
(divine) service	2.3
Gottheit[4a]	
divinity	4.9
deity (D)	5.4
Göttin[5b]	
goddess	4.8
göttlich[2a]	
divine	2.
Gouvernante	
governess	8.2
Gouverneur[6b]	
governor	3.1
Grab[2a]	
grave	2.2

	Section
Graben[4b]	
ditch (irrigation)	3.6
ditch (trench)	3.9
graben	
dig	4.8
Grad[1b]	
degree	1.4
Graf[1a]	
count	1.2
Gräfin[2b]	
countess	5.4
Gram[5b]	
grief	1.8
Gramm[6a]	
ounce	4.7
Grammatik	
grammar	6.1
Granate[4a]	
shell	3.4
Granit	
granite	6.8
Gras[5a]	
grass	2.9
gräßlich[5a]	
terrible	1.8
outrageous	5.8
grau[3a]	
gray	2.2
Graupen	
barley	6.1
grausam[3b]	
cruel	2.3
Grausamkeit[6b]	
cruelty	4.8
grausig	
ghastly	6.4
gravieren	
engrave	6.4
greifen[1b]	
touch	1.
seize	1.1
Greis[4a]	
(old) man	2.4
grell[6b]	
shrill	4.7
Grenze[1b]	
border	1.7
Greuel[6b]	
horror	4.4
atrocity	7.
greulich	
hideous	6.4
Grieche[3b]	
Greek	2.6
griechisch[2a]	
Greek	2.6
Griff[5b]	
handle	3.1
Grille[6b]	
fancy	3.7
cricket	5.3
fad	8.5
Grimmigkeit	
fierceness	7.8
grinsen	
grin	5.9
grob[3b]	
coarse	2.9
gruff	3.7
Gros[5b]	
gross	5.2
Groschen[6a]	
cent	1.7
groß[1a]	
big	1.
great (huge)	1.
great (a great man)	1.
tall	1.

INDEX TO GERMAN WORDS IN THE LIST

	Section
großartig[2b]	
grand	2.3
Größe[1b]	
height	1.1
size	1.3
greatness	2.
Großfürst[6a]	
duke	2.3
Großherzog[6b]	
duke	2.3
Großmacht[6a]	
(Great) Power	3.
Großmutter[3a]	
grandmother	2.4
größtenteils[4a]	
(for the most) part	1.8
Großvater[4b]	
grandfather	3.2
großzügig	
generous	4.7
Grübchen	
dimple	7.2
Grube[4b]	
mine	2.6
grün[2a]	
green	1.5
Grün(e)[7a]	
green	4.
Grund[1a]	
bottom	1.
cause	1.
ground	1.
reason	1.
Grund-[5b]	
fundamental	5.2
Grundbesitz[2b]	
property	1.9
Grundbesitzer[3a]	
owner	2.
gründen[2a]	
found	1.5
Gründer	
founder	6.1
Grundgedanke[6b]	
base	1.7
Grundlage[1b]	
base	1.7
gründlich[2b]	
thorough	2.
Grundsatz[1a]	
principle	1.9
grundsätzlich[5a]	
(on) principle	2.7
Grundsteuer[3b]	
tax	1.6
Grundstück[3a]	
(real) estate	3.2
Gründung[4b]	
establishment	3.8
Grundzug[3a]	
characteristic	3.
Gruppe[2b]	
group	1.8
clump	4.8
Gruß[2a]	
bow	1.8
grüßen[2b]	
bow	1.4
Guillotine	
guillotine	10.2
Guitarre	
guitar	8.
Gulden[3b]	
pound	1.
gültig[4b]	
lawful	3.

	Section
Gültigkeit[6a]	
validity	8.8
Gunst[2a]	
favor	1.4
günstig[1b]	
favorable	2.2
Gurke	
cucumber	7.4
Gürtel	
belt	4.7
Guß[3b]	
shower	2.5
torrent	3.
melting	3.3
gush	3.6
gut[1a]	
all right	1.
good	1.
well (*adv.*)	1.
– gehen, (be) well	1.
-en Tag, Abend, Morgen	
good morning	1.1
sich – unterhalten	
enjoy	1.7
Gut[1b]	
property	1.5
Gutachten[3a]	
judgment	1.5
Güte[1b]	
goodness	1.5
gütig[2b]	
kind	1.
gutmütig[6a]	
kind	1.
Gutsbesitzer[4a]	
owner	2.
Gutsbezirk[2b]	
district	2.1
Gymnasium[4a]	
school	1.

H

	Section
ha[4a]	
O	1.2
Haar[1b]	
hair	1.
Haarschneider	
barber	6.1
Habe[3b]	
property	1.9
haben[1a]	
have	1.
gern –, like	1.
lieb –, love	1.
Recht –, (be) right	1.
lieber –, rather	1.1
unrecht –, (be) wrong	1.4
Haben[5a]	
credit	2.9
asset	6.8
Habicht	
hawk	5.8
Hacke	
hoe	6.3
Hafen[2a]	
harbor	2.
Hafer	
oat	6.
Haft[6b]	
imprisonment	5.
haften[3a]	
stick	2.1
Haftung[4a]	
responsibility	5.1
Hagel	
hail	5.3

	Section
Hahn[6a]	
cock	3.8
Haken[6a]	
hook	4.2
peg	6.
halb[1b]	
half	1.
-e Stunde, half hour	1.5
– öffnen, half open	1.5
Halbinsel[4a]	
peninsula	4.5
Halbkreis[6b]	
semicircle	8.8
Halbkugel	
hemisphere	7.
Hälfte[1b]	
half	1.
Halle[5b]	
hall	1.5
hallo	
hello	6.
Halm	
blade	5.3
Hals[2b]	
neck	1.5
throat	2.
Halsband	
necklace	6.4
Halt[4a]	
hold	2.5
halten[1a]	
hold	1.
stop	1.
Rede –	
(make a) speech	1.6
Haltung[3a]	
carriage	3.
attitude	3.6
Hammer	
hammer	4.8
Hand[1a]	
hand	1.
in der – haben, control	1.4
Hand-	
manual	7.3
Handel[1b]	
business	1.
trade	1.2
bargain	1.9
handeln[1a]	
act (take action)	1.
act (behave)	1.
sich – um	
(be) question (of)	1.
Handeln[4b]	
trade	1.2
Handels-	
– und Gewerbe-, trade	4.6
Handelsgeschäft[4b]	
business	1.
Handelsgesellschaft[4a]	
company (business)	1.
Handelsgesetzbuch[3a]	
code	4.8
Handelskammer[5b]	
chamber of commerce	3.2
Handelsmann (-leute)[5b]	
merchant	2.2
Handelsminister[6a]	
minister	1.5
Handelsrecht[3b]	
(commercial) law	3.2
Handelssache[6b]	
business	1.
Handelsverkehr[3b]	
trade	1.2

	Section
Handelsvertrag[5b]	
treaty	2.6
Handfläche	
palm	5.1
Handgelenk	
wrist	6.1
handhaben[6a]	
handle	3.9
Handhabung[5a]	
operation	2.4
Händler[5a]	
dealer	4.8
Handlung[1b]	
act (*n.*)	1.
Handlungsgehilfe[5b]	
clerk	2.7
employee	3.1
Handlungsweise[5a]	
process	1.7
conduct	2.3
Handschrift[3a]	
writing	1.8
Handschuh[6b]	
glove	3.9
Handtuch	
towel	6.2
Handvoll	
handful	5.6
Handwerk[3a]	
occupation	2.4
Handwerker[2b]	
workman	2.5
artisan	5.3
Hang[5a]	
slope	3.6
hängen(+a)[1b]	
hang	1.1
Häresie	
heresy	7.4
Harfe	
harp	6.1
Harke	
rake	6.2
harmlos[6a]	
harmless	5.8
Harmonie[4b]	
harmony	3.1
harmonisch[5b]	
harmonious	5.3
harren[4a]	
expect	1.
hart[1b]	
hard (not soft)	1.
Härte[4a]	
hardness	5.4
härten	
temper	4.9
harden	6.1
hartnäckig[4b]	
stubborn	4.1
Hartnäckigkeit	
obstinacy	7.2
Hase	
hare	5.6
Haß[3a]	
hate	2.4
hassen[3a]	
hate	2.5
häßlich[3b]	
ugly	2.4
Häßlichkeit	
ugliness	10.2
hastig[5b]	
hasty	2.7
Hauch[5a]	
breath	2.8

	Section
hauen[6a]	
chop	4.2
Haufe[3a]	
mass	1.6
häufen[4b]	
heap up	3.2
häufig[1b]	
often	1.
frequent	1.7
Haupt[2a]	
head	1.
Haupt-[2a]	
chief (adj.)	1.
chief (n.)	1.5
Hauptaufgabe[5b]	
chief	1.
Hauptgrund[4b]	
chief	1.
base	1.7
Häuptling[6a]	
chief	1.5
Hauptmann[2a]	
captain	1.6
Hauptperson[6a]	
chief	1.5
Hauptquartier[2b]	
headquarters	3.4
Hauptsache[2a]	
chief	1.
hauptsächlich[1b]	
above all	1.
chief	1.
Hauptstadt[3a]	
capital	2.3
metropolis	4.8
Hauptwort	
noun	7.3
Haus[1a]	
zu -e, (at) home	1.
nach -e, (at) home	1.
house	1.
im -e, indoors	3.1
Hausbesitzer[4a]	
owner	2.
hausen[5a]	
live	1.1
Hausfrau[4b]	
wife	1.
Hausfreund[5b]	
friend	1.
Haushalt[3b]	
household	2.9
Haushälterin	
housekeeper	6.2
Hausherr[3b]	
man of the house	1.8
Hausierer	
peddler	7.
häuslich[3b]	
domestic	2.9
Haustür[3b]	
door	1.
Hauswart	
porter	5.6
Hauswesen[4a]	
household	2.9
Haut[3a]	
skin	2.
Häutchen	
film	6.8
heben[1b]	
lift	1.
Hebung[5a]	
elevation	4.2
Hecke	
hedge	5.4
Heer[1a]	
army	1.2

	Section
Heeresleitung[3b]	
command	2.3
Hefe	
dreg	7.8
Heft[4a]	
handle	3.1
blank book	4.
heften[4b]	
stick	2.2
heftig[1b]	
furious	1.9
Heftigkeit[5a]	
violence	3.6
hegen[3a]	
shelter	2.6
foster	3.8
Heide[5a]	
heathen	4.8
heath	5.3
Heil[3a]	
welfare	3.5
Heiland[4b]	
savior	4.8
heilen[4a]	
cure	2.9
heilig[1b]	
holy	1.4
sacred	1.6
Heilige[4a]	
saint	2.6
heiligen[3b]	
hallow	3.6
Heiligenschein	
halo	10.1
Heiligkeit	
holiness	6.6
Heiligtum[5b]	
sanctuary	5.3
heilsam[5a]	
wholesome	4.6
heim[5a]	
(at) home	1.
Heimat[2a]	
country	1.1
heimisch[4b]	
native	3.2
heimlich[3a]	
secret	2.1
sly	3.9
heimsuchen	
haunt	5.7
Heirat[4a]	
wedding	3.4
heiraten[3a]	
marry	2.3
heiser	
hoarse	6.5
heiß[2b]	
hot	1.5
heißen[1a]	
mean	1.
(what is your) name	1.
heiter[2a]	
bright	1.4
cheerful	1.9
Heiterkeit[2b]	
cheer	1.9
Heizkörper[3b]	
radiator	7.2
Heizung	
heating	5.
Hektar[6b]	
acre	4.4
Held[2a]	
hero	2.1
heldenhaft	
heroic	5.2

	Section
Heldentat	
exploit	5.9
Heldentum	
heroism	7.2
Heldin[6a]	
heroine	5.8
helfen[1b]	
help	1.
hell[2a]	
fair	1.2
bright	1.4
light	1.4
Helm[6a]	
helmet	4.9
Hemd[6b]	
shirt	3.8
Hemd(en)brust	
shirt-front	13.
hemmen[4a]	
stop up	3.1
check	3.2
Henker[6b]	
hangman	7.3
Henne	
hen	4.7
her[1a]	
here	1.
lange –, long ago	1.3
herab[2b]	
down	1.
herabsetzen[6a]	
lower	2.3
Herabsetzung[6a]	
reduction	5.3
herabziehen	
profane	6.5
heran[3a]	
to	1.
herankommen[5a]	
(go) toward(s)	1.
herantreten[5a]	
(go) toward(s)	1.
heranwachsen[6a]	
grow	1.1
heranziehen[2b]	
(go) toward(s)	1.
Heranziehung[5a]	
use	1.1
herauf[5a]	
on	1.
heraus[1b]	
out	1.
herausgeben[3b]	
publish	2.8
Herausgeber[5b]	
publisher	5.8
herauskommen[5a]	
come out	2.6
herausnehmen[6a]	
take away	1.
herausstellen[4a]	
expose	2.2
heraustreten[6b]	
step	1.1
herb[6a]	
sharp (taste)	4.
acid	5.3
herbei[3b]	
near	1.
herbeiführen[2a]	
cause	1.
Herbst[3b]	
fall	2.3
Herd[4b]	
hearth	3.2
Herde[6b]	
drove	3.9

	Section
herein[3a]	
– kommen, enter	1.
into	1.
hergeben[6b]	
produce	3.4
Hering[6b]	
herring	6.8
herkommen[5b]	
(go) toward(s)	1.
Herkunft	
von niederer –	
(of) lowly (birth)	6.4
herleiten[6b]	
lead	1.
Hermelin	
ermine	9.3
hernach[5a]	
afterwards	1.8
Herr[1a]	
gentleman	1.
Mr.	1.
lord	1.1
Herrenhaus[4b]	
mansion	3.7
Herrin[6b]	
mistress	3.5
herrlich[1b]	
fine	1.1
wonderful	1.2
Herrlichkeit[3b]	
glory	2.3
Herrschaft[2a]	
rule	2.
dominion	3.1
herrschen[1b]	
rule	1.
Herrscher[4a]	
governor	3.1
sovereign	3.7
herrühren[5a]	
come from	1.
herstellen[1b]	
place (put)	1.
Hersteller	
maker	4.7
Herstellung[3a]	
manufacture	2.9
herüber[5a]	
(be) across	1.
herum	
around	1.6
herumlaufen	
revolve	5.5
herumwerfen	
jostle	7.
herunter[4a]	
down	1.
– lassen, lower	2.3
hervor[1b]	
forth	1.
hervorbringen[2b]	
produce	1.8
hervorgehen[2a]	
result	1.5
hervorheben[2a]	
emphasize	4.4
hervorragen[2a]	
stand out	1.9
excel	3.5
-d, eminently	4.1
hervorrufen[2b]	
call forth	1.6
(give) rise to	2.3
hervortreten[2b]	
come forward	1.4
Herz[1a]	
heart	1.

INDEX TO GERMAN WORDS IN THE LIST 337

herzlich[1b]	
cordial	2.3
Herzog[1b]	
duke	2.3
Herzogin[4b]	
duchess	4.7
Herzogtum[6a]	
dukedom	6.8
hessisch[6a]	
English	1.
Heu	
hay	4.8
Heuchelei	
hypocrisy	6.9
Heuchler	
hypocrite	6.8
heulen[6b]	
howl	4.5
Heuschrecke	
grasshopper	6.2
heute[1a]	
today	1.
– abend, tonight	1.4
heutig[1b]	
today	1.
heutzutage[4b]	
now	1.
today	1.
Hexe	
witch	5.2
Hexer	
wizard	6.2
Hieb[5b]	
blow	1.4
hieher[6b]	
here	1.
hier[1a]	
here	1.
hieran[6b]	
at	1.
hierauf[2b]	
afterwards	1.8
hieraus[4a]	
out	1.
hierbei[2a]	
in	1.
hierdurch[3a]	
through (motion)	1.
through (agent)	1.
hierfür[4a]	
for (in behalf of)	1.
hierher[2b]	
here	1.
hierin[3b]	
in	1.
hiermit[2b]	
with	1.
hiernach[3b]	
by (according to)	1.
hierüber[3a]	
above (prep.)	1.
hiervon[4a]	
of	1.
hierzu[2b]	
to	1.
(in) addition	1.4
hiesig[2b]	
(of) here	1.4
Hilfe[1b]	
help	1.1
hilflos[6b]	
helpless	5.
hilfreich	
helpful	5.6
Hilfsmittel[3a]	
resource	3.6

Himmel[1a]	
heaven	1.
Himmelreich[6a]	
kingdom	1.7
himmlisch[3a]	
celestial	3.5
hin[1a]	
there	1.
– und wieder	
(at) times	1.
hinab[3a]	
down	1.
hinauf[2b]	
go up	1.
on	1.
hinaus[1b]	
out	1.
hinausgehen[4a]	
go out	1.4
Hinblick[5a]	
in – auf, as for	1.
hindern[2b]	
keep from	1.4
Hindernis[2b]	
bar	2.1
obstacle	3.4
hindurch[2a]	
through (motion)	1.
hinein[1b]	
into	1.
hineinbringen[6b]	
bring	1.
hineinziehen[6b]	
pull	1.
Hingabe	
abandon	5.4
hingeben[3a]	
give	1.
Hingebung[6a]	
devotion	5.
hingegen[3a]	
(on the) contrary	1.8
hingehen[5a]	
go	1.
hinlänglich[4a]	
ample	3.6
hinreichen[3a]	
(be) enough	1.
hinreißen[5b]	
overcome	4.5
Hinsicht[3a]	
regard	1.5
hinsichtlich[3a]	
as for	1.
hinstellen[4a]	
place	1.
hinten[3b]	
behind	2.
hinter[1a]	
(in) back (of)	1.
– d. Kulisse	
(behind the) scene	5.4
Hinterbacke	
buttock	10.
hintere[5a]	
back	2.8
hintereinander[6a]	
one after the other	3.3
Hintergrund[3b]	
background	4.2
hinterlassen[3b]	
leave	2.7
hinüber[4a]	
above (prep.)	1.
(be) across	1.
– gehen, cross	1.

hinunter[4b]	
down	1.
– gehen, go down	2.2
hinweg[3a]	
away	1.
Hinweis[5b]	
reference	4.8
hinweisen[2a]	
show	1.
point out	1.4
hinwerfen	
sich –, prostrate	6.6
hinziehen[5a]	
draw along	2.6
hinzu[2a]	
to	1.
hinzufügen[3a]	
add	1.8
Hirt[5a]	
shepherd	3.7
Historiker[6b]	
historian	5.6
historisch[2a]	
historic	3.3
Hitze[3a]	
heat	1.5
hoch[1a]	
high	1.
höher, higher	1.
höher, upper	1.4
höchst, supreme	2.
hohe Rang	
eminence	5.3
hochachten[6a]	
-d, respectful	3.9
Hochachtung[3b]	
regard	2.5
hochachtungsvoll[3b]	
respectful	3.9
Hochland	
highland	5.
Hochmut[6b]	
pride	2.4
hochmütig[6a]	
haughty	4.7
Höchstmaß	
maximum	7.4
Hochzeit[3a]	
wedding	3.4
hocken	
perch	5.6
crouch	6.4
Hof[1b]	
court (royal)	1.
– machen, court	1.
court (yard)	1.1
hoffen[1a]	
hope	1.
hoffentlich[3a]	
hope	1.
Hoffnung[1b]	
hope	1.
hoffnungslos	
hopelessly	6.1
hoffnungsvoll	
hopeful	6.9
höflich[4b]	
civil	3.2
courteous	4.3
Höflichkeit[5b]	
(good) manners	2.9
courtesy	4.7
Höfling	
courtier	5.7
Höhe[1a]	
height	1.1
height (of career)	1.6
level	1.9

Hoheit[4a]	
highness	4.8
hohl	
hollow	3.
Höhle[4b]	
cave	3.
den	3.1
socket (of eye)	5.5
Hohn[6b]	
scorn	3.3
hold[4a]	
lovely	2.3
holen[2a]	
get	1.4
holländisch[6a]	
Dutch	4.
Hölle[3b]	
hell	3.
höllisch	
infernal	6.7
Holz[2a]	
wood	1.5
aus –, wood	1.5
hölzern[6b]	
wood	1.5
Holzhacker	
woodman	7.2
Holzschnitt[4b]	
print	2.7
Honig[6b]	
honey	3.9
Honigkuchen	
gingerbread	7.2
horchen[4b]	
listen	1.8
hören[1a]	
hear	1.
hörig (H)[2b]	
slave	2.2
Horizont[5a]	
horizon	4.
Horn[5b]	
horn (trumpet)	3.6
horn	3.7
Hose(n)	
trousers	5.6
drawers	6.2
Hotel[4b]	
hotel	3.2
hübsch[2a]	
pretty (adj.)	1.
Huf	
hoof	5.1
Hufeisen	
horseshoe	7.1
Hüfte(n)	
waist	4.4
hip	6.4
Hügel[4a]	
hill	2.6
knoll	5.2
Huhn	
chicken	4.8
Hühnerauge	
corn	5.
Hühnerstall	
(hen) coop	11.4
huldigen[6a]	
(do) homage	5.
Huldigung[5b]	
homage	4.6
Hülle[5a]	
wrapping	3.4
case	3.6
Hülse[3b]	
sheath	4.4
Humor[4a]	
wit	2.7

Hund[3a]	
dog	1.9
hundert[2a]	
hundred	1.4
Hundert[4b]	
hundred	1.4
hundertjährig	
centennial	10.6
hundertste	
hundredth	7.6
Hunger[4b]	
— haben	
(be) hungry	2.8
hunger	3.2
Hungersnot	
famine	5.1
Hurra[6b]	
applause	3.7
Husar[5a]	
hussar	9.4
huschen	
flutter	5.7
husten	
cough	5.7
Husten	
cough	6.2
Hut[2a]	
hat	1.5
— aufsetzen	
(put on) hat	2.8
hüten[3b]	
guard	1.
Hütte[4a]	
shed	3.2
cottage	3.4
Hygiene	
hygiene	7.
Hypothek	
mortgage	7.2
Hypothese[6b]	
basis	3.4
hysterisch	
hysterical	8.6

I

ich[1a]	
I	1.
— selbst, selber, myself	1.3
Ideal[3a]	
ideal	3.2
ideal[3b]	
ideal	3.2
Idealismus	
idealism	9.
Idealist	
idealist	11.4
Idee[1b]	
idea	1.4
Idiot	
idiot	5.8
Idyll	
idyll	9.8
Igel	
hedgehog	7.2
ihr (*pers. pron.*)[1a]	
you	1.
ihr (*poss. pron. sing.*)[1a]	
her	1.
-e, hers	2.9
ihr (*poss. pron. pl.*)[1a]	
their	1.
Ihr[1a]	
your	1.
-e, yours	2.1
ihrerseits[4a]	
(on her) side	2.2
(on their) side	2.2

ihrige[4a]	
theirs	3.6
Ihrige[4b]	
yours	2.1
Illustration	
illustration	6.8
illustrieren[6b]	
illustrate	5.2
immer[1a]	
always	1.
wenn —, whenever	1.4
was —, whatever	1.5
wer —, whoever	2.2
— wieder, several times	1.2
immerfort[5a]	
continual	2.5
immerhin[2b]	
(in any) case	1.
Impotenz	
impotence	8.7
imprägnieren	
impregnate	8.8
improvisieren	
improvise	8.9
imstande	
liable (to do)	5.8
liable (to something)	6.5
in[1a]	
in	1.
inbrünstig	
fervent	7.2
indem[1a]	
as (e.g., I was walking)	1.
while	1.
indes[2a]	
however	1.
indessen[1b]	
while	1.
indirekt[4a]	
indirect	5.
indisch[4b]	
Indian	3.1
Individualität[5b]	
personality	3.9
individuell[4b]	
individual	3.8
Individuum[4b]	
individual	3.2
Indossament[6a]	
indorsement	11.2
Industrie[2b]	
industry	2.
industriell[4b]	
industrial	5.5
Industrielle[6b]	
maker	3.5
Infanterie[1b]	
infantry	5.6
infolge[2a]	
because of	1.
through (agent)	1.
infolgedessen[6b]	
therefore	1.
consequently	4.1
Ingenieur[6a]	
engineer	4.8
Ingwer	
ginger	6.8
Inhaber[3a]	
owner	2.
Inhalt[1b]	
content	2.
Initiative[5b]	
initiative	5.7
Inland[4b]	
inland	3.9

inländisch[4a]	
native	3.2
inmitten[5a]	
among	1.
inne[2b]	
within	1.1
inside	1.4
innere[1a]	
inside	1.4
Innere[1b]	
inside	1.4
innerhalb[1b]	
within	1.1
inside	1.4
innerlich[3b]	
inside	1.4
innig[2a]	
intimate	3.2
insbesondere[1b]	
above all	1.
Inschrift[4b]	
inscription	5.2
Insekt[6b]	
insect	4.4
Insel[2a]	
island	1.5
insofern[5a]	
as long as	1.1
insoweit[5a]	
as long as	1.1
Inspektor	
inspector	6.9
inspizieren	
survey	5.8
Instanz[3b]	
instance	3.2
Institut[3a]	
institute	2.6
Institution[6b]	
institute	2.6
Instruktion[4b]	
instruction	2.4
Instrument[3b]	
instrument	2.9
Insulaner	
islander	9.
intellektuell	
intellectual	6.1
Intelligenz[5b]	
intelligence	4.
intensiv[6a]	
thorough	2.
intense	5.3
interessant[2a]	
interesting	3.2
Interesse[1a]	
interest (concern)	1.
-n, interest (percent)	1.
Interessent[5b]	
interested	3.
interessieren[3a]	
interest	1.9
international[3a]	
international	4.8
inwendig[5b]	
inside	1.4
inzwischen[2a]	
meanwhile	2.8
irdisch[3a]	
earthly	3.1
irgend[1a]	
any (whatever)	1.
— einer, — jemand	
anybody	1.8
irgendwie[4b]	
anyhow	4.2

irgendwo[4b]	
somewhere	3.
anywhere	4.1
Iris	
iris	7.
Ironie	
irony	8.2
ironisch	
ironical	8.5
irren[2b]	
sich —, (be) wrong	1.4
sich —	
(make a) mistake	2.2
Irrgarten	
maze	7.
irrig[6b]	
wrong	1.
Irrtum[2b]	
error	1.8
isolieren[6a]	
cut off	3.1
Isthmus	
isthmus	5.8
Italiener[5a]	
Italian	2.4
italienisch[2a]	
Italian	2.4

J

ja[1a]	
indeed	1.
yes	1.
Jacke	
coat	4.3
jacket	6.1
Jagd[4b]	
hunt	2.4
jagen[3a]	
hunt	2.3
Jäger[3a]	
hunter	2.6
Jahr[1a]	
year	1.
jahrelang[6b]	
year	1.
Jahrestag	
anniversary	6.7
Jahreszeit[4b]	
season	2.4
Jahrgang[4b]	
year	1.
Jahrhundert[1a]	
century	1.4
jährig	
year	1.
jährlich[2a]	
annual	2.7
Jahrtausend[4b]	
millennium	8.8
Jahrzehnt[4a]	
decade	5.6
Jammer[4b]	
lamentation	4.2
jämmerlich	
wretched	5.8
jammern[5b]	
mourn	1.9
grumble	4.9
Januar[2a]	
January	2.2
japanisch	
Japanese	6.8
Jasmin	
jessamine	10.
jauchzen[6b]	
rejoice	3.2

INDEX TO GERMAN WORDS IN THE LIST

339

		Section
je[1a]		
	ever	1.
	– .... desto the .... the	1.
jedenfalls[1b]		
	(in any) case	1.
	however	1.
jeder[1a]		
	each (*adj.*)	1.
	each (*pron.*)	1.
	every	1.
	jede Nacht, nightly	3.
jedermann[3a]		
	everybody	2.2
jederzeit[4a]		
	always	1.
jedesmal[4a]		
	(every) time	2.2
jedoch[1a]		
	however	1.
jedweder[6b]		
	any (whatever)	1.
jeglich[4b]		
	any (whatever)	1.
jeher[4b]		
	von –, always	1.
jemals[3a]		
	ever	1.
jemand[1b]		
	somebody	1.4
	irgend –, anybody	1.8
jener[1a]		
	former	1.
	that (*adj.*)	1.
	that (*pron.*)	1.
jenseits[3b]		
	beyond	1.8
Jesuit		
	Jesuit	9.
Jesus[2b]		
	Christ	3.3
jetzig[1b]		
	present	1.1
jetzo[6a]		
	now	1.
jetzt[1a]		
	now	1.
jeweilig[6b]		
	respective	3.7
Joch[5a]		
	team	3.9
	yoke	4.4
Johannisbeere		
	currant	6.8
Journalist		
	journalist	10.4
journalistisch		
	journalistic	12.6
Jubel[5b]		
	delight	1.
jubeln[5b]		
	rejoice	3.2
Jucken		
	itch	6.9
Jude[2a]		
	Jew	3.5
Judentum[5a]		
	Jews	3.5
jüdisch[2b]		
	Jew	3.5
	Hebrew	4.3
Jugend[1b]		
	youth	1.4
jugendlich[3a]		
	youthful	3.3
Juli[2a]		
	July	2.2

		Section
jung[1a]		
	-es Mädchen, girl	1.
	young	1.
	-e Dame, young lady	1.1
	-e Frau, bride	1.6
Junge[2b]		
	boy	1.4
Jünger[2b]		
	follower	3.2
Jungfer[5b]		
	girl	1.
Jungfrau[3b]		
	girl	1.
	virgin	2.9
jungfräulich		
	virgin	5.3
Junggeselle		
	bachelor	6.2
Jüngling[2a]		
	boy	1.4
Juni[2a]		
	June	2.3
Junker[6b]		
	peer	2.6
Jurist[3b]		
	lawyer	3.
juristisch[3a]		
	legal	4.

K

		Section
Kabel		
	cable	5.8
Kabeljau		
	cod	6.1
Kabinett[3a]		
	cabinet	3.5
Käfer		
	beetle	6.8
Kaffee[3a]		
	coffee	2.3
Käfig		
	cage	5.5
kahl[6b]		
	bald	6.2
Kahn[5a]		
	boat	2.6
	barge	6.
Kaiser[1a]		
	emperor	2.1
Kaiserin[3b]		
	empress	4.6
kaiserlich[2a]		
	imperial	3.3
Kaje		
	dock	5.4
Kalb		
	calf	5.8
Kalender[6b]		
	calendar	5.8
Kali[5b]		
	fertilizer	5.7
Kalk[3a]		
	lime	4.2
kalt[1b]		
	cold	1.
Kälte[3b]		
	cold	1.9
	coldness	6.2
Kalvarienberg		
	Calvary	12.4
Kamel		
	camel	6.4
Kamerad[3a]		
	comrade	3.4
Kameradschaft		
	fellowship	6.8

		Section
Kamin[5b]		
	hearth	3.2
	chimney	3.3
Kamm		
	comb	6.2
kämmen		
	comb	6.
Kammer[2b]		
	room (chamber)	1.
Kampf[1a]		
	fight	1.1
	battle	1.2
	match	2.
kämpfen[2a]		
	fight	1.6
Kämpfer[6a]		
	warrior	3.5
Kanal[1b]		
	canal	2.3
Kanarienvogel		
	canary	7.2
Kandidat[4b]		
	candidate	4.1
Kandidatur		
	candidacy	9.4
Kaninchen		
	rabbit	4.8
Kanone[3b]		
	gun	1.7
Kanzel		
	pulpit	6.8
Kanzler[5b]		
	chancellor	5.6
Kap		
	cape	5.
Kapelle[5b]		
	chapel	3.9
kapern		
	capture	6.
Kapital[1b]		
	capital	1.9
Kapitän[4b]		
	captain	1.6
Kapitel[2a]		
	chapter	2.5
Kappe		
	hood	5.3
Kaputze		
	hood	5.3
Karaffe		
	decanter	10.4
Karawane		
	caravan	7.
Kardinal[5b]		
	cardinal	5.1
Kärrner		
	carter	6.9
Karte[2b]		
	map	1.9
	bill of fare	2.1
	card	2.1
Kartoffel[3b]		
	potato	2.7
Käse		
	cheese	4.7
Kaserne		
	barrack(s)	7.9
Kasse[3b]		
	bank	1.8
Kassierer		
	cashier	7.2
Kastanie		
	chestnut	5.5
Kästchen[4a]		
	box	2.3
Kaste		
	caste	7.3

		Section
Kasten[4a]		
	box	2.3
Katastrophe[4b]		
	disaster	3.9
Kategorie[5a]		
	class	3.
Katholik[5b]		
	catholic	2.9
katholisch[2b]		
	catholic	2.9
Katholizismus		
	catholicism	13.
Katze[7a]		
	cat	4.1
kauen		
	chew	6.8
Kauf[4a]		
	purchase	3.2
kaufen[2a]		
	buy	1.4
Käufer[2b]		
	buyer	3.8
Kaufmann[2a]		
	business man	1.4
	merchant	2.2
kaufmännisch[2b]		
	commercial	2.8
kaum[1a]		
	hardly	1.4
Kaution		
	bond	5.8
Kautschuk[6a]		
	rubber	5.
Kavalier		
	cavalier	6.
Kavallerie[2a]		
	cavalry	5.3
Kavalleriedivision[3b]		
	division	2.2
	cavalry	5.3
keck[6a]		
	smart	4.6
Kegel		
	cone	7.2
kehren[1b]		
	turn	1.
	sweep	1.9
Kehrreim		
	refrain	6.6
Kehrseite		
	under side	4.4
Keil		
	wedge	6.1
Keim[5a]		
	germ	5.2
kein[1a]		
	no	1.
	none	1.
keineswegs[2a]		
	(not at) all	1.
Keks		
	biscuit	6.7
Keller[5a]		
	cellar	3.8
keltisch		
	Celtic	8.2
kennen[1a]		
	know (be acquainted)	1.
Kenner[5b]		
	expert	4.2
Kenntnis[1b]		
	knowledge	1.5
kennzeichnen[5b]		
	mark	1.
	mark (characterize)	3.2
Kerl[4b]		
	fellow	2.3

	Section		Section		Section		Section
Kern[3b]		Klappe[6a]		Knabe[2a]		Kollege[2b]	
kernel	4.6	cover	2.9	boy	1.4	fellow worker	2.9
nucleus	4.9	flap	4.9	knapp[5b]		Kollegium[6b]	
Kerze[6b]		valve	6.3	scanty	4.5	staff	4.2
candle	2.2	Klapper		Knappe		kollektiv	
Kessel[5b]		rattle	6.	squire	6.	collective	9.6
kettle	4.8	klappern		knarren		kolonial	
boiler	5.8	chatter	6.	grate	5.7	colonial	6.2
Kette[3a]		klar[1a]		Knecht[3a]		Kolonialwarenhändler	
chain	2.1	clear	1.	servant	1.9	grocer	6.4
Ketzer[6b]		clear (lucid)	2.	knechten		Kolonialwarenhandlung	
heretic	6.3	klären[6b]		enslave	8.1	grocery	6.9
Ketzerei		purify	4.4	kneifen		Kolonie[4a]	
heresy	7.4	Klarheit[3b]		pinch	6.	colony	2.9
keuchen		light	2.	kneten		Kolonist	
pant	5.7	Klasse[1b]		mould	5.7	colonist	6.1
keusch		class	1.	Knie[3a]		Kolonne[3a]	
chaste	6.2	schoolroom	3.3	knee	2.	column	2.9
Keuschheit		klassisch[4a]		Kniehose		kolossal[5a]	
chastity	7.7	classic	3.8	breeches	6.4	great (huge)	1.
Kiefer		Klatsch		knien[4b]		Kombination[6b]	
jaw	5.6	gossip	6.6	kneel	3.9	combination	4.3
Kies		Klaue		knirschen		Komet[3b]	
gravel	6.8	claw	6.1	grind (teeth)	5.	comet	4.8
Kilo[5b]		Klausel		knistern		komisch[3b]	
pound	1.6	clause	6.6	crackle	6.5	funny	2.9
Kilogramm[4a]		Klavier[6b]		Knoblauch		Kommandant[6a]	
pound	1.6	piano	4.7	garlic	9.1	commander	4.4
Kilometer[3b]		kleben[6b]		Knochen[4a]		Kommandeur[5a]	
mile	1.7	stick	2.2	bone	2.6	commander	4.4
Kind[1a]		Klee		Knochengerüst		kommandieren[3a]	
child	1.	clover	6.4	skeleton	6.7	command	1.5
Kinderstube		Kleid[2a]		Knopf[5b]		Kommando[3a]	
nursery	5.8	-er, clothes	1.4	button	3.7	command	2.3
Kindheit[3b]		dress	1.4	Knospe		kommen[1a]	
childhood	3.3	kleiden[3a]		bud	4.8	zum Vorschein –	
kindisch[5b]		clothe	1.9	Knoten[6a]		appear (loom)	1.
childish	4.6	Kleidung[4a]		knot	4.4	come	1.
kindlich[4a]		clothes	1.4	knot (hair)	5.	come from	1.
filial	5.8	Kleie		knüpfen[2b]		herein –, enter	1.
Kinematograph		bran	7.2	tie	1.6	Kommen[6b]	
cinema	11.3	klein[1a]		knusperig		arrival	2.8
Kinn		little (small)	1.	crisp	6.5	Kommissar[6a]	
chin	5.4	Kleine[1a]		Koch		commissioner	5.
Kino		child	1.	cook	4.3	Kommission[1a]	
cinema	11.3	Kleinigkeit[4b]		kochen[4a]		commission	2.2
Kirche[1b]		trifle	3.9	cook	2.5	Kommissionär[3b]	
church	1.	kleinlich[5b]		boil	3.1	agent	2.9
kirchlich[3a]		petty	4.5	Kochen		Kommissionsbeschluß[5b]	
church	2.6	Klette		boiling	5.3	resolution	3.2
Kirchturm		burr	6.8	Köchin		Kommittee[5b]	
steeple	5.8	Klima[5a]		cook	4.3	committee	3.
Kirsche		climate	4.	Kochlöffel		Kommittent[4a]	
cherry	5.6	Klinge		dipper	6.8	customer	3.6
Kissen		blade	4.5	Köder		Kommode	
pillow	5.2	klingen[2a]		bait	6.8	drawer	6.1
cushion	5.6	ring	1.4	Koffer		kommunal[4a]	
Kiste[5b]		-d, ringing	1.7	bag	4.5	community	4.8
chest	3.7	tinkle	4.1	trunk	5.	Kommunalsteuer[6b]	
kitzeln		Klippe		Kohäsion		tax	1.6
tickle	6.8	reef	7.4	cohesion	10.5	Kommune[4a]	
Klage[2a]		Kloben		Kohl		community	2.9
complaint	2.4	log	4.8	cabbage	5.9	Kommunion	
klagen[2b]		klopfen[4a]		Kohle[2b]		communion	6.7
complain	2.	knock	2.6	coal	1.9	Komödie[4b]	
Klagen[3b]		Kloster[3b]		glühende –		comedy	3.7
complaint	2.4	convent	3.8	(live) coals	2.1	Kompagnie[2a]	
Kläger[5a]		Klub[6b]		Kohlensäure[5b]		company (business)	1.
plaintiff	8.4	club	1.6	carbon dioxide	6.8	company (military)	1.5
Klägerin[6b]		klug[2b]		Kokusnuß		Kompliment[6a]	
plaintiff	8.4	wise	1.5	cocoanut	7.	compliment	4.1
klammern[6b]		clever	2.6	Kolben[4b]		komplizieren[6a]	
– an, clasp	3.1	Klugheit[4a]		butt	4.9	kompliziert, involved	5.
sich –, cling	5.	prudence	3.7	Kolleg[2b]		complicate	6.2
grasp	5.2	Klumpen		council	2.1	Komponist[6b]	
Klang[4a]		lump	6.2			composer	9.6
sound	1.2						

INDEX TO GERMAN WORDS IN THE LIST

German	English	Section
Komposition[5a] composition		3.8
Kompromiß[6a] compromise		5.7
– schließen compromise		5.3
Konfektion making		4.7
Konferenz[5a] conference		3.
Konfession[5b] confession		4.3
konfessionell[6a] confessional		10.
Konflikt[5a] struggle		1.9
Kongreß[4a] congress		2.9
König[1a] king		1.
Königin[2a] queen		1.6
königlich[1b] royal		1.5
Königreich[4a] kingdom		1.7
Königstreue royalist		10.
Konjunktion conjunction		7.3
Konkurrenz[3b] competition		3.8
Konkurs[5a] failure		5.3
Konkursordnung[4b] (regulations for) bankruptcy		6.5
Konkursverfahren[6b] (procedure in) bankruptcy		7.3
können[1a] (be) able		1.
Können[3a] knowledge		1.5
konsequent[6b] consistent		6.1
Konsequenz[3b] perseverance		5.2
konservativ[2b] conservative		4.4
Konservative[6a] conservative		4.4
konstatieren[4a] prove		1.4
konstitutionell[6a] constitutional		6.5
konstruieren[3b] build		1.2
Konstruktion[4a] building		2.5
Konsul[3b] consul		4.9
Konsument[6a] consumer		7.
Konsumverein[6b] cooperative		6.7
Kontingent[6b] unit		5.9
Konto[4b] account		1.
Kontrahent[4b] contractor		6.6
Kontrast[6b] contrast		3.1
Kontrolle[3b] check		3.2
kontrollieren[6b] check		3.8
Konzentration concentration		7.1
konzentrieren[4a] condense		4.3
concentrate		4.8
Konzert[5a] concert		4.1
Konzession[6a] license		4.6
Kopeke[5b] cent		1.7
Kopf[1a] head		1.
Kopfende head		4.7
Kopfhaut scalp		6.8
Kopfputz head dress		4.2
Kopfweh headache		6.6
Kopie[5b] copy		3.2
Koralle coral		6.5
Korb[4b] basket		2.8
Kork cork (stopper)		6.5
cork (material)		6.6
Korn[3b] grain		2.1
Körper[1b] body		1.
körperlich[2b] material		2.
Körperschaft[5b] group		1.8
Korporation[6b] company (business)		1.
Korps (C)[1a] corps		3.8
Korpsartillerie[5b] artillery		3.8
korrekt[6a] right (correct)		1.
Korrektur[4a] correction		3.7
Korrespondent[6b] correspondent		6.2
Korrespondenz[4a] correspondence		3.9
Kost[6b] food		1.9
kostbar[3a] valuable		2.7
Kosten[1b] price		1.
kosten[2a] cost		1.4
taste		1.5
Kostgänger boarder		8.5
köstlich[3b] precious		2.4
delicious		2.8
exquisite		3.6
kostspielig[5b] dear		1.1
Krabbe crab		6.2
Krach crash		5.6
krächzen caw		7.2
Kraft[1a] force		1.
power		1.
kräftig[2a] strong		1.
hardy		2.6
Kragen collar		4.4
krank[2b] ill		1.5
Kranke[3a] patient		2.5
kränken[4a] hurt (*intr. vb.*)		1.8
Krankenhaus hospital		5.
krankhaft[6b] morbid		7.6
Krankheit[1b] disease		1.6
Kranz[4b] wreath		3.7
Krater crater		9.4
kratzen scratch		5.3
scrape		5.6
kraus curly		8.5
kräuseln gather		4.7
curl		4.8
Kraut[6b] herb		4.7
Krawatte necktie		6.4
Krebs crab		6.2
Kredit[3a] credit		2.9
Kreide chalk		6.2
Kreis[1a] circle (set of people)		1.1
circle (ring)		1.2
Kreisausschuß[3b] committee		3.
kreischen grate		5.8
Kreisordnung[6b] rule		1.1
Krepp crêpe		7.
Kreuz[3a] cross		2.
hindquarters		11.
kreuzen[5b] cross		1.
cross (put crossways)		2.7
Kreuzverhör cross-examination		12.9
kriechen[6a] creep		3.
Krieg[1a] war		1.
kriegen[5b] get (obtain)		1.
Krieger[4b] warrior		3.5
kriegerisch[4a] martial		5.4
Kriegsminister[5a] minister		1.5
Krippe manger		6.8
Krisis[6b] crisis		5.8
Kristall[6a] crystal		4.6
Kritik[2b] criticism		3.8
Kritiker[6a] critic		5.1
kritisch[3b] critical		5.
Krone[2b] crown		1.7
krönen[5a] crown		2.9
Kronprinz[3b] prince		1.1
(crown) prince		2.3
Kröte toad		6.6
Krücke crutch		6.5
Krug jar		5.4
pitcher		5.6
Krume crumb		5.8
krümmen[5b] bend		2.4
Krümmung[6b] curve		4.6
Kruste crust		5.8
kubanisch Cuban		6.2
Küche[4a] kitchen		2.8
Kuchen cake		4.7
Kücken chicken		4.8
Kuckuck cuckoo		6.2
Kugel[3b] ball		2.1
ball (bullet)		2.3
globe		3.3
globe (earth)		3.3
Kuh[6b] cow		3.4
kühl[3b] cool		1.9
kühlen cool		4.3
kühn[2b] (be) brave		1.
Kühnheit[5b] boldness		4.7
Kulisse wings		4.9
hinter d. - (behind the) scene		5.4
kultivieren civilize		6.6
Kultur[3b] culture		3.7
Kultusminister[6a] minister		1.5
Kummer[4a] grief		1.8
kümmern[4a] worry		3.2
kund[5a] known		1.1
Kunde[3a] knowledge		1.5
Kundgebung demonstration		6.2
kündigen[5a] (give) notice (to)		2.8

341

		Section
Kündigung⁵ᵇ	term	2.2
Kundschaft⁶ᵃ	practice	3.4
künftig²ᵃ	future	2.
Kunst¹ᵃ	art	1.
Künstler¹ᵇ	artist	2.
künstlerisch²ᵇ	artistic	3.4
künstlich²ᵇ	artificial	3.2
Kunststück⁵ᵇ	trick	3.2
Kunstwerk³ᵇ	work of art	1.8
Kupfer⁴ᵇ	copper	3.
Kupferstich⁶ᵇ	print	2.7
Kuppel	dome	6.2
Kur⁶ᵃ	cure	3.9
Kürbis	pumpkin	6.1
Kurfürst³ᵇ	elector	5.6
Kurs³ᵇ	course	1.1
kurz¹ᵃ	short	1.
	(in) short	1.
Kürze⁵ᵃ	in –, soon	1.
kürzlich⁴ᵃ	recently	2.8
	lately	5.1
Kuß²ᵇ	kiss	1.7
küssen²ᵇ	kiss	1.4
Küste²ᵇ	coast	1.4
Küster	sexton	8.1
Kutscher⁵ᵇ	driver	4.4

L

Lache³ᵇ	laugh	1.8
	pond	2.7
	pool	3.4
lachen¹ᵇ	laugh	1.
lächeln²ᵃ	smile	1.4
Lächeln³ᵃ	smile	1.9
lächerlich³ᵇ	ridiculous	3.6
	absurd	3.7
lackieren	varnish	6.8
laden³ᵃ	load	1.8
Laden⁴ᵇ	shop	2.5
	store	2.6
	blind	3.1
Ladung⁴ᵃ	load	1.7

		Section
Lage¹ᵃ	position (situation)	1.4
	position (plight)	1.5
Lager²ᵃ	deposit	2.7
	camp	2.8
lagern³ᵇ	lay	1.
	camp	3.3
lahm	lame	5.5
lähmen⁵ᵇ	lame	4.6
	paralyze	5.7
Laie⁶ᵃ	lay (person)	4.2
Lamm	lamb	4.9
Lampe³ᵇ	lamp	2.5
	lantern	3.5
Land¹ᵃ	country (geographical)	1.
	country (not town)	1.
	land	1.
Land-³ᵃ	country (adj.)	2.6
landen⁵ᵃ	land	3.2
Landesteil⁵ᵃ	province	1.5
Landgemeinde³ᵇ	community	2.9
Landgemeindeordnung³ᵇ	rule	1.1
Landgericht⁵ᵃ	court	1.4
ländlich³ᵇ	rural	3.3
Landmann⁵ᵇ	farmer	1.8
	countryman	5.2
Landrat²ᵇ	mayor	2.5
Landrecht⁵ᵃ	law	1.
Landschaft³ᵇ	province	1.5
	landscape	3.2
Landsmann⁴ᵃ	countryman	4.7
Landtag⁴ᵇ	legislature	5.2
Landwehr⁶ᵃ	militia	6.3
Landwirt⁴ᵃ	farmer	1.8
Landwirtschaft²ᵇ	agriculture	2.8
landwirtschaftlich²ᵇ	agricultural	3.3
lang¹ᵃ	long (adj.)	1.
	long (adv.)	1.
	längst, long (adv.)	1.
	-e her, vor -em long ago	1.3
Länge²ᵃ	length	1.7
langen¹ᵇ	(be) enough	1.
	extend	1.
Längengrad	meridian	7.2
Langeweile⁶ᵃ	bore	4.

		Section
langjährig⁶ᵇ	long (adv.)	1.
längs⁴ᵇ	along	2.2
langsam¹ᵇ	slow	1.2
Langsamkeit	slowness	10.5
langweilen	bore	4.6
langweilig⁵ᵇ	tedious	5.2
Lanze⁴ᵃ	spear	3.2
Lärm⁴ᵃ	noise	2.6
lärmend	noisy	5.8
lassen¹ᵃ	allow	1.
	cause	1.
	fallen –, drop	1.
	wissen –, (let) know	1.
	leave (quit)	1.
	zukommen –, send	1.
	herunter –, lower	2.3
Last¹ᵇ	load	1.4
	load (cargo)	1.7
lasten⁶ᵇ	load	1.8
Laster⁴ᵃ	vice	3.2
lasterhaft	vicious	6.5
Lästerung	blasphemy	6.8
lästig⁴ᵃ	vexing	3.8
	troublesome	4.4
Lastwagen	truck	6.6
lateinisch³ᵇ	Latin	2.8
Laub⁶ᵇ	foliage	5.2
Laube⁶ᵇ	bower	5.2
	arcade	9.4
Laubengang	arcade	9.4
Lauf¹ᵇ	course	1.1
	race	1.2
Laufbahn⁵ᵇ	career	4.
laufen¹ᵇ	run	1.
	Gefahr – (take) chances	1.4
	Schlittschuh –, skate	6.
Läufer	scout	5.7
Laune³ᵃ	humor	2.4
lauschen⁵ᵇ	listen	1.8
laut¹ᵇ	(out) loud	1.
	loud (adj.)	1.2
Laut⁴ᵇ	sound	1.2
Laute	lute	7.2
lauten²ᵃ	read	1.4
läuten⁶ᵇ	ring	1.4

		Section
lauter³ᵃ	only	1.
leben²ᵃ	live	1.
Leben¹ᵃ	life	1.
Lebende⁶ᵃ	(the) living	3.4
lebendig²ᵃ	(full of) life	1.
	alive	1.9
	vivid	3.8
Lebensart⁶ᵇ	custom	1.9
Lebensjahr⁴ᵇ	year	1.
Lebenskraft⁵ᵇ	vigor	4.
Lebensmittel⁵ᵃ	food	1.9
Lebensversicherung⁶ᵃ	insurance	3.3
Lebensweise⁵ᵃ	custom	1.9
	habit	2.2
Leber	liver	6.
Leberfleck	mole	6.3
lebhaft¹ᵇ	(full of) life	1.
	active	2.5
Lebhaftigkeit⁶ᵃ	life	3.8
Leck	leak	6.6
lecken	lick	6.2
Leder⁶ᵃ	leather	3.8
lediglich¹ᵇ	only	1.
leer²ᵃ	empty	2.
Leere	void	5.2
leeren⁶ᵇ	drain	3.7
legen¹ᵃ	lay	1.
	place	1.
	locate	2.
Legion	legion	5.8
lehnen³ᵃ	lean	2.2
Leh(e)ns-	feudal	7.8
Lehranstalt⁶ᵃ	school	1.
Lehrbuch⁶ᵃ	manual	6.5
Lehre¹ᵇ	doctrine	2.6
	apprenticeship	5.8
lehren¹ᵇ	teach	1.
Lehrer¹ᵇ	teacher	1.
Lehrerin⁵ᵃ	teacher	1.
Lehrling⁵ᵃ	apprentice	6.6
lehrreich⁵ᵃ	instructive	7.2
Leib²ᵃ	body	1.

INDEX TO GERMAN WORDS IN THE LIST

	Section
leiblich[6a]	
bodily	6.3
Leiche[3b]	
(dead) body	2.1
Leichenzug	
funeral	5.4
Leichnam[5a]	
(dead) body	2.1
leicht[1a]	
easy	1.
light	1.
easily	1.6
leichtfertig	
wanton	6.4
Leichtigkeit[5a]	
ease	3.3
lightness	7.5
Leichtsinn[5b]	
im –, thoughtless	4.8
leichtsinnig[5a]	
thoughtless	4.8
frivolous	5.8
Leichtsinnigkeit	
frivolity	9.3
Leid[2a]	
grief	1.8
leid[4a]	
– tun, (be) sorry	1.8
leiden[1b]	
bear	1.
suffer	1.
Leiden[5b]	
grief	1.8
suffering	4.5
Leidenschaft[2a]	
passion	2.3
leidenschaftlich[3a]	
passionate	3.7
leider[1b]	
unfortunately	1.9
leidlich[6a]	
bear	1.
Leier	
lyre	6.9
leihen[4b]	
lend	3.1
borrow	3.3
Leilach	
shroud	6.6
Leinwand[6a]	
linen	3.6
leise[2a]	
soft	1.4
Leiste	
moulding	6.2
leisten[1b]	
do	1.
Verzicht –, renounce	3.1
Leistung[2a]	
performance	3.
Leistungsfähigkeit[4b]	
output	5.8
leiten[1b]	
lead	1.
Leiter (m.)[3b]	
leader	2.3
Leiter (f.)	
ladder	5.
Leitung[2a]	
direction	1.8
Lektüre[5b]	
reading	1.6
Lende	
loin	5.7
lenken[3a]	
direct	1.
Lerche	
lark	5.8

	Section
lernen[1a]	
learn	1.
lesen[1a]	
read	1.
make out	2.2
Lesen[6b]	
reading	1.6
Leser[2a]	
reader	3.
Lesung[2b]	
reading	1.6
letzte[1a]	
last	1.
letztere[3b]	
latter	1.4
leuchten[2a]	
light (up)	1.4
-d, luminous	4.2
Leuchtturm	
lighthouse	6.6
leugnen[3a]	
deny	2.4
Leute[1a]	
people (persons)	1.
Leutnant[3b]	
lieutenant	3.4
liberal[4a]	
liberal	2.9
Licht[1b]	
light	1.
Licht (luminary)[2b]	
light	1.
candle	2.2
licht[5a]	
bright	1.4
Lichtung	
glade	6.5
Lid	
eyelid	6.7
lieb[1a]	
dear	1.
– haben, love	1.
-er haben, rather	1.1
Liebe[1a]	
love	1.
mit – behandeln cherish	3.3
lieben[1a]	
love	1.
Lieben[5a]	
love	1.
Liebende[5b]	
lover	2.
liebenswürdig[2b]	
kind	1.
liebevoll[4b]	
affectionate	4.3
Liebhaber[4b]	
lover	2.
Liebkosung	
caress	6.2
lieblich[3a]	
lovely	2.3
Liebling[3b]	
favorite	3.4
Liebste[6a]	
darling	2.2
Lied[2a]	
song	1.6
liefern[1b]	
supply	1.1
deliver	1.4
Lieferung[4a]	
delivery	4.8
liegen[1a]	
lie	1.
gelegen, locate	2.

	Section
Lilie[6b]	
lily	4.9
Limonade	
lemonade	6.8
Linde[6a]	
linden	6.4
Linie[1b]	
line	1.
linieren	
rule	4.2
linke[1b]	
left	1.
Linke[4a]	
left	1.
links[1b]	
left	1.
Lippe[2b]	
lip	1.4
lispeln	
lisp	7.2
List[5a]	
trick	3.2
cunning	4.
Liste[5a]	
list	2.9
Liter[6b]	
quart	4.7
literarisch[7b]	
literary	3.3
Literatur[2a]	
literature	2.9
Lob[3a]	
praise	2.7
loben[2a]	
praise	2.1
löblich[6b]	
laudable	8.2
Loch[3b]	
hole	2.2
Locke	
curl	4.9
lock	5.3
locken[4a]	
attract	3.1
-d, attractive	4.
Löffel	
spoon	4.8
spoonful	12.9
Loge	
box	4.6
Logik	
logic	6.2
logisch[6a]	
logical	7.4
Lohn[2a]	
wage	2.2
salary	2.7
lohnen[4a]	
reward	3.8
lokal[5a]	
local	3.8
Lokal[5b]	
restaurant	4.7
Lokalisierung[6b]	
placing	4.
Lokomotive[6b]	
locomotive	5.5
Lokust	
locust	6.8
Lorbeer[7a]	
laurel	5.1
Lord	
lord	2.2
los[2a]	
– sein	
(what's the) matter	1.
loose	2.1

	Section
Los[3b]	
fate	1.5
löschen[5a]	
put out	1.9
Lösegeld	
ransom	6.8
lösen[1b]	
loose	1.5
solve	1.9
löslich[6b]	
soluble	6.8
Lösung[2b]	
solution	3.5
Lotse	
pilot	6.8
Löwe[4a]	
lion	2.5
Lücke[4a]	
gap	4.5
Luft[1a]	
air	1.
Luft-[4a]	
air	3.
luftig	
airy	6.6
Lüge[3b]	
lie	2.
lügen[5a]	
(tell) lie	3.
Lügner	
liar	6.1
Lumpen	
rag	5.3
Lunge[6b]	
lung	5.2
Lust[2a]	
pleasure	1.4
lustig[2b]	
cheerful	1.9
Lustspiel[5b]	
comedy	3.7
Luxus[5b]	
luxury	3.7
Lyrik[6b]	
poetry	2.4
lyrisch[6a]	
lyric	6.5

M

	Section
machen[1a]	
begreiflich –	
account for	1.
cause	1.
Hof –, court	1.
do	1.
fertig –, end	1.
fest –, fix	1.
make	1.
sich zurecht – prepare	1.6
Anspruch –, pretend	1.8
schweigen –, silence	1.9
Eindruck – (make) impression	2.2
Bemerkung –, Anmerkung – remark	2.3
Fortschritte – progress	2.6
toll –, (make) mad	2.9
naß –, wet	2.9
weich –, soften	3.1
verlegen –, embarrass	3.2
Macht[1a]	
force	1.
power	1.
mächtig[1b]	
strong	1.

343

	Section		Section		Section		Section
Madame[4a]		mangeln[4b]		Masse[1b]		mehr[1a]	
Mrs.	1.	lack	1.5	crowd	1.	more	1.
Mädchen[1b]		mangels[6a]		mass	1.6	nicht –, no longer	1.
junges –, girl	1.	(for) want of	3.	massenhaft[6b]		mehren[6a]	
servant	1.5	Manier[5a]		abundant	4.2	increase	1.1
Magd[5b]		way	1.	crowded	5.4	mehrere[1a]	
servant	1.5	Mann[1a]		Maßgabe[3a]		several	1.
Magen[4b]		husband	1.	standard	2.2	mehrfach[3a]	
stomach	3.7	man	1.	maßgebend[3a]		several times	1.2
Magistrat[4b]		mannigfach[4b]		standard	3.	Mehrheit[3a]	
magistrate	4.	several times	1.2	mäßig[3a]		majority	2.6
Magnet		various	2.6	moderate	3.	mehrmals[5a]	
magnet	6.7	mannigfaltig[4a]		Mäßigkeit		several times	1.2
magnetisch		various	2.6	temperance	6.4	Mehrzahl[2a]	
magnetic	7.4	manifold	4.4	Mäßigung[6b]		majority	2.6
Mahagonie		Mannigfaltigkeit[5a]		moderation (tem- perateness)	3.8	meiden[5b]	
mahogany	7.2	variety	3.8			avoid	1.8
mähen		multiplicity	9.	moderation (diminu- tion)	5.8	Meile[2a]	
cut	4.7	männlich[3b]				mile	1.7
Mäher		male	3.1	Maßnahme[5a]		mein[1a]	
mower	7.2	manly	3.8	measure	1.	my	1.
Mahl[6a]		Männlichkeit		Maßregel[1b]		mine	1.1
meal	3.2	manhood	6.8	rule	1.1	meinen[1a]	
mahlen		Mannschaft[3a]		Maßstab[1b]		mean	1.
grind	5.1	crew	3.2	scale	1.8	suppose	1.
Mahlzeit[5b]		Manöver[5b]		Mast		think	1.
meal	3.2	operation	2.4	mast	5.6	meinerseits[5a]	
Mähne		Manschette		Material[2a]		(on my) side	2.6
mane	6.4	cuff	6.	material	2.	meinig[3b]	
mahnen[4b]		Mantel[3b]		Materie[4a]		mine	1.1
warn	2.2	coat	2.	subject	1.	Meinung[1a]	
Mahnung[5b]		coat (overcoat)	2.2	materiell[3a]		opinion	1.4
warning	3.4	overcoat	3.6	real	1.9	anderer – sein, differ.	2.5
Mai[1b]		Manuskript[5a]		Mathematik		Meißel	
May	1.2	manuscript	5.8	mathematics	6.7	chisel	7.2
Mais		Märchen[4a]		mathematisch		meist[1a]	
corn	4.8	fairy tale	3.4	mathematical	8.3	most	1.
Majestät[2a]		Märchenland		Matratze		Meiste[6a]	
majesty	2.5	fairyland	6.2	mattress	6.7	most	1.
Major[2a]		Marine[4b]		Matrone		meistens[3a]	
major	3.2	navy	3.6	matron	6.5	(for the most) part	1.8
Majorität[3b]		Mark[1a]		matt[4a]		Meister[1b]	
majority	2.6	pound	1.	dull	3.9	master	1.
mal[2b]		Marke[6a]		Matte		champion	2.5
even	1.	brand	4.2	mat	5.8	Meisterstück	
indeed	1.	Markt[2a]		Mattigkeit		masterpiece	6.4
Mal[1b]		market	1.7	languor	8.6	melden[2a]	
time (how many)	1.	Marmel		Mauer[2b]		(give) notice (of)	1.4
malen[2b]		marble	4.9	wall	1.7	Meldung[2b]	
paint	1.5	Marmor[6a]		Maul[5b]		notice	1.7
Maler[3a]		marble	3.8	mouth	1.	Melodie[5b]	
painter	3.	Marquis		muzzle	5.2	air	3.
Malerei[4a]		marquis	6.9	Maulesel		Melone	
painting	3.2	Marsch (m.)[2b]		mule	6.	melon	6.9
malerisch[5b]		march	1.5	Mauleseltreiber		Menge[1b]	
picturesque	4.6	Marsch (f.)[3b]		muleteer	12.5	amount	1.
Mama[3b]		swamp	4.	Maurer		crowd	1.
mamma	2.9	Marschall[3b]		mason	6.3	Mensch[1a]	
man[1a]		marshal	4.2	maurisch		man	1.
one (indef. pron.)	1.	marschieren[2b]		Moor	5.8	person	1.
manch[1a]		march	1.4	Maus		brutale –, brute	5.7
many	1.	Marter		mouse	5.	Menschengeschlecht[5a]	
mancherlei[3a]		martyrdom	7.3	mechanisch[3b]		mankind	2.4
different	1.	Märtyrertum		mechanic	3.5	Menschenleben[3a]	
manchmal[2a]		martyrdom	7.3	mechanically	5.2	life	1.
sometimes	1.4	März[2a]		Mechanismus		Menschenliebe[3b]	
Mandat		March	1.9	mechanism	7.2	pity	2.4
writ	5.9	Masche		Medizin[5b]		charity	2.9
Mandel		stitch	6.1	medicine	3.4	Menschheit[2a]	
almond	6.9	Maschine[2b]		medizinisch[6a]		mankind	2.4
Mangel[1b]		machine	2.	medical	5.1	menschlich[1b]	
need	1.	Maske[5b]		Meer[1b]		human	1.4
mangelhaft[4a]		mask	4.5	sea	1.	Menschlichkeit[6b]	
imperfect	3.9	maskieren		Meerbusen		mit –, humane	5.3
Mangelhaftigkeit		mask	5.4	gulf	5.	merken[2a]	
insufficiency	10.1	Maß[1b]		Mehl[4a]		notice	1.4
		measure	1.	flour	3.2		
		moderation	3.8				

INDEX TO GERMAN WORDS IN THE LIST

	Section
merklich[5b]	
evident	2.5
Merkmal[5a]	
sign	1.1
merkwürdig[2a]	
remarkable	2.4
Messe[4b]	
mass	2.7
messen[3b]	
measure	2.
Messer[4b]	
knife	2.9
Messing	
brass	4.5
Mestize	
(half) caste	7.7
Metall[2b]	
metal	2.1
metallisch	
metal	4.8
Metallwaren	
hardware	6.8
Meteor	
meteor	7.2
Meter[1b]	
yard	1.3
Methode[2a]	
method	2.5
Metzgerei	
butcher shop	5.8
mexikanisch	
Mexican	6.8
miauen	
mew	6.4
Mieder	
bodice	9.6
Miene[3a]	
look	1.9
Miesmuschel	
clam	7.1
mieten	
hire	4.4
Milch[4b]	
milk	2.5
milchig	
milky	7.2
Milchmann	
milkman	10.6
mild[2b]	
gentle	1.4
Milde[6b]	
gentleness	5.5
mildern[4a]	
soothe	4.3
militärisch[2b]	
military	2.4
Milliarde	
billion	9.2
Million[1b]	
million	1.4
Millionär	
millionaire	6.9
minder[1b]	
mindeste, least	1.
less	1.
minor	4.4
Minderheit	
minority	7.7
mindestens[2a]	
(at) least	1.
Mindestmaß	
minimum	7.4
mineralisch	
mineral	6.1
Miniatur	
miniature	7.7

	Section
Minister[1b]	
minister	1.5
Ministerium[2b]	
ministry	3.4
Ministerpräsident[6a]	
minister	1.5
Minute[2a]	
minute	1.5
Minze	
mint	7.2
mischen[3a]	
mix	2.2
Mischung[4b]	
mixture	3.9
Miß[5b]	
Miss	1.1
Mißbrauch[4b]	
abuse	3.5
mißbrauchen[6a]	
abuse	4.3
Missetäter	
offender	6.8
mißfallen	
displease	5.5
Mission[5b]	
mission	4.1
Missionar	
missionary	7.2
Mißstand[5a]	
corruption	5.6
Mißtrauen[3b]	
mistrust	4.3
mißtrauen	
mistrust	6.
Mißverständnis[5a]	
misunderstanding	6.
Mister[6b]	
Mr.	1.
mit[1a]	
with	1.
Mitarbeiter[5b]	
fellow worker	2.9
Mitbewerber	
rival	5.
mitbringen[4a]	
bring	1.
Mitbürger[5a]	
citizen	2.2
miteinander[3b]	
together	1.
Mitgift	
dowry	7.6
Mitglied[1a]	
member	1.1
mithin[4a]	
therefore	1.
Mitlaut	
consonant	7.2
Mitleid[3b]	
sympathy	2.8
mitmachen[6b]	
(take) part	1.4
mitnehmen[5a]	
take	1.
Mitra	
miter	7.2
Mittag[3a]	
noon	2.1
zu – essen, lunch	3.
Mitte[1b]	
center	1.
middle	1.5
mitteilen[1b]	
(let) know	1.
communicate	2.7
mitteilsam	
communicative	13.

	Section
Mitteilung[1b]	
information	2.
communication	2.5
Mittel[1a]	
means	1.
Mittelalter[4a]	
middle ages	2.2
mittelmäßig	
mediocre	11.3
Mittelmäßigkeit	
mediocrity	10.5
Mittelpunkt[1b]	
center	1.
mittels[3a]	
through (agent)	1.
(by) means (of)	2.5
mitten[2a]	
among	1.
Mitternacht[3a]	
midnight	2.4
mittlere[1b]	
average	1.8
Mittwoch[6a]	
Wednesday	4.3
mitunter[4a]	
sometimes	1.4
now and then	2.2
Mitverantwortlichkeit	
participation	7.8
mitwirken[4b]	
help	1.
work together	3.6
Mitwirkung[3b]	
assistance	3.9
Möbel	
furniture	4.4
mobil[6b]	
movable	3.9
mobilisieren	
mobilize	11.4
Mobilmachung[5b]	
mobilization	12.
Mode[4b]	
fashion	2.8
Modell[4a]	
model	2.
modern[2a]	
modern	1.8
modisch	
fashionable	6.
mögen[1a]	
like	1.
may	1.
wissen –, wonder	1.
möglich[1a]	
possible	1.
Möglichkeit[1b]	
possibility	2.7
Mohn	
poppy	7.2
Molkerei	
dairy	5.7
Moment[2a]	
moment	1.
momentan	
momentary	7.2
Monarch[3b]	
monarch	3.3
Monarchie[4a]	
monarchy	5.6
Monat[1a]	
month	1.
monatlich[6a]	
monthly	5.8
Mönch[5b]	
monk	4.7

	Section
Mond[2b]	
moon	1.6
Mondschein[3b]	
moonlight	3.2
Monolog	
monolog	11.
Monopol	
monopoly	7.3
monsieur[4b]	
Mr.	1.
Montag[4a]	
Monday	3.3
monumental	
monumental	7.8
Moos	
moss	5.8
Moral[5a]	
morals	3.6
moralisch[2b]	
moral	2.3
Moralist	
moralist	8.6
Mord[3b]	
murder	3.3
morden[6b]	
murder	3.5
Mörder[4a]	
murderer	4.1
Morgen[1b]	
morning	1.
guten –, good morning	1.1
morgen[2a]	
tomorrow	1.4
Morgen-[4a]	
morning	3.1
Most	
cider	7.
Motiv[2b]	
cause	1.
Motte	
moth	6.8
Mücke	
mosquito	7.2
müde[3b]	
tired	1.9
Muff	
muff	7.2
Mühe[1b]	
trouble	1.
sich – geben (take) pains	1.4
Mühle[5b]	
mill	3.
mühsam[4a]	
careful	1.7
Mulatte	
(half) caste	7.7
Müller	
miller	6.1
Mund[1a]	
mouth	1.
Mundart	
slang	8.2
Mündel	
ward	5.2
münden	
run into	4.6
mündlich[3a]	
oral	5.4
Mündung[3b]	
mouth	2.7
Munition[4a]	
ammunition	5.6
munter[3b]	
cheerful	1.9
hearty	3.4

	Section
Münze[2b]	
coin	1.9
murmeln[4b]	
murmur	2.9
Muse[6a]	
muse	4.6
Muselman	
Mussulman	9.8
Museum[4a]	
museum	4.
Musik[2a]	
music	1.5
Musik-	
musical	5.8
musikalisch[4a]	
musical	3.6
Musiker[6b]	
musician	4.8
Muskel[6a]	
muscle	5.6
Muskete[6a]	
gun	1.7
Muße[5b]	
leisure	4.8
Musselin	
lawn	5.2
müssen[1a]	
must	1.
müßig[5a]	
idle	3.7
Müßiggang	
idleness	6.5
Muster[2b]	
example	1.4
model	2.
sample	2.7
Mut[1b]	
– haben, (be) brave	1.
courage	1.4
– verlieren	
(lose) courage	2.
mutig[4b]	
(be) brave	1.
Mutter[1a]	
mother	1.
mütterlich[7a]	
mother	4.1
Mütze[6b]	
cap	3.8
Myrte	
myrtle	7.2
mystisch	
mystic	6.9

N

	Section
na[4b]	
well!	2.3
what!	2.4
nach[1a]	
after	1.
by (according to)	1.
– Hause, (at) home	1.
to	1.
toward(s)	1.
bound (for)	1.9
nachahmen[5b]	
copy	3.2
imitate	4.
Nachahmung[4a]	
copy	3.3
Nachbar[3a]	
neighbor	1.8
Nachbarschaft[5b]	
neighborhood	2.9
Nachbildung[6a]	
copy	3.2
nachdem[1a]	
after	1.

	Section
nachdenken[4a]	
consider	1.8
Nachdenken[5a]	
consideration	2.4
meditation	5.1
Nachdruck[4a]	
emphasis	5.1
nachdrücklich[6a]	
emphasis	5.1
nachfolgen[4a]	
follow	2.3
Nachfolger[3b]	
successor	3.8
Nachfrage[5a]	
demand	2.9
inquiry	4.4
nachgeben[4b]	
yield	1.9
nachgehen[6a]	
follow	1.
(be) slow	3.6
nachgiebig	
indulgent	8.1
nachher[2a]	
by and by	1.1
afterwards	1.8
Nachkomme[5b]	
descendant	5.3
nachkommen[4a]	
catch up	2.3
Nachlaß[5a]	
inheritance	3.9
nachlassen[6b]	
reduce	3.5
nachliefern[5a]	
supply later	3.
nachmachen[6a]	
copy	3.2
Nachmittag[3a]	
afternoon	1.9
nachmittags[6a]	
afternoon	1.9
Nachricht[1b]	
news	1.4
Nachschrift	
postscript	7.2
nachsehen[4b]	
(take) care	1.
look for	1.
jemandem etwas –	
indulge	5.3
Nachsicht[6a]	
indulgence	5.8
Nächste[5b]	
neighbor	3.4
nachstehen[4b]	
(be) inferior	3.6
nächstens[6a]	
soon	1.
Nacht[1a]	
night	1.
die – zubringen	
(spend) night	2.7
jede –, nightly	3.
Nachteil[2a]	
disadvantage	4.8
nachteilig[4a]	
injurious	4.3
Nachtigall	
nightingale	6.1
Nachtisch	
dessert	6.7
nächtlich[5b]	
night	3.3
nachträglich[4a]	
subsequent	4.1
nachts[4a]	
(at) night	2.2

	Section
Nachtwache	
vigil	6.2
Nachweis[4b]	
proof	1.4
nachweisen[2b]	
show	1.
point out	1.4
Nachwelt	
posterity	6.6
Nachzügler	
late-comer	13.
nackt[5a]	
bare	2.4
Nadel[6a]	
needle	3.8
pin	4.
Nagel[4a]	
nail (tack)	3.
nail (finger)	3.1
nageln	
nail	4.6
nagen	
gnaw	6.1
nah[1a]	
nächst, beside	1.
der nächste Tag	
(the) day (after)	1.
near (adj. and adv.)	1.
nächst, next	1.
Nähe[1b]	
in der –, near	1.
proximity	5.6
nahen[2b]	
(go) toward(s)	1.
nähen	
sew	4.7
nähern[1b]	
(bring) toward(s)	1.
sich –, (go) toward(s)	1.
nahezu[4b]	
almost	1.
nähren[3a]	
nourish	3.2
Nahrung[3a]	
food	1.9
Nahrungsmittel[5a]	
food	1.9
Naht	
seam	6.4
Name[1a]	
name	1.
namenlos	
nameless	5.8
namentlich[1a]	
above all	1.
namhaft[5b]	
famous	1.1
nämlich[1a]	
(of) course	1.
namely	2.6
nämliche[3b]	
same	1.
Narbe	
scar	6.2
Narr[3a]	
fool	2.4
Nase[2b]	
nose	1.7
naß[4b]	
wet	2.9
– machen, wet	2.9
Nässe[5a]	
moisture	4.4
Nation[1b]	
nation	1.1
national[2a]	
national	2.

	Section
Nationalität[4a]	
nationality	5.5
nationalliberal[2a]	
liberal	2.9
Nationalliberale[4a]	
liberal	2.9
Nationalversammlung[5a]	
assembly	2.6
Natron[4b]	
soda	5.6
Natur[a]	
nature	1.
Naturforscher[4b]	
scientist	4.2
naturgemäß[2b]	
natural	1.
Naturgesetz[6a]	
law	1.
natürlich[1a]	
(of) course	1.
natural	1.
Natürlichkeit	
naturalness	12.1
Naturwissenschaft[5a]	
science	1.4
Naturwissenschaftler	
naturalist	7.4
naturwissenschaftlich[6a]	
scientific	3.9
Nebel[3a]	
mist	3.1
neben[1a]	
beside	1.
near (adj. and adv.)	1.
near (prep.)	1.
nebenbei[3b]	
near (adj. and adv.)	1.
Nebenbuhlerschaft	
rivalry	7.8
nebeneinander[4a]	
side by side	2.2
Nebenzimmer[6b]	
room (chamber)	1.
nebst[2a]	
with	1.
necken	
tease	5.9
Neffe[4b]	
nephew	3.7
Neger[5a]	
negro	3.8
nehmen[1a]	
in Angriff –, begin	1.
in Anspruch –, demand	1.
Platz –, sit (sit down)	1.
take	1.
Teil –	
(take an) interest	1.3
Abschied –	
(take) leave	1.5
in Anspruch –	
(be) absorbed	3.
Neid[4b]	
envy	3.1
neidisch	
envious	5.7
neigen[2a]	
(be) subject	1.7
bend	1.9
slant	2.8
Neigung[1b]	
liking	1.5
leaning	1.8
tend	2.4
tendency	3.2
nein[1a]	
no	1.

INDEX TO GERMAN WORDS IN THE LIST

	Section
Nelke	
clove	6.7
carnation	8.4
nennen[1a]	
(give) name (to)	1.
Nerv[3b]	
nerve	3.5
nervös[6b]	
nervous	4.4
Nest[6a]	
nest	3.3
nett[5a]	
fine	1.4
Netz[4a]	
net	3.1
neu[1a]	
new	1.
Neue[2a]	
news	1.4
Neuerung[5b]	
reform	3.2
Neugier[6b]	
curiosity	4.8
Neugierde[6b]	
curiosity	4.8
neugierig[5b]	
curious	2.7
Neuigkeit[5b]	
novelty	4.3
neulich[3b]	
recent	2.7
recently	2.8
neun[4a]	
nine	2.4
neunte[6b]	
ninth	4.7
neunzehn	
nineteen	6.3
neunzig	
ninety	5.8
neutral	
neutral	7.6
Neuwahl[5b]	
election	2.1
reëlection	8.4
Neuzeit[6b]	
present	1.5
nicht[1a]	
überhaupt –	
(not at) all	1.
auch –, neither	1.
– mehr, no longer	1.
not	1.
wenn –, unless	1.4
– bewußt, insensible	4.1
– zu bestimmen	
indefinable	10.2
Nichte[4a]	
niece	4.1
nichtig	
void	5.4
nichts[1a]	
nothing	1.
– nützen, (of no) use	1.8
nought	3.
nicken[5b]	
nod	3.2
nie[1a]	
never	1.
nieder[1b]	
down	1.
von -er Herkunft	
(of) lowly (birth)	6.4
niederdrücken[5a]	
overwhelm	4.8
depress	4.9
Niedergang[5b]	
descent	5.1

	Section
Niederlage[4a]	
defeat	3.6
niederländisch[4a]	
Dutch	4.
niederlassen[5a]	
settle down	3.1
niederlegen[3a]	
sich –, (go to) bed	1.6
pull down	2.8
niederschlagen[4b]	
fell	2.8
niederschreiben[5b]	
write	1.
niedersetzen[6a]	
place	1.
niedrig[2a]	
low	1.4
low (vile)	1.8
ignoble	4.6
niemals[1b]	
never	1.
niemand[1a]	
no one	1.
Niere	
kidney	7.3
nimmer[3b]	
no longer	1.
nimmermehr[4b]	
never	1.
Nippsache(n)	
trinket	8.2
nirgends[2b]	
nowhere	3.4
noch[1a]	
weder ... –	
neither .... nor ..	1.
weder der eine – der andere	
neither (one)	1.
still	1.
nochmals[2b]	
again	1.
Nonne	
nun	6.3
Norden[2b]	
north	1.6
nordisch[6a]	
northern	2.
nördlich[2a]	
northern	2.
Nordwesten	
northwest	6.8
Norm[6a]	
standard	2.2
normal[4a]	
normal	3.9
Not[1b]	
need	1.
Nota[4b]	
account	1.
Notar	
public trustee	7.6
Note[3a]	
note	1.9
Notfall[6a]	
necessity	2.3
notieren[3b]	
note	1.9
nötig[1a]	
necessary	1.
nötigen[2a]	
force	1.
Notiz[3b]	
notice	1.7
notwendig[1a]	
necessary	1.
(of) necessity	2.3

	Section
Notwendigkeit[2b]	
necessity	2.3
Novelle[4b]	
novel	2.9
November[2a]	
November	2.3
nüchtern[4b]	
sober	3.8
Null	
zero	6.4
nonentity	10.6
Nummer[1a]	
figure	1.1
nun[1a]	
now (adv.)	1.
now (conj.)	1.
so	1.
von – an	
(from) now on	1.1
so (then)	1.5
nunmehr[1b]	
now (adv.)	1.
nur[1a]	
only	1.
Nuß	
nut	5.1
Nüster	
nostril	5.7
Nutz[2a]	
profit	2.
nützen[3a]	
help	1.
nichts –, (of no) use	1.8
nutzen[5b]	
use	1.
nützlich[2b]	
useful	2.
nutzlos[6b]	
– sein, (of no) use	1.8
Nymphe	
nymph	6.4

O

	Section
Oase	
oasis	7.
ob[1a]	
whether	1.
Obelisk	
obelisk	9.
oben[1a]	
above (adv.)	1.
upstairs	3.
obere[1b]	
upper	1.4
Oberfläche[4a]	
top	2.5
surface	2.8
oberflächlich[5a]	
shallow	4.5
oberhalb[5a]	
above (adv.)	1.
Oberkommando[5b]	
command	2.3
Oberst[2b]	
colonel	3.9
obgleich[1b]	
although	1.
obig[3b]	
above	2.2
Objekt[4a]	
thing	1.
object	3.
objektiv[4b]	
impartial	5.
obliegen[4b]	
busy	1.
charge	2.2
obligatorisch[5a]	
required	3.1

	Section
Obrigkeit[6a]	
authority	2.3
obschon[4b]	
although	1.
Obstgarten	
orchard	5.2
obwalten[6a]	
prevail	3.2
obwohl[2a]	
although	1.
Ochse[6b]	
ox	3.8
beef	4.1
öde[5a]	
waste	2.4
bleak	4.8
Öde	
desolation	6.6
oder[1a]	
either	1.
or	1.
Ofen[2b]	
furnace	2.7
oven	2.7
stove	3.3
offen[1b]	
open (vb.)	1.
open (adj.)	1.3
outstretched	3.
offenbar[2a]	
evident	2.5
offenbaren[4a]	
reveal	2.4
Offenbarung[6a]	
revelation	5.5
Offenheit	
frankness	7.2
offenkundig	
flagrant	10.1
offensiv[5b]	
offensive	5.7
öffentlich[1a]	
public	1.
Öffentlichkeit[3b]	
public	1.4
offiziell[4b]	
official	2.8
Offizier[1b]	
officer	1.2
öffnen[1b]	
open	1.
halb –, half open	1.5
Öffnung[3a]	
opening	2.3
oft + öfter(s)[1a]	
often	1.
oh[6b]	
O	1.2
Oheim[4a]	
uncle	1.9
ohne[1a]	
– Zweifel	
(without) doubt	1.
– Zwang, free	1.
without	1.
– Umweg, direct	1.1
– .... Wissen	
unknown	2.2
ohnehin[4a]	
(in any) case	1.
Ohnmacht[6a]	
in – fallen, faint	3.3
faint	4.1
ohnmächtig[5a]	
– werden, faint	3.3
Ohr[2a]	
ear	1.5

	Section
Ökonomie	
economy	6.2
ökonomisch[6b]	
economic	6.2
Oktober[2a]	
October	2.4
Öl[3a]	
oil	2.5
Olive	
olive tree	5.7
olive	5.8
Omnibus	
bus	8.1
Onkel[3b]	
uncle	1.9
Oper[4a]	
opera	4.5
Operation[3a]	
operation	2.4
Operette	
(musical) drama	6.2
Opfer[2a]	
sacrifice	2.
victim	2.2
martyr	3.1
opfern[3b]	
sacrifice	2.6
Opposition[5a]	
opposition	3.
Optimismus	
optimism	9.7
Optimist	
optimistic	10.9
optimistisch	
optimistic	10.9
optisch	
optic	7.8
Orakel	
oracle	6.8
Orange(nbaum)	
orange tree	5.
Orangenblüte	
orange blossom	4.9
Orchester[6b]	
orchestra	5.5
Orden[4b]	
medal	4.4
ordentlich[3a]	
neat	2.6
ordnen[2a]	
(put in) order	1.4
fix	1.5
dispose	1.8
class	2.1
Ordnung[1b]	
arrangement	2.4
Ordre[4b]	
order	1.
Organ[2a]	
organ	2.2
Organisation[2b]	
organization	3.5
Organisator	
organizer	11.
organisch[3a]	
organic	4.5
organisieren[4b]	
organize	3.7
Organismus[4a]	
organism	4.8
orientalisch[5a]	
eastern	2.7
Original[4a]	
queer person	3.3
Originalität	
originality	6.8

	Section
originell[6b]	
original	4.1
Ort[1a]	
place	1.
örtlich[5a]	
local	3.8
Örtlichkeit	
location	5.5
Ortschaft[4a]	
place	1.
village	1.2
Ortsstatut[6b]	
statute	4.1
Osten[2b]	
east	2.
Ostern[5b]	
Easter	4.8
österreichisch[2a]	
Austrian	4.1
östlich[2b]	
eastern	2.7
Ozean[6a]	
ocean	3.6

P

	Section
paar[2a]	
ein –, (a) few	1.
ein –, several	1.
Paar[3a]	
pair	1.9
Pächter	
tenant	6.5
packen[4a]	
pack	3.5
paddeln	
paddle	7.2
Palast[3a]	
palace	2.3
Palme	
palm tree	5.5
Panik	
panic	7.3
Pantoffel	
slipper	5.7
Papa[4a]	
papa	3.4
Papagei	
parrot	6.5
Papier[1b]	
paper	1.
Pappe	
cardboard	8.6
Papst[3a]	
pope	3.3
Parade[6b]	
procession	4.1
parade	5.4
Paradies[5a]	
paradise	3.8
Paragraph[1a]	
paragraph	3.3
parallel[6b]	
parallel	4.9
parfümieren	
perfume	5.4
parisisch[4a]	
Parisian	5.8
Park[4b]	
park	2.3
Parlament[3b]	
parliament	2.8
parlamentarisch[4a]	
parliamentary	7.
Partei[1b]	
party	1.1

	Section
Partie[3b]	
excursion	4.1
Partikel	
particle	7.
Partizip	
participle	10.2
Paß	
pass	4.4
Passant	
passerby	10.9
passen[2a]	
fit	1.
passieren[3a]	
happen	1.
passiv	
passive	7.3
Paste	
paste	6.1
Pastete	
pie	5.1
Pastille	
tablet	6.2
Pastor[5a]	
minister	2.
pastor	4.9
Pate	
godfather	8.6
Patent[5a]	
patent	5.2
Patient[6a]	
patient	2.5
Patin	
godmother	6.8
Patriarch[5a]	
patriarch	6.8
patriarchisch	
patriarchal	10.1
Patriot[6b]	
patriot	5.2
patriotisch[5b]	
patriotic	4.8
Patron[5b]	
patron	4.
Patrone	
cartridge	9.
Patrouille[5a]	
guard (military)	2.
Pause[3b]	
pause	2.9
Pavillon	
pavilion	6.4
Pedant	
pedant	9.6
peinlich[4a]	
painful	3.2
Peitsche	
whip (n.)	4.8
peitschen	
whip (vb.)	4.8
Pellerine	
cloak	4.8
Pelz	
fur	5.
Pension[4b]	
board	2.7
pension	4.3
per[2b]	
by (agent)	1.
Pergament	
parchment	7.4
Periode[2b]	
period	2.2
periodisch	
periodical	3.9
Perle[4b]	
pearl	2.9
bead	3.2

	Section
Perlmutter	
mother-of-pearl	12.7
persisch[5b]	
Persian	5.6
Person[1a]	
person	1.
Personal[5a]	
staff	3.4
persönlich[1b]	
personal	1.9
Persönlichkeit[2b]	
personage	3.6
personality	3.9
peruanisch	
Peruvian	9.8
Perücke	
wig	6.8
Petersilie	
parsley	8.1
Petition[3b]	
petition	4.
Petroleum	
kerosene	6.9
petroleum	6.9
Pfad[5a]	
path	2.9
Pfand[6a]	
pledge	2.9
Pfanne	
pan	4.9
frying pan	6.4
Pfannkuchen	
pancake	7.
Pfarrer[2b]	
minister	2.
Pfau	
peacock	6.4
Pfeffer	
pepper	5.9
Pfeife[5b]	
pipe	3.6
whistle	3.9
fife	6.
pfeifen	
whistle	4.6
Pfeifer	
piper	7.2
Pfeil[4a]	
arrow	3.2
Pfennig[2b]	
cent	1.7
Pferd[1b]	
horse	1.
zu -e, horseback	2.2
Pfirsich	
peach	5.8
Pflanze[2b]	
plant	1.5
pflanzen[4a]	
plant	2.4
Pflanzer	
planter	7.2
Pflaster	
pavement	5.7
pflastern	
pave	6.2
Pflaume	
plum	6.
Pflege[3b]	
care	1.
fostering	3.9
pflegen[1b]	
(take) care	1.
Pflicht[1b]	
duty	1.
Pflug	
plow	5.3

INDEX TO GERMAN WORDS IN THE LIST

	Section
pflügen	
plow (e.g., ship through waves)	5.4
plow (agricultural)	5.7
Pforte[4b]	
porch	2.7
Pfote[6a]	
paw	5.1
Pfund[2b]	
pound	1.6
Phantasie[2a]	
fancy	2.
phantasiereich	
imaginative	7.7
phantasieren	
rave	6.6
phantastisch[5a]	
fantastic	4.7
Pharisäer[6a]	
Pharisee	8.
Phase	
phase	8.4
Philosoph[3b]	
philosopher	3.3
Philosophie[3a]	
philosophy	3.3
philosophisch[3b]	
philosophical	5.2
Phönix	
phoenix	9.4
Phosphor[3a]	
phosphorus	11.
Photographie[5a]	
photograph	3.7
Phrase[6b]	
sentence	1.4
Physik	
physics	8.
physikalisch[6b]	
physics	8.
physisch[4a]	
physical	4.
Picknick	
picnic	6.3
piepen	
chirp	6.8
Pier	
dock	5.4
Pilger	
pilgrim	5.8
Pilgerzug	
pilgrimage	6.7
Pille	
pill	6.8
Pinsel[6b]	
fool	2.4
brush	4.6
Pionier	
pioneer	6.8
-e, (engineer) corps	7.2
Pistole	
pistol	5.9
plagen[6a]	
torment	3.1
harry	4.1
vex	4.1
plaidieren	
plead	5.1
Plakette	
badge	6.7
Plan[1b]	
plan	1.1
planen[5a]	
plan	2.3
Planet[4b]	
planet	3.9

	Section
plastisch[6a]	
plastic	7.6
Platane	
plane tree	6.
Plateau	
plateau	6.
platt[6a]	
flat	2.7
Platte[3a]	
dish	1.8
plate	2.5
platter	4.
plattieren	
plate	5.1
Platz[1a]	
place	1.
room (space)	1.
seat	1.
– nehmen, sit (down)	1.
square	1.
plaudern[5b]	
chat	4.9
plötzlich[1b]	
sudden	1.
suddenly	1.
plündern	
plunder	6.5
plus	
plus	6.7
Pöbel[5b]	
mob	4.9
pochen[6a]	
knock	2.6
tap	4.6
Podium	
platform	6.2
Poesie[2b]	
poetry	2.4
Poet[5b]	
poet	1.5
poetisch[3a]	
poetic	3.9
Pol[6b]	
pole	4.6
Polar-	
polar	6.8
Police[6b]	
policy	4.6
Politik[2a]	
policy	2.4
politic(s)	4.4
Politiker[6a]	
politician	5.5
politisch[1b]	
political	1.9
Polizei[4b]	
police	3.7
police department	4.6
polizeilich[6b]	
police	5.
Polizist	
policeman	5.8
polnisch[4a]	
Polish	4.1
populär[6b]	
popular	4.1
Pore	
pore	7.1
Porto	
postage	5.7
Porträt[5a]	
painting	3.2
portugiesisch	
Portuguese	6.7
Porzellan[5b]	
china	3.7
Position[5b]	
position	1.4

	Section
positiv[4a]	
positive	3.8
Posse[6b]	
farce	5.8
Post[2a]	
post	2.
post-office	3.3
Post-[4b]	
post	3.
Pracht[5a]	
splendor	3.6
pomp	4.4
prächtig[3a]	
splendid	2.6
prachtvoll[5a]	
magnificent	3.5
prägen[5b]	
stamp	3.9
praktisch[1b]	
practical	2.2
Prämie[3a]	
prize	1.5
Präposition	
preposition	8.1
Prärie	
prairie	6.2
präsentieren[5a]	
present	1.8
Präsident[2a]	
president	1.9
Praxis[2b]	
exercise	1.7
predigen[4a]	
preach	3.
Prediger[4b]	
minister	2.
Predigt[3b]	
sermon	3.7
Preis[1b]	
price	1.
prize	1.5
preisen[3a]	
praise	2.1
extol	3.
preisgeben[5b]	
leave (desert)	1.
Presse[2b]	
press	1.9
pressen[4b]	
press	1.1
preußisch[1a]	
Prussian	4.5
Priester[3b]	
minister	2.
Prinz[1b]	
prince	1.1
Prinzessin[3b]	
princess	2.9
Prinzip[2a]	
principle	1.9
Prinzipal[6a]	
chief	1.5
prinzipiell[3b]	
(on) principle	2.7
Prisma	
prism	6.9
privat[5b]	
private	3.
Privileg(ium)[5a]	
privilege	3.7
Probe[2b]	
test	1.9
proben	
rehearse	6.1
Problem[4a]	
problem	3.3

	Section
Produkt[2b]	
product	2.1
Produktion[4a]	
production	3.9
Produzent[6a]	
maker	4.7
produzieren[5b]	
produce	1.8
profan	
profane	6.3
Professor[2a]	
professor	2.6
Profil	
profile	8.7
Programm[4a]	
program	4.2
Projekt[4a]	
project	3.5
Promptheit	
promptitude	10.
Pronomen	
pronoun	6.8
Prophet[3b]	
prophet	3.1
Prophezeiung	
prophecy	6.6
Prosa[6a]	
prose	5.3
prosaisch	
prosaic	10.5
Prospekt[6b]	
prospect	2.4
pamphlet	6.3
Protest[4a]	
protest	4.1
Protestant[4b]	
Protestant	4.4
protestantisch[4a]	
Protestant	4.4
protestieren[6a]	
protest	4.4
Protokoll[5a]	
record	3.8
Provinz[1b]	
province	1.5
Provinzler	
provincial	7.9
Provision[5b]	
provision	4.1
Prozent[1b]	
interest (percent)	1.
Prozentsatz[5a]	
rate of interest	3.8
Prozeß[2a]	
suit	1.8
trial	2.
prüfen[2b]	
examine	1.5
Prüfung[2a]	
test	1.9
Prügel	
beating	6.4
prunkvoll	
luxurious	6.6
Psalm[5b]	
psalm	5.6
Psychologie	
psychology	8.5
psychologisch	
psychological	9.3
Publikation[6b]	
publication	4.6
Publikum[2a]	
public	1.4
Pudding	
pudding	6.

	Section
Puff	
puff	5.8
Puls	
pulse	6.
Pulver³ᵇ	
powder	2.8
Pumpe	
pump	5.3
Punkt¹ᵃ	
point	1.
pünktlich⁵ᵇ	
prompt	2.5
Pupille	
pupil (eye)	5.3
Puppe	
doll	4.9
Purpur	
purple	4.9
Puter	
turkey	5.6
putzen⁶ᵇ	
polish	4.4
Pyramide⁶ᵇ	
pyramid	5.7

Q

Quadrat	
square	4.4
Quai	
dock	5.4
quaken	
quack	6.1
croak	6.8
Qual⁴ᵃ	
torment	3.5
torture	3.9
quälen³ᵇ	
torment	3.1
torture	3.5
qualifizieren	
qualify	7.2
Qualität⁴ᵃ	
quality	2.7
Quantität⁴ᵃ	
amount	1.
Quantum⁶ᵃ	
amount	1.
Quartier⁴ᵃ	
quarter (of town)	2.5
Quaste	
tassel	7.
Quecksilber	
mercury	6.6
Quelle²ᵃ	
spring	1.7
well	1.9
quer⁶ᵇ	
– über, across	3.4
Querstraße	
crossroad	10.5
quitt	
quit	4.6
Quittung⁶ᵃ	
receipt	4.9
Quotisierung⁶ᵃ	
ration	6.4

R

Rabbiner⁴ᵇ	
rabbi	8.4
Rabe	
crow	5.3
Rache³ᵇ	
revenge	2.8

	Section
rächen³ᵇ	
avenge	3.8
Rächer	
avenger	8.9
Rad⁴ᵇ	
wheel	2.5
radikal⁵ᵇ	
radical	5.
ragen⁴ᵇ	
project	3.7
Rahmen³ᵇ	
frame	2.4
rahmen	
frame	5.1
Ranch	
ranch	6.9
Rand²ᵇ	
edge	1.5
brim	2.6
margin	3.9
Rang³ᵃ	
rank	2.6
hohe –, eminence	5.3
rasch¹ᵇ	
fast	1.
rasen⁴ᵃ	
rage	3.7
Rasen⁶ᵇ	
lawn	4.3
turf	5.8
Rasierapparat	
razor	7.2
rasieren	
shave	5.6
Rasiermesser	
razor	7.2
Rasse⁶ᵃ	
race	3.2
rastlos⁵ᵇ	
restless	2.7
Rat¹ᵇ	
advice	1.4
council	2.1
raten²ᵇ	
richtig –, guess right	1.4
guess	1.5
advise	2.
Rathaus⁶ᵇ	
(city) hall	3.4
rationell⁴ᵇ	
saving	1.8
Ratschlag⁶ᵇ	
advice	1.4
Rätsel⁴ᵃ	
riddle	4.6
rätselhaft⁶ᵇ	
mysterious	3.5
Ratsherr	
alderman	7.2
Ratte	
rat	5.2
Raub⁵ᵃ	
robbery	4.8
rauben³ᵃ	
rob	2.3
Räuber⁴ᵇ	
robber	3.7
Rauch⁴ᵇ	
smoke	2.4
rauchen⁴ᵇ	
smoke	2.6
Raufbold	
ruffian	7.
rauh⁴ᵃ	
rough	3.
gruff	3.7
harsh	3.9

	Section
Rauheit	
harshness	7.8
Raum¹ᵇ	
place	1.
room (space)	1.
räumen³ᵇ	
take away	1.
evacuate	7.7
Raupe	
caterpillar	7.2
rauschen⁴ᵃ	
rustle	4.6
reagieren	
react	7.9
Reaktion⁶ᵇ	
reaction	6.6
real⁶ᵃ	
concrete	6.1
Realist	
realist	9.
Rebe⁶ᵇ	
vine	4.
Rebell⁵ᵇ	
rebel	4.
Rebhuhn	
partridge	6.9
Rechen	
rake	6.2
Rechenschaft⁵ᵃ	
account	1.
rechnen¹ᵇ	
count	1.
– auf, count on	1.
Rechnung¹ᵇ	
account	1.
recht¹ᵃ	
right (correct)	1.
right (hand)	1.
Recht¹ᵃ	
– haben, (be) right	1.
Rechteck	
rectangle	6.8
rechtfertigen²ᵇ	
justify	2.5
Rechtfertigung⁶ᵇ	
justification	7.2
rechtlich³ᵃ	
fair	1.4
Rechtlichkeit	
righteousness	6.9
rechtmäßig⁶ᵇ	
lawful	3.
Rechtsanwalt⁴ᵃ	
attorney	4.7
Rechtsbelehrung⁶ᵇ	
legal information	5.3
rechtschaffen⁶ᵃ	
upright	3.8
Rechtschreibung	
spelling	5.3
Rechtspflege⁶ᵇ	
jurisprudence	9.6
rechtzeitig³ᵃ	
prompt	2.5
Redakteur⁵ᵃ	
editor	6.1
Redaktion⁴ᵇ	
(editorial) staff	5.3
Rede¹ᵃ	
talk (conversation)	1.
talk (lecture)	1.2
(make a) speech	1.6
oration	3.5
Redekunst	
oratory	8.6
reden¹ᵃ	
talk	1.

	Section
redlich³ᵇ	
honest	1.9
Redner³ᵃ	
speaker	3.1
redselig	
talkative	10.
Referent⁴ᵇ	
speaker	3.1
Reform²ᵇ	
reform	3.2
Reformation⁶ᵃ	
reform	3.2
reformieren⁶ᵇ	
reform	5.
rege³ᵇ	
(full of) life	1.
Regel¹ᵇ	
rule	1.1
precept	3.7
regelmäßig²ᵃ	
regular	2.
Regelmäßigkeit	
regularity	8.
regeln²ᵇ	
(put in) order	1.4
Regelung³ᵃ	
rule	1.1
Regen³ᵇ	
rain	2.
Regenbogen	
rainbow	5.8
Regentin⁴ᵇ	
regent	6.4
regieren²ᵇ	
reign	2.
manage	2.2
Regierung¹ᵃ	
government	1.1
reign	2.1
Regierungsbezirk⁶ᵇ	
district	2.1
Regierungskommissar⁶ᵃ	
mayor	2.5
commissioner	5.
Regierungspräsident⁶ᵃ	
mayor	2.5
county head	12.
Regierungsvorlage³ᵃ	
(government) bill	1.9
Regiment¹ᵇ	
regiment	3.6
Register⁶ᵃ	
record	3.8
Reglement⁶ᵃ	
rule	1.1
Reglosigkeit	
immobility	12.9
regnen	
rain	4.2
regnerisch	
rainy	5.7
Regress⁶ᵃ	
damage	2.4
regulieren⁵ᵇ	
(put in) order	1.4
regulate	4.4
Regulierung⁵ᵃ	
rule	1.1
Regung⁵ᵇ	
motion	1.4
Reh	
deer	5.8
reiben⁴ᵇ	
rub	3.2
Reibung⁶ᵃ	
friction	6.1

German	Section
reich[1a]	
rich	1.
Reich[1a]	
empire	1.7
kingdom	1.7
reichen[1b]	
extend	1.
reichlich[2b]	
sufficient	2.5
lavish	3.7
Reichsbank[2a]	
bank	1.8
Reichsgericht[5a]	
supreme court	4.3
Reichsgesetz[5a]	
law	1.
Reichskanzler[4a]	
chancellor	5.6
Reichsregierung[6b]	
government	1.1
Reichstag[2a]	
parliament	2.8
Reichtum[2b]	
wealth	1.5
reif[4a]	
ripe	2.9
Reife	
maturity	7.8
reifen[4b]	
(get) ripe	3.4
Reifen	
tire	7.2
Reihe[1b]	
an der –, (in) turn	1.
row	1.2
series	2.5
reihen[5b]	
fix	1.5
Reim	
rhyme	6.
rein[1a]	
clean	1.
pure	1.
pure (blooded, etc.)	1.5
Reinheit[5a]	
purity	4.7
cleanliness	5.3
reinigen[3a]	
clean	2.2
purify	4.4
Reinigung[4b]	
cleaning	3.
reinlich[6b]	
neat	2.6
Reis[6a]	
rice	4.7
Reise[1b]	
journey	1.
reisen[2a]	
travel	1.8
Reisende[3a]	
traveler	2.4
passenger	3.2
Reisetasche	
bag	4.5
reißen[2a]	
tear	1.8
an sich –, usurp	4.5
reiten[2a]	
ride	1.5
Reiter[3a]	
horseman	2.8
Reiterei[5b]	
cavalry	5.3
Reitschule	
riding-school	13.
Reiz[2b]	
grace	1.4
charm	1.9
stimulus	5.
irritation	5.4
reizbar	
fretful	6.6
reizen[3a]	
provoke	2.4
urge	2.5
reizend[3b]	
charming	2.3
Reklame	
puff	5.8
publicity	7.8
Rekrut[6b]	
recruit	6.4
Rektor	
chancellor	7.
relativ[5a]	
relative	3.7
Relief	
relief	5.2
Religion[1b]	
religion	1.6
Religionsunterricht[5a]	
religion	1.6
religiös[2a]	
religious	2.3
Reliquie	
relic	6.1
Renaissance	
revival	8.1
rennen[5a]	
run	1.
Rente[4b]	
pension	4.3
Rentier	
reindeer	6.8
Rentner	
independent person	5.7
Reptil	
reptile	7.4
repräsentieren[5b]	
represent	1.4
Republik[3b]	
republic	2.8
republikanisch[5b]	
republican	4.4
Reserve[3a]	
reserve	3.2
Residenz[5b]	
residence	4.1
Resolution[3b]	
resolution	3.2
Respekt[6a]	
respect	1.9
respektiv[3a]	
respective	3.7
Rest[2b]	
rest	1.1
Resultat[2a]	
result	1.5
Retorte[6a]	
retort	7.2
retten[1b]	
save	1.
Rettung[3b]	
salvation	3.9
Reue[4b]	
remorse	4.1
Revision[3b]	
revision	6.8
Revolution[3a]	
revolution	3.2
revolutionär[5b]	
revolutionary	5.
Rhetorik	
rhetoric	7.2
Rheumatismus	
rheumatism	7.2
Rhythmus	
rhythm	7.9
richten[1a]	
direct	1.
judge	1.
Richter[2a]	
judge	1.6
arbiter	5.9
richterlich[6b]	
judicial	8.8
richtig[1a]	
right (correct)	1.
– raten, guess right	1.4
Richtigkeit[4b]	
truth	1.
accuracy	5.3
Richtung[1a]	
direction	1.
riechen[6b]	
smell	3.5
Riegel	
bolt	5.5
Riemen	
strap	6.2
Riese[6a]	
giant	4.
riesig[5b]	
great (huge)	1.
Riff	
ledge	6.8
Rinde	
bark	4.9
Ring[2a]	
circle	1.2
ring	2.
ringen[4b]	
fight	1.6
wrestle	4.
rings[4a]	
around	1.1
ringsum[6b]	
around	1.
Rinne	
groove	7.2
Rippe	
rib	5.
Risiko[4b]	
risk	3.4
Riß[6b]	
sketch	3.9
Ritter[2b]	
knight	2.1
ritterlich[6b]	
courteous	4.3
Ritterlichkeit	
chivalry	7.2
Rock[3b]	
skirt	2.6
Rocken	
distaff	8.2
Roggen[6a]	
rye	5.6
roh[2b]	
savage	2.
raw	2.7
Roheit	
brutality	9.
Rohr[3b]	
reed	3.4
Röhre[4a]	
pipe	3.2
Rolle[2a]	
part	1.4
roll	2.6
scroll	4.6
rollen[4b]	
roll (rock)	2.2
roll (tr. vb.)	2.3
Rollen	
roll	4.3
Roman[2b]	
novel	2.9
romanisch	
romance	6.4
Romanschriftsteller	
novelist	7.9
Romantik[5a]	
romanticism	10.4
romantisch[4a]	
romantic	4.3
Römer[2b]	
Roman	1.8
römisch[1b]	
Roman	1.8
rosa	
pink	4.6
Rose[2b]	
rose	1.5
Rosenkranz	
beads	5.4
Rosenstrauch	
rose bush	5.2
Rosine	
raisin	6.4
Roß[4a]	
horse	1.
Rost[6b]	
rust	5.2
rösten	
toast	5.6
rosten	
rust	5.8
rostig	
rusty	6.6
rot[1b]	
red	1.
Röte	
blush	5.5
Rotkehlchen	
robin	5.6
Routine	
routine	7.7
Royalist	
royalist	10.
Rübe	
beet	6.8
Rubel[4b]	
pound	1.
ruchlos	
impious	6.5
Rückblick[6b]	
review	2.6
rücken[2a]	
move	1.1
Rücken[2b]	
back	1.4
rückgängig	
– machen, undo	5.5
Rückgrat	
spine	7.
Rückhaltlosigkeit	
abandon	5.4
Rückkehr[3b]	
return	1.4
Rücksicht[1b]	
mit – auf, as for	1.
regard	1.5
rücksichtslos[6a]	
merciless	5.4
rückständig	
backward	5.4

		Section
rückwärts³ᵇ	backward	2.8
rückzahlen	repay	5.
Rückzug²ᵇ	return	1.4
	retreat	2.6
Ruder⁵ᵇ	oar	4.8
	helm	5.6
rudern	row	5.
Ruf²ᵃ	call	1.4
	reputation	3.2
	prestige	5.9
rufen¹ᵃ	call	1.
	cry	1.
	– nach, zu, etc. call upon	1.5
Ruhe¹ᵇ	quiet	1.
	rest	1.2
ruhen¹ᵇ	rest	1.
	lie	1.7
ruhig¹ᵇ	quiet	1.
Ruhm²ᵇ	fame	2.3
rühmen²ᵇ	boast	2.2
rühmlich⁶ᵇ	honorable	4.
rühren²ᵃ	touch	1.
	move	1.5
	feel	1.6
	stir	2.1
	-d, moving	2.3
	-d, pathetic	5.
Rührung⁵ᵇ	feeling	1.
	emotion	4.3
Ruin⁴ᵇ	ruin	2.4
rund²ᵇ	round	1.6
	circular	3.3
Runde	(make) rounds	4.2
Rundschau³ᵇ	review	2.6
Runkelrübe	turnip	6.7
runzeln	frown	5.5
	wrinkle	5.7
Russe⁵ᵇ	Russian	3.
russisch²ᵃ	Russian	3.
rüsten⁴ᵇ	arm	2.4
Rüstung⁴ᵇ	armor	4.4

S

		Section
Saal²ᵇ	hall	1.5
Saat⁶ᵇ	seed	2.7
	sowing	4.5
Säbel⁶ᵇ	sword	2.
	saber	7.2
Sache¹ᵃ	matter	1.
sachgemäß⁶ᵃ	adequate	6.
Sachlage⁵ᵇ	position	1.4
sachlich⁴ᵃ	impartial	5.
sächsisch³ᵇ	English	1.
Sachverständige⁴ᵃ	expert	4.2
Sack⁵ᵇ	bag	3.
säen⁶ᵃ	sow	3.6
Saft⁴ᵇ	sap	4.2
	juice	4.3
	syrup	5.3
Sage³ᵃ	legend	3.9
sagen¹ᵃ	say	1.
Sahne	cream	5.1
Salat	salad	6.
	lettuce	7.1
salben	anoint	7.
Salbung	ointment	7.
Salm	salmon	7.2
Salon⁴ᵇ	room	2.3
Salpeter⁶ᵇ	fertilizer	5.7
Salpetersäure⁵ᵃ	acid	3.7
Salve	discharge	5.8
Salz³ᵇ	salt	2.1
salzen	salt	4.7
Salzsäure⁶ᵃ	acid	3.7
Samen⁴ᵇ	seed	2.7
sammeln²ᵃ	gather (collect)	1.5
	gather (pluck)	1.5
Sammlung²ᵃ	assembly	2.6
	collection	2.7
samt³ᵇ	with	1.
Samt	velvet	5.2
sämtlich¹ᵇ	complete	1.
Sand³ᵇ	sand	2.
sandig	sandy	6.
sanft²ᵃ	soft	1.5
Sänger⁵ᵃ	singer	4.3
Sankt⁶ᵃ	saint	2.6
Sanktion	sanction	6.7
Sardine	sardine	8.

		Section
Sarg⁵ᵃ	coffin	5.3
Sarkasmus	sarcasm	8.8
Satin	satin	5.8
Satire	satire	6.9
satt⁶ᵃ	satisfied	4.1
Sattel	saddle	3.8
Satz¹ᵇ	sentence	1.4
	start	1.7
	thesis	6.1
sauber⁴ᵇ	clean	1.
Sauberkeit	neatness	9.2
sauer⁴ᵇ	sour	4.4
Sauerstoff³ᵃ	oxygen	5.6
saugen	suck	6.
Säugling	baby	4.4
Säule⁴ᵃ	column	3.3
Säure²ᵇ	acid	3.7
schaben	skin	5.
Schach	chess	8.2
Schachtel⁶ᵇ	box	2.3
schade⁵ᵃ	(too) bad	2.9
Schädel	skull	6.
Schaden²ᵃ	damage	2.4
schaden³ᵃ	hurt (tr. vb.)	1.8
schädigen³ᵇ	hurt (tr. vb.)	1.8
Schädigung⁶ᵃ	damage	2.4
schädlich³ᵇ	injurious	4.3
Schaf⁵ᵇ	sheep	3.
schaffen¹ᵃ	busy	1.
	create	1.5
Schaffen⁶ᵃ	creation	3.4
Schafs-	mutton	5.8
schal	flat	5.3
Schal	shawl	7.4
Schale⁵ᵃ	shell	3.7
	bowl	4.2
	peel	5.3
schälen⁵ᵇ	peel	5.2
Schall⁶ᵇ	sound	1.2
Schalter	ticket window	5.3
Scham⁵ᵇ	shame	3.3
	modesty	4.7

		Section
schämen⁴ᵃ	sich –, (be) ashamed	3.
Schande³ᵇ	disgrace	3.4
schändlich⁵ᵇ	shameful	4.7
Schanze⁶ᵃ	fort	2.6
Schar³ᵃ	group	1.8
	band	2.1
scharf¹ᵇ	sharp	1.7
	keen	2.4
Schärfe⁴ᵇ	edge	2.6
	rigor	4.2
Scharfsinn⁶ᵇ	wisdom	2.3
	ingenuity	5.6
Schärpe	scarf	6.1
Schatten²ᵇ	shade	1.4
	shade (shadow)	1.8
schatten	shade	4.9
schattig	shady	6.1
Schatz²ᵃ	treasure	2.
	darling	2.2
schätzbar	estimable	10.1
schätzen²ᵃ	value	1.4
Schatzmeister	treasurer	7.2
Schätzung⁴ᵇ	estimate	3.8
Schau⁶ᵇ	display	2.6
schaudern⁶ᵃ	tremble	1.8
schauen²ᵃ	look at	1.
Schauer⁷ᵃ	shower	2.5
	shiver	4.7
	thrill	5.6
Schaufel	spade	5.8
Schaum	foam	5.3
schäumen	foam	5.7
Schauplatz⁵ᵃ	scene	1.8
Schauspiel³ᵃ	play	2.
Schauspieler⁴ᵇ	actor	3.9
Scheere	scissors	6.5
Scheffel	bushel	6.
Scheibe³ᵇ	pane	3.3
	slice	4.
	disk	5.4
Scheide⁶ᵃ	sheath	4.4
scheiden²ᵃ	separate	1.
	divorce	4.
Scheideweg	crossroads	10.4

INDEX TO GERMAN WORDS IN THE LIST

German	English	Section
Scheidung[6a]		
separation		3.4
Schein[2b]		
looks		1.
gleam		2.5
scheinen[1a]		
appear (look)		1.
scheinbar[2b]		
apparent		3.
scheitern[4b]		
fail		2.6
Schelm[6b]		
knave		4.5
schelten[6a]		
scold		4.
Schemel		
stool		6.4
Schenkel[6a]		
thigh		5.2
schenken[2a]		
give		1.
present		1.4
Scherz[4a]		
joke		2.9
scherzen[5a]		
joke		4.3
scheu[5a]		
shy		4.2
Scheu[5b]		
fear		1.4
scheuen[3a]		
avoid		1.8
Scheune		
barn		5.5
Schicht[3a]		
shift		3.5
layer		3.8
schicken[1b]		
send		1.
schicklich[6b]		
decent		4.
Schicksal[1b]		
fate		1.5
schieben[3a]		
push		2.3
schief[5b]		
crooked		3.7
Schiefer		
slate		6.8
Schiene		
rail		5.3
schießen[2b]		
shoot		1.8
Schießen[4b]		
shooting		3.4
Schiff[1b]		
ship		1.3
Schiffahrt[4b]		
shipping		3.
schiffbar		
navigable		7.2
Schiffbruch		
shipwreck		6.9
Schiffer[4a]		
sailor		2.9
Schild[4b]		
sign		3.4
shield		3.5
schildern[2a]		
paint		1.5
Schilderung[3a]		
description		3.1
Schildkröte		
turtle		6.4
tortoise		6.8
Schimmer[6a]		
gleam		2.5
schimmern[5a]		
glitter		3.6
schinden		
skin		4.9
Schinken		
ham		5.7
Schirm[7a]		
umbrella		5.4
screen		5.5
Schlacht[1b]		
battle		1.2
Schlachter		
butcher		5.6
Schlachterei		
butcher shop		5.8
Schlachtfeld[4a]		
(battle) field		2.4
Schlaf[2b]		
sleep		1.5
– haben (be) sleepy		2.3
Schläfe		
temple		4.8
schlafen[2a]		
sleep		1.4
schläfrig		
– sein, drowsy		6.2
Schlafzimmer[6a]		
bedroom		4.4
Schlag[2b]		
blow		1.4
mit einem –, (at) once		1.8
slap		3.8
beating		4.6
schlagen[1a]		
beat (in a game)		1.
beat (pound)		1.1
strike		1.1
beat (pulsate)		1.3
Schlange[4b]		
snake		3.8
schlank[5a]		
slight		3.3
schlau[5b]		
clever		2.6
sly		4.2
schlecht[1b]		
bad		1.
bad (evil)		1.2
-er, -este, worse, worst		1.5
schleichen[4a]		
creep		3.
Schleier[4b]		
veil		3.4
Schleife		
loop		5.4
schleifen[5b]		
sharpen		4.7
schlendern		
stroll		6.6
schleppen[4b]		
drag		2.7
schlesisch[6b]		
English		1.
schletzen		
bang		6.5
Schleuder		
sling		6.5
schleudern[5a]		
throw		1.
schleunig[4b]		
fast		1.
Schleuse[6a]		
lock		4.8
schlicht[4b]		
simple		1.
schließen[1a]		
close		1.
end		1.
lock		1.5
Kompromiß – compromise		6.3
schließlich[1b]		
(at) last		1.
schlimm[2a]		
bad		1.
-er, -ste, worse, worst		1.5
schlingen[6b]		
twist		2.6
Schlips		
necktie		6.4
Schlitten		
sled		6.8
sledge		6.8
Schlittschuh		
– laufen, skate		6.
Schloß[2a]		
castle		2.
lock		2.8
Schlucht[6b]		
gorge		5.9
schluchzen		
sob		6.1
Schluchzer		
sob		5.9
Schlummer		
nap		6.
schlummern[6b]		
slumber		4.5
schlüpferig		
slippery		6.1
schlürfen		
sip		6.1
Schluß[1b]		
end		1.
Schlüssel[4a]		
key		2.8
Schlußstein[4b]		
coping stone		7.2
Schmach[5a]		
disgrace		3.4
schmachten		
languish		6.8
schmackhaft		
savory		6.9
Schmähung		
vituperation		13.
schmal[3a]		
narrow		1.
schmecken[4b]		
taste		1.5
Schmeichelei		
flattery		6.6
schmeicheln[3b]		
flatter		3.
schmelzen[3b]		
melt		2.5
Schmerz[1b]		
pain		1.
agony		2.
schmerzlich[3a]		
painful		3.2
grievous		4.
Schmetterling		
butterfly		5.2
Schmied		
blacksmith		5.6
Schmiede		
forge		5.9
schmieden		
forge		5.7
Schmiegsamkeit		
flexibility		9.7
schmieren		
spread		4.5
schmollen		
sulk		10.1
Schmuck[3b]		
jewel		3.1
schmücken[3a]		
trim		2.4
Schmutz		
mud		4.8
dirt		6.
schmutzig[6a]		
dirty		4.2
Schnabel		
beak		5.9
Schnalle		
buckle		6.8
schnappen		
snap		5.9
schnarchen		
snore		6.7
Schnecke		
snail		6.8
Schnee[3b]		
snow		2.
schneebedeckt		
snowy		6.6
Schneeflocke		
snowflake		7.8
schneiden[3a]		
cut		1.8
carve		3.3
Schneider[5b]		
tailor		3.5
Schneiderin		
dressmaker		8.4
schneien		
snow		4.9
schnell[1a]		
fast		1.
Schnelligkeit[4b]		
speed		2.5
schneuzen		
blow nose		4.2
schnitzen		
carve		5.6
schnüffeln		
snuffle		10.2
Schnur[5b]		
rope		3.3
Schnurrbart		
mustache		7.4
Schokolade		
chocolate		5.4
schon[1a]		
already		1.
schön[1a]		
all right		1.
beautiful		1.
pretty (*adj.*)		1.
Schöne[3b]		
beauty		1.8
schonen[3b]		
(take) care		1.
Schönheit[2a]		
beauty		1.5
Schonung[5b]		
care		1.
schöpfen[3b]		
draw up		1.7
Schöpfer[4b]		
creator		4.4
schöpferisch[6a]		
productive		6.3
Schöpfung[3a]		
creation		3.4

Schoß[3b]	Section
lap	2.4
womb	4.9
coat-tail	10.8
Schößling	
shoot	5.4
schräg[4a]	
crooked	3.7
oblique	6.2
Schrank	
closet	5.6
wardrobe	6.8
Schranke[3b]	
limit	2.4
Schrapnell[6b]	
shell	3.4
Schraube[6a]	
screw	5.8
Schrecken[2b]	
fear	1.4
schrecken[5b]	
frighten	1.9
schrecklich[2b]	
terrible	1.8
Schrei[5b]	
call	1.4
cry	2.6
schreiben[1a]	
write	1.
Schreiben[2b]	
writing	1.8
Schreiber[5a]	
clerk	3.8
Schreibmaschine	
typewriter	5.6
Schreibtisch[5b]	
desk	3.6
schreien[2b]	
cry	1.
call out	1.4
schreiten[2a]	
go	1.
stride	3.3
Schrift[1b]	
writing	1.4
schriftlich[2b]	
written	1.4
Schriftsteller[2b]	
author	1.9
Schriftstück[6b]	
document	5.1
Schritt[1b]	
step	1.
schroff[5b]	
steep	2.8
Schublade	
drawer	6.1
schüchtern[5b]	
shy	4.2
Schüchternheit	
timidity	8.4
Schuh[6a]	
shoe	3.2
-e anziehen	
(put on) shoes	3.5
-e ausziehen	
(take off) shoes	4.1
Schul-	
school	4.6
Schuld[1b]	
fault	1.4
debt	1.7
daran – sein	
(be to) blame	1.8
guilt	2.2
schulden[5a]	
owe	1.8

schuldig[2a]	Section
(be to) blame	1.8
– sein, owe	1.8
Schuldigkeit[6a]	
duty	1.
Schuldner[3a]	
debtor	4.8
Schule[1b]	
school	1.
Schüler[1b]	
pupil	1.7
Schulter[2b]	
shoulder	1.5
Schulverband[5a]	
organization	3.5
Schulwesen[6a]	
school system	4.2
Schulze[6a]	
mayor	2.5
schürfen	
bruise	5.7
Schurke[6a]	
knave	4.5
villain	5.
Schürze	
apron	5.4
schürzen	
turn up	4.9
Schuß[2a]	
discharge	2.7
Schuster	
shoemaker	6.2
schütteln[3a]	
shake (hands)	1.1
shake (*tr. vb.*)	1.9
shake (head)	2.2
Schutz[1b]	
shelter	1.7
protection	2.1
schützen[1b]	
guard	1.
defend	1.4
Schützling	
protégé	11.
schwach[1b]	
weak	1.1
Schwäche[3a]	
weakness	2.9
schwächen[5a]	
weaken	4.8
Schwachheit[6b]	
weakness	2.9
Schwadron[4b]	
squadron	4.9
Schwager[6a]	
brother-in-law	11.
Schwalbe	
swallow	5.
Schwamm	
sponge	6.6
Schwan	
swan	5.8
schwanken[3a]	
roll	2.2
reel	3.1
-d, unsteady	5.6
Schwankung[5b]	
rocking	4.
Schwanz	
tail	4.1
schwärmen[6a]	
swarm	5.
-d, enthusiastic	5.4
schwarz[1b]	
black	1.
schwärzen	
blacken	7.2

Schwatzbase	Section
gossip	6.8
schweben[2b]	
wave	1.7
hover	3.8
schwedisch[5a]	
Swedish	6.8
Schwefel[3a]	
sulphur	5.2
Schwefelsäure[4a]	
acid	3.7
schweigen[2a]	
(keep) quiet	1.5
-d, silent	1.5
– machen, silence	1.9
Schweigen[3b]	
silence	2.2
Schwein[6b]	
pig	3.9
Schweiß[6a]	
sweat	4.7
schweizerisch	
Swiss	6.4
Schwelle[4b]	
threshold	4.2
schwellen[6b]	
swell	3.9
schwer[1a]	
hard (difficult)	1.
heavy	1.
schwerlich[3b]	
hardly	1.4
Schwert[2b]	
sword	2.
Schwester[1b]	
sister	1.
Schwiegersohn	
son-in-law	11.7
Schwiegervater	
father-in-law	11.
schwierig[2a]	
hard (difficult)	1.
Schwierigkeit[1b]	
difficulty	1.9
schwimmen[4a]	
float	2.9
swim	3.6
schwinden[4b]	
disappear	1.4
schwindlig	
dizzy	6.4
schwingen[4b]	
swing	3.
schwitzen	
sweat	5.8
schwören[3a]	
swear	2.7
Schwung[6b]	
swing	4.8
zest	6.8
sechs[2a]	
six	1.4
sechste[4a]	
sixth	3.7
sechsundzwanzig	
twenty-six	4.7
sechzehn	
sixteen	5.2
sechzehnte	
sixteenth	7.7
sechzig[6b]	
sixty	4.
See (*f.*)[3a]	
sea	1.
See (*m.*)[3a]	
lake	2.1

See-[4b]	Section
sea	3.
naval	5.2
Seefahrer	
navigator	7.6
Seekrankheit	
(sea) sickness	4.9
Seele[1a]	
soul	1.
Seemann	
mariner	5.8
Seeräuber	
pirate	6.9
Segel[6b]	
sail	3.5
Segen[2b]	
blessing	2.3
segensreich[6a]	
prosperous	4.7
segnen[3a]	
bless	2.
sehen[1a]	
see	1.
– Sie!, siehst Du! here!	1.6
flüchtig –, glance	2.3
Sehne[6b]	
sinew	6.
sehnen[2b]	
sich –, long for	1.4
sehnlich	
languid	7.4
Sehnsucht[3a]	
longing	1.9
aspiration	4.8
sehr[1a]	
very	1.
Seide[5a]	
silk	2.9
seiden[6a]	
silk	3.3
Seife[6b]	
soap	4.6
Stück –, cake of soap	4.8
sein (*adj. and pron.*)[1a]	
his	1.
its	1.
his (*poss. pron.*)	1.1
sein (*vb.*)[1a]	
be	1.
da ist, *there* is	1.
da –, exist	1.8
Sein[3a]	
existence	2.6
seinerseits[4b]	
(on his) side	2.2
seinige[3a]	
his	1.1
seit[1a]	
since	1.
seitdem[2a]	
since	1.
Seite[1a]	
side	1.
page	1.2
Seitengewehr	
bayonet	7.4
seitens[2a]	
(on the) part (of)	1.4
seither[6a]	
since	1.
seitlich	
side	4.1
seitwärts[4a]	
aside	3.1
Sekretär[5a]	
secretary	3.6

INDEX TO GERMAN WORDS IN THE LIST

	Section
Sektion[5b]	
section	1.9
sekundär	
secondary	6.6
Sekunde[4a]	
second	2.3
selber[1b]	
myself	1.3
himself	1.4
themselves	1.4
itself	1.5
herself	1.7
yourself	2.1
selbige[6a]	
same	1.
selbst[1a]	
even	1.
myself	1.3
himself	1.4
themselves	1.4
itself	1.5
herself	1.7
yourself	2.1
selbständig[2a]	
independent	2.5
Selbständigkeit[4b]	
independence	3.6
Selbsteintritt[6b]	
(self) starter	10.8
selbstisch	
selfish	5.7
Selbstmord[6b]	
suicide	8.4
Selbstsucht[6b]	
selfishness	6.3
egoism	11.5
selbstverständlich[2b]	
(of) course	1.
Selbstverwaltung[6b]	
autonomy	11.2
selig[2b]	
blessed	2.1
Seligkeit[4a]	
bliss	3.7
Sellerie	
celery	7.1
selten[1b]	
rare	1.4
seldom	1.5
seltsam[2b]	
strange	1.
Seminar[6b]	
college	3.8
Senat[3b]	
senate	3.4
Senator[6a]	
senator	5.2
senden[1b]	
send	1.
Sendung[4a]	
shipment	3.9
senken[4b]	
lower	2.3
senkrecht[4b]	
upright	4.1
Sense	
scythe	7.3
September[2a]	
September	2.1
Servante[5b]	
buffet	5.3
Serviette	
napkin	5.5
Sessel[5b]	
chair	1.8
Session[6a]	
session	5.3

	Section
setzen[1a]	
place	1.
seat	1.
sich –, sit (down)	1.
in Verlegenheit –	
embarrass	3.2
in Umlauf –	
send forth	3.4
ins Gefängnis –	
imprison	3.6
Seuche[6a]	
plague	4.6
pestilence	5.8
seufzen[3b]	
sigh	2.6
Seufzer[4a]	
sigh	2.8
sich[1a]	
each other	1.
self	1.
Sichel	
sickle	6.9
sicher[1a]	
safe	1.
sure	1.
firm (fixed)	1.1
Sicherheit[1b]	
safety	1.7
sicherlich[3a]	
sure	1.
sichern[1b]	
assure	1.4
Sicherung[4b]	
pledge	2.9
Sicht[5b]	
sight	1.
sichtbar[2b]	
visible	2.9
sichtlich[6b]	
visible	2.9
Sie[1a]	
you	1.
sehen –!, here!	1.6
– selber, yourself	2.1
sie (sing.)[1a]	
she	1.
– selber, herself	1.7
sie (pl.)[1a]	
they	1.
– selber, themselves	1.4
Sieb	
sieve	7.2
sieben (numeral)[2b]	
seven	1.4
sieben (vb.)	
strain	4.9
siebente[5a]	
seventh	4.5
siebzehn	
seventeen	6.
siebzig	
seventy	5.1
Sieg[2a]	
victory	2.
Siegel[6a]	
seal	4.
siegeln	
seal	5.2
siegen[4a]	
conquer	2.9
Sieger[4a]	
victor	3.8
conqueror	4.1
siegreich[4a]	
victorious	3.9
triumphant	4.6
Signal[6b]	
signal	4.5

	Section
Silbe[5b]	
syllable	4.9
Silber[2a]	
silver	1.4
Silbermünze[6b]	
coin	1.9
silbern[4a]	
silvery	5.6
singen[2a]	
sing	1.4
chant	3.2
sinken[2a]	
fall	1.
fall back again	1.5
Sinn[1a]	
mind	1.1
sense	1.4
sinnen[4a]	
brood	3.9
-d, pensive	3.9
sinnlich[3b]	
sensual	5.6
Sirene	
siren	7.
Sitte[2b]	
custom	1.9
sittlich[2a]	
moral	2.3
Sittlichkeit[6a]	
morals	3.6
Situation[4a]	
position	1.4
Sitz[2b]	
seat	1.
sitzen[1a]	
sit (be sitting)	1.
Sitzung[2a]	
convention	2.8
Skalp	
scalp	6.8
Skandal	
scandal	5.8
skeptisch	
sceptic	9.2
Skizze[5a]	
sketch	3.9
Sklave[3a]	
slave	2.2
Sklaverei	
slavery	6.2
Skrupel	
scruple	5.9
Skulptur	
sculpture	6.8
Smaragd	
emerald	6.9
so[1a]	
so (thus)	1.
so (then)	1.
– …. wie	
as (good) as	1.4
so then	1.5
und – weiter, etc.	3.1
sobald[1b]	
as soon as	1.
soon	1.
(no) sooner (than)	1.
Socken	
sock	6.8
sodann[2a]	
then	1.
sodaß[4a]	
(in) order (to)	1.
soeben[3b]	
just	1.
Sofa[5b]	
couch	4.1

	Section
sofern[3a]	
as long as	1.1
sofortig[4b]	
immediate	2.8
sogar[1a]	
even	1.
sogenannt[1b]	
(so) called	1.2
sogleich[1b]	
(at) once	1.
Sohle	
sole (on foot)	4.3
sole (on shoe)	5.2
Sohn[1a]	
son	1.
solang(e)[4a]	
while	1.
solch[1a]	
such	1.
Soldat[1b]	
soldier	1.
solid[4a]	
solid	3.2
Solidarität	
(joint) responsibility	7.1
sollen[1a]	
must	1.
ought	1.
somit[2a]	
therefore	1.
Sommer[2a]	
summer	1.6
sonach[4b]	
therefore	1.
sonderbar[2b]	
strange	1.
sonderlich[6b]	
special	1.8
sondern (conj.)[1a]	
but	1.
sondern (vb.)[4b]	
separate	1.
Sonnabend[5a]	
Saturday	3.5
Sonne[1a]	
sun	1.
Sonnenaufgang	
sunrise	5.8
Sonnenschein[5a]	
sunshine	3.2
Sonnenstrahl[6b]	
sunbeam	4.3
Sonnenuntergang	
sunset	5.3
sonnig	
sunny	6.
Sonntag[2b]	
Sunday	1.9
sonst[1a]	
else	1.1
sonstig[2a]	
other	1.
Sorge[1b]	
care	1.
cares	1.3
sorgen[2a]	
(take) care	1.
care about	1.8
Sorgfalt[3b]	
care	1.
sorgfältig[4a]	
careful	1.7
Sorghum[5b]	
syrup	5.3
sorgsam[6a]	
careful	1.7

Sorte[3b]		speziell[2b]		springen[2a]		Stärke[2b]	
kind	1.	above all	1.	spring	1.5	force	1.
soviel[3a]		special	1.8	crack	2.6	intensity	4.
as much as	1.8	spezifisch[5b]		spritzen		stärken[3b]	
– wie, (as) much (as)	1.9	special	1.8	splash	6.6	strengthen	3.4
soweit[1b]		specific	5.8	Sproß		starr[4a]	
so much	1.	spezifizieren		shoot	5.4	stiff	3.2
as long as	1.1	limit	5.1	Spruch[4b]		Starre	
sowie[1a]		specify	8.9	saying	2.9	stiffness	9.3
(in) order (to)	1.	Sphäre[6b]		device	4.2	starren[6a]	
sowohl[1b]		sphere	4.4	Sprung[4b]		peer	3.5
so much	1.	Spiegel[3a]		spring	2.6	Station[3b]	
– . . . . als auch		mirror	2.8	crack	3.4	stop	2.6
(as) well (as)	1.2	spiegeln[6a]		Spur[2b]		stage	3.6
sozial[2b]		reflect	4.3	step	2.	Statistik[4a]	
social	2.3	Spiegelung		trace	2.1	statistics	6.1
Sozialdemokrat[5b]		reflection	5.4	track	2.1	statistisch[4b]	
socialist	6.1	Spiel[2a]		spüren[5b]		statistics	6.1
Sozialdemokratie[4a]		game	1.5	feel	1.	statt[1a]	
social democracy	5.3	spielen[1b]		Staat[1a]		instead	1.
sozialdemokratisch[4a]		play	1.	state (nation)	1.	Statt[6b]	
socialist	6.1	Spieler		staatlich[3a]		place	1.
spähen		player	6.	state	1.8	Stätte[4a]	
spy	5.1	spielerisch		Staatsanwalt[6a]		place	1.
Spalier		playful	7.4	attorney-general	9.5	stattfinden[1b]	
trellis	9.4	Spielmann		Staatskasse[6b]		(take) place	1.
spanisch[3a]		minstrel	7.2	treasury	5.6	Statthalter[5a]	
French	1.	Spielplatz		Staatsmann[4a]		governor	3.1
spannen[3b]		playground	6.	statesman	3.	stattlich[4a]	
extend	1.	Spielzeug		Staatsrat[6a]		grand	2.3
Spannung[4b]		toy	5.1	council	2.1	stately	3.6
strain	4.1	Spindel		Staatsregierung[2a]		Statue[5b]	
suspension	5.8	spindle	6.6	government	1.1	statue	3.6
in –, (in) suspense	6.	Spinne		Staatssekretär[6a]		Statut[3b]	
sparen[4b]		spider	6.	secretary of state	3.9	statute	4.1
save (up)	2.1	spinnen[5b]		Staatssteuer[6a]		Staub[3a]	
sparsam[6b]		spin	3.9	tax	1.6	dust	1.9
saving	1.8	Spion		Stab[3a]		staubig	
Spaß[4a]		spy	5.4	stick	2.	dusty	6.1
– haben, (have) fun	2.9	Spirale		wand	3.2	staunen[5a]	
joke	2.9	spiral	7.6	Stadium[5a]		astonish	2.7
spät[1a]		Spiritus[5a]		state (condition)	1.	stechen[5b]	
late	1.	liquor	4.3	Stadt[1a]		sting	3.5
-er, by and by	1.1	Spitze[1b]		city	1.	Stechpalme	
spätestens[6a]		point	1.2	Städtchen[5a]		holly	7.2
late	1.	top	1.3	city	1.	stecken[2a]	
Spatz		tip	1.4	Städteordnung[6a]		place	1.
sparrow	6.	lace	2.1	statute	4.1	stehen[1a]	
spazieren[4b]		spitzen[6a]		städtisch[3b]		stand	1.
walk	1.	gespitzt, pointed	3.3	city	2.3	in Briefwechsel –	
Spaziergang[4b]		sharpen	4.7	staffeln		correspond	4.
walk	2.4	Spitzname		echelon	13.	stehlen[4a]	
Spaziergänger		nickname	8.6	Stahl[4b]		rob	2.3
walker	7.6	Spontaneität		steel	3.1	steif[5b]	
Specht		spontaneity	10.2	Stall[5b]		stiff	3.2
woodpecker	7.2	Spore		stable	3.8	Steigbügel	
Speck		spur	5.8	Stamm[2b]		stirrup	7.
bacon	6.1	Sport		trunk (of tree)	2.3	steigen[1b]	
speien		sport	5.1	tribe	2.5	go up	1.
spit	5.9	sportlich		stem	2.7	steigern[2a]	
Speise[3a]		sport	5.3	stammen[3a]		lift	1.
food	1.9	Spott[4b]		come from	1.	Steigerung[3b]	
Speisekammer		fun	3.1	Stand[1a]		increase	2.3
pantry	6.2	mockery	4.8	place	1.	steil[4a]	
speisen[5a]		spotten[4b]		standhaft[6b]		steep	2.8
dine	3.1	(make) fun (of)	2.8	firm (character)	1.1	Stein[2a]	
Spekulation[3b]		Sprache[1a]		ständig[5b]		stone	1.4
speculation	5.3	tongue	1.	constant	2.4	steinern[6a]	
spenden[5b]		language	1.6	permanent	4.2	(of) stone	3.
contribute	3.2	sprechen[1a]		Standpunkt[2a]		stony	6.
Sperling		speak	1.	point of view	1.	Steinkohle[6b]	
sparrow	6.	talk	1.	Stange[5a]		coal	1.9
Sperre		sprengen[4b]		post	3.	Stelle[1a]	
embargo	10.6	sprinkle	3.7	bar	3.5	place	1.
sperren[5a]		Sprichwort[5b]		stark[1a]		stellen[1a]	
block up	4.	proverb	4.9	strong	1.	anheim –, allow	1.
Spezialität		sprießen				place	1.
specialty	8.8	sprout	6.2				

INDEX TO GERMAN WORDS IN THE LIST

	Section
Stellung[1a]	
place	1.
Stellvertreter[5b]	
representative	2.3
Stemmeisen	
chisel	7.2
Stempel[4a]	
stamp	3.1
Stenographie[2b]	
shorthand	9.2
stenographisch[3b]	
(in) shorthand	9.6
Steppdecke	
quilt	6.8
sterben[1a]	
die	1.
sterbend[6b]	
dying	4.5
sterblich[6a]	
mortal	3.7
Sterling[6b]	
pound	1.
Stern[2a]	
star	1.5
stet[4a]	
stable	2.9
stetig[3b]	
continual	2.5
stets[1a]	
always	1.
Steuer[1b]	
tax	1.6
steuern[6a]	
steer	3.9
Steuerreform[4b]	
reform	3.2
Steuersatz[5a]	
tax rate	4.
Steuerzahler[5b]	
tax	1.6
Stich[3b]	
print	2.7
prick	3.6
sticken	
embroider	5.9
Stickerei	
embroidery	6.5
Stiefel[6a]	
boot	3.8
Stiefmutter	
stepmother	7.8
Stiefmütterchen	
pansy	6.1
Stier	
bull	5.4
Stierkämpfer	
(bull) fighter	6.8
Stift[6a]	
foundation	4.2
pencil	4.2
stiften[4b]	
found	1.5
Stifter	
giver	7.2
Stiftung[5b]	
foundation	4.2
Stil[3a]	
style	2.5
still[1b]	
quiet	1.
still	1.3
silent	1.5
Stille[2b]	
quiet	1.
stillen	
quench	5.4
quell	6.5

	Section
stillschweigen[4a]	
(keep) quiet	1.5
Stimme[1a]	
voice	1.
stimmen[2a]	
vote	1.8
(put in) tune with	3.4
Stimmrecht[3a]	
suffrage	5.1
Stimmung[2a]	
humor	2.4
Stirn[2b]	
forehead	1.8
Stock[3b]	
stick	2.
hive	3.9
stocken[5b]	
stop	1.
Stockwerk[6a]	
floor	2.5
Stoff[1b]	
matter	1.1
cloth	1.3
stöhnen	
groan	5.
Stöhnen	
groan	5.3
stolpern	
stumble	5.5
stolz[2a]	
proud	1.6
Stolz[3b]	
pride	2.4
Storch	
stork	6.8
stören[2a]	
trouble	1.5
(be in) way	1.7
Störung[4a]	
disturbance	4.4
Stoß[4b]	
spur	3.6
stoßen[2a]	
strike	1.1
run into	1.6
– an, border on	2.1
stottern	
stammer	6.
strafbar[4b]	
criminal	4.1
Strafe[2a]	
punishment	2.6
strafen[4a]	
punish	2.1
Strafgesetzbuch[5b]	
code	4.8
Strahl[3b]	
ray	2.3
strahlen[3b]	
shine	1.6
Strand[6a]	
beach	3.9
stranden	
shipwreck	6.9
strangulieren	
choke	5.3
Straße[1b]	
street	1.
Strategie[4a]	
strategy	7.6
strategisch[3a]	
strategic	8.
sträuben	
bristle	6.9
Strauß	
bunch	4.8
ostrich	7.1

	Section
streben[3a]	
try hard	1.5
Streben[3a]	
effort	1.8
aspiration	4.8
Strecke[2b]	
distance	1.1
strecken[3b]	
extend	1.
Streich[5a]	
blow	1.4
prank	5.7
streicheln	
stroke	4.4
streichen[3b]	
paint	1.5
Streichholz	
match	5.2
streifen[3b]	
touch	1.
graze	3.4
Streifen[6b]	
strip	2.9
stripe	3.6
Streik[4b]	
strike	3.
Streit[2b]	
struggle	1.9
quarrel	2.5
streiten[3b]	
fight	1.6
streitig[6b]	
debatable	10.8
Streitigkeit[6a]	
quarrel	2.5
Streitkraft[4b]	
army	1.2
streng[1b]	
severe	1.6
Strenge[4a]	
rigor	4.2
severity	4.7
Strich[4b]	
strip	2.9
stripe	3.6
Strick[6a]	
rope	3.3
stricken	
knit	5.4
Stroh[6b]	
straw	3.7
thatch	6.
Strom[2b]	
torrent	3.
strömen[3a]	
flow	1.5
flow into	3.
Strömung[4a]	
current	2.6
Strumpf	
stocking	4.4
Strumpfband	
garter	7.
Stube[3b]	
room (chamber)	1.
Stück[1a]	
piece	1.
– Seife, cake of soap	4.8
Student[4b]	
student	3.1
studieren[2b]	
study	1.4
Studium[2a]	
study	1.5
Stufe[2b]	
degree	1.4
step	1.7

	Section
Stuhl[3a]	
chair	1.8
chair (university)	2.5
stumm[3b]	
dumb	2.9
stumpf[6b]	
dull (stupid)	3.5
dull (blunt)	5.2
Stumpf	
stump	5.7
Stunde[1a]	
hour	1.
lesson	1.2
halbe –, half hour	1.5
Sturm[2a]	
storm	1.6
stürmen[4a]	
rage	3.7
stürmisch[5a]	
stormy	4.
Sturz[6a]	
fall	1.2
decline	4.4
stürzen[2b]	
fall	1.
sich –, dash	1.8
overthrow	3.1
Stütze[4b]	
support	2.1
stützen[2b]	
support	1.8
stutzen	
bob	5.8
subjektiv[6a]	
personal	1.9
Substanz[4a]	
substance	3.5
Suche	
search	4.4
suchen[1a]	
look for	1.
Zuflucht – (take) refuge	3.9
Süden[3a]	
south	2.2
südlich[2b]	
southern	2.3
Südwesten	
southwest	6.5
Sultan[4b]	
sultan	5.7
Summa[6b]	
amount	1.
Summe[1b]	
amount	1.
summen	
buzz	5.2
Summen	
buzz	5.4
Sünde[2a]	
sin	2.2
Sünder[5a]	
sinner	5.1
sündigen[6b]	
sin	2.4
Suppe	
soup	5.
süß[2a]	
sweet	1.4
Süße	
sweetness	5.2
Süßigkeiten	
candy	4.5
Sweater	
sweater	7.2
Sylvester[5a]	
(New Year's) Eve	3.8

	Section		Section		Section		Section
Symbol		Tanne		Teig		Thema⁴ᵇ	
symbol	5.6	pine	4.9	dough	6.2	theme	4.
Sympathie⁴ᵇ		fir	5.9	Teil¹ᵃ		theologisch⁶ᵇ	
sympathy	2.8	Tantchen⁴ᵃ		part	1.	theological	7.2
sympathisch⁵ᵇ		aunt	2.	– nehmen		theoretisch³ᵇ	
like	1.	Tante²ᵇ		(take an) interest	1.3	theoretical	5.9
Symptom		aunt	2.	teilen¹ᵇ		Theorie²ᵇ	
symptom	7.7	Tanz⁵ᵃ		divide	1.1	theory	3.3
Syndikat		dance	3.1	Teilnahme²ᵇ		Thermometer	
syndicate	9.3	tanzen⁴ᵃ		share	2.	thermometer	6.6
synthetisch		dance	2.4	teilnehmen³ᵇ		Thron²ᵇ	
synthetic	8.6	Tänzerin		(take) part	1.4	throne	2.3
System¹ᵇ		dancer	6.9	Teilnehmer⁶ᵃ		Thymian	
system	1.6	tapfer³ᵃ		participant	10.	thyme	8.6
systematisch⁵ᵇ		(be) brave	1.	teils¹ᵇ		Ticktack	
systematic	6.9	Tapferkeit⁴ᵇ		(in) part	1.	tick tock	7.2
Szene²ᵇ		courage	1.4	Teilung⁵ᵇ		tief¹ᵃ	
scene	1.8	Tarif⁴ᵇ		division	3.8	deep	1.
set-up	10.6	fare	3.6	teilweise²ᵇ		Tiefe²ᵃ	
Szenerie		Tarnung		(in) part	1.	depth	2.6
set-up	10.6	disguise	5.8	Telegramm⁵ᵃ		Tier¹ᵇ	
Szepter		Tasche³ᵇ		wire	3.5	animal	1.1
scepter	5.9	pocket	2.3	Telegraph⁶ᵇ		beast	1.1
		case	2.5	telegraph	4.9	tierisch⁵ᵇ	
T		Taschenbuch		telegraphisch⁶ᵃ		animal	2.7
		note book	4.9	telegraph	5.3	Tiger	
Tabak⁵ᵃ		Taschentuch		Teller⁶ᵃ		tiger	5.8
tobacco	3.9	handkerchief	4.5	plate	2.5	Tinte	
Tabelle⁵ᵇ		Tasse		Tempel²ᵇ		ink	5.1
index	5.3	cup	4.3	temple	2.1	Tintenfaß	
Tablett		tasten		Temperament⁶ᵇ		inkwell	8.9
tray	6.6	grope	6.5	temper	4.2	Tisch¹ᵇ	
Tadel⁵ᵃ		Tat¹ᵃ		Temperatur³ᵃ		table	1.
reproach	2.7	act	1.	temperature	3.	– decken, set table	1.1
blame	3.2	in der –, (in) fact	1.	tempern		Tischtuch	
tadeln³ᵇ		tätig²ᵇ		temper	4.9	table-cloth	9.1
blame	2.8	active	2.6	Tempo⁵ᵇ		Titel²ᵇ	
Tafel²ᵇ		Tätigkeit¹ᵇ		rate	3.4	title	1.8
table	1.	activity	3.3	Tendenz³ᵇ		toben⁵ᵇ	
board	1.7	Tatsache¹ᵇ		leaning	1.8	rage	3.7
slab	4.1	fact	1.	tend	2.4	Tochter¹ᵇ	
Täfelung		tatsächlich²ᵃ		tendency	3.2	daughter	1.
woodwork	8.9	real	1.	Tennis		Tod¹ᵃ	
Tag¹ᵃ		actual	2.1	tennis	6.8	death	1.
day	1.	Tau⁶ᵇ		Teppich⁶ᵃ		Todesangst	
der nächste –		dew	3.9	carpet	4.2	in –, (in) anguish	6.3
day after	1.	taub		tapestry	5.8	tödlich⁴ᵇ	
eines -es		deaf	4.8	Termin³ᵇ		mortal	2.9
sometime	1.	Taube⁶ᵃ		term	2.2	toll⁴ᵃ	
guten –, good morning	1.1	dove	4.4	Termingeschäft⁵ᵃ		mad	2.7
am – vorher		pigeon	4.8	business	1.	– machen, (make) mad	2.9
day before	1.4	tauchen⁴ᵃ		Terminhandel³ᵃ		Tomate	
Tagebuch⁵ᵇ		dip	3.2	business	1.	tomato	6.4
journal	4.2	dive	4.2	Terrain⁴ᵃ		Ton (tone)¹ᵇ	
Tageslicht		Taufe⁵ᵃ		grounds	2.4	sound	1.2
daylight	4.6	baptism	5.5	Terrasse		tone	1.4
Tagesordnung⁴ᵇ		taufen⁵ᵃ		terrace	6.7	accent	2.4
program	4.2	baptize	6.	Testament⁴ᵃ		Ton (clay)⁴ᵇ	
täglich¹ᵇ		taugen⁶ᵃ		will	3.1	clay	3.4
daily	1.6	fit	1.	teuer¹ᵇ		tönen⁵ᵃ	
Takt⁶ᵃ		täuschen²ᵇ		dear (in affection)	1.	ring	1.4
time (music)	3.2	deceive	1.9	dear (costly)	1.1	Tonnage	
Taktik⁶ᵃ		disappoint	2.9	Teufel²ᵃ		tonnage	7.2
method	2.5	Täuschung³ᵇ		der –!, Heavens!	1.	Tonne³ᵃ	
taktisch⁵ᵇ		deceit	3.9	devil	1.9	barrel	3.6
tactical	11.7	tausend²ᵃ		rascal	4.2	ton	3.7
taktlos		thousand	1.4	teuflisch		cask	5.3
indiscreet	8.3	Tausend³ᵇ		devilish	7.4	Topf⁶ᵇ	
Taktlosigkeit		thousand	1.4	Text³ᵃ		pot	2.3
indiscretion	9.	Technik⁴ᵇ		text	3.1	Tor (m.)³ᵇ	
Tal²ᵇ		technique	6.6	Theater²ᵃ		fool	2.4
valley	1.7	technisch³ᵃ		theatre	1.9	Tor (neutr.)³ᵇ	
Talent²ᵇ		technical	4.7	Theater-		gate	1.4
talent	2.4	Tee⁵ᵇ		theatre	4.6	porch	2.7
Taler²ᵇ		tea	4.1	Theaterkobold⁶ᵃ		Torheit⁴ᵇ	
pound	1.	Teer		elf	6.	folly	3.2
Tank		tar	6.4				
tank	6.1						

INDEX TO GERMAN WORDS IN THE LIST

	Section
töricht[4a]	
foolish	2.8
tot[2a]	
dead	1.4
Tote[3a]	
dead	1.4
töten[2b]	
kill	1.4
Totschlag	
slaughter	5.9
Trab[5b]	
trot	4.6
Tracht[5b]	
dress	1.4
costume	4.3
trachten[4b]	
aspire	4.2
Tradition[4b]	
tradition	3.7
träg	
inert	6.8
tragen[1a]	
sich –, act (behave)	1.
carry	1.
wear	1.
Träger[3b]	
porter	3.3
Trägheit	
inertia	10.2
tragisch[5a]	
tragic	4.9
Tragödie[5b]	
tragedy	4.4
Tragweite[6a]	
range	3.6
Train[6a]	
train	3.1
traktieren	
treat	4.9
trampeln	
trample	5.9
Träne[1b]	
tear	1.
Transport[3b]	
transport	3.2
transzendental	
surpassing	6.2
Tratte[5b]	
draft	3.8
Traube	
grapes	4.1
trauen[4a]	
trust	1.4
Trauer[4b]	
mourning	3.1
sadness	3.5
Traufe	
eaves	6.6
Traum[2a]	
dream	1.4
träumen[3a]	
dream	1.8
Träumer	
dreamer	9.7
traurig[2a]	
sad	1.4
treffen[1a]	
meet	1.
Treffen[4b]	
encounter	3.1
trefflich[2b]	
excellent	1.8
treiben[1b]	
drive (horse)	1.
drive (force)	1.
drive out	1.1
zurück –, drive back	1.5

	Section
Treiben[4b]	
motion	1.4
trennen[1b]	
separate	1.
getrennt, separate	1.
Trennung[3a]	
separation	3.4
Treppe[3b]	
stairs	2.5
Tresen	
counter	6.3
treten[1a]	
step	1.1
treu[1b]	
true	1.
Treue[2b]	
loyalty	3.6
Tribüne	
platform	5.8
Trieb[3b]	
instinct	3.2
spur	3.6
Trikolore	
three-colored	13.
Trikot	
tights	5.1
Triller	
warble	6.6
trinken[2a]	
drink	1.4
Trinken[6b]	
drinking	3.
Trinkgeld	
tip	5.2
Tritt[5a]	
kick	3.6
Triumph[4a]	
triumph	3.1
triumphieren[6a]	
triumph	4.2
trocken[2b]	
dry	1.4
arid	5.9
Trockenheit	
dryness	11.5
trocknen[3a]	
dry	2.1
Trog	
trough	6.8
Trommel[6a]	
drum	4.3
Trompetenstoß	
flourish	5.8
Trompeter[6b]	
trumpeter	8.4
Tropen	
tropic	6.9
tröpfeln	
drip	6.4
Tropfen[4a]	
drop	2.4
Trophäe	
trophy	6.8
tropisch	
tropic	6.9
Trost[2b]	
comfort	2.3
trösten[3a]	
comfort	2.3
trostlos[6b]	
wretched	4.4
trotteln	
trot	5.5
trotz[1b]	
(in) spite (of)	1.4
Trotz[4a]	
spite	3.
defiance	4.

	Section
trotzdem[2b]	
however	1.
trotzen	
brave	4.6
trotzig[6a]	
proud	1.6
trüb[4a]	
dismal	3.9
muddy	5.2
trüben[3a]	
trouble	1.5
Trümmer[4b]	
bits	2.3
Trunkenbold	
drunken	5.9
Trunkenheit	
drunkenness	7.3
Truppe[1a]	
troop	1.6
Truppenteil[4a]	
troop	1.6
Tuch[2b]	
cloth	1.3
tüchtig[2a]	
able	1.4
Tüchtigkeit[6b]	
efficacy	5.4
Tugend[2a]	
virtue	1.9
tugendhaft[6a]	
virtuous	4.8
tun[1a]	
do	1.
make	1.
wieder –	
do over again	1.8
weh –, hurt (intr. vb.)	1.8
leid –, (be) sorry	1.8
Tun[5a]	
act	1.
Tunke	
sauce	5.5
tunlichst[6a]	
perhaps	1.
Tunnel	
tunnel	6.4
Tür[1b]	
door	1.
türkisch[5a]	
Turkish	5.
Turm[3b]	
tower	2.3
Türmchen	
turret	7.
turnerisch	
athletic	6.8
Turnhalle	
gymnasium	7.2
Turnier	
tournament	8.5
Türsteher	
usher	7.3
Typ	
type	4.8
Tyrann[5a]	
tyrant	4.2
Tyrannei	
tyranny	5.6

U

	Section
übel[2a]	
bad	1.2
Übel[2b]	
evil	2.
Übelstand[3b]	
inconvenience	4.1

	Section
üben[2a]	
exercise	1.6
über[1a]	
about (concerning)	1.
above (prep.)	1.
– .... gehen, cross	1.
beyond	1.5
quer –, across	3.4
überall[1b]	
everywhere	1.4
überaus[3b]	
very	1.
Überblick[6b]	
survey	4.9
überbringen[6b]	
deliver	1.4
überdies[3b]	
(in) addition	1.4
Überdruß	
weariness	5.6
übereilen[6b]	
übereilt, rash	4.9
überein[4b]	
like	1.
übereinstimmen[3b]	
agree	2.2
Übereinstimmung[3a]	
agreement	3.1
correspondence	3.5
überfallen[5a]	
tip over	3.5
Überfluß[6a]	
plenty	2.2
– haben, abound	5.2
überflüssig[3b]	
superfluous	4.1
Übergabe[4b]	
delivery	4.4
Übergang[2b]	
crossing	1.6
transition	4.4
übergeben[2b]	
deliver	1.4
yield	1.9
sich –, vomit	5.
übergehen[2a]	
cross	1.
(be) ahead of	2.7
Übergewicht[5b]	
im –, (in the) majority	3.8
überhaupt[1a]	
– nicht	
(not at) all	1.
überlassen[1b]	
leave (quit)	1.
überlaufen	
overflow	5.5
überleben[6a]	
survive	5.8
überlegen (adj.)[3b]	
superior	2.2
überlegen (vb.)[3b]	
consider	1.8
deliberate	4.1
Überlegenheit[4b]	
superiority	6.3
Überlegung[4b]	
consideration	2.4
überliefern[6a]	
deliver	1.4
überliefert[6a]	
traditional	7.8
Überlieferung[4a]	
tradition	3.7
Übermacht[5a]	
superiority	6.3

	Section		Section		Section		Section
übermäßig⁵ᵃ		überzeugen¹ᵇ		Umschlag		unbeweglich⁶ᵃ	
extreme	1.5	convince	2.	envelope	5.6	stable	2.9
excessive	4.6	persuade	2.1	umschließen⁵ᵇ		unbewußt⁵ᵃ	
übermenschlich		Überzeugung¹ᵇ		shut in	1.9	unconscious	4.4
superhuman	9.4	der festen – sein		umsehen⁶ᵃ		unbrauchbar⁶ᵃ	
übermorgen		convince	2.	look at	1.	– sein, (of no) use	1.8
day after tomorrow	4.3	conviction	4.2	umsomehr⁷ᵃ		und¹ᵃ	
Übermut⁶ᵃ		überziehen⁴ᵃ		(so) much	3.6	and	1.
im –, haughty	4.7	cover	1.	umsonst³ᵇ		– so weiter, etc.	3.1
übermütig⁶ᵇ		üblich³ᵃ		free (of charge)	2.6	undankbar⁶ᵇ	
haughty	4.7	usual	1.	Umstand¹ᵃ		ungrateful	4.9
Übernahme⁵ᵃ		übrig¹ᵃ		condition	1.	Undankbarkeit	
assumption	6.2	rest	1.1	event	1.4	ingratitude	7.
übernatürlich		Übrige³ᵇ		ceremony	2.	undurchsichtig	
supernatural	8.4	rest	1.1	umständlich⁶ᵇ		opaque	7.8
übernehmen¹ᵇ		bits	2.3	minute	3.1	uneigennützig	
assume	2.8	übrigens¹ᵇ		(in) detail	3.6	unselfish	8.6
überraschen²ᵃ		(in) addition	1.4	Umstellung		unendlich²ᵃ	
surprise	1.4	Übung²ᵇ		shift	5.7	endless	3.
Überraschung⁴ᵇ		exercise	1.7	Umsturz		unentbehrlich³ᵇ	
surprise	2.4	Ufer²ᵃ		upset	6.3	essential	2.9
überreden⁷ᵃ		bank	1.5	umwandeln⁵ᵇ		unentgeltlich⁶ᵇ	
persuade	2.1	Uhr¹ᵃ		transform	2.8	free (of charge)	2.6
überreichen³ᵇ		time (o'clock)	1.	Umwandlung⁵ᵃ		unentschieden	
hand	1.8	clock	1.3	change	2.9	undecided	9.2
Überrest⁶ᵃ		watch	1.3	Umweg⁵ᵇ		unentschlossen	
rest	1.1	Ulme		ohne –, direct	1.1	irresolute	8.1
Überrock		elm	5.7	detour	8.1	unerbittlich	
frock coat	6.1	um¹ᵃ		Umzug		implacable	7.7
überschreiten²ᵇ		– .... zu		shift	5.7	unerheblich⁶ᵃ	
exceed	2.3	(in) order (to)	1.	unabhängig³ᵃ		insignificant	4.
Überschuß³ᵃ		around	1.1	independent	2.5	unerhört⁵ᵃ	
excess	3.3	– .... willen		Unabhängigkeit⁵ᵃ		unusual	2.
überschwemmen		sake	1.8	independence	3.6	unheard of	5.3
flood	4.7	umarmen⁴ᵃ		unablässig⁶ᵃ		unerklärlich	
übersehen²ᵇ		embrace	3.	continual	2.5	inexplicable	8.7
neglect	2.	clasp	3.1	unangenehm³ᵃ		unerläßlich⁵ᵇ	
übersehen		Umarmung		unpleasant	3.8	essential	2.9
survey	5.8	embrace	5.2	unaufhaltsam⁶ᵇ		unermeßlich⁵ᵇ	
übersenden⁵ᵃ		Umfang²ᵃ		continual	2.5	infinite	3.5
transfer	2.4	compass	2.5	unaufhörlich⁴ᵇ		unermüdlich⁵ᵇ	
transport	3.9	umfangreich⁵ᵃ		continual	2.5	untiring	7.2
übersetzen⁴ᵃ		extensive	4.9	unausgesetzt⁵ᵇ		unerreichbar	
translate	3.8	umfassen²ᵃ		constant	2.4	(out of) reach	4.1
Übersetzung³ᵇ		include	2.1	unbedeutend³ᵃ		unerschöpflich⁶ᵇ	
translation	5.	Umgang³ᵃ		insignificant	4.	abundant	4.2
Übersicht⁵ᵃ		connection	2.9	trivial	5.	inexhaustible	8.7
survey	4.9	umgeben²ᵃ		unbedingt²ᵃ		unerträglich⁴ᵇ	
übersteigen⁴ᵃ		surround	1.8	absolute	1.8	intolerable	5.3
exceed	2.3	Umgebung³ᵃ		unbefangen⁴ᵇ		unerwartet³ᵇ	
übertragen²ᵃ		neighborhood	2.9	simple	2.2	unexpected	3.5
transfer	2.4	circuit	3.9	unbegreiflich⁴ᵇ		unfähig⁵ᵇ	
Übertragung⁴ᵃ		Umgegend⁶ᵃ		incomprehensible	6.7	unable	4.1
translation	5.	neighborhood	2.9	unbekannt²ᵃ		Unfähigkeit	
übertreffen⁴ᵃ		umgehen³ᵃ		unknown	1.8	impotence	8.7
exceed	2.3	escape	1.8	unbemerkt⁵ᵃ		Unfall³ᵇ	
(be) ahead (of)	2.7	go round	1.8	unseen	4.8	accident	2.3
(have the) advantage	3.	Umgestaltung⁶ᵇ		unbequem⁵ᵃ		disaster	3.9
surpass	4.6	change	2.9	uncomfortable	4.6	unfehlbar	
übertreiben⁴ᵃ		umher³ᵃ		unberechtigt⁶ᵃ		infallible	7.7
exaggerate	4.5	around	1.6	(without) authority	4.8	unfreundlich	
Übertreibung⁶ᵃ		umkehren²ᵇ		unberührt⁶ᵇ		unkind	6.1
exaggeration	7.7	turn round	1.4	virgin	4.1	unfruchtbar	
überwältigen⁴ᵇ		umgekehrt		intact	7.3	barren	5.3
overcome	2.4	(wrong) side	1.7	unbeschränkt⁵ᵇ		Unfruchtbarkeit	
überweisen²ᵃ		invert	3.9	boundless	4.9	barrenness	9.4
transfer	2.4	Umlauf⁵ᵇ		unbeschreiblich⁶ᵇ		ungarisch⁵ᵇ	
remit	3.6	in – setzen		indescribable	7.2	Hungarian	6.6
consign	5.	send forth	3.4	unbesiegbar		ungeachtet⁴ᵇ	
Überweisung³ᵃ		circulation	5.4	invincible	7.3	however	1.
transfer	4.	umranden		unbesiegt		Ungeduld⁵ᵃ	
überwiegen³ᵇ		border	5.1	unconquered	8.6	impatience	5.3
prevail	3.2	umringen⁶ᵇ		unbeständig		ungeduldig⁵ᵃ	
überwinden²ᵇ		surround	1.8	fickle	6.5	impatient	4.3
overcome	2.4	Umriß⁵ᵇ		unbestimmt⁵ᵃ		ungefähr²ᵃ	
		outline	4.8	vague	4.	about (approximately)	1.
		Umsatz⁶ᵇ				almost	1.
		sale	2.4				

INDEX TO GERMAN WORDS IN THE LIST

	Section
ungeheuer[2a]	
great (huge)	1.
Ungeheuer[5a]	
monster	4.1
ungehörig	
improper	7.2
ungemein[3a]	
unusual	2.
ungenügend[6a]	
insufficient	6.9
ungerecht[4a]	
unjust	3.3
Ungerechtigkeit[5a]	
injustice	4.6
ungern[4b]	
unwillingly	4.6
ungerührt	
unmoved	7.
ungeschickt[6b]	
awkward	4.9
ungeschliffen	
rude (unpolished)	4.3
rude (impolite)	5.2
ungestört[6a]	
peaceful	2.9
ungestüm[6b]	
furious	1.9
Ungestüm	
impetuosity	9.9
ungesund[6b]	
unhealthy	6.9
ungewiß[6a]	
uncertain	4.
vague	4.
Ungewißheit[6b]	
doubt	1.
ungewöhnlich[3b]	
unusual	2.6
ungewohnt[6b]	
unusual	2.6
ungläubig	
sceptic	9.2
unglaublich[5a]	
incredible	5.4
ungleich[3a]	
unequal	3.9
Ungleichheit[6a]	
difference	1.4
inequality	7.4
Unglück[1b]	
misfortune	2.2
(bad) luck	2.7
unglücklich[2a]	
unhappy	1.8
unfortunate	2.2
Unglückliche[4a]	
unhappy	1.8
Unglücksfall[6b]	
accident	2.3
ungünstig[3a]	
unfavorable	6.
Unheil[5a]	
misfortune	2.2
disaster	3.9
mischief	4.5
unheilbar	
incurable	7.4
irreparable	9.9
unheimlich[5b]	
strange	1.
Uniform[6a]	
uniform	4.4
Union[6a]	
union	1.6
Universität[3a]	
university	3.3
unklar[6a]	
dim	4.1

	Section
Unkosten[6a]	
price	1.
expense	3.3
Unkraut	
weed	5.3
unmerklich	
imperceptible	7.8
unmittelbar[1b]	
direct	1.
unmöglich[1b]	
impossible	1.4
Unmöglichkeit[5a]	
impossibility	7.1
unnatürlich[6a]	
monstrous	4.7
irregular	5.
unnötig[5a]	
unnecessary	4.2
unnütz[4a]	
– sein, (of no) use	1.8
Unordnung[6a]	
in – bringen	
(put in) disorder	4.8
disorder	5.
in – bringen	
ruffle	5.8
unpassend[2a]	
unfit	6.4
unrecht[2b]	
– haben, (be) wrong	1.4
Unrecht[5a]	
wrong (injury)	3.1
wrong (misdeed)	3.2
injustice	4.6
unrecht (adj.)[6b]	
wrong	1.
unjust	3.3
unredlich	
dishonest	7.8
unrein[6a]	
dirty	4.2
filthy	5.7
impure	7.5
unrichtig[3b]	
wrong	1.
Unruhe[3a]	
worry	2.8
uneasiness	5.
unruhig[3b]	
restless	2.7
unsäglich	
unspeakable	6.7
inexpressible	9.3
unschädlich[6b]	
harmless	5.8
unschätzbar	
inestimable	8.1
Unschuld[3b]	
innocence	3.4
unschuldig[3a]	
innocent	2.8
unselig[6b]	
unhappy	1.8
unser[1a]	
our	1.
unsicher[4b]	
uncertain	4.
Unsicherheit[5b]	
doubt	1.
uncertainty	6.5
unsichtbar[4a]	
invisible	3.7
Unsinn[6b]	
nonsense	5.
unsittlich	
immoral	12.2
Unsittlichkeit	
immorality	11.4

	Section
unsrig[5b]	
ours	3.9
unsterblich[5b]	
immortal	3.8
Unsterblichkeit[6b]	
immortality	6.
unten[1b]	
down	1.
beneath	1.6
unter[1a]	
among	1.
between	1.
under	1.
unterbrechen[2b]	
interrupt	2.3
Unterbrechung[5b]	
interruption	6.3
unterbringen[5a]	
shelter	2.6
unterdessen[4a]	
meanwhile	2.8
unterdrücken[3b]	
put down	2.2
suppress	3.7
Unterdrückung	
suppression	8.4
untere[2a]	
under	1.9
untereinander[5b]	
mutual	3.1
Untergang[4a]	
setting	8.9
Untergebene[6b]	
subordinate	7.
untergehen[4b]	
go down	2.2
-d, setting	9.6
untergeordnet[5a]	
(be) inferior	3.6
Unterhalt[6a]	
support	2.1
unterhalten[2b]	
sich –, talk	1.
enjoy	1.7
entertain	2.4
converse	3.4
Unterhaltung[3a]	
talk	1.
conversation	2.6
Unterhandlung[5b]	
conference	3.
Unterholz	
brushwood	9.8
unterirdisch	
underground	6.6
Unterlage[5b]	
support	2.1
unterlassen[3a]	
refrain	4.1
unterliegen[2b]	
(be) overcome	3.3
unternehmen[2a]	
undertake	2.5
Unternehmen[2b]	
undertaking	2.4
Unternehmer[4a]	
director	2.8
contractor	6.6
Unternehmung[2b]	
undertaking	2.4
Unteroffizier[3a]	
corporal	4.2
Unterredung[4b]	
conference	3.
interview	4.3
Unterricht[2a]	
instruction	2.4

	Section
unterrichten[3a]	
teach	1.
untersagen[5a]	
forbid	2.
unterscheiden[2a]	
distinguish	2.2
Unterscheidung[6a]	
difference	1.4
Unterschied[2a]	
difference	1.4
unterschreiben[4b]	
sign	2.4
Unterschrift[4a]	
signature	4.1
Unterseebot	
submarine	8.1
unterseeisch	
submarine	8.1
unterstellen[5a]	
place	1.
unterstreichen	
underline	8.
unterstützen[2a]	
support	1.8
Unterstützung[2a]	
support	2.1
untersuchen[3a]	
examine	1.5
explore	3.8
Untersuchung[2a]	
inquiry	3.5
Untertan[3b]	
subject	2.3
Untertasse	
saucer	7.
unterwegs[4b]	
(on the) way	2.2
unterwerfen[2a]	
subject	2.
Unterwerfung[6b]	
submission	6.
unterzeichnen[4b]	
sign	2.4
unterziehen[4b]	
sich –, undergo	3.8
unübersteigbar	
insuperable	10.1
unüberwindlich[6b]	
irresistible	5.4
ununterbrochen[4a]	
continual	2.5
unveränderlich	
unchangeable	8.9
unverändert[3b]	
constant	2.4
unvereinbar	
incompatible	9.9
Unverfrorenheit	
impertinence	9.4
unvergeßlich	
unforgettable	10.9
unvergleichlich[5b]	
incomparable	6.4
unverkennbar[6b]	
evident	2.5
unvermeidlich[4a]	
inevitable	4.4
unvernünftig	
unreasonable	7.2
unveröffentlicht	
unpublished	12.8
unverschämt[2b]	
bold	2.1
unversehens	
unaware	6.
unverständlich[6b]	
incomprehensible	6.7

	Section		Section		Section		Section
unverzüglich[6b]		Vaterlandsliebe		verbinden[1a]		verdunkeln	
(at) once	1.	patriotism	6.5	join	1.	obscure	6.
immediate	2.8	väterlich[4a]		join (with)	1.9	verdünnen[5b]	
unvollkommen[5b]		paternal	4.8	combine	2.3	weaken	4.8
imperfect	4.2	Vaterschaft		verbindlich[6a]		verehren[2b]	
unvollständig		fatherhood	11.4	required	3.1	honor	1.7
unfinished	6.9	Vaterstadt[5b]		Verbindlichkeit[4b]		reverence	2.7
unvorsichtig		(home) town	3.3	obligation	4.	Verehrung[4a]	
careless	5.2	Vegetation		Verbindung[1a]		worship	3.6
imprudent	10.	vegetation	7.2	union	1.6	Verein[1b]	
unwahrscheinlich[6a]		Veilchen		verbleiben[3a]		company (social)	1.
doubtful	2.6	violet	5.2	persist	3.8	club	1.6
improbable	7.9	verabreden[5b]		Verbot[4b]		vereinbaren[5a]	
unwiderstehlich[5b]		agree	2.2	prohibition	5.	agree	2.2
irresistible	5.4	Verabredung[6b]		Verbrauch		reconcile	4.6
Unwille[5a]		agreement	3.1	consumption	7.2	Vereinbarung[5a]	
anger	1.9	appointment (to		verbrauchen[5b]		agreement	3.1
indignation	4.2	meet)	4.5	wear out	2.8	vereinen[3b]	
grudge	4.6	engagement	4.7	use up	2.9	unite	1.
unwillkommen		verabreichen		Verbrechen[2b]		vereinigen[1b]	
unwelcome	7.2	dispense	5.9	crime	2.4	unite	1.
unwillkürlich[4a]		verachten[3b]		Verbrecher[5b]		vereinigt, united	1.5
instinctive	4.9	scorn	2.9	criminal	4.5	Vereinigung[2b]	
involuntary	5.4	verächtlich[5a]		verbreiten[2a]		union	1.6
unwissend		scornful	5.1	spread	1.4	vereinzelt[5b]	
ignorant	5.	Verachtung[4a]		diffuse	3.5	rare	1.4
Unwissenheit[6b]		scorn	3.3	Verbreitung[3b]		cut off	2.9
ignorance	4.6	verallgemeinern		development	2.1	Verfahren[1b]	
unwürdig[5a]		generalize	9.3	verbrennen[4a]		process	1.7
unworthy	4.7	veränderlich		burn	1.6	verfahren[3a]	
unzählig[4a]		changing	4.6	Verbrennung[5b]		proceed	2.
countless	3.9	verändern[2a]		combustion	6.	stray	3.1
unzertrennlich		change	1.4	verbringen[6b]		Verfall[5a]	
inseparable	6.8	Veränderung[2a]		spend	2.2	destruction	4.2
unzufrieden[5b]		change	1.5	verbündet[4b]		decay	4.3
unhappy	1.8	veranlagt[6b]		allied	5.2	verfallen[3b]	
discontent(ed)	4.6	predisposed	9.3	Verbündete[6a]		(grow) weak	2.4
Unzufriedenheit[5b]		Veranlagung[5a]		ally	6.4	fall to pieces	2.6
discontent	4.8	ability	3.2	Verdacht[3b]		spoil	2.6
unzweifelhaft[3b]		veranlassen[2a]		im – haben, suspect	2.8	verfassen[4b]	
(without) doubt	1.	cause	1.	suspicion	4.	compose	2.6
üppig[5a]		(give) rise to	2.3	verdächtig[4b]		Verfasser[1b]	
sumptuous	5.	Veranlassung[2b]		suspect	4.3	author	1.5
uralt[5a]		cause	1.	verdammen[4b]		Verfassung[2a]	
old	1.	veranstalten[5a]		damn	4.2	constitution	2.7
Urheber[4a]		organize	3.7	verdanken[2b]		verfehlen[4a]	
author	1.5	verantwortlich[4b]		owe	1.8	miss	1.
Urkunde[4b]		responsible	4.3	indebted	4.2	verfeinern	
act	2.3	Verantwortlichkeit[5a]		Verdauung		refine	5.5
Urlaub[5b]		responsibility	5.1	digestion	7.4	Verfeinerung	
leave	2.9	Verantwortung[5a]		verdecken[6a]		refinement	6.6
Ursache[1b]		responsibility	5.1	hide	1.	verfertigen[6a]	
cause	1.	verarbeiten[6a]		verderben[3a]		manufacture	3.
reason	1.	use	1.	spoil	2.6	verfinstern	
Ursprung[3b]		digest	6.2	warp	3.5	eclipse	7.
source	2.7	verargen		Verderben[3b]		verfließen[5a]	
ursprünglich[2a]		(bear) grudge	5.6	ruin	2.4	pass	2.6
original	2.3	Verband[3a]		verderblich[5a]		expire	4.3
Urteil[1b]		organization	3.5	mortal	2.9	verfluchen	
judgment	1.5	bandage	5.3	ruinous	6.5	curse	4.6
sentence	2.	verbannen[5b]		verdienen[1b]		verfolgen[1b]	
urteilen[4a]		banish	4.1	gain	1.	pursue	1.5
judge	1.	Verbannte		deserve	1.5	persecute	3.2
reason	3.	exile	5.6	Verdienst[2a]		Verfolgung[3a]	
		Verbannung		profit	2.1	pursuit	3.4
V		exile	6.	verdoppeln[7a]		persecution	4.2
		verbergen[1b]		double	4.2	verfügen[3a]	
Valuta[5b]		hide	1.	double (effort)	4.3	decree	3.
currency	4.9	verbessern[3a]		verdrängen[4b]		Verfügung[2a]	
Vasall		improve	2.4	suppress	3.7	decree	2.6
vassal	6.6	correct	2.7	verdrießen[6b]		verführen[5b]	
Vater[1a]		Verbesserung[2b]		vex	4.1	corrupt	4.7
father	1.	improvement	3.6	verdrießlich[5a]		seduce	4.8
Vaterland[1b]		correction	3.7	unpleasant	3.8	Verführung	
country	1.1	verbieten[2b]		grievous	4.	seduction	12.9
vaterländisch[5a]		forbid	2.	Verdruß[5a]		Vergangenheit[3a]	
national	2.			disappointment	4.4	past	1.9
						past (tense)	2.2

INDEX TO GERMAN WORDS IN THE LIST

	Section
vergeben[3b]	
pardon	2.2
vergebens[2b]	
(in) vain	1.9
vergeblich[3a]	
(in) vain	1.9
Vergebung[6a]	
pardon	3.6
vergehen[2a]	
sich –, sin	2.4
perish	2.7
Vergehen[5a]	
decay	4.3
vergessen[1b]	
forget	1.
Vergessen	
forgetfulness	6.5
vergiften	
poison	5.1
Vergiftung	
poisoning	5.8
Vergleich[2a]	
comparison	2.7
vergleichen[1b]	
compare	1.6
zu –	
(to be) compared	2.2
Vergleichung[5a]	
comparison	2.7
Vergnügen[2a]	
pleasure	1.4
vergnügen[4a]	
enjoy	1.1
sich –, (have) fun	2.9
vergolden[6b]	
gild	4.5
vergönnen[5b]	
grant	1.
vergrößern[4b]	
increase	1.1
magnify	4.1
Vergrößerung[6b]	
increase	2.3
verhalten[2b]	
keep back	1.7
Verhalten[3a]	
conduct	2.3
Verhältnis[1a]	
relation	1.6
proportion	2.1
verhältnismäßig[2b]	
(in) proportion	2.6
verhandeln[4a]	
debate	2.9
Verhandlung[1b]	
discussion	2.9
dealing	3.
verhängnisvoll[5a]	
mortal	2.9
verhaßt[5b]	
hateful	4.7
verheeren	
waste	4.9
desolate	5.6
verhehlen[5b]	
hide (tr. vb.)	1.
hide (fact)	2.8
dissemble	6.8
verheiraten[3b]	
marry	2.3
verhindern[2a]	
keep from	1.4
verhökern	
retail	6.3
verhüllen[5b]	
wrap	2.3
verhüten[4b]	
avoid	1.8

	Section
verjüngen[6a]	
restore	4.4
Verkauf[3a]	
sale	2.4
verkaufen[2a]	
sell	1.4
Verkäufer[3b]	
clerk	2.7
Verkehr[1b]	
trade	1.2
traffic	2.6
verkehren[3a]	
trade	2.4
associate	3.
ply	3.4
verkennen[4a]	
(not) recognize	2.6
Verkleidung	
disguise	5.8
verknüpfen[4b]	
tie	1.6
verkörpern	
embody	6.8
verkünden[4a]	
(let) know	1.
proclaim	3.5
verkündigen[4b]	
(let) know	1.
verkürzen[5b]	
shorten	4.8
Verlag[4b]	
publication	4.6
verlangen[1a]	
demand	1.
long for	1.4
Verlangen[2b]	
demand	1.3
verlängern[4b]	
prolong	3.6
Verlängerung[5a]	
extension	4.4
verlangsamen	
slow down	4.4
verlassen[1a]	
sich – auf, count on	1.
leave (desert)	1.
Verlauf[2b]	
course	1.1
verlaufen[5a]	
happen	1.
stray	3.1
verleben[4b]	
spend	2.2
verlegen[2b]	
– machen, embarrass	3.2
Verlegenheit[3a]	
in – setzen	
embarrass	3.2
Verleger[5a]	
publisher	5.8
verleihen[2b]	
grant	1.
verleiten[5a]	
seduce	4.8
verletzen[3a]	
wound	2.2
Verletzung[4a]	
damage	2.4
violation	6.8
verleugnen[5b]	
deny	3.7
verlieben[5a]	
verliebt, (in) love	2.7
verlieren[1a]	
lose	1.
Mut –, (lose) courage	2.

	Section
Verließ	
dungeon	6.1
verloben	
betroth	6.8
Verlust[1b]	
loss	1.2
vermählen[6a]	
marry	2.3
vermehren[2a]	
increase	1.1
Vermehrung[3a]	
increase	2.3
vermeiden[2a]	
avoid	1.8
Vermeidung	
prevention	7.3
vermindern[4a]	
decline	3.3
Verminderung[5b]	
decrease	4.7
vermischen[5b]	
mix	2.2
vermissen[4b]	
miss	1.
vermitteln[3b]	
– zwischen	
(go) between	2.3
Vermittelung[5b]	
durch – von	
through (agent)	1.
vermögen[1a]	
(be) able	1.
Vermögen[2a]	
wealth	1.5
vermuten[3a]	
suppose	1.
vermutlich[5a]	
probable	1.7
Vermutung[3b]	
conjecture	4.7
vernachlässigen[5b]	
neglect	2.
Vernachlässigung	
neglect	4.7
vernehmen[2a]	
understand	1.
verneinen[5b]	
deny	2.4
-d, negative	4.8
vernichten[2b]	
destroy	1.5
abolish	3.9
Vernichtung[5a]	
destruction	4.2
Vernunft[2b]	
reason	1.4
discretion	3.9
vernünftig[3a]	
reasonable	3.4
veröffentlichen[3a]	
publish	2.8
Veröffentlichung[4b]	
publication	4.6
Verordnung[3b]	
decree	2.6
Verpflegung[5a]	
nourishment	5.6
verpflichten[2a]	
engage	1.9
Verpflichtung[2a]	
duty	1.
Verrat[5a]	
treason	4.3
verraten[2b]	
betray	2.5
Verräter[7a]	
traitor	4.9

	Section
verräterisch	
treacherous	6.
Verrenkung	
wrench	6.8
verrichten[5a]	
carry out	1.
verringern[5b]	
cut off	2.8
Vers[3b]	
verse	2.7
versagen[3a]	
refuse	2.3
versammeln[2a]	
gather (collect)	1.5
rally	4.7
Versammlung[2a]	
assembly	2.6
collection	2.7
versäumen[4a]	
neglect	2.
verschaffen[2a]	
Einblick –, (let) know	1.
supply	1.1
verschieben[4b]	
put off	2.6
Verschiebung[6b]	
delay	3.8
verschieden[1a]	
different	1.
verschiedenartig[4b]	
different	1.
Verschiedenheit[3b]	
difference	1.4
Verschlagenheit	
cunning	5.1
verschließen[2b]	
lock	1.5
verschlingen[5b]	
swallow	3.5
devour	3.8
twist	4.
verschmähen[5a]	
scorn	2.9
verschonen[6b]	
spare	3.4
verschulden[6a]	
(be to) blame	1.8
(in) debt	4.
verschweigen[5a]	
hide	1.
verschwenden	
waste	4.2
lavish	6.3
verschwinden[1b]	
disappear	1.4
Verschwinden	
disappearance	8.3
verschwören	
plot	5.4
Verschworene	
conspirator	7.7
Verschwörung[6b]	
plot	3.9
versehen[2a]	
supply	1.1
(make a) mistake	2.2
Versehen[5b]	
error	1.8
oversight	6.1
versenden[5a]	
send	1.
transport	3.9
versenken[6b]	
sink	3.2
versetzen[1b]	
take away	1.
Versetzung[6b]	
change	1.5

SEMANTIC FREQUENCY LIST

	Section
Versicherer[5a]	
insurer	12.
versichern[1b]	
assure	1.4
Versicherung[2a]	
insurance	3.3
versinken[5a]	
sink	3.2
versöhnen[5a]	
reconcile	4.7
Versöhnung[6b]	
reconcile	4.7
conciliation	7.8
versorgen[5b]	
supply	1.1
versprechen[1b]	
promise	1.
pledge	2.7
Versprechen[4b]	
promise	2.7
Verstaatlichung[6a]	
nationalization	12.4
Verstand[2a]	
understanding	1.7
verständig[3a]	
reasonable	3.4
intelligent	3.6
Verständigung[4b]	
agreement	3.1
verständlich[4a]	
evident	2.5
Verständnis[2b]	
understanding	1.7
verstärken[2b]	
strengthen	3.4
Verstärkung[4b]	
reinforcement	7.6
verstecken[5a]	
hide	1.
verstehen[1a]	
understand	1.
versteifen	
(make) stiff	4.9
Verstellung	
pretense	6.5
verstimmt	
sullen	5.8
verstorben[4a]	
dead	1.4
Verstorbene[6b]	
dead	1.4
verstoßen[6b]	
offend	2.8
verstummen[5a]	
(become) dumb	4.
Versuch[1b]	
attempt	1.8
experiment	2.6
versuchen[1b]	
try	1.
experiment	2.4
Versuchung[4a]	
temptation	4.4
vertauschen[6b]	
exchange	3.5
verteidigen[2b]	
defend	1.4
Verteidiger[4b]	
attorney	4.7
defender	6.8
Verteidigung[3a]	
defense	2.8
verteilen[2b]	
divide	1.1
distribute	3.3
Verteilung[3a]	
distribution	3.7

	Section
vertiefen[5a]	
vertieft, absorbed	3.
deepen	5.
Vertiefung[5b]	
depth	2.6
Vertrag[1b]	
contract	2.3
treaty	2.6
vertragen[4b]	
bear	1.
vertragsmäßig[5b]	
agreed	2.8
Vertrauen[1b]	
trust	1.
vertrauen[2b]	
– auf, count on	1.
trust	1.4
vertraulich[5b]	
familiar	3.3
confidential	6.6
Vertrautheit	
intimacy	6.8
vertreiben[3a]	
drive away	2.3
expel	4.3
vertreten[2a]	
represent	1.4
Vertreter[2a]	
agent	2.9
Vertretung[3b]	
representation	3.5
verursachen[3a]	
cause	1.
verurteilen[3b]	
sentence	2.3
condemn	2.7
vervielfältigen	
multiply	5.1
Vervielfältigung	
multiplication	7.
Vervollkommnung[6a]	
perfection	3.4
verwahren[6a]	
preserve	3.
verwalten[5a]	
manage	2.2
Verwalter[4a]	
director	2.8
superintendent	5.
manager	5.
Verwaltung[2a]	
direction	1.8
Verwaltungs-	
administrative	9.2
verwandeln[2a]	
transform	2.8
Verwandtschaft[5a]	
relation (relative)	2.3
relation (family relationship)	4.2
verwandt[3a]	
relation	2.3
Verwandte[3b]	
relation	2.3
verweigern[3b]	
refuse	2.3
verweilen[4a]	
delay	2.
verweisen[3b]	
reproach	2.8
refer (to)	3.1
verwelken	
fade	4.9
verwenden[1b]	
use	1.
Verwendung[2a]	
use	1.1

	Section
verwerfen[3b]	
reject	3.2
warp	3.5
verwerten[5a]	
use	1.
Verwertung[5b]	
use	1.1
verwickeln[4a]	
involve	3.9
Verwick(e)lung[6b]	
difficulty	1.9
complication	7.2
verwirklichen[5b]	
realize	3.5
Verwirklichung[6b]	
realization	6.4
verwirren[3b]	
confound	3.1
verwirrt, confused	3.2
perplex	3.6
(make) dizzy	4.4
entangle	4.4
Verwirrung[4b]	
confusion	3.2
tangle	5.6
verwunden[3b]	
wound	2.2
verwundern[4a]	
astonish	2.7
Verwunderung[4b]	
surprise	2.4
Verwundete[5b]	
wounded	3.3
verwüsten	
waste	4.9
verzehren[4a]	
devour	3.8
verzeichnen[4b]	
register	3.
Verzeichnis[5b]	
list	2.9
verzeihen[3a]	
pardon	2.2
Verzeihung[6a]	
pardon	3.6
verzerren	
distort	7.5
Verzicht[5b]	
– leisten, renounce	3.1
verzichten[3a]	
do without	2.1
renounce	3.1
verziehen	
spoil	4.6
verzieren[6b]	
trim	2.4
Verzierung[6a]	
trimming	3.8
verzögern[4b]	
delay	2.7
Verzögerung[6b]	
delay	3.8
verzweifeln[3b]	
despair	2.8
verzweifelt	
desperate	2.8
Verzweiflung[3a]	
despair	3.
Veteran	
veteran	7.2
Vetter[3b]	
cousin	2.4
Vibration	
vibration	7.6
Vicomte	
viscount	8.4
Vieh[5b]	
cattle	3.7

	Section
viel[1a]	
-e, many	1.
much	1.
vielfach[1b]	
several times	1.2
multiple	4.8
vielleicht[1a]	
perhaps	1.
vielmehr[1b]	
rather	1.
vier[1b]	
four	1.
viereckig[6b]	
square	3.4
vierte[2b]	
fourth	1.6
Viertel[5b]	
quarter (of town)	2.5
quarter	2.6
vierundzwanzig	
twenty-four	4.7
vierzehn[4a]	
fourteen	3.4
vierzig[4b]	
forty	2.9
Villa[6b]	
country house	3.3
violett	
violet (color)	5.5
Violin-	
treble	6.8
Viper	
viper	7.
Vizekönig	
viceroy	8.6
Vizepräsident[5b]	
vice-president	9.8
Vlies	
fleece	6.4
Vogel[4a]	
bird	2.3
Vogt[6b]	
constable	6.2
Volant	
ruffle	6.1
Volk[1a]	
people (race)	1.
people (common)	1.
Volksschule[4a]	
school	1.
Volksvertretung[6b]	
House of Representatives	3.4
voll[1a]	
full	1.
vollbringen[4b]	
carry out	1.
vollenden[1b]	
complete	1.
vollends[4a]	
all	1.
Vollendung[3b]	
perfection	3.4
völlig[1b]	
complete	1.
fully	2.2
vollkommen[1b]	
complete	1.
perfect	1.
– gleich, identical	3.5
Vollkommenheit[5a]	
perfection	3.4
vollständig[1b]	
complete	1.
-vollstrecker (e.g., Testaments-)	
executor	7.7

INDEX TO GERMAN WORDS IN THE LIST

	Section
vollziehen[2b]	
carry out	1.
Volt	
volt	9.4
von[1a]	
about	1.
by (agent)	1.
from	1.
of	1.
through (agent)	1.
- nun an, (from) now on	1.1
voneinander[6a]	
separate	1.
vor[1a]	
ago	1.
before (time)	1.
before (in front of)	1.
- langem, long ago	1.3
Vorahnung	
misgiving	7.4
voran[4b]	
(in) front	1.4
vorangehen[6a]	
(come) before	2.3
voraus[2a]	
before (in front of)	1.
(in) advance	2.2
Vorausgehende	
antecedent	8.3
vorausgesetzt[4b]	
- daß, provided that	2.9
voraussagen	
tell in advance	4.9
voraussehen[6a]	
see in advance	3.8
(have) misgiving	6.3
voraussetzen[4a]	
presume	4.
Voraussetzung[2b]	
basis	3.4
voraussichtlich[4a]	
probable	1.7
vorbehalten[3b]	
reserve	2.7
vorbei[3a]	
past	1.4
Vorbeigehende	
passerby	10.9
vorbeimarschieren	
defile	6.5
vorbereiten[2b]	
prepare	1.4
sich -, prepare	1.6
Vorbereitung[3a]	
preparation	3.
vorbeugen[5b]	
keep from	1.4
Vorbild[4a]	
model	2.
vorbringen[4b]	
state	2.2
vordere[3a]	
front	2.2
Vordergrund[5a]	
foreground	6.5
vordringen[4a]	
go forward	1.4
vorerst[6b]	
(at) first	1.
Vorfahr[5a]	
ancestor	4.5
Vorfall[4a]	
event	2.
incident	4.2
episode	5.7
vorfinden[5a]	
find	1.

	Section
vorführen[4b]	
bring before	2.2
Vorgang[2b]	
event	2.
Vorgänger[5a]	
predecessor	6.
vorgeben	
make believe	4.2
vorgehen[2a]	
proceed	2.
Vorgehen[3b]	
procedure	5.1
Vorgesetzte[2b]	
chief	1.5
vorgestern[6a]	
day before yesterday	4.
vorhanden[1a]	
- sein, exist	1.8
Vorhang[6a]	
curtain	3.8
vorher[1b]	
before (time)	1.
am Tag - day before	1.4
vorhergehen[4b]	
(come) before	2.3
-d, coming before	2.8
-d, preceding	4.9
vorhin[3b]	
before (time)	1.
vorig[1b]	
previous	2.
Vorjahr[5b]	
preceding year	4.9
vorkommen[1b]	
appear (loom)	1.
Vorlage[2a]	
model	2.
vorläufig[2b]	
now	1.
(for the) present	1.4
temporary	3.2
preliminary	4.6
vorlegen[2a]	
propose	1.4
vorlesen[5a]	
read	1.
Vorlesung[5b]	
talk	1.2
Vorliebe[4b]	
- haben (have a) taste	2.4
prejudice	4.2
vorliegen[1b]	
(what's the) matter	1.
Vormarsch[5b]	
advance	2.2
Vormittag[5a]	
morning	1.
Vormund[6a]	
guardian	5.5
vorn[2b]	
(in) front	1.4
vornehm[2b]	
distinguish	2.2
vornehmen[1b]	
sich -, intend	1.4
vornehmlich[4b]	
above all	1.
vornherein[4a]	
von - (from the) beginning	3.9
Vorort	
suburb	6.3
Vorposten[4b]	
guard (military)	2.

	Section
Vorrat[4a]	
in -, spare	3.
Vorrecht[6a]	
privilege	3.7
Vorrede[6a]	
introduction	3.7
Vorredner[3a]	
speaker	3.1
Vorrichtung[4b]	
device	3.7
vorrücken[5a]	
go forward	1.4
push	2.3
Vorsatz[4a]	
purpose	1.
vorsätzlich[6b]	
express	2.6
Vorschein[6a]	
zum - kommen appear (loom)	1.
vorschieben[3b]	
push	2.3
Vorschlag[1b]	
in - bringen propose	1.4
vorschlagen[2b]	
propose	1.4
vorschnell	
premature	7.8
vorschreiben[2b]	
command	1.5
prescribe	3.5
vorschreiten[6a]	
go forward	1.4
proceed	2.
Vorschrift[1b]	
rule	1.1
receipt	2.6
precept	3.7
vorsehen[3b]	
(take) care	1.
plan	2.3
Vorsehung[5b]	
providence	4.3
vorsetzen[6a]	
intend	1.4
Vorsicht[3a]	
-!, look out!	1.4
prudence	3.7
vorsichtig[3b]	
prudent	3.3
Vorsitz[6a]	
(in the) chair	3.8
vorsitzen	
preside	5.9
Vorsitzende[2b]	
president	1.9
Vorstand[4b]	
director	2.8
vorstehen[4b]	
manage	2.2
-d, projecting	4.3
vorstellen[3a]	
suppose	1.
imagine	1.4
present	1.8
Vorstellung[2a]	
performance	3.1
presentation	4.5
Vorteil[1b]	
- ziehen, profit	1.4
advantage	1.5
vorteilhaft[3b]	
profitable	4.1
Vortrag[2b]	
talk	1.2
vortragen[4a]	
recite	3.9

	Section
vortrefflich[2b]	
admirable	3.1
vorüber[2b]	
past	1.4
vorübergehen[2b]	
pass	1.4
-d, passing	1.9
Vorurteil[3b]	
prejudice	4.2
Vorwand[4b]	
pretense	4.
vorwärts[2b]	
forward	1.4
- gehen, go forward	1.4
vorwegnehmen	
anticipate	6.8
vorwerfen[6a]	
reproach	2.8
vorwiegen[5b]	
prevail	3.2
Vorwort	
preface	7.3
Vorwurf[2a]	
reproach	2.7
vorziehen[4a]	
rather	1.1
Vorzimmer	
entrance hall	5.3
Vorzug[1b]	
advantage	1.5
preference	3.3
vorzüglich[2a]	
excellent	1.8
vorzugsweise[3b]	
above all	1.
vorzuziehen	
preferable	7.9
Vulkan	
volcano	6.7

W

	Section
Wabe	
honeycomb	7.
Wache[3a]	
guard (watchman)	2.
guard (military)	2.
wachen[2a]	
sit up	1.8
wake (intr. vb.)	1.9
Wachs[4b]	
wax	3.6
wachsam	
watchful	6.4
wachsen[1b]	
grow (increase in size)	1.1
increase	1.1
grow (e.g., leaves)	1.3
-d, rising	1.3
Wachstum[5a]	
growth	4.2
Wächter	
guard (watchman)	2.
Wachtmeister[6b]	
corporal	4.2
sergeant	6.4
wacker[4a]	
(be) brave	1.
Waffe[1b]	
arm (weapon)	1.
Wage[2b]	
scale	2.1
wagen[1b]	
dare	1.
(take) chance	2.

	Section			Section			Section			Section
Wagen[2b]		wälzen[5b]			Wechsel[1b]			Weisheit[2b]		
car (carriage)	1.5	roll	2.3		exchange	2.		wisdom	2.3
car (railroad)	2.	Wand[2a]			wechseln[2a]			weiß[1a]	
car (tram)	2.1	wall	1.4		change	1.4		white	1.
automobile	2.2	Wandel[5a]			wecken[3a]			– werden, – machen
chariot	2.6	change	1.5		wake (tr. vb.)	1.9		(become, make)
cart	2.7	wandeln[3a]			weder[1b]			white	1.9
cab	3.9	change	1.4		– . . . noch			Weiß[6b]	
wagerecht		Wanderer[6a]			neither . . . . nor.	1.		white	3.7
horizontal	6.5	tramp	4.9		– der eine noch der			weißen[2b]	
Wahl[1b]		tourist	6.9		andere			(become) white	1.9
choice	1.6	wandern[3b]			neither (one)	1.		Weisung[5a]	
election	2.1	wander	2.7		weg[2a]			order	1.
Wahl-		Wanderung[5a]			away	1.		weit[1a]	
electoral	8.4	excursion	4.1		Weg[1a]			far	1.
wählen[1b]		Wandlung[6b]			road	1.		und so -er, etc.	3.1
choose	1.	change	1.5		wegen[1a]			Weite[5a]	
vote	1.8	Wandtafel			because of	1.		distance	1.1
Wähler[4b]		blackboard	5.8		wegnehmen[6a]			weiten[3b]	
voter	4.6	Wange[9b]			take away	1.		increase	1.1
Wahlrecht[4a]		cheek	2.5		weh[3b]			enlarge	3.3
suffrage	5.1	wanken[5a]			– tun, hurt (intr. vb.)	1.8		weitergehen[6a]	
Wahn[5a]		waver	3.4		alas	2.		go forward	1.4
illusion	4.7	wann[2b]			wehen[2a]			weiterhin[6b]	
wähnen[5b]		dann und –			wave	1.7		far	1.
suppose	1.	(at) times	1.		Wehen			weitgehend[4a]	
Wahnsinn[5b]		when	1.		waft	6.3		vast	2.8
fury	2.8	Wanne			Wehmut[6b]			Weitherzigkeit	
madness	4.1	tub	6.2		melancholy (n.)	5.		generosity	6.4
wahr[1a]		Ware[1b]			wehmütig[6b]			weithin[6b]	
true	1.	goods	1.5		sad	1.4		far	1.
Wahre[6a]		warm[2a]			melancholy (adj.)	5.		weitläufig[5b]	
truth	1.	warm	1.7		wehren[4a]			vast	2.8
währen[1b]		Wärme[2b]			keep from	1.4		Weizen[4b]	
last	1.1	heat	1.5		Weib[1b]			wheat	2.5
während[1a]		warnen[3b]			woman	1.		welch(-e)[1a]	
during	1.	warn	2.2		weiblich[3a]			any (some)	1.
while	1.	Warnung[5a]			female	3.3		which	1.
wahrhaft[3a]		warning	3.4		feminine	4.1		Welle[5a]	
true	1.	warten[1b]			weich[2b]			wave (surge)	2.9
genuine	3.7	wait	1.		soft	1.5		wave (undulation)	3.8
wahrhaftig[3b]		Warten[2b]			– machen, soften	3.1		Welt[1a]	
true	1.	wait	4.5		weichen[2b]			world	1.
really	1.4	warum[1a]			yield	1.9		Welt-	
genuine	3.7	why	1.		Weide			world	4.9
Wahrheit[1a]		was[1a]			willow	5.6		Weltanschauung[6a]	
truth	1.	what	1.		weiden[6b]			philosophy	3.3
wahrlich[3a]		– . . . . auch, – immer			graze	5.		Weltausstellung[6a]	
indeed	1.	whatever	1.5		weigern[4b]			display	2.6
wahrnehmen[3a]		Wäsche[6a]			refuse	2.3		weltlich[4a]	
(catch) sight of	1.1	wash	3.3		Weihe[5a]			worldly	4.6
Wahrnehmung[4b]		waschen[4b]			solemnity	5.3		secular	5.6
observation	2.4	wash	2.6		consecration	5.8		Weltteil[6b]	
Wahrsager		Wasser[1a]			weihen[4a]			continent	4.4
(fortune) teller	7.	water	1.		dedicate	2.7		wenden[1a]	
wahrscheinlich[1b]		Wasser-			Weihnacht[6a]			turn	1.
probable	1.7	water	5.		Christmas	4.2		sich – an, turn to	1.1
Wahrscheinlichkeit[4a]		wasserdicht[6b]			Weihrauch			wenig[1a]	
chances	3.3	waterproof	6.8		incense	6.1		-e, (a) few	1.
Währung[6a]		Wasserfall			weil[1a]			-ste, least	1.
currency	4.9	waterfall	6.2		because	1.		-er, less	1.
Waise		wässerig			weilen[4b]			little (n.)	1.
orphan	5.6	watery	7.2		sojourn	3.4		wenigstens[1a]	
Wal(fisch)		wasserreich			Weile[3b]			(at) least	1.
whale	7.1	full	4.4		while	1.8		wenn[1a]	
Wald[1b]		Wasserstoff[5a]			Wein[1b]			– auch, although	1.
forest	1.	hydrogen	6.		wine	1.4		if	1.
Waldung[6a]		Wasserstraße[4b]			Weinberg[6a]			außer –, – nicht, unless	1.4
forest	1.	water	1.		vineyard	5.1		– immer, whenever	1.4
Wall[5b]		waten			weinen[2a]			wenngleich[5a]	
dam	4.7	wade	7.1		cry	1.4		although	1.
rampart	6.4	watscheln			Weise[1a]			wer[1a]	
Walnuß		sway	5.6		way	1.		who	1.
walnut	6.3	weben[6a]			weise[4a]			wessen, whose	1.
walten[3b]		weave	4.6		wise	1.5		– immer, whoever	2.2
rule	1.	Weber			weisen[1b]			werben[5a]	
Walze[5b]		weaver	7.2		direct	1.		court	1.
cylinder	4.9				show	1.			

INDEX TO GERMAN WORDS IN THE LIST

	Section
werden[1a]	
become	1.
geboren –	
(be) born	1.
shall	1.
should	1.
zu ... –, end (in)	1.1
-d, rising	1.3
werfen[1a]	
throw	1.
Werk[1a]	
(a) work	1.
writing	1.4
Werkstatt[4b]	
laboratory	5.5
workshop	5.5
Werkzeug[3b]	
tool	3.
Wert[1a]	
value	1.
von gleichem –	
(of same) value	1.8
wert[1b]	
– sein, (be) worth	1.
wertlos[6a]	
worthless	4.2
Wertpapier[3a]	
stock	1.8
wertvoll[3a]	
valuable	2.7
Wesen[1a]	
being	1.
nature (character)	1.
wesentlich[1a]	
essential	2.9
substantial	3.6
integral	6.6
Wespe	
wasp	7.2
Westen[2b]	
west	1.9
Weste	
vest	5.7
westfälisch[5a]	
English	1.
westlich[2b]	
western	2.4
wetten	
bet	6.3
Wetter[2b]	
weather	1.4
wichtig[1a]	
important	1.
Wichtigkeit[2b]	
importance	1.8
wickeln[7a]	
wrap	2.3
wider[2a]	
against	1.
widerfahren[4b]	
happen	1.
widerlegen[5a]	
(give the) lie	3.4
Widerruf	
recall	5.8
widersetzen[6a]	
oppose	2.3
widerspenstig	
unruly	7.4
refractory	9.8
Widerspenstigkeit	
rebellion	6.5
widersprechen[3a]	
object	1.9
contradict	5.3
widersprechend[6b]	
contradictory	9.7

	Section
Widerspruch[2a]	
opposition	3.
contradiction	4.3
Widerstand[2a]	
opposition	3.
widerstehen[3b]	
oppose	2.3
resist	2.8
widerstreben[5b]	
oppose	2.3
resist	2.8
Widerwille[5b]	
disgust	4.6
widmen[2b]	
dedicate	2.7
widrig	
adverse	6.9
Widrigkeit	
adversity	7.
wie[1a]	
as (like)	1.
how	1.
when	1.
so .... –	
as (good) as	1.4
wieder[1a]	
again	1.
hin und –, (at) times	1.
immer –, several times	1.2
– tun, do over again	1.8
– erlangen, recover	1.9
Wiedergabe	
reproduction	6.9
wiedergeben[3b]	
give back	1.9
return	1.9
reproduce	4.3
wiederherstellen[6a]	
repair	3.7
restoration	6.5
Wiederherstellung	
restoration	6.5
revival	8.1
wiederholen[1b]	
say again	1.
sum up	2.
Wiederholung[4b]	
summing up	3.1
repetition	5.3
wiederkehren[4b]	
go back	1.4
wiederkommen[6b]	
come back	1.8
wiedersehen[4b]	
see	1.
Wiedersehen[6a]	
auf –, farewell	3.4
wiederum[2a]	
again	1.
Wiege[6b]	
cradle	4.3
wiegen[4a]	
weigh	2.7
rock	2.9
wiehern	
neigh	6.8
Wiese[4b]	
meadow	2.6
pasture	3.5
wieviel[4b]	
how much	2.2
wiewohl[5a]	
although	1.
Wigwam	
wigwam	6.4
wild[1a]	
wild (savage)	1.6
wild (uncultivated)	1.7
Wild[4a]	
game	2.7

	Section
Wilddieb	
poacher	11.5
Wilderer	
poacher	11.5
Wille[1a]	
will	1.
willen[2b]	
um .... –, sake	1.8
willig[4a]	
– sein, (be) willing	2.9
willkommen[3a]	
welcome	3.3
Willkür[6b]	
arbitrariness	12.4
willkürlich[3b]	
arbitrary	5.4
Wind[2b]	
wind	1.4
winden[5b]	
wind	3.3
windig	
windy	6.5
Windmühle	
windmill	5.4
Wink[4b]	
hint	4.1
Winkel[3b]	
angle	3.4
winken[5a]	
beckon	4.3
Winter[2b]	
winter	1.4
wintrig	
wintry	6.5
wir[1a]	
we	1.
Wirbel[5b]	
whirl	4.
Wirbelsturm	
whirlwind	6.2
wirken[1a]	
act (take action)	1.
busy	1.
Wirken[5a]	
effort	1.8
wirklich[1a]	
indeed	1.
real	1.
really	1.4
Wirklichkeit[2a]	
reality	3.1
wirksam[2b]	
working	2.
Wirksamkeit[3b]	
efficacy	5.4
Wirkung[1b]	
effect	1.4
Wirt[3a]	
host	2.5
innkeeper	5.8
Wirtin[6a]	
hostess	6.8
Wirtschaft[4a]	
farming	2.6
household	2.9
wirtschaftlich[2a]	
saving	1.8
Wirtshaus[5a]	
tavern	4.1
wischen	
wipe	4.7
wißbegierig[3b]	
curious	2.7
wissen[1a]	
know (have knowledge)	1.
– lassen, (let) know	1.

	Section
wissen[1a]—*continued*	
nicht –, (not) know	1.
– mögen, wonder	1.
Wissen[2b]	
knowledge	1.5
ohne .... –, unknown	2.2
Wissenschaft[1b]	
science	1.4
wissenschaftlich[2a]	
scientific	3.9
wissentlich[6b]	
aware	5.4
Witterung[4b]	
weather	1.4
Witwe[3a]	
widow	3.
Witwer	
widower	10.3
Witz[3a]	
joke	2.9
witzig[6a]	
witty	4.1
wo[1a]	
where	1.
wobei[2a]	
near (*prep.*)	1.
Woche[1b]	
week	1.1
Wochenblatt	
paper (newspaper)	1.
magazine	3.
wöchentlich[6a]	
weekly	5.7
wodurch[2a]	
through (motion)	1.
wofür[4b]	
for (in behalf of)	1.
wogegen[5b]	
against	1.
wogen[5a]	
ripple	5.
woher[3b]	
where	1.
wohin[2a]	
where	1.
wohl[1a]	
well	1.
– sein, (be) well	1.
Wohl[3a]	
welfare	3.5
wohlbekannt[6b]	
known	1.1
wohlfeil[6a]	
cheap	2.1
Wohlgefallen[6a]	
pleasure	1.4
wohlhabend[5a]	
rich	1.
Wohlstand[5a]	
prosperity	4.4
Wohltat[5a]	
benefit	3.4
wohltätig[5a]	
charitable	5.4
benign	6.5
wohltun[5b]	
benefit	3.6
Wohlwollen[5a]	
goodwill	5.3
wohlwollend[3b]	
kind	1.
wohnen[1b]	
live	1.1
Wohnhaus[6a]	
dwelling	2.3
Wohnort[6b]	
(place of) residence	4.3

	Section
Wohnsitz[6a] dwelling	2.3
Wohnung[2a] flat	2.1
dwelling	2.3
Wolf wolf	4.7
Wolke[3a] cloud	1.9
Wolle[4b] wool	2.8
aus –, wool	2.8
wollen[1a] want	1.
wollüstig voluptuous	8.6
womit[2b] with	1.
womöglich[5b] perhaps	1.
wonach[3b] after	1.
Wonne[5b] bliss	3.7
woran[4a] at	1.
worauf[2a] on	1.
upon which	1.6
woraus[4b] from	1.
worin[2a] in	1.
Wort[1a] word	1.
Wörterbuch dictionary	7.4
Wortlaut[5a] text	3.1
wörtlich[4b] word for word	2.2
oral	5.4
worüber[4b] above (prep.)	1.
wovon[3a] of	1.
wozu[2b] why	1.
wringen wring	6.1
wund[6b] – sein, (be) sore	3.7
Wunde[4a] wound	2.8
sore	3.3
Wunder[2a] wonder	1.7
miracle	2.9
wunderbar[2b] fine	1.1
wonderful	1.2
admirable	3.1
wunderlich[3a] strange	1.
quaint	3.5
wundern[3a] sich –, wonder	1.8
wundersam[6b] wonderful	1.2
wundervoll[6a] wonderful	1.2
Wunsch[1a] desire	1.
wünschen[1a] desire	1.
wünschenswert[3b] desirable	3.5

	Section
Würde[2b] dignity	2.6
würdig[2a] worthy	1.8
würdigen[4b] appreciate	3.6
Würdigung[6a] estimate	3.8
Würfel[4b] cube	5.
Wurm worm	4.7
Wurst[6a] sausage	5.8
würtembergisch[6a] English	1.
Wurzel[3a] root	2.6
wurzeln[5b] (have) roots (in)	4.2
würzen season	4.5
wüst[5b] waste	2.4
Wüste[4b] waste	2.4
Wut[3b] anger	1.9
fury	2.8
Ausbruch von – (fit of) anger	3.
wüten[3b] -d, angry	2.4
-d werden (get) angry	2.4
rage	3.2

Z

	Section
zäh[6b] tough	5.
tenacious	8.
Zahl[1a] number	1.
zahlen[1b] pay	1.
zählen[2a] count	1.
zahllos[3a] countless	3.9
zahlreich[1b] numerous	1.5
Zahlung[1b] payment	2.5
Zahlungseinstellung[6a] bankruptcy	7.3
Zahlungsmittel[5b] (legal) tender	4.8
currency	4.9
zähmen tame	5.6
Zahn[3b] tooth	2.3
Zange tongs	6.4
Zar[6a] emperor	2.1
zart[2b] soft	1.5
delicate	2.3
dainty	2.7
zärtlich[3a] tender	2.3
Zärtlichkeit[5b] tenderness	4.4
Zauber[4b] magic	3.5

	Section
Zaun fence	4.8
Zaunkönig wren	6.8
Zeche[5b] account	1.
Zeder cedar	5.8
Zehe toe	4.6
zehn[2a] ten	1.4
zehnte[5b] tenth	4.1
Zeichen[1b] sign	1.1
– für, indicative	4.6
zeichnen[1b] mark	1.
draw	1.4
trace	1.7
Zeichnung[3a] design	3.1
Zeigefinger[6b] index finger	6.3
zeigen[1a] show	1.
Zeile[2b] line	1.
Zeit[1a] time (general)	1.
Zeitalter[3b] age	1.8
Zeitgenosse[4b] contemporary	4.8
zeitig[5b] early	1.1
zeitlich[6a] earthly	3.1
Zeitpunkt[3a] date	2.
Zeitraum[3b] period	2.2
Zeitschrift[2b] magazine	3.
periodical	3.9
Zeitung[1b] paper (newspaper)	1.
zeitweilig[6a] (at) times	1.
zeitweise[6b] (at) times	1.
Zeitwort verb	6.5
Zelle[6a] cell	4.6
Zelt[5a] tent	3.4
Zement cement	6.4
Zentimeter[4a] inch	2.7
Zentner[3b] ton	3.7
zentral central	4.5
Zentrum[3a] center	1.
zerbrechen[4b] burst	1.4
break (in pieces)	2.3
crush	3.
shatter	4.2
zerbrechlich frail	5.1
zerfallen[4b] fall to pieces	2.6

	Section
zerlegen[6b] divide	1.1
zerlumpt ragged	6.
zerreißen[3a] tear	1.8
zerschlagen[6b] destroy	1.5
crush	3.
zersetzen[5b] dissolve	3.9
zerstören[2a] destroy	1.5
Zerstörung[5a] destruction	4.2
zerstreuen[3a] scatter	2.4
zerstreut, absent	2.9
amuse	3.5
distract	3.6
Zerstreuung[6a] spread	4.1
pastime	4.8
Zettel[5b] bill	3.5
– anschlagen post bill	3.5
slip	3.5
label	5.2
Zeug[3a] cloth	1.3
Zeuge[3a] witness	2.4
zeugen[3b] beget	3.4
testify	4.1
Zeugnis[2a] testimony	3.1
Zickzack zigzag	7.2
Ziege goat	4.9
Ziegel brick	5.
ziehen[1a] pull	1.
Vorteil –, profit	1.4
Bilanz –, balance	3.2
auf sich –, incur	3.6
Ziel[1a] purpose	1.
zielen[5b] aim	3.2
ziemen[4b] proper	1.4
ziemlich[1b] pretty (moderately)	1.
zieren[5a] trim	2.4
zierlich[3b] graceful	3.3
Ziffer[4a] figure	1.1
number	2.4
Zifferblatt dial	6.4
Zigarette cigarette	7.7
Zigarre[6a] cigar	5.1
Zigeuner gypsy	7.4
Zimmer[1b] room (chamber)	1.
Zimmermann carpenter	5.5
Zimt cinnamon	8.

INDEX TO GERMAN WORDS IN THE LIST

	Section
Zink[6b]	
zinc	6.
Zinn[4b]	
tin	4.
Zins[2b]	
interest (percent)	1.
rent	2.5
Zinsfuß[6a]	
rate of interest	3.8
zirka[4a]	
about (approximately)	1.
Zirkel[5b]	
circle (set of people)	1.1
circle (ring)	1.2
Zirkus	
circus	6.2
zischen	
hiss	5.4
Zitadelle	
citadel	8.1
zitieren[5b]	
quote	4.
Zitrone	
lemon	6.1
zittern[2b]	
tremble	1.8
vibrate	4.4
Zittern[6b]	
trembling	4.
Zivilprozeßordnung[4b]	
code	4.8
zögern[4a]	
waver	3.4
Zögern	
hesitation	7.3
Zögling[4b]	
pupil	1.7
Zoll[3a]	
duty	2.9
Zollbeamte	
custom house officer	8.9
Zöllner	
custom house officer	8.9
zoologisch	
zoological	7.2
Zopf	
falsche –, switch	5.9
braid	6.
Zorn[2b]	
anger	1.9
zornig[5b]	
angry	2.4
zu[1a]	
at	1.
– Hause, (at) home	1.
um .... –	
(in) order (to)	1.
to	1.
too	1.
– Fuß gehen, walk	1.
– .... werden	
end (in)	1.1
– essen geben, feed	1.4
– Bett gehen	
(go to) bed	1.6
– Pferde, horseback	2.2
– Abend essen	
(have) supper	2.4
– Mittag essen, lunch.	3.
Zuawe	
zouave	13.
zubringen[4a]	
die Nacht –	
(spend) night	2.7
Zucht[5b]	
discipline	4.8
züchten	
breed	4.7

	Section
Zuchthaus[5a]	
prison	2.
Züchtigung[5b]	
punishment	2.6
zucken[4a]	
jerk	4.6
Zucker[3a]	
sugar	2.1
Zuckerfabrik[6b]	
factory	2.6
zudem[4a]	
(in) addition	1.4
zuerkennen	
confer	5.9
zuerst[1a]	
(at) first	1.
Zufall[2b]	
chance	1.4
accident	2.3
zufallen[5a]	
close	1.
zufällig[2a]	
(by) chance	1.6
casual	3.8
accidental	4.7
Zuflucht[5a]	
refuge	3.9
– finden, suchen	
(take) refuge	3.9
Zufluß	
tributary	6.3
zufolge[4a]	
by (according to)	1.
zufrieden[2a]	
glad	1.
Zufriedenheit[4a]	
satisfaction	2.4
zufügen[3b]	
cause	1.
zuführen[3b]	
supply	1.1
Zug[1a]	
train	1.1
feature	1.5
draft	2.2
Zugang[6b]	
entrance	1.8
zugänglich[4a]	
open	1.
accessible	6.9
zugeben[2b]	
admit	1.4
zugegen[6b]	
– sein, (be) present	2.3
zugehen[3b]	
happen	1.
zugehörig	
pertaining	5.9
accessory	7.9
Zügel[3b]	
bridle	3.4
Zugeständnis[6a]	
admission	5.4
zugestehen[3b]	
admit	1.4
zugleich[1a]	
(at the same) time	1.
zuhören[6a]	
listen	1.8
Zuhörer[5a]	
audience	4.3
zukommen[4a]	
– lassen, send	1.
Zukunft[1b]	
future	1.5
zukünftig[4b]	
future	2.

	Section
zulassen[2b]	
allow	1.
admit	1.8
zulässig[3b]	
allowed	2.2
Zulassung[3b]	
permission	3.3
zuletzt[1b]	
(at) last	1.
zumal[2b]	
above all	1.
zumeist[5a]	
(for the most) part	1.8
zumuten[5a]	
expect	2.6
Zumutung	
imposition	8.2
zunächst[1a]	
next	1.
Zunahme[5b]	
increase	2.3
zünden[5b]	
(catch on) fire	2.5
zunehmen[3b]	
increase	1.1
(get) fat	2.7
Zuneigung[5b]	
affection	3.5
Zunge[3b]	
tongue	1.8
zurecht[5a]	
sich – machen	
prepare	1.6
zürnen[4b]	
angry	2.4
zurück[1a]	
back	1.
– treiben, drive back	1.5
– fallen	
fall back again	1.5
zurückbleiben[3a]	
remain (stay)	1.
zurückbringen[6b]*	
carry back	3.2
zurückdrängen[6a]	
drive back	3.1
zurückfahren	
recoil	6.6
zurückführen[3a]	
take back	1.9
zurückgeben[5b]	
give back	1.9
return (send back)	1.9
zurückgehen[3a]	
go back	2.1
zurückgreifen	
resort	5.3
zurückhalten[3a]	
keep back	1.7
Zurückhaltung[6b]	
reserve	3.2
zurückkehren[2a]	
go back	1.4
zurückkommen[3a]	
come back	1.8
zurücklassen[4a]	
leave behind	2.2
zurücklegen[4a]	
reserve	2.7
zurücknehmen[5b]	
take away	2.6
zurückrufen[5b]	
call back	2.6
zurücktreten[4b]	
go back	2.1
zurückweichen[6b]	
retire	3.

	Section
zurückweisen[3b]	
reject	3.2
zurückwerfen[6a]	
reflect	4.3
zurückziehen[2b]	
draw back	1.5
Zuruf	
call	1.4
zurufen[5b]	
cry	1.
zusagen[4b]	
promise	1.
zusammen[1a]	
together	1.
zusammenberufen[6a]	
call together	2.1
zusammenbrechen	
sink	4.9
zusammendrängen[6a]	
press	1.1
condense	4.3
zusammenfallen[5b]	
fall to pieces	2.6
droop	4.4
zusammenfassen[3a]	
sum up	2.
Zusammengehörigkeit	
(joint) responsibility	7.1
zusammenhalten[5a]	
stick	2.1
Zusammenhang[2a]	
connection	2.9
zusammenhängen[3b]	
join	1.
Zusammenkunft[5a]	
convention	2.8
encounter	3.1
zusammensetzen[3a]	
combine	2.3
assemble	2.8
zusammengesetzt	
complex	5.3
Zusammensetzung[4a]	
composition	3.8
structure	5.1
zusammenstellen[5b]	
bring together	2.6
group	3.6
Zusammenstellung[4b]	
grouping	3.6
Zusammenstoß[6a]	
encounter	3.9
clash	5.1
zusammentreffen[5a]	
meet	1.
coincide	7.2
Zusammentreffen	
coincidence	7.8
zusammenzählen	
add up	4.6
zusammenziehen[6b]	
gather (collect)	1.5
contract	4.3
Zusatz[3a]	
addition	3.1
Zuschauer[3a]	
audience	3.
Zuschlag[5a]	
addition	3.1
zuschreiben[3b]	
attribute	3.7
Zuschrift[6a]	
letter	1.
Zuschuß[5b]	
subsidy	8.6
zusehen[5b]	
watch	1.

	Section		Section		Section		Section
zusetzen[6a]		zuvor[2b]		zwei[1a]		Zwetch(g)e	
lose	1.	formerly	2.2	two	1.	prune	6.4
zusichern		zuvörderst[5b]		zweierlei[6b]		Zwiebel	
pledge	2.7	(at) first	1.	different	1.	onion	5.6
Zustand[1a]		zuvorkommen[6a]		Zweifel[1b]		bulb	6.
condition	1.	(be) ahead (of)	2.7	doubt	1.	Zwietracht	
state (condition)	1.	zuweilen[2b]		ohne –		discord	7.
zuständig[5b]		sometimes	1.4	(without) doubt	1.	Zwilling	
proper	1.4	zuweisen[5b]		zweifelhaft[3a]		twin	5.8
zustehen[3b]		assign	2.5	doubtful	2.6	zwingen[1b]	
belong	1.	zuwenden[3a]		zweifellos[3b]		force	1.
zustimmen[3b]		turn to	1.1	(without) doubt	1.	gezwungen, forced	1.1
agree	2.2	zuwider[5b]		unquestionable	6.5	zwinkern	
consent	2.4	contrary	3.5	zweifeln[2b]		wink	5.8
Zustimmung[2b]		zuziehen[5b]		doubt	1.5	zwischen[1a]	
consent	2.8	pull	1.	Zweig[2a]		among	1.
zuteilen[5a]		Zwang[3b]		branch	1.6	between	1.
assign	2.5	ohne –, free	1.	zweijährig[6a]		Zwischenraum[5b]	
Zutrauen[5b]		pressure	3.4	year	1.	interval	4.9
trust	1.	zwanzig[3a]		Zweikampf		Zwischenzeit[6b]	
zutrauen[6b]		twenty	1.9	duel	7.	in der –, meanwhile	2.8
trust	1.4	zwanzigste		zweimal[3b]		recess	4.7
zutreffen[3b]		twentieth	7.1	two times	1.8	Zwitschern	
-d, proper	1.4	zwar[1a]		zweite[1a]		twitter	7.
Zutritt[5b]		indeed	1.	second	1.	zwölf[3a]	
access	4.9	sure	1.	zweitens[4a]		twelve	1.9
zuverlässig[3b]		Zweck[1a]		(in the) second place	2.3	zwölfte	
reliable	3.8	purpose	1.	zweiundzwanzig		twelfth	6.3
Zuverlässigkeit[6b]		zweckmäßig[2b]		twenty-two	4.6	Zylinder[4a]	
reliability	7.7	practical	2.2	Zwerg		cylinder	4.9
Zuversicht[4a]		Zweckverband[6a]		dwarf	6.1	Zypresse	
trust	1.	organization	3.5			cypress	7.

INDEX TO SPANISH WORDS IN THE LIST

(Read as directed for Index to French Words)

A

	Section
a[1a]	
at	1.
to	1.
abadejo	
wren	6.8
abadía	
abbey	6.9
abajo[1b]	
down	1.
hacia –, downward(s)	3.4
abandonar[1b]	
leave (desert)	1.
-se	
give (oneself) up (to)	1.7
abandono[3a]	
abandon	5.4
abanico[5a]	
fan	3.9
abarcar[4a]	
clasp	3.1
abate[7a]	
abbot	6.5
abatir[3a]	
depress	4.9
abedul	
birch	6.4
abeja[3b]	
bee	4.1
aberración[6b]	
aberration	8.6
abertura[4a]	
opening (n.)	2.3
abeto	
fir	5.9
abismo[2b]	
abyss	4.1
ablandar[4a]	
soften	3.1
abnegación[5a]	
abnegation	10.9
abogado[3b]	
lawyer	3.
abolición	
abolition	5.3
abolir	
abolish	3.9
abombado	
bent	5.
abominable[6b]	
abominable	5.1
abonar[3a]	
pay	1.
abono[5a]	
pledge (n.)	2.9
fertilizer	5.7
abordar[7a]	
take up	1.7
aborrecer[2a]	
hate	2.5
aborrecimiento[6a]	
hate (n.)	2.4
abrasar[4a]	
burn (vb.)	1.6

	Section
abrazar[1b]	
embrace (vb.)	3.
abrazo[2b]	
embrace	5.2
abreviar[4b]	
shorten	4.8
abrigar[3a]	
shelter (vb.)	2.6
abrigo[4a]	
shelter (n.)	1.7
coat	2.2
abril[2b]	
April	2.1
abrir[1a]	
open	1.
-se, open (intr. vb.)	2.2
con brazos abiertos outstretched arms	3.
abrojo[5a]	
thorn	4.3
abrumar[4b]	
crush	3.
absoluto[1b]	
absolute	1.8
absolver[6b]	
pardon (vb.)	2.2
absorber[3b]	
absorb	5.7
absorto[4a]	
absorb	3.
abstenerse[5a]	
keep from	1.7
refrain	4.1
abstracción	
abstraction	8.
abstracto[5b]	
abstract	6.5
absurdo[2b]	
absurd	3.7
abuelo[1b]	
abuela, grandmother	2.4
grandfather	3.2
abundancia[3a]	
plenty	2.2
abundante[2b]	
abundant	4.2
abundar[3b]	
abundant	4.2
abound	5.2
aburrido	
tedious	5.2
aburrir[3a]	
bore	4.6
abusar[4a]	
abuse	4.3
abuso[4b]	
abuse	3.5
abyecto	
low	1.8
acá[1a]	
here	1.
acabar[1a]	
end	1.
– de, just	1.
-se, run down	2.6

	Section
academia[3b]	
academy	4.3
académico[4b]	
university	4.2
acaecer[5a]	
happen	1.
acalorar[6a]	
heat (vb.)	2.2
acampar	
camp (vb.)	3.3
acariciar[2b]	
stroke	4.4
acarrear[6a]	
transport	3.9
acaso[1b]	
chance	1.4
accesible	
accessible	6.9
acceso[6a]	
approach	3.6
access	4.9
accesorio	
accessory	7.9
accidental[7a]	
accidental	4.7
accidente[2b]	
accident	2.3
acción[1a]	
act (n.)	1.
stock	1.8
accionista	
share holder	4.8
acebo	
holly	7.2
acechar[6b]	
spy	5.1
aceite[2a]	
oil (n.)	2.5
aceituna[6b]	
olive	5.8
acento[2a]	
accent (n.)	2.4
acentuar[7b]	
accent (vb.)	3.9
emphasize	4.4
acepción[7b]	
import (n.)	2.2
aceptación	
acceptance	3.8
aceptar[1b]	
accept	1.
acequia[5b]	
ditch	3.6
acera[4a]	
sidewalk	5.5
acerbo[6a]	
bitter	2.
acerca[2a]	
as for	1.
acercar[1a]	
(bring) toward(s)	1.
-se, (go) toward(s)	1.
acertar[1b]	
guess right	1.4

	Section
acero[3a]	
steel	3.1
aciago[6a]	
unhappy	1.8
ácido[5b]	
acid (n.)	3.7
acid (adj.)	5.3
acierto[3b]	
ability	3.2
aclamar[6b]	
clap	2.8
aclarar[4b]	
clear up	2.9
brighten	4.1
acoger[2b]	
get (receive)	1.
acogida[5a]	
reception	3.2
acometer[3a]	
attack	2.1
acomodador	
usher	7.3
acomodar[2b]	
fix (up)	1.5
accommodate	3.8
clase acomodada gentry	6.2
acomodo	
accommodation	6.8
accompañamiento[4b]	
following (n.)	2.3
acompañar[1a]	
go with	1.
aconsejar[2a]	
advise	2.
acontecer[3a]	
happen	1.
acontecimiento[3b]	
event	2.
acordar[1b]	
agree	2.2
acorde[6a]	
agreed	2.8
acortar[6a]	
– la marcha, – el paso slow down	4.4
shorten	4.8
acosar[3b]	
harry	4.1
acostar[2b]	
-se, (go to) bed	1.6
acostumbrar[1b]	
(be) used (to)	1.4
(make) used (to)	1.6
acre[7a]	
bitter	2.
acid	5.3
acrecentar[5a]	
increase	1.1
acreditar[4b]	
assure	1.4
acreedor[4a]	
worthy	1.8
creditor	4.1
actitud[2a]	
attitude	3.6

371

	Section		Section		Section		Section
actividad[2b]		adherir[4a]		adulación[7a]		afortunado[3b]	
activity	3.3	stick (*intr. vb.*)	2.1	flattery	6.6	fortunate	2.
activo[3a]		stick (*tr. vb.*)	2.2	adular[7a]		successful	3.4
active	2.6	-se, cling	5.	flatter	3.	afortunadamente	
asset	6.8	adiós[1b]		adulto		fortunately	3.7
acto[1a]		farewell	3.4	mature	4.	afrenta[4a]	
act (*n.*)	1.	adivinar[2b]		adusto[5b]		disgrace	3.4
actor+actriz[3a]		guess	1.5	grave	1.4	offense	3.8
actor	3.9	adivino[6b]		advenedizo		afrentar[6b]	
actual[2a]		wizard	6.2	upstart	9.	insult	3.4
present (*adj.*)	1.1	(fortune) teller	7.	adverbio[6b]		africano[4a]	
actualidad[5b]		adjetivo[3a]		adverb	9.	African	4.4
en la –		adjective	7.1	adversario[3b]		afluente	
now (at present)	1.	adjunto[7a]		adversary	2.9	tributary	6.3
actuar[4b]		enclosed	5.1	adversidad[6b]		afrecho	
act (take action)	1.	associate	5.4	adversity	7.	bran	7.2
acuarela		administración[4a]		adverso[5b]		afuera[4a]	
water-color	13.	direction	1.8	adverse	6.9	out	1.
acuático[6a]		administrador[5a]		advertencia[3b]		outside	1.4
water	5.	director	2.8	notice (*n.*)	1.7	agachar	
acudir[1b]		manager	5.	advertir[1a]		crouch	6.4
(be) present	2.3	administrar[4b]		(let) know	1.	agarrar[4a]	
acuerdo[2a]		manage	2.2	notice (*vb.*)	1.4	seize	1.1
de –, by (according to)	1.	administrativo[6a]		warn	2.2	agasajo[5b]	
settlement	2.7	administrative	9.2	aéreo[6b]		entertainment	4.6
agreement	3.1	admirable[2a]		air (*adj.*)	3.	agazapar	
acumular[6a]		admirable	3.1	aeroplano		crouch	6.4
heap up	3.2	admiración[2a]		aeroplane	8.1	agencia[6b]	
acuoso		admiration	2.8	afable[3a]		agency	6.4
watery	7.2	admirador[6a]		pleasant	1.1	agente[3b]	
acusación[6a]		admirer	7.	afán[2a]		representative	2.3
accusation	4.6	admirar[1b]		worry	2.8	agent	2.9
acusar[2b]		-se, wonder (*vb.*)	1.8	afanar[5a]		ágil[4b]	
acusado, accused	3.1	admire	2.2	-se, work (*vb.*)	1.	active	2.5
accuse	4.	admitir[1b]		-se, (take) pains	1.4	agitación[3b]	
acusativo[6b]		get (receive)	1.	afear[4b]		excitement	4.2
accusative	9.	admit	1.4	mar	5.2	agitar[2a]	
achacar[5b]		adobo[7b]		afección[7b]		stir	1.9
blame	2.8	preparation	3.	disease	1.6	agobiar[6a]	
achaque[5a]		adolecer[6b]		afectar[2b]		burden	3.5
matter	1.	(get) ill	3.	affect	3.2	agolpar[6a]	
adaptar[4b]		adolescencia[6b]		afecto[1b]		crowd (*vb.*)	2.2
fit (*vb.*)	2.9	youth	1.4	affection	3.5	agonía[5a]	
adjust	4.5	adolescente[6b]		afectuoso[4b]		agony	2.
adecuado[5b]		boy	1.4	affectionate	4.3	en –, (in) anguish	6.3
able	1.4	adonde[1a]		afeitar[5b]		agostar[7a]	
adequate	6.	where	1.	shave	5.6	exhaust	2.4
adelantamiento		adopción		aferrar[5a]		agosto[2b]	
promotion	5.6	adoption	3.8	seize	1.1	August	1.7
adelantar[1b]		assumption	6.2	afianzar[6b]		agotar[2b]	
come forward	1.4	adoptar[3a]		fix	1.	agotado, spent (*adj.*)	2.
go forward	1.4	adopt	2.1	afición[2b]		exhaust	2.4
further (*vb.*)	1.8	adoración[5b]		liking (*n.*)	1.5	-se, run down	2.6
adelante[1b]		worship (*n.*)	3.6	preference	3.3	drain	3.7
forth	1.	adorar[1b]		aficionarse[3a]		agraciar[6b]	
en –, (from) now on	1.1	worship (adore)	3.6	aficionado		trim	2.4
forward	1.4	adormecer[4a]		(have a) taste (for)	2.4	agradable[1b]	
ir –, go forward	1.4	-se, (go to) sleep	3.9	afilar[5b]		pleasant	1.1
de ahora en –		dull	5.7	sharpen	4.7	-mente raro	
henceforth	3.	adormidera		afinidad[5a]		quaint	3.5
adelanto[5a]		poppy	7.2	relationship	1.6	agradar[2a]	
advance (*n.*)	2.2	adormilarse		afirmación[3a]		please	1.
progress	2.4	drowsy	6.2	statement	2.1	agradecer[1b]	
ademán[2b]		adornar[2b]		afirmar[1b]		thank	1.
gesture	4.3	trim	2.4	fix	1.	agradecido, grateful	2.5
además[1a]		adorno[3a]		affirm	2.7	agradecimiento[3a]	
also	1.	trimming	3.8	afirmativo[5b]		gratitude	3.3
else	1.1	adquirir[1b]		affirmative	8.5	agrado[4b]	
(in) addition	1.4	get (obtain)	1.	aflicción[3b]		pleasure	1.4
– de, besides	2.3	adquisición[6a]		misfortune	2.2	liking (*n.*)	1.5
adentro[2b]		accomplishment	5.3	afligir[2a]		agravar	
within	1.1	acquisition	6.3	grieve	3.4	aggravate	4.9
inside (*adj.*)	1.4	aduana		aflojar[6b]		agraviar[5b]	
indoors	3.1	duty (custom)	2.9	loose (*vb.*)	1.5	hurt (*tr. vb.*)	1.8
tierra –, inland	3.9	aduanero		afluir[6b]		(make) worse	3.
aderezar[4a]		custom house officer	8.9	flow into	3.	agravio[3b]	
-se, prepare	1.6	aduar[7a]				offense	3.8
trim	2.4	camp	2.8				

INDEX TO SPANISH WORDS IN THE LIST

	Section
agregar[2a]	
add	1.8
agresión	
aggression	7.8
agresivo[5b]	
aggressive	7.7
agresor	
aggressor	9.2
agreste[5b]	
wild	1.7
rude	4.3
agrícola[5a]	
agricultural	3.3
agricultor[6a]	
farmer	1.8
agricultura[4a]	
agriculture	2.8
agrio	
sour	4.4
agrupación[6b]	
grouping	3.6
agrupar[5b]	
group	3.6
agua[1a]	
water	1.
presa de –, dam	4.7
aguantar[3b]	
bear	1.
aguardar[1b]	
expect	1.
wait	1.
wait for	1.
aguardiente[5b]	
liquor	4.3
agudo[2b]	
sharp	1.7
keen	2.4
pointed	3.3
shrill	4.7
águila[3a]	
eagle	4.1
aguja[3a]	
needle	3.8
agujerear[6a]	
pierce	3.1
agujero[4a]	
hole	2.2
aguzar[5b]	
sharpen	4.7
ah[7b]	
O	1.2
ahí[2a]	
there	1.
ahinco[5b]	
zeal	2.4
ahogar[1b]	
drown	4.3
choke	5.3
ahora[1a]	
now (at present)	1.
– bien, now (conj.)	1.
– mismo, (at) once	1.
por –	
(for the) present	1.4
de – en adelante	
henceforth	3.
ahorcar[4a]	
hang	1.1
ahorrar[3b]	
save (up)	2.1
ahorro[5b]	
saving	3.7
ahuyentar[5a]	
drive away	2.3
airarse[4a]	
(get) angry	2.4
aire[1a]	
air	1.
looks (n.)	1.

	Section
airoso[6a]	
airy	6.6
aislamiento[6a]	
isolation	8.2
aislar[3a]	
aislado, cut off	2.9
cut off (vb.)	3.1
ajedrez	
chess	8.2
ajeno[1b]	
another's	1.
ajo[3b]	
garlic	9.1
ajustar[2b]	
fix (up)	1.5
muy ajustado, tight	1.7
fit (vb.)	2.9
accommodate	3.8
adjust	4.5
al[1a]	
as (e.g., I was walking)	1.
on	1.
ala[1b]	
wing	1.1
brim	2.6
alabanza[3a]	
praise (n.)	2.7
alabar[2b]	
praise	2.1
extol	3.
alacena	
closet	5.6
alambre	
wire	4.2
álamo[5b]	
elm	5.7
alarde[4a]	
hacer –, boast (vb.)	2.2
parade	5.4
alargar[2b]	
hand (vb.)	1.8
alarma[4a]	
alarm	4.9
alarmar[5a]	
alarm	3.5
alba[3a]	
dawn	3.5
albañil[6a]	
mason	6.3
albardilla	
coping stone	7.2
albedrío[5b]	
will (n.)	1.
albor[5b]	
dawn	3.5
alborada[6a]	
dawn	3.5
alborotar[3a]	
stir	1.9
alboroto[6a]	
noise	2.6
disturbance	4.4
alborozo[7a]	
excitement	4.2
albricias[6b]	
congratulation	5.3
álbum[5b]	
album	7.9
alcalde[2a]	
mayor	2.5
alcance[3a]	
range	3.6
fuera de –	
(out of) reach	4.1
alcanzar[1a]	
reach	1.
catch up	2.3
overtake	3.9

	Section
alcázar[5b]	
castle	2.
alcoba[3b]	
bedroom	4.4
alcohol[4a]	
liquor	4.3
alcohólico	
alcoholic	7.7
aldab(ill)a	
latch	6.8
aldea[3a]	
village	1.2
aldeano[5b]	
peasant	2.4
alegar[4a]	
maintain	3.5
alegado, alleged	4.4
alegrar[2a]	
-se, rejoice	3.2
alegre[1b]	
glad	1.
cheerful	1.9
alegría[1b]	
delight	1.
cheer (n.)	1.9
alejar[1b]	
take away	1.
alelamiento	
daze	7.8
alemán[2b]	
French	1.
Teutonic	6.7
alentar[4a]	
urge	2.5
cheer (up)	4.6
encourage	4.8
alero	
eaves	6.6
alerto	
watchful	6.4
aleve[6a]	
treacherous	6.
alevoso[5a]	
treacherous	6.
alfiler[4b]	
pin	4.
alfombra[4a]	
carpet	4.2
alforja[5a]	
bag	3.
alforza	
hacer –s, tuck	4.1
algarabía[5b]	
noise	2.6
algo[1a]	
anything	1.
little (adv.)	1.
algodón[4a]	
cotton	3.8
alguacil[3b]	
police	3.7
policeman	5.8
alguien[1a]	
somebody	1.4
alguno[1a]	
any (some)	1.
alguna cosa	
anything	1.
algunas veces	
(at) times	1.
algunas veces	
sometimes	1.4
en alguna otra parte	
somewhere else	3.4
alhaja[3b]	
jewel (jewelry)	3.1
jewel	4.2

	Section
aliado	
allied	5.2
ally	6.4
alianza[5b]	
union	1.6
contract (n.)	2.3
aliarse[7b]	
join	1.9
aliento[2a]	
breath	2.8
encouragement	6.7
aligerar	
lighten	3.8
alimbarado	
mawkish	11.
alimentación	
feeding	4.2
alimentador	
feeder	7.2
alimentar[2b]	
nourish	3.2
alimento[2b]	
food	1.9
alinear	
line up	3.6
aliño[6b]	
trimming	3.8
aliviar[3b]	
relieve	2.7
soothe	4.3
alivio[3b]	
relief	3.3
alma[1a]	
soul	1.
almacén[4a]	
store (n.)	2.6
almeja[7a]	
clam	7.1
almendra[5b]	
almond	6.9
almíbar[7a]	
syrup	5.3
almirante[7a]	
admiral	6.3
almohada[4a]	
pillow	5.2
almohadón	
cushion	5.6
almorzar[3b]	
lunch (vb.)	3.
almuerzo[3b]	
lunch	4.5
alojamiento	
accommodation	6.8
alojar[4a]	
live	1.1
alondra	
lark	5.8
alquilar[5b]	
hire	4.4
alquiler[3b]	
rent (n.) (to pay)	2.5
coche de –, cab	3.9
alrededor+alrededores+rededor[2a]	
– de, around	1.1
around (adv.)	1.6
-es, neighborhood	2.9
altanero[5a]	
haughty	4.7
altar[2b]	
altar	3.5
alteración[5b]	
change (n.)	1.5
alterar[2a]	
change (vb.)	1.4

	Section
alternar[6a]	
alternado	
alternately	4.8
alternate	5.4
alternativo[3b]	
alternately	4.8
alteza[5b]	
highness	4.8
altivez[3b]	
pride	2.4
altivo[3a]	
haughty	4.7
alto[1a]	
high	1.
(out) loud	1.
tall	1.
altura[1b]	
height	1.1
tierra de –, highland	5.
aludir[4b]	
refer (to)	3.1
alumbrar[2a]	
light (up)	1.4
alumbrado, lighted	2.6
alumbrado, lighting	3.2
alumno[4b]	
pupil	1.7
alzar[1b]	
lift	1.
pick up	1.5
– los manteles	
clear (table)	4.3
allá[1a]	
there	1.
más – de	
beyond (*prep.*)	1.5
más –, beyond (*adv.*)	1.8
allanar[5a]	
(make) easy	1.8
allegar[5b]	
-se, (go) toward(s)	1.
gather (glean)	1.5
allende[5a]	
beyond (*prep.*)	1.5
beyond (*adv.*)	1.8
allí[1a]	
there	1.
amabilidad[5b]	
kindness	2.7
amable[2a]	
pleasant	1.1
amador[5a]	
lover	2.
amagar[6a]	
threaten	1.8
amanecer[3a]	
dawn	3.5
amante[1b]	
lover	2.
amapola	
poppy	7.2
amar[1a]	
love	1.
amado, darling	2.2
amargar[5a]	
(make) bitter	3.9
amargo[2a]	
bitter	2.
amargura[2a]	
bitterness	5.7
amarillento[6a]	
yellow	2.
amarillo[2b]	
yellow	2.
amarrar[5a]	
tie (*vb.*)	1.6
amasar[5a]	
gather (collect)	1.5
mould	5.7

	Section
ámbar	
amber	6.6
ambición[3a]	
ambition	3.7
ambicionar[7a]	
(be) ambitious	5.8
ambicioso[6b]	
ambitious	5.8
ambiente[2b]	
atmosphere	4.1
ámbito[4a]	
border	1.7
limit	2.4
compass	2.5
ambos[1a]	
both	1.
amén[6b]	
amen	4.3
amenaza[3b]	
threat	4.6
amenazar[1b]	
threaten	1.8
ameno[3b]	
pleasant	1.1
americano[2a]	
French	1.
americana	
coat (of suit)	4.3
amigo[1a]	
friend	1.
amistad[1b]	
friendship	2.3
amistoso[6a]	
friendly	3.5
amo[1a]	
master (*n.*)	1.
– de casa	
man of the house	1.8
owner	2.
ama de llaves	
housekeeper	6.2
amonestación[6a]	
warning	3.4
amonestar[7a]	
admonish	6.3
amontonar[4b]	
heap up	3.2
amor[1a]	
love	1.
darling	2.2
amoroso[2a]	
affectionate	4.3
amortiguar	
soften	5.4
amparar[3a]	
shelter (*vb.*)	2.6
amparo[3a]	
shelter (*n.*)	1.7
ampliar[6a]	
increase	1.1
enlarge	3.3
amplio[3a]	
vast	2.8
ample	3.6
spacious	4.8
ampolla	
blister	7.2
amueblar[5b]	
furnish	3.3
análisis[7a]	
analysis	7.1
analizar[4b]	
(be) analyze	6.5
analogía[6b]	
analogy	7.6
análogo[4a]	
similar	4.4

	Section
anarquía[5a]	
anarchy	7.5
anca[6a]	
buttock	10.
-s	
hindquarters (horse)	11.
anciano[2a]	
(old) man	2.4
ancient	2.6
ancho[1b]	
broad	1.4
anchura[6a]	
width	3.4
range	3.6
ancla	
anchor	5.2
andaluz[3a]	
English	1.
andante[5a]	
wander	4.9
andar[1a]	
walk (*vb.*)	1.
walk (gait)	1.6
– a tientas, grope	6.5
anécdota[6b]	
anecdote	6.6
anegar[4a]	
drown	4.3
anexionar	
annex	7.4
anexo	
annex	6.6
anfitriona	
hostess	6.8
angarilla	
stretcher	8.2
ángel[1b]	
angel	2.
angosto[4a]	
narrow	1.
ángulo[3b]	
angle	3.4
angustia[2a]	
agony	2.
angustiar[4b]	
agony	2.
angustioso[6a]	
anxious	2.3
anhelar[4b]	
long for	1.4
anhelo[2b]	
longing	1.9
anidar[6b]	
nestle	7.
anillo[4b]	
circle	1.2
ring (*n.*)	2.
ánima[4a]	
soul	1.
animación[5a]	
life	3.8
animal[1b]	
animal	1.1
animal (*adj.*)	2.7
animar[1b]	
animate	3.5
cheer (up)	4.6
encourage	4.8
ánimo[1b]	
spirit	1.
animoso[6a]	
(be) brave	1.
aniquilar[4b]	
destroy	1.5
aniversario	
anniversary	6.7

	Section
anoche[3a]	
(last) night	1.2
anochecer[3b]	
twilight	4.3
anónimo[4b]	
anonymous	9.6
ansia[2b]	
worry	2.8
ansiar[5a]	
long for	1.4
ansiedad[4a]	
worry	2.8
ansioso[4b]	
anxious	2.3
antaño[4b]	
long ago	1.3
ante[5a]	
– todo, above all	1.
before (in front of)	1.
anteayer	
day before yesterday	4.
antecámara	
entrance hall	5.3
antecedente[3b]	
antecedent	8.3
antecesor[5a]	
ancestor	4.5
antemano[5a]	
de –, (in) advance	2.2
anteojo[4a]	
glasses	4.2
antepasado[5a]	
ancestor	4.5
anteponer[5b]	
place (*vb.*)	1.
anterior[1b]	
-mente, before (time)	1.
previous	2.
-mente, formerly	2.2
año –, preceding year	4.9
antes[1a]	
before (time)	1.
rather	1.
– que, before (*conj.*)	1.1
anticipar[4a]	
anticipate	6.8
antigüedad[3b]	
antiquity	3.8
antiguo[1a]	
old	1.
antiguamente	
long ago	1.3
antiguamente	
formerly	2.2
ancient	2.6
antojar(se)[3b]	
desire (*vb.*)	1.
antojo[5a]	
fancy	3.7
antorcha[5a]	
torch	5.
anual[3b]	
annual	2.7
anudar[5b]	
tie (*vb.*)	1.6
anular[6b]	
(make) void	6.2
anunciar[1b]	
(give) notice	1.4
anuncio[4a]	
notice (*n.*)	1.7
advertisement	4.5
añadidura[6a]	
addition	3.1
añadir[1a]	
join	1.
add	1.8

INDEX TO SPANISH WORDS IN THE LIST

	Section
añejo[7a]	
ancient	2.6
año[1a]	
year	1.
víspera de Año Nuevo (New Year's) Eve	3.8
— anterior, precedente preceding year	4.9
apacible[3a]	
peaceful	2.9
apagar[2a]	
put out	1.9
quench	5.4
apalear[6a]	
strike (vb.)	1.1
aparador	
buffet	5.3
aparato[3a]	
apparatus	3.7
device	3.7
pomp	4.4
aparecer[1a]	
appear (loom)	1.
aparejar[5a]	
prepare	1.4
aparejo[7b]	
harness	5.9
aparente[3a]	
apparent	3.
aparición[3a]	
appearance	3.
apariencia[2b]	
looks (n.)	1.
apartar[1a]	
separate (sever)	1.
apartado	
separate (adj.)	1.
aparte[1a]	
paragraph	3.3
apasionar[2b]	
carry away	3.4
apasionado	
passionate	3.7
apearse[4b]	
alight	5.7
apelación	
appeal	3.8
apelar[4a]	
appeal	2.8
apelotonado	
(in a) huddle	7.4
apellido[3a]	
name	1.
apenar[7a]	
grieve	3.4
apenas[1a]	
hardly	1.4
apéndice[6a]	
appendix	6.2
apercibir[6a]	
prepare	1.4
apertura	
opening (of meeting)	4.7
apetecer[4a]	
desire (vb.)	1.
apetito[3a]	
appetite	5.
apio[7b]	
celery	7.1
aplacar[5a]	
quiet (vb.)	1.6
aplastar[4b]	
crush	3.
flatten	7.3
aplaudir[2b]	
clap	2.8

	Section
aplauso[2b]	
applause	3.7
aplazar[6a]	
put off	2.6
aplicable[6a]	
applicable	9.8
aplicación[2b]	
application	2.2
industry	2.6
aplicar[1b]	
stick (vb.)	2.2
apply	2.6
aplomo[5b]	
poise	4.5
apoderarse[3a]	
seize	1.1
(take) possession	1.8
apodo[6b]	
nickname	8.6
aposento[3a]	
flat (n.)	2.1
apostar[3b]	
bet	6.3
apóstol[4a]	
apostle	5.4
apostólico[6a]	
apostolic	8.2
apoyar[1b]	
lean (vb.)	2.2
apoyo[2b]	
support (n.)	2.1
apreciación[5a]	
estimate	3.8
apreciar[2b]	
appreciate	3.6
aprecio[4a]	
regard	2.5
apremiar[5a]	
hurry (vb.)	1.2
aprender[1b]	
learn	1.
aprendiz	
apprentice	6.6
aprendizaje	
apprenticeship	5.8
apresurar[2b]	
apresurado, fast	1.
hurry (intr. vb.)	1.2
hurry (tr. vb.)	2.5
apresurado, hasty	2.7
apretar[2a]	
press (vb.)	1.1
apretado, tight	1.7
aprisionar[6b]	
imprison	3.6
aprobación[4b]	
approval	6.6
aprobar[3a]	
approve	2.5
apropiar[5a]	
-se, (take) possession	1.8
aprovechar[1b]	
-se, profit (vb.)	1.4
aproximar[2b]	
(bring) toward(s)	1.
-se, (go) toward(s)	1.
aptitud[5a]	
talent	2.4
ability	3.2
apuesta[5b]	
bet	6.3
apuesto[7a]	
smart	4.6
apuntar[2b]	
point out	1.4
aim	3.2

	Section
apurar[2b]	
-se, hurry	1.2
apuro[3b]	
poner en — embarrass	3.2
aquel, aquél[1a]	
former	1.
that	1.
aquí[1a]	
here	1.
de —, (of) here	1.4
aquilón[7b]	
north	1.6
ara[5b]	
altar	3.5
árabe[6a]	
Arabian	4.3
Arab	4.7
arado[4a]	
plow	5.3
aragonés[5b]	
English	1.
araña[4a]	
spider	6.
arar[5a]	
plow	5.7
arbitrariedad	
arbitrariness	12.4
arbitrario[6b]	
arbitrary	5.4
arbitrio[5a]	
will (n.)	1.
árbitro[6b]	
arbiter	5.9
árbol[1b]	
tree	1.
arbusto	
shrub	6.1
arca[3b]	
chest	3.7
ark	6.3
arcada	
arcade	9.4
arcano[5b]	
secret	2.1
arce	
maple	6.4
arco[3a]	
bow (arch)	2.4
bow (and arrow)	2.4
archipiélago[4b]	
archipelago	9.6
arder[2a]	
burn (vb.)	1.6
ardid[4b]	
cunning	4.
ardiente[2a]	
eager	2.4
ardilla	
squirrel	6.
ardor[3a]	
zeal	2.4
ardoroso[6a]	
fiery	3.6
arduo[5a]	
hard (difficult)	1.
arena[2b]	
sand	2.
arenillas	
gravel	6.8
arenoso	
sandy	6.
arenque	
herring	6.8
argentino[3a]	
Argentine	6.7

	Section
argucia[7a]	
trick	3.2
argüir[6b]	
debate (vb.)	2.9
argumento[3b]	
debate	3.
argument	4.2
árido[5a]	
arid	5.9
aristócrata[6b]	
peer	2.6
aristocrático[6a]	
aristocratic	6.8
arma[1b]	
arm (weapon)	1.
armada[6b]	
fleet (n.)	3.
armadura	
armor	4.4
armar[2a]	
arm (vb.)	2.4
armario	
closet	5.6
wardrobe	6.8
armiño[5b]	
ermine	9.3
armonía[2b]	
harmony	3.1
armónico[5a]	
harmonious	5.3
armonioso[4b]	
harmonious	5.3
armonizar[6a]	
(put in) tune (with)	3.4
aroma[4a]	
perfume	4.
arpa[5b]	
harp	6.1
arqueado	
bent	5.
arquitecto[5a]	
architect	5.7
arquitectura[5a]	
architecture	5.9
arrabal[7a]	
suburb	6.3
arraigar[6a]	
settle	1.
arraigado	
(have) roots (in)	4.2
arrancar[1b]	
snatch	2.6
arranque[3b]	
(fit of) anger	3.
— automático (self) starter	10.8
arrastrar[1b]	
pull	1.
drag	2.7
creep	3.
arrear[6b]	
urge on	4.8
arrebatar[2b]	
take away	1.
snatch	2.6
arrebato[5b]	
(fit of) anger	3.
arredrar[7a]	
frighten	1.9
-se, (lose) courage	2.
arreglar[1b]	
(put in) order	1.4
fix (up)	1.5
fit up	1.8
arreglado, neat	2.6
arreglo[3a]	
con —, by (according to)	1.
arrangement	2.4
settlement	2.7

		Section
arremeter[6b]	attack	2.1
arrepentimiento[6a]	remorse	4.1
arrepentirse[2b]	repent	4.3
arrestado	(under) arrest	6.1
arriba[1a]		
	– de, above (prep.)	1.
	above (adv.)	1.
	upstairs	3.
arribar[7a]	arrive	1.4
arriero[5a]	muleteer	12.5
arriesgar[4b]	chance	1.4
arrimar[3b]	(bring) toward(s)	1.
arroba[6b]	pound (n.)	1.6
arrodillarse[4a]	kneel	3.9
arrogancia[4b]	arrogance	7.2
arrogante[4b]	bold	2.1
	haughty	4.7
arrojar[1b]	throw	1.
arrollar[5a]	overwhelm	4.8
arrostrar[5a]	face	3.8
	brave	4.6
arroyo[2b]	brook (n.)	2.1
	– de la calle, gutter	5.7
arroz[5a]	rice	4.7
arruga[6a]	wrinkle	5.4
arrugar[5b]		
	– el ceno, frown	5.5
	wrinkle	5.7
arruinar[3a]	destroy	1.5
arrullar[5b]	coo	6.9
arrullo[5b]	coo	6.9
arte[1a]	art	1.
ártico	arctic	6.8
articulación	joint	5.8
articular[6b]	articulate	7.1
artículo[2a]	article	1.2
artífice[5b]	artisan	5.3
artificial[4b]	artificial	3.2
artificio[3b]	trick (n.)	3.2
artificioso[5b]	skilful	4.2
	sly	4.2
	affected	9.1
artillería[6a]	artillery	3.8
artista[2a]	artist	2.
artístico[2b]	artistic	3.4

		Section
arzobispo[5b]	archbishop	6.2
asado	roast	5.4
asaltar[5b]	attack	2.1
asalto[1b]	attack (n.)	1.7
asamblea[5a]	assembly	2.6
asar[3a]	cook (vb.)	2.5
asaz[4b]	pretty (moderately)	1.
ascender[3b]	go up	1.
ascendiente[7a]	ancestor	4.5
ascensión[6a]	ascent	7.2
asco[6a]	disgust	4.6
ascua[7a]	(live) coals	2.1
asear[6b]	trim	2.4
	aseado, neat	2.6
asediar	besiege	5.6
asegurador	insurer	12.
asegurar[1b]	fix	1.
	assure	1.4
	-se, (make) sure	2.2
asentar[3b]	settle	1.
asentir[4b]	agree	2.2
aseo[4a]	cleanliness	5.3
asesinar[3b]	murder	3.5
asesino[5a]	murderer	4.1
así[1a]	so	1.
	therefore	1.
asiduo[7a]	industrious	3.2
asiento[2a]	seat	1.
asilo[4a]	refuge	3.9
asimilar[6b]	assimilate	7.2
asimismo[3a]	(in like) manner	1.2
asir[3b]	grasp	1.1
asistencia[6b]	presence	1.8
asistir[1b]	(be) present	2.3
asno[3b]	ass	3.9
asociación[5a]	company (business)	1.
	company (social)	1.
asociar[4b]	associate	3.
	asociado associate (e.g., professor)	5.4
asolar	(lay) waste	4.9
asomar[1b]	appear (loom)	1.

		Section
asombrar[2a]	astonish	2.7
asombro[2b]	surprise (n.)	2.4
asombroso[3b]	astonishing	5.
aspecto[1b]	sight	1.
aspereza[4b]	harshness	7.8
áspero[4a]	rough	3.
	harsh	3.9
aspiración[3b]	aspiration	4.8
aspirar[1b]	breathe	2.7
	aspire	4.2
asqueroso[7a]	dirty	4.2
astro[3a]	star	1.5
astrónomo	astronomer	6.4
astucia[5a]	cunning	5.1
asturiano[6b]	English	1.
astuto[3b]	sly	4.2
asumir	assume	2.8
asunto[1b]	business	1.
	matter	1.
asustar[2b]	frighten	1.9
atacado	stricken	6.5
atacar[3b]	attack	2.1
atajar[4a]	stop	1.
ataque[3b]	attack	1.7
atar[2a]	tie (vb.)	1.6
ataúd	coffin	5.3
atemorizar[6a]	frighten	1.9
atención[1b]		
	en – a, as for	1.
	attention	1.8
atender[1b]	(take) care	1.
ateo[6b]	atheist	8.2
atenerse[5b]	depend	2.4
atentado[5b]	attack (n.)	2.3
	crime	2.4
atentar[7a]	try	1.
atento[2a]	attentive	2.8
aterrar[4b]	frighten	1.9
atestiguar[6b]	testify	4.1
ático	attic	6.3
atisbar[7a]	glance (vb.)	2.3
atleta	athlete	8.2

		Section
atlético	athletic	6.8
atmósfera[3a]	atmosphere	4.1
átomo[4b]	atom	7.2
atónito	astounded	5.6
atormentar[3b]	torment	3.1
	torture	3.5
atracción[3b]	attraction	6.
atractivo[3a]	attractive	4.
atraer[2b]	attract	2.7
	attract (entice)	3.1
atrás[1b]		
	echarse – draw back	1.5
	behind (adv.)	2.
	de –, back (adj.)	2.8
	hacia –, backward	2.8
atrasar[5a]	delay (vb.)	2.7
	(be) slow	3.6
atravesar[1b]	cross	1.
	pierce	3.1
atreverse + atrevido[1a]	dare	1.
	rash	4.9
atrevimiento[4a]	boldness	4.7
atribuir[2b]	attribute	3.7
atributo[5a]	characteristic	3.
atrio[7a]	porch	2.7
atrocidad[6b]	atrocity	7.
atronar[6a]	din	6.2
atropellar[3b]	fell	2.8
atropello[5b]	outrage	6.7
atroz[5a]	outrageous	5.8
aturdir[3b]	perplex	3.6
	(make) dizzy	4.4
	thoughtless	4.8
audacia[4a]	boldness	4.7
audaz[3b]	bold	2.1
audiencia[4a]	audience	5.2
auditorio[3b]	assembly	2.6
augurar[5a]	tell in advance	4.9
augusto[3b]	magnificent	3.5
	stately	3.6
aula	schoolroom	3.3
aullido[5b]	howl	5.7
aumentar[1b]	increase	1.1
	magnify	4.1
aumento[2b]	increase (n.)	2.3

INDEX TO SPANISH WORDS IN THE LIST

	Section
aun, aún[1a]	
– cuando, although	1.
even	1.
still	1.
aunque[1a]	
although	1.
aura[5a]	
air	1.
breeze	5.2
áureo[5b]	
golden	1.4
aureola[5b]	
halo	10.1
aurora[2b]	
dawn	3.5
ausencia[2a]	
absence	3.2
ausentarse[5a]	
go away	1.
ausente[3a]	
permanecer –	
stay away	3.4
absent	5.
austeridad[7a]	
rigor	4.2
austero[4b]	
severe	1.6
austral[7a]	
southern	2.3
austriaco	
Austrian	4.1
auténtico[5a]	
true	1.
genuine	3.7
auto[5a]	
automobile	2.2
automático	
arranque –	
(self) starter	10.8
automóvil[3b]	
automobile	2.2
autonomía	
autonomy	11.2
autor[1a]	
author (originator)	1.5
author (writer)	1.9
autoridad[1b]	
authority	2.3
autorizar[3a]	
authorize	3.7
auxiliar[3a]	
help	1.
helper	4.3
auxilio[2a]	
help (n.)	1.1
avanzar[2a]	
come forward	1.4
go forward	1.4
avaricia[5b]	
avarice	6.9
avaro[5a]	
miser	6.5
avasallar[7a]	
enslave	8.1
ave[1b]	
bird	2.3
-s de corral, fowl	5.1
avena	
oat	6.
avendavalado	
windy	6.5
avenida[5b]	
avenue	3.1
avenir[4b]	
agree	2.2
aventajar[5a]	
(have the) advantage	3.

	Section
aventar[7a]	
scatter	2.4
aventura[2a]	
adventure	3.6
aventurar[4a]	
(take) chances	1.4
(take) chance	2.
aventurero[4a]	
adventurer	7.8
avergonzado	
sheepish	11.4
avergonzar[3a]	
avergonzado	
(be) ashamed	3.
shame	3.4
avería[6b]	
damage (n.)	2.4
averiguar[2b]	
ask (question)	1.
avestruz[7a]	
ostrich	7.1
ávido[5b]	
eager	2.4
greedy	4.8
avión	
aeroplane	8.1
avisar[2a]	
(let) know	1.
aviso[3a]	
notice (n.)	1.7
warning	3.4
avispa	
wasp	7.2
avivar[5a]	
fan up	5.
axila	
armpit	9.4
ay[2a]	
alas	2.
aya	
governess	8.2
ayer[1a]	
yesterday	1.
ayuda[2b]	
help (n.)	1.1
ayudar[1b]	
help	1.
ayunar[5b]	
fast	4.9
ayuno[5a]	
fast	4.4
ayuntamiento[5a]	
(city) hall	3.4
azadón[7a]	
hoe	6.3
azahar[4b]	
orange blossom	4.9
azar[5a]	
accident	2.3
azorar[6a]	
frighten	1.9
azotar[4b]	
whip (vb.)	4.8
azote[3b]	
whip (n.)	4.8
azotea[6a]	
roof	2.
azúcar[1b]	
sugar	2.1
azucena[5b]	
lily	4.9
azufre	
sulphur	5.2
azul[1b]	
blue	1.4
azular[5b]	
color (vb.)	2.5

B

	Section
babucha[7b]	
slipper	5.7
bacalao[7a]	
cod	6.1
bachiller[5a]	
graduate	6.1
bahía[5a]	
bay	4.5
bailar[2a]	
dance (vb.)	2.4
baile[2b]	
ball	3.
dance	3.1
bailarín[7a]	
-a, dancer	6.9
bajamar	
ebb	6.4
bajar[1a]	
go down	2.2
lower (vb.)	2.3
bajel[6a]	
ship	1.3
bajo[1a]	
low	1.4
mean	1.5
low (vile)	1.8
under (adj.)	1.9
– techo	
indoors	3.1
piso –, ground floor	4.4
tierra baja	
lowland	5.4
bala[4b]	
ball	2.3
balancear[6a]	
roll	2.2
balance	3.2
-se, sway	5.6
balanceo	
rocking	4.
swing	4.8
balanza[4b]	
scales	2.1
balar	
bleat	6.8
balbucear[4b]	
stammer	6.
balcón[2a]	
balcony	7.4
balde[4a]	
pail	5.6
baldón[7a]	
disgrace	3.4
bálsamo[4b]	
balm	6.4
baluarte	
rampart	6.4
ballena[7a]	
whale	7.1
bambú	
bamboo	7.2
banco[2b]	
bank	1.8
bench	2.4
billete de –	
(bank) note	3.6
banda[3a]	
band (gang)	2.1
band (strip of cloth)	2.5
bandada[4a]	
drove	3.9
bandeja	
tray	6.6
bandera[3a]	
flag	2.6
bandido[6a]	
robber	3.7
knave	4.5

	Section
bando[3b]	
party	1.1
bandolero[5b]	
robber	3.7
banquero[6a]	
banker	5.
banqueta	
stool	6.4
banquete[3a]	
feast	3.5
bañar[2a]	
bathe	3.7
baño[3a]	
bath	3.9
baranda	
banister	11.7
barato[3a]	
cheap	2.1
barba[2a]	
beard	3.2
chin	5.4
barbarie[5a]	
cruelty	4.8
bárbaro[2b]	
savage	2.
barbarous	5.7
barbero[3b]	
barber	6.1
barca[3b]	
boat	2.6
barca de transbordo	
ferry	6.8
barcaza	
barge	6.
barco[2b]	
ship	1.3
barnizar	
varnish	6.8
barón	
baron	4.
barra[3b]	
bar	3.5
barraca[3b]	
shed	3.2
stall	5.2
barranco[4b]	
gorge	5.9
barrer[3b]	
sweep (vb.)	1.9
barrera[5a]	
bar	2.1
barril[7a]	
barrel	3.6
barrio[3a]	
quarter	2.5
barro[4a]	
clay	3.4
mud	4.8
barruntar[7a]	
suspect	2.9
basar[6b]	
support (vb.)	1.8
rest on	1.9
base[2a]	
base	1.7
bastante[1a]	
enough	1.
pretty (moderately)	1.
bastar+basta[1a]	
(be) enough	1.
bastardo[7a]	
bastard	7.1
bastidores	
wings	4.9
tras –	
(behind the) scene	5.4

	Section
bastón[4a]	
stick (n.)	2.
basura[6a]	
refuse	4.4
batalla[2a]	
battle	1.2
batallar[6a]	
fight (vb.)	1.6
batallón[6a]	
battalion	5.
batería[5b]	
battery	3.1
batir[2a]	
beat	1.1
strike (vb.)	1.1
baúl[7a]	
hacer el –	
pack (vb.)	3.5
trunk	5.
bautismo[6b]	
baptism	5.5
bautizar	
baptize	6.
bautizo[7a]	
baptism	5.5
bayoneta	
bayonet	7.4
beato[5b]	
blessed	2.1
beber[1a]	
drink (vb.)	1.4
drinking	3.
bebida[2b]	
drink (n.)	2.7
becerro[7a]	
calf	5.8
beldad[5b]	
beauty	1.8
belga[6b]	
Belgian	9.
bélico[6a]	
martial	5.4
bellaco[6b]	
knave	4.5
belleza[1b]	
beauty	1.5
(a) beauty	1.8
bello[1a]	
beautiful	1.
bellota	
acorn	6.8
bendecir + bendito[1b]	
bless	2.
blessed	2.1
bendición[2b]	
blessing (n.)	2.3
beneficiencia[7a]	
charity	2.9
beneficiar(se)[7a]	
profit (vb.)	1.4
benefit	3.6
beneficio[2b]	
advantage	1.5
profit	2.
benefit	3.4
benéfico[4a]	
kind	1.
benevolencia[4a]	
kindness	2.7
goodwill	5.3
benévolo[4b]	
kind	1.
charitable	5.4
benigno[5a]	
benign	6.5
beodo[7a]	
drunken	5.9

	Section
besar[1b]	
kiss (vb.)	1.4
beso[2a]	
kiss (n.)	1.7
bestia[2a]	
beast	1.1
Biblia	
bible	4.6
bíblico[5b]	
biblical	9.7
biblioteca[4a]	
library	3.5
bicarbonato	
soda	5.6
bicho[4a]	
beast	1.1
bicicleta	
bicycle	6.4
bien (adv.)[1a]	
all right	1.
no –	
(no) sooner (than)	1.
well	1.
bien (n.)[1b]	
-es, property	1.5
bienaventurado[6b]	
blessed	2.1
bienestar[3a]	
welfare	3.5
bienhechor[4a]	
humane	5.3
bienvenido	
welcome	3.3
bifteque	
steak	6.8
bigote[3b]	
mustache	7.4
billete[4a]	
– de banco	
(bank) note	3.6
ticket	4.2
bimetalismo	
bimetallism	10.8
biografía[6b]	
biography	8.6
bizarro[5a]	
smart	4.6
bizcocho[5b]	
biscuit	6.7
blanco[1a]	
white	1.
en –, blank	3.8
blancura[4b]	
white	3.7
blando[2a]	
soft	1.5
blanquear[5b]	
(become) white	1.9
blasfemia[4b]	
oath	4.8
blasphemy	6.8
bloque	
block	5.2
blusa	
blouse	6.8
bobo[5a]	
fool	2.4
foolish	2.8
boca[1a]	
mouth	1.
bocado[5a]	
morsel	6.2
boda[2a]	
wedding	3.4
bodega[5a]	
cellar	3.8
grocery	6.9

	Section
bodegonero	
grocer	6.4
bofetada[5b]	
slap	3.8
bofetón[6a]	
slap	3.8
boga[7a]	
fad	8.5
bogar[6b]	
row	5.
bohemio[5a]	
Bohemian	7.3
boj	
box	4.9
bola[3a]	
ball	2.1
-s, marble (game)	4.9
bolsa[3a]	
exchange	2.6
purse	3.8
bolsillo[2b]	
pocket	2.3
bollo	
loaf	3.3
bomba[5a]	
shell	3.4
pump	5.3
bonanza[6a]	
weather	1.4
bondad[1b]	
goodness	1.5
kindness	2.7
bondadoso[3b]	
kind	1.
kindly	3.3
poco –, unkind	6.1
bonito (adj.)[1a]	
pretty (comely)	1.
bono[6a]	
bond	5.8
bordado[5b]	
embroidery	6.5
bordar[4a]	
embroider	5.9
borde[2b]	
edge	1.5
fringe	5.8
bordo[5b]	
a –, (on) board	3.
borla[6b]	
tassel	7.
borracho[3b]	
drunk (adj.)	5.5
drunken (person)	5.9
borrador	
draft	3.
borrar[2b]	
rub out	4.4
borrasca[5a]	
storm	1.6
bosque[2a]	
forest	1.
bostezar[5a]	
yawn	5.8
bostezo[6a]	
yawn	6.2
bota[3b]	
boot	3.8
botar[6b]	
throw	1.
bote[4b]	
boat	2.6
botella[3a]	
bottle	2.1
botica[6a]	
drug store	5.6

	Section
botín[6a]	
spoils	3.5
boot	3.8
boto	
dull	5.2
botón[6a]	
button	3.7
bud	4.8
bóveda[4b]	
vault	4.7
boxeador	
prize fighter	7.
bramar[4a]	
roar	4.7
brasa[4b]	
(live) coals	2.1
bravo[2a]	
(be) brave	1.
bravura[6b]	
courage	1.4
brazo[1a]	
arm (part of body)	1.
brea[7b]	
tar	6.4
brecha[7a]	
gap	4.5
breve[1b]	
short	1.
-mente, (in) short	1.
bribón[5b]	
knave	4.5
brigada	
brigade	6.2
brillante[2a]	
bright	1.4
brilliant	2.9
brillar[2a]	
shine	1.6
glitter	3.6
brillo[4a]	
splendor	3.6
brinco[6b]	
spring (n.)	2.6
brindar[3a]	
offer	1.
brío[3a]	
vigor	4.
brioso[6a]	
fiery	3.6
brisa[4a]	
breeze	5.2
británico[4b]	
British	4.2
brizna	
blade	5.3
brocha	
brush	5.6
broma[2b]	
joke (n.)	2.9
bromear	
joke (vb.)	4.3
bronce[3b]	
brass	4.5
bronze	6.2
brotar[2b]	
grow	1.3
gush	4.5
sprout	6.2
brote	
shoot	5.4
bruja[4a]	
witch	5.2
bruma[5a]	
mist	3.1
brusco[3b]	
gruff	3.7

INDEX TO SPANISH WORDS IN THE LIST

	Section
brutal[3b]	
savage	2.
brutalidad	
brutality	9.
bruto[3a]	
brute	5.7
bucear	
dive (vb.)	4.2
buen(o)[1a]	
all right	1.
good	1.
kind	1.
estar –, (be) well	1.
buenos días, buenas tardes	
good morning	1.1
fine	1.4
tener buen éxito	
succeed	1.5
buen éxito, success	1.5
de buena gana	
willingly	1.6
buey[3a]	
ox(en)	3.8
búfalo	
buffalo	7.2
bufanda	
scarf	6.1
buho	
owl	5.6
buhonero	
peddler	7.
bula[6b]	
papal bull	7.8
bulto[2b]	
bundle	4.
bulla[6b]	
noise	2.6
bullicio[6b]	
noise	2.6
buque[3a]	
ship	1.3
– de vapor, steamer	3.7
burgués[5b]	
bourgeois	5.9
burla[2a]	
fun	3.1
mockery	4.8
burlar[2a]	
(make) fun (of)	2.8
burlón[5b]	
fun	2.8
sonreír -amente	
grin	5.9
burro + borrico[3a]	
ass	3.9
busca[2b]	
search	4.4
buscar[1a]	
look for	1.
busto[5b]	
bust	6.1
butaca[5b]	
chair	1.8

C

	Section
cabal[3b]	
perfect	1.
thorough	2.
cabalgar[6a]	
ride	1.5
caballeresco[6a]	
courteous	4.3
caballería[3a]	
cavalry	5.3
caballero[1a]	
gentleman	1.
knight	2.1
horseman	2.8
cavalier	6.
caballerosidad	
chivalry	7.2
caballo[1a]	
horse	1.
a –, (on) horseback	2.2
cabaña[4a]	
shed	3.2
cabecera[5a]	
head (of bed)	4.7
cabellera[4a]	
hair	1.
cabello[2a]	
hair	1.
cabelludo	
cuero –	
scalp	6.8
caber[1b]	
fit (vb.)	1.
cabeza[1a]	
head	1.
cable[5b]	
rope	3.3
cable	5.8
cabo[1b]	
end	1.
al –, (at) last	1.
tip	1.4
corporal	4.2
cape	5.
cabra[3a]	
goat	4.9
cacarear	
cluck	6.4
cacerola[5b]	
pan	4.9
cada[1a]	
each (adj.)	1.
– uno, each (pron.)	1.
every	1.
– vez,(every) time	2.2
cadalso[7a]	
scaffold	7.1
cadáver[2b]	
(dead) body	2.1
cadena[2a]	
chain	2.1
cadera	
hip	6.4
cadillo	
burr	6.8
caer[1a]	
dejar –, drop	1.
fall (vb.)	1.
fall (e.g., hair)	2.2
café[1b]	
coffee	2.3
caída[2a]	
fall (n.)	1.2
caja[1b]	
box (n.)	2.3
cajero	
cashier	7.2
cajón	
drawer	6.1
cal	
lime	4.2
calabaza[5b]	
pumpkin	6.1
calabozo	
dungeon	6.1
calamidad[4a]	
disaster	3.9
calar[3a]	
pierce	3.1
calavera[6a]	
skull	6.
calcetín	
sock	6.8
calcular[3b]	
rate (vb.)	2.3
reckon	2.6
cálculo[3b]	
account	1.8
caldera	
boiler	5.8
caldo[4a]	
sauce	5.5
calefacción	
heating	5.
calendario	
calendar	5.8
calentar[3b]	
heat (vb.)	2.2
calentura[4b]	
fever	3.3
cálido[4a]	
hot	1.5
caliente[2b]	
hot	1.5
calificar[4a]	
rate (vb.)	2.3
qualify	7.2
cáliz[5a]	
goblet	4.1
calma[1b]	
quiet	1.
calmar[2b]	
quiet (vb.)	1.6
caló	
slang	8.2
calor[1b]	
heat (n.)	1.5
calumnia[3b]	
slander	4.8
calumniar[4b]	
slander	4.4
calvario[6b]	
Calvary	12.4
calvo[6b]	
bald	6.2
calzado[6a]	
shoe	3.2
poner suela al –	
sole (vb.)	5.4
calzar[3b]	
(put on) shoes	3.5
calzón[4b]	
trousers	5.6
breeches	6.4
calzoncillos	
drawers	6.2
callar + callado[1a]	
(keep) quiet	1.5
silent	1.5
hacer –	
silence (vb.)	1.9
calle[1a]	
street	1.
arroyo de la –	
gutter	5.7
– transversal	
crossroad	10.5
calleja[5a]	
alley	4.6
callo[6a]	
corn	5.
cama[1b]	
bed	1.4
camada	
layer	3.8
cámara[2b]	
room (chamber)	1.
– de comercio	
chamber of commerce	3.2
– de Representantes	
House of Representatives	3.4
camarada[4a]	
companion	2.3
comrade	3.4
camaradería	
fellowship	6.8
camarero[6b]	
servant	1.9
cambiar[1b]	
change	1.4
exchange	3.5
cambio[1b]	
a –, (in) return	1.1
change (n.)	1.5
change (conversion)	2.9
camello	
camel	6.4
camilla	
stretcher	8.2
caminante	
walker	7.6
caminar[2a]	
walk	1.
camino[1a]	
road	1.
en –, (on the) way	2.2
camión	
truck	6.6
camisa[3a]	
shirt	3.8
campana[2a]	
bell	2.5
juego de -s, chime	5.6
campanario[6b]	
steeple	5.8
campaneo	
ringing of bell	4.9
campaña[2a]	
country (not town)	1.
expedition	3.1
campear[5b]	
(be) ahead (of)	2.7
campeón[5b]	
champion (n.)	2.5
campesino[3b]	
peasant	2.4
countryman	5.2
campestre[5b]	
country (adj.)	2.6
merienda –, picnic	6.3
campiña[4a]	
country (not town)	1.
campo[1a]	
country (not town)	1.
field	1.
– de batalla	
(battle) field	2.4
– de juegos	
playground	6.
can[6b]	
dog	1.9
canal[3b]	
canal	2.3
canalla[5a]	
mob	4.9
canario[4b]	
canary	7.2
canciller	
chancellor	5.6
canción[2b]	
song	1.6

		Section
candidato		
	applicant	7.2
candidatura		
	candidacy	9.4
cándido[4a]		
	open (*adj.*)	1.3
candil[4b]		
	lamp	2.5
candor[3b]		
	frankness	7.2
canela[4a]		
	cinnamon	8.
cangrejo[6b]		
	crab	6.2
canjear		
	exchange (*vb.*)	3.5
cano + cana[4a]		
	hair	1.
	gray	2.2
canónigo[4b]		
	minister	2.
cansancio[3a]		
	weariness	5.6
cansar[1b]		
	cansado, tired	1.9
	tire (*vb.*)	2.4
cantar[1a]		
	sing	1.4
cántaro[5a]		
	pitcher	5.6
cántico[5b]		
	song	1.6
cantidad[1b]		
	amount	1.
canto[2a]		
	edge	1.5
	song	1.6
cantor[3b]		
	singer	4.3
caña[2b]		
	stick (*n.*)	2.
	- del timón, helm	5.6
cañón[3b]		
	gun	1.7
	gorge	5.9
caoba		
	mahogany	7.2
caos[6b]		
	chaos	6.6
capa[2a]		
	coat	2.
	layer	3.8
	cloak	4.8
capacidad[3b]		
	capacity	3.
capaz[1b]		
	able	1.4
	liable	5.8
capellán[6a]		
	minister	2.
capilla[4a]		
	chapel	3.9
capital[1b]		
	capital (finance)	1.9
	capital (city)	2.3
capitán[2a]		
	captain	1.6
capitular[6a]		
	yield	1.9
capítulo[2a]		
	chapter	2.5
capote[5a]		
	coat	2.
capricho[2b]		
	fancy	3.7
caprichoso[3b]		
	fickle	6.5

		Section
capturar		
	capture	6.
capullo[6b]		
	blossom (*n.*)	2.2
	bud	4.8
cara[1a]		
	face	1.
	look	1.9
	.... cara	
	look (well, etc.)	1.9
caracol[4a]		
	snail	6.8
carácter[1b]		
	character	1.
	nature (character)	1.
característica[5b]		
	characteristic	3.
característico[6a]		
	characteristic	3.8
caracterizar[4a]		
	mark	3.2
caramba[5a]		
	Heavens!	1.
caravana		
	caravan	7.
carbón[3b]		
	coal	1.9
carbono		
	dióxido de –	
	carbon dioxide	6.8
carcajada[4a]		
	burst (of laughter)	2.9
cárcel[2a]		
	prison	2.
cardenal[6a]		
	cardinal	5.1
cárdeno[5b]		
	purple	4.9
cardo		
	thistle	6.4
carecer[2b]		
	lack (*vb.*)	1.5
carey		
	tortoise	6.8
carga[2b]		
	load (burden)	1.4
	freight	3.8
cargamento[7a]		
	load (*n.*)	1.7
cargar[1b]		
	carry	1.
	load (*vb.*)	1.8
cargo[1b]		
	office	1.4
caricia[2b]		
	caress	6.2
caridad[2a]		
	charity	2.9
cariño[1b]		
	love	1.
cariñoso[2b]		
	affectionate	4.3
carne[1a]		
	meat	1.6
	flesh	2.
	loncha de –, steak	6.8
carnero[3b]		
	sheep	3.
	mutton	5.8
carnet		
	note book	4.9
carnicería		
	butcher shop	5.8
carnicero[6a]		
	butcher	5.6
caro[2b]		
	dear (in affection)	1.
	dear (costly)	1.1

		Section
carpintero[5b]		
	carpenter	5.5
carrera[2a]		
	race (*n.*)	1.2
	career	4.
carreta[5b]		
	wagon	4.7
carretel		
	spindle	6.6
carretera[3b]		
	road	1.
carretero[5b]		
	carter	6.9
carro[2a]		
	chariot	2.6
	wagon	4.7
carruaje[4b]		
	car	2.
	chariot	2.6
	coach	4.9
carta[1a]		
	letter	1.
	map	1.9
	charter	2.9
cartel[6a]		
	bill	3.5
	fijar -es, post bill	3.5
cartera[6a]		
	(letter) case	2.5
cartón[6a]		
	cardboard	8.6
cartucho		
	cartridge	9.
casa[1a]		
	en –, (at) home	1.
	house	1.
	amo de –	
	man of the house	1.8
	– de correos	
	post-office	3.3
casaca[5b]		
	frock coat	6.1
casamiento[4a]		
	marriage	2.4
casar[1a]		
	marry	2.3
	-se, marry	2.3
cascada[5b]		
	waterfall	6.2
cáscara[5b]		
	bark	4.9
	peel	5.3
casco[4a]		
	helmet	4.9
	hoof	5.1
	skull	6.
casero[6b]		
	agent	2.9
casi[1a]		
	almost	1.
casino[6a]		
	club	1.6
caso[1a]		
	case	1.
	en todo –, en	
	cualquier –	
	(in any) case	1.
casta[3a]		
	race	3.2
	caste	7.3
castaña[6b]		
	chestnut	5.5
castañetear		
	chatter	6.
castellano[1b]		
	English	1.
castidad[5a]		
	chastity	7.7

		Section
castigar[2a]		
	punish	2.1
castigo[2a]		
	punishment	2.6
castillo[2b]		
	castle	2.
castizo[6a]		
	pure	1.5
casto[5b]		
	chaste	6.2
casual[4b]		
	casual	3.8
casualidad[3a]		
	chance	1.4
	por –, (by) chance	1.6
catalán[4b]		
	English	1.
catálogo[5a]		
	list (*n.*)	2.9
catar[5a]		
	taste (*vb.*)	1.5
catástrofe[4a]		
	disaster	3.9
cátedra[5b]		
	chair	2.5
catedral[3a]		
	cathedral	4.6
catedrático[5a]		
	professor	2.6
categoría[3b]		
	class	3.
catolicismo		
	catholicism	13.
católico[2b]		
	catholic	2.9
catorce[3*]		
	fourteen	3.4
cauce[6b]		
	basin	3.
caucho		
	rubber	5.
caudal[2b]		
	wealth	1.5
	plenty	2.2
caudaloso[4b]		
	full (river)	4.4
caudillo[4a]		
	chief (*n.*)	1.5
causa[1a]		
	a – de, because	1.
	cause	1.
causar[1b]		
	cause (*vb.*)	1.
cautela[6a]		
	care	1.
	prudence	3.7
cauteloso[6b]		
	prudent	3.3
cautivar[4b]		
	attract	3.1
cautiverio[5b]		
	captivity	5.7
cautivo[3a]		
	prisoner	2.4
cauto[6a]		
	prudent	3.3
cavar[6a]		
	dig	4.8
caverna[5b]		
	cave	3.
caza[2a]		
	hunt (*n.*)	2.4
	game (*n.*)	2.7
cazador[3b]		
	hunter	2.6
	– furtivo, poacher	11.5

INDEX TO SPANISH WORDS IN THE LIST

	Section
cazar[5a]	
hunt (vb.)	2.3
cazuela[4a]	
pan	4.9
cebada[5a]	
barley	6.1
cebar[6a]	
stuff	4.1
cebo	
bait	6.8
cebolla[3b]	
onion	5.6
bulb	6.
cecear	
lisp	7.2
cedazo	
sieve	7.2
ceder[2a]	
yield	1.9
cedro[6b]	
cedar	5.8
cédula[6a]	
charter	2.9
patent	5.2
céfiro[6b]	
breeze	5.2
cegar[3b]	
blind (vb.)	2.7
ceguera	
blindness	6.8
ceja[4b]	
eyebrow	6.3
celaje[6a]	
cloud	1.9
celebrar[1b]	
celebrate	2.
célebre[2a]	
famous	1.1
celebridad[5b]	
fame	2.3
celeste[3a]	
celestial	3.5
celestial[4a]	
celestial	3.5
celo[2b]	
zeal	2.4
-s, jealousy	4.2
celosía[6b]	
blind	3.1
celoso[3a]	
eager	2.4
jealous	4.1
celta	
Celtic	8.2
céltico	
Celtic	8.2
célula[7a]	
cell	4.6
cementerio[5a]	
cemetery	6.
cemento	
cement	6.4
cena[2b]	
supper	4.6
cenar[3a]	
(have) supper	2.4
ceniciento[6a]	
ash(es)	3.3
ceniza[2b]	
ash(es)	3.3
censura[5a]	
reproach	2.7
blame	3.2
censurar[6a]	
blame	2.8
centella[4b]	
thunderbolt	4.1

	Section
centenar[5b]	
hundred	1.4
centenario[6a]	
centennial	10.6
centeno	
rye	5.6
centésimo[7]*	
hundredth	7.6
centímetro[4b]	
inch	2.7
céntimo[3a]	
cent	1.7
centinela[4b]	
guard (military)	2.
central[3b]	
central	4.5
centro[1b]	
center	1.
ceñir[7a]	
surround	1.8
ceño[3b]	
frown (n.)	5.5
cepillo	
brush	5.6
cera[3b]	
wax	3.6
cereza	
cherry	5.6
cerca[1a]	
about (approximately)	1.
near (adj. and adv.)	1.
- de, near (prep.)	1.
cercanía[6b]	
neighborhood	2.9
cercano[2a]	
near (adj. and adv.)	1.
cercar[4b]	
surround	1.8
cerco[3b]	
circle	1.1
siege	4.8
cerdo[4b]	
pig	3.9
cereal[6b]	
grain	2.1
cerebro[2a]	
brain	3.3
ceremonia[4b]	
ceremony	2.
ceremony (rite)	3.5
cernedera	
sieve	7.2
cerner[5b]	
-se, hover	3.8
strain	4.9
cero[6b]	
zero	6.4
cerrado[5b]	
close	1.
cerradura	
lock (n.)	2.8
cerrar[1a]	
close (vb.)	1.
lock (vb.)	1.5
cerro[3b]	
hill	2.6
cerrojo	
lock (n.)	2.8
certeza[6b]	
assurance	4.4
certificado[6a]	
certificate	5.8
cerveza	
beer	3.9
cesar[1b]	
stop	1.

	Section
césped	
lawn (grass)	4.3
turf	5.8
cesta[6a]	
basket	2.8
cesto[5b]	
basket	2.8
cetro[3a]	
scepter	5.9
cicatriz[6a]	
scar	6.2
ciego[1b]	
blind (adj.)	2.
cielo[1a]	
heaven	1.
cien[1]*	
hundred	1.
ciencia[1a]	
science	1.4
hombre de – scientist	4.2
científico[3a]	
scientific	3.9
ciento[1]*	
hundred	1.4
cierto[1a]	
sure	1.
confident	5.1
ciervo[6a]	
deer	5.8
cifra[3b]	
number	1.1
cifrar[5a]	
cipher (vb.)	9.3
cigarra	
grasshopper	6.2
cigarrillo	
cigarette	7.7
cigarro[4a]	
cigar	5.1
cigarette	7.7
cigüeña	
stork	6.8
cilindro[5a]	
cylinder	4.9
cima[3a]	
top	1.3
summit	3.4
cimiento[3a]	
foundation	4.4
cinc	
zinc	6.
cincel	
chisel (art)	7.2
cinco[1]*	
five	1.
cincuenta[2]*	
fifty	2.3
cine	
cinema	11.3
cinematógrafo	
cinema	11.3
cinta[3b]	
ribbon	3.1
strip (n.)	2.9
cinto	
belt	4.7
cintura[4b]	
waist	4.4
cinturón	
belt	4.7
ciprés[6b]	
cypress	7.
circo[6b]	
circus	6.2
circulación[5a]	
traffic	2.6
circulation	5.4

	Section
circular[3a]	
round (adj.)	1.6
circular	3.3
círculo[2b]	
circle (set of people)	1.1
circle (ring)	1.2
club	1.6
circundar[4b]	
surround	1.8
circunstancia[1b]	
event	1.4
circunstante[4a]	
audience	3.
ciruela	
plum	6.
– pasa	
prune	6.4
cisne[6a]	
swan	5.8
cisterna	
tank	6.1
cita[2b]	
appointment (to meet)	4.5
citar[2a]	
quote	4.
ciudad[1a]	
city	1.
– natal	
(home) town	3.3
ciudadano[3a]	
citizen	2.2
civil	2.4
ciudadela	
citadel	8.1
civil[2a]	
civil	2.4
civilización[3a]	
culture	3.7
civilizador[6b]	
civilize	6.6
civilizar[5a]	
civilize	6.6
clamar[3a]	
cry	1.
clamor[5a]	
noise	2.6
clamor	4.4
claridad[2a]	
light (n.)	2.
gleam (n.)	2.5
clarín[5b]	
horn	3.6
claro[1a]	
clear	1.
(of) course	1.
bright	1.4
light	1.4
claramente	
clearly	2.9
glade	6.5
clase[1b]	
class	1.
kind	1.
– acomodada, gentry	6.2
clásico[3a]	
classic	3.8
clasificar[6a]	
(put in) order	1.4
class (vb.)	2.1
claustro[5a]	
staff (university)	4.2
cláusula[6b]	
clause	6.6
clavar[3a]	
– la mirada, peer	3.5
nail	4.6
clavel[4b]	
carnation	8.4

	Section
clavija	
peg	6.
clavo[3b]	
nail	3.
– de especia, clove	6.7
clemencia[5b]	
mercy	2.
clerical[6b]	
minister	2.
clérigo[4a]	
minister	2.
clero	
clergy	6.9
cliente[5a]	
customer	3.6
clima[2b]	
climate	4.
cloro	
chlorine	8.8
cobarde[3a]	
cowardly	4.6
coward	5.
cobrar[1b]	
get (receive)	1.
collect	1.4
charge (vb.)	3.
– impuestos, tax	3.5
cobre[4b]	
copper	3.
cocer[2a]	
cook (vb.)	2.5
cocido[5b]	
cook (vb.)	2.5
cocina[2b]	
kitchen	2.8
cocinero[3a]	
cook	4.3
coco[6a]	
cocoanut	7.
coche[2a]	
car	1.5
cart	2.7
– de alquiler, cab	3.9
cochero[5a]	
driver	4.4
cochera, garage	6.9
cochino[6a]	
pig	3.9
codicia[4b]	
lust	4.8
greediness	8.6
codiciar[4b]	
covet	4.1
codicioso[6a]	
greedy	6.
código[5b]	
law	1.
code	4.8
codo[4a]	
elbow	5.1
cofre[6b]	
trunk	5.
coger[1a]	
take	1.
catch	1.3
cohesión	
cohesion	10.5
coincidencia	
coincidence	7.8
coincidir[4b]	
coincide	7.2
cojín	
cushion	5.6
cojo[3a]	
lame	5.5
col[5a]	
cabbage	5.9

	Section
cola[3b]	
tail	4.1
colaboración[6a]	
assistance	3.9
colaborar	
work together	3.6
colar[4a]	
strain	4.9
colcha	
quilt	6.8
colchón[5b]	
mattress	6.7
colección[4b]	
collection	2.7
colectivo[7a]	
collective	9.6
colega[6a]	
fellow worker	2.9
colegio[3a]	
college	3.8
cólera[2a]	
anger	1.9
colérico[4b]	
angry	2.4
colgar[1b]	
hang	1.1
colina[6a]	
hill	2.6
colmar[4a]	
fill (up)	1.8
heap up	3.2
colmena[5b]	
hive	3.9
colmo[6b]	
extreme	1.5
height (of career)	1.6
colocación[3b]	
place	1.
colocar[1a]	
place (vb.)	1.
– dinero, invest	3.
colonia[3a]	
colony	2.9
colonial[6a]	
colonial	6.2
colono[5a]	
colonist	6.1
coloquio[4b]	
talk (n.)	1.
color[1a]	
color	1.
colorado[3b]	
red	1.
colorear[6b]	
color (vb.)	2.5
coloreado, colored	4.2
colorido[6a]	
color	1.
colosal[3b]	
great (huge)	1.
columbrar[5a]	
(catch) sight of	1.1
make out	1.4
columna[2a]	
column (military)	2.9
column (pillar)	3.3
collar[5b]	
necklace	6.4
comadre[4b]	
godmother	6.8
comandante[5b]	
major	3.2
commander	4.4
comarca[3a]	
part (of country)	1.

	Section
combate[3a]	
fight	1.1
battle	1.2
combatir[2a]	
fight (vb.)	1.6
combinación[4a]	
combination	4.3
combinar[4a]	
combine	2.3
combustible	
fuel	5.2
combustión	
combustion	6.
comedia[2a]	
comedy	3.7
comedor[3b]	
dining room	4.9
comentar[4b]	
remark (vb.)	2.3
comentario[4a]	
remark (n.)	2.4
comenzar[1a]	
begin	1.
comer[1a]	
eat	1.4
dar de –, feed	1.4
dine	3.1
comercial[4a]	
commercial	2.8
ley –	
(commercial) law	3.2
trade	4.6
comerciante[3a]	
business man	1.4
comercio[2b]	
trade (n.)	1.2
cámara de –	
chamber of commerce	3.2
comestible[5b]	
food	1.9
cometa[4b]	
comet	4.8
kite	5.2
cometer[1b]	
commit	2.3
cómico[3a]	
funny	2.9
comida[2a]	
food	1.9
dinner	2.7
meal	3.2
comienzo[4a]	
beginning	2.7
comisaría	
police department	4.6
comisario[6b]	
deputy	4.9
comisión[3a]	
commission	2.2
committee	3.
comisionado[6b]	
commissioner	5.
como, cómo[1a]	
about (approximately)	1.
as (like)	1.
how	1.
well!	2.3
¡–!, what!	2.4
comodidad[2b]	
ease	3.2
cómoda	
drawer	6.1
cómodo[3b]	
comfortable	2.1
convenient	2.5

	Section
compadecer[4a]	
pity	4.6
compadre[5a]	
godfather	8.6
compañero[1a]	
companion	2.3
compañía[1b]	
company (business)	1.
company (social)	1.
company (military)	1 5
comparable[5b]	
(to be) compared	2.2
comparación[3a]	
comparison	2.7
comparar[2a]	
compare	1.6
comparecer[5b]	
appear (loom)	1.
compartir[4b]	
divide	1.1
compás[3a]	
measure	1.
time	3.2
compasión[2b]	
pity	2.4
compasivo[4a]	
merciful	4.2
compatriota[5a]	
(fellow) countryman	4.7
compendio[6b]	
summing up	3.1
compensar[7a]	
make up for	4.1
competencia[5b]	
competition	3.8
competir[4a]	
contend	5.7
complacencia[5a]	
pleasure	1.4
complacer[2a]	
please	1.
complejo	
complex	5.3
complemento[4b]	
object (grammatical)	3.
complement	5.2
completar[3b]	
complete	1.
completo[1a]	
completamente, all	1.
complete	1.
complicación	
complication	7.2
complicar	
complicate	6.2
cómplice[4b]	
(be a) party (to)	2.
complicidad	
participation (e.g., in a crime)	7.8
componer[1b]	
settle	1.8
compose	2.6
composición[3b]	
composition	3.8
compositor	
composer	9.6
compostura[5b]	
repair (n.)	3.7
compra[4a]	
purchase	3.2
comprador[6b]	
buyer	3.8
comprar[1b]	
buy	1.4
comprender[1a]	
understand	1.
comprendido, included	2.9

INDEX TO SPANISH WORDS IN THE LIST

comprensión[4b]
  understanding (n.). 1.7
comprimir[5b]
  condense.......... 4.3
comprobar[5b]
  prove............. 1.4
  check............. 3.8
comprometer[2b]
  compromise....... 5.3
compromiso[4a]
  engagement....... 4.7
  compromise....... 5.7
compuesto[2b]
  repair............. 3.7
común[1b]
  common.......... 1.4
  common (person)... 1.4
  no –, poco –, unusual. 2.6
comunal
  community........ 4.8
comunicación[2b]
  communication.... 2.5
comunicar[1b]
  communicate...... 2.7
comunicativo[6b]
  communicative.... 13.
comunidad[6a]
  community (of individuals)..... 2.9
  community (e.g., of interests)..... 3.8
comunión[6a]
  communion........ 6.7
con[1a]
  with.............. 1.
concebir[2a]
  imagine........... 1.4
  conceive.......... 2.
conceder[1b]
  grant (vb.)........ 1.
concejal
  alderman.......... 7.2
concentrar[4b]
  concentrate....... 4.8
concepción[5b]
  idea.............. 1.4
  conception........ 4.
concepto[2a]
  idea.............. 1.4
concertar[3b]
  fix (up).......... 1.5
concesión[6b]
  grant............. 3.4
  admission......... 5.4
conciencia[1b]
  conscience........ 1.8
concierto[2b]
  concert........... 4.1
conciliación
  conciliation....... 7.8
conciliar[6a]
  reconcile.......... 4.6
concisión[6b]
  conciseness....... 12.2
concluir[1b]
  complete.......... 1.
conclusión[3a]
  end............... 1.
  conclusion........ 3.
concretar[5b]
  limit.............. 5.1
concreto[5a]
  en –, (in) short....... 1.
  definite........... 3.5
  concrete.......... 6.1
concurrencia[4b]
  assembly.......... 2.6

concurrir[3a]
  agree............. 2.2
concurso[3b]
  competition....... 3.8
concha[3b]
  shell.............. 3.7
conde + condesa[2a]
  count............. 1.2
  countess.......... 5.4
condenar[1b]
  sentence (vb.)..... 2.3
  condemn.......... 2.7
  damn............. 4.2
condensar[3b]
  condense.......... 4.3
condición[1a]
  condition.......... 1.
conducta[2a]
  conduct (n.)....... 2.3
conducir[1b]
  -se, act (behave)..... 1.
  drive (car, etc.).... 1.
  drive (horse)....... 1.
  lead.............. 1.
conducto[5b]
  por – de
    through (agent).. 1.
conductor[4a]
  leader............ 2.3
conejo[4a]
  rabbit............ 4.8
confección[5b]
  making........... 4.7
confeccionar[5b]
  make............. 1.
confederación[7a]
  confederacy....... 5.1
conferencia[3a]
  talk.............. 1.2
  conference........ 3.
conferir[6a]
  grant (vb.)........ 1.
  confer............ 5.9
confesar[1b]
  admit............. 1.4
confesión[4a]
  confession........ 4.3
confesionario
  confessional...... 10.
confesor[4b]
  confessor......... 7.4
confianza[1b]
  trust.............. 1.
  tener –, trust (vb.).... 1.4
  digno de –, reliable... 3.8
  reliability......... 7.7
confiar[2a]
  count on.......... 1.
  trust (vb.)......... 1.4
  give in charge...... 1.9
  confiado, confident... 5.1
confidencia
  confidence........ 3.5
confidencial
  confidential....... 6.6
confín[6a]
  limit (n.)......... 2.4
confinar[7b]
  limit (vb.)........ 1.6
confirmación[7a]
  confirmation...... 5.1
confirmar[2b]
  confirm........... 2.5
conflicto[2b]
  fight (n.)......... 1.1
  struggle.......... 1.9
conformar[4a]
  fit (vb.).......... 1.

conforme[2a]
  by (according to)... 1.
confundir[1b]
  confound......... 3.1
confusión[2a]
  confusion......... 3.2
confuso[2b]
  confused.......... 3.2
congoja[4a]
  grief.............. 1.8
congreso[2b]
  congress.......... 2.9
conjunción[5a]
  union............. 1.6
  conjunction....... 7.3
conjunto[2a]
  whole (n.)........ 1.5
conjurado
  conspirator....... 7.7
conjurar[6a]
  plot.............. 5.4
conmemorativo
  memorial......... 4.4
conmigo[1a]
  with.............. 1.
conmovedor[7a]
  moving (adj.)...... 2.3
conmover[2a]
  move............. 1.5
cono
  cone.............. 7.2
conocedor[6a]
  expert............ 4.2
conocer[1a]
  know (be acquainted)..... 1.
  conocido, known..... 1.1
  conocido
    acquaintance.... 2.7
conocimiento[1b]
  knowledge........ 1.5
  acquaintance...... 2.7
conque[6a]
  so................ 1.
  so then........... 1.5
conquista[2a]
  conquest.......... 3.3
conquistador[4a]
  conqueror......... 4.1
conquistar[2b]
  conquer.......... 2.9
consabido[5b]
  known............ 1.1
consagración[6a]
  consecration...... 5.8
consagrar[2a]
  dedicate.......... 2.7
  hallow............ 3.6
consciente
  conscious........ 4.
  -(mente), aware.... 5.4
consecuencia[2a]
  result............. 1.5
conseguir[1b]
  get (obtain)....... 1.
  get (fetch)........ 1.4
consejero[5a]
  minister........... 1.5
  privy councilor.... 6.9
consejo[1b]
  advice............ 1.4
consentimiento[6b]
  consent........... 2.8
consentir[2a]
  consent (vb.)...... 2.4
conserva[6a]
  preserve (n.)...... 3.

conservación[4b]
  keeping up........ 3.4
  conservation....... 5.
conservador[4a]
  conservative....... 4.4
conservar[1a]
  keep.............. 1.
considerable[3b]
  considerable....... 3.3
consideración[2b]
  regard............ 1.5
  consideration
    (thought)..... 2.4
  consideration (reference).......... 2.5
considerar
  +considerado[1a]
  consider........... 1.8
consignar[4a]
  deliver............ 1.4
  consign........... 5.
consigo[1a]
  with.............. 1.
consiguiente[2b]
  following.......... 1.1
  por –, consequently... 4.1
  consistent......... 6.1
consistir[1b]
  consist............ 1.4
consolar[2b]
  comfort (vb.)...... 2.3
consolidar[5b]
  strengthen........ 3.4
consonante[4b]
  consonant......... 7.2
conspirador
  conspirator....... 7.7
conspirar[6a]
  plot............... 5.4
constancia[3a]
  constancy........ 7.1
constante[2a]
  constant.......... 2.4
constar[2b]
  (be) evident....... 2.5
consternar
  dismay........... 6.4
constitución[4a]
  constitution....... 2.7
constitucional[5b]
  constitutional...... 6.5
constituir[1b]
  make up......... 1.8
construcción[2b]
  building.......... 2.5
constructor
  builder........... 6.4
construir[2a]
  build............. 1.2
consuelo[2a]
  comfort (n.)...... 2.3
cónsul[7b]
  consul............ 4.9
consulta[6b]
  conference........ 3.
consultar[3a]
  consult........... 3.
consumación
  consumption...... 7.2
consumar[4a]
  complete......... 1.
consumidor
  consumer......... 7.
consumir[2a]
  burn (vb.)........ 1.6
  use up........... 2.9
contacto[3b]
  touch (n.)........ 2.2

contado[3b]	**contrastar**[6a]	**corcho**	**cortado**
al –, (in) cash 2.8	contrast 5.1	cork 6.6	sheepish 11.4
contagio[6b]	**contraste**[4b]	**cordel**[7a]	**cortar**[1a]
contagion 8.2	contrast 3.1	rope 3.3	cut (*vb.*) 1.8
contagioso[7a]	**contratar**[5b]	**cordero**[3a]	**corte**[1b]
catching .... 4.	engage 1.9	lamb 4.9	court .... 1.
contaminar[6a]	**contratiempo**[6b]	**cordial**[3b]	hacer la –
spoil 2.6	disappointment 4.4	cordial 2.3	court (woo) ..... 1.
contar[1a]	**contratista**	hearty 3.4	**cortejar**[7a]
count (*vb.*) .... 1.	contractor 6.6	**cordillera**[4b]	court (woo) ...... 1.
– con, count on ..... 1.	**contrato**[4b]	mountain 1.5	**cortejo**[6a]
tell .... 1.	contract (*n.*) 2.3	**cordón**[6a]	lover .... 2.
contemplación[4a]	**contribución**[4b]	rope 3.3	procession 4.1
contemplation 3.8	tax 1.6	**coro**[2b]	**cortés**[3b]
contemplar[1b]	contribution 4.4	choir (loft) 3.7	civil 3.2
observe 1.4	**contribuir**[2a]	choir (people) ..... 4.	courteous 4.3
contemporáneo[5a]	contribute 3.2	**corona**[2a]	**cortesano**[4b]
contemporary (*adj.*) 3.6	**control**	crown (*n.*) 1.7	courteous 4.3
contemporary (*n.*).. 4.8	check (*n.*) 3.2	**coronar**[2b]	courtier 5.7
contender[6b]	**convencer**[2a]	crown (*vb.*) 2.9	**cortesía**[3a]
contend 5.7	convince .... 2.	**coronel**[4a]	(good) manners ... 2.9
contener[1b]	**conveniencia**[3b]	colonel 3.9	courtesy 4.7
contain .... 1.	convenience 5.9	**corporación**[6a]	**corteza**[4b]
contenido[4a]	**conveniente**[2b]	corporation 3.5	bar, ... 4.9
content (*n.*) .... 2.	proper 1.4	**corporal**[7a]	crust 5.8
contentar[2b]	convenient 2.5	bodily 6.3	**cortijo**[6a]
satisfy 1.9	**convenir**[1b]	**corpulento**[6b]	farm 3.2
contento[1b]	fit .... 1.	big .... 1.	**cortina**[4b]
glad .... 1.	agree 2.2	**corral**[2b]	curtain 3.8
contestación[3a]	**convento**[3a]	court 1.1	**corto**[1b]
answer (*n.*) 1.2	convent 3.8	aves de –, fowl ... 5.1	short .... 1.
contestar[1a]	**conversación**[1b]	**correa**[6a]	**cosa**[1a]
answer .... 1.	talk (*n.*) .... 1.	strap 6.2	alguna –, anything ... 1.
contienda[4b]	conversation 2.6	**corrección**[4b]	matter .... 1.
struggle 1.9	**conversar**[4b]	(good) manners ... 2.9	thing .... 1.
contigo[1a]	talk .... 1.	correction 3.7	**cosecha**[3a]
with .... 1.	converse 3.4	**correcto**[3b]	crop 2.7
contiguo[6a]	**convertir**[1b]	right (correct) ..... 1.	hacer –, harvest 4.8
near (*adj. and adv.*) . 1.	convert 5.2	**corredor**[3b]	**coser**[3a]
continente[2b]	**convicción**[4b]	passage 4.8	sew 4.7
continent 4.4	conviction 4.2	scout 5.7	**cosquillear**
contingente[5b]	**convidar**[2a]	**corregidor**[2b]	tickle 6.8
share .... 2.	invite 2.3	mayor 2.5	**cosquillas**
unit (military) 5.9	**convite**[4b]	**corregir**[3a]	hacer –, tickle 6.8
continuación[3b]	invitation 3.2	correct (*vb.*) 2.7	**costa**[1b]
continuation 4.7	**convocar**[5b]	**correo**[3b]	coast 1.4
continuance 5.9	call together 2.1	post .... 2.	**costado**[5b]
continuar[1b]	**conyugal**	casa de -s, post-office . 3.3	side .... 1.
continue .... 1.	conjugal 9.6	**correr + corrido**[1a]	**costar**[1b]
continuo[1b]	**cooperativa**	run .... 1.	cost (*vb.*) 1.4
continual 2.5	cooperative 6.7	flow (*vb.*) 1.5	**coste**[7a]
contorno[3a]	**copa**[2a]	confound 3.1	expense 3.3
part (of country) ... 1.	goblet 4.1	**correspondencia**[3a]	**costilla**[5a]
outline 4.8	**copia**[4b]	correspondence (similarity) 3.5	rib .... 5.
contra[1a]	plenty 2.2	correspondence (writing) 3.9	**costoso**[5b]
against .... 1.	copy (reproduction) 3.2	**corresponder**[1b]	dear 1.1
contracción[6b]	**copiar**[3b]	correspond (to) 2.4	**costumbre**[1b]
contraction 7.4	copy (imitate) 3.2	correspond .... 4.	tener –, (be) used (to) . 1.4
contradecir	(make a) copy ..... 4.	**correspondiente**[3a]	custom 1.9
contradict 5.3	**copioso**[5b]	corresponding 2.7	habit 2.2
contradicción[4a]	abundant 4.2	**corresponsal**[6a]	**costura**
contradiction 4.3	**copla**[3a]	correspondent 6.2	seam 6.4
contradictorio[5a]	ballad 5.9	**corrida**[4b]	**cotidiano**[6a]
contradictory 9.7	**copo**[6a]	course 1.1	daily 1.6
contraer[3a]	snowflake 7.8	race (*n.*) 1.2	**coyuntura**[6b]
contract 4.3	**coqueta**[6a]	**corriente**[1b]	joint 5.8
contrariar[4b]	flirt .... 7.	stream 1.4	**cráneo**[5b]
oppose 2.3	**coraje**[4a]	current 2.6	skull .... 6.
vex 4.1	courage 1.4	al –, (well) informed .. 3.	**cráter**[6b]
contrariedad[4b]	**coral**[5a]	**corro + corrillo**[3a]	crater 9.4
disappointment 4.4	coral 6.5	group 1.8	**creación**[3a]
contrario[1a]	**corazón**[1a]	**corromper**[3b]	creation 3.4
contrary (*n.*) 1.8	heart .... 1.	spoil 2.6	**creador + criador**[3a]
al, por el –	**corbata**[4a]	corrupt 4.7	creator 4.4
(on the) contrary 1.8	tie 1.6	**corrupción**[6a]	**crear**[2a]
contrariamente	necktie 6.4	corruption 5.6	create 1.5
contrary (to) 3.5			**crecer**[1b]
			grow 1.1

INDEX TO SPANISH WORDS IN THE LIST 385

	Section
creciente[4b]	
rising	1.3
crecimiento[6a]	
growth	4.2
crédito[2b]	
credit (n.)	2.9
creencia[3b]	
belief	2.3
creer[1a]	
believe	1.
crepúsculo[3b]	
twilight	4.3
crespo[5b]	
crisp	6.5
curly	8.5
crespón	
crêpe	7.
cresta[6b]	
top	1.3
comb	6.2
cría[4b]	
bringing up	1.6
brood	5.8
criado[1a]	
criada, servant (maid)	1.5
servant (man)	1.9
crianza[4b]	
dar –, bring up	1.9
criar[2a]	
bring up	1.9
breed	4.7
criatura[2a]	
creature	2.5
baby	4.4
criba	
sieve	7.2
crimen[2b]	
crime	2.4
criminal[2b]	
criminal (adj.)	4.1
criminal (n.)	4.5
criollo[5b]	
native	3.2
crisis[4b]	
crisis	5.8
crispar	
grasp	5.2
cristal[2a]	
crystal	4.6
cristalino[4a]	
clear	1.
cristiandad[7a]	
Christendom	6.3
cristianismo[6b]	
Christianity	6.2
cristiano[1b]	
Christian (n.)	1.9
Christian (adj.)	1.9
Cristo	
Christ	3.3
criterio[4a]	
judgment	2.6
crítica[3b]	
criticism	3.8
crítico[2b]	
critical	5.
critic	5.1
crónica[5a]	
story	1.
crudo[2b]	
raw	2.7
cruel[1b]	
cruel	2.3
crueldad[3a]	
cruelty	4.8
crujía	
aisle	3.4

	Section
crujir[5a]	
– los dientes	
grind (teeth)	5.
grate	5.8
crackle	6.5
cruz[2a]	
cross (n.)	2.
cruzada[5b]	
expedition	3.1
cruzar[1b]	
cross (go across)	1.
cross (vb.)	2.7
cuaderno	
blank book	4.
note book	4.9
cuadrado[3a]	
square (adj.)	3.4
square (geometrical)	4.4
cuadrar[4b]	
fit (vb.)	1.
cuadrilla[5b]	
band	2.1
cuadro[1b]	
picture (n.)	1.1
frame (n.)	2.4
cuadro de flores	
flower-bed	13.
cuajar[5a]	
fill	1.4
cual, cuál[1a]	
which	1.
sobre lo –, upon which	1.6
c(u)alidad[1b]	
quality	2.7
cualquiera[1a]	
any (whatever)	1.
en cualquier caso	
(in any) case	1.
whatever	1.5
anybody	1.8
cuando, cuándo[1a]	
aun –, although	1.
de vez en –	
(at) times	1.
when	1.
– quiera que	
whenever	1.4
de – en –	
now and then	2.2
cuanto, cuánto[1a]	
en – a, as for	1.
how much	2.2
cuarenta[3]*	
forty	2.9
cuartel[4a]	
– general	
headquarters	3.4
-es, barrack(s)	7.9
cuartilla[5a]	
sheet	2.2
cuartillo[7b]	
quart	4.7
cuarto (numeral)[1a]	
fourth	1.6
quarter	2.6
cuarto (n.)[1a]	
room (chamber)	1.
– de los niños	
nursery	5.8
cuatro[1]*	
four	1.
cuba	
cask	5.3
tub	6.2
cubano[6a]	
Cuban	6.2
cubierta[3b]	
cover	2.9
wrapping	3.4
deck	3.7

	Section
cubo	
cube	5.
cubrir[1a]	
cover (vb.)	1.
cuco[6a]	
sly	4.2
cuckoo	6.2
cuchara[4a]	
spoon	4.8
cucharada[5b]	
spoonful	12.9
cucharón	
dipper	6.8
cuchicheo[5a]	
murmur	4.8
cuchilla[7a]	
knife	2.9
cuchillo[3a]	
knife	2.9
cuello[1b]	
neck	1.5
collar	4.4
cuenca[5b]	
basin (of river)	3.
cuenta[1a]	
account (bill)	1.
account (reckoning)	1.8
darse –, realize	2.6
bead	3.2
cuento[2a]	
story	1.
– de hadas, fairy tale	3.4
cuerda[2b]	
mozo de –, porter	3.3
rope	3.3
cuerdo[4a]	
prudent	3.3
cuerno[4a]	
horn	3.7
cuero[3a]	
leather	3.8
– cabelludo, scalp	6.8
cuerpo[1a]	
body	1.
staff	3.4
corps	3.8
– de ingenieros	
(engineer) corps	7.2
cuervo[5a]	
crow	5.3
cuesta[4b]	
slope	3.6
cuestión[1b]	
matter	1.
cueva[3b]	
cave	3.
cellar	3.8
cuidado[1a]	
care	1.
tener –, look out	1.4
¡–!, look out!	1.4
cuidadoso[3a]	
careful	1.7
cuidar[1b]	
(take) care (of)	1.
-se, (take) pains	1.4
culata	
butt	4.9
culebra[5b]	
snake	3.8
culpa[1b]	
guilt	2.2
sin (n.)	2.2
blame	3.2
culpable[4a]	
(be to) blame	1.8
culpar[4b]	
blame	2.8

	Section
cultivar[2b]	
till (vb.)	2.5
cultivo[3b]	
farming	2.6
culto[2a]	
(divine) service	2.3
cultura[3a]	
culture	3.7
cumbre[2a]	
top	1.3
cumpleaños	
birthday	2.8
cumplimiento[2b]	
compliment	4.1
cumplir[1a]	
carry out	1.
do	1.
cuna[3b]	
cradle	4.3
de humilde –	
(of) lowly (birth)	6.4
cundir[6a]	
spread	1.4
cuña	
wedge	6.1
cuñado[5a]	
brother-in-law	11.
cuota	
draft	5.2
cúpula[6b]	
dome	6.2
cura[2a]	
minister	2.
remedy	3.6
cure	3.9
curar[2b]	
cure (vb.)	2.9
curiosidad[2a]	
curiosity	4.8
curioso[2a]	
strange	1.
curious	2.7
curso[2a]	
course	1.1
curva[5a]	
curve	4.6

CH

	Section
chal	
shawl	7.4
chaleco	
vest	5.7
champagne[6b]	
wine	1.4
chancear	
joke (vb.)	4.3
chanza[6a]	
joke	2.9
charanga	
flourish	5.8
charco[6b]	
pond	2.7
charla[6a]	
talk	1.
charlar[4b]	
talk	1.
chat	4.9
chasco[4b]	
joke	2.9
cheque	
check	4.8
chico[1b]	
chica, girl	1.
little	1.
chileno[5a]	
English	1.

386 SEMANTIC FREQUENCY LIST

	Section
chillar⁵ᵇ	
cry (vb.)	1.
chimenea³ᵇ	
chimney	3.3
chino⁴ᵇ	
Chinese	4.5
chispa⁴ᵃ	
spark	4.4
chiste³ᵇ	
joke	2.9
chocar²ᵇ	
strike (vb.)	1.1
run into	1.6
chocolate²ᵇ	
chocolate	5.4
choque⁴ᵃ	
shock	3.5
clash	5.1
crash	5.6
chorizo⁶ᵇ	
sausage	5.8
chorro⁵ᵇ	
gush	3.6
choza⁵ᵃ	
shed	3.2
cottage	3.4
chuchería	
trinket	8.2
chupar⁷ᵃ	
suck	6.

D

	Section
dable⁶ᵇ	
possible	1.
dactilográfica	
máquina –	
typewriter	5.6
dádiva⁶ᵇ	
present	1.7
dador	
giver	7.2
daga⁶ᵇ	
dagger	5.6
dama¹ᵇ	
lady	1.
danés	
Danish	6.8
danza⁴ᵃ	
dance	3.1
danzar⁶ᵇ	
dance (vb.)	2.4
dañar⁴ᵃ	
spoil	2.6
daño¹ᵇ	
hacer –, hurt (intr. vb.)	1.8
damage (n.)	2.4
dar¹ᵃ	
give	1.
– crianza	
bring up (child)	1.9
dardo⁵ᵇ	
arrow	3.2
datar⁶ᵃ	
date	3.3
dato³ᵃ	
particular	2.3
de¹ᵃ	
about (concerning)	1.
from	1.
of	1.
deán	
dean	7.
debajo¹ᵇ	
– de, under (prep.)	1.
beneath	1.6
under (adj.)	1.9

	Section
debate⁶ᵇ	
debate	3.
deber + debido¹ᵃ	
must	1.
ought	1.
owe	1.8
due (adj.)	2.2
debidamente, duly	4.5
deber (n.)¹ᵇ	
duty	1.
débil²ᵃ	
weak	1.1
debilidad⁴ᵃ	
weakness	2.9
debilitar⁴ᵇ	
weaken	4.8
debut⁷ᵇ	
(first) appearance	3.3
debutar⁶ᵇ	
(make one's first)	
appearance	2.3
década	
decade	5.6
decadencia⁵ᵇ	
decay	4.3
decano	
dean	7.
decente³ᵇ	
decent	4.
decididamente	
decidedly	4.3
decidir¹ᵇ	
decide	1.
-se, decide	1.
décima⁶ᵇ	
verse	2.7
décimo⁴*	
tenth	4.1
décimoctavo⁶*	
eighteenth	6.
décimo quinto⁶*	
fifteenth	6.4
décimo sexto⁷*	
sixteenth	7.7
decir¹ᵃ	
querer –, mean (vb.)	1.
say	1.
tell	1.
por – lo así	
as it were	1.4
dicho	
above (mentioned)	2.2
es –, namely	2.6
decisión³ᵃ	
decision	2.5
decisivo⁵ᵇ	
decisive	3.6
declaración²ᵇ	
statement	2.1
declaration	4.5
declarar¹ᵇ	
state (vb.)	1.
declinar⁶ᵃ	
decline	3.3
decoración³ᵇ	
trimming	3.8
decorar⁶ᵃ	
trim	2.4
decoro³ᵃ	
honor	1.
decretar⁵ᵃ	
command (vb.)	1.5
decree	3.
decreto³ᵇ	
decree (n.)	2.6
dedal	
thimble	7.2

	Section
dedicar¹ᵇ	
-se, devote (vb.)	2.2
dedicate	2.7
dedo¹ᵇ	
finger	1.4
– del pie, toe	4.6
deducir⁵ᵃ	
subtract	4.5
defecto²ᵃ	
fault	1.8
defender¹ᵇ	
defend	1.4
defensa²ᵃ	
defense	2.8
defensor⁴ᵇ	
defender	6.8
definición⁵ᵃ	
definition	7.
definir³ᵃ	
fix	1.1
definitivo²ᵇ	
en –, (in) short	1.
degenerar	
degenerate	7.4
degollar⁵ᵃ	
behead	6.2
deidad⁶ᵇ	
deity	5.4
dejar¹ᵃ	
allow	1.
leave (quit)	1.
– atrás	
leave behind	2.2
fail	2.6
del¹ᵃ	
of	1.
delantal⁶ᵇ	
apron	5.4
delante¹ᵃ	
– de, before (in front of)	1.
(in) front	1.4
delantero⁴ᵃ	
first	1.
front (adj.)	2.2
delegación	
delegation	8.5
delegado⁴ᵃ	
deputy	4.9
delegar	
delegate	6.6
deleitar⁴ᵃ	
delight (vb.)	2.
deleite³ᵇ	
delight	1.
zest	6.8
deleznable⁷ᵃ	
weak	1.1
delgado³ᵃ	
slight	3.3
deliberar⁵ᵇ	
deliberado	
express (adj.)	2.6
deliberate	4.1
delicadeza³ᵇ	
delicacy	5.4
delicado¹ᵇ	
delicate	2.3
dainty	2.7
delicia³ᵃ	
delight	1.
delicioso²ᵇ	
delicious	2.8
delincuente⁴ᵇ	
(be to) blame	1.8
offender	6.8
delirar⁶ᵇ	
rage	3.7
rave	6.6

	Section
delirio³ᵃ	
bliss	3.7
delito²ᵇ	
crime	2.4
demanda³ᵇ	
demand (n.)	1.3
(supply and) demand	2.9
demandante	
plaintiff	8.4
demandar³ᵇ	
demand	1.
demás¹ᵃ	
other	1.
demasía⁵ᵃ	
en –, too	1.
en –, extreme	1.5
excess	3.3
demasiado¹ᵇ	
too	1.
democracia	
democracy	6.9
democrático⁵ᵃ	
democrat	5.
demoler	
pull down	2.8
demonio¹ᵇ	
devil	1.9
demostración³ᵇ	
demonstration	3.6
demostrar¹ᵇ	
show	1.
demonstrate	2.8
denegación	
denial	6.6
denominar⁴ᵃ	
(give) name (to)	1.
denotar⁶ᵇ	
express (vb.)	1.
densidad⁶ᵇ	
density	7.8
denso⁴ᵃ	
dense	2.6
dentellada	
pegar una –	
snap	5.9
dentro¹ᵃ	
into	1.
within	1.1
denuesto⁶ᵇ	
offense	3.8
denunciar⁶ᵇ	
(give) notice (of)	1.4
denounce	4.1
deparar⁶ᵃ	
grant (vb.)	1.
departamento⁴ᵃ	
section	1.9
dependencia³ᵇ	
dependence	6.
depender²ᵇ	
– de, count on	1.
depend	2.4
dependiente⁴ᵇ	
clerk	2.7
dependent	5.2
deplorable	
wretched	5.8
deplorar⁷ᵃ	
deplore	4.2
deponer⁴ᵇ	
depose	4.9
deporte	
sport	5.1
deportivo	
sport	5.3
deposición	
removal	4.6

INDEX TO SPANISH WORDS IN THE LIST

	Section
depositar[3b]	
place *(vb.)*	1.
depósito[4a]	
deposit	2.7
derecho + derecha[1a]	
direct *(adj.)*	1.
right (hand)	1.
direct *(adv.)*	1.1
right (title)	1.8
straight	1.8
derivar + derivado[4b]	
come from	1.
derramar[2a]	
pour	2.3
scatter	2.4
derredor[5a]	
al – de, around	1.1
circuit	3.9
derretir[3b]	
melt	2.5
derribar[2b]	
fell	2.8
derrota[4b]	
defeat	3.6
derrotar[5a]	
defeat	2.7
derrumbar[7a]	
fell	2.8
derrumbe	
crumbling	6.5
desabrochar[6a]	
unbutton	12.2
desacierto[6a]	
error	1.8
desafiar[5a]	
defy	3.2
desafío[3a]	
match	2.
defiance	4.
duel	7.
desagradable[3b]	
unpleasant	3.8
desagradar[4a]	
offend	2.8
displease	5.5
desahogar[4b]	
relieve	2.7
desahogo[4b]	
relief	3.3
desairar[5b]	
scorn	2.9
desalentar[7a]	
discourage	5.8
desaliento[5b]	
discouragement	10.5
desalmado[5b]	
merciless	5.4
desamparar[4b]	
leave (desert)	1.
desaparecer[1b]	
disappear	1.4
desaparición[6a]	
disappearance	8.3
desarmar[5b]	
disarm	6.9
desarrollar[2b]	
develop	2.
desarrollo[3b]	
development	2.1
desastrado[6b]	
ragged	6.
desastre[4a]	
disaster	3.9
desastroso[5b]	
disastrous	4.3
desatar[3a]	
loose *(vb.)*	1.5

	Section
desatino[3b]	
folly	3.2
desayunarse[4b]	
breakfast	4.3
desayuno[4b]	
breakfast *(n.)*	3.
desbaratar[5a]	
destroy	1.5
desbordar[4b]	
overflow	5.5
descalzar[5b]	
(take off) shoes	4.1
descalzo[4b]	
barefoot	7.2
descansar[1b]	
rest *(vb.)*	1.
descanso[2a]	
rest *(n.)*	1.2
landing	1.4
descarga[6a]	
discharge	5.8
descargar[3a]	
unload	6.7
descarnar[6a]	
skin	5.
descender[2a]	
go down	2.2
descendiente[4a]	
descendant	5.3
descenso[7a]	
descent	5.1
descifrar	
make out	2.2
descolgar[6a]	
(take) down	2.8
descollar[5b]	
(be) ahead (of)	2.7
excel	3.5
descolorido[5a]	
pale	2.7
descomponer[3b]	
spoil	2.6
descomunal[6a]	
great (huge)	1.
desconcertar[5a]	
trouble *(vb.)*	1.5
embarrass	3.2
desconfianza[4b]	
mistrust	4.3
desconfiar[4b]	
suspect *(vb.)*	2.8
mistrust	6.
desconocer	
+desconocido[1b]	
(not) know	1.
unknown	1.8
desconsolado	
wretched	4.4
desconsuelo[5a]	
grief	1.8
descontar[4a]	
subtract	4.5
descontento[6a]	
unhappy	1.8
discontent(ed)	4.6
discontent	4.8
descortés[7a]	
rude	5.2
describir[2a]	
describe	2.
descripción[3b]	
description	3.1
descubrimiento[3b]	
discovery	3.
descubrir[1a]	
discover	1.4

	Section
descuidar+descuidado[2b]	
neglect	2.
careless	5.2
descuido[2b]	
neglect	4.7
desde[1a]	
since	1.
– ahora (from) now on	1.1
– un principio (from the) beginning	3.9
desdén[2b]	
scorn	3.3
desdeñar[3b]	
scorn *(vb.)*	2.9
desdeñoso[4b]	
scornful	5.1
desdicha[3a]	
misfortune	2.2
desdichado[2b]	
unhappy	1.8
unfortunate	2.2
desear[1a]	
desire *(vb.)*	1.
– saber, wonder	1.
de -se, desirable	3.5
desechar[4a]	
reject	3.2
desembarazar[6a]	
-se, (get) rid (of)	2.9
free *(vb.)*	2.2
desembarcar[4a]	
land	3.2
desembarco	
landing	5.
desembocar[6a]	
empty	3.9
run into	4.6
desempeñar[2b]	
carry out	1.
recover	1.9
redeem	4.7
desenfrenado	
wanton	6.4
desengañar[5a]	
disappoint	2.9
desengaño[3a]	
disappointment	4.4
desenvolver[3a]	
develop	2.
unfold	3.4
deseo[1a]	
desire	1.
deseoso[3b]	
desirous	5.2
desesperación[3b]	
despair	3.
desesperadamente	
hopelessly	6.1
desesperar[2a]	
despair *(vb.)*	2.8
desesperado, desperate	2.8
desfallecer[4a]	
(grow) weak	2.4
– de hambre, starve	5.3
desfavorable	
unfavorable	6.
desfilar[6a]	
defile	6.5
desgarrar[4b]	
tear *(vb.)*	1.8
desgracia[1b]	
por – unfortunately	1.9
misfortune	2.2

	Section
desgraciado[1b]	
desgraciadamente	
unfortunately	1.9
unfortunate	2.2
desgreñar	
ruffle (hair)	5.8
deshacer + deshecho[1b]	
destroy	1.5
undone	3.5
undo	5.5
deshojar[6a]	
-se, shed	3.3
strip	3.7
deshonesto	
dishonest	7.8
deshonrar[6a]	
disgrace	5.6
desierto[2a]	
waste	2.4
designar[2b]	
name (appoint)	1.
designio[4b]	
purpose	1.
intent	1.9
design	3.1
desigual[3a]	
unequal	3.9
desigualdad[4b]	
difference	1.4
inequality	7.4
desinteresado[6b]	
unselfish	8.6
desistir[4a]	
stop	1.4
deslizar[2b]	
slip	2.8
deslumbrar[4a]	
dazzle	3.9
desmayar[3a]	
faint	3.3
desmayo[3b]	
faint	4.1
desmentir[5a]	
(give the) lie (to)	3.4
desmoronar[6a]	
destroy	1.5
-se, fall to pieces	2.6
desnudar[3b]	
-se, take off clothes	3.3
strip	3.7
desnudo[2b]	
bare	2.4
desobedecer	
disobey	4.8
desocupar[4b]	
drain *(vb.)*	3.7
desolación[6a]	
desolation	6.6
desolar[5a]	
desolado, wretched	4.4
desolate	5.6
desollar[5a]	
skin	4.9
desorden[3a]	
disorder	5.
desordenar[5a]	
(put in) disorder	4.8
despacio[3b]	
slow	1.2
despachar[3b]	
send	1.
despacho[3a]	
sending *(n.)*	2.6
office	2.9
wire	3.5
despatch	5.1
desparramar[4b]	
scatter	2.4

	Section
despecho[3b]	
a – de, (in) spite (of)	1.4
despedazar[4b]	
tear (vb.)	1.8
despedida[3b]	
discharge	3.8
despedir[1b]	
-se, (take) leave	1.5
dismiss	2.7
(give) notice (to)	2.8
despegar[5a]	
loose (vb.)	1.5
despejar[4b]	
clear up	2.9
despensa	
pantry	6.2
despeñar[4b]	
throw	1.
despertar[1a]	
wake (tr. vb.)	1.9
-se, wake (intr. vb.)	1.9
waking	4.4
despierto[3b]	
wake (tr. vb.)	1.9
desplazamiento	
shift	5.7
desplegar[3a]	
display (vb.)	3.
unfold	3.4
desplomar[4b]	
fall (vb.)	1.
despojar[2b]	
strip	3.7
despojo[3a]	
spoils	3.5
desposar[4a]	
marry	2.3
betroth	6.8
déspota[6a]	
tyrant	4.2
despotismo[5b]	
tyranny	5.6
despreciar[2a]	
scorn (vb.)	2.9
desprecio[2b]	
scorn	3.3
desprender[2b]	
loose (vb.)	1.5
despropósito[6a]	
nonsense	5.
después[1a]	
after	1.
afterwards	1.8
despuntar[5b]	
appear (loom)	1.
destacamento	
detachment (of troops)	4.8
destacar[3a]	
-se, (be) ahead (of)	2.7
destello[5a]	
gleam (n.)	2.5
desterrar[4a]	
banish	4.1
desterrado	
exile	5.6
destierro	
exile	6.
destilación	
distillation	8.4
destilar[5b]	
distil	6.9
destilería	
distillery	8.4
destinar[2a]	
destinado, bound for	1.9
destine	2.4

	Section
destino[1b]	
fate	1.5
destreza[5b]	
skill	3.
destronar[6b]	
depose	4.9
destrozar[4b]	
destroy	1.5
destrucción[5a]	
destruction	4.2
destruir[1b]	
destroy	1.5
desvalido[5a]	
helpless	5.
desván	
attic	6.3
desvanecer[2b]	
faint	3.3
desvarío[6a]	
raving	6.1
desvelar[4a]	
-se, sit up	1.8
desvelo[5b]	
cares	1.3
desventaja	
disadvantage	4.8
desventura[3b]	
misfortune	2.2
desventurado[5b]	
unhappy	1.8
desvergüenza[5b]	
shame	3.3
desviar[4b]	
turn away	3.
desvío[5a]	
indifference	4.7
detallar[7a]	
detalladamente (in) detail	3.6
detalle[2b]	
particular	2.3
detener[1a]	
stop	1.
-se, stop	1.4
detain	2.6
detenido	
(under) arrest	6.1
determinación[4a]	
resolution	3.2
determination	6.
determinar[1b]	
fix	1.1
detestable[4b]	
hateful	4.7
detrás[1b]	
after	1.
back of	1.
deuda[2b]	
debt	1.7
en –, (in) debt	4.
en –, indebted	4.2
deudo[5a]	
relation	2.3
deudor[6a]	
debtor	4.8
devaneo[5a]	
frivolity	9.3
devastar	
(lay) waste	4.9
devoción[3a]	
piety	4.9
devotion	5.
devolver[2b]	
give back	1.9
return	1.9
take back	1.9
devorar[3a]	
devour	3.8

	Section
devoto[3a]	
devote	2.2
pious	2.9
día[1a]	
day	1.
el – siguiente (the) day (after)	1.
algún –, sometime	1.
– de fiesta, holiday	2.6
luz de –, daylight	4.6
diablo[2a]	
devil	1.9
diabólico[6a]	
devilish	7.4
diadema[5a]	
crown (n.)	1.7
diáfano[5a]	
transparent	5.7
diálogo[3a]	
dialog(ue)	6.5
diamante[4a]	
diamond	3.6
diámetro[6a]	
diameter	6.2
diantre[5b]	
Heavens!	1.
diario[1b]	
paper	1.
daily	1.6
journal	4.2
dibujar[3a]	
draw	1.4
dibujo[4a]	
sketch	3.9
diccionario	
dictionary	7.4
diciembre[4a]	
December	2.3
dictar[2b]	
dictate	5.
dicha[1b]	
happiness	1.4
dichoso[2a]	
glad	1.
diecinueve[7*]	
nineteen	6.3
dieciocho[4*]	
eighteen	4.3
diecisiete[6*]	
seventeen	6.
dieciseis[5*]	
sixteen	5.2
diente[1b]	
tooth	2.3
hincar el –, bite	3.7
diestro + diestra[3a]	
right (hand)	1.
clever	2.6
skilful	4.2
dieta	
diet	6.2
diez[1*]	
ten	1.4
diferencia[1b]	
difference	1.4
diferenciar[4b]	
distinguish	2.2
diferente[1b]	
different	1.
diferir[5a]	
differ	2.5
put off	2.6
difícil[1b]	
hard (difficult)	1.
dificultad[2a]	
difficulty	1.9
difundir[5a]	
diffuse	3.5

	Section
difunto[2a]	
dead	1.4
difusión[5a]	
spread	4.1
digerir	
digest	6.2
digestión	
digestion	7.4
dignarse[4a]	
deign	6.4
dignidad[3a]	
dignity	2.6
digno[1a]	
(be) worth	1.
worthy	1.8
– de confianza reliable	3.8
dije[6a]	
jewel	3.1
dilatar[2b]	
delay (intr. vb.)	2.
delay (tr. vb.)	2.7
enlarge	3.3
diligencia[2b]	
industry	2.6
diligente[5a]	
industrious	3.2
diluvio[6b]	
flood	3.2
dimensión[4b]	
range	3.6
dimension	5.6
diminuto[6b]	
little	1.
dimisión	
resignation	7.3
dinastía[6b]	
dynasty	7.8
dinero[1a]	
money	1.
dios[1a]	
God	1.
Dios quiera, Dios permita God grant	1.
¡ – !, Heavens!	1.
diosa[4a]	
goddess	4.8
dióxido	
– de carbono carbon dioxide	6.8
diplomacia[6b]	
diplomacy	9.4
diplomático[4a]	
diplomatic	7.6
diputado[3b]	
deputy	4.9
dirección[1b]	
direction	1.
address	2.3
directo[2a]	
direct (adj.)	1.
direct (adv.)	1.1
director[2b]	
director	2.8
dirigir[1a]	
direct (vb.)	1.
-se, turn to	1.1
disciplina[4a]	
discipline	4.8
discípulo[5a]	
pupil	1.7
follower	3.2
disco[1a]	
disk	5.4

INDEX TO SPANISH WORDS IN THE LIST

discordia[6b]	
fight (n.)	1.1
discord	7.
discreción[4b]	
discretion	3.9
discreto[2a]	
discreet	5.7
disculpa[4a]	
excuse (n.)	2.9
disculpar[2b]	
pardon (vb.)	2.2
discurrir[2a]	
consider	1.8
discurso[2a]	
talk	1.2
speech	1.6
discusión[3a]	
discussion	2.9
discutible	
debatable	10.8
discutir[3b]	
debate (vb.)	2.9
contest	3.2
discuss	3.3
disfraz	
disguise	5.8
disfrazar[3b]	
mask	5.4
disfrutar[2b]	
enjoy	1.1
disgustar[4a]	
displease	5.5
disgust	6.
disgusto[2a]	
disgust	4.6
a –, unwilling	4.6
disimular[2b]	
hide	2.8
dissemble	6.8
disímulo[5b]	
pretense	6.5
disipar[3b]	
waste	4.2
disminuir[2b]	
decline	3.3
reduce	3.5
disocupar[4b]	
drain	3.7
disolución[5a]	
breaking up	2.7
ending	3.9
disolver[4a]	
dissolve	3.9
disparar[3a]	
shoot	1.8
disparate[3b]	
nonsense	5.
disparo[6b]	
discharge	2.7
shooting	3.4
dispensar[3a]	
grant (vb.)	1.
dispense	5.9
dispersar[7a]	
scatter	2.4
disponer[1a]	
dispose	1.8
dispuesto, disposed	3.
disposición[2a]	
arrangement	2.4
disputa[4b]	
dispute	4.3
disputar[2b]	
dispute (vb.)	2.8
distancia[1b]	
distance	1.1
distante[2b]	
far	1.

distar[6b]	
far	1.
distinción[2b]	
difference	1.4
distinction	3.9
distinguir[1a]	
make out	1.4
distinguish	2.2
distinto[1b]	
different	1.
distracción[4a]	
pastime	4.8
distraer[2b]	
distraído	
absent (mind)	2.9
distract	3.6
distribución[4b]	
distribution	3.7
distribuir[3b]	
distribute	3.3
distrito[3b]	
district	2.1
diván[6b]	
couch	4.1
diversión[4a]	
pastime	4.8
diverso[1b]	
different	1.
various	2.6
divertir[2a]	
-se, enjoy (oneself)	1.7
entertain	2.4
-se, (have) fun	2.9
dividendo	
dividend	5.6
dividir[1b]	
divide	1.1
divinidad[5b]	
divinity	4.9
divino[1b]	
divine	2.
divisa[6b]	
device	4.2
divisar[4a]	
make out	1.4
división[3b]	
division (general and military)	2.2
division (act of dividing)	3.8
divorciar	
divorce (vb.)	4.
divulgar[5b]	
reveal	2.4
doblar[2a]	
-se, bend	1.9
bend (curve)	2.4
fold	4.
doble[2a]	
double	1.6
doblez[5b]	
fold	4.4
doblón[6b]	
pound	1.
doce[2*]	
twelve	1.9
docena[3a]	
dozen	3.4
dócil[3b]	
obedient	3.2
docto[4b]	
learned	1.6
doctor[1b]	
doctor	1.
doctrina[3a]	
doctrine	2.6

documento[3a]	
document	5.1
dogma[6b]	
dogma	8.3
dolencia[5b]	
pain	1.
disease	1.6
doler[2b]	
hurt (intr. vb.)	1.8
doliente[5b]	
ill	1.5
patient (n.)	2.5
dolor[1a]	
pain	1.
grief	1.8
dolorido[4a]	
(be) sore	3.7
doloroso[2b]	
painful	3.2
domar[6a]	
tame	5.6
doméstico[3b]	
domestic	2.9
domicilio[4b]	
dwelling	2.3
(place of) residence	4.3
dominador[6b]	
direction	1.8
rule	2.
dominar[1b]	
rule (vb.)	1.
control (vb.)	1.4
master (vb.)	1.4
dómine[6b]	
teacher	1.
domingo[2b]	
Sunday	1.9
dominio[3a]	
power	1.
rule	2.
don, D. (Mr.)[1a]	
Mr.	1.
don (gift)[3b]	
present	1.7
bestowing	3.8
donación	
bestowing	3.8
donaire[5a]	
grace	1.4
doncella[2b]	
girl	1.
donde, dónde[1a]	
where	1.
dondequiera	
anywhere	4.1
donoso[5b]	
witty	4.1
doña, Da.[1a]	
Mrs.	1.
doquiera	
anywhere	4.1
dorar[3a]	
dorado, golden	1.4
gild	4.5
dormir[1a]	
sleep (vb.)	1.4
-se, (go to) sleep	3.9
hacer –, put to sleep	4.
slumber	4.5
dormitar[6a]	
sleep (vb.)	1.4
slumber	4.5
dormitorio[6b]	
bedroom	4.4
dos[1*]	
two	1.
dosel[6a]	
platform	6.2

dotación	
crew	3.2
dotar[4a]	
endow	4.3
dote[4a]	
talent	2.4
dowry	7.6
dragón	
dragon	5.
dragoon	8.6
drama[2a]	
drama	3.7
dramático[3b]	
dramatic	4.6
dramaturgo[6b]	
author	1.9
droga	
drug	5.8
droguero	
druggist	6.6
ducado[4b]	
pound	1.
dukedom	6.8
duda[1a]	
doubt (n.)	1.
sin –, (without) doubt	1.
dudar[1b]	
doubt (vb.)	1.5
waver	3.4
dudoso[3b]	
doubtful	2.6
duela	
stave	7.2
duelo[2b]	
grief	1.8
duel	7.
duende	
elf	6.
dueño[1a]	
master (n.)	1.
owner	2.
dulce[1a]	
soft	1.4
sweet (adj.)	1.4
candy	4.5
dulzura[2a]	
sweetness	5.2
duodécimo[7*]	
twelfth	6.3
duplicar[6a]	
double	4.2
duque[3a]	
duke	2.3
-sa, duchess	4.7
duración[5a]	
term	1.8
duradero[7a]	
lasting	4.1
durante[1a]	
during	1.
durar[1b]	
last	1.1
dureza[4a]	
hardness	5.4
duro[1a]	
hard (not soft)	1.
stale (bread)	2.9
tough	5.

E

e[1a]	
and	1.
ea[5a]	
here!	1.6
ebrio[7a]	
drunk	5.5

	Section
ebullición	
boiling	5.3
eclesiástico[5b]	
minister	2.
church (*adj.*)	2.6
eclipsar[6a]	
eclipse	7.
eco[2b]	
echo	4.5
economía[4a]	
economy	6.2
económico[3b]	
saving	1.8
economic	6.2
economizar[6a]	
save (up)	2.1
ecuador	
equator	7.2
echar[1a]	
drive (force)	1.
lay	1.
-se, lie (*vb.*)	1.
– de menos, miss	1.
throw	1.
drive out	1.1
-se atrás, draw back	1.5
-se	
burst (out laughing)	3.
-se, burst	3.5
edad[1a]	
age	1.
– media, middle ages.	2.2
edición[4b]	
edition	3.6
edificar[4a]	
build	1.2
edificio[2a]	
building (*n.*)	1.6
editor[6b]	
publisher	5.8
edredón	
quilt	6.8
educación[2a]	
bringing up	1.6
education	1.6
educar[2b]	
bring up (child)	1.9
efectivo[3a]	
efectivamente, really	1.4
actual	2.1
efecto[1a]	
en –, (in) fact	1.
en –, indeed	1.
effect	1.4
efectuar[3a]	
effect (*vb.*)	2.2
eficacia[6a]	
efficacy	5.4
eficaz[3a]	
working	2.
efímero[5a]	
passing	1.9
efusión[5a]	
gush	3.6
egipcio[6a]	
Egyptian	5.4
egoísmo[3b]	
selfishness	6.3
egoism	11.5
egoísta[5a]	
selfish	5.7
eje[4b]	
axis	4.9
ejecución[3b]	
carrying out	2.2
performance	3.

	Section
ejecutar[2a]	
carry out	1.
enforce	4.4
ejecutivo[5a]	
executive	6.5
ejecutor	
executor	7.7
ejemplar[3a]	
example	1.4
copy	2.7
ejemplo[1a]	
example	1.4
por –, (for) example	1.4
ejercer[2a]	
exercise (*vb.*)	1.6
ejercicio[3a]	
exercise (*n.*)	1.7
ejercitar[4a]	
exercise	1.6
ejército[2a]	
army	1.2
el, él[1a]	
he	1.
the	1.
– mismo, himself	1.4
– mismo, itself	1.5
elaboración	
working out	4.9
elaborar[6b]	
manufacture	3.
brew	7.
elástico[6b]	
elastic	6.6
elección[2b]	
choice	1.6
election	2.1
elector	
elector	5.6
electoral[6b]	
electoral	8.4
electricidad[4b]	
electricity	5.6
eléctrico[3a]	
electric	3.
elefante[6b]	
elephant	5.
elegancia[4a]	
elegance	7.5
elegante[2b]	
elegant	3.6
elegir[2a]	
elect	3.
elemental[4a]	
elementary	7.2
elemento[1b]	
element	2.3
elevación[5a]	
lifting (*n.*)	2.2
elevation	4.2
elevar[1b]	
lift	1.
eliminar	
eliminate	7.4
elocuencia[4b]	
eloquence	5.1
elocuente[3a]	
eloquent	6.4
elogiar[6a]	
praise	2.1
elogio[3b]	
praise	2.7
compliment	4.1
ella[1]*	
she	1.
– misma, herself	1.7
ellos[1]*	
they	1.
– mismos, themselves	1.4

	Section
emanación[5a]	
waft	6.3
emanar[5a]	
come from	1.
emancipación[6b]	
freeing	3.4
emancipar[6b]	
free (*vb.*)	1.7
embajada[5b]	
errand	3.
embassy	6.3
embajador	
ambassador	3.9
embarazo[6a]	
bar	2.1
obstacle	3.4
embarcar[3a]	
sail (*vb.*)	3.
embargar[5a]	
overcome	2.7
(become) breathless	7.3
embargo[6b]	
sin –, however	1.
embargo	10.6
embeber[6b]	
absorbed	3.
embelesar[6a]	
charm (*vb.*)	2.4
embeleso[6a]	
bliss	3.7
embestir[5b]	
attack	2.1
embotado	
dull	5.2
embotar[6a]	
blunt	6.2
embozado[5b]	
hide	1.
embriagar[4a]	
(make) drunk	4.8
-se, (get) drunk	5.8
embriaguez[6a]	
drunkenness	7.3
embrollar[5b]	
perplex	3.6
entangle	4.4
embromar	
joke (*vb.*)	4.3
embuste[6a]	
lie (*n.*)	2.
embustero[4b]	
liar	6.1
emigración[3b]	
emigration	7.7
emigrante[4b]	
emigrant	7.3
emigrar[6b]	
emigrate	7.6
eminencia[5a]	
height	1.1
eminence	5.3
eminente[3a]	
famous	1.1
-mente, eminently	4.1
emitir[6b]	
send forth	3.4
emoción[2a]	
feeling	1.
emotion (e.g., speak with emotion)	3.2
emotion	4.3
emocionar[5b]	
move	1.5
empañar[4a]	
dull	5.3
empapar[4b]	
soak	5.9

	Section
emparedado	
sandwich	6.8
empellar	
jostle	7.
empeñar[2a]	
-se, try hard	1.5
-se, engage	1.9
empeño[2b]	
resolution	3.2
obligation	4.
emperador[2b]	
emperor	2.1
emperatriz	
empress	4.6
empero[5b]	
however	1.
empezar[1a]	
begin	1.
empinar[6a]	
lift	1.
empleado[4a]	
employee	3.1
emplear[1a]	
use	1.
empleo[2b]	
use (*n.*)	1.1
occupation	2.4
employment	3.7
empollar	
hatch	6.8
emprender[2a]	
undertake	2.5
empresa[2a]	
undertaking (*n.*)	2.4
empujar[2b]	
push	2.3
empuñar[4a]	
seize	1.1
en[1a]	
at	1.
in	1.
into	1.
– vano, (in) vain	1.9
enajenar[6a]	
(make) mad	2.9
enamorar + enamorado[1b]	
court (woo)	1.
(in) love	2.7
enano[5a]	
dwarf	6.1
enardecer[6b]	
stir	1.9
encadenar[5b]	
chain (*vb.*)	2.7
encajar[6b]	
fit (*vb.*)	1.
encaje[5b]	
lace (*n.*)	2.1
encaminar[2b]	
-se, start toward(s)	4.3
encantador[2a]	
charming (*adj.*)	2.3
lovely	2.3
encantar[2b]	
delight (*vb.*)	2.
charm (*vb.*)	2.4
encanto[1b]	
charm (*n.*)	1.9
encaramarse	
perch	5.6
encarecer[4a]	
recommend	2.1
encargar[1b]	
charge	2.2
encargo[2b]	
order (*n.*)	1.
encarnado[4a]	
red	1.

INDEX TO SPANISH WORDS IN THE LIST

encarnar[4b]
  embody............ 6.8
encasillado
  pigeonhole........ 9.
encender[1b]
  light (up)......... 1.4
  set (on) fire....... 2.7
encerrar[1b]
  contain............ 1.
  shut in............ 1.9
encía[2a]
  gum............... 6.8
encierro[6a]
  shut in............ 1.9
encima[1b]
  above (*prep.*)...... 1.
encina[4b]
  oak................ 3.1
encoger[3b]
  shorten............ 4.8
  shrink............. 5.2
encomendar[3a]
  recommend........ 2.1
encontrar[1a]
  find............... 1.
  meet.............. 1.
encorvar[5a]
  bend.............. 2.4
encrucijada
  crossroads........ 10.4
encuadernación
  binding............ 5.4
encuadernar
  bind (book)....... 2.7
encuadrar[7a]
  frame............. 5.1
encubrir[3b]
  hide............... 1.
  hide (fact)........ 2.8
encuentro[2a]
  match............. 2.
  salir al —
    (go to) meet..... 2.3
    encounter (friendly) 3.1
    encounter (military) 3.9
encurtido
  pickle............. 6.8
enderezar[3b]
  straighten (up).... 4.6
endiablado[6a]
  devilish........... 7.4
endoso
  endorsement...... 11.2
endurecer[7a]
  harden............ 6.1
enemigo[1b]
  enemy............. 1.
energía[2a]
  energy............ 3.6
enérgico[2b]
  (full of) energy.... 3.3
enero[4a]
  January........... 2.2
enfadar[2b]
  anger (*vb.*)........ 2.7
enfado[4b]
  anger............. 1.9
  vexation.......... 5.8
énfasis[1b]
  emphasis.......... 5.1
enfermar[5b]
  (get) ill........... 3.
enfermedad[2a]
  disease............ 1.6
enfermo[2a]
  ill................. 1.5
enfrente[3b]
  opposite.......... 1.4

enfriar[4b]
  cool.............. 4.3
enfurecer[5a]
  anger (*vb.*)........ 2.7
engalanar[6b]
  trim.............. 2.4
engañar[1b]
  -se, (be) wrong.... 1.4
  deceive........... 1.9
  cheat............. 3.1
engaño[2a]
  deceit............ 3.9
engañoso[5a]
  deceive........... 1.9
engendrar[2b]
  beget............. 3.4
engordar[5b]
  (get) fat.......... 2.7
engullir[5b]
  devour............ 3.8
enhorabuena[3b]
  congratulation.... 5.3
enigma[6a]
  riddle............ 4.6
enjambrar
  swarm............ 5.
enjambre[5b]
  drove (swarm).... 3.9
enjugar[5a]
  wipe.............. 4.7
enjuto[5b]
  dry............... 1.4
enlace[6a]
  connection........ 2.9
enlazar[4a]
  join.............. 1.
enloquecer[4b]
  (make) mad....... 2.9
enmarañar[6a]
  entangle.......... 4.4
enmarcar
  frame............. 5.1
enmendar[5a]
  correct (*vb.*)....... 2.7
  amend............ 4.9
enmienda[5b]
  amendment....... 4.5
enmohecer
  rust.............. 5.8
enmohecido
  rusty............. 6.6
enmudecer[5a]
  silence (*vb.*)....... 1.9
  (become) dumb.... 4.
ennegrecer
  blacken........... 7.2
ennoblecer[6a]
  ennoble........... 6.8
enojar[3b]
  enojado, angry..... 2.4
  -se, (get) angry..... 2.4
  vex............... 4.1
enojo[2a]
  anger............. 1.9
enorme[1b]
  great (huge)...... 1.
enredar[3a]
  involve........... 3.9
  entangle.......... 4.4
enredo[4b]
  tangle............ 5.6
enrejado
  trellis............ 9.4
enriquecer[3a]
  enrich............ 5.
enrollar
  wind (*vb.*)......... 3.3

ensalada[4b]
  salad............. 6.
ensalzar[4a]
  praise............. 2.1
  extol............. 3.
ensanchar[3b]
  extend............ 1.
  increase.......... 1.1
  enlarge........... 3.3
ensangrentar[6b]
  stain with blood... 5.6
ensayar[4a]
  try............... 1.
  rehearse.......... 6.1
ensayo[3b]
  attempt.......... 1.8
ensenada[7b]
  creek............. 5.9
enseñanza[2a]
  instruction....... 2.4
enseñar[1b]
  teach............. 1.
ensillar[5b]
  harness........... 5.3
ensuciar
  soil............... 4.9
ensueño[3a]
  dream (*n.*)........ 1.4
entablado
  woodwork........ 8.9
entablar[4a]
  begin............. 1.
entender[1a]
  understand....... 1.
  entendido
    understanding (*n.*) 1.7
entendimiento[2b]
  understanding (*n.*). 1.7
enterar[2a]
  (let) know........ 1.
entereza[5b]
  force............. 1.
enternecer[4b]
  move............. 1.5
entero[1a]
  enteramente, all..... 1.
  complete.......... 1.
enterrar[3b]
  bury.............. 3.1
entidad[6b]
  thing............. 1.
entierro[4b]
  burial............. 5.7
entonación
  intonation........ 10.2
entonar[3b]
  chant............. 3.2
entonces[1a]
  then.............. 1.
  then (e.g., the then
    reigning ....) 1.4
entorpecer
  hinder............ 3.7
entrada[1b]
  entrance.......... 1.8
  entrance (act).... 2.2
  entry (item)...... 5.1
entrambos[3b]
  both.............. 1.
entraña[2b]
  heart............. 1.
entrar[1a]
  enter............. 1.
entre[1a]
  among............ 1.
  between.......... 1.

entreabrir[4b]
  open.............. 1.
  (to) half open..... 1.5
entrega
  delivery (surrender) 4.4
  delivery (of goods). 4.8
entregar[1a]
  deliver............ 1.4
  -se
    give (oneself) up
    (to)............ 1.7
entremés
  (side) dish........ 4.6
entretanto[3a]
  meanwhile........ 2.8
entretener[2b]
  entertain.......... 2.4
entretenimiento[6a]
  pastime........... 4.8
entrevista[5b]
  interview......... 4.3
entristecer[4b]
  grieve............. 3.4
entusiasmar[3b]
  elate.............. 1.9
entusiasmo[2a]
  enthusiasm....... 3.6
  zest............... 6.8
entusiasta[4a]
  enthusiastic....... 5.4
enumerar[4a]
  enumerate........ 6.8
envejecer[5a]
  age (*vb.*).......... 1.6
envenenamiento
  poisoning......... 5.8
envenenar[4b]
  poison............ 5.1
enviar[1a]
  send.............. 1.
envidia[2b]
  envy.............. 3.1
envidiable[6a]
  enviable.......... 11.4
envidiar[2b]
  no —, (not) envy..... 3.5
  envy.............. 3.9
envidioso[3b]
  envious........... 5.7
envío[7a]
  sending (*n.*)....... 2.6
  shipment......... 3.9
envolver[1b]
  wrap (*vb.*)......... 2.3
epicúreo
  epicure........... 11.3
episodio[5b]
  episode........... 5.7
epístola[6b]
  letter............. 1.
época[1b]
  age............... 1.8
equidad
  equity............ 5.7
equilibrio[3b]
  balance (*n.*)....... 2.5
equipaje[5a]
  luggage........... 5.4
equipo[7b]
  team.............. 3.9
  equipment........ 5.3
equivalente[6a]
  (of same) value.... 1.8
equivaler[4a]
  equal............. 2.3
equivocación[3b]
  error.............. 1.8

		Section
equivocar[2b]	(make a) mistake	2.2
era[6b]	age	1.8
erguir[3a]	erguido, straight	1.8
erigir[6b]	lift	1.
	build	1.2
erizar[5b]	bristle	6.9
erizo	burr	6.8
	hedgehog	7.2
ermitaño[5a]	hermit	6.6
errante[4b]	wander	4.9
errar[4b]	(make a) mistake	2.2
	wander	2.7
error[1b]	error	1.8
erudición[6a]	learning	3.6
erudito[4a]	learned	1.6
	scholar	2.3
esbelto[5b]	slight	3.3
esbozar	outline (vb.)	4.5
escala[3a]	scale (n.)	1.8
	ladder	5.
escalar[6a]	climb	2.7
	scale	5.2
escalera[3a]	stairs	2.5
escalón[6b]	step	1.7
escalonar	echelon	13.
escama	flake	6.8
escandalizar[4b]	shock	3.2
escándalo[2b]	scandal	5.8
escandaloso[6a]	shameful	4.7
escapar[1b]	run away	1.5
	escape (vb.)	1.8
	escape (the memory)	2.6
escarabajo	beetle	6.8
escarbar[5b]	scratch	5.3
escarmentar[4b]	correct (vb.)	2.7
escarnecer[5b]	(make) fun (of)	2.8
escasez[4b]	want (n.)	3.
escaso[1b]	scanty	4.5
escena[1a]	scene	1.8
	scene (of a play)	2.2
escenario[5a]	stage	3.
escéptico	sceptic	9.2
esclarecer[5b]	clear up	2.9

		Section
esclavitud[4b]	slavery	6.2
esclavizar[5b]	enslave	8.1
esclavo[2a]	slave	2.2
esclusa	lock	4.8
escoba[5b]	broom	5.5
escoger[1b]	choose	1.
escogido	choice	5.3
escolar[5a]	pupil	1.7
	sistema – school system	4.2
	school	4.6
escollo	reef	7.4
esconder[1b]	hide	1.
escopeta[7a]	gun	1.7
escoplo	chisel (wood)	7.2
escribano[4a]	clerk	3.8
escribir[1a]	write	1.
	por escrito written	1.4
	máquina de – typewriter	5.6
escrito[2b]	writing(s)	1.4
escritor[2a]	author	1.9
escritorio[6a]	desk	3.6
escritura[3b]	writing (n.)	1.8
	act (document)	2.3
escrúpulo[4a]	scruple	5.9
escrupuloso[3b]	exact	1.4
escuadra[4a]	fleet (n.)	3.
escuadrón[5a]	squadron	4.9
escuchar[1a]	listen	1.8
escudero[4b]	squire	6.
escudilla	bowl	4.2
escudo[3b]	shield	3.5
escudriñar[6a]	examine	1.5
escuela[1b]	school	1.
	– secundaria, school	1.
	– de equitación riding-school	13.
esculpir	carve	5.6
escultor[6a]	sculptor	7.4
escultura[6a]	sculpture	6.8
escupir[6b]	spit	5.9
escurrir[4a]	slip	2.8
	drain	3.7

		Section
ese, ése[1a]	that (adj.)	1.
	that (pron.)	1.
esencia[2b]	essence	5.7
esencial[3a]	essential	2.9
esfera[2b]	sphere	4.4
	dial	6.4
esforzado[5a]	strong	1.
esforzarse[3b]	try hard	1.5
esfuerzo[1b]	effort	1.8
esfumar[6a]	-se, disappear	1.4
esgrimir[6a]	handle	3.9
eslabón[5a]	link	3.3
esmalte[6a]	enamel	6.8
esmeralda[5a]	emerald	6.9
esmerarse[5b]	(take) pains	1.4
esmero[4a]	care	1.
	neatness	9.2
eso[1a]	nada de –, (not at) all	1.
	that (pron.)	1.
espacio[1a]	room (space)	1.
espada[1b]	sword	2.
espalda[1b]	back (n.)	1.4
	de -s, backward	2.8
espantar[2b]	frighten	1.9
espanto[2b]	fear (n.)	1.4
espantoso[2b]	frightening	2.4
	ghastly	6.4
	hideous	6.4
español[1a]	English	1.
esparcir[2a]	scatter	2.4
especia[7a]	spice	6.
	clavo de –, clove	6.7
especial[1b]	-mente, above all	1.
	special	1.8
especialidad[6b]	specialty	8.8
especie[1b]	kind	1.
especiero	grocer	6.4
especificar[5b]	specify	8.9
específico[6b]	specific	5.8
espectáculo[2b]	sight	1.
	spectacle	5.6
espectador[3b]	audience	3.
espectro[5a]	ghost	3.2

		Section
especulación	speculation	5.3
espejo[2a]	mirror	2.8
espera[5b]	wait	4.5
esperanza[1a]	hope (n.)	1.
	expectation	3.3
esperar[1a]	expect	1.
	hope (vb.)	1.
	wait	1.
	wait (for)	1.
	expect (of a person)	2.6
espeso[2a]	thick	1.2
	tufted	6.4
espesor	thickness	5.1
espía	spy	5.4
espiar[6a]	spy	5.1
espina[3b]	thorn	4.3
espinazo[6a]	spine	7.
espiral[6a]	spiral	7.6
espíritu[1a]	spirit	1.
espiritual[3a]	spiritual	3.3
espléndido[2b]	splendid	2.6
esplendor[3a]	splendor	2.8
	splendor (magnificence)	3.6
	radiance	4.9
esponja	sponge	6.6
espontaneidad[6a]	spontaneity	10.2
espontáneo[3b]	spontaneous	6.
esposo[1a]	husband	1.
	esposa, wife	1.
espuela[4b]	spur	5.8
espuma[3a]	foam	5.3
espumar[7a]	foam	5.7
esquela[6b]	note (n.)	1.9
esqueleto[5b]	skeleton	6.7
esquina[3a]	corner	1.9
esquivar[7a]	escape (vb.)	1.8
esquivo[6a]	shy	4.2
establecer[1b]	settle	1.
	prove	1.4
establecimiento[3a]	household	2.9
	establishment	3.8
establo[5a]	stable	3.8
estaca[5b]	post (n.)	3.

INDEX TO SPANISH WORDS IN THE LIST

	Section
estación[2b]	
season (n.)	2.4
station	2.4
estadísticas	
statistics	6.1
estado[1a]	
state (condition)	1.
state (nation)	1.
de –, state (adj.)	1.8
– de salud	
(state of) health	3.1
– mayor, staff	3.1
hombre de Estado	
statesman	3.
ministro de Estado	
secretary of state	3.9
publicación del –	
publication of the	
general staff	5.1
estallar[2b]	
burst	1.4
break out	2.3
estampa[3b]	
stamp	3.1
estampar[5b]	
stamp	3.9
estancia[2b]	
stay (n.)	1.7
estanque[4a]	
pool	3.4
estante[7a]	
shelf	4.5
estar[1a]	
be	1.
– a punto de, – para	
(be) about to	1.
– de receso, recess	5.8
estatua[2a]	
statue	3.6
estatura[4a]	
stature	2.9
estatuto[6b]	
law	1.
statute	4.1
este (n.)[7a]	
east	2.
este, éste[1a]	
this (adj.)	1.
this (pron.)	1.
latter	1.4
esta noche, tonight	1.4
estera[6a]	
mat	5.8
estéril[3b]	
barren	5.3
esterilidad[6b]	
barrenness	9.4
estética[6b]	
aesthetic	8.8
estiércol[6b]	
manure	7.
estilo[2a]	
style	2.5
estimable	
estimable	10.1
estimación[3b]	
regard (n.)	2.5
estimar[1b]	
value (vb.)	1.4
cherish	3.3
estimular[6a]	
stir	1.9
estímulo[6b]	
stimulus	5.
estío[4b]	
summer	1.6
estirar[3b]	
extend	1.

	Section
estirpe[6a]	
race	3.2
estocada[6b]	
stab	6.5
estómago[2b]	
stomach	3.7
estorbar[3a]	
(be in) way	1.7
estrago[5a]	
ruin (n.)	2.4
estrangular	
choke	5.3
estrategia	
strategy	7.6
estratégico	
strategic	8.
estrechar[2b]	
shake (hands)	1.1
clasp	3.1
estrecho[1b]	
narrow	1.
strait	5.3
estrella[1b]	
star	1.5
estrellar[4b]	
shatter	4.2
estremecer[3b]	
-se, tremble (vb.)	1.8
shake	1.9
-se, thrill	4.4
estremecimiento[7a]	
shiver	4.7
thrill	5.6
estrenar[3b]	
begin	1.
(make one's first) ap-	
pearance	2.3
estreno[6b]	
opening	4.4
estrépito[4a]	
noise	2.6
estribar[5a]	
rest on	1.9
estribillo	
refrain	6.6
estribo[6b]	
stirrup	7.
estricto[5b]	
severe	1.6
estrofa[6a]	
verse	2.7
estropear[6a]	
lame	4.6
estructura[5a]	
structure	5.1
estruendo[3b]	
noise	2.6
clamor	4.4
crash	5.6
estuche[6b]	
case	3.6
estudiante[3b]	
student	3.1
estudiar[1b]	
study (vb.)	1.4
estudio[1b]	
study (n.)	1.5
estudioso	
studious	4.8
estufa	
stove	3.3
estupefacción	
stupor	9.2
estupendo[4b]	
wonderful	1.2
estupidez[5a]	
nonsense	5.
stupidity	8.2

	Section
estúpido[5a]	
dull	3.5
estupor	
stupor	9.2
etapa	
stage	3.6
etcétera[3b]	
etc.	3.1
éter[4b]	
ether	6.
etéreo[6b]	
ethereal	7.
eternidad[6a]	
eternity	3.9
eterno[1a]	
eternal	1.5
etiqueta[4a]	
ceremony	2.
de –, formal	5.1
label	5.2
europeo[2b]	
European	2.5
evacuar	
evacuate	7.7
evangelio[4b]	
gospel	3.4
evidencia[4b]	
evidence	2.3
evidente[4a]	
evident	2.5
evitar[1b]	
avoid	1.8
evocar[3b]	
call forth	1.6
evolución[5a]	
evolution	4.5
exactitud[4a]	
accuracy	5.3
precision	5.8
exacto[2a]	
exact	1.4
exageración	
exaggeration	7.7
exagerar[3b]	
exaggerate	4.5
exaltación[3b]	
exaltation	6.3
exaltar[3a]	
stir	1.9
exalt	2.7
exaltado, exalted	2.9
examen[4a]	
test	1.9
examinar[2a]	
examine	1.5
exceder[4b]	
exceed	2.3
excelencia[4a]	
excellence	5.1
excelente[1b]	
excellent	1.8
excelso[6a]	
exalted	2.9
excepción[2b]	
exception	2.5
excepcional[6b]	
exceptionally	4.8
exceptional	5.4
excepto[3b]	
except	1.1
exceptuar[3b]	
except (vb.)	1.7
excesivo[3a]	
extreme	1.5
excessive	4.6
exceso[3a]	
excess	3.3

	Section
excitar[2b]	
stir	1.9
exclamación[5b]	
exclamation	5.3
exclamar[1b]	
call out	1.4
excluir[4a]	
shut out	1.6
exclusivo[2b]	
exclusivamente	
exclusively	3.
exclusive	4.2
excursión[3b]	
excursion	4.1
excusa[3b]	
excuse	2.9
excusar[2b]	
pardon (vb.)	2.2
exención	
exemption	7.8
exento[4b]	
free	1.
exhalar[3b]	
breathe	2.7
exhibir[5a]	
display (vb.)	3.
exhortar[7a]	
admonish	6.3
exigencia[5a]	
demand	3.
exigente[6b]	
severe	1.6
exigir[1b]	
demand	1.
existencia[1b]	
existence	2.6
existente[5b]	
exist	1.8
existir[1a]	
exist	1.8
éxito[2b]	
tener buen –, succeed	1.5
buen –, success	1.5
exótico[5b]	
foreign	2.2
expansión[4b]	
expansion	4.1
expansivo	
expansive	9.3
expedición[4b]	
speed	2.5
expedition	3.1
shipment	3.9
expedir[5a]	
send	1.
experiencia[2a]	
experience	1.6
experimental[7a]	
experimental	7.7
experimentar[2a]	
experience (vb.)	1.8
experiment (vb.)	2.4
experimento[4b]	
experiment (n.)	2.6
experto[5b]	
expert (n.)	4.2
expert (adj.)	5.6
expiación[6b]	
atonement	7.
expirar + espirar[3b]	
expire	4.3
explicación[2b]	
explanation	2.9
explicar[1b]	
account for	1.
explicativo[6a]	
explanatory	10.2

	Section
exploración	
exploration	4.6
explorador	
pioneer	6.8
explorar[4b]	
explore	3.8
explosión[4a]	
bursting	2.9
explotación[7b]	
working	4.7
explotar[3b]	
burst	1.4
exploit	5.8
exponer[1b]	
expose	2.2
exportación[6b]	
export	5.1
exposición[3b]	
display	2.6
expresar[1b]	
express (vb.)	1.
expresión[1b]	
expression	2.2
expresivo[4a]	
(full of) meaning	3.3
affectionate	4.3
expreso[3a]	
express (adj.)	2.6
exprimir[6a]	
press (vb.)	1.1
squeeze	3.6
wring	6.1
expuesto[3b]	
expose	2.2
expulsar	
expel	4.3
expulsión[6a]	
expulsion	9.
exquisito[2b]	
exquisite	3.6
éxtasis[6a]	
bliss	3.7
extender[1b]	
extend	1.
spread	1.4
extensión[2a]	
range	3.6
extension	4.4
extensivo[6b]	
applicable	9.8
extenso[3a]	
vast	2.8
extensive	4.9
exterior[2b]	
outside	1.4
externo[4b]	
outward(s)	3.4
extinguir[3a]	
put out	1.9
extra	
extra	4.1
extracto	
extract	5.4
extraer[5a]	
extract	5.
extranjero[1b]	
en el –, abroad	2.2
foreign	2.2
foreigner	2.6
extrañar[2a]	
surprise (vb.)	1.4
extrañeza[4b]	
surprise (n.)	2.4
extraño[1b]	
strange	1.
stranger	1.8

	Section
extraordinario[2a]	
unusual	2.
extravagancia[5b]	
folly	3.2
extravagante	
extravagant	7.3
extraviar[4b]	
stray	3.1
extravío[6b]	
madness	4.1
extremar[4a]	
exaggerate	4.5
extremidad[5b]	
extremity	5.1
extremo[1b]	
extreme	1.5

F

	Section
fábrica[2b]	
building (n.)	1.6
factory	2.6
fabricación[5a]	
manufacture	2.9
fabricante[5a]	
maker (manufacturer)	3.5
maker	4.7
fabricar[3b]	
manufacture	3.
fábula[3b]	
fable	4.4
fabuloso[5a]	
fabulous	7.1
facción[4a]	
party	1.1
-es, feature	1.5
fácil[1b]	
easy	1.
-mente, easily	1.6
facilidad[2b]	
ease	3.3
facilitar[2b]	
(make) easy	1.8
factor[5a]	
element	2.3
factura[6b]	
account	1.
facultad[2a]	
ability	3.2
fachada[5a]	
front (n.)	1.5
faena[4a]	
work (n.)	1.
(piece of) work	1.1
faja[4b]	
band	2.5
strip (n.)	2.9
belt	4.7
falda[2a]	
lap	2.4
skirt	2.6
faldón	
coat-tail	10.8
falsear[6b]	
forge	6.2
distort	7.5
falsedad[4b]	
lie (n.)	2.
falso[1b]	
wrong (adj.)	1.
false	1.4
falta[1a]	
hacer –, need (vb.)	1.
fault	1.4
fault (defect)	1.8
a – de, (for) want of	3.
want (n.)	3.

	Section
faltar[1a]	
miss	1.
fallar[7a]	
fail	2.6
fallecer[3b]	
die (vb.)	1.
falto[5a]	
imperfect	3.9
faltriquera[5b]	
pocket	2.3
fama[1b]	
fame	2.3
familia[1a]	
family	1.
familiar[3a]	
familiar	3.3
familiaridad[4b]	
intimacy	6.8
famoso[1b]	
famous	1.1
fanatismo[6b]	
fanaticism	10.
fanega	
acre	4.4
bushel	6.
fantasía[2a]	
fancy (n.)	2.
fantasma[3b]	
ghost	3.2
fantástico[3a]	
fantastic	4.7
fardo[6a]	
bundle	4.
fariseo	
Pharisee	8.
faro[4b]	
lighthouse	6.6
farol[4b]	
lantern	3.5
farsa[4b]	
farce	5.8
fascinar[5b]	
charm (vb.)	2.4
fase	
phase	8.4
fastidiar[5a]	
vex	4.1
fastidioso[5b]	
vexing	3.8
fatal[2b]	
mortal	2.9
fatalidad[5b]	
fate	1.5
(bad) luck	2.7
fatiga[3a]	
weariness	5.6
fatigar[2b]	
fatigado, tired	1.9
tire (vb.)	2.4
fatuo[6a]	
foolish	2.8
favor[1a]	
a – de	
for (in favor of)	1.
favor (n.)	1.4
favorable[4a]	
favorable	2.2
favorecer[2a]	
favor (vb.)	2.1
favorito[4b]	
favorite	3.4
faz[3a]	
face	1.
front (n.)	1.5
fe[1a]	
faith	1.4

	Section
fealdad	
ugliness	10.2
febrero[4b]	
February	2.4
febril[4a]	
feverish	6.9
fecundar[4a]	
fertilize	6.8
fecundo[2b]	
fertile	3.8
fecha[2b]	
date (n.)	2.
fechar[7a]	
date (vb.)	3.3
federación[7a]	
confederacy	5.1
federal[5b]	
federal	6.5
felicidad[1b]	
happiness	1.4
felicitación[6b]	
congratulation	5.3
felicitar[6a]	
congratulate	6.2
feligrés	
parishioner	10.2
feliz[1a]	
glad	1.
successful	3.4
femenino[3b]	
female	3.3
feminine	4.1
fenecer[6a]	
die (vb.)	1.
fénix[6b]	
phoenix	9.4
fenómeno[2b]	
phenomenon	3.2
feo[1b]	
ugly	2.4
feria[5a]	
market	1.7
fermentación	
fermentation	6.4
fermentar	
ferment	7.7
ferocidad[6a]	
fierceness	7.8
feroz[3b]	
wild	1.6
férreo[4b]	
iron (adj.)	1.4
ferretería	
hardware	6.8
ferrocarril[3a]	
railroad	2.
fértil[4b]	
fertile	3.8
ferviente[6b]	
fervent	7.2
fervor[6a]	
faith	1.4
zeal	2.4
fervor	4.8
fervoroso[5b]	
eager	2.4
festín[5a]	
feast	3.5
festivo[4b]	
cheerful	1.9
feudal	
feudal	7.8
fiador[6a]	
bondsman	13.
fiar[2a]	
trust (vb.)	1.4

INDEX TO SPANISH WORDS IN THE LIST

	Section
fibra[5b]	
fiber	5.5
ficción[4b]	
fiction	3.9
fidelidad[3b]	
loyalty	3.6
fiebre[3a]	
fever	3.3
fiel[1b]	
true	1.
-es, (the) faithful	2.7
faithful	2.7
fieltro	
felt	5.
fiera[3a]	
beast	1.1
fiereza[6a]	
courage	1.4
fiero[2b]	
wild	1.6
fiesta[1b]	
party	1.
día de –, holiday	2.6
festival	3.4
figura[1a]	
figure	1.
figurar[1b]	
imagine	1.4
fijar[1b]	
fix	1.
assign	2.5
– carteles	
post bill	3.5
fijeza[5b]	
firmness	5.5
fijo[1b]	
firm (fixed)	1.1
fila[3b]	
row (n.)	1.2
filial[6a]	
filial	5.8
filo[4b]	
edge	2.6
filosofía[2b]	
philosophy	3.3
filosófico[4a]	
philosophical	5.2
filósofo[2b]	
philosopher	3.3
filtrar[4b]	
strain	4.9
fin[1a]	
end	1.
al –, por –, (at) last	1.
purpose	1.
final[2a]	
-mente, finally	2.2
final	2.9
financiero[6b]	
financial	4.1
finca[4a]	
(real) estate	3.2
fineza[5a]	
delicacy	5.4
fingir[2a]	
make believe	4.2
fino[1b]	
fine	1.
finura[5b]	
courtesy	4.7
firma[2b]	
company (business)	1.
signature	4.1
firmamento[4b]	
heaven	1.
firmar[2b]	
sign (vb.)	2.4

	Section
firme[1b]	
firm (fixed)	1.1
firm (character)	1.1
firmeza[5b]	
firmness	5.4
física[6b]	
physics	8.
físico[2a]	
physical	4.
fisonomía[6a]	
countenance	4.1
flaco[2b]	
weak	1.1
thin	2.
flagrante	
flagrant	10.1
flamenco[6a]	
baile –, dance	3.1
flanco[6b]	
side	1.
flanquear	
flank	6.4
flaqueza[3b]	
weakness	2.9
flauta[5b]	
flute	6.5
flautín	
fife	6.
flautista	
piper	7.2
flecha[4a]	
arrow	3.2
flexibilidad	
mobility	9.4
flexibility	9.7
flexible[4b]	
flexible	6.4
flojo[3b]	
weak	1.1
loose	2.1
flor[1a]	
flower (n.)	1.4
blossom (n.)	2.2
florecer[3a]	
bloom (vb.)	3.
floresta[4b]	
forest	1.
florido[4a]	
flowery	5.5
flota[6b]	
fleet (n.)	3.
flotante[6a]	
float	2.9
flotar[3a]	
wave (vb.)	1.7
float	2.9
flote	
a –, afloat	6.7
flúido[6b]	
liquid	3.4
flujo	
flow (n.)	2.6
foco[3b]	
focus	6.1
follaje[5a]	
foliage	5.2
folleto[5a]	
pamphlet	6.3
fomentar[4a]	
further (vb.)	1.8
foster	3.8
fomento[5b]	
fostering	3.9
fonda[5a]	
hotel	3.2
inn	4.2

	Section
fondo[1a]	
bottom	1.
background	4.2
-s, funds	4.6
setting	8.8
forastero[5a]	
stranger	1.8
foreign	2.2
forjar[4b]	
forge	5.7
forma[1a]	
de ninguna –	
(not at) all	1.
figure	1.
way	1.
ceremony	2.
formación[4a]	
formation	4.
formal[3a]	
formal	5.1
formalidad[6b]	
formality	7.9
formar[1a]	
form (vb.)	1.
formidable[2a]	
terrible	1.8
fórmula[2b]	
formula	5.3
formular[3b]	
draw up	2.
foro[3a]	
court	1.4
forro	
lining	6.8
fortaleza[3b]	
force	1.
fort	2.6
fortuna[1b]	
fortune	1.4
forzar[3b]	
force (vb.)	1.
forzado	
forced (adj.)	1.1
forzoso[2b]	
forzosamente	
(of) necessity	2.3
required	3.1
fosa	
ditch	3.9
fósforo[6a]	
match	5.2
phosphorus	11.
fotografía[5a]	
photograph	3.7
fracasar[5b]	
fail	2.6
fracaso[4a]	
failure	3.1
fracción[7b]	
fraction	4.9
fragancia[5b]	
perfume	4.
frágil[3b]	
weak	1.1
frail	5.1
fragmento[4a]	
piece	1.
bit	2.3
fragor[6b]	
noise	2.6
clamor	4.4
fragoso[6a]	
noisy	5.8
fragua[6a]	
forge	5.9
fraguar[6b]	
forge	5.7

	Section
fraile[3a]	
monk	4.7
francés[1a]	
French	1.
franco[2a]	
pound	1.
open (adj.)	1.3
franela	
flannel	7.2
franqueo[7b]	
postage	5.7
franqueza[4a]	
con –, open (adj.)	1.3
frasco[3b]	
bottle	2.1
frase[1b]	
sentence	1.4
fraternal[5b]	
brotherly	6.9
frecuencia[2b]	
con –, often	1.
frecuentar[3b]	
frequent	4.7
frecuente[2a]	
-mente, often	1.
frequent	1.7
fregar[6a]	
clean	2.2
freír[3a]	
fry	6.3
frenesí[7a]	
madness	4.1
frenético[5a]	
mad	2.7
distracted	5.5
freno[4b]	
bridle	3.4
brake	5.6
frente[1a]	
– a, (be) across	1.
– a, before (in front of)	1.
front (n.)	1.5
forehead	1.8
fresa	
strawberry	5.8
fresco[1b]	
fresh	1.1
cool (adj.)	1.9
cool (n.)	3.2
frescura[3a]	
cool (n.)	3.2
frialdad[5b]	
coldness	6.2
frío[1a]	
cold (adj.)	1.
cold (n.)	1.9
sangre fría	
presence of mind	4.5
friolera[5a]	
trifle	3.9
frívolo[4b]	
frivolous	5.8
frondoso[4b]	
tufted	6.4
leafy	6.6
frontera[3b]	
border	1.7
frotar[5b]	
rub	3.2
fruncir[5a]	
gather	4.7
– el ceno, frown	5.5
fruslería	
trinket	8.2
frustrar	
thwart	6.8
fruta[2b]	
fruit	1.5

SEMANTIC FREQUENCY LIST

	Section
frutero	
greengrocer	13.
fruto[1b]	
fruit	1.5
fuego[1a]	
fire	1.
fuente[1b]	
spring	1.7
source	2.7
fountain	2.8
platter	4.
fuera[1a]	
away	1.
out	1.
outside	1.4
– de alcance (out of) reach	4.1
– de ley, lawless	6.5
fuero[4a]	
statute	4.1
fuerte[1a]	
strong	1.
fort	2.6
fuerza[1a]	
force	1.
power	1.
fuga[3b]	
flight (rout)	2.5
fugar[7a]	
run away	1.5
fugaz[6a]	
passing	1.9
fugitive	3.5
fugitivo[4b]	
fugitive (adj.)	3.5
fugitive (n.)	5.6
fulgor[4b]	
glow	3.
fumar[3a]	
smoke (vb.)	2.6
función[2a]	
function	3.6
funcionamiento	
working	5.
funcionar[4b]	
function (vb.)	2.8
funcionario[5b]	
official (n.)	2.8
fundación[5b]	
foundation	4.2
fundador	
founder	6.1
fundamental[4a]	
fundamental	5.2
fundamento[3a]	
base	1.7
fundar[1b]	
found	1.5
fundición	
melting	3.3
fundir[5a]	
melt	2.5
fúnebre[6a]	
dismal	3.9
funeral[6b]	
funeral	5.4
funesto[3b]	
disastrous	4.3
furia[3a]	
fury	2.8
furioso[3a]	
furious	1.9
furor[2b]	
fury	2.8
furtivo[5b]	
sly	3.9
cazador –, poacher	11.5

	Section
fusil[4b]	
gun	1.7
fútbol	
football	6.8
fútil[6b]	
trivial	5.
futuro[2a]	
future (n.)	1.5
future (adj.)	2.

G

	Section
gabacho[5b]	
French	1.
gabán[5b]	
coat	2.2
overcoat	3.6
gabinete[5a]	
cabinet	3.5
gaceta[6b]	
paper (newspaper)	1.
gafas[7a]	
glasses	4.2
gaita[5b]	
bagpipe	8.1
gala[2b]	
ceremony	2.
galán[2a]	
civil	3.2
galante[5a]	
civil	3.2
galantería[5b]	
compliment	4.1
courtesy	4.7
galardón[5a]	
prize (n.)	1.5
reward (n.)	2.5
galera[5a]	
prison	2.
wagon	4.7
galería[4b]	
gallery	4.2
galgo[6b]	
dog	1.9
galope	
gallop	4.7
gallardía[5b]	
grace	1.4
gallardo[3a]	
graceful	3.3
gallego[3a]	
English	1.
gallinero	
(hen) coop	11.4
gallo[2b]	
cock	3.8
gallina, hen	4.7
gana[2a]	
tener –, desire (vb.)	1.
de buena –, willingly	1.6
ganado[3a]	
cattle	3.7
ganador	
winner	6.5
ganancia[3b]	
gain (n.)	1.9
profit (n.)	2.1
ganar[1a]	
beat (in game)	1.
gain	1.
gancho	
peg	6.
ganso	
goose	5.3
garabato[6a]	
hook	4.2

	Section
garantía[5a]	
pledge (n.)	2.9
garantizar[7a]	
pledge (vb.)	2.7
garbanzo[5b]	
pea	5.4
garbo[5a]	
grace	1.4
garganta[2b]	
throat	2.
garra[5a]	
claw	6.1
garrafa	
decanter	10.4
garrote[7a]	
stick (n.)	2.
gas[4b]	
gas	2.8
gasa[6b]	
lawn	5.2
gasolina	
gasoline	6.8
gastar[2a]	
spend	1.6
gastado, spent (adj.)	2.
wear out	2.8
gasto[3a]	
expense	3.3
gato[2b]	
cat	4.1
gaveta	
drawer	6.1
gemelo[6b]	
twin	5.8
gemido[4a]	
groan	5.3
gemir[3a]	
groan	5.
generación[3a]	
generation	3.4
general[1a]	
general (adj.)	1.
en, por lo – (in) general	1.
usual	1.
general (n.)	1.1
cuartel – headquarters	3.4
procurador – attorney-general	9.5
generalidad[6a]	
generality	10.
generalizar[7a]	
generalize	9.3
género[1b]	
kind	1.
generosidad[3b]	
generosity	6.4
generoso[1b]	
generous	4.7
genial[5b]	
(of) genius	4.3
genio[2a]	
nature (character)	1.
genius	2.8
(man of) genius	4.
gente[1a]	
crowd	1.
people (folk)	1.
gentil[2b]	
graceful	3.3
gentileza[4b]	
grace	1.4
genuino[6a]	
true	1.
genuine	3.7
geografía[6b]	
geography	6.2

	Section
geográfico[5a]	
geographical	6.5
geométrico[7a]	
geometric	9.3
geranio	
geranium	7.8
germen[4b]	
germ	5.2
gesticular	
gesticulate	12.2
gesto[2a]	
look	1.9
gesture	4.3
gigante[2b]	
giant	4.
gigantesco[3b]	
great (huge)	1.
gimnasio	
gymnasium	7.2
gimotear	
snuffle	10.2
girado (el)	
accepter	12.4
girar[3a]	
turn (vb.)	1.
revolve	5.5
giro[2b]	
turn (n.)	3.
draft	3.8
whirl	4.
gitano[2a]	
gypsy	7.4
glacial[6a]	
icy	6.
glaciar	
glacier	6.4
globo[3b]	
globe	3.3
globe (earth)	3.3
balloon	6.1
gloria[1a]	
glory	2.3
glorieta	
bower	5.2
glorioso[2a]	
glorious	3.8
gobernador[3a]	
governor	3.1
gobernante[5a]	
governor	3.1
gobernar[2a]	
rule (vb.)	1.
steer	3.9
gobierno[1b]	
government	1.1
goce[2b]	
enjoyment	3.8
golfo[4a]	
knave	4.5
gulf	5.
golondrina[6b]	
swallow	5.
golpe[1b]	
blow	1.4
golpear[5a]	
beat	1.1
strike	1.1
tap	4.6
bruise	5.7
bang	6.5
goma	
rubber	5.
gordo[2b]	
fat	1.9
gorjear	
chirp	6.8

INDEX TO SPANISH WORDS IN THE LIST

	Section
gorjeo[6b]	
warble	6.6
twitter	7.
gorra[6a]	
cap	3.8
gorrión	
sparrow	6.
gorro[6b]	
cap	3.8
hood	5.3
gota[2a]	
drop (n.)	2.4
gout	7.6
gotear	
drip	6.4
gotera	
leak	6.6
gótico[5b]	
Gothic	6.7
gozar[1a]	
enjoy	1.1
- de, indulge	4.1
gozne	
hinge	6.5
gozo[3a]	
delight	1.
gozoso[4b]	
joyful	2.2
grabado[4b]	
print (n.)	2.7
grabar[3b]	
engrave	6.4
gracia[1a]	
-s, thanks	1.1
grace	1.4
gracioso[2a]	
graceful	3.3
grada[4b]	
step	1.7
grado[1b]	
degree	1.4
rank (n.)	2.6
gradual[6b]	
little by little	1.
graduar[3b]	
graduate	5.9
gráfico[6b]	
vivid	3.8
gramática[3a]	
grammar	6.1
gramo[4a]	
pound (n.)	1.6
ounce	4.7
grana[5a]	
red	1.
granado[5b]	
select	4.9
gran(-de)[1a]	
big	1.
great (man)	1.
grandeza[2a]	
greatness	2.
grandioso[4a]	
grand	2.3
granito	
granite	6.8
granizo	
hail	5.3
grano[2b]	
grain	2.1
kernel	4.6
granujilla	
little rascal	4.2
grasa[6b]	
fat	2.6
grease	4.8
gratificar	
indulge	5.3

	Section
gratis[5b]	
free	2.6
gratitud[3a]	
gratitude	3.3
grato[2b]	
pleasant	1.1
gratuito[7a]	
free	2.6
grave[1a]	
grave	1.4
stately	3.6
gravedad[2b]	
grave	1.4
graznar	
quack	6.1
croak	6.8
caw	7.2
griego[2a]	
Greek	2.6
grieta[5b]	
crack	3.4
grillo[5a]	
cricket	5.3
gris[5b]	
gray	2.2
gritar[1b]	
cry	1.
grito[1b]	
call (n.)	1.4
cry (n.)	2.6
grosella	
currant	6.8
grosero[3a]	
coarse	2.9
grotesco[4b]	
monstrous	4.7
gruesa	
gross	5.2
grueso[2b]	
thick	1.2
fat	1.9
thickness	5.1
gruñir[4a]	
grumble	4.9
grupo[1b]	
group	1.8
guadaña	
scythe	7.3
guadañador	
mower	7.2
guante[3b]	
glove	3.9
guapo[2b]	
beautiful	1.
(be) brave	1.
guarda[3b]	
guard (keeper)	2.
guardar[1a]	
guard (vb.)	1.
keep	1.
- rencor (bear) grudge	5.6
guardia[3a]	
guard (keeper)	2.
guard (military)	2.
- rural, constable	6.2
guardián[6b]	
guard (keeper)	2.
guarida[5a]	
den	3.1
guarismo[6a]	
number	1.1
guarnición[5b]	
trimming	3.8
garrison	4.9
guerra[1a]	
war	1.

	Section
guerrero[3b]	
warrior	3.5
guía[3a]	
guide (n.)	1.9
guiar[2a]	
grow	1.3
guillotina	
guillotine	10.2
guirnalda[6b]	
wreath	3.7
guisa[5b]	
way	1.
guisante[7b]	
pea	5.4
guisar[4a]	
cook (vb.)	2.5
guitarra[4a]	
guitar	8.
gusano[3b]	
worm	4.7
gustar[1a]	
like	1.
taste (vb.)	1.5
- de (have a) taste (for)	2.4
gusto[1a]	
taste (n.)	1.4
gustoso[4a]	
pleasant	1.1
ser -, estar - (be) willing	2.9

H

	Section
haba[6a]	
bean	5.4
haber[1a]	
have	1.
hay, there is	1.
hay, he, there is	1.
hábil[3a]	
clever	2.6
habilidad[2b]	
ability	3.2
habitación[1b]	
dwelling	2.3
habitante[2b]	
inhabitant	3.2
habitar[2a]	
live	1.1
inhabit	3.5
hábito[2b]	
clothes	1.4
habit	2.2
habitual[3b]	
usual	1.
habituar[5b]	
(make) used (to)	1.6
hablador[6a]	
gossip	6.8
hablar[1a]	
speak	1.
talk	1.
hacendoso[5b]	
industrious	3.2
hacer[1a]	
ha, hace, ago	1.
-se, become	1.
cause (vb.)	1.
do	1.
hace poco, just	1.
make	1.
hacia[1a]	
toward(s)	1.
- atrás, backward	2.8
- abajo, downward(s)	3.4

	Section
hacienda[2a]	
property	1.5
farm	3.2
finance	5.3
hacha[5b]	
ax(e)	5.
hada[6b]	
cuento de -s fairy tale	3.4
fairy	5.
país de las -s fairyland	6.2
hado[5a]	
fate	1.5
halagar[3a]	
flatter	3.
halagüeño[5a]	
attractive	4.
halcón[6b]	
hawk	5.8
falcon	7.
hálito[4b]	
breath	2.8
hallar[1a]	
find	1.
hallazgo[5b]	
finding	4.9
hambre[1b]	
tener -, (be) hungry	2.8
hunger	3.2
famine	5.1
desfallecer de - starve	5.3
hambriento[3b]	
(be) hungry	2.8
harapo[7a]	
rag	5.3
harina[3a]	
flour	3.2
harmonía[6b]	
harmony	3.1
hartar[4b]	
gorge	6.
harto[2a]	
complete	1.
extreme	1.5
hasta[1a]	
till	1.
- ahora, till now	1.
- la vista, - luego farewell	3.4
hastío[6b]	
bore	4.
disgust	4.6
haya	
beech	7.
haz[4a]	
sheaf	6.6
hazaña[3a]	
exploit	5.9
hebilla	
buckle	6.8
hebra[5b]	
thread	2.4
heces	
dreg	7.8
hectárea	
acre	4.4
hechicero[6a]	
wizard	6.2
hechizo[6a]	
spell	4.4
hecho (n.)[1b]	
act	1.
fact	1.
hechura[5a]	
making	4.7

398 SEMANTIC FREQUENCY LIST

	Section
helar + helado[2a]	
ice	2.4
freeze	3.3
frost	5.
congeal	6.3
helecho	
fern	6.4
hembra[3b]	
female	3.3
hemisferio[6b]	
hemisphere	7.
henchir[3a]	
fill	1.4
hender[6b]	
crack (vb.)	2.6
heredad[5a]	
property	1.5
farm	3.2
heredar[3a]	
inherit	5.7
heredero[2b]	
heir	2.9
hereditario	
hereditary	7.3
hereje[5b]	
heretic	6.3
herejía	
heresy	7.4
herencia[3a]	
inheritance	3.9
herida[2a]	
wound	2.8
herir + herido[1b]	
hurt (tr. vb.)	1.8
wound (vb.)	2.2
wounded	3.3
hermano[1a]	
brother	1.
hermana, sister	1.
hermoso[1a]	
beautiful	1.
hermosura[1b]	
beauty	1.5
héroe[2b]	
hero	2.1
heroína, heroine	5.8
heroico[2b]	
heroic	5.2
heroísmo[3b]	
heroism	7.2
herradura[6b]	
horseshoe	7.1
herramienta[6a]	
tool	3.
herrero	
blacksmith	5.6
hervir[2a]	
boil (vb.)	3.1
hidalgo[3a]	
noble	1.4
peer	2.6
hidalguía[6b]	
nobility	3.7
hiedra[7a]	
ivy	6.7
hidrógeno	
hydrogen	6.
hiel[4b]	
gall	6.4
hielo[2b]	
ice	2.4
hierba[3b]	
grass	2.9
hierro[1b]	
de –, iron (adj.)	1.4
iron (n.)	1.8
– viejo, (old) iron	2.3

	Section
hígado	
liver	6.
higiene[5b]	
hygiene	7.
higo	
fig	6.4
hijo[1a]	
hija, daughter	1.
son	1.
hilar[5b]	
spin	3.9
hilera[5a]	
row (n.)	1.2
hilo[2a]	
thread	2.4
tela de –, linen	3.6
sin -s, wireless	6.
himno[5a]	
hymn	5.8
hincar[5a]	
– el diente, bite	3.7
– la rodilla, kneel	3.9
hinchar[4a]	
swell	3.9
hinojo[6b]	
knee	2.
ponerse de -s, kneel	3.9
hipocresía[5a]	
hypocrisy	6.9
hipócrita[4a]	
hypocrite	6.8
hipoteca	
mortgage	7.2
hipótesis[7a]	
basis	3.4
hispanoamericano[5a]	
French	1.
histérico[6b]	
hysterical	8.6
historia[1a]	
story	1.
history	1.4
historiador[4a]	
historian	5.6
histórico[3b]	
historic	3.3
hocico[6b]	
muzzle	5.2
hogar[2a]	
hearth	3.2
hogaza	
loaf	3.3
hoguera[4a]	
fire	1.
hoja[1b]	
sheet	2.2
leaf	2.6
blade	4.5
flap (of table)	4.9
hojear	
thumb	5.6
hola[3b]	
good morning	1.1
hello	6.
holandés[4b]	
Dutch	4.
holgar[4b]	
rest (vb.)	1.
holgazán[6a]	
lazy	3.8
hollar[3b]	
trample	5.9
hombre[1a]	
man	1.
– de negocios, business man	1.4
– de letras, scholar	2.3
– de Estado, statesman	3.
– de ciencia, scientist	4.2

	Section
hombría	
manhood	6.8
hombro[2a]	
shoulder (n.)	1.5
homenaje[3b]	
homage	4.6
rendir –, (do) homage	5.
homicida[6a]	
murderer	4.1
homicidio[6b]	
murder	3.3
homogéneo[6b]	
(of the same) kind	4.
honda[5b]	
sling	6.5
hondo[2a]	
deep	1.
honestidad[6b]	
honesty	6.4
honesto[3b]	
honest	1.9
honor[1a]	
honor (n.)	1.
honra[2a]	
honor (n.)	1.
honradez[4a]	
honesty	6.4
honrar + honrado[1b]	
honor (vb.)	1.7
honest	1.9
honroso[4a]	
honorable	4.
hora[1a]	
hour	1.
(what) time (is it)	1.
media –, half hour	1.5
horca[6a]	
gallows	6.6
scaffold	7.1
horizontal[5b]	
horizontal	6.5
horizonte[2b]	
horizon	4.
hormiga[4b]	
ant	6.
horno[3b]	
furnace	2.7
oven	2.7
horrendo[3b]	
terrible	1.8
hideous	6.4
horrible[2a]	
terrible	1.8
hideous	6.4
horror[2a]	
horror	4.4
horrorizar[5b]	
frighten	1.9
horroroso[5b]	
terrible	1.8
hortalizas[5b]	
vegetable	4.8
hospital[3b]	
hospital	5.
hospitalario	
hospitable	7.2
hospitalidad	
hospitality	4.9
hostil[6b]	
hostile	3.5
hostilidad[6b]	
enmity	5.8
hotel[3b]	
house	1.
hotel	3.2
hoy[1a]	
today	1.

	Section
hoyo[4a]	
hole	2.2
hoyuelo	
dimple	7.2
hoz[5a]	
sickle	6.9
hueco[3a]	
hollow (adj.)	3.
huelga[6b]	
strike (n.)	3.
huella[3b]	
track (n.)	2.1
huérfano[4a]	
orphan	5.6
huerta[2a]	
garden	1.4
huerto[4b]	
orchard	5.2
hueso[2a]	
bone	2.6
huésped[2b]	
company	1.7
host	2.5
huevo[1b]	
egg	2.
huida[6a]	
flight (rout)	2.5
huir[1a]	
run away	1.5
humanidad[2a]	
mankind	2.4
humano[1a]	
human	1.4
humear[5b]	
smoke (vb.)	2.6
humedad[4a]	
moisture	4.4
humedecer[4b]	
moisten	6.8
húmedo[3a]	
damp	3.4
humildad[4a]	
humility	5.4
humilde[1b]	
humble	3.5
de – cuna, (of) lowly (birth)	6.4
humillación[6a]	
humiliation	7.9
humillar[3a]	
humble	5.
humo[2a]	
smoke (n.)	2.4
humor[2b]	
humor	2.4
hundir[2a]	
dip	3.2
sink	3.2
húngaro	
Hungarian	6.6
huracán[4a]	
storm	1.6
hurtar[4b]	
rob	2.3
húsar	
hussar	9.4
huso	
spindle	6.6

I

	Section
ida[6a]	
departure	3.1
idea[1a]	
idea	1.4
ideal[2a]	
ideal	3.2

INDEX TO SPANISH WORDS IN THE LIST 399

Spanish	English	Section
idealismo[6b] idealismo	idealism	9.
idealista[6b] idealista	idealist	11.4
idear[5a]	plan (vb.)	2.3
idéntico[3a]	identical	3.5
identidad[6b]	identity	7.5
idilio[6a]	idyll	9.8
idioma[2a]	tongue	1.
idiota[4b]	idiot	5.8
idolatrar[5a]	worship	3.6
ídolo[3b]	idol	5.9
iglesia[1b]	church	1.
ignorancia[2b]	ignorance	4.6
ignorante[3a]	ignorant	5.
ignorar[1b]	(not) know	1.
ignoto[6a]	unknown	1.8
igual[1a]	-mente, also	1.
	equal	1.
	por –, equal	1.
	(all the) same	1.
igualar[2b]	equal (vb.)	2.3
igualdad[3a]	equality	4.6
ilícito	(without) authority	4.8
ilimitado[7a]	boundless	4.9
iluminar[2a]	light (up)	1.4
ilusión[1b]	illusion	4.7
ilustración[7a]	illustration	6.8
ilustrar[3a]	illustrate	5.2
ilustre[1b]	famous	1.1
	illustrious	3.1
imagen[1b]	image	3.5
imaginación[1b]	imagination	3.9
imaginar[1b]	imagine	1.4
imaginario[6a]	fancied	3.8
imaginativo[5a]	imaginative	7.7
imán[6b]	magnet	6.7
imbécil[4b]	fool	2.4
	idiot	5.8
imitación[3b]	copy	3.3
imitar[2a]	copy	3.2
	imitate	4.
impaciencia[3b]	impatience	5.3
impaciente[3b]	impatient	4.3
imparcial[6a]	impartial	5.
impasible[5b]	unmoved	7.
impedir[1b]	keep from	1.4
imperar[4b]	rule (vb.)	1.
	rage (war, etc.)	3.2
imperativo[5a]	pressing	1.7
imperceptible[6a]	imperceptible	7.8
imperfecto[3b]	imperfect (defective)	3.9
	imperfect (incomplete)	4.2
imperial[3b]	imperial	3.3
imperio[2a]	empire	1.7
imperioso[3b]	pressing	1.7
	commanding	1.9
impermeable	waterproof	6.8
impertinencia	impertinence	9.4
impertinente[3b]	saucy	5.1
ímpetu[3a]	impetuosity	9.9
impetuoso[5a]	headlong	4.2
impío[3b]	impious	6.5
implacable[4a]	implacable	7.7
implicar[4b]	involve	3.9
implorar[4a]	beg	2.7
imponente[4b]	imposing	5.6
imponer + impuesto[1b]	impose	3.
	cobrar impuestos, tax	3.5
	tarifa de impuesto tax rate	4.
importación	import	4.5
importancia[1b]	importance	1.8
importante[1b]	important	1.
importar[1a]	have (do do with)	1.
	matter (neg.)	1.
	import (vb.)	1.8
importe[5a]	amount	1.
importuno[4b]	vexing	3.8
	troublesome	4.4
imposibilidad[7a]	impossibility	7.1
imposibilitar[6a]	impossible	1.4
imposible[1a]	impossible	1.4
imposición[6a]	imposition	8.2
impotencia[6a]	impotence	8.7
impotente[6a]	helpless	5.
impregnar[4a]	impregnate	8.8
imprenta[4a]	press (n.)	1.9
	printing office	4.4
imprescindible[5b]	essential	2.9
impresión[1b]	impression	2.2
	hacer – (make an) impression	2.2
	impression (imprint)	2.6
impresionar[5a]	affect	3.2
imprevisión[6a]	oversight	6.1
imprevisto[7a]	unexpected	3.5
	de –, unaware	6.
imprimir + impreso[2a]	print (vb.)	2.4
impresos	printed matter	2.4
impropio[6b]	unfit	6.4
	improper	7.2
improvisar[4b]	improvise	8.9
improviso[4b]	de –, unexpected	3.5
imprudencia[4b]	indiscretion	9.
imprudente[4a]	imprudent	10.
impulsar[5a]	further	1.8
impulso[2a]	spur	3.6
impuro[5b]	impure	7.5
imputar[6b]	attribute	3.7
inaccesible[5b]	(out of) reach	4.1
inadvertencia[6a]	oversight	6.1
inadvertido[7a]	unseen	4.8
inagotable[5a]	inexhaustible	8.7
inaudito[6a]	unusual	2.
	unheard (of)	5.3
inaugurar[5a]	inaugurate	4.8
incansable	untiring	7.2
incapaz[3b]	unable	4.1
incauto[7a]	dupe	8.2
incendiar[6b]	-se, (catch on) fire	2.5
	set (on) fire	2.7
incendio[3a]	fire	1.
	burning (n.)	2.3
incertidumbre[5b]	uncertainty	6.5
incesante[3b]	continual	2.5
incidente[4a]	event	2.
	incident	4.2
incienso[5a]	incense	6.1
incierto[4b]	doubtful	2.6
	uncertain	4.
incitar[6b]	stir	1.9
inclemencia[5b]	rigor	4.2
inclinación[2b]	leaning	1.8
	slope	3.6
inclinar[1b]	-se, bend	1.9
	-se, lean (vb.)	2.2
	slant	2.8
	nod	3.2
incluir[3a]	include	2.1
	incluso, included	2.9
incomodar[5a]	trouble (vb.)	1.5
incomodidad[6a]	inconvenience	4.1
incómodo[5a]	uncomfortable	4.6
incomparable[4a]	incomparable	6.4
incompatible[5b]	incompatible	9.9
incompleto[6a]	unfinished	6.9
incomprehensible[4b]	incomprehensible	6.7
inconsciente[4b]	unconscious	4.4
inconveniente[2b]	difficulty	1.9
	inconvenience	4.1
	uncomfortable	4.6
incorporar[3a]	join	1.
increíble[5a]	incredible	5.4
incurable[6a]	incurable	7.4
incurrir[4b]	incur	3.6
indagar[6a]	investigate	4.6
indecible[6a]	unspeakable	6.7
	inexpressible	9.3
indeciso[6b]	vague	4.
	undecided	9.2
indefinible[6b]	undefinable	10.2
indefinido[5b]	dim	4.1
independencia[2b]	independence	3.6
independiente[2b]	independent	2.5
indescriptible	indescribable	7.2
indiano[5a]	Indian	3.1
indicación[3b]	indication	5.
indicar[1b]	point out	1.4
indicativo[6a]	indicative	4.6
índice[7a]	index	5.3
	index finger	6.3
indicio[3b]	trace (n.)	2.1

	Section
indiferencia[3a]	
indifference	4.7
detachment	5.5
indiferente[2a]	
(all the) same	1.
indígena[4b]	
native (*adj.*)	3.2
native (*n.*)	3.7
indignación[2b]	
anger	1.9
indignation	4.2
indignar[3a]	
anger (*vb.*)	2.7
indigno[3a]	
unworthy	4.7
indio[3a]	
Indian	3.1
indirecto[4a]	
indirect	5.
indiscreto[6b]	
indiscreet	8.3
indiscutible[4a]	
unquestionable	6.5
indispensable[3a]	
essential	2.9
individual[5b]	
individual	3.8
individuo[2a]	
individual	3.2
índole[3a]	
nature (character)	1.
indolencia[6a]	
sloth	6.9
indómito[6b]	
unruly	7.4
inducir[4a]	
persuade	2.1
indudable[3a]	
(without) doubt	1.
indulgencia[6b]	
indulgence	5.8
indulgente	
indulgent	8.1
indulto[6a]	
pardon	3.6
industria[2a]	
industry	2.
industry (application)	2.6
industrial[5a]	
maker	3.5
industrial	5.5
inédito	
unpublished	12.8
inefable[5a]	
inexpressible	9.3
inercia[6a]	
inertia	10.2
inerte[5b]	
inert	6.8
inesperado[4a]	
unexpected	3.5
inestimable[5a]	
inestimable	8.1
inevitable[4b]	
inevitable	4.4
inexplicable[7a]	
inexplicable	8.7
infalible[5b]	
infallible	7.7
infame[3a]	
bad	1.2
infamous	4.3
infamia[4a]	
infamy	7.6
infancia[3b]	
childhood	3.3

	Section
infante[3b]	
prince	1.1
(crown) prince	2.3
infantería	
infantry	5.6
infantil[3b]	
childish	4.6
infatigable	
untiring	7.2
infeliz[1b]	
unhappy	1.8
unfortunate	2.2
inferior[2b]	
low	1.4
inferior	3.6
parte –, under side	4.4
inferir[3b]	
inflict	4.
infer	5.7
infernal[3b]	
infernal	6.7
infiel[6b]	
false	2.4
infierno[2a]	
hell	3.
infinidad[4a]	
infinity	9.6
infinito[1b]	
infinite	3.5
inflamar[4a]	
stir	1.9
-se, (catch on) fire	2.5
influencia[2a]	
influence	1.6
influir[3a]	
influence	3.2
influjo[4b]	
influence	1.6
influyente	
influential	8.2
información[5a]	
information	2.
– legal	
legal information	5.3
informar[2b]	
(let) know	1.
report (*vb.*)	1.5
informe[2b]	
report	1.
information	2.
shapeless	6.2
infortunio[3b]	
misfortune	2.2
infundir[3b]	
inspire	3.1
ingeniero[3a]	
engineer	4.8
cuerpo de -s	
(engineer) corps	7.2
ingenio[2a]	
wit	2.7
ingenuity	5.6
ingenioso[3a]	
witty	4.1
ingenious	4.7
ingenuidad[6a]	
simplicity	5.4
ingenuo[5a]	
open (*adj.*)	1.3
inglés[1b]	
French	1.
ingratitud[4a]	
ingratitude	7.
ingrato[2b]	
ungrateful	4.9
ingreso[5b]	
entrance	1.8

	Section
inhumano[5a]	
cruel	2.3
inicial	
initial	4.6
iniciar[3b]	
begin	1.
iniciativo[4a]	
initiative	5.7
inicuo[6a]	
bad	1.2
injuria[4a]	
offense	3.8
injusticia[3a]	
injustice	4.6
injusto[2b]	
unjust	3.3
inmediación[4b]	
neighborhood	2.9
inmediato[1b]	
next	1.
(at) once	1.
immediate	2.8
inmensidad[3a]	
greatness	2.
inmenso[1b]	
great (huge)	1.
inminente	
imminent	6.1
inmoral[6a]	
immoral	12.2
inmoralidad[6a]	
immorality	11.4
inmortal[3a]	
immortal	3.8
inmortalidad	
immortality	6.
inmóvil[3a]	
(stand) still	1.3
stable (*adj.*)	2.9
inmovilidad	
immobility	12.9
inmundo[6b]	
filthy	5.7
inmutable[5a]	
unchangeable	8.9
innato[6b]	
innate	9.
innoble	
ignoble	4.6
innumerable[3a]	
countless	3.9
inocencia[2b]	
innocence	3.4
inocente[2a]	
innocent	2.8
inofensivo	
harmless	5.8
inolvidable[5a]	
unforgettable	10.9
inquietar[5a]	
worry	3.2
inquieto[2a]	
anxious	2.3
restless	2.7
uneasy	5.5
fretful	6.6
inquietud[2b]	
worry	2.8
inquilino	
tenant	6.5
inquirir[4b]	
ask (question)	1.
investigate	4.6
insaciable[4b]	
greedy	4.8
insano[5b]	
mad	2.7

	Section
inscribir	
enter (writing)	2.6
inscripción[7a]	
inscription	5.2
insecto[4a]	
insect	4.4
inseguro[6a]	
uncertain	4.
unsteady	5.6
insensato[5a]	
dull	3.5
insensible[5a]	
insensible	4.1
inseparable[7a]	
inseparable	6.8
insertar[6b]	
insert	4.4
insigne[2b]	
famous	1.1
insignificante[3b]	
insignificant	4.
insinuación[6b]	
hint	4.1
insinuar[4a]	
hint	3.7
insistencia[4b]	
insistence	7.3
insistir[2b]	
insist	2.
insolencia[4b]	
insolence	7.4
insolente[4a]	
saucy	5.1
inspección	
survey	4.9
inspeccionar[6b]	
examine	1.5
survey	5.8
inspector	
inspector	6.9
inspiración[3a]	
inspiration	4.
inspirar[1b]	
inspire	3.1
instalación	
installation	8.6
instalar[3b]	
install	3.2
instancia[4a]	
instance	3.2
instantáneo[4b]	
immediate	2.8
instante[1a]	
al –, (at) once	1.
while (*n.*)	1.8
instar[6a]	
urge (*vb.*)	2.5
instintivo[5a]	
instinctive	4.9
instinto[2b]	
instinct	3.2
institución[4b]	
institute (*n.*)	2.6
instituir	
institute	3.3
instituto[4a]	
institute (*n.*)	2.6
institutriz	
governess	8.2
instrucción[2b]	
instruction	2.4
instructivo	
instructive	7.2
instruir[3b]	
teach	1.

INDEX TO SPANISH WORDS IN THE LIST

Spanish	English	Section
instrumento[2a]		
act		2.3
instrument		2.9
insuficiencia		
insufficiency		10.1
insuficiente[6a]		
insufficient		6.9
insufrible[6b]		
intolerable		5.3
insular		
islander		9.
insultar[2b]		
insult		3.4
insulto[4b]		
offense		3.8
insuperable[5b]		
insuperable		10.1
insurgente		
insurgent		9.
insurrecto		
insurgent		9.
intacto[5b]		
intact		7.3
integridad[6a]		
whole (n.)		1.5
íntegro[4b]		
complete		1.
integral		6.6
intelectual[2b]		
intellectual		6.1
inteligencia[2a]		
intelligence		4.
inteligente[2b]		
intelligent		3.6
intención[1b]		
tener –, intend		1.4
intent		1.9
intensidad[3b]		
intensity		4.
intenso[2b]		
intense		5.3
intentar[2a]		
try		1.
intento[2b]		
intent		1.9
interés[1b]		
interest (concern)		1.
-es, interest (percent)		1.
tipo de –		
rate of interest		3.8
interesante[2a]		
interesting		3.2
interesar[2a]		
have (to do with)		1.
-se		
(take an) interest (in)		1.3
interest (vb.)		1.9
interesado		
(person) interested		3.
interior[1b]		
inside (n.)		1.4
inside (adj.)		1.4
interjección[6b]		
exclamation		5.3
interlocutor[5b]		
interlocutor		12.9
intermedio[5a]		
recess		4.7
interminable[4a]		
endless		3.
internacional[5a]		
international		4.8
internar[5b]		
enter		1.
interno[3b]		
inside (adj.)		1.4
interpelación		
questioning (n.)		3.7
interponer[4b]		
interpose		5.2
interpretación[6b]		
interpretation		5.5
interpretar[4b]		
interpret		4.2
intérprete[4a]		
interpreter		6.6
interrogar[3b]		
question (vb.)		2.9
interrogatorio		
questioning (n.)		3.7
cross-examination		12.9
interrumpir[1b]		
interrupt		2.3
interrupción[5a]		
interruption		6.3
intervalo[6b]		
interval		4.9
intervención[5a]		
intervention		8.4
intervenir[4a]		
(go) between		2.3
meddle		5.9
intestino		
bowel		6.4
intimar[4b]		
summon		2.7
hint		3.7
intimidad[4b]		
intimacy		6.8
intimidar		
-se, (lose) courage		2.
intimidate		10.2
íntimo[2a]		
intimate		3.2
intolerable[5b]		
intolerable		5.3
intrépido[5a]		
(be) brave		1.
fearless		6.3
intriga[6a]		
plot		3.9
intrigar		
(make) curious		2.9
intrincado[6b]		
involved		5.
introducción[4b]		
introduction		3.7
introducir[2a]		
introduce		2.7
intruso[6b]		
intruder		7.4
intuición		
intuition		9.4
inundar[3a]		
flood		4.7
inútil[1b]		
(of no) use		1.8
-mente, (in) vain		1.9
unnecessary		4.2
invadir[3a]		
invade		3.8
invariable[5b]		
constant		2.4
invasión[5b]		
attack (n.)		1.7
invasion		5.4
invencible[4b]		
invincible		7.3
invención[3b]		
invention		2.6
inventar[2b]		
invent		2.4
inventor[7a]		
inventor		4.8
invernal		
wintry		6.6
inverosímil[6a]		
incredible		5.4
improbable		7.9
inversión		
investment		4.8
inverso[7a]		
(wrong) side		1.7
invertir[6a]		
invert		3.9
investigación[5a]		
inquiry		3.5
investigar[6a]		
investigate		4.6
invicto[6b]		
unconquered		8.6
invierno[1b]		
winter		1.4
invisible[3b]		
invisible		3.7
invitación[7a]		
invitation		3.2
invitar[2b]		
invite		2.3
invocar[3b]		
call upon		1.5
involuntario		
involuntary		5.4
ir(se)[1a]		
drive (intr. vb.)		1.
go		1.
go away		1.
¡vamos!, come now!		1.4
– adelante		
go forward		1.4
– y venir, ply		3.4
– a lo largo de		
go along		4.1
ira[2a]		
anger		1.9
iracundo[4a]		
angry		2.4
iris[6b]		
rainbow		5.8
iris		7.
ironía[3a]		
irony		8.2
irónico[5a]		
ironical		8.5
irrazonable		
unreasonable		7.2
irregular[5b]		
irregular		5.
irremediable[6a]		
irreparable		9.9
irresistible[3a]		
irresistible		5.4
irresoluto		
irresolute		8.1
irritación		
irritation		5.4
irritar[3b]		
anger (vb.)		2.7
irritado, fretful		6.6
irrupción		
irruption		10.1
isla[1b]		
island		1.5
isleño		
islander		9.
istmo[6b]		
isthmus		5.8
italiano[2b]		
Italian		2.4
izquierdo[1b]		
left		1.

J

Spanish	English	Section
jabón[4b]		
soap		4.6
pastilla de –		
cake of soap		4.8
jacal		
wigwam		6.4
jadear		
pant		5.7
jalea		
jelly		6.1
jamás[1a]		
ever		1.
never		1.
jamón[3b]		
ham		5.7
japonés		
Japanese		6.8
jaqueca[5a]		
headache		6.6
jardín[1b]		
garden		1.4
jardinero[7a]		
gardener		5.8
jarra[7a]		
jar		5.4
jarro[5a]		
pitcher		5.6
jaula[6b]		
cage		5.5
jazmín[4b]		
jessamine		10.
jefatura		
leadership		4.6
jefe[2a]		
chief (n.)		1.5
jengibre		
ginger		6.8
jerga		
slang		8.2
jesuita[6a]		
Jesuit		9.
Jesús		
Christ		3.3
jícara[6a]		
cup		4.3
jinete[4b]		
horseman		2.8
jornada[2b]		
journey		1.
jornal[6b]		
wage (n.)		2.2
jornalero[5a]		
workman		2.5
jota[6b]		
dance		3.1
joven[1a]		
young		1.
joya[2b]		
gem		3.6
jewel		4.2
júbilo[5b]		
mirth		5.5
jubón[6b]		
bodice		9.6
judía[6b]		
bean		5.4
judicial[6a]		
judicial		8.8
judío[5a]		
Jew		3.5
Hebrew		4.3
juego[2a]		
game		1.5
– de campanas, chime		5.6
campo de -s		
playground		6.

402 SEMANTIC FREQUENCY LIST

jueves[5a]
    Thursday......... 2.7
juez[2a]
    judge............. 1.6
jugador[4b]
    player............ 6.
jugar[1b]
    play (vb.)......... 1.
juglar
    minstrel.......... 7.2
jugo[3b]
    juice............. 4.3
juguete[3b]
    toy............... 5.1
juguetón[6a]
    playful........... 7.4
juicio[1b]
    reason............ 1.4
    judgment.......... 1.5
    trial............. 2.
juicioso[6b]
    prudent........... 3.3
julio[3a]
    July.............. 2.2
jumento[7a]
    ass............... 3.9
junco[5a]
    reed.............. 3.4
junio[4a]
    June.............. 2.3
junta[3b]
    council........... 2.1
    committee......... 3.
juntar[1b]
    join.............. 1.
    bring together.... 2.6
junto[1a]
    – a, beside....... 1.
    near (adj. and adv.). 1.
    together.......... 1.
    -s, side by side.. 2.2
jurado
    jury.............. 5.
juramento[3a]
    oath.............. 4.6
    oath (blasphemy).. 4.8
jurar[1b]
    swear............. 2.7
jurisdicción[5b]
    territory......... 2.1
jurisprudencia
    jurisprudence..... 9.6
justicia[1b]
    justice........... 1.8
    fairness.......... 8.6
justiciero[6a]
    fair (adj.)....... 1.4
justificación
    justification..... 7.2
justificar[2b]
    justify........... 2.5
justo[1b]
    right (correct)... 1.
    fair (adj.)....... 1.4
    upright........... 3.8
juvenil[4a]
    youthful.......... 3.3
juventud[1b]
    youth............. 1.4
juzgar[1b]
    judge (vb.)....... 1.

K

kilogramo[6b]
    pound (n.)........ 1.6
kilómetro[3b]
    mile.............. 1.7

L

laberinto[6b]
    maze.............. 7.
labio[1b]
    lip............... 1.4
labor[2a]
    work (n.)......... 1.
    (a) work.......... 1.
    (piece of) work... 1.1
laborar[7a]
    work (vb.)........ 1.
laboratorio[5b]
    laboratory........ 5.5
laborioso[4b]
    industrious....... 3.2
labrador[2a]
    farmer............ 1.8
labranza[6b]
    farming........... 2.6
labrar[3a]
    work (vb.)........ 1.
labriego[4a]
    peasant........... 2.4
lácteo
    milky............. 7.2
ladera[6b]
    slope............. 3.6
lado[1a]
    al otro –
      (be) across...... 1.
    al – de, beside.. 1.
    side.............. 1.
    – superior
      top (side)....... 2.6
    a un –, aside.... 3.1
ladrar[5a]
    bark.............. 5.1
ladrillo[6a]
    brick............. 5.
ladrón[2a]
    thief............. 3.7
lagarto[6a]
    reptile........... 7.4
lago[2b]
    lake.............. 2.1
lágrima[1b]
    tear (n.)......... 1.
laguna[4a]
    pond.............. 2.7
laico
    lay (adj.)........ 4.2
lamentable[3a]
    grievous.......... 4.
lamentar[2b]
    mourn............. 1.9
    deplore........... 4.2
lamento[4a]
    lamentation....... 4.2
lamer
    lick.............. 6.2
lámina[3b]
    picture (n.)...... 1.1
    print (n.)........ 2.7
lámpara[3b]
    lamp.............. 2.5
lana[2b]
    wool.............. 2.8
    de –, wool....... 2.8
lance[2a]
    position.......... 1.5
lancha[4a]
    boat.............. 2.6
langosta[6b]
    locust............ 6.8
languidecer
    droop............. 4.4
    languish.......... 6.8

languidez
    languor........... 8.6
lánguido[6b]
    languid........... 7.4
lanza[3a]
    spear............. 3.2
lanzar[1b]
    throw............. 1.
    -se, dash (vb.)... 1.8
lápiz[6a]
    pencil............ 4.2
largo[1a]
    long (adj.)....... 1.
    length............ 1.7
    a lo – de, along. 2.2
    ir a lo – de, go along.. 4.1
lástima[2a]
    (too) bad......... 2.9
lastimar[4a]
    hurt (tr. vb.).... 1.8
lastimero[6b]
    pitiful........... 6.6
lastimoso[5b]
    pitiful........... 6.6
lata[6b]
    tin............... 4.
lateral[4b]
    side.............. 4.1
latido[6a]
    beating........... 4.6
látigo[5b]
    whip.............. 4.8
latín[3b]
    Latin............. 2.8
latino[2b]
    Latin............. 2.8
latir[5a]
    beat.............. 1.3
    howl (dog)........ 4.5
latitud[5a]
    width............. 3.4
laúd
    lute.............. 7.2
laudable[6b]
    laudable.......... 8.2
laurel[3a]
    laurel............ 5.1
lauro[5b]
    laurel............ 5.1
lavar[2a]
    wash (vb.)........ 2.6
    lavado, wash (n.). 3.3
lazo[2a]
    tie (n.).......... 1.6
    loop.............. 5.4
leal[3a]
    loyal............. 3.9
lealtad[4a]
    loyalty........... 3.6
lección[2b]
    lesson............ 1.2
lector[2a]
    reader (person)... 3.
lectura[2b]
    reading (n.)...... 1.6
leche[2b]
    milk.............. 2.5
lechería
    dairy............. 5.7
lechero
    milkman........... 10.6
lechoso
    milky............. 7.2
lecho[2a]
    bed............... 1.4

lechuga[7a]
    lettuce........... 7.1
leer[1a]
    read.............. 1.
legal[4b]
    lawful............ 3.
    legal............. 4.
    moneda –
      (legal) tender.... 4.8
    información –
      legal information. 5.3
legar[6b]
    leave............. 2.7
legión[5a]
    legion............ 5.8
legislación[6a]
    legislation....... 4.6
legislador[5a]
    legislator........ 6.3
legislatura
    legislature....... 5.2
legítimo[3a]
    lawful............ 3.
    legitimate........ 5.8
legua[2a]
    a –, far......... 1.
    mile.............. 1.7
legumbre[4a]
    vegetable......... 4.8
lejano[2a]
    far............... 1.
lejos[1a]
    away.............. 1.
    far............... 1.
lema[6b]
    device............ 4.2
lengua[1a]
    tongue (language). 1.
    tongue (part of
      mouth)........... 1.8
lenguaje[2b]
    language.......... 1.6
lente[3b]
    -s, glasses....... 4.2
lenteja[6b]
    bean.............. 5.4
lentejuela
    spangle........... 6.8
lentitud[6b]
    slowness.......... 10.5
lento[2a]
    slow.............. 1.2
leña[3b]
    wood.............. 1.5
leñador
    woodman........... 7.2
león[2b]
    lion.............. 2.5
lerdo[6b]
    dull.............. 3.5
letra[1a]
    letter............ 1.4
    al pie de la –
      word for word... 2.2
    hombre de -s, scholar. 2.3
letrado[5b]
    learned........... 1.6
    scholar........... 2.3
letrero[6a]
    label............. 5.2
levantar[1a]
    lift.............. 1.
    pick up........... 1.5
leva[2a]
    light (adj.)...... 1.
levita[5a]
    frock coat........ 6.1

INDEX TO SPANISH WORDS IN THE LIST

	Section
ley[1a]	
law	1.
proyecto de –	
draft of a bill	2.3
– comercial	
(commercial) law	3.2
– mercantil	
(commercial) law	3.2
-es de quiebra	
(regulations for)	
bankruptcy	6.5
fuera de –, lawless	6.5
leyenda[4a]	
legend	3.9
liberación	
deliverance	5.2
liberal[2b]	
liberal	2.9
libertad[1a]	
liberty	1.4
libertador[4b]	
deliverer	7.2
libertar[5a]	
free (vb.)	1.7
libra[2b]	
pound (n.)	1.6
librado (el)	
accepter	12.4
librar[1b]	
free (vb.)	1.7
libre[1a]	
free	1.
quit	4.6
librería[6a]	
book shop	4.2
librero[6b]	
bookseller	9.
libro[1a]	
book	1.
licencia[2b]	
leave	2.9
permission	3.3
license	4.6
licenciado[5b]	
graduate	6.1
lícito[4b]	
lawful	3.
licor[3b]	
liquor	4.3
lid[4a]	
fight (n.)	1.1
lidiar[4b]	
fight (vb.)	1.6
liebre[4b]	
hare	5.6
lienzo[3a]	
linen	3.6
liga[6a]	
league	2.8
garter	7.
ligar[3b]	
tie (vb.)	1.6
ligereza[3b]	
speed	2.5
lightness	7.5
frivolity	9.3
ligero[1b]	
light	1.
limitación[6b]	
limit (n.)	2.4
restraint	4.1
limitar[2a]	
limit (vb.)	1.6
límite[2a]	
limit	2.4
limón[5a]	
lemon	6.1

	Section
limonada	
lemonade	6.8
limosna[3a]	
alms	6.
limpiar[2b]	
clean (vb.)	2.2
límpido[6b]	
clear	1.
limpieza[4a]	
cleaning (n.)	3.
neatness	9.2
limpio[1b]	
clean	1.
neat	2.6
linaje[3b]	
race	3.2
lince[6b]	
observing (adj.)	2.6
lindero[6a]	
limit (n.)	2.4
lindo[2a]	
pretty (comely)	1.
línea[1b]	
line	1.
lino[7a]	
flax	6.3
linterna[4a]	
lantern	3.5
lío[6b]	
bundle	4.
liquidar	
pay off	4.9
líquido[2a]	
fluid (n.)	3.4
liquid (adj.)	3.4
lira[5b]	
lyre	6.9
lírico[4a]	
lyric	6.5
lirio[6a]	
lily	4.9
liso[4a]	
even (adj.)	2.4
lisonja[6b]	
flattery	6.6
lisonjero[3b]	
flattering	3.
lista[2b]	
– de platos	
bill of fare	2.1
list (n.)	2.9
stripe	3.6
listo[3b]	
ready	1.2
literario[2b]	
literary	3.3
literato[3b]	
author	1.9
literatura[2b]	
literature	2.9
litoral[5b]	
coast	1.4
litro[7a]	
quart	4.7
liviandad[6a]	
frivolity	9.3
liviano[5a]	
light (adj.)	1.
lívido[5b]	
pale	2.7
lo[1a]	
it	1.
lobo[4a]	
wolf	4.7
lóbrego[4b]	
dim	4.1

	Section
local[3b]	
place	1.
local	3.8
localidad[6a]	
place	1.
location	5.5
localización	
placing	4.
loco[1a]	
mad	2.7
locomotora[6a]	
locomotive	5.5
locura[2a]	
folly	3.2
lodo[4a]	
mud	4.8
lógica[4b]	
logic	6.2
lógico[4a]	
reasonable	3.4
logical	7.4
lograr[1b]	
get (obtain)	1.
loma[6a]	
hill	2.6
lomo[4a]	
back	1.4
loncha	
– de carne	
steak	6.8
longitud[4b]	
length	1.7
lonja[6b]	
market	1.7
lontananza[5b]	
en –, far	1.
loro[5a]	
parrot	6.5
losa[6a]	
slab	4.1
tile	5.8
lozanía[5b]	
vigor	4.
lozano[5a]	
sound	1.2
ruddy	5.3
lucero[4b]	
star	1.5
lúcido[4b]	
clear	2.
luciente[6a]	
bright	1.4
lucimiento[6b]	
success	1.5
lucir[2b]	
shine	1.6
lucha[2a]	
fight (n.)	1.1
struggle	1.9
luchar[2a]	
fight (vb.)	1.6
contest	3.2
wrestle	4.
luego[1a]	
(at) once	1.
so	1.
therefore	1.
hasta –, farewell	3.4
luengo[5a]	
long (adj.)	1.
lugar[1a]	
en primer –, (at) first	1.
en – de, instead (of)	1.
place	1.
room (space)	1.
en segundo –	
(in the) second	
place	2.3

	Section
lugar[1a]—continued	
en primer –	
(in the) first	
place	3.7
lúgubre[4b]	
dismal	3.9
lujo[3a]	
luxury	3.7
lujoso[4b]	
luxurious	6.6
lumbre[2b]	
fire	1.
luminoso[2b]	
bright	1.4
brilliant	2.9
luminous	4.2
luna[2a]	
moon	1.6
luz de la –	
moonlight	3.2
lunar	
mole	6.3
lunes[5b]	
Monday	3.3
luto[4a]	
mourning	3.1
luz[1a]	
light	1.
– de la luna	
moonlight	3.2
– solar, sunshine	3.2
– diurna, – de día	
daylight	4.6

LL

	Section
llaga[5b]	
sore	3.3
llama[2a]	
flame	2.
llamar[1a]	
call	1.
(what is your) name	1.
call forth	1.6
call back	2.6
knock	2.6
– con señas, beckon	4.3
llamear	
blaze	4.3
llano[2b]	
plain (n.)	1.6
llanto[2a]	
tear (n.)	1.
llanura[3a]	
plain (n.)	1.6
llave[2a]	
key	2.8
ama de -s	
housekeeper	6.2
llegada[2b]	
arrival	2.8
llegar[1a]	
– a ser, become	1.
arrive	1.4
lleno[1a]	
full	1.
crowded	5.4
llenar[1a]	
fill	1.4
llevar[1a]	
carry	1.
lead	1.
take away	1.
wear (clothes)	1.
volver a –	
carry back	3.2
llorar[1a]	
cry (vb.)	1.4
lloroso[5a]	
sad	1.4

	Section		Section		Section		Section
llover[3a]		maldad[3b]		manga[4a]		maravedí[6b]	
rain	4.2	evil (n.)	2.	sleeve	5.1	pound	1.
lluvia[2b]		maldecir+maldito[2a]		mango[6b]		maravilla[2a]	
rain (n.)	2.	curse	4.6	handle	3.1	wonder (n.)	1.7
shower (n.)	2.5	maldición[3a]		manguito		maravillar[5a]	
lluvioso[7a]		curse	3.5	muff	7.2	astonish	2.7
rainy	5.7	malentendido		manía[3b]		maravilloso[2b]	
		misunderstanding	6.	madness	4.1	wonderful	1.2

M

		malestar[6b]		manifestación[3b]		marca[4b]	
macizo[4b]		uneasiness	5.	statement	2.1	sign (n.)	1.1
solid	3.2	maleta[4b]		demonstration	6.2	brand	4.2
clump	4.8	bag	3.	manifestar[1b]		marcar[2a]	
machacar[4b]		bag (suitcase)	4.5	show (vb.)	1.	mark (vb.)	1.
crush	3.	maleza[5a]		manifest	3.1	marco[5a]	
macho[5a]		weed	5.3	manifiesto[4a]		frame (n.)	2.4
male	3.1	brushwood	9.8	manifiestamente		marcha[2b]	
madera[2b]		malicia[3a]		clearly	2.9	course	1.1
wood	1.5	tener –		manifest	4.2	march	1.5
de –, wood (adj.)	1.5	suspect (vb.)	2.8	manjar[3b]		walk	1.6
madero[6a]		malice	4.8	dish	1.8	pace (n.)	1.8
wood	1.5	malicioso[5a]		food	1.9	reducir la –, acortar la –	
beam	2.3	sly	4.2	mano[1a]		slow down	4.4
madrasta		maligno[6a]		hand (n.)	1.	marchar[1b]	
step-mother	7.8	bad	1.2	de propia – (with one's own) hand	3.	-se, go away	1.
madre[1a]		malograr[4b]				march (vb.)	1.4
mother	1.	-se, fail	2.6	manojo[5b]		marchitar[5a]	
madrileño[4a]		waste	4.2	handful	5.6	fade	4.9
English	1.	malsano		mansedumbre[6a]		marchito[5b]	
madrina[6b]		unhealthy	6.9	humility	5.4	fade	4.9
godmother	6.8	maltratar[4b]		mansión[4a]		marea[6b]	
madrugada[4b]		abuse	4.3	palace	2.3	tide	3.4
dawn	3.5	malvado[5a]		mansion	3.7	marear[6a]	
madrugar[4a]		bad	1.2	manso[3b]		mareado, dizzy	6.4
get up early	3.	knave	4.5	gentle	1.4	mareo[4a]	
madurar[4a]		villain	5.	manta[5a]		(sea) sickness	4.9
(get) ripe	3.4	malvenido		blanket	4.	marfil[4b]	
madurez		unwelcome	7.2	manteca, mantequilla[3a]		ivory	5.6
maturity	7.8	malla[5b]		fat	2.6	margen[3a]	
maduro[4b]		net	3.1	butter	3.5	margin	3.9
ripe	2.9	web	3.4	mantel[6a]		marido[1a]	
mature	4.	-s, tights	5.1	table-cloth	9.1	husband	1.
maestro[1b]		mamá[3b]		alzar los -es clear (table)	4.3	marina[5a]	
teacher	1.	mamma	2.9			shipping	3.
obra maestra masterpiece	6.4	mamar[6b]		mantener[1b]		navy	3.6
		suck	6.	maintain (keep up)	1.5	marinero[2b]	
mágico[2b]		manantial[4b]		maintain (affirm)	3.5	sailor	2.9
poder –, magic	3.5	spring	1.7	mantilla[5a]		marino[3a]	
magnético[6a]		manar[6b]		veil	3.4	sailor	2.9
magnetic	7.4	gush	4.5	manto[2b]		mariner	5.8
magistrado[5a]		mancebo[4b]		cloak	4.8	mariposa[4a]	
magistrate	4.	boy	1.4	manual[5b]		butterfly	5.2
magnificencia[6a]		mancilla[6b]		manual (textbook)	6.5	mariscal[7a]	
splendor	3.6	spot	2.2	manual (adj.)	7.3	marshal	4.2
magnífico[2a]		mancha[3a]		manuscrito[6a]		marítimo[5a]	
fine	1.1	spot	2.2	manuscript	5.8	sea (adj.)	3.
magnificent	3.5	manchar[2b]		manzana[4b]		marmita	
magnitud[6b]		spot	4.4	apple	3.5	kettle	4.8
amount	1.	manchego[6b]		manzano		mármol[3a]	
mago[6b]		English	1.	apple tree	5.	marble	3.8
wizard	6.2	mandamiento[6b]		maña[4b]		marqués[2b]	
magro[7b]		order	1.	skill	3.	marquis	6.9
thin	2.	writ	5.9	trick	3.2	martes[5b]	
maíz[4a]		mandar[1a]		mañana[1a]		Tuesday	3.7
corn	4.8	send	1.	morning	1.	martillo[4a]	
majadero[5a]		command (vb.)	1.5	tomorrow	1.4	hammer	4.8
foolish	2.8	mandato[4a]		pasado – day after tomorrow	4.3	mártir[4a]	
majestad[1b]		order	1.			martyr	3.1
majesty	2.5	mando[3b]		mapa[5b]		martirio[3a]	
majestuoso[3b]		command (n.)	2.3	map	1.9	torture	3.9
grand	2.3	manejar[3b]		máquina[2a]		martyrdom	7.3
mal(o) (adj. and adv.)[1a]		drive (car, etc.)	1.	machine	2.	marzo[4b]	
bad	1.	handle	3.9	– de escribir typewriter	5.6	March	1.9
wrong (adj.)	1.	manejo[5a]				mas, más[1a]	
naughty	2.3	direction	1.8	maquinalmente mechanically	5.2	but	1.
mal (n.)[2a]		manera[1a]				more	1.
disease	1.6	de ninguna – (not at) all	1.	mar[1a]		lo –, most	1.
damage (n.)	2.4	way	1.	sea	1.		
wrong	3.2						

INDEX TO SPANISH WORDS IN THE LIST

	Section
mas, más[1a]—*continued*	
más .... más	
the .... the	1.
más allá de	
beyond (*prep.*)	1.5
más allá, beyond (*adv.*)	1.8
tanto más	
(so) much (the more)	3.6
plus	6.7
masa[2a]	
mass	1.6
dough	6.2
mascar[6a]	
chew	6.8
máscara[5b]	
mask	4.5
mástil[6b]	
mast	5.6
mata[4b]	
plant (*n.*)	1.5
bush	4.9
matanza[6b]	
slaughter	5.9
matar[1a]	
kill	1.4
mate[6b]	
dull	3.9
matemáticas[5b]	
mathematics	6.7
matemático[5b]	
mathematical	8.3
materia[1b]	
matter	1.1
material[2a]	
cloth	1.3
real	1.9
material (*n.*)	2.
material (*adj.*)	2.
maternal[4b]	
mother (*adj.*)	4.1
materno[7a]	
mother (*adj.*)	4.1
matinal[6a]	
morning	3.1
matiz[3a]	
shade	2.9
matorral[7a]	
heath	5.3
thicket	6.
matrimonio[2a]	
marriage	2.4
de –, bridal	6.2
matriz[5a]	
womb	4.9
matrona	
matron	6.5
maullar	
mew	6.4
máxima[5b]	
rule (*n.*)	1.1
máximo[5a]	
chief	1.
maximum	7.4
mayo[2a]	
May	1.2
mayor[1a]	
chief	1.
estado –, staff	3.1
senior	4.8
mayoral[6b]	
driver	4.4
mayordomo[6b]	
director	2.8
mayoría[3a]	
majority	2.6
estar en –	
(be in the) majority	3.8

	Section
mecánicamente	
mechanically	5.2
mecánico[4a]	
mechanic	3.5
mecanismo[6b]	
mechanism	7.2
mecer[4a]	
roll (*vb.*)	2.2
rock (*vb.*)	2.9
swing (*vb.*)	3.
mechón	
lock	5.3
tuft	6.
medalla[4b]	
medal	4.4
media[3b]	
(on the) average	3.2
stocking	4.4
mediados[6b]	
middle	1.5
medianía	
mediocrity	10.5
mediano[4a]	
moderate	3.
mediante[4a]	
through (agent)	1.
(by) means (of)	2.5
mediar[3a]	
(go) between	2.3
medicina[3a]	
medicine	3.4
médico[2a]	
doctor	1.
medical	5.1
medida[1b]	
a – que	
as (e.g., I was walking)	1.
measure	1.
standard (*n.*)	2.2
medio[1a]	
center	1.
half (*adj.*)	1.
means (*n.*)	1.
media hora, half hour	1.5
average (*adj.*)	1.8
edad media	
middle ages	2.2
media noche	
midnight	2.4
(on the) average	3.2
mediocre[6b]	
mediocre	11.3
mediocridad	
mediocrity	10.5
mediodía[3a]	
noon	2.1
south	2.2
medir[2a]	
measure (*vb.*)	2.
meditación[4b]	
meditation	5.1
meditar[3a]	
brood	3.9
medrar[5a]	
flourish	4.1
medroso[3b]	
cowardly	4.6
médula[6a]	
essence	5.7
mejicano[4a]	
Mexican	6.8
mejilla[3a]	
cheek	2.5
mejor[1a]	
el –, best	1.
better	1.
mejora	
improvement	3.6

	Section
mejorar[2a]	
improve (*intr. vb.*)	2.4
improve (*tr. vb.*)	3.5
melancolía[3b]	
melancholy (*n.*)	5.
melancólico[3b]	
sad	1.4
melancholy (*adj.*)	5.
melena[4a]	
mane	6.4
melindre[6b]	
cake	4.7
melocotón	
peach	5.8
melodía[5b]	
air	3.
melón[5a]	
melon	6.9
meloso	
mawkish	11.
memorable[5b]	
memorable	7.
memoria[1a]	
memory	1.8
de –, (by) heart	3.
theme	3.2
mención[4b]	
mention	3.6
mencionar[4a]	
mention (*vb.*)	2.2
mendigo[3b]	
beggar	4.
mendrugo[6b]	
piece	1.
menear[3b]	
shake	2.2
menester[2a]	
need (*n.*)	1.
haber –, need (*vb.*)	1.
menesteroso[6b]	
needy	6.
mengua[6a]	
decrease	4.7
menguar[3b]	
reduce	3.5
menor[6a]	
less	1.
minor	4.4
vender al (por) –	
retail	6.3
menos[1a]	
least	1.
a lo –, al –, (at) least	1.
less	1.
echar de –, miss (*vb.*)	1.
except	1.1
a – que, unless	1.4
menoscabar[6a]	
mar	5.2
mensajero[5b]	
messenger	2.5
mensual[6b]	
monthly	5.8
menta	
mint	7.2
mental[3a]	
mental	3.6
mente[2b]	
mind	1.1
mentir[2a]	
(tell) lie	3.
mentira[1b]	
lie (*n.*)	2.
mentiroso[5b]	
liar	6.1
menú	
bill of fare	2.1

	Section
menudo[2a]	
little	1.
a –, often	1.
mercader[4a]	
merchant	2.2
mercado[3b]	
market	1.7
mercancía[4a]	
goods	1.5
mercantil[6a]	
commercial	2.8
ley –	
(commercial) law	3.2
trade	4.6
merced[1b]	
favor (*n.*)	1.4
mercurio[6a]	
mercury	6.6
merecer[1a]	
(be) worth	1.
deserve	1.5
merecimiento[4b]	
value	1.
meridiano	
meridian	7.2
meridional[4b]	
southern	2.3
merienda[7a]	
– campestre, picnic	6.3
mérito[2a]	
value	1.
meritorio[6b]	
worthy	1.8
laudable	8.2
mermar[7a]	
cut off	2.8
mero[5a]	
only	1.
mes[1a]	
month	1.
mesa[1a]	
table	1.
poner la –, set (table)	1.1
quitar la –	
clear (table)	4.3
meseta[5a]	
plateau	6.
mesón[7a]	
inn	4.2
mestizo[5b]	
(half) caste	7.7
mesura[6b]	
dignity	2.6
metal[2b]	
metal	2.1
metálico[4b]	
metal	4.8
meteoro	
meteor	7.2
meter[1a]	
place (*vb.*)	1.
meticuloso	
conscientious	6.4
metódico	
systematic	6.9
método[3a]	
method	2.5
metro[3a]	
yard	1.3
metrópoli[6b]	
metropolis	4.8
mezcla[4a]	
mixture	3.9
mezclar[1b]	
mix	2.2
mezquino[4b]	
mean	1.5
petty	4.5

		Section
mi, mí[1a]		
	my	1.
miedo[1b]		
	tener –, (be) afraid	1.
	fear	1.4
miel[2b]		
	honey	3.9
miembro[2b]		
	member	1.1
	limb	†2.
mientras[1a]		
	the .... the	1.
	while	1.
	– tanto, meanwhile	2.8
miércoles		
	Wednesday	4.3
mies[6a]		
	crop	2.7
miga[4a]		
	crumb	5.8
mil[1]*		
	thousand	1.4
milagro[2b]		
	wonder (n.)	1.7
	miracle	2.9
milenario		
	millennium	8.8
milicia[7a]		
	militia	6.3
militar[2a]		
	soldier	1.
	military	2.4
mil millones		
	billion	9.2
milla[7a]		
	mile	1.7
millar[6b]		
	thousand	1.4
millón[1]*		
	million	1.4
millonario[5b]		
	millionaire	6.9
mimar[3b]		
	spoil	4.6
mimbre[6a]		
	willow	5.6
mimo[6b]		
	caress	6.2
mina[3b]		
	mine	2.6
mineral[5a]		
	mineral	6.1
minero[7a]		
	miner	4.7
miniatura		
	miniature	7.7
mínimo[4a]		
	minimum	7.4
ministerio[4b]		
	ministry	3.4
ministro[1b]		
	minister	1.5
	– de Estado secretary of state	3.9
minoría		
	minority	7.7
minucioso[3b]		
	thorough	2.
	minute	3.1
minuto[2a]		
	minute (n.)	1.5
mío[1a]		
	mine	1.1
mira[4a]		
	estar a la – watch (vb.)	1.

		Section
mirada[1b]		
	look (n.)	1.
	clavar la –, peer	3.5
miramiento[6b]		
	care	1.
mirar (vb.)[1a]		
	look at	1.
mirar (n.)[5b]		
	look	1.
mirlo[7b]		
	blackbird	6.7
mirto		
	myrtle	7.2
misa[1b]		
	mass	2.7
miserable[1b]		
	miserable	2.7
miseria[1b]		
	misery	2.7
misericordia[2b]		
	mercy	2.
	pity (n.)	2.4
misericordioso[6a]		
	merciful	4.2
mísero[3a]		
	miserable	2.7
misión[3a]		
	mission	4.1
misionero		
	missionary	7.2
mismo[1a]		
	ahora –, ya –, (at) once	1.
	same	1.
	yo –, myself	1.3
	él –, himself	1.4
	ellos -s, themselves	1.4
	el –, itself	1.5
	ella misma, herself	1.7
	usted –, yourself	2.1
misterio[2a]		
	mystery	2.4
misterioso[2a]		
	mysterious	3.5
místico[4a]		
	mystic	6.9
mitad[1b]		
	half (n.)	1.
mitra		
	mitre	7.2
mixto[5a]		
	mix	2.2
mocedad[4a]		
	youth	1.4
moda[3a]		
	fashion	2.8
	a la –, fashionable	6.
modelo[2b]		
	model	2.
moderación[5b]		
	moderation (temperateness)	3.8
	moderation (diminution)	5.8
moderar+moderado[3b]		
	moderate (adj.)	3.
	moderate (vb.)	4.2
moderno[1b]		
	modern	1.8
modestia[3b]		
	modesty	4.7
modesto[2b]		
	modest	2.4
modificación[4b]		
	change (n.)	1.5
modificar[3a]		
	change (vb.)	1.4
modista[6b]		
	dressmaker	8.4

		Section
modo[1a]		
	de ningún – (not at) all	1.
	de todos -s (in any) case	1.
	way	1.
	mode	2.2
	de todos -s, anyhow	4.2
modular[6b]		
	transform	2.8
mohín[6b]		
	face	1.8
mohino[5b]		
	sullen	5.8
	estar –, sulk	10.1
moho		
	rust	5.2
mojar[3a]		
	mojado, wet (adj.)	2.9
	wet (vb.)	2.9
molde[3b]		
	mould	3.1
moldura[6a]		
	moulding	6.2
mole[6a]		
	mass	1.6
moler[3a]		
	grind	5.1
molestar[2a]		
	trouble (vb.)	1.5
	vex	4.1
	tease	5.9
molestia[3b]		
	trouble	1.
molesto[4a]		
	vexing	3.8
molinero[5b]		
	miller	6.1
molino[2b]		
	mill	3.
	– de viento, windmill	5.4
momentáneo[6b]		
	immediate	2.8
	momentary	7.2
momento[1a]		
	moment	1.
	while (n.)	1.8
monarca[3a]		
	monarch	3.3
monarquía		
	monarchy	5.6
monasterio[5a]		
	convent	3.8
moneda[2b]		
	coin	1.9
	– legal (legal) tender	4.8
	currency	4.9
monje[3a]		
	monk	4.7
	monja, nun	6.3
mono[4a]		
	monkey	5.6
monólogo[6b]		
	monologue	11.
monopolio		
	monopoly	7.3
monosílabo[5b]		
	monosyllable	10.5
monotonía		
	monotony	8.1
monótono[5a]		
	monotonous	6.8
monstruo[2b]		
	monster	4.1
monstruoso[4a]		
	monstrous	4.7

		Section
montaje		
	set-up (n.)	10.6
montaña[1b]		
	mountain	1.5
montañoso[7b]		
	mountainous	6.7
montar[2a]		
	– a caballo ride (horse)	1.5
monte[1b]		
	forest	1.
	mountain	1.5
montera[6b]		
	cap	3.8
montón[3a]		
	mass	1.6
monumental		
	monumental	7.8
monumento[2b]		
	monument	2.5
moño[6a]		
	knot	5.
mora[6b]		
	berry	4.9
morada[3b]		
	dwelling	2.3
morador[4b]		
	inhabitant	3.2
moral[1b]		
	moral	2.3
	morals	3.6
moralidad[5b]		
	morals	3.6
moralista[5b]		
	moralist	8.6
morar[5b]		
	live	1.1
morboso		
	morbid	7.6
morder[2b]		
	bite	3.7
moreno[3a]		
	brown	2.5
moribundo[5a]		
	dying	4.5
morir[1a]		
	die (vb.)	1.
	muerto, dead	1.4
morisco[6b]		
	Moor	5.8
moro[2b]		
	Moor	5.8
mortaja[6b]		
	shroud	6.6
mortal[2a]		
	mortal (deadly)	2.9
	mortal (susceptible to death)	3.7
mortificar[5a]		
	vex	4.1
mosca[3a]		
	fly	4.2
mosquito[4b]		
	mosquito	7.2
mostrador[6a]		
	counter	6.3
mostrar[1a]		
	show (vb.)	1.
mote[6b]		
	device	4.2
	nickname	8.6
motín		
	riot	4.6
motivar[5a]		
	cause (vb.)	1.
	(give) rise	2.3

INDEX TO SPANISH WORDS IN THE LIST 407

	Section
motivo[1b]	
cause	1.
motive	4.
mover[1a]	
move	1.1
movible[5b]	
movable	3.9
moviente	
moving	2.2
móvil[4b]	
movable	3.9
motive	4.
movilización	
mobilization	12.
movilizar	
mobilize	11.4
movimiento[1a]	
motion	1.4
mozo[1b]	
young	1.
boy	1.4
– de cuerda, porter	3.3
muchacho[1a]	
muchacha, girl	1.
boy	1.4
muchedumbre[2b]	
crowd	1.
mucho[1a]	
– tiempo, long (adv.)	1.
-s, many	1.
much	1.
mudanza[4b]	
change (n.)	1.5
change (conversion)	2.9
mudar[2a]	
change (vb.)	1.4
-se, move	1.5
mudo[2b]	
silent	1.5
dumb	2.9
mueble[2b]	
-s, furniture	4.4
mueca[6b]	
face	1.8
muela[6b]	
tooth	2.3
muelle[3b]	
soft	1.5
spring (n.)	1.8
tender (adj.)	2.3
dock	5.4
muerte[1a]	
death	1.
muestra[2b]	
sample	2.7
mugre	
dirt	6.
mujer[1a]	
wife	1.
woman	1.
mula[4a]	
mule	6.
mulato[6a]	
(half) caste	7.7
muleta[5b]	
crutch	6.5
multa[7a]	
fine (n.)	2.5
múltiple[4b]	
manifold	4.4
multiple	4.8
multiplicación[6b]	
multiplication	7.
multiplicar[3a]	
multiply	5.1
multiplicidad[6b]	
multiplicity	9.
multitud[2b]	
crowd	1.

	Section
mundano[6a]	
worldly	4.6
mundial	
world	4.9
mundo[1a]	
world	1.
todo el –, everybody	2.2
municiones	
ammunition	5.6
municipal[4a]	
city (adj.)	2.3
muñeca[4a]	
doll	4.9
wrist	6.1
muralla[3b]	
wall	1.7
murmullo[5b]	
murmur	4.8
murmuración[5b]	
gossip	6.6
murmurar[2a]	
murmur (vb.)	2.9
whisper	3.1
muro[3a]	
wall (in a room)	1.4
wall (of city, etc.)	1.7
musa[4a]	
muse	4.6
músculo	
muscle	5.6
museo[4b]	
museum	4.
musgo	
moss	5.8
música[1b]	
music	1.5
musical[6a]	
musical	5.8
músico[4b]	
musical	3.6
musician	4.8
muslo	
thigh	5.2
mustio[5a]	
fade	4.9
musulmán	
Mussulman	9.8
mutuo[2b]	
mutual	3.1
muy[1a]	
very	1.

N

	Section
nabo[7a]	
turnip	6.7
nácar[3b]	
mother-of-pearl	12.7
nacer + nacido[1a]	
(be) born	1.
come from	1.
born of	1.4
naciente[6b]	
rising	1.3
nacimiento[3b]	
birth	2.5
nación[1b]	
nation	1.1
nacional[2a]	
national	2.
nacionalidad[6a]	
nationality	5.5
nacionalización	
nationalization	12.4
nada[1a]	
– de eso, (not at) all	1.
– de, none	1.

	Section
nada[1a]—continued	
nothing	1.
nought	3.
nadar[4a]	
swim	3.6
nadie[1a]	
no one	1.
naranja[4a]	
orange	5.2
naranjo[5a]	
orange tree	5.
nariz[3a]	
nose	1.7
nostril	5.7
narración[4a]	
account	1.5
narrar[6b]	
tell	1.
nata[6b]	
cream	5.1
natal[4b]	
native	3.2
pueblo –, ciudad – (home) town	3.3
nativo[6b]	
native (adj.)	3.2
native (n.)	3.7
natural[1a]	
-mente, (of) course	1.
natural	1.
naturaleza[1a]	
nature	1.
naturalidad[4a]	
naturalness	12.1
naturalista[6a]	
naturalist	7.4
naufragar[7a]	
shipwreck	6.9
naufragio[5a]	
shipwreck	6.9
náufrago[5a]	
shipwrecked man	6.9
navaja	
razor	7.2
naval[6b]	
naval	5.2
navarro[6b]	
English	1.
nave[3b]	
ship	1.3
navegable	
navigable	7.2
navegación[5a]	
journey	1.
shipping	3.
navegante[4b]	
navigator	7.6
navegar[4a]	
steer	3.9
navidad[6b]	
Christmas	4.2
navío[5a]	
ship	1.3
necedad[5a]	
nonsense	5.
necesario[1a]	
necessary	1.
no es –, unnecessary	4.2
necesidad[1a]	
need (n.)	1.
necessity	2.3
necesitar[1a]	
need (vb.)	1.
(make) necessary	1.8
necio[2a]	
fool	2.4
negar[1a]	
deny	2.4

	Section
negativa[6a]	
refusal	5.7
negativo[3b]	
negative	4.8
negociación[7b]	
dealing (n.)	3.
negociante[6a]	
business man	1.4
negociar[6b]	
trade (vb.)	2.4
negocio[1b]	
business	1.
hombre de -s business man	1.4
negro[1a]	
black	1.
negro	3.8
nervio[3a]	
nerve	3.5
nervioso[2b]	
nervous	4.4
neutral	
neutral	7.6
nevado	
snowy	6.6
nevar[5b]	
snow	4.9
ni[1a]	
ni .... ni neither .... nor	1.
– el uno – el otro neither (one)	1.
nido[2b]	
nest	3.3
niebla + neblina[4a]	
mist	3.1
nieto[2b]	
grandson	4.7
nieve[2b]	
snow (n.)	2.
ninfa[4b]	
nymph	6.4
ningúno[1a]	
de ningun modo, de ninguna manera, forma (not at) all	1.
no (adj.)	1.
ningun, none	1.
en ninguna parte nowhere	3.4
niñez[4a]	
childhood	3.3
niño[1a]	
child	1.
cuarto de los -s nursery	5.8
nivel[3b]	
level (n.)	1.9
nivelar	
even off	4.2
no[1a]	
no	1.
ya –, no longer	1.
not	1.
– bien (no) sooner .... than	1.
– tener razón (be) wrong	1.4
– común, – usual unusual	2.6
– enviar, (not) envy	3.5
– es necesario unnecessary	4.2
noble[1a]	
noble	1.4
peer	2.6
nobleza[2b]	
nobility	3.7

	Section		Section		Section		Section
noción[4a]		nudo[3b]		obligatorio[7a]		ocupar[1a]	
idea	1.4	knot	4.4	required	3.1	ocupado, busy	1.
nocivo[6b]		nuestro (*adj.*)[1*]		obra[1a]		-se, care about	1.8
injurious	4.3	our	1.	work (*n.*)	1.	-se, (be) engaged	1.9
nocturno[3b]		nuestro (*pron.*)[4*]		(a) work	1.	ocurrencia[4a]	
night	3.3	ours	3.9	– de arte		event	2.
noche[1a]		nueva[5a]		work of art	1.8	ocurrir[1b]	
night	1.	news	1.4	– maestra		happen	1.
esta –, tonight	1.4	nueve[2*]		masterpiece	6.4	(take) place	1.
de –, (at) night	2.2	nine	2.4	obrar[2b]		ochenta[5*]	
media –, midnight	2.4	nuevo[1a]		act (take action)	1.	eighty	5.3
cada –, todas las -s		de –, again	1.	obrero[3a]		ocho[1*]	
nightly	3.	new	1.	worker	2.2	eight	1.4
nodriza[5b]		vispera de Año Nuevo		obscurecer[3b]		odiar[3b]	
wet-nurse	12.9	(New Year's) Eve	3.8	(grow) dark	4.5	hate	2.5
nombradía[5b]		nuez[5b]		obscure	6.	odio[2a]	
fame	2.3	nut	5.1	obscuridad[2a]		hate (*n.*)	2.4
nombramiento[5a]		walnut	6.3	darkness	2.9	odioso[4a]	
appointment (to		nulidad		obscuro[1a]		hateful	4.7
something)	4.5	nonentity	10.6	dark	1.	oeste[6a]	
nomination	4.9	nulo[5b]		obsequiar[4b]		west	1.9
nombrar[1b]		void	5.4	present (*vb.*)	1.4	ofender[1b]	
(give) name (to)	1.	número[1a]		obsequio[4a]		offend	2.8
name (appoint)	1.	number (quantity)	1.	courtesy	4.7	ofensa[4b]	
nombre[1a]		figure	1.1	treat	4.9	offense	3.8
name (*n.*)	1.	number (digit)	2.4	observación[2a]		ofensivo[7a]	
sin –, nameless	5.8	numeroso[2a]		observation	2.4	offensive	5.7
normal[4a]		numerous	1.5	remark (*n.*)	2.4	oferta[6b]	
normal	3.9	nunca[1a]		observador[4b]		offer	3.6
noroeste		ever	1.	observing (*adj.*)	2.6	supply	3.7
northwest	6.8	never	1.	observer	5.4	oficial[2a]	
norte[2a]		nuncio[6a]		observar[1b]		officer	1.2
north	1.6	messenger	2.5	watch (*vb.*)	1.	official (*adj.*)	2.8
northern	2.	nupcias[6b]		observe	1.4	oficina[4a]	
nosotros[1*]		wedding	3.4	obstáculo[3a]		office	2.9
we	1.	nutrición		bar	2.1	oficio[1b]	
nota[1b]		feeding	4.2	obstacle	3.4	office	1.4
note (*n.*)	1.9	nourishment	5.6	obstante[2b]		(divine) service	2.3
notable[2a]		nutrir[4b]		no –, however	1.	ofrecer[1a]	
remarkable	2.4	nourish	3.2	obstinación[6a]		offer	1.
notar[1b]				obstinacy	7.2	ofrecimiento[5b]	
notice (*vb.*)	1.4			obstinarse + obstinado[3a]		offer	3.6
observe	1.4	**O**		persist	3.8	ofrenda[4b]	
note (*vb.*)	1.9	o[1a]		stubborn	4.1	present	1.7
notario		either (*conj.*)	1.	obstruir		offering	3.8
public trustee	7.6	el uno – el otro		block up	4.	oído[1b]	
noticia[1b]		either (one)	1.	obtener[2a]		ear	1.5
-s, news	1.4	or	1.	get (obtain)	1.	ear (hearing)	3.3
sin – de, unknown	2.2	¡o!, O	1.2	ocasión[1a]		oír[1a]	
notificar[6a]		oasis[6b]		chance	1.	hear	1.
(let) know	1.	oasis	7.	ocasional		ojalá[4b]	
(give) notice (of)	1.4	obedecer[1b]		occasional	3.7	God grant	1.
notorio[4a]		obey	2.2	ocasionar[2b]		ojeada[6b]	
known	1.1	obediencia[4b]		cause (*vb.*)	1.	look	1.
novedad[3b]		obedience	6.	ocaso[5a]		ojo[1a]	
novelty	4.3	obediente[5a]		sunset	5.3	eye	1.
novela[2b]		obedient	3.2	occidental[5a]		en un abrir y cerrar	
novel (*n.*)	2.9	obelisco[6b]		western	2.4	de -s	
novelista[5b]		obelisk	9.	occidente[4b]		(in a) moment	1.5
author	1.9	obispo[2b]		west	1.9	ola[2b]	
novelist	7.9	bishop	3.3	océano[3a]		wave (*n.*)	2.9
noveno[5*]		objeción[6b]		ocean	3.6	oleaje[6b]	
ninth	4.7	hacer –, object (*vb.*)	1.9	ocio[5a]		wave (*n.*)	2.9
noventa[6*]		objection	4.4	leisure	4.8	oler[2b]	
ninety	5.8	objetivo[4b]		idleness	6.5	smell	3.5
noviembre[4b]		purpose	1.	ocioso[3b]		olfato[7a]	
November	2.3	objeto[1a]		idle	3.7	smell (*n.*)	2.8
novio[2a]		thing	1.	octavo[4*]		oliva[6a]	
novia, bride	1.6	– de arte		eighth	4.1	olive	5.8
engaged	2.5	work of art	1.8	octubre[5a]		olivo[5b]	
groom	4.6	oblicuo		October	2.4	olive tree	5.7
nube[1b]		oblique	6.2	ocultar[2a]		olor[2a]	
cloud	1.9	obligación[2a]		hide	1.	smell (*n.*)	2.8
nublado[6b]		obligation	4.	oculto[2a]		oloroso[4b]	
cloudy	5.8	obligar[1a]		hide	1.	fragrant	5.5
núcleo[5b]		force	1.	ocupación[2a]		olvidar[1a]	
nucleus	4.9	obligado		occupation	2.4	forget	1.
		forced (*adj.*)	1.1				

INDEX TO SPANISH WORDS IN THE LIST

	Section
olvido[2b]	
dar al –, forget	1.
forgetfulness	6.5
olla[5a]	
pot	2.3
omisión[6b]	
omission	7.
omitir[5a]	
omit	4.4
ómnibus	
bus	8.1
omnipotente[6b]	
almighty	5.1
once[3*]	
eleven	2.9
onceno	
eleventh	7.2
onda[3a]	
wave (n.)	2.9
ondulación[6b]	
wave	3.8
ondular[5b]	
ripple	5.
onza[3b]	
ounce	4.7
opaco[6b]	
opaque	7.8
ópera	
opera	4.5
operación[2b]	
operation (general)	2.4
(surgical) operation	3.6
operar[5b]	
operate	3.6
opinar[3b]	
opinion	1.4
opinión[1b]	
opinion	1.4
oponer + opuesto[1b]	
opposite (adv.)	1.4
object (vb.)	1.9
oppose	2.3
oportunidad[3b]	
chance	1.
oportuno[2b]	
opportune	7.4
oposición[3b]	
opposition	3.
opresión[5a]	
oppression	3.5
oprimir[2b]	
oppress	5.8
oprobio[6a]	
infamy	7.6
óptico[6b]	
optic	7.8
optimismo	
optimism	9.7
optimista	
hopeful	6.9
optimistic	10.9
opulencia[6a]	
wealth	1.5
opulento[3b]	
rich	1.
ora[5b]	
now .... now	1.5
oración[1b]	
prayer	2.3
oration	3.5
oráculo	
oracle	6.8
orador[3b]	
speaker	3.1
orar[5b]	
pray	2.2

	Section
oratoria[6b]	
oratory	8.6
orbe[3b]	
globe (earth)	3.3
órbita[7a]	
socket	5.5
orden[1a]	
order	1.
ordenanza[5b]	
rule (n.)	1.1
ordenar[1b]	
(put in) order	1.4
command (vb.)	1.5
order (vb.)	1.5
ordenado, neat	2.6
ordinario[2a]	
coarse	2.9
oreja[2b]	
ear	1.5
orgánico[4b]	
organic	4.5
organismo[5b]	
organization	3.5
organism	4.8
organización[4a]	
arrangement	2.4
organization	3.5
organizador[6b]	
organizer	11.
organizar[3b]	
organize	3.7
órgano[3a]	
organ	2.2
orgía[5b]	
drunken revel	5.8
orgullo[2a]	
pride	2.4
orgulloso[3a]	
proud	1.6
haughty	4.7
oriental[3b]	
eastern	2.7
orientarse	
orient	4.9
oriente[3a]	
east	2.
orificio[7b]	
opening (n.)	2.3
origen[1b]	
source	2.7
original[2b]	
original (primary)	2.3
queer person	3.3
(an) original (idea)	4.1
originalidad	
originality	6.8
originar[3b]	
come from	1.
orilla[2a]	
bank	1.5
edge	1.5
orín	
rust	5.2
ornar[5b]	
trim	2.4
oro[1a]	
gold	1.
de –, golden	1.4
patrón – (gold) standard	3.1
orquesta[6b]	
orchestra	5.5
ortografía[7b]	
spelling	5.3
oruga	
caterpillar	7.2
osadía[6b]	
boldness	4.7

	Section
osar[2b]	
dare	1.
oso[7b]	
bear	4.5
ostentación[6a]	
ostentation	9.
ostentar[3a]	
boast (vb.)	2.2
ostra[6a]	
oyster	6.2
otero[6a]	
hill	2.6
knoll	5.2
otoño[4a]	
fall (n.)	2.3
otorgar[3b]	
grant (vb.)	1.
otro[1a]	
al – lado, (be) across	1.
otra vez, again	1.
another	1.
el uno al – each other	1.
el uno o el – either (one)	1.
ni el uno ni el – neither (one)	1.
other	1.
por otra parte (in) addition	1.4
por otra parte (on the other) hand	1.4
en alguna otra parte somewhere else	3.4
oveja[3b]	
sheep	3.
oxígeno	
oxygen	5.6
oyente[6a]	
audience	4.3

P

	Section
pabellón[4b]	
flag	2.6
pavilion	6.4
pacer[6b]	
graze	5.
paciencia[2a]	
patience	2.8
paciente[4b]	
patient (n.)	2.5
(be) patient	3.8
pacífico[2b]	
peaceful	2.9
pacto[4b]	
contract (n.)	2.3
padecer[2a]	
suffer	1.
padecimiento[5b]	
suffering	4.5
padre[1a]	
father	1.
-s, parents	1.8
padrino[4a]	
patron	4.
godfather	8.6
paga[5b]	
wage (n.)	2.2
pagano[7a]	
heathen	4.8
pagar[1a]	
pay	1.
repay	5.
página[2a]	
page	1.2
pago[3a]	
payment	2.5

	Section
país[1a]	
country (geographical)	1.
– de las hadas fairyland	6.2
paisaje[2b]	
landscape	3.2
paisano[4b]	
(fellow) countryman	4.7
paja[3b]	
straw	3.7
hay	4.8
– de techo, thatch	6.
pajar[7b]	
barn	5.5
pájaro[2a]	
bird	2.3
paje[3b]	
servant	1.9
pala	
spade	5.8
palabra[1a]	
word	1.
– por – word for word	2.2
palacio[1b]	
palace	2.3
paladar[5a]	
palate (of mouth)	8.1
paladín[6b]	
knight	2.1
palanca[6a]	
bar	3.5
palco[5b]	
box	4.6
palidecer[6b]	
pale	3.3
palidez[6b]	
paleness	8.
pálido[2b]	
pale	2.7
ghastly	6.4
paliza[4a]	
beating	6.4
palma[2b]	
palm	5.1
palmada[5b]	
slap	3.8
palmera[5a]	
palm tree	5.5
palmo[4b]	
inch	2.7
palo[2b]	
de –, wood	1.5
stick (n.)	2.
post (n.)	3.
paloma[3a]	
dove	4.4
pigeon	4.8
palpar[5b]	
feel	1.6
palpitante[4b]	
beat (pulsate)	1.3
palpitar[4a]	
beat (pulsate)	1.3
pampa[6a]	
plain (n.)	1.6
prairie	6.2
pan[1a]	
bread	1.4
pan de especias	
gingerbread	7.2
panal[6b]	
honeycomb	7.
panadero	
baker	6.
pánico[7a]	
panic	7.3

409

		Section
panorama[4b]	sight	1.
pantalón[5a]	trousers	5.6
pantaloncillos	drawers	6.2
pantalla[6b]	screen	5.5
pantano[7a]	swamp	4.
panza[5b]	belly	6.2
paño[2b]	cloth	1.3
pañuelo[3b]	handkerchief	4.5
papa[6b]	pope	3.3
papá[4b]	papa	3.4
papel[1a]	paper	1.
	part	1.4
	rollo de –, scroll	4.6
paquete[6b]	bundle	4.
par[1b]	even (adj.)	1.7
	pair	1.9
para[1a]	estar – (be) about (to)	1.
	for (in behalf of)	1.
	(in) order (to)	1.
parabién[6a]	compliment	4.1
parada	stop (n.)	2.6
paraguas[6b]	umbrella	5.4
paraíso[3a]	paradise	3.8
paraje[3a]	place	1.
paralelo[4b]	parallel	4.9
paralizar[5b]	paralyze	5.7
parar[1b]	-se, stand	1.
	stop (tr. vb.)	1.
	– en, end (in)	1.1
	-se, stop (intr. vb.)	1.4
parcial[5b]	-mente, (in) part	1.
	partial	4.5
pardo[3a]	brown	2.5
parecer (vb.)[1a]	appear (look)	1.
	-se, (look) like	1.
parecer (n.)[3a]	looks	1.
	opinion	1.4
pared[1b]	wall	1.4
pareja[3a]	pair	1.9
parentesco[6a]	relation	4.2
pariente[2b]	relation	2.3
parir[4b]	bear (children)	1.3
parisien	Parisian	5.8
parisiense	Parisian	5.8

		Section
parlamentario	parliamentary	7.
parlamento[5b]	parliament	2.8
parlero[6a]	talkative	10.
parlotear	babble	6.4
paro	(stopping of) work	5.
párpado[7a]	eyelid	6.7
parque[5b]	park	2.3
parra[5b]	vine	4.
párrafo[3b]	paragraph	3.3
parroquia[4a]	parish	3.4
	practice	3.4
parroquiano[5b]	practice	3.4
parte[1a]	part	1.
	en –, (in) part	1.
	por otra – (in) addition	1.4
	en todas -s everywhere	1.4
	por otra – (on the other) hand	1.4
	de – de (on the) part (of)	1.4
	tomar –, (take) part	1.4
	por una – (on the one) hand	2.2
	de su –, (on her) side	2.2
	de su –, (on his) side	2.2
	de su –, (on their) side	2.2
	– superior, top	2.5
	de mi –, (for my) part	2.6
	en alguna – somewhere	3.
	en ninguna – nowhere	3.4
	en alguna otra – somewhere else	3.4
	– inferior, under side	4.4
participación[6b]	share	2.
participante	participant	10.
participar[3b]	(take) part	1.4
	communicate	2.7
participe	participant	10.
participio[6b]	participle	10.2
partícula[6b]	particle	7.
particular[1b]	particular	1.4
	private	3.
partida[2a]	departure	3.1
	entry	5.1
partidario[4a]	follower	3.2
partido[2a]	party	1.1
	following (n.)	2.3
partir[1a]	go away	1.
	start	1.8
parto[4b]	birth	2.5

		Section
párvulo[6a]	child	1.
pasa	ciruela –, prune	6.4
	raisin	6.4
pasado[1b]	past (over)	1.4
	past (n.)	1.9
	en tiempos -s formerly	2.2
	– mañana day after tomorrow	4.3
pasaje[3a]	journey	1.
	crossing	1.6
pasajero[3a]	passing	1.9
	traveler	2.4
	passenger	3.2
	fugitive	3.5
pasar[1a]	qué pasa (what's the) matter	1.
	pass (vb.)	1.4
	hand (vb.)	1.8
	spend	2.2
	pass (e.g., time)	2.6
	– unos días, sojourn	3.4
	undergo	3.8
pasatiempo[4b]	pastime	4.8
pascua[6b]	Easter	4.8
pase[7b]	pass	4.4
paseante	walker	7.6
pasear[2a]	walk	1.
	-se, stroll	6.6
paseo[2a]	walk (n.)	2.4
pasillo[5b]	aisle	3.4
	passage	4.8
pasión[1b]	passion	2.3
pasivo[5a]	passive	7.3
pasmar[6a]	wonder (vb.)	1.8
paso[1a]	state (condition)	1.
	step	1.
	walk	1.6
	pace (n.)	1.8
	acortar el – slow down	4.4
pasta[5a]	paste	6.1
pastel[6b]	cake	4.7
	pie	5.1
pastelería	pastry	7.8
pastilla[6b]	– de jabón cake of soap	4.8
	tablet	6.2
pasto[5a]	pasture	3.5
pastor[3a]	minister	2.
	shepherd	3.7
	pastor	4.9
pata[4a]	leg	1.9
	paw	5.1

		Section
patada[7a]	kick	3.6
patata[4b]	potato	2.7
patente[4a]	evident	2.5
	charter	2.9
	patent	5.2
paternal[4a]	paternal	4.8
paternidad[6b]	fatherhood	11.4
paterno[5a]	paternal	4.8
patético	pathetic	5.
patinar	skate	6.
patio[2b]	court	1.1
	– de trabajo work-yard	12.2
pato[5a]	duck	5.
patria[1b]	country	1.1
patriarca	patriarch	6.8
patriarcal[5b]	patriarchal	10.1
patrimonio[4b]	inheritance	3.9
patrio[5a]	native	3.2
patriota[4b]	patriot	5.2
patriótico[4b]	patriotic	4.8
patriotismo[3b]	patriotism	6.5
patrón[3a]	model	2.
	– oro (gold) standard	3.1
	employer	3.7
	patron	4.
pausa[3a]	pause (n.)	2.9
	respite	4.5
pavimentar	pave	6.2
pavimento[6a]	pavement	5.7
pavo[4b]	turkey	5.6
	– real, peacock	6.4
pavor[4b]	fear (n.)	1.4
pavoroso[5b]	terrible	1.8
paz[1a]	peace	1.
pecado[1b]	sin (n.)	2.2
pecador[3a]	sinner	5.1
pecar[2b]	sin (vb.)	2.4
peculiar[3b]	strange	1.
	peculiar	3.6
pechera	shirt-front	13.
pecho[1a]	chest	1.9
pedagogo[6a]	teacher	1.

INDEX TO SPANISH WORDS IN THE LIST

	Section
pedante[6a]	
pedant	9.6
pedazo[1b]	
piece	1.
pedernal[5a]	
flint	6.5
pedestal[5a]	
pedestal	7.3
pedir[1a]	
ask (favor)	1.
order (*vb.*)	1.5
beg	4.6
pedrada[6b]	
blow	1.4
pedregoso	
stony	6.
pedrería[6a]	
jewel	3.1
gem	3.6
pegar[2a]	
strike (*vb.*)	1.1
stick (*intr. vb.*)	2.1
stick (*tr. vb.*)	2.2
– una dentellada	
snap	5.9
peinar[4a]	
comb	6.
pelar[4b]	
peel	5.2
pelea[4b]	
fight (*n.*)	1.1
pelear[3b]	
fight (*vb.*)	1.6
película	
film	6.8
peligro[1b]	
danger	1.5
peligroso[2a]	
dangerous	2.
pelo[1b]	
hair	1.
tomar el –, tease	5.9
pelota[5a]	
ball	2.1
peluca	
wig	6.8
peludo	
hairy	7.8
pellejo[4b]	
skin (*n.*)	2.
pellizcar	
pinch	6.
pena[1a]	
trouble	1.
grief	1.8
sanction	6.7
penacho	
plume	3.7
penar[6a]	
(do) penance	5.8
pendencia[5b]	
quarrel (*n.*)	2.5
pender[4b]	
hang	1.1
pendiente[3a]	
steep	2.8
slope	3.6
pendón[5b]	
flag	2.6
penetración[5a]	
penetration	9.3
penetrante[7a]	
shrill	4.7
penetrar[1b]	
enter	1.
penetrate	6.6
península[5b]	
peninsula	4.5

	Section
penitencia[5b]	
penance	5.7
penoso[3a]	
painful	3.2
pensador[4b]	
thinker	9.6
pensamiento[1a]	
thought	1.
pansy	6.1
pensar[1a]	
think	1.
pensativo[3a]	
pensive	3.9
pensión[5b]	
board (food)	2.7
pension	4.3
pensionado	
boarder	8.5
penumbra[5a]	
shade	1.8
peña[2b]	
rock (*n.*)	1.7
peñasco[4b]	
rock (*n.*)	1.7
peón[6a]	
workman	2.5
peor[1a]	
worse	1.5
pepino[6b]	
cucumber	7.4
pequeñez[5b]	
trifle	3.9
pequeño[1a]	
little	1.
pera[6b]	
pear	5.5
percibir[2b]	
(catch) sight of	1.1
perder + perdido[1a]	
lose	1.
perdición[6a]	
ruin (*n.*)	2.4
pérdida[2b]	
loss	1.2
perdiz[5a]	
partridge	6.9
perdón[2a]	
pardon	3.6
perdonar[1b]	
pardon	2.2
spare	3.4
perecer[3a]	
perish	2.7
peregrinación[5b]	
pilgrimage	6.7
peregrino[2b]	
strange	1.
pilgrim	5.8
perejil[5a]	
parsley	8.1
perenne[5a]	
permanent	4.2
pereza[4a]	
sloth	6.9
perezoso[2b]	
lazy	3.8
perfección[2b]	
perfection	3.4
perfeccionar[5a]	
improve	3.5
perfecto[1b]	
perfect	1.
pérfido[5a]	
treacherous	6.
perfil[5b]	
profile	8.7

	Section
perfumar[3b]	
perfume	5.4
perfume[2b]	
perfume	4.
pergamino	
scroll	4.6
parchment	7.4
periódico (*n.* and *adj.*)[2a]	
paper (newspaper)	1.
periodical	3.9
periodista[4a]	
journalist	10.4
periodístico[6b]	
journalistic	12.6
período[3a]	
term	1.8
period	2.2
perito[6b]	
expert (*n.*)	4.2
expert (*adj.*)	5.6
perjudicar[4b]	
hurt (*tr. vb.*)	1.8
perjudicial[6b]	
injurious	4.3
perjuicio[4a]	
damage (*n.*)	2.4
perla[2b]	
pearl	2.9
permanecer[1b]	
remain (stay)	1.
– ausente, stay away	3.4
permanencia[5b]	
stay (*n.*)	1.7
permanente[3b]	
permanent	4.2
permiso[3a]	
leave	2.9
permission	3.3
pass	4.4
permitir[1a]	
allow	1.
Dios permita	
God grant	1.
permitido, allowed	2.2
pero[1a]	
but	1.
perpetuo[3a]	
permanent	4.2
perro[1b]	
dog	1.9
persa	
Persian	5.6
persecución[4b]	
pursuit	3.4
persecution	4.2
perseguir[2a]	
pursue	1.5
persecute	3.2
perseverancia	
perseverance	5.2
persistir[6a]	
persist	3.8
persona[1a]	
person	1.
personaje[2a]	
personage	3.6
personal[2a]	
personal	1.9
staff	3.4
personalidad[4a]	
personality	3.9
perspectiva[4a]	
sight	1.
prospect	2.4
persuadir[3b]	
convince	2.
persuade	2.1

	Section
pertenecer[1b]	
belong	1.
perteneciente[4a]	
pertaining	5.9
perturbación[5a]	
disturbance	4.4
perturbar[4a]	
trouble (*vb.*)	1.5
peruano[6b]	
Peruvian	9.8
perversidad[6a]	
evil (*n.*)	2.
perverso[4b]	
bad	1.2
pesadilla[6a]	
nightmare	7.8
pesadumbre[3a]	
grief	1.8
pesar (*vb.* and *n.*)[1a]	
pesado, heavy	1.
a – de, (in) spite (of)	1.4
grief	1.8
weigh	2.7
regret	3.4
pesca[5b]	
fish (*vb.*)	2.5
pescado[3b]	
fish (*n.*)	2.
pescador[3b]	
fisherman	4.7
pescar[5a]	
fish (*vb.*)	2.5
pescuezo[4b]	
neck	1.5
pesebre	
manger	6.8
peseta[1b]	
pound	1.
peso[1b]	
pound	1.
weight	1.5
scales	2.1
pestañear	
wink	5.8
peste[4b]	
plague	4.6
pestilence	5.8
pétalo	
petal	7.2
petición[4a]	
request (*n.*)	2.1
petition	4.
plea	5.3
petirrojo	
robin	5.6
pétreo	
stony	6.
petróleo	
kerosene	6.9
petroleum	6.9
pez[2b]	
fish (*n.*)	2.
piadoso[2b]	
pious	2.9
piano[5a]	
piano	4.7
pica[6b]	
spear	3.2
picadero	
riding-school	13.
picamaderos	
woodpecker	7.2
picante[5a]	
sharp	4.
picaporte	
latch	6.8

SEMANTIC FREQUENCY LIST

	Section
picaposte	
woodpecker	7.2
picar[1b]	
sting	3.5
chop	4.2
picaresco[6b]	
roguish	10.2
pícaro[2b]	
knave	4.5
pico[2a]	
point (n.)	1.2
beak	5.9
pichón[6b]	
dove	4.4
pigeon	4.8
pie[1a]	
foot	1.
esar de −, ponerse de − stand	1.
al − de la letra literally	2.2
dedo del −, toe	4.6
piedad[2a]	
pity	2.4
piety	4.9
sin −, merciless	5.4
piedra[1a]	
stone	1.4
de −, (of) stone	3.
− preciosa, gem	3.6
− de albardilla coping stone	7.2
piel[2a]	
skin (n.)	2.
fur	5.
pierna[2b]	
leg	1.9
pieza[2a]	
piece	1.
pila[4a]	
mass	1.6
trough	6.8
píldora	
pill	6.8
piloto[6b]	
pilot	6.8
pillo[6b]	
knave	4.5
pimienta[3b]	
pepper	5.9
pimiento[5b]	
pepper	5.9
pincel[6b]	
brush	4.6
pinchazo[7b]	
prick (n.)	3.6
pino[4a]	
steep	2.8
pine	4.9
pintar[1b]	
paint (vb.)	1.5
pintor[3b]	
painter	3.
pintoresco[3a]	
strange	1.
picturesque	4.6
pintura[2b]	
painting	3.2
pío[6a]	
pious	2.9
pipa[6a]	
pipe	3.6
pique[5b]	
itch	6.9
pirámide[4b]	
pyramid	5.7
pirata[5b]	
pirate	6.9

	Section
pisada[6a]	
step	2.
pisar[2a]	
step (vb.)	1.1
piso[3a]	
flat (n.)	2.1
floor	2.5
− bajo, ground floor	4.4
pistola[7a]	
pistol	5.9
pizarra	
blackboard	5.8
slate	6.8
placa[5b]	
badge	6.7
placentero[6a]	
joyful	2.2
placer[1a]	
please	1.
pleasure	1.4
plácido[4b]	
quiet	1.
plaga[6a]	
plague	4.6
plan[2b]	
plan (n.)	1.1
plancha[5b]	
iron (n.)	1.8
slab	4.1
planeta[3a]	
planet	3.9
plano[4a]	
map	1.9
flat (adj.)	2.7
plane	3.7
primer −, foreground	6.5
planta[1b]	
plant (n.)	1.5
sole (foot)	4.3
plantar[3a]	
plant (vb.)	2.4
plantear[6b]	
state (vb.)	2.2
plástico	
plastic	7.6
plata[1b]	
money	1.
silver	1.4
plátano[6a]	
plane tree	6.
banana	6.2
plateado	
silvery	5.6
platear[5b]	
plate	5.1
plática[5a]	
talk	1.2
platillo	
saucer	7.
plato[2a]	
lista de −s bill of fare	2.1
plate (n.)	2.5
dish	4.5
playa[3a]	
beach	3.9
plaza[1b]	
seat (n.)	1.
square (n.)	1.
plazo[3a]	
term	1.8
plebe[6a]	
people (common)	1.
mob	4.9
plegar[4a]	
fold	4.
plegaria[6a]	
prayer	2.3

	Section
pleito[3a]	
suit	1.8
plenitud[6a]	
plenty	2.2
pleno[2b]	
plenamente, all	1.
full	1.
plenamente, fully	2.2
pliego[4a]	
sheet	2.2
pliegue[5b]	
fold	4.4
plomo[4a]	
lead (n.)	2.3
pluma[1b]	
pen	1.5
feather	1.9
plumaje[6a]	
feather	1.9
(p)neumático	
tire	7.2
población[2a]	
population	2.5
poblado[5a]	
village	1.2
poblar[3a]	
people	4.3
pobre[1a]	
poor	1.
imperfect	3.9
pobreza[2b]	
poverty	4.
poco[1a]	
−s, (a) few	1.
hace −, just	1.
little (n.)	1.
− a −, little by little	1.
a −, soon	1.
tan − como (as) little (as)	2.6
− común, unusual	2.6
− ha, recently	2.8
− bondadoso, unkind	6.1
poder (vb.)[1a]	
(be) able	1.
may	1.
poder (n.)[1b]	
power	1.
(Great) Power	3.
− mágico, magic	3.5
poderío[5a]	
power	1.
poderoso[1b]	
strong	1.
podrir[4b]	
spoil	2.6
poema[3b]	
poem	2.5
poesía[2b]	
poetry	2.4
poeta[1a]	
poet	1.5
poético[3b]	
poetic	3.9
polaco	
Polish	4.1
polar[6b]	
polar	6.8
policía[4b]	
police	3.7
policeman	5.8
policiaco	
police	5.
polilla	
moth	6.8
política[2a]	
policy	2.4
politics	4.4

	Section
político[1b]	
political	1.9
politician	5.5
póliza	
policy	4.6
polo[6b]	
pole	4.6
polvo[1b]	
dust (n.)	1.9
powder	2.8
pólvora[6b]	
powder	2.8
polvoriento	
dusty	6.1
pollino[6b]	
ass	3.9
pollo[4b]	
chicken	4.8
pompa[4a]	
pomp	4.4
bubble	5.6
pomposo[5b]	
magnificent	3.5
ponderar[4a]	
consider	1.8
poner[1a]	
puesto que, as (since)	1.
lay	1.
place (put)	1.
-se de pie, stand	1.
− la mesa, set table	1.1
− reparo, object	1.9
put on	2.6
-se de hinojos, kneel	3.9
poniente	
setting	9.6
popular[3a]	
popular	4.1
popularidad[6a]	
popularity	7.4
populoso[5b]	
populous	7.3
poquito[1a]	
little (n.)	1.
por[1a]	
by (agent)	1.
for (in behalf of)	1.
for (in favor of)	1.
− lo tanto, therefore	1.
through (motion)	1.
through (agent)	1.
− conducto de through (agent)	1.
sake	1.8
porcelana[4b]	
china	3.7
porción[3a]	
share	2.
porfía[4a]	
obstinacy	7.2
porfiar[4b]	
persist	3.8
pormenor[6b]	
particular	2.3
poro[7b]	
pore	7.1
porque, porqué[1a]	
because	1.
why	1.
porrazo[6b]	
blow	1.4
portada[5b]	
front (n.)	1.5
portador[5b]	
porter	3.3
portal[3b]	
entrance	1.8
porch	2.7
portar[4a]	
-se, act (behave)	1.

INDEX TO SPANISH WORDS IN THE LIST

	Section
porte[5a]	
carriage	3.
portento[4a]	
wonder (n.)	1.7
portentoso[5b]	
wonderful	1.2
portero[5a]	
porter	5.6
portugués[3a]	
Portuguese	6.7
porvenir[2a]	
future (n.)	1.5
pos (en)[4b]	
after	1.
behind (adv.)	2.
posada[3b]	
inn	4.2
posar[6a]	
place (vb.)	1.
-se, settle down	3.1
-se, perch	5.6
poseedor[5b]	
owner	2.
poseer[1b]	
own (vb.)	1.
posesión[2a]	
possession	1.6
posibilidad[3b]	
possibility	2.7
posible[1a]	
possible	1.
hacer –	
(make) possible	1.8
posición[2a]	
place	1.
positivo[3b]	
positive	3.8
posta[6b]	
post-office	3.3
postal[5a]	
post (adj.)	3.
pos(t)data	
postscript	7.2
posteridad[6a]	
posterity	6.6
posterior[4b]	
back (adj.)	2.8
suministrar -mente	
supply later	3.
postizo[6b]	
artificial	3.2
switch	5.9
postrar[4a]	
-se, prostrate	6.6
postre[3b]	
(at) last	1.
dessert	6.7
postrero[3a]	
last (adj.)	1.
potencia[2b]	
power	1.
(Great) Power	3.
potente[5b]	
strong	1.
potro[4b]	
colt	5.4
poyo	
stool	6.4
pozo[3b]	
well (n.)	1.9
práctica[3a]	
exercise (n.)	1.7
practicar[3a]	
exercise (vb.)	1.6
práctico[3a]	
practical	2.2

	Section
pradera[4b]	
meadow	2.6
prairie	6.2
prado[3b]	
meadow	2.6
preámbulo[5b]	
introduction	3.7
preface	7.3
precaución[4a]	
prudence	3.7
precedente[4b]	
coming before	2.8
año –, preceding year	4.9
preceder[2b]	
(come) before	2.3
precepto[3b]	
precept	3.7
preciar + preciado[3b]	
value (vb.)	1.4
precious	2.4
precio[1b]	
price	1.
precioso[2a]	
lovely	2.3
precious	2.4
piedra preciosa	
gem	3.6
precipicio[7a]	
cliff	4.6
precipice	5.5
precipitación[5a]	
hurry	2.4
precipitar + precipitado[3a]	
fast	1.
hurry (vb.)	1.2
hasty	2.7
precisar[4a]	
state (vb.)	2.2
precisión[3a]	
necessity	2.3
precision	5.8
preciso[1a]	
necessary	1.
exact	1.4
precoz[6a]	
precocious	7.9
precursor[5a]	
preceding	4.9
predecesor	
predecessor	6.
predicar + predicado[2b]	
preach	3.
predilecto[4b]	
favorite	3.4
predio[6b]	
farm	3.2
predispuesto	
predisposed	9.3
predominar[4b]	
prevail	3.2
prefecto	
county-head	12.
preferencia[3b]	
preference	3.3
preferente[5b]	
preferable	7.9
preferible[5b]	
preferable	7.9
preferir[2a]	
rather	1.1
pregonar[5a]	
proclaim	3.5
pregunta[2a]	
question (n.)	1.1
inquiry	4.4
preguntar[1a]	
ask (question)	1.
-se, wonder	1.

	Section
prejuicio[6b]	
prejudiced	4.2
preliminar	
preliminary	4.6
prematuro	
premature	7.8
premiar[5a]	
reward	3.8
premio[2a]	
prize	1.5
reward (n.)	2.5
prenda[2a]	
talent	2.4
prendar[5b]	
charm (vb.)	2.4
prender[2a]	
seize	1.1
prensa[4b]	
press (n.)	1.9
preocupación[3a]	
cares	1.3
preocupar[2b]	
-se, care about	1.8
worry	3.2
preparación[4a]	
preparation	3.
preparar[1b]	
prepare (tr. vb.)	1.4
-se, prepare (intr. vb.)	1.6
preparativo[5a]	
preparation	3.
preposición[5a]	
preposition	8.1
prerrogativa[7a]	
privilege	3.7
presa[3a]	
hold (n.)	2.5
prey	3.4
capture	4.5
– de agua, dam	4.7
presbítero[6a]	
minister	2.
prescindir[4a]	
do without	2.1
prescribir[6b]	
prescribe	3.5
presencia[1b]	
presence	1.8
presenciar[3b]	
(be) present	2.3
presentación[3b]	
presentation	4.5
presentar[1a]	
present (give)	1.4
present (a person)	1.8
presente[1a]	
present (adj.)	1.1
present (n.)	1.5
presentimiento[6b]	
misgiving	7.4
presentir[3b]	
(have) misgiving	6.3
preservar[4b]	
preserve (vb.)	3.
presidencia[5a]	
(in the) chair	3.8
presidente[1b]	
president	1.9
presidio[5a]	
prison	2.
garrison	4.9
presidir[4a]	
preside	5.9
presión[3a]	
pressure	3.4
preso[2b]	
prisoner	2.4

	Section
préstamo[5b]	
loan	5.3
prestar[1b]	
lend	3.1
tomar prestado	
borrow	3.2
presteza[6b]	
hurry (n.)	2.4
prestigio[3b]	
prestige	5.9
presto[2b]	
fast	1.
presumir[2b]	
presunto, (so) called	1.2
presume	4.
presunción[6a]	
conceit	5.3
presupuesto[4a]	
estimate	3.8
budget	4.8
presuroso[5a]	
hasty	2.7
pretender[1b]	
pretend	1.8
make believe	4.2
pretendiente[5b]	
candidate	4.1
pretensión[3b]	
claim	1.7
pretérito[4b]	
past	2.2
pretexto[2b]	
pretense	4.
prevalecer[5a]	
prevail	3.2
prevención[5a]	
prevention	7.3
prevenir + prevenido[2b]	
(let) know	1.
prepare	1.4
warn	2.2
prever[4a]	
see in advance	3.8
previo[2a]	
former	2.
previous	2.
previsión[6a]	
expectation	3.3
primario[6b]	
first	1.
primavera[3a]	
spring	2.1
primaveral	
spring	4.9
primero[1a]	
first	1.
(at) first	1.
en primer lugar	
(at) first	1.
por primera vez	
(for the) first time	2.6
primeramente, en	
primer lugar	
(in the) first place	3.7
primer plano	
foreground	6.5
primicia[4b]	
cream of crop	2.8
primitivo[2b]	
original	2.3
primo[2a]	
cousin	2.4
primor[5a]	
beauty	1.5
primoroso[5b]	
exquisite	3.6
principal[1a]	
chief	1.
-mente	
(for the most) part	1.8

príncipe+princesa[1b]
  prince............ 1.1
  princess.......... 2.9
principiar[3b]
  begin............. 1.
principio[1a]
  al –, (at) first........ 1.
  principle......... 1.9
  beginning......... 2.7
  en –, (on) principle... 2.7
  desde un –
    (from the) beginning.......... 3.9
prisa+priesa[2a]
  hurry............. 2.4
  dar –, hurry (tr. vb.).. 2.5
prisión[2b]
  prison............ 2.
  imprisonment...... 5.
prisionero[3b]
  prisoner.......... 2.4
prisma[5a]
  prism............. 6.9
privación[5a]
  want.............. 3.9
privar+privado[2a]
  private (adj.)...... 3.
  deprive........... 3.2
privilegiar[6a]
  favor (vb.)........ 2.1
privilegio[2b]
  privilege.......... 3.7
pro[6a]
  en –, for (in behalf)... 1.
proa[6a]
  bow.............. 4.3
probabilidad[5b]
  chances........... 3.3
probable[3a]
  probable.......... 1.7
probar[1b]
  prove............. 1.
  try............... 1.
  prove (establish)... 1.4
problema[3a]
  problem.......... 3.3
procedente[6b]
  come from........ 1.
proceder[1b]
  act (take action)... 1.
  come from........ 1.
  conduct (n.)...... 2.3
  procedure (n.).... 5.1
procedimiento[3a]
  process........... 1.7
procesión[6a]
  procession........ 4.1
proceso[4b]
  suit.............. 1.8
  trial.............. 2.
  – de quiebra
    (procedure in)
    bankruptcy... 7.3
proclama
  proclamation...... 7.4
proclamación
  proclamation...... 7.4
proclamar[3a]
  proclaim.......... 3.5
procurador[7a]
  attorney.......... 4.7
  – general
    attorney-general. 9.5
procurar[1a]
  try............... 1.
prodigar[6a]
  lavish............. 6.3
prodigio[3a]
  wonder (n.)........ 1.7

prodigioso[3a]
  wonderful........ 1.2
pródigo[4a]
  lavish............. 3.7
producción[3a]
  production........ 3.9
producir[1a]
  produce (vb.)...... 1.8
  produce (yield).... 3.4
productivo[6a]
  fertile............ 3.8
  profitable......... 4.1
  productive........ 6.3
producto[2b]
  product........... 2.1
proeza[5a]
  exploit............ 5.9
profanar[5b]
  profane........... 6.5
profano[6b]
  profane........... 6.3
profecía[6b]
  prophecy......... 6.6
profesar[3b]
  exercise (vb.)...... 1.6
profesión[2b]
  profession........ 2.9
profesional[5a]
  professional...... 4.5
profesor[3a]
  teacher........... 1.
  professor......... 2.6
profeta[3b]
  prophet.......... 3.1
profundidad[4b]
  depth............. 2.6
profundizar
  deepen........... 5.
profundo[1a]
  deep............. 1.
programa[4b]
  program.......... 4.2
progresar[4a]
  improve.......... 2.4
  progress (vb.)..... 2.6
progresivo[6a]
  progressive....... 6.7
progreso[2b]
  progress.......... 2.4
prohibición
  prohibition....... 5.
prohibir[3a]
  forbid............ 2.
prójimo[4b]
  neighbor (fellow being).......... 3.4
proletario[6b]
  people (common)... 1.
prolijo[4a]
  superfluous....... 4.1
prólogo[6b]
  introduction...... 3.7
  preface........... 7.3
prolongación[6b]
  continuance...... 5.9
prolongar[2b]
  prolong.......... 3.6
promedio[7b]
  average (adj.)..... 1.8
  (on the) average... 3.2
promesa[3a]
  promise (n.)...... 2.7
prometer+prometido[1b]
  promise (vb.)..... 1.
  engaged.......... 2.5
promover[6a]
  further (vb.)...... 1.8

pronombre[4b]
  pronoun.......... 6.8
prontitud[4b]
  speed............. 2.5
  promptitude....... 10.
pronto[1a]
  tan – como
    as soon as....... 1.
  fast............... 1.
  soon.............. 1.
  de –, sudden...... 1.
  de –, suddenly..... 1.
  by and by......... 1.1
  just............... 1.3
  prompt........... 2.5
pronunciación[6b]
  pronunciation..... 7.
pronunciar[1b]
  pronounce........ 1.4
  – un discurso
    (make a) speech.. 1.6
propaganda[6b]
  propaganda...... 7.5
propagar[6b]
  propagate........ 7.
propicio[4a]
  favorable......... 2.2
propiedad[2a]
  property.......... 1.5
  property (landed).. 1.9
propietario[3b]
  owner............ 2.
propina[6b]
  tip............... 5.2
propio[1a]
  own.............. 1.
  same.............. 1.
  proper............ 1.4
  de propia mano
    (with one's own)
    hand......... 3.
proponer[1b]
  propose.......... 1.4
proporción[2a]
  proportion........ 2.1
proporcionar[2a]
  supply............ 1.1
proposición[4a]
  proposition....... 3.1
propósito[1a]
  purpose.......... 1.
  a –, fitness....... 6.7
propuesta[6a]
  proposition....... 3.1
prorrumpir[3b]
  break out........ 2.2
prosa[3a]
  prose............ 5.3
prosaico[5a]
  prosaic........... 10.5
proscribir[5b]
  proscribe......... 9.7
proseguir[2a]
  continue.......... 1.
  proceed.......... 2.
prosperar[6a]
  flourish........... 4.1
prosperidad[4b]
  prosperity........ 4.4
próspero[5b]
  prosperous....... 4.7
prosternar
  prostrate......... 6.6
protagonista[6b]
  actor............. 3.9
protección[3a]
  protection........ 2.1

protector[2b]
  patron........... 4.
  protector......... 6.3
proteger[3a]
  protect........... 2.1
protegido
  protégé.......... 11.
protesta[3a]
  protest........... 4.1
protestante
  Protestant........ 4.4
protestar[2a]
  protest........... 4.4
provecho[2b]
  advantage........ 1.5
  benefit........... 3.4
provechoso[6a]
  favorable......... 2.2
  profitable......... 4.1
  helpful........... 5.6
proveer[2b]
  supply (vb.)...... 1.1
provisto que
  provided that.... 2.9
provenir[4b]
  come from....... 1.
providencia[3b]
  providence....... 4.3
provincia[1b]
  province.......... 1.5
provinciano[6b]
  provincial......... 7.9
provisión[5a]
  provision......... 4.1
provocar[2b]
  provoke.......... 2.4
proximidad[4a]
  neighborhood.... 2.9
  proximity......... 5.6
próximo[2a]
  near (adj. and adv.). 1.
  next.............. 1.
  proximamente, soon.. 1.
proyectar[4a]
  plan (vb.)......... 2.3
proyecto[2b]
  – del gobierno
    (government) bill 1.9
  – de ley, draft (of a bill) 2.3
  project........... 3.5
prudencia[3a]
  prudence......... 3.7
prudente[2b]
  prudent.......... 3.3
prueba[1b]
  proof............ 1.4
  test.............. 1.9
prusiano
  Prussian.......... 4.5
psicología[5a]
  psychology....... 8.5
psicológico[5b]
  psychological..... 9.3
publicación[5a]
  publication....... 4.6
  – del estado
    publication of
    the general
    staff.......... 5.1
publicar[2a]
  publish........... 2.8
publicidad
  publicity.......... 7.8
público[1a]
  public (adj.)...... 1.
  public (n.)....... 1.4
puchero[4a]
  pot............... 2.3

INDEX TO SPANISH WORDS IN THE LIST

pudín
  pudding .... 6.
pudor[4b]
  modesty 4.7
pueblo[1a]
  people (race) ...... 1.
  people (common) ... 1.
  – natal, (home) town .. 3.3
puente[3a]
  bridge 1.7
puerco[3b]
  pig 3.9
pueril[4a]
  childish 4.6
puerta[1a]
  door .... 1.
  gate 1.4
puerto[2a]
  harbor .... 2.
pues[1a]
  as (since) .... 1.
  because .... 1.
puesta[5b]
  – de sol, sunset 5.3
puesto[1a]
  place (position) .... 1.
  office 1.4
pulga[6b]
  flea 7.8
pulgar
  thumb 4.3
pulir + pulido[4a]
  polish 4.4
pulmón
  lung 5.2
púlpito
  pulpit 6.8
pulsera[7b]
  bracelet 6.5
pulso[4b]
  pulse .... 6.
punta[2a]
  point (n.) 1.2
  tip (n.) 1.4
puntada
  stitch 6.1
puntiagudo[6a]
  pointed 3.3
punto[1a]
  estar a – de
    (be) about (to) ... 1.
  point .... 1.
  – de vista
    point of view .... 1.
puntual[3a]
  prompt 2.5
puñado[5a]
  handful 5.6
puñal[4a]
  dagger 5.6
puñalada[5b]
  stab 6.5
puño[4b]
  handle 3.1
  fist 3.4
  cuff .... 6.
pupila
  pupil (eye) 5.3
pupilo[3b]
  pupil 1.7
  ward 5.2
pureza[3b]
  purity 4.7
purificar[6b]
  purify 4.4

puro[1a]
  pure .... 1.
  puramente, simply ... 1.
púrpura[5b]
  purple 4.9

Q

que, qué[1a]
  than .... 1.
  that (conj.) .... 1.
  what .... 1.
  which .... 1.
  who .... 1.
  ¡–!, what (?!) 2.4
quebrantar[3b]
  grieve 3.4
quebranto[5b]
  grief 1.8
quebrar + quebrado[2b]
  break (in pieces) ... 2.3
quedar[1a]
  remain (stay) ...... 1.
  remain (be left over) 1.
quedo[5a]
  quiet .... 1.
quehacer[5a]
  occupation 2.4
queja[2a]
  complaint 2.4
quejarse[2a]
  complain .... 2.
quejido[6b]
  groan 5.3
quemar[2a]
  burn (vb.) 1.6
querella[5a]
  quarrel (n.) 2.5
querer[1a]
  desire (vb.) .... 1.
  Dios quiera!
    God grant ...... 1.
  like .... 1.
  love .... 1.
  – decir, mean .... 1.
  want (vb.) .... 1.
  cuando quiera que
    whenever 1.4
  cherish 3.3
querido[1b]
  dear .... 1.
  darling 2.2
queso[3b]
  cheese 4.7
quiebra[5a]
  crack 3.4
  en –, bankrupt 5.3
  failure 5.3
  leyes de –
    (regulations for)
    bankruptcy 6.5
  bankruptcy 7.3
  proceso de –
    (procedure in)
    bankruptcy 7.3
quien, quién[1a]
  who .... 1.
  cuyo, whose .... 1.
quienquiera[1a]
  anybody 1.8
  whoever 2.2
quieto[4a]
  quiet .... 1.
quietud[3a]
  quiet (n.) .... 1.
quijada
  jaw 5.6

quimera[4b]
  fancy (idle) .... 2.
  quarrel (n.) 2.5
  fancy (whim) 3.7
química
  chemistry 7.8
químico[4a]
  chemical 4.9
  chemist 6.4
quincallería
  hardware 6.8
quince[3*]
  fifteen 3.2
quinta[4a]
  country house 3.3
quinto[3*]
  fifth 2.7
quitar[1a]
  take away .... 1.
  -se, take off 1.8
  – la mesa
    clear (table) 4.3
quizá, quizás[1a]
  perhaps .... 1.

R

rabia[3a]
  fury 2.8
rabiar[5a]
  rage 3.7
rabino
  rabbi 8.4
rabioso[4a]
  mad 2.7
rabo[5a]
  tail 4.1
racimo[5b]
  bunch 4.8
raciocinio[6a]
  reasoning 4.6
racional[4b]
  reasonable 3.4
racionamiento
  ration 6.4
radiador
  radiator 7.2
radiante[4a]
  beaming 2.4
radical[3b]
  root 2.6
  radical .... 5.
ráfaga[5b]
  blast 5.7
rail
  rail 5.3
raíz[2b]
  root 2.6
raja[7b]
  crack 3.4
rama[2a]
  branch 1.6
ramaje[5b]
  foliage 5.2
ramo[2b]
  bunch 4.8
rana[4b]
  frog 5.6
rancio[6a]
  ancient 2.6
rancho[5b]
  ranch 6.9
ranura
  groove 7.2
rapidez[3a]
  speed 2.5

rápido[1b]
  fast .... 1.
rapiña[6b]
  robbery 4.8
raro[1b]
  strange .... 1.
  rare 1.4
  raramente, rara vez
    seldom 1.5
  agradablemente –
    quaint 3.5
rascar[5a]
  scratch 5.3
rasgar[4a]
  tear (vb.) 1.8
rasgo[2b]
  feature 1.5
  characteristic ..... 3.
raso[4b]
  satin 5.8
  glade 6.5
raspar
  scrape 5.6
rastrillo
  rake 6.2
rastro[6a]
  track (n.) 2.1
rata
  rat 5.2
rato[1b]
  while (n.) 1.8
ratón[4a]
  mouse .... 5.
raudal[5a]
  torrent .... 3.
raya[3b]
  stripe 3.6
rayar[4a]
  border (on) 2.1
  rule 4.2
rayo[1b]
  ray 2.3
  thunderbolt 4.1
  – de sol, sunbeam 4.3
raza[2a]
  race 3.2
razón[1a]
  reason .... 1.
  tener –
    (be) right .... 1.
  reason (judgment) . 1.4
  no tener –
    (be) wrong 1.4
razonable[5a]
  reasonable 3.4
razonamiento[5a]
  reasoning 4.6
razonar[6a]
  reason (vb.) .... 3.
reacio
  refractory 9.8
reacción[6b]
  reaction 6.6
reaccionar[7a]
  react 7.9
real[1a]
  real (veritable) .... 1.
  -mente, really 1.4
  royal 1.5
  real (material) 1.9
  pavo –, peacock 6.4
realidad[1b]
  fact .... 1.
  reality 3.1
realista[6b]
  realist .... 9.
  royalist .... 10.
realización[4b]
  realization 6.4

	Section
realizar[2a]	
realize	3.5
reanimar[7a]	
refresh (in spirit)	5.2
rebajar[5b]	
decline	3.3
rebanada	
slice	4.
rebaño[4b]	
drove	3.9
rebelarse[5b]	
rebel	3.6
rebelde[3b]	
rebel	4.
rebellious	6.4
rebeldía[5b]	
rebellion	6.5
rebelión[4b]	
revolt	4.4
reborde	
ledge	6.8
rebosar[4a]	
overflow	5.5
recado[3b]	
errand	3.
message	3.
recaer[5b]	
fall back again	1.5
recatar +recatado[4b]	
hide	1.
recato[6a]	
care	1.
prudence	3.7
recelar[6a]	
suspect	2.9
recelo[3a]	
fear (n.)	1.4
receloso[6a]	
suspect	4.3
receptor	
receiver	6.
receso	
estar de –	
(have) recess	5.8
receta[6b]	
receipt	2.6
recibidor	
entrance hall	5.3
recibimiento[6b]	
reception	3.2
recibir[1a]	
get (receive)	1.
admit	1.8
recibo[5a]	
receipt	3.3
receipts (e.g., for expenditures)	3.3
receipt (for payment)	4.9
reciente +recién[1b]	
recent	2.7
recently	2.8
-mente, recently	2.8
recinto[5b]	
place	1.
recio[2b]	
strong	1.
recíproco[6a]	
mutual	3.1
recitar[4a]	
recite	3.9
reclamación[6b]	
claim (n.)	1.7
complaint	2.4
reclamar[2b]	
claim (vb.)	2.3
reclamo	
puff	5.8

	Section
recluta	
recruit	6.4
recobrar[2b]	
recover	1.9
recoger[1a]	
gather (collect)	1.5
gather (glean)	1.5
pick up	1.5
recogimiento[5a]	
concentration	7.1
recomendación[3b]	
recommendation	4.5
recomendar[3b]	
recommend	2.1
recompensa[4a]	
en –, (in) return	1.1
reward (n.)	2.5
recompensar[4b]	
reward	3.8
reconcentrar[4b]	
concentrate	4.8
reconciliar[6b]	
reconcile	4.6
reconcile (persons)	4.7
reconocer[1b]	
admit	1.4
recognize	1.4
no – (not) recognize	2.6
reconocimiento[4a]	
gratitude	3.3
reconstituir	
reconstitute	9.7
recordar[1a]	
remember	1.
recall	1.8
recorrer[1b]	
run through	3.1
recortar[6b]	
carve	3.3
bob	5.8
recrear[5a]	
amuse	3.5
recreo[5a]	
pastime	4.8
rectángulo	
rectangle	6.8
rectificar[5a]	
correct (vb.)	2.7
rectitud	
righteousness	6.9
recto[2b]	
direct (adj.)	1.
direct (adv.)	1.1
straight	1.8
rector[6a]	
chancellor	7.
recuerdo[1b]	
memory	1.8
recular	
recoil	6.6
recurrir[4b]	
turn to	1.1
resort	5.3
recurso[2b]	
resource	3.6
rechazar[2b]	
drive back	1.5
drive back (push)	3.1
reject	3.2
rechinar[4a]	
grate	5.7
red[3a]	
net	3.1
web	3.4
redacción[5a]	
(editorial) staff	5.3

	Section
redactar[4b]	
draw up	3.2
draft	3.6
redactor[4b]	
editor	6.1
redimir[5b]	
redeem	4.7
redoblar[6b]	
double	4.3
redondear	
round off	4.9
redondo +redonda[2b]	
round (adj.)	1.6
reducción	
reduction	5.3
reducir +reducido[1b]	
decline	3.3
– la marcha slow down	4.4
reelección	
reelection	8.4
reemplazar[3b]	
substitute	2.3
referencia[4a]	
reference	4.8
referente[5b]	
referring	2.6
refer (to)	3.1
referir[1b]	
tell	1.
refinamiento[5b]	
excellence	5.6
refinement	6.6
refinar[5a]	
refine	5.5
reflejar[2b]	
reflect	4.3
reflejo[3a]	
reflection	5.4
reflexión[2b]	
consideration	2.4
reflexionar[3b]	
consider	1.8
reflexivo[5b]	
pensive	3.9
reforma[4b]	
reform	3.2
reformar[6a]	
reform	5.
reforzar[5b]	
strengthen	3.4
refractario	
refractory	9.8
refrán[3b]	
saying	2.9
proverb	4.9
refrescar[5a]	
cool	4.9
refresco	
refreshment	6.8
refuerzo	
reinforcement	7.6
refugiar[4b]	
shelter (vb.)	2.6
-se, (take) refuge	3.9
refugio[5a]	
refuge	3.9
regalar[2a]	
present (vb.)	1.4
entertain	2.4
regalo[2b]	
present	1.7
regar[4a]	
spread	1.4
water (vb.)	2.4
regazo[6a]	
chest	1.9
lap	2.4

	Section
regente	
regent	6.4
régimen[4a]	
government	1.1
direction	1.8
regimiento[6a]	
regiment	3.6
regio[4b]	
royal	1.5
región[1b]	
part (of country)	1.
regir[3a]	
rule (vb.)	1.
registrar[3b]	
look for	1.
register (vb.)	3.
registro[6b]	
record	3.8
registering	4.2
regla[1b]	
rule (n.)	1.1
regocijar[5a]	
-se, rejoice	3.2
regocijo[3b]	
delight	1.
regresar[2b]	
come back	1.8
regreso[3b]	
de –, back	1.
return (n.)	1.4
regular[2b]	
control (vb.)	1.4
(put in) order	1.4
regular	2.
regulate	4.4
regularidad[7a]	
regularity	8.
rehacer[6b]	
do over again	1.8
-se, rally	4.7
rehén	
hostage	8.2
rehusar[6b]	
refuse (vb.)	2.3
reina[1b]	
queen	1.6
reinado[6a]	
reign (n.)	2.1
reinar[2a]	
reign (vb.)	2.
rage (war, etc.)	3.2
reino[2a]	
kingdom	1.7
reír[1b]	
laugh	1.
reiterar[6b]	
say again	1.
reja[3b]	
bars	4.6
– de taquilla ticket window	5.3
rejuvenecer	
restore	4.4
relación[1a]	
report	1.
account	1.5
relation	1.6
relacionar[4a]	
relate	2.1
relámpago[2b]	
flash (lightning)	3.3
relatar[4a]	
tell	1.
relativo[2a]	
(in) proportion	2.6
relative	3.7
pertaining	5.9

INDEX TO SPANISH WORDS IN THE LIST

	Section
relato[4a]	
story	1.
relevar[6b]	
relieve	3.9
relieve[5a]	
relief	5.2
religión[2a]	
religion	1.6
religioso[1b]	
religious	2.3
relinchar	
neigh	6.8
reliquia[4a]	
relic	6.1
reloj[2b]	
clock	1.3
watch	1.3
relucir[5b]	
shine	1.6
relleno[5b]	
fill (up)	1.8
remangar	
turn up	4.9
remar	
paddle	7.2
rematar[4a]	
complete	1.
remate[5b]	
end	1.
por –, (at) last	1.
perfection	3.4
remedar[6a]	
copy (vb.)	3.2
remediar[3a]	
remedy	4.
remedio[1b]	
remedy	3.6
remendar[5b]	
repair	3.7
remesa	
transfer (money)	4.
remitir[3a]	
send	1.
remit	3.6
remo[4b]	
oar	4.8
remoción	
removal	4.6
remolacha	
beet	6.8
remolino[7a]	
whirl (n.)	4.
remontar[3a]	
soar	5.6
remordimiento[3a]	
remorse	4.1
remoto[2a]	
far	1.
remover[4a]	
stir	2.1
renacer[4a]	
(be) born	1.
renacimiento	
revival	8.1
rencor[3b]	
spite	3.
grudge	4.6
guardar –	
(bear) grudge	5.6
rendimiento	
output	5.8
rendir+rendido[1b]	
give up	1.4
yield	1.9
produce	3.4
renegar[5b]	
deny	3.7

	Section
renglón[5b]	
line	1.
reno	
reindeer	6.8
renovación[7a]	
renewal	6.9
renovar[2b]	
renew	2.5
renta[2b]	
income	3.6
rentista	
independent person	5.8
renunciar[2b]	
give up	1.4
renounce	3.1
reñir[2a]	
scold	4.
reo[4a]	
criminal	4.1
reparar[2a]	
make up for	2.9
repair	3.7
reparo[4a]	
poner –	
object (vb.)	1.9
objection	4.4
repartir[2a]	
distribute	3.3
reparto[4a]	
distribution	3.7
repasar[6b]	
examine	1.5
look over	3.1
repente[3a]	
de –, suddenly	1.
repentino[3a]	
sudden	1.
repentinamente	
suddenly	1.
repercutir[6b]	
ring (vb.)	2.9
repetición[5b]	
repetition	5.3
repetir[1a]	
say again	1.
replicar[2a]	
answer	1.
reponer[2b]	
-se, recover (health)	2.7
restore	2.7
reposar +reposado[2a]	
rest (vb.)	1.
reposo[2a]	
rest (repose)	1.2
reprender[3b]	
reproach	2.8
representación[3a]	
play (n.)	2.
performance	3.1
representation	3.5
representante[4a]	
representative	2.3
Cámara de	
Representantes	
House of Representatives	3.4
representar[1b]	
represent	1.4
reprimir[4a]	
put down	2.2
check	3.2
quell	6.5
reproche[5a]	
reproach	2.7
reproducción[5b]	
reproduction	6.9
reproducir[3a]	
reproduce	4.3

	Section
reptil[6a]	
reptile	7.4
república[2a]	
republic	2.8
republicano[5a]	
republican	4.4
repugnancia[5a]	
dislike	5.
repugnante[4a]	
disgusting	6.2
repugnar[4a]	
disgust	6.
reputación[5b]	
reputation	3.2
requerir[2b]	
demand	1.
summon	2.7
requiebro[6b]	
compliment	4.
res[6a]	
beast	1.1
beef	4.1
resaltar[5a]	
stand out	1.9
resbaladizo	
slippery	6.1
resbalar[4a]	
slip	2.8
resbaloso	
slippery	6.1
rescate	
ransom	6.8
resentirse[4b]	
(be) hurt	2.3
reserva[5a]	
sin –, free	1.
reserve	3.2
reservar[2b]	
reserve (vb.)	2.7
residencia[4a]	
dwelling	2.3
residence	4.1
residente[5a]	
inhabitant	3.2
residir[3a]	
live	1.1
resignación[3b]	
submission	6.4
resignarse[3a]	
resign (oneself)	2.2
resistencia[3a]	
resistance	5.4
resistir[2a]	
bear	1.
oppose	2.3
resist	2.8
resolución[2a]	
resolution	3.2
resolver +resuelto[1b]	
solve	1.9
resolute	4.
resonar[3a]	
ring (vb.)	2.9
resorte[5a]	
spring (n.)	1.8
respe(c)tar[2a]	
respect (vb.)	2.
respectivo[3a]	
respective	3.7
respe(c)to[1a]	
as for	1.
regard	1.5
respect	1.9
respetable[3a]	
stately	3.6
decent	4.
respetuoso[3b]	
respectful	3.9

	Section
respiración[7a]	
breath	3.6
respirar[2a]	
breathe	2.7
resplandecer[4b]	
shine	1.6
glitter	3.6
resplandeciente[5b]	
brilliant	2.9
resplandor[3a]	
light	1.
responder[1a]	
answer	1.
responsabilidad[4a]	
responsibility	5.1
responsable[4b]	
responsible	4.3
respuesta[2a]	
answer (n.)	1.2
restablecer[4a]	
restore	2.7
restante[5a]	
rest (remainder)	1.1
restar[5a]	
remain (be left over)	1.
subtract	4.5
restaurant[7b]	
restaurant	4.7
restaurar[6b]	
restore	2.7
repair	3.7
restituir[4b]	
restore	2.7
resto[2a]	
rest (remainder)	1.1
restregar[6a]	
rub	3.2
resucitar[4a]	
revive	5.2
resulta[5b]	
result (n.)	1.5
resultado[2a]	
result (n.)	1.5
resultar[1b]	
result (vb.)	1.5
resumen[3b]	
summing up	3.1
resumir[4a]	
sum up	2.
retardar[7a]	
delay (intr. vb.)	2.
detain	2.6
delay (tr. vb.)	2.7
retener[4b]	
keep back	1.7
detain	2.6
retirado[4b]	
cut off	2.9
retirar[1b]	
-se, go back	1.4
take away	2.6
-se, retire	3.
retiro[4a]	
retreat (n.)	2.6
retoño	
shoot	5.4
retorcer[3b]	
twist	2.6
retórica[4b]	
rhetoric	7.2
retornar[6a]	
go back	1.4
come back	1.8
retorta	
retort	7.2
retozar[6b]	
frolic	6.6

		Section
retrasado	late-comer	13.
retrasar[6a]	delay (*intr. vb.*)	2.
	delay (*tr. vb.*)	2.7
	-se, linger	3.6
retraso	restoration	6.5
retratar[4b]	painting	3.2
retrato[2a]	painting	3.2
retroceder[3b]	draw back	1.5
	go back	2.1
retumbar[5a]	ring (*vb.*)	2.9
reuma	rheumatism	7.2
reumatismo	rheumatism	7.2
reunión[2a]	convention	2.8
	union	3.5
reunir[1b]	unite	1.
	gather (glean)	1.5
	assemble	2.8
revelación[4a]	revelation	5.5
revelar[2b]	reveal	2.4
reventar[3a]	burst	1.4
reverencia[4b]	reverence	4.1
reverendo[5b]	reverend	4.9
revés[2b]	(wrong) side	1.7
revestir[4a]	clothe	1.9
revisión	revision	6.8
revista[3a]	review (*n.*)	2.6
	magazine	3.
revocación	recall	5.8
revolotear	flutter	5.7
revolución[2b]	turn (*n.*)	3.
	revolution	3.2
revolucionario[3b]	revolutionary	5.
revolver+revuelto[2a]	turn (*vb.*)	1.
	revolve	5.5
revuelta[4b]	revolt	4.4
rey[1a]	king	1.
rezar[2b]	pray	2.2
ría[6b]	mouth (of river)	2.7
	estuary	9.4
ribera[2b]	bank	1.5
rico[1a]	rich	1.
ridículo[2a]	ridiculous	3.6
riego[5a]	irrigation	7.3
riel	rail	5.3

		Section
rienda[4a]	bridle	3.4
riesgo[2a]	danger	1.5
	risk	3.4
rigidez[5b]	stiffness	9.3
rígido[5a]	stiff	3.2
	hacer –, (make) stiff	4.9
rigor[2a]	rigor	4.2
riguroso[3b]	exact	1.4
rima	rhyme	6.
rincón[2a]	corner	1.9
	corner (nook)	2.3
riña[5b]	fight (*n.*)	1.1
	quarrel (*n.*)	2.5
riñón[5a]	-es, loin	5.7
	kidney	7.3
río[1a]	river	1.5
riqueza[1b]	wealth	1.5
risa[1b]	laugh (*n.*)	1.8
	laughter	3.8
risco[5a]	cliff	4.6
risueño[3a]	pleasant	1.1
ritmo[5a]	rhythm	7.9
rival[3b]	rival	5.
rivalidad[6b]	rivalry	7.8
rizar[4a]	curl	4.8
rizo[5a]	curl	4.9
robar[1b]	rob	2.3
roble[6a]	oak	3.1
robusto[2b]	strong	1.
	sound	1.2
	hardy	2.6
robo[5a]	robbery	4.8
roca[2b]	rock (*n.*)	1.7
roce[5b]	friction	6.1
rociar[5b]	sprinkle	3.7
rocín[6b]	hack	7.
rocío[6a]	dew	3.9
rocoso	rocky	5.9
rodar[2a]	roll (*tr. vb.*)	2.3
	roll (of thunder, etc.)	4.3
rodear[1b]	go round	1.8
	surround	1.8
rodeo[5a]	detour	8.1

		Section
rodilla[2a]	knee	2.
	hincar la –, kneel	3.9
roer[4a]	gnaw	6.1
rogar[1b]	ask (favor)	1.
	pray	2.2
	beg	2.7
rojo[1b]	red	1.
rollo[6b]	roll (*n.*)	2.6
	– de papel, scroll	4.6
romance[3a]	romance	6.4
romano[3a]	Roman	1.8
romanticismo[4b]	romanticism	10.4
romántico[3a]	romantic	4.3
romo	dull	5.2
romper+roto[1a]	break	1.1
	burst	1.4
	break out (crying, etc.)	2.2
	break (in pieces)	2.3
	burst (out laughing)	3.
	burst (into tears)	3.5
roncar[6a]	snore	6.7
ronco[3b]	hoarse	6.5
ronda[4b]	rounds (military)	4.2
	hacer la – (make the) rounds	4.3
rondar	haunt	5.7
ropa[1b]	clothes	1.4
rosa[1b]	rose	1.5
rosado[4a]	pink	4.6
rosal[6a]	rose bush	5.2
rosario[4a]	beads	5.4
rosca[6b]	screw	5.8
rostro[1b]	face	1.
rota[5a]	defeat	3.6
rótulo	sign	3.4
rotundo[6b]	round (*adj.*)	1.6
	circular	3.3
rozar[5a]	graze	3.4
rubio[2a]	fair	1.2
rubor[3b]	blush	5.5
ruborizar(se)[6b]	blush	4.
rudo[2b]	rude	4.3
rueca[6b]	distaff	8.2
rueda[2b]	wheel (*n.*)	2.5
	– del timón, helm	5.6

		Section
ruedo	border	5.1
ruego[3a]	request (*n.*)	2.1
	plea	5.3
rufián	ruffian	7.
rugido[5b]	roar	5.3
rugir[3b]	roar	4.7
ruido[1b]	noise	2.6
ruidoso[3b]	loud	1.2
	noisy	5.8
ruin[4a]	mean	1.5
ruina[2a]	ruin (*n.*)	2.4
	decline	4.4
ruinoso[5b]	ruinous	6.5
ruiseñor[5b]	nightingale	6.1
rumbo[2b]	direction	1.
rumor[2a]	rumor	3.8
ruptura[6b]	break	3.8
rural[6b]	rural	3.3
	guardia –, constable	6.2
ruso[5b]	Russian	3.
rústico[3a]	rural	3.3
ruta[5a]	road	1.
rutina[7a]	routine	7.7

S

		Section
sábado[4a]	Saturday	3.5
sábana[6b]	sheet	4.9
saber (*vb.*)[1a]	know (have knowledge)	1.
	desear –, wonder	1.
	sin – lo, unknown	2.2
saber (*n.*)[3b]	learning	3.6
sabiduría[4b]	wisdom	2.3
	learning	3.6
sabio[1b]	wise	1.5
	learned	1.6
sable	saber	7.2
sabor[3a]	taste (*n.*)	1.4
saborear[6b]	taste (*vb.*)	1.5
	relish	4.
sabroso[3a]	delicious	2.8
	savory (*adj.*)	6.9
sacar[1a]	pull	1.
	draw up	1.7
	take away	2.6

INDEX TO SPANISH WORDS IN THE LIST 419

	Section
sacerdote[2a]	
minister	2.
saciar[5b]	
saciado, satisfied	4.1
quench	5.4
saco[4a]	
coat	2.
bag	3.
– de viaje	
bag (suitcase)	4.5
jacket	6.1
sacrificar[3a]	
sacrifice (vb.)	2.6
sacrificio[2a]	
sacrifice	2.
sacristán[5b]	
sexton	8.1
sacro[4b]	
holy	1.4
sacred	1.6
sacudir[2b]	
shake (wag)	1.9
shake (head)	2.2
jerk	4.6
saeta[6a]	
arrow	3.2
sagaz[6a]	
sharp	1.7
sagrado[2a]	
sacred	1.6
sainete[5b]	
comedy	3.7
sal[1b]	
salt (n.)	2.1
sala[2a]	
room (chamber)	1.
hall	1.5
room (living)	2.3
salar +salado[5a]	
salt	4.7
salida[2a]	
way out	2.
outlet	3.
departure	3.1
– del sol, sunrise	5.8
sortie	9.2
saliente[5a]	
projecting	4.3
salir[1a]	
go out	1.4
– al encuentro	
(go to) meet	2.3
come out	2.6
salmo	
psalm	5.6
salmón	
salmon	7.2
salón[3a]	
hall	1.5
room (living)	2.3
salpicar[6a]	
splash	6.6
salsa[2b]	
sauce	5.5
saltar[2a]	
spring (vb.)	1.5
salto[2b]	
spring (n.)	2.6
salud[1b]	
health	1.5
estado de –	
(state of) health	3.1
saludable[4b]	
wholesome	4.6
saludar[1b]	
bow (greet)	1.4
saludo[4a]	
bow	1.8

	Section
salva[6b]	
discharge	5.8
salvación[4b]	
salvation	3.9
salvador[4b]	
savior	4.8
salvaje[3a]	
wild	1.7
savage	2.
salvar[1b]	
save	1.
overcome	2.4
salvo[2b]	
en –, safe	1.
sanar[6b]	
recover (health)	2.7
cure (vb.)	2.9
sanción	
sanction	6.6
sandez[6b]	
folly	3.2
sangrante	
bleeding	5.
sangrar	
bleed	5.
sangre[1a]	
blood	1.
– fría, presence of mind	4.5
sangriento[2b]	
bloody	2.9
sano[2a]	
sound	1.2
santidad[4a]	
holiness	6.6
santiguar[6a]	
bless	2.
santo +san[1a]	
holy	1.4
saint	2.6
santuario[5b]	
sanctuary	5.3
San Valentín	
Valentine	7.2
saña[5a]	
anger	1.9
sañudo[6a]	
furious	1.9
sapo[6a]	
toad	6.6
saquear	
plunder	6.5
sarcasmo[6a]	
sarcasm	8.8
sardina[4b]	
sardine	8.
sargento[7b]	
sergeant	6.4
sartén[6a]	
frying pan	6.4
sastre[3b]	
tailor	3.5
satánico[6a]	
devil	1.9
devilish	7.4
sátira[5a]	
satire	6.9
satisfacción[2b]	
satisfaction	2.4
amends	4.1
satisfacer +satisfecho[1b]	
satisfy	1.9
satisfied	4.1
satisfactorio[5a]	
satisfactory	3.7
savia[5a]	
sap	4.2

	Section
sazón[3a]	
en –, ripe	2.9
sazonar[3b]	
season	4.5
se[1a]	
each other	1.
one (indef. pron.)	1.
secar[2b]	
dry (vb.)	2.1
sección[3a]	
section	1.9
seco[1b]	
dry	1.4
secretaría[6b]	
secretary	3.6
secretario[2b]	
secretary	3.6
secreto[1a]	
secret (n.)	1.8
secret (adj. and adv.)	2.1
secta[6b]	
party	1.1
secular[4b]	
secular	5.6
secundario[5b]	
escuela secundaria	
school	1.
secondary	6.6
sed[2b]	
thirst	3.3
tener –, (be) thirsty	3.7
seda[2b]	
silk	2.9
de –, silk (adj.)	3.3
sediento[6b]	
thirsty	3.7
seducción	
seduction	12.9
seducir[4b]	
attract	3.1
seduce	4.8
seductor[3b]	
attractive	4.
segar[5b]	
cut	4.7
seguida[1b]	
en –, (at) once	1.
seguir[1a]	
follow (ensue)	1.
follow (succeed)	2.3
según[1a]	
by (according to)	1.
segundo[1*]	
second	1.
second (n.)	2.3
en – lugar	
(in the) second place	2.3
seguridad[2a]	
safety	1.7
assurance	5.
seguro[1a]	
(of) course	1.
safe	1.
sure	1.
firm (fixed)	1.1
insurance	3.3
confident	5.1
seis[1*]	
six	1.4
selección[6b]	
choice	1.6
selecto[4b]	
select	4.9
selva[3b]	
forest	1.
sellar[4a]	
seal (vb.)	5.2

	Section
sello[3a]	
stamp	3.1
seal	4.
semana[2a]	
week	1.1
semanario	
weekly	5.7
semblante[2b]	
face	1.
sembrado[6a]	
sow	3.6
sembrador	
planter	7.2
sembrar[2b]	
plant (vb.)	2.4
sow	3.6
semejante[1a]	
like (adj.)	1.
semejar[3b]	
(look) like	1.
semejanza[4a]	
likeness	3.9
semicírculo	
semicircle	8.8
semilla[5a]	
seed	2.7
senado[6a]	
senate	3.4
senador	
senator	5.2
sencillez[3a]	
simplicity	5.4
sencillo[1b]	
simple (mere)	1.
simple (ingenuous)	2.2
senda[3b]	
path	2.9
sendero[3b]	
path	2.9
seno[2a]	
chest	1.9
sensación[2a]	
feeling	1.6
sensibilidad[4a]	
feeling	1.5
sensible[3a]	
conscious (of)	3.3
sensitivo[6b]	
sensitive	4.4
sensual[6a]	
sensual	5.6
sentar[1a]	
seat (vb.)	1.
sit (be sitting)	1.
-se, sit down	1.
sentencia[3b]	
sentence	2.
sentenciar[6a]	
sentence (vb.)	2.3
sentido[1a]	
sense	1.4
sentimental[2b]	
sentimental	6.6
sentimiento[1a]	
feeling	1.
sentir[1a]	
feel	1.
feeling	1.
experience (vb.)	1.8
(be) sorry	1.8
seña[2a]	
sign (n.)	1.1
llamar con -s, beckon	4.3
señá[5b]	
woman	1.
señal[2a]	
sign (n.)	1.1
signal	4.5

SEMANTIC FREQUENCY LIST

	Section
señalar[1b]	
mark (*vb.*)	1.
point out	1.4
assign	2.5
señor[1a]	
-a, lady	1.
Mr.	1.
-a, Mrs.	1.
lord	1.1
lord (title)	2.2
-a, mistress	3.5
señoría[6b]	
lord	2.2
señorío[4b]	
dominion	3.1
señorito[1a]	
Mr.	1.
señorita, Miss	1.1
señorita, young lady	1.1
separación[3b]	
separation	3.4
separar[1b]	
separate	1.
separado	
separate (*adj.*)	1.
septentrional[6b]	
northern	2.
septiembre[3b]	
September	2.1
séptimo[5*]	
seventh	4.5
sepulcro[3a]	
grave (*n.*)	2.2
sepultar[4a]	
bury	3.1
sepultura[3a]	
grave (*n.*)	2.2
sequedad[6b]	
dryness	11.5
ser (*vb.*)[1a]	
be	1.
llegar a –, become	1.
ser (*n.*)[1b]	
being	1.
life	1.
serenarse[5a]	
quiet (*vb.*)	1.6
serenidad[3a]	
quiet (*n.*)	1.
sereno[2a]	
quiet	1.
dew	3.9
serene	6.
serie[3a]	
series	2.5
seriedad[5b]	
gravity	3.8
serio[1b]	
grave	1.4
sermón[3b]	
sermon	3.7
serpiente[4b]	
snake	3.8
servicio[1b]	
service	1.
favor (*n.*)	1.4
servidor[2b]	
servant	1.9
servidumbre[4b]	
servant	1.9
servil	
servile	7.
servilleta[7b]	
napkin	5.5
servir[1a]	
serve	1.
sesenta[3*]	
sixty	4.

	Section
sesión[4b]	
session	5.3
seso[4a]	
brain	3.3
setenta[5*]	
seventy	5.1
seto	
hedge	5.4
severidad[3b]	
rigor	4.2
severity	4.7
severo[2a]	
severe	1.6
sexo[3a]	
sex	3.3
sexto[5*]	
sixth	3.7
si, sí[1a]	
if	1.
self	1.
whether	1.
yes	1.
itself	1.5
sidra[6a]	
cider	7.
siembra[5b]	
sowing	4.5
siempre[1a]	
always	1.
sien[4b]	
temple	4.8
sierpe[6b]	
snake	3.8
sierra[3a]	
mountain	1.5
siervo[5a]	
slave	2.2
siesta[4a]	
sleep (*n.*)	1.5
nap	6.
siete[1*]	
seven	1.4
siglo[1a]	
century	1.4
significación[4a]	
import (*n.*)	2.2
significar[2a]	
mean	1.
significativo[6a]	
(full of) meaning	3.3
signo[3a]	
sign	1.1
siguiente[1a]	
día –, day after	1.
next	1.
sílaba[4b]	
syllable	4.9
silbar[3a]	
whistle	4.6
hiss	5.4
silbido[6a]	
whistle	3.9
silencio[1b]	
quiet (*n.*)	1.
silence (*n.*)	2.2
silencioso[3a]	
silent	1.5
silueta[6a]	
outline	4.8
silla[1b]	
chair	1.8
saddle	3.8
sillón[5b]	
chair	1.8
símbolo[3b]	
symbol	5.6
simiente[4b]	
seed	2.7

	Section
simpatía[2b]	
tener – por, like	1.
sympathy	2.8
simpático[3a]	
pleasant	1.1
simple[1b]	
simple (mere)	1.
simplificar	
(make) simple	2.1
simultáneo[6a]	
(at the) same time	1.9
sin[1a]	
– duda (without) doubt	1.
– reserva, free	1.
– without	1.
– saber lo, – noticia de unknown	2.2
– valor, worthless	4.2
– piedad, merciless	5.4
– nombre, nameless	5.8
– hilos, wireless	6.
sin embargo[1a]	
however	1.
sinceridad[3b]	
sincerity	5.9
sincero[2a]	
sincere	2.5
sindicado	
syndicate	9.3
singular[2a]	
strange	1.
siniestro[3b]	
left	1.
sinister	5.
sino[1a]	
but	1.
else	1.1
fate	1.5
sinrazón[6b]	
wrong (injury)	3.1
wrong (misdeed)	3.2
sintético[6b]	
synthetic	8.6
síntoma[7a]	
symptom	7.7
siquiera[1b]	
(at) least	1.
sirena[5a]	
siren	7.
sirviente[6a]	
servant (maid)	1.5
servant (man)	1.9
sistema[2a]	
system	1.6
– escolar, school system	4.2
sistemático	
systematic	6.9
sitio[1a]	
place	1.
situación[1b]	
state (condition)	1.
position	1.4
position (plight)	1.5
situar + situado[2a]	
place (*vb.*)	1.
locate	2.
soberanía[6b]	
rule	2.
soberano[2a]	
sovereign	3.7
soberbia[3a]	
pride	2.4
soberbio[2a]	
haughty	4.7
sobornar[7a]	
bribe	6.

	Section
sobra[3a]	
rest (remainder)	1.1
de –, spare	3.
excess	3.3
sobrar[2b]	
exceed	2.3
sobre (*prep.*)[1a]	
above (*prep.*)	1.
– todo, above all	1.
on	1.
– lo cual, upon which	1.6
sobre (*n.*)[5a]	
envelope	5.6
sobrehumano[6b]	
superhuman	9.4
sobrenatural	
supernatural	8.4
sobrepasar	
surpass	4.6
sobreponer[5a]	
put over	3.
sobresalir[4b]	
(be) ahead (of)	2.7
project	3.7
sobresalto[5b]	
de –, suddenly	1.
start (*n.*)	1.7
sobrevenir[5a]	
happen	1.
sobrevivir	
survive	5.8
sobriedad[7a]	
moderation	3.8
temperance	6.4
sobrino[1b]	
nephew	3.7
sobrina, niece	4.1
sobrio[4b]	
sober	3.8
socarrón[5a]	
sly	4.2
social[1b]	
social	2.3
social democracia	
social democracy	5.3
socialista[6b]	
socialist	6.1
sociedad[1b]	
company (business)	1.
company (social)	1.
-es benéficas, charity societies	4.6
socio[4a]	
partner	3.4
socorrer[3a]	
help	1.
socorro[3a]	
help	1.1
sofá[5a]	
couch	4.1
sofocar[3b]	
choke	3.7
sol[1a]	
sun	1.
rayo de –, sunbeam	4.3
puesta del –, sunset	5.3
salida del –, sunrise	5.8
solar[3a]	
luz –, sunshine	3.2
soldado[1b]	
soldier	1.
soleado	
sunny	6.
soledad[2a]	
solitude	3.6
solemne[2b]	
solemn	2.8

INDEX TO SPANISH WORDS IN THE LIST

	Section
solemnidad[5a]	
pomp	4.4
solemnity	5.3
soler[1a]	
use	1.
solicitar[2a]	
ask (favor)	1.
solicit	3.4
solícito[5a]	
careful	1.7
solicitud[3a]	
care	1.
solidaridad[6a]	
agreement	3.1
(joint) responsibility	7.1
solidez[5b]	
solidity	8.3
sólido[2b]	
solid	3.2
solitario[2b]	
lonely	3.3
solo, sólo[1a]	
alone	1.
only (adv.)	1.
only (adj.)	1.
soltar[1b]	
loose (vb.)	1.5
soltero[5a]	
bachelor	6.2
soltura[5a]	
ease	3.3
soluble[5a]	
soluble	6.8
solución[4a]	
solution	3.5
sollozar[5a]	
sob	6.1
sollozo[4a]	
sob	5.9
sombra + sombrilla[1a]	
shade	1.4
shade (shadow)	1.8
sombrear	
shade	4.9
sombrero[2a]	
hat	1.5
sombrío[3a]	
sad	1.4
bleak	4.8
someter[2a]	
subject (vb.)	2.
-se, submit	2.4
son[3a]	
sound (n.)	1.2
sonajero	
rattle	6.
sonar[1b]	
read (sound)	1.4
ring (vb.)	1.4
blow nose	4.2
sondear	
fathom	7.
soneto[5a]	
poem	2.5
sonido[2a]	
sound (n.)	1.2
sonoro[2b]	
ringing (adj.)	1.7
sonreír[1b]	
smile (vb.)	1.4
- burlonamente, grin	5.9
sonrisa[2b]	
smile (n.)	1.9
sonrojo[6b]	
shame (n.)	3.3
sonrosado[6b]	
pink	4.6

	Section
soñador[5b]	
dreamer	9.7
soñar[1b]	
dream (vb.)	1.8
sopa[3a]	
soup	5.
soplar[3a]	
blow (vb.)	2.9
soplo[3b]	
breath	2.8
soportable	
(can be) borne	5.2
soportar[3a]	
bear	1.
sorbo	
tomar a -s, sip	6.1
sordina	
mute	6.2
sordo[2a]	
deaf	4.8
sorprendente[7a]	
striking (adj.)	2.5
sorprender[1b]	
surprise (vb.)	1.4
sorprendido	
surprised	2.5
sorpresa[2a]	
surprise (n.)	2.4
de -, unaware	6.
sortija[6a]	
ring (n.)	2.
sosegar[3b]	
quiet (vb.)	1.6
sosiego[5a]	
quiet (n.)	1.
soso	
flat	5.3
sospecha[4a]	
suspicion	4.
sospechar[2a]	
suspect (vb.)	2.8
sospechoso[5b]	
suspect	4.3
sostener[1b]	
bear	1.
support	1.8
sotana[6b]	
(priest's) robe	3.9
su[1]*	
her (adj.)	1.
his	1.
its	1.
their	1.
suave[1b]	
gentle	1.4
soft (not loud)	1.4
soft (texture)	1.5
suavidad[5a]	
gentleness	5.5
suavizar[4b]	
soften	3.1
súbdito[6a]	
subject (n.)	2.3
subir[1a]	
go up	1.
súbito[3a]	
sudden	1.
subitamente	
suddenly	1.
sublevar[5a]	
stir	1.9
sublime[2b]	
exalted	2.9
submarino	
submarine	8.1
subordinar[6b]	
subject (vb.)	2.
subordinado	
subordinate	7.

	Section
subrayar	
underline	8.
subscribir[6a]	
sign (vb.)	2.4
subsistir[5a]	
last	1.1
subsist	7.3
substancia[2b]	
substance	3.5
su(b)stancial	
substantial	3.6
substantivo[4a]	
noun	7.3
substitución[7a]	
substitution	10.5
substituir[2b]	
substitute	2.3
substituto	
substitute (n.)	3.7
subterráneo	
underground	6.6
subvención	
subsidy	8.6
subyugar[5b]	
subyugado, overcome	3.3
subdue	4.3
overcome (overpower)	4.5
suceder[1a]	
happen	1.
(take) place	1.
follow	2.3
sucesión[3b]	
succession	3.1
sucesivo[2b]	
next	1.
en lo -, (from) now on	1.1
successive	3.
one after the other	3.3
suceso[2a]	
event	2.
sucesor[3b]	
successor	3.8
suciedad	
dirt	6.
sucio[3a]	
dirty	4.2
sucumbir[4b]	
perish	2.7
sink	4.9
sudar[3a]	
sweat	5.8
sudor[3a]	
sweat	4.7
sueco	
Swedish	6.8
suegro[4b]	
father-in-law	11.
suela	
sole (on shoe)	5.2
echar - al calzado, sole	5.4
sueldo[2b]	
wage (n.)	2.2
salary	2.7
suelo[1a]	
earth	1.
ground	1.
floor	1.2
suelto[2a]	
loose	2.1
sueño[1a]	
dream (n.)	1.4
sleep (n.)	1.5
tener -, (be) sleepy	2.3
suerte[1a]	
chance	1.4
fortune	1.4
fate	1.5

	Section
suficiente[2a]	
sufficient	2.5
sufragio[7a]	
suffrage	5.1
sufrimiento[3b]	
suffering	4.5
sufrir[1a]	
bear	1.
suffer	1.
undergo	3.8
sugerir[4a]	
propose	1.4
sugestión[6b]	
suggestion	5.1
suicidio[6a]	
suicide	8.4
suizo[6b]	
Swiss	6.4
sujeto[1b]	
subject (topic)	1.
estar - (be) subject (to)	1.7
fellow	2.3
sujetar[2b]	
hold	1.
sultán[5b]	
sultan	5.7
suma[2a]	
amount	1.
sumar[4a]	
add	1.8
amount to	2.9
add up	4.6
sumergir[4a]	
sink	3.2
suministrar[5b]	
supply (vb.)	1.1
- posteriormente, supply (later)	3.
sumisión[4a]	
submission	6.
sumiso[5b]	
obedient	3.2
humble	3.5
sumo[2a]	
supreme	2.
suntuoso[5a]	
sumptuous	5.
superar[5a]	
defeat	2.7
superficial[5a]	
shallow	4.5
superficie[2b]	
surface	2.8
superintendente	
superintendent	5.
superior[1b]	
higher	1.
upper	1.4
superior	2.2
parte -, lado -, top (side)	2.5
superioridad[3b]	
superiority	6.3
superstición[6b]	
superstition	6.3
supersticioso[6b]	
superstitious	7.4
súplica[6a]	
request (n.)	2.1
suplicante	
suppliant	7.7
suplicar[2a]	
pray	2.2
plead	5.1
suplicio[5b]	
torture	3.9

422 SEMANTIC FREQUENCY LIST

	Section
suplir[3b]	
supply	1.1
suponer +supuesto[1a]	
por supuesto	
(of) course	1.
suppose	1.
(so) called	1.2
suposición[5a]	
basis	3.4
conjecture	4.7
supremo[2a]	
supreme	2.
tribunal –	
supreme court	4.3
supresión	
suppression	8.4
suprimir[3a]	
suppress	3.7
take out	4.1
omit	4.4
sur[5b]	
south	2.2
del –, southern	2.3
surcar[6b]	
plow (ship through waves)	5.4
surco[5b]	
furrow	6.
surgir[2b]	
emerge	4.1
suroeste	
southwest	6.5
susceptible[6a]	
– de, liable	6.5
susceptible	6.9
susodecir[5b]	
susodicho	
above (mentioned)	2.2
suspender[2a]	
hang	1.1
suspensión[5a]	
suspension	5.8
suspenso[4a]	
(in) suspense	6.
suspirar[2a]	
sigh (vb.)	2.6
suspiro[2b]	
sigh	2.8
sustentar[3a]	
support (vb.)	1.8
sustento[4b]	
support (n.)	2.1
susto[2b]	
fear (n.)	1.4
sustraer[5b]	
subtract	4.5
susurrar[6b]	
whisper (vb.)	3.1
rustle	4.6
sutil[2b]	
subtle	3.
sutileza[5b]	
cunning	5.1
suyo	
–¹*, his	1.1
–³*, hers	2.9
–³*, theirs	3.6

T

	Section
tabaco[4a]	
tobacco	3.9
taberna[3a]	
tavern	4.1
tabla[2a]	
board	1.7
tablado[6b]	
stage	3.
taciturno[6a]	
silent	1.5
tacón	
heel	2.4
táctico	
tactical	11.7
tacto[5a]	
touch (n.)	2.2
tacha[5b]	
fault	1.8
spot	2.2
tachar[6a]	
blame	2.8
cross out	4.7
tajada	
slice	4.
tal[1a]	
so	1.
such	1.
tal vez[1a]	
perhaps	1.
taladrar	
bore	5.
talante[6b]	
humor	2.4
temper	4.2
talento[2a]	
talent	2.4
talón[5b]	
heel	4.9
talla[7a]	
stature	2.9
tallar	
carve	5.6
talle[3a]	
figure	1.
waist	4.4
taller[3a]	
workshop	5.5
tallo[4b]	
stem	2.7
tamaño[3a]	
size	1.3
también[1a]	
also	1.
tambor[6a]	
drum	4.3
tampoco[1b]	
neither (adv.)	1.
tan, tanto[1a]	
– pronto como	
as soon as	1.
so	1.
por lo –, therefore	1.
– .... como	
as long as	1.1
– .... como	
(as) well (as)	1.2
– .... como	
as (good) as	1.4
as much	1.8
– como, (as) much (as)	1.9
– poco como	
(as) little (as)	2.6
mientras –, meanwhile	2.8
– más	
(so) much (the more)	3.6
tango[6b]	
dance	3.1
tañer[6a]	
play (vb.)	1.
ring (vb.)	1.4
tañido	
ringing of bell	4.9
tapar[2b]	
cover (vb.)	1.
tapia[4b]	
wall	1.7

	Section
tapiz[6a]	
tapestry	5.8
tapón	
cork	6.5
taquigrafía	
shorthand	9.2
taquigráficamente	
(in) shorthand	9.6
taquilla	
reja de –	
ticket window	5.3
tardanza[4b]	
delay	3.8
tardar[1b]	
delay (tr. vb.)	2.7
tarde (n. and adv.)[1a]	
evening	1.
late	1.
buenas -s	
good morning	1.1
afternoon	1.9
tardo[5b]	
late	1.
slow	1.2
backward	5.4
tarea[3a]	
(piece of) work	1.1
tarifa[6b]	
fare	3.6
– de impuesto	
tax rate	4.
tarjeta[3b]	
card	2.1
tasa[6a]	
measure	1.
taza[4a]	
cup	4.3
té (n.)[5a]	
tea	4.1
teatral[4b]	
theatre	4.6
teatro[1b]	
theatre	1.9
técnica	
technique	6.6
técnico[7b]	
technical	4.7
techo[2b]	
roof	2.
bajo –, indoors	3.1
ceiling	3.7
paja de –, thatch	6.
tejado[4a]	
roof	2.
tejedor	
weaver	7.2
tejer +tejido[2b]	
web	3.4
weave	4.6
knit	5.4
tejo	
yew	7.2
tela[2b]	
cloth	1.3
– de hilo, linen	3.6
teléfono[5b]	
telephone	5.3
telegráfico[5b]	
telegraph	5.3
telégrafo[5a]	
telegraph	4.9
telegrama[5b]	
wire	3.5
telescopio[7a]	
telescope	5.4
telón[5a]	
curtain (theatre)	3.8

	Section
tema[2b]	
subject	1.
theme	4.
temblar[1b]	
tremble	1.8
temblor[4a]	
trembling	4.
shiver	4.7
temblor de tierra	
earthquake	6.
tembloroso[4a]	
tremble	1.8
temer[1a]	
(be) afraid	1.
temido, dreaded	2.4
temerario[4a]	
rash	4.9
temeridad[4a]	
folly	3.2
temeroso[3b]	
timid	4.6
temible[4b]	
terrible	1.8
dreaded	2.4
temor[1b]	
fear (n.)	1.4
temperamento[4a]	
nature (character)	1.
temper	4.2
temperatura[3a]	
temperature	3.
tempestad[2b]	
storm	1.6
templar +templado[2b]	
temper	4.9
templo[2a]	
temple	2.1
temporada[3b]	
season (n.)	2.4
temporal[3b]	
storm	1.6
temporary	3.2
temprano[2a]	
early	1.1
tenaz[3b]	
tenacious	8.
tenaza[6b]	
-s, tongs	6.4
tendencia[4a]	
leaning	1.8
tener –, tend	2.4
tendency	3.2
tender[1b]	
spread	1.4
tendero[7a]	
tradesman	5.7
tendón	
sinew	6.
tenebroso[3b]	
dark	1.
tenedor[5a]	
fork	4.2
tener[1a]	
have	1.
hold	1.
teniente[4b]	
lieutenant	3.4
tenis	
tennis	6.8
tenor[6a]	
kind	1.
tensión[7b]	
strain	4.1
tentación[4a]	
temptation	4.4
tentador[6b]	
attractive	4.

INDEX TO SPANISH WORDS IN THE LIST

tentar[3a]	
try	1.
feel	1.6
tempt	4.
grope	6.5
tentativa[6b]	
attempt (n.)	1.8
tenue[5a]	
delicate	2.3
teñir[3b]	
color (vb.)	2.5
teológico	
theological	7.2
teoría[3b]	
theory	3.3
teórico[6a]	
theoretical	5.9
tercero[1]*	
third	1.
tercio[6a]	
third	1.
terciopelo[5a]	
velvet	5.2
terco[4b]	
stubborn	4.1
terminación[5b]	
end	1.
ending	3.9
terminar[1a]	
end	1.
término[1a]	
end	1.
term (period)	1.8
term (end of period)	2.2
termómetro[6a]	
thermometer	6.6
ternera[5b]	
calf	5.8
ternura[2b]	
tenderness	4.4
terraza	
terrace	6.7
terreno[2a]	
ground	1.
grounds	2.4
earthly	3.1
terrestre[6b]	
earthly	3.1
terrible[1b]	
terrible	1.8
territorio[2b]	
territory	2.1
terrón[6a]	
lump	6.2
terror[2a]	
fear (n.)	1.4
terso[4b]	
even (adj.)	2.4
tertulia[3b]	
circle	1.1
tesis[5b]	
thesis	6.1
tesorería	
treasury	5.6
tesorero	
treasurer	7.2
tesoro[2a]	
treasure (n.)	2.
testamento[5b]	
will	3.1
testigo[2a]	
witness (n.)	2.4
testimonio[3a]	
testimony	3.1
tétrico[6b]	
dismal	3.9

texto[4b]	
text	3.1
tez[4a]	
complexion	6.4
tibio[4a]	
warm (adj.)	1.7
tic-tac	
tick-tock	7.2
tiempo[1a]	
mucho –, long (time)	1.
time (general)	1.
weather	1.4
en -s pasados formerly	2.2
tienda[2a]	
shop (n.)	2.5
store (n.)	2.6
tent	3.4
tiento +tientas[3b]	
dar un –, try	1.
andar a tientas grope	6.5
tierno[1b]	
tender (adj.)	2.3
tierra[1a]	
country (geographical)	1.
earth	1.
land	1.
– adentro, inland	3.9
– de altura, highland	5.
– baja, lowland	5.4
tigre[4b]	
tiger	5.8
tijera[5b]	
scissors	6.5
tilo	
linden	6.4
timbrazo	
ringing of bell	4.9
timidez[4b]	
timidity	8.4
timbre[5a]	
bell	2.5
stamp	3.1
tímido[3a]	
shy	4.2
timid	4.6
timón	
caña, rueda del –, helm	5.6
tiniebla[3a]	
darkness	2.9
tino[4a]	
skill	3.
tinta[3a]	
ink	5.1
tinte[6a]	
shade	2.9
dye	5.4
tintero[5a]	
inkwell	8.9
tintinear	
tinkle (n.)	4.1
tío[1a]	
uncle	1.9
tía, aunt	2.
típico[6a]	
characteristic	3.8
tiple[5a]	
treble	6.8
tipo[2a]	
standard (adj.)	3.
– de interés rate of interest	3.8
type	4.8
tira[6b]	
band	2.5
strip (n.)	2.9
stripe	3.6

tiranía[3b]	
tyranny	5.6
tirano[2a]	
tyrant	4.2
tirar[1b]	
pull	1.
throw	1.
shoot	1.8
draw along	2.6
tiro[2b]	
shooting	3.4
tirón[5b]	
de un –, (at) once	1.8
titubear[5b]	
waver	3.4
titular[2b]	
(give) name (to)	1.
título[1b]	
right	1.8
title	1.8
tiza	
chalk	6.2
to(b)alla	
towel	6.2
tobillo	
ankle	4.6
tocador[6b]	
player	6.
tocar[1a]	
play (vb.)	1.
touch	1.
ring (vb.)	1.4
knock	2.6
-se, (put on) hat	2.8
-se, (do) hair	4.
tocado, head dress	4.2
tocino[5a]	
bacon	6.1
tocón	
stump	5.7
todavía[1a]	
still	1.
todo[1a]	
sobre –, ante – above all	1.
all	1.
de -s modos, en – caso (in any) case	1.
everything	1.2
en todas partes everywhere	1.4
-s, – el mundo everybody	2.2
todas las noches nightly	3.
de -s modos, anyhow	4.2
tolerancia[5b]	
toleration	7.7
tolerar[4a]	
bear	1.
tomar[1a]	
take	1.
drink	1.4
– prestado, borrow	3.3
– el ruedo, border	5.1
– el pelo, tease	5.9
– a sorbos, sip	6.1
tomate[4a]	
tomato	6.4
tomillo[6a]	
thyme	8.6
tomo[4a]	
volume	2.9
tonada[6b]	
air (n.)	3.
tonel	
cask	5.3
tub	6.2
tonelada	
ton	3.7

tonelaje	
tonnage	7.2
tono[1b]	
tone	1.4
tontería[4a]	
folly	3.2
nonsense	5.
tonto[2b]	
fool	2.4
foolish	2.8
dupe	8.2
topar[4b]	
run into	1.6
toque[4a]	
touch	2.1
torbellino[4a]	
whirlwind	6.2
torcedura	
wrench	6.8
torcer +torcido[2a]	
-se, warp	3.5
crooked	3.7
twist	4.
tordo[7a]	
thrush	7.1
torero[4b]	
(bull) fighter	6.8
tormenta[3a]	
storm	1.6
tormento[2b]	
torment	3.5
tornar[2a]	
go back	1.4
torneo	
tournament	8.5
tornillo[7b]	
bolt	5.5
screw	5.8
torno[2a]	
en – de, around	1.1
toro[2b]	
bull	5.4
torpe[2b]	
awkward	4.9
torre[1b]	
tower	2.3
torrecilla	
turret	7.
torrente[4b]	
torrent	3.
torta[5b]	
cake	4.7
tortilla[6b]	
pancake	7.
tórtola[6b]	
dove	4.4
tortuga	
turtle	6.4
tortoise	6.8
tos	
cough	6.2
tosco[3a]	
rude	4.3
toser[4b]	
cough	5.7
tostada[6a]	
toast	5.6
tostar[3b]	
toast	5.6
total[2a]	
-mente, all	1.
whole (n.)	1.5
totalidad[6b]	
whole (n.)	1.5
trabajador[3a]	
worker	2.2
workman	2.5
industrious	3.2

	Section		Section		Section		Section
trabajar[1a]		transponer[4b]		trepar[4b]		tropiezo[4b]	
work (vb.)	1.	transfer (vb.)	2.4	climb	2.7	error	1.8
trabajo[1a]		transportar[5a]		tres[1*]		trotar[6a]	
work (n.)	1.	transport	3.9	three	1.	trot	5.5
workmanship	3.	transportado, rapt	4.3	– veces, three times	2.6	trote[6a]	
patio de –, work-yard	12.2	transporte[6b]		triángulo[6a]		trot	4.6
trabar[4a]		transport	3.2	triangle	7.	trovador	
fasten	2.9	transversal		tribu[4b]		minstrel	7.2
tradición[3b]		calle –, crossroad	10.5	tribe	2.5	trozo[2b]	
tradition	3.7	tranvía[4b]		tribuna[6a]		piece	1.
tradicional[4b]		car	2.1	platform	5.8	slip	3.5
traditional	7.8	trapo[4b]		tribunal[3a]		scrap	5.5
traducción[6a]		rag	5.3	court	1.4	trucha	
translation	5.	tras[1b]		– supremo		trout	6.8
traducir[3a]		after	1.	supreme court	4.3	trueno[3a]	
translate	3.8	(in) back (of)	1.	tributar[4a]		thunder	3.6
traer[1a]		– bastidores		(pay) tribute (to)	3.2	trueque[5a]	
bring	1.	(behind the)		tributo[4b]		exchange (n.)	2.
wear (clothes)	1.	scene	5.4	tax	1.6	tu[1*]	
bring before	2.2	trasladar[2a]		tricolor		thou	1.
tragar[3b]		transfer (vb.)	2.4	three-colored	13.	thy	1.6
swallow	3.5	traslucir(se)[5b]		trigo[2b]		tubo[4b]	
tragedia[4a]		show through	3.4	wheat	2.5	pipe	3.2
tragedy	4.4	trasnochar[6a]		trillar[6a]		tuerto[5b]	
trágico[2b]		spend night	2.7	thrash	5.9	blind (adj.)	2.
tragic	4.9	traspasar[3a]		trinchar[7b]		tumba[3a]	
trago[5a]		cross	1.	carve	3.3	grave (n.)	2.2
draft	2.2	trastornar[3a]		trineo		tumbar[6b]	
traición[3a]		(make) mad	2.9	sled	6.8	fell	2.8
treason	4.3	trastorno[5b]		sledge	6.8	tip over	3.5
traicionar[6b]		confusion	3.2	tripa[5a]		tumulto[6a]	
betray	†2.5	upset	6.3	entrails	7.7	noise	2.6
traidor[2b]		tratado[4b]		triple[6a]		túnel[6b]	
traitor	4.9	treaty	2.6	triple	5.8	tunnel	6.4
traje[1b]		tratamiento[4a]		tripulación		túnica[4a]	
clothes	1.4	treatment	2.8	crew	3.2	robe	3.3
dress (n.)	1.4	tratar[1a]		triste[1a]		tupir[5b]	
suit	2.7	-se, (be a) question of	1.	sad	1.4	stop up	3.1
costume	4.3	try	1.	bleak	4.8	turba[5a]	
trampa[7a]		treat (vb.)	1.4	tristeza[1b]		mob	4.9
hacer –, cheat	3.1	trato[1b]		sadness	3.5	turbación[5a]	
trap	5.1	bargain	1.9	triunfal[5b]		confusion	3.2
trance[4b]		dealing (n.)	3.	triumphant	4.6	turbar[2a]	
state (condition)	1.	través[2a]		triunfante[5b]		embarrass	3.2
tranquear		a –, through (motion)	1.	triumphant	4.6	turbio[4a]	
stride (vb.)	3.3	al – de, throughout	2.8	triunfar[2a]		muddy	5.2
tranquilidad[3a]		de –, across	3.4	triumph	4.2	turbulento[6b]	
quiet (n.)	1.	travesía[5b]		triunfo[1b]		stormy	4.
tranquilizar[3b]		journey	1.	triumph	3.1	turco[6a]	
quiet (vb.)	1.6	travesura[5b]		trocar[3a]		Turkish	5.
soothe	4.3	mischief	4.5	change (vb.)	1.4	turista	
tranquilo[1b]		prank	5.7	trofeo		tourist	6.9
quiet	1.	travieso[4b]		trophy	6.8	turno[6b]	
transcendencia[5b]		naughty	2.3	trompa[5a]		por –, (in) turn	1.
importance	1.8	traza[4a]		horn	3.6	shift	3.5
transcendental[6b]		trace (n.)	2.1	trompeta[5a]		tutear	
surpassing	6.2	trazar[2b]		horn	3.6	(use) thou-form	13.
transcurrir[3b]		trace (out)	1.7	trompetero		tutor[7a]	
pass	2.6	trébol		trumpeter	8.4	guardian	5.5
transeunte[6b]		clover	6.4	tronar[5a]		tuyo[3*]	
passerby	10.9	trece[5*]		thunder	4.2	yours	2.1
transformación[5a]		thirteen	5.2	tronco[3a]		thine	2.3
change (n.)	2.9	trecho[4a]		(tree) trunk	2.3		
transformar[2b]		distance	1.1	team (horses)	3.9		
transform	2.8	tregua[5a]		log	4.8	**U**	
transición[6b]		recess	4.7	trono[3a]			
transition	4.4	treinta[2*]		throne	2.3	u[1a]	
transigir[4b]		thirty	2.3	tropa[2b]		either	1.
settle	1.8	tremendo[2b]		troop	1.6	or	1.
tránsito[4b]		terrible	1.8	tropel[4b]		ufano[4a]	
crossing	1.6	trémulo[3a]		crowd	1.	proud	1.6
transmisión[5b]		tremble	1.8	tropezar[2a]		ujier	
sending (n.)	2.6	tren[2b]		stumble	5.5	usher	7.3
transmitir[3b]		train	1.1	tropical[5b]		ulterior[4b]	
send	1.	train (military)	3.1	tropic	6.9	subsequent	4.1
transparente[4b]		trenza[4b]		trópico[5b]			
transparent	5.7	braid	6.	tropic	6.9		

INDEX TO SPANISH WORDS IN THE LIST

	Section
último[1a]	
last (*adj.*)	1.
por –, (at) last	1.
latter	1.4
últimamente, lately	5.1
umbral[4b]	
threshold	4.2
umbroso	
shady	6.1
un, uno, una[1a]	
a	1.
cada –, each	1.
el – al otro, each other	1.
el – o el otro either (one)	1.
ni el – ni el otro neither (one)	1.
una vez, once	1.
one (*indef. pron.*)	1.
one (numeral)	1.
unánime[6a]	
unanimous	5.
undécimo	
eleventh	7.2
ungir[7a]	
anoint	7.
ungüento[6a]	
ointment	7.
único[1a]	
only (*adj.*)	1.
unidad[3a]	
unity	3.8
unit	4.2
unit (military)	5.9
uniforme[4a]	
uniform (*adj.*)	3.1
uniform (*n.*)	4.4
unión[2a]	
union	1.6
union (bringing together)	3.5
unir[1a]	
unite	1.
unido, united	1.5
universal[3a]	
universal	3.8
universidad[3b]	
university	3.3
universo[3b]	
universe	5.4
untar[6a]	
spread	4.5
anoint	7.
uña[3b]	
nail	3.1
urbanidad[5b]	
(good) manners	2.9
urbano[6a]	
civil	3.2
courteous	4.3
urgencia[6b]	
hurry (*n.*)	2.4
urgency	9.8
urgente[3b]	
pressing	1.7
usanza[5a]	
custom	1.9
usar[1a]	
use	1.
uso[1b]	
use (*n.*)	1.1
usted[1a]	
you	1.
– mismo, yourself	2.1
usual[6a]	
usual	1.
no –, unusual	2.6
usurpar[5b]	
usurp	4.5

	Section
útil[2a]	
useful	2.
helpful	5.6
utilidad[3a]	
profit	2.
utilizar[3a]	
use	1.
uva[5a]	
grapes	4.1

V

	Section
vaca[2b]	
cow	3.4
beef	4.1
vacaciones	
holidays	5.2
vacante[6b]	
vacant	2.8
vacilación[6b]	
hesitation	7.3
vacilar[3a]	
reel	3.1
waver	3.4
vacío[2a]	
empty (*adj.*)	2.
void	5.2
vadear	
wade	7.1
vado	
ford	6.4
vagabundo[4b]	
tramp	4.9
vagar[3b]	
wander	2.7
vago[2a]	
vague	4.
vaina	
sheath	4.4
vaivén[4b]	
motion	1.4
valenciano[6b]	
English	1.
valentía[4b]	
courage	1.4
valer[1a]	
(be) worth	1.
valeroso[4a]	
(be) brave	1.
validez	
validity	8.8
valiente[1b]	
(be) brave	1.
valioso[6a]	
valuable	2.7
valor[1a]	
value	1.
courage	1.4
sin –, worthless	4.2
válvula[7b]	
valve	6.3
valla[5b]	
fence	4.8
valle[2a]	
valley	1.7
vanagloria[6a]	
conceit	5.3
vanguardia	
van	4.4
vanidad[2a]	
vanity	3.3
vanidoso[6b]	
vain	2.3
vano[1b]	
en –, (in) vain	1.9
vain (*adj.*)	2.3

	Section
vapor[2a]	
steam (*n.*)	2.5
buque de –, steamer	3.7
vara[3a]	
yard	1.3
stick (*n.*)	2.
wand	3.2
variable[5a]	
changing	4.6
variación[5a]	
change (*n.*)	1.5
variar[2a]	
vary	3.6
variedad[3a]	
variety	3.8
vario[1a]	
different	1.
-s, several	1.
varias veces several times	1.2
various	2.6
varón[2a]	
male	3.1
varonil[5b]	
manly	3.8
vasallo[4a]	
vassal	6.6
vasija[6b]	
pot	2.3
vaso[1b]	
glass	1.
vein	3.6
vasto[3a]	
vast	2.8
vate[5b]	
poet	1.5
vecindad[4b]	
neighborhood	2.9
vecindario[6a]	
neighborhood	2.9
vecino[1b]	
near	1.
neighbor	1.8
adjoining	3.8
vega[6b]	
plain (*n.*)	1.6
vegetación[4b]	
vegetation	7.2
vegetal[4a]	
vegetable	4.8
vegetable (*adj.*)	5.
vehemente[4b]	
vehement	4.8
vehículo[5a]	
vehicle	5.
veinte[2]*	
twenty	1.9
veinticinco[4]*	
twenty-five	4.2
veinticuatro[5]*	
twenty-four	4.7
veintidós[5]*	
twenty-two	4.6
veintiséis[5]*	
twenty-six	4.7
vejez[2b]	
old age	1.3
vela[2a]	
candle	2.2
sail	3.5
velada[5b]	
evening	1.
velar[2a]	
watch (*vb.*)	1.
velo[3b]	
veil	3.4

	Section
velocidad[4a]	
speed	2.5
rate (of speed)	3.4
veloz[3a]	
fast	1.
vellocino	
fleece	6.4
vellón	
fleece	6.4
velludo	
hairy	7.8
vena[3a]	
vein	3.6
vencedor[3a]	
victor	3.8
vencer + vencido[1b]	
overcome	2.4
vencimiento[6a]	
defeat	3.6
falling due	5.2
venda[5b]	
bandage	5.3
vendaval[5a]	
storm	1.6
vendedor[6a]	
merchant	2.2
clerk	2.7
dealer	4.8
vender[1b]	
sell	1.4
– al (por) menor retail	6.3
veneno[3b]	
poison	3.1
venenoso	
poisonous	6.
venerable[3b]	
venerable	5.1
veneración[3b]	
worship	3.6
venerar[3b]	
reverence (*vb.*)	2.7
vengador[5a]	
avenger	8.9
venganza[2a]	
revenge	2.8
vengar[2b]	
avenge	3.8
venida[4b]	
arrival	2.8
venidero[4b]	
next	1.
future (*adj.*)	2.
venir[1a]	
come	1.
– de, come from	1.
ir y –, ply	3.4
venta[2a]	
sale	2.4
ventaja[2b]	
advantage	1.5
ventajoso[6a]	
favorable	2.2
profitable	4.1
ventana[1b]	
window	1.4
ventero[6a]	
innkeeper	5.8
ventoso	
windy	6.5
ventura[2a]	
fortune	1.4
venturoso[4a]	
fortunate	2.
ver[1a]	
see	1.
verano[2a]	
summer	1.6

veras[2a]
de –, really 1.4
verbal[6a]
oral 5.4
verbigracia[2b]
(for) example 1.4
verbo[1b]
verb 6.5
verdad[1a]
truth .... 1.
en –, really 1.4
verdadero[1a]
indeed .... 1.
verdaderamente
 indeed .... 1.
real .... 1.
true .... 1.
verdaderamente, really 1.4
verde[1b]
green 1.5
verdor[6a]
green .... 4.
verdugo[3a]
hangman 7.3
verdura[4b]
green .... 4.
vergonzoso[4a]
shy 4.2
shameful 4.7
vergüenza[2a]
shame 3.3
verificar[2b]
check 3.8
verja[5b]
bars 4.6
versión[6a]
translation .... 5.
interpretation 5.5
verso[1b]
verse 2.7
verter[2b]
pour 2.3
vertical[5b]
upright 4.1
vertiginoso[6a]
fast .... 1.
vértigo[4a]
tener –, dizzy 6.4
vestido[1b]
clothes 1.4
dress (n.) 1.4
vestigio[6a]
trace (n.) 2.1
vestir[1a]
clothe 1.9
veterano
veteran 7.2
vetusto[5b]
ancient 2.6
vez[1a]
otra –, again .... 1.
muchas veces, often .. 1.
una –, once .... 1.
time (how many).. 1.
a la –
 (at the same) time 1.
algunas veces, de – en
 cuando
 (at) times .... 1.
a su –, (in) turn ...... 1.
varias veces
 several times 1.2
a veces, algunas veces
 sometimes 1.4
rara –, seldom 1.5
dos veces, two times.. 1.8
cada –, (every) time.. 2.2
tres veces
 three times 2.6

vez[1a]—continued
por primera –
 (for the) first
 time 2.6
vía[2b]
road .... 1.
viajar[3a]
travel (vb.) 1.8
viaje[1a]
journey .... 1.
saco de –
 bag (suitcase).... 4.5
viajero[3a]
traveler 2.4
vianda[5b]
food 1.9
víbora[6a]
viper .... 7.
vibración[4a]
vibration 7.6
vibrante[6b]
vibrate 4.4
vibrar[3a]
vibrate 4.4
vicepresidente[6a]
vice-president 9.8
vicio[2a]
vice 3.2
vicioso[5b]
bad .... 1.
vicious 6.5
víctima[1b]
victim 2.2
victoria[2b]
victory .... 2.
victorioso[4b]
victorious 3.9
vida[1a]
life .... 1.
vidriera[7a]
(church) window... 2.4
vidrio[3a]
glass 1.7
pane 3.3
viejo[1a]
old .... 1.
hierro –
 (old) iron 2.3
 (old) man 2.4
viento[1b]
wind 1.4
molino de –
 windmill 5.4
vientre[3b]
belly 6.2
viernes[4a]
Friday 3.6
vigésimo[7]*
twentieth 7.1
vigilancia[4b]
care 3.2
vigilante[6b]
guard (n.) .... 2.
vigilar[4a]
watch (vb.) .... 1.
vigilia[5a]
vigil 6.2
vigor[3a]
force .... 1.
vigor .... 4.
vigoroso[3a]
hardy 2.6
vil[2b]
low 1.8
villa[2b]
city .... 1.

villano[3b]
bad 1.2
knave 4.5
villain .... 5.
vinagre[3b]
vinegar 6.3
vincular[6b]
unite .... 1.
vínculo[4b]
tie (n.) 1.6
union 1.6
vino[1a]
wine 1.4
viña[4a]
vineyard 5.1
violación
violation 6.8
violencia[2a]
violence 3.6
violento[1b]
furious 1.9
violeta[5a]
violet (flower) 5.2
violet (color) 5.5
violín[5b]
violin 6.1
virgen[2a]
girl .... 1.
virgin (n.) 2.9
virgin (e.g., ground) 4.1
virginal[6a]
virgin 5.3
viril[5a]
manly 3.8
virilidad
manhood 6.8
virrey[6a]
viceroy 8.6
virtud[1a]
virtue 1.9
virtuoso[3b]
virtuous 4.8
viruela[6a]
smallpox 7.8
visible[3b]
visible 2.9
visión[2a]
sight .... 1.
visita[1b]
visit (n.) 1.4
visitante[7a]
visitor 5.1
visitar[1b]
visit (vb.) 1.4
vislumbrar[5b]
(catch) sight of.... 1.1
glance (vb.) 2.3
vislumbre[6b]
look .... 1.
viso[6a]
looks (n.) .... 1.
víspera[5b]
day before 1.4
– de Año Nuevo
 (New Year's) Eve 3.8
vista[1a]
punto de –
 point of view .... 1.
sight .... 1.
hasta la –, farewell.. 3.4
vistoso[4b]
beautiful .... 1.
magnificent 3.5
vital[4a]
essential 2.9
vituperio[6a]
vituperation .... 13.

viudo[2a]
viuda, widow .... 3.
widower 10.3
viva[6b]
applause 3.7
viveza[6a]
life 3.8
vivienda[3b]
dwelling 2.3
viviente[4b]
alive 1.9
living 3.4
vivir[1a]
live .... 1.
vivo +vivaracho[1a]
fast .... 1.
(full of) life........ 1.
alive 1.9
vizcaíno[4a]
English .... 1.
vizconde[7b]
viscount 8.4
vocablo[4b]
word .... 1.
vocación[6a]
occupation 2.4
vocal[5b]
voter 4.6
volante[5b]
ruffle 6.1
volar[1b]
fly (vb.) 1.6
volcán[3a]
volcano 6.7
volcar[5a]
overthrow 3.1
tip over 3.5
voltear[7a]
tip over 3.5
voltio
volt 9.4
volumen[2b]
volume 2.9
voluntad[1a]
will (n.) .... 1.
voluntario[4a]
(of own) accord.... 3.4
voluptuoso[5a]
voluptuous 8.6
volver[1a]
– a, again .... 1.
turn .... 1.
go back 1.4
-se, turn round 1.4
come back 1.8
hacer –, call back..... 2.6
– a llevar
 carry back 3.2
vomitar[6a]
vomit .... 5.
voraz[6a]
greedy .... 6.
votar[4b]
vote (vb.) 1.8
voto[2a]
vote 2.8
vow (n.) 4.9
hacer -s, vow (vb.)... 5.2
voz[1a]
voice .... 1.
vuelo[2b]
flight 2.5
vuelta[1b]
de –, back .... 1.
return 1.4
dar la –, go round.... 1.8
turn (n.) .... 3.

INDEX TO SPANISH WORDS IN THE LIST

	Section
vuestro (adj.)[1]*	
your	1.
vuestro (pron.)[2]*	
yours	2.1
vulgar[2b]	
ordinary	2.2
coarse	2.9
vulgar	2.9
vulgo[3a]	
people (common)	1.

Y

	Section
y[1a]	
and	1.
ya[1a]	
already	1.
– no, no longer	1.
– mismo, (at) once	1.

	Section
yacer[3b]	
lie	1.7
yanqui[5a]	
French	1.
yema[5a]	
bud	4.8
yerba[5b]	
grass	2.9
herb	4.7
yermo[6b]	
waste	2.4
barren	5.3
arid	5.9
yerno[4a]	
son-in-law	11.7
yerro[4a]	
error	1.8
yerto[6b]	
cold	1.
yeso	
plaster	6.5

	Section
yo[1a]	
I	1.
– mismo, myself	1.3
yugo[4a]	
yoke (n.)	4.4
yunque	
anvil	7.2

Z

	Section
zagal[6a]	
boy	1.4
shepherd	3.7
zamarreta	
sweater	7.2
zapatero[6b]	
shoemaker	6.2
zapato + zapata[2b]	
shoe	3.2
zarza	
bramble	7.2

	Section
zarzuela[5a]	
(musical) drama	6.2
zigzag	
zigzag	7.2
zona[3b]	
district	2.1
zoológico	
zoological	7.2
zorro[4b]	
fox	4.9
zorra, harlot	6.8
zozobra[3b]	
worry	2.8
zuavo	
zouave	13.
zumbar[4b]	
buzz	5.2
zumbido[5a]	
buzz	5.4

† The thousand number for the indexed word was discovered to have been inaccurately entered in this section. Following is given the English key word for the entry with the correct section number.

   benefit, Sec. 3.6, *should be in* Sec. 3.7
   betray, Sec. 2.5, *should be in* Sec. 2.8
   bride, Sec. 1.6, *should be in* Sec. 2.2
   domestic (*adj.*), Sec. 2.9, *should be in* Sec. 3.5
   event, Sec. 2., *should be in* Sec. 1.9
   (the) faithful, Sec. 2.7, *should be in* Sec. 3.9
   indulge, Sec. 5.3, *should be in* Sec. 5.2
   limb, Sec. 2., *should be in* Sec. 1.9
   manifest, Sec. 3.1, *should be in* Sec. 3.4

APPENDIXES

APPENDIX I

LIST OF ENGLISH PROPER NOUNS DELETED FROM THE SOURCE LIST

(233 Words)

Abraham[4b]
Adam[5a]
Albany[5a]
Albert[6]
Alexander[5a]
Alfred[6]
Alice[3b]
Alps[6]
America[2a]
Andrew[4b]
Anna[5a]
Anne[4b]
Argentina[6]
Arthur[3b]
Asia[2b]
Athens[6]
Atlantic[2b]
Australia(n)[5a]
Babylon[6]
Baltimore[4b]
Belgium[6]
Ben[6]
Benjamin[5a]
Bess[4b]
Betty[4a]
Billy (b)[3b]
Bob (b)[3b]
Boston[3b]
Brazil[6]
Britain[3b]
Broadway[6]
Brooklyn[4a]
brownie (B)[5b]
C.[6]
Caesar[3b]
Cain[6]
California[3a]
Canada[3b]
Carl[4b]
Carolina[5a]
Charles[2a]
Charley(ie)[6]
Chicago[3b]
Cinderella[5b]
Cleveland[5b]
Clifford[6]

cologne (C)[6]
Colorado[5a]
Columbia(n)[4a]
Columbus[3a]
Connecticut[5b]
Cromwell[6]
Crusoe[6]
Cupid[6]
daisy (D)[3a]
Dan[3a]
Daniel[4b]
David[3b]
Delaware[6]
Denmark[6]
Diana[6]
Dick[2b]
Donald[6]
Dorothy[5a]
Eden[5a]
Edith[5b]
Edward[3a]
Egypt[3b]
Elizabeth[4a]
Ella[5b]
Ellen[6]
Emily[6]
England[1b]
Europe[2a]
Fannie(y)[5b]
Florence[5b]
Florida[5a]
France[1b]
Francis[4b]
franklin (F)[5b]
Fred[4a]
Frederic(k)[6]
Fritz[6]
Fulton[5b]
George[2a]
Georgia[5b]
Germany[3a]
Greece[5a]
Hamilton[4a]
Hannah[6]
Hans[4b]
Harold[5a]

hazel (H)[6]
Helen[4a]
Henry[2a]
Herbert[6]
Hiawatha[6]
Holland[4b]
Homer (h)[6]
Horace[6]
Houston[5b]
Howard[6]
Hudson[3b]
Illinois[5a]
India[3a]
Indiana[5b]
Indies[5b]
Ireland[5b]
Israel[4a]
Italy[3a]
jack (J)[2a]
Jackson[5b]
Jacob[4a]
James[2a]
Jamestown[6]
Jane[5a]
Japan[4a]
jay (J)[6]
Jean (j)[5b]
jersey (J)[4a]
Jerusalem[5a]
Jim[6]
Joe[4b]
John[1a]
Johnny[5a]
Johnson[6]
Jones[6]
Joseph[3a]
Jove[5b]
Julia[6]
Kansas[6]
Kate[2b]
Lawrence[6]
Leonard[6]
Lincoln[3b]
London[2a]
Louis[4a]
Lucy[5a]

Madison[4b]
Maine[6]
Manhattan[5a]
Margaret[4b]
Margery[5a]
Marion[5a]
Martha[5b]
Martin (m)[5b]
Mary[2a]
Maryland[5b]
Massachusetts[4b]
Maud[5a]
Mediterranean[6]
Mexico[4a]
Michael[6]
Michigan[6]
Milton[6]
Mississippi[3b]
Missouri[5b]
Moses[5b]
Ned[4b]
Nell[5a]
Netherlands[5b]
New York[1b]
Nicholas[6]
Noah[6]
Norway[5b]
Ohio[4a]
Oliver[5a]
Oregon[6]
Orleans[6]
Oxford[5a]
Panama[4b]
Paris[3b]
Paul[3a]
Pennsylvania[3b]
Peru[6]
Peter[2b]
Philadelphia[3b]
Philip[3a]
Philippine[6]
Philistine[6]
Pittsburg[6]
Poland[6]
Polly[6]
Portugal[6]

APPENDIXES
431

Puritan[6]
Ralph[3b]
Rhine[5a]
Richard[4a]
Richmond[5b]
Robert[2b]
Robinson[6]
Roger[5b]
Rome[2b]
Ruth[3b]
sally (S)[5a]
Sam[6]
Samuel[5a]

San Francisco[5b]
Santa Claus[4a]
Sara(h)[6]
Saul[6]
Scotland[4b]
Shakespeare[6]
Simon[5a]
smith (S)[3a]
Solomon[5b]
Spain[2b]
Stanley[5a]
Stephen[5a]

sue (S)[6]
Switzerland[6]
Syria[5b]
Tennessee[5b]
Texas[4a]
Thames[6]
Thanksgiving (t)[3b]
Thomas[3a]
timothy (T)[6]
Tom[3a]
Tommy[5a]
troy (T)[6]

Ulysses[6]
U.S.[6]
Venice[6]
Venus[6]
Virginia[3a]
Wales[6]
Walter[3b]
Washington[2a]
William[2a]
Willy[6]
Wisconsin[5b]
York[6]

LIST OF ENGLISH WORDS MOVED FROM ONE THOUSAND TO ANOTHER

Words Moved up from 2a to 1b (4 Words)

accept   character   direction   feeling

Words from 3a to 2b (23 Words)

author   everywhere   position   sacred
conscience   exclaim   process   science
contrary   goodness   propose   sentence
dispose   habit   recognize   somebody
education   importance   relation   surround
eternal   numerous   religion

Words from 4a to 3b (59 Words)

admiration   delicious   greatness   risk
agony   dense   hardy   sample
attract   desperate   infinite   scholar
audience   development   institute   splendor
capacity   dignity   justify   statement
ceremony   doubtful   miserable   substitute
champion   endless   observation   supreme
chapter   estimate   parliament   suspect
clever   European   peasant   talent
comparison   evidence   poetry   traffic
complaint   exception   political   transfer
compose   exhaust   previous   unusual
confirm   exist   reckon   victim
consideration genius   resist   whoever
decree   gleam   reverence

Words from 5a to 4b (93 Words)

actor   battery   defiance   expression
affirm   beer   desirable   function
afflict   comedy   diligent   genuine
agreement   conclusion   distribution   gloomy
ambassador   confuse   ending   gush
amend   consecrate   engagement   hardship
appreciate   converse   entice   hesitate
arrangement dazzle   eternity   impatient
artificial   decoration   expectation   imperfect
attentive   dedicate   experiment   imprison

income	obedient	profession	solicit
inhabitant	opposition	project	sublime
inheritance	oppression	prudent	summit
instinct	origin	quote	surpass
landscape	painful	reception	temporary
likeness	peninsula	reflection	theirs
manly	pensive	renounce	theme
martyr	performance	resolution	thoughtful
misfortune	petition	respective	torrent
mission	positive	restraint	transform
murderer	possibility	separation	treaty
normal	pressure	sermon	unable
nourish	production	shipment	unfold
novel			

Words from 6 to 5b (157 Words)

abominable	culture	introduction	rigor
absorb	decent	inventor	robbery
absurd	definite	investigate	romantic
abyss	deliberate	jury	rot
academy	democrat	lengthen	scandal
acceptance	demonstrate	luggage	scruple
accusation	denounce	meaning	seduce
acid	desirous	miner	session
adjust	disagreeable	ministry	sheath
admirable	discreet	mistrust	shorten
adversary	disturbance	modesty	sincerity
allege	divinity	monthly	slander
alternate	document	movable	slap
amen	edition	negative	stammer
animate	elevation	niece	statute
antiquity	embarrass	nobleman	straighten
applaud	emerge	noisy	subsequent
aspire	enquire	nomination	subtract
astonishing	enthusiastic	painting	successor
awkward	equality	paragraph	suffering
axis	equipment	parish	suggestion
beckon	essence	passionate	sumptuous
beget	exceptional	patriotic	superfluous
boldness	excursion	pension	taint
brutal	exhibition	persecution	tease
buyer	extol	persist	tendency
cardinal	extremity	photograph	thoughtless
casual	fantastic	piety	thunderbolt
childish	feminine	poetic	triumphant
communicate	foliage	prejudice	troublesome
competition	formation	prose	trusty
condense	germ	proverb	unequal
confirmation	gesture	prudence	upstairs
contemplation	homage	publication	vague
corpse	immortality	purify	vineyard
correction	ingenious	remorse	voter
countless	injurious	resource	weaken
cowardly	injustice	responsible	wrestle
creator	insignificant	ridiculous	wrist
creditor			

Words from 7 to 6 (233 Words)

abbot	currency	hoarse	oasis
accidental	dancer	honesty	oath
accomplishment	debtor	horizontal	offensive
activity	decade	hospitality	omission
adjacent	decisive	humane	organic
admirer	declaration	hydrogen	organism
adversity	defective	hypocrisy	paternal
advertisement	delicacy	identical	patriotism
aggravate	democracy	illusion	peddler
almond	demonstration	imaginary	penance
ammunition	depose	impartial	perseverance
analyze	depress	impulse	personage
anecdote	descendant	incredible	personality
anticipate	determination	indifference	phenomenon
apparatus	dialogue	indifferent	poisonous
approval	digest	indirect	predecessor
architect	dimension	indulgence	preference
architecture	disadvantage	infernal	prism
aristocratic	disastrous	ingenuity	professional
artillery	discretion	inscription	prohibition
aught	dividend	insensible	pronoun
authorize	duchess	inseparable	pronunciation
award	durable	inspect	protestant
baptism	economy	instinctive	publisher
beating	electricity	intellectual	pyramid
blasphemy	eloquent	intensity	radical
blouse	embark	interpose	ranch
bristle	embody	interpretation	ration
carter	emerald	interpreter	receiver
charitable	emphasis	invasion	recruit
cider	employer	involuntary	refinement
circulation	engrave	isolate	regiment
civilization	enjoyment	jerk	repetition
cleanliness	ether	jostle	reproduce
colonel	ethereal	kernel	reproduction
combustion	exaggerate	leadership	requirement
comet	excellence	legislation	requisite
communion	exclamation	linden	resistance
complement	expansion	loan	respectable
compromise	farce	logic	revelation
concentrate	finance	luxurious	revolutionary
conception	flexible	magnet	satire
confederate	focus	manuscript	scientific
congratulation	fraternal	mattress	scientist
conjecture	friction	mechanical	sculpture
consecration	fundamental	mental	secondary
conservative	generosity	metropolis	sensitive
contemporary	goodwill	militia	severity
contemptuous	grandson	misunderstand	shipwreck
continuance	gravity	moderation	skeleton
contribution	harmonious	monarchy	solemnity
coo	Hebrew	naval	sovereignty
countryman	heroine	necktie	specific
criticism	historian	nucleus	spectator

structure	tragic	vehicle	viper
submission	transition	venerable	volcano
suffrage	unanimous	vigil	wallet
technical	vehement	vigorous	zinc
tradesman			

LIST OF GERMAN PROPER NOUNS DELETED FROM THE SOURCE LIST
(51 Words)

Agnes[4a]	Friedrich[2a]	Joseph[6a]	Paul[5a]
Alexander[4a]	Fritz[6a]	Julie[6b]	Peter[6a]
Berliner[2b]	Gabriel[6b]	Julius[5b]	Philipp[4b]
Bremer[6b]	Georg[4a]	Karl[2b]	Preußen[4a]
Charlotte[3b]	Hamburger[6a]	Ludwig[4a]	Richard[5b]
Eduard[3b]	Hans[6b]	Maria[2b]	Robert[5a]
Egmont[4b]	Harz[6b]	Marie[3b]	Rudolf[6a]
Elisabeth[5a]	Heinrich[3b]	Max[6a]	Rupert[5a]
Felix[6b]	Heinz[5b]	Ottilie[5b]	Sophie[6b]
Ferdinand[4b]	Helene[5b]	Otto[6b]	Venus[6a]
Frankfurter[6a]	Hermann[5a]	Ottokar[4a]	Wiener[4b]
Franz[4a]	Jeronimus[6a]	Pan[5b]	Wilhelm[2a]
Frieda[6b]	Johann[3a]	Pariser[4a]	

LIST OF GERMAN WORDS MOVED FROM ONE THOUSAND TO ANOTHER
Words Moved up from 3a to 2b (5 Words)

Bestandteil	Fläche	gründlich	verhältnismäßig
erwachen			

From 4a to 3b (10 Words)

Ablauf	beschaffen	Priester	vorschieben
Autorität	Blei	unruhig	zuverlässig
Bach	eitel		

From 5a to 4b (22 Words)

aufwärts	geheimnisvoll	Rüstung	vorbringen
Botschaft	Gewerbebetrieb	senkrecht	zerbrechen
durchweg	Jahrtausend	trachten	zukünftig
einreichen	Mode	unbegreiflich	zürnen
ersichtlich	Post-	verantwortlich	zurücktreten
Erwähnung	rauchen		

From 6a to 5b (33 Words)

abfallen	dehnen	langweilig	Verwertung
achte	demokratisch	Strafgesetzbuch	Verwundete
Anlauf	Eiche	umständlich	zersetzen
Ausgangspunkt	entledigen	Urlaub	zielen
Auszeichnung	Garnison	Vaterstadt	zornig
Bedienung	gewahr	verabreden	Zucht
belassen	Griff	verbannen	zurückrufen
beneiden	Handelskammer	vermischen	zuziehen
Buße			

From 7a to 6b (51 Words)

anrechnen	Gesandtschaft	physikalisch	ungewohnt
Ballen	Gesellschaftsvertrag	Rathaus	unrecht (*adj.*)
Befehlshaber	Grausamkeit	Rebe	Unterwerfung
Befinden	hieher	Rückblick	Verschwörung
belagern	klammern	rühmlich	Verwick(e)lung
berauschen	Kommen	Schachtel	Villa
bezaubern	Konsumverein	Schall	Volksvertretung
Binnenschiffahrt	Korporation	sparsam	Wandlung
Check	Krisis	Staatskasse	wasserdicht
Ebbe	löslich	Trompeter	wohlbekannt
Ehemann	Lyrik	trostlos	wundersam
erstlich	Mäßigung	Tüchtigkeit	Zuverlässigkeit
erträglich	mitmachen	unbeschreiblich	

APPENDIX II

(Average Frequencies Occur in Thousands Indicated by Italics)

CONCEPTUAL ANALYSIS OF THE SUBSTANTIVES IN THE LIST

Conceptual Categories	First 1,000	Second 1,000	Third 1,000	Fourth 1,000	Fifth 1,000	Sixth 1,000	First Half of Seventh 1,000	Total
Total number of substantival concepts	331	524	558	600	634	719	352	3,718
A. Abstractions	*82*	*100*	*113*	*111*	*98*			*706*
1. Quality	40	47	53	39	51	94	108	322
a) Qualitative (e.g., goodness)	36	44	49	35	48	39	53	301
b) Quantitative (e.g., load)	4	3	4	4	3	36	53	21
2. State (e.g., quiet)	20	34	37	57	32	3	0	253
3. Systems	4	7	14	10	6	36	37	70
a) Art and science (e.g., physics)	3	2	2	6	2	14	15	37
b) Sociological (e.g., industry)	1	3	10	3	4	12	10	26
c) Ideological (e.g., religion)	0	2	2	1	0	2	3	7
4. Dimensional units	18	12	9	5	9	0	2	61
a) Numerals (e.g., five)	13	5	5	3	6	5	3	37
b) Measures (e.g., ton)	5	7	4	2	3	4	1	24
B. Activity	*57*	*123*	*177*	*205*	*156*	1	2	*892*
1. Continued action (e.g., journey)	12	36	46	47	47	106	68	252
2. Completed action	45	87	131	158	109	35	29	640
a) Result of action (e.g., statement)	41	84	123	*150*	102	71	39	602
b) Product of action (see D.3.*a*.ii)						64	38	
c) Single manifestation of action (e.g., kiss)	4	3	8	8	7	7	1	38
C. Animate beings	*56*	*76*	*85*	*95*	*125*	*171*	*86*	*694*
1. Characterized by	36	33	27	35	*56*	82	28	297
a) Special attribute(s)	25	24	19	31	48	75	20	242
i) Humans (e.g., child)	21	19	14	15	14	23	16	122
ii) Others than humans	4	5	5	16	34	52	4	120
α) Animals (e.g., horse)	3	1	4	9	18	12	0	47
β) Birds (e.g., eagle)	0	1	0	3	7	17	1	29
γ) Fish (e.g., trout)	0	1	0	0	0	8	1	10
δ) Insects (e.g., flea)	0	0	0	3	3	10	1	17
ε) Reptiles (e.g., snake)	0	0	0	1	1	3	1	5
ζ) Spirits, etc. (e.g., elf)	1	2	1	0	6	2	0	12
b) Special relationship (e.g., brother)	11	9	8	4	8	7	8	55
2. Person-agent	15	37	51	55	65	86	47	356
a) Function (occupation) (e.g., professor)	14	30	36	39	46	55	26	246
b) Agency (e.g., lover)	1	7	15	16	19	31	21	110
3. Person-member	5	6	7	5	4	3	11	41
a) Of group or organization (e.g., royalist)	1	1	1	1	2	1	6	13
b) Of sect (adherent) (e.g., Protestant)	1	1	2	1	1	2	3	11
c) Of race (ethnic or national) (e.g., negro)	3	4	4	3	1	0	2	17

436

CONCEPTUAL ANALYSIS OF THE SUBSTANTIVES IN THE LIST—*Continued*

NUMBER OF TIMES CONCEPT OCCURS IN —

CONCEPTUAL CATEGORIES	First 1,000	Second 1,000	Third 1,000	Fourth 1,000	Fifth 1,000	Sixth 1,000	First Half of Seventh 1,000	Total
D. Spatial units (inanimate)	121	194	178	182	250	347	89	1,361
1. Range	22	28	16	16	13	21	7	123
a) Simple extension (e.g., territory)	9	11	5	6	5	5	1	42
b) Space characterized by special attribute(s) (e.g., city)	13	17	11	10	8	16	6	81
2. Function-endowed	33	70	89	87	103	136	41	559
a) Place where (e.g., shop)	11	21	32	24	21	25	10	144
b) Instruments (e.g., watch)	16	40	48	42	57	78	20	301
c) Containers (e.g., purse)	1	4	3	10	12	12	3	45
d) Clothing (e.g., skirt)	2	3	5	11	10	14	2	47
e) Nondescripts characterized by function only (e.g., number)	3	2	1	0	3	7	6	22
3. Thing characterized by	66	96	73	79	134	190	41	679
a) Special attribute(s)	52	80	62	72	126	185	38	615
i) Materials (e.g., wax)	2	3	3	5	5	2	3	23
ii) Thing-product (e.g., liquor)	20	23	29	30	39	61	8	210
iii) Natural food (e.g., cabbage)	0	5	4	6	14	31	4	64
iv) Plant life (except vegetables and fruit in D.3.*a*.iii) (e.g., tree)	2	6	8	4	28	33	5	86
v) Minerals and natural elements (e.g., gold)	10	17	7	12	12	21	4	83
vi) Parts of body (e.g., tail)	12	18	6	9	23	24	7	99
vii) Nondescripts characterized by shape only (e.g., spiral)	3	1	2	3	3	5	3	20
viii) Nondescripts semi-identified by quality (e.g., treasure)	3	7	3	3	2	8	4	30
b) Relationship (e.g., front)	14	16	11	7	8	5	3	64
E. Temporal units	15	31	5	7	5	1	1	65
1. Range (e.g., interval)	7	23	3	5	2	0	0	40
2. Time when (e.g., noon)	1	3	0	0	0	0	0	4
3. Characterized by special attribute(s) (e.g., Easter)	1	0	2	2	2	1	0	8
4. Measures (e.g., century)	6	5	0	0	1	0	1	13
M. Collectives (taken from A.1, A.3.*a*, A.3.*c*, A.4, B.1, B.2.*a*, C.1.*a*, C.1.*b*, C.2.*a*, C.2.*b*, C.3.*b*, C.3.*c*, D.1, D.2.*d*, D.3.*a*) (e.g., group)	22	31	43	34	33	20	11	194
N. Feminines (taken from C.1.*a*.i, C.1.*a*.ii, C.2.*a*, C.2.*b*) (e.g., goddess)	12	7	8	3	8	12	4	54

437

CONCEPTUAL ANALYSIS OF THE VERBS IN THE LIST

Number of Times Concept Occurs in —

Conceptual Categories	First 1,000	Second 1,000	Third 1,000	Fourth 1,000	Fifth 1,000	Sixth 1,000	First Half of Seventh 1,000	Total
Total number of verbal concepts	287	301	258	224	177	125	28	1,400
A. State	62	51	27	19	16	8	3	186
1. Positional	5	7	3	4	3	2	0	24
a) Subject centered (e.g., sit)	5	4	3	2	1	1	0	16
b) Subject-object relational (e.g., flank)	0	3	0	2	2	1	0	8
2. Conditional	57	44	24	15	13	6	3	162
a) Subject centered	19	14	7	6	4	3	1	54
i) Characterizing (e.g., wait)	14	12	6	5	3	3	1	44
ii) Evaluating (e.g., be right)	5	2	1	1	1	0	0	10
b) Subject-object relational	38	30	17	9	9	3	2	108
i) Comparison (e.g., equal)	3	3	4	1	2	0	1	14
ii) Association	17	10	2	1	1	2	1	34
α) Static (e.g., cost)	11	4	1	1	0	1	0	18
β) Dynamic (e.g., be engaged in)	6	6	1	1	1	1	0	16
iii) Attitudinal	18	17	11	7	6	1	0	60
α) Static (e.g., love)	16	9	6	4	2	1	0	38
β) Dynamic (e.g., celebrate)	2	8	5	3	4	0	0	22
B. Motion	38	32	25	19	15	13	3	145
1. Subject centered	29	31	20	18	15	13	3	129
a) Progressive	27	27	18	15	8	10	2	107
i) Directed (e.g., disappear)	20	18	12	10	5	5	2	72
ii) Free (e.g., swim)	7	9	6	5	3	5	0	35
b) Localized (e.g., vibrate)	2	4	2	3	7	3	1	22
2. Object centered (subject moves) (e.g., carry)	9	1	5	1	0	0	0	16
C. Action	175	216	205	186	146	104	22	1,054
1. Subject centered	36	31	43	38	39	43	5	235
a) Passive (e.g., be overcome)	4	4	3	2	0	2	0	15
b) Active	32	27	40	36	39	41	5	220
i) Transformative (e.g., shrink)	8	9	16	15	6	5	3	62
ii) Productive (e.g., foam)	2	2	2	4	6	4	0	20
iii) Utterative (e.g., roar)	7	7	5	6	11	17	1	50
iv) Manifestative (e.g., rejoice)	3	3	5	3	1	3	1	20
v) Unconfined	12	9	12	8	15	12	0	68
α) Behavioristic (e.g., breathe)	12	8	10	6	7	10	0	53
β) Effective (e.g., spin)	0	1	2	2	8	2	0	15
2. Subject-object relational	68	48	43	27	13	13	3	215
a) Perceptive (e.g., hear)	9	3	2	1	0	1	0	16
b) Solutive (e.g., decide)	16	6	7	1	2	0	0	32
c) Expressive	11	3	3	6	2	2	1	28
i) Static (e.g., represent)	3	0	2	0	0	0	0	5
ii) Dynamic (e.g., vow)	8	3	1	6	2	2	1	23
d) Emanative	19	27	24	13	5	4	1	93
i) Directed (e.g., teach)	16	23	20	12	4	1	1	77
ii) Free (e.g., spend)	3	4	4	1	1	3	0	16
e) Acquisitive (e.g., buy)	13	9	7	6	4	6	1	46

438

CONCEPTUAL ANALYSIS OF THE VERBS IN THE LIST—*Continued*

Number of Times Concept Occurs in —

Conceptual Categories	First 1,000	Second 1,000	Third 1,000	Fourth 1,000	Fifth 1,000	Sixth 1,000	First Half of Seventh 1,000	Total
C. Action—*Continued*								
3. Object centered	71	137	119	121	94	48	14	604
a) Conducive	42	79	64	62	62	24	8	341
i) Causative (e.g., drown [*tr.*])	2	3	2	3	3	0	0	13
ii) Factitive, resulting in...	17	37	28	42	44	15	6	189
α) Static condition (e.g., clean)	15	28	15	*37*	39	13	4	151
β) Dynamic state (e.g., worry)	2	9	13	5	5	2	2	38
iii) Motitive (subject does not move) (e.g., drive [horse])	10	18	*19*	4	3	5	1	60
iv) Locative (e.g., place)	8	10	6	6	3	1	0	34
v) Destructive (e.g., destroy)	3	7	5	7	9	3	1	35
vi) Retentive (e.g., keep)	2	4	4	0	0	0	0	10
b) Applicative	3	12	15	*21*	18	12	2	83
i) Supplying (e.g., clothe)	3	10	13	*16*	15	7	2	66
ii) Privative (e.g., strip)	0	2	2	5	3	5	0	17
c) Productive (e.g., build)	7	11	6	5	2	2	1	34
d) Directive	12	29	23	*23*	9	5	3	104
i) Affective (e.g., attack)	7	16	19	*12*	7	2	2	65
ii) With outside goal (e.g., translate)	5	13	4	11	2	3	1	39
e) Effective (e.g., cut)	7	6	11	*10*	3	5	0	42
D. Auxiliaries	12	2	1	0	0	0	0	15
1. Simple formants (e.g., be)	2	0	0	0	0	0	0	2
2. Modulators (e.g., be about to)	10	2	1	0	0	0	0	13
M. Secondary groupings (taken from A–C)	28	16	16	18	15	10	3	106
1. Negative and opposite (e.g., fail, displease)	3	2	1	2	2	1	0	11
2. Modes of action	21	9	8	8	3	0	1	50
a) Perdurative (e.g., walk)	4	2	2	2	2	0	0	10
b) Teleotropic (e.g., aspire)	7	2	3	1	0	0	0	13
c) Initive (e.g., start out)	3	4	2	3	0	0	1	13
d) Finitive (e.g., arrive)	7	3	1	2	1	0	0	14
3. Repetitive (e.g., say again)	2	2	0	0	0	0	1	5
4. Frequentative (e.g., flutter)	1	2	4	4	9	8	1	29
5. Reciprocal (e.g., cooperate)	0	0	0	*1*	0	0	0	1
6. Forms of action (intensive, diminutive) (e.g., stride, rustle)	1	1	3	3	1	1	0	10

439

CONCEPTUAL ANALYSIS OF THE ADJECTIVES IN THE LIST

Conceptual Categories	First 1,000	Second 1,000	Third 1,000	Fourth 1,000	Fifth 1,000	Sixth 1,000	First Half of Seventh 1,000	Total
Total number of adjectival concepts	188	158	170	197	175	187	117	1,192
A. Essential (predominating meaning is the essence)	130	107	117	118	112	85	70	739
1. Quantity	43	10	8	7	10	4	1	83
a) Extension	19							35
i) Temporal (e.g., eternal)	4	4	4	2	4	1	1	10
ii) Spatial (e.g., spacious)	15	1	2	1	0	1	0	25
b) Enumeration (e.g., every)	24	4	3	5	5	2	0	43
c) Frequency (e.g., daily)	0	2	1	0	1	1	0	5
2. Quality	83	85	95	86	81	55	42	527
a) Character	67	57	57	60	50	32	28	351
i) Disposition	10	19	16	25	22	19	19	130
α) Propensitive (e.g., selfish)	2	7	5	10	7	6	10	47
β) Manifestative (e.g., grateful)	8	12	11	15	15	13	9	83
ii) Evaluation	38	27	33	32	22	12	8	172
α) Static (e.g., fair, just)	33	23	23	23	13	7	5	127
β) Dynamic (e.g., industrious)	5	4	10	9	9	5	3	45
iii) Physical constitution	19	11	8	3	6	1	1	49
α) Shape (e.g., square)	0	1	3	0	0	0	0	5
β) Sensorial trait (e.g., brown)	19	10	5	3	6	1	0	44
b) State	16	28	38	26	31	23	14	176
i) Static	15	19	29	18	22	18	11	132
α) Being (e.g., silent)	8	11	14	4	5	12	6	60
β) Result of action (e.g., bent)	7	8	15	14	17	6	5	72
ii) Dynamic being (e.g., alive)	1	9	9	8	9	5	3	44
3. Activity	4	12	14	25	21	26	27	129
a) Potential	3	5	4	11	9	18	20	70
i) Active	1	2	1	5	5	3	4	21
α) Possibility (e.g., mortal)	1	1	1	3	1	3	2	11
β) Impossibility (e.g., immortal)	0	0	0	2	4	0	2	10
ii) Passive	2	3	3	6	4	15	16	49
α) Possibility (e.g., soluble)	1	2	3	3	2	7	1	19
β) Impossibility (e.g., irreparable)	1	1	0	3	2	8	15	30
b) Actual	1	7	10	14	12	8	7	59
i) Causative (e.g., instructive)	0	2	3	9	4	6	0	24
ii) Contemporary action (e.g., dying)	1	5	7	5	8	2	7	35